D1540056

DZIECKO
ZDROWIE I ROZWÓJ
OD POCZĘCIA DO 5 ROKU ŻYCIA

Steven A. Dowshen   Neil Izenberg   Elizabeth Bass

DZIECKO
ZDROWIE I ROZWÓJ
OD POCZĘCIA DO 5 ROKU ŻYCIA

Z angielskiego przełożyła
Joanna Józefowicz-Pacuła

Świat Książki

Tytuł oryginału
KIDSHEALTH
GUIDE FOR PARENTS
PREGNACY TO AGE 5

Projekt okładki
Ewa Łukasik

Zdjęcie na okładce
EAST NEWS

Z angielskiego przełożyła
lek. med. Joanna Józefowicz-Pacuła

Redaktor prowadzący
Magdalena Hildebrand

Redakcja
Bożena Urbanek

Korekta
Bożenna Burzyńska
Paweł Staszczak

Copyright © 2002 by The Nemours Foundation through
its Center for Children's health Media
All rights reserved

Copyright © for the Polish edition by Bertelsmann Media Sp. z o.o., Warszawa 2003

Świat Książki
Warszawa 2003

Skład i łamanie
MAGRAF, Bydgoszcz

Druk i oprawa
Rzeszowskie Zakłady Graficzne S.A.

ISBN 83-7311-685-0
Nr 3956

Wszystkim dzieciom i kochającym je rodzicom

Od autorów

Rodzicielstwo to bez wątpienia jedno z najdonioślejszych i najwspanialszych doświadczeń życiowych – ale też doświadczenie nie pozbawione stresów, obaw i łez.

Jako pediatrzy i propagatorzy wiedzy o zdrowiu dzieci znamy wasze problemy z pierwszej ręki – od was samych. Wyrażacie je podczas wizyt z dziećmi w naszych gabinetach i w niezliczonych rozmowach telefonicznych. Wyrażacie je w listach przychodzących do KidsHealth.org – naszej witryny internetowej dla rodziców, dzieci i nastolatków. To zdumiewające, jak często w waszych listach docierają do nas te same pytania i obawy – nie tylko z różnych stron naszego kraju, ale wręcz z całego świata.

Minął już okres dłuższy niż jedno pokolenie, odkąd pediatra Benjamin Spock dokonał rewolucji w świecie rodziców, zalecając im, by „ufali samym sobie" w zaspokajaniu potrzeb własnych dzieci. W tamtych czasach lekarze zarzucali rodziców mnóstwem sztywnych, drobiazgowych instrukcji na temat karmienia, snu i wszelkich innych zasad opieki nad niemowlęciem. Upominając się w tym wszystkim o miejsce dla rodzicielskich instynktów, doktor Spock wyznaczył nową drogę, która dziś wydaje się nam najnaturalniejsza pod słońcem: drogę współpracy rodziców z lekarzami i innymi przedstawicielami służby zdrowia w opiece nad dzieckiem, z uwzględnieniem jego różnorodnych, indywidualnych potrzeb.

W ponad pół wieku później wiele się zmieniło. Nasz dzisiejszy świat jest coraz bardziej złożony – a wiedza na temat rozwoju i zdrowia dziecka rośnie i ewoluuje bez mała z dnia na dzień. Współcześni rodzice są niewątpliwie bardziej skłonni ufać własnej intuicji niż za czasów doktora Spocka, ale jednocześnie chciwie szukają informacji, które pozwoliłyby im te „naturalne instynkty" zweryfikować.

The Nemours Foundation, w której pracujemy, jest jedną z największych amerykańskich organizacji typu „non-profit" poświęconych zdrowiu dzieci, założoną w roku 1936. Od roku 1993 działa przy niej Centrum Multimedialne (Nemours Foundation's Center for Children's Health Media), w którym staramy się pomagać rodzinom w zdobywaniu wiedzy na ten temat przez nasze kasety wideo, książki i strony internetowe (www.KidsHealth.org i www.TeensHealth.org). Nasza witryna KidsHealth.org zajmuje pierwsze miejsce w swojej dziedzinie pod względem liczby odwiedzin i „linków".

Dziecko napisaliśmy w tym samym stylu, w jakim porozumiewamy się z naszymi przyjaciółmi-rodzicami spoza kręgu fachowych pracowników służby zdrowia. Staraliśmy się umieścić w tej książce maksimum praktycznych informacji na temat opieki prenatalnej, żywienia, wyboru lekarza i współpracy z nim, rutynowej opieki zdrowotnej nad dzieckiem, częstych dolegliwości i objawów chorobowych, chorób przewlekłych i zakaźnych wieku dziecięcego, wykorzystania Internetu jako źródła wiedzy... i wielu, wielu innych kwestii.

Pierwsza część naszej książki rozpoczyna się od ciąży i przygotowań na przybycie nowego członka rodziny. Dalej wedle ujęcia chronologicznego, przez czas porodu i pierwszego miesiąca życia dziecka, opisujemy wiek poniemowlęcy i przedszkolny, z uwzględnieniem rozlicznych aspektów zdrowotnych i wychowawczych tego niepowtarzalnego okresu. Mamy nadzieję, że czytelnicy uznają pierwsze rozdziały naszej książki za tak przydatne i ciekawe, że przeczytają ją do końca i tym samym wyrobią sobie ogólny pogląd na zdrowie i rozwój swoich dzieci.

Końcowe części książki stanowią zbiór, mamy nadzieję, że przejrzystych, „miniencyklopedii" na temat pierwszej pomocy i stanów nagłych, chorób zakaźnych i innych problemów zdrowotnych u małych dzieci oraz interpretacji prezentowanych przez nie dolegliwości i objawów.

I jeszcze jedna ważna uwaga: informacje podane w tej książce są pomyślane jako uzupełnienie i wyjaśnienie indywidualnych porad lekarskich, ale pod żadnym pozorem nie mają na celu ich zastąpienia. Żadna, nawet najdoskonalsza książka nie zastąpi kontaktu z lekarzem, jego wiedzy i bezpośredniej oceny sytuacji w razie jakichkolwiek obaw i wątpliwości związanych ze zdrowiem waszych dzieci.

Życzymy wam zadowolenia z lektury tej książki – a przede wszystkim radości i pociechy z waszych dzieci, z jedynego w swoim rodzaju doświadczenia rodzicielstwa. Omawiane przez nas lata życia dziecka są bardzo szczególnym okresem – zarówno dla niego, jak i dla was, rodziców – a przy tym tak szybko przemijającym. Tym bardziej cieszymy się, że możemy wam towarzyszyć, służąc radą i pomocą w tej niezapomnianej życiowej podróży.

Steven A. Dowshen, M.D.
Neil Izenberg, M.D.
Elisabeth Bass

O autorach

Steven A. Dowshen, M.D., F.A.A.P., jest pediatrą, specjalizuje się w endokrynologii dziecięcej, praktykuje w Alfred I. DuPont Hospital for Children w Wilmington w stanie Delaware. Zgodnie ze swoimi wieloletnimi zainteresowaniami w szerzeniu profilaktyki zdrowotnej wśród dzieci i ich rodzin, dr Dowshen jest redaktorem medycznym w The Nemours Foundation's Center for Children's Health Media, gdzie odpowiada za merytoryczne treści prezentowane na stronach internetowych KidsHealth.org, witryny edukacyjnej przeznaczonej dla rodziców, dzieci i nastolatków. Jest również zastępcą redaktora naczelnego trzytomowej encyklopedii zdrowia dla młodzieży, *Human Diseases and Conditions* (2001), wydanej przez Charles Scribner's Sons. Z ramienia władz stanu Delaware zajmował się wprowadzaniem ujednoliconego systemu podstawowej i szpitalnej opieki nad dziećmi, ukierunkowanego na upowszechnienie i poprawę dostępu do usług medycznych. Przed dołączeniem do zespołu szpitala dziecięcego Alfred I. DuPont dr Dowshen pełnił funkcję szefa szkoleń specjalizacyjnych w zakresie pediatrii w Albert Einstein Medical Center w Filadelfii. Ukończył medycynę na Pennsylvania State University, a stopień doktora medycyny (M.D.) uzyskał w Jefferson Medical College przy Thomas Jefferson University. Staże specjalizacyjne w zakresie pediatrii oraz endokrynologii dziecięcej i chorób metabolicznych odbył w St. Christopher's Hospital for Children. Jest członkiem Amerykańskiej Akademii Pediatrii (F.A.A.P.). Mieszka w Filadelfii z żoną i dwiema córkami.

Neil Izenberg, M.D., F.A.A.P., jest specjalistą-pediatrą w Alfred I. DuPont Hospital for Children w Wilmington w stanie Delaware, założycielem i dyrektorem zarządzającym The Nemours Foundation's Center for Children's Health Media oraz redaktorem naczelnym witryny internetowej KidsHealth.org. Jako pediatra wyspecjalizowany w medycynie wieku młodzieńczego dr Izenberg jest redaktorem naczelnym encyklopedii *Human Diseases and Conditions* (2001), wydanej przez wydawnictwo Charles Scribner's Sons, a także autorem wielu książek na temat zdrowia dzieci i młodzieży, między innymi *How to Raise Non-Smoking Kids* (Jak wychować niepalące dzieci, Pocket Books, 1997). Jest również współtwórcą edukacyjnej gry planszowej dla dzieci w wieku 4–8 lat *Not So Scary Things* (To nie takie straszne) oraz autorem i producentem ponad 25 programów audiowizualnych o różnych problemach zdrowotnych, przeznaczonych dla dzieci i ich rodziców. Jego znane w całym kraju kasety przyniosły mu wiele prestiżowych nagród, włącznie z Nagrodą Edukacyjną Amerykańskiej Akademii Pediatrii. Dr Izenberg ukończył medycynę na Columbia University, a stopień doktora medycyny (M.D.) uzyskał w Robert Wood Johnson Medical School. Staż specjalizacyjny w zakresie pediatrii odbył w Schneider Children's Hospital, a staże dodatkowe (w endokrynologii i diabetologii dziecięcej/medycynie wieku młodzieńczego) w Children's Hospital of Philadelphia. Jest członkiem Amerykańskiej Akademii Pediatrii (F.A.A.P.). Mieszka w Filadelfii.

Elisabeth Bass jest pisarką i wydawcą. Piastując przez 6 lat stanowisko redaktora naukowego i medycznego wydawnictwa *Newsday*, koordynowała projekty, które zdobyły najwyższe nagrody w swoich kategoriach, włącznie z Nagrodą Pulitzera. Jest zastępcą redaktora naczelnego encyklopedii *Human Diseases and Conditions* (2001), wydanej przez Charles Scribner's Sons, a także wykładowcą w szkole dziennikarskiej Columbia Graduate School of Journalism. Obecnie kieruje zespołem redakcyjnym w *Newsday*. Mieszka z mężem i synkiem na Long Island.

O KidsHealth i The Nemours Foundation

KidsHealth, projekt Nemours Foundation's Center for Children's Health Media, należy do najbogatszych źródeł informacji z zakresu pediatrii. W Internecie witrynę redaguje profesjonalny zespół kierowany przez lekarzy, wyspecjalizowany w przekazywaniu problematyki zdrowotnej w sposób dostosowany do potrzeb trzech różnych grup adresatów: rodziców, dzieci i nastolatków. Wszystkie informacje są drobiazgowo weryfikowane przez pediatrów ogólnych i specjalistów z różnych dziedzin. W rankingu eHealthcareWorld Awards witryna KidsHealth.org została uznana za najlepszą, a Netmom® Jean Amour Polly w przewodniku *Internet Kids Family Yellow Pages* (McGraw-Hill Professional Publishing, 2000) zareklamowała ją jako „najlepszą stronę internetową o tematyce zdrowotnej dla dzieci i o dzieciach".

Centrum Multimedialne Fundacji Nemours opracowuje również wiele materiałów drukowanych, w tym poradniki dla rodziców, książki popularnonaukowe poświęcone różnym problemom zdrowotnym oraz książki dla dzieci. Wśród publikacji znajdują się między innymi takie tytuły, jak *First-Aid Tips for Parents* (Zasady pierwszej pomocy dla rodziców), *How to Raise Non-Smoking Kids* (Jak wychować niepalące dzieci, Pocket Books, 1997) oraz *Human Diseases and Conditions* (Choroby i stany chorobowe, Charles Scribner's Sons, 2001), trzytomowa encyklopedia zdrowia dla młodzieży. Centrum produkuje programy edukacyjne na kasetach wideo, dystrybuowanych przez pediatrów wśród rodziców.

The Nemours Foundation jest jedną z największych amerykańskich organizacji typu „non-profit", specjalizującą się w opiece zdrowotnej nad dziećmi. Fundacja prowadzi znany na całym świecie szpital dziecięcy – Alfred I. DuPont Hospital for Children w Wilmington w stanie Delaware oraz ośrodki zdrowia – Nemours Children Clinics – w stanach Delaware i Floryda. Fundacja została założona w roku 1936 na mocy testamentu Alfreda DuPonta.

Podziękowania

Kksiążka o tym zakresie i specyfice nie mogłaby powstać bez pomocy wielu ludzi, którzy weryfikowali zapiski, współpracowali przy opracowaniu ich treści, wnosząc swoją szczególną wiedzę i doświadczenie, i redagowali je, i wreszcie tych, którzy zawsze byli i są z nami: naszych bliskich, przyjaciół i kolegów.

Serdecznie dziękujemy im wszystkim. D'Arcy Lyness, Ph.D., i Jennifer Brooks byli dla nas wsparciem i inspiracją. Robert A. Doughty, M.D., Ph.D., oraz Jeff Wadsworth z The Nemours Foundation wspierali nas na szczeblu Center for Children's Health Media. Dziękujemy całemu personelowi Alfred I. DuPont Hospital for Children oraz wielu lekarzom lecznictwa otwartego, którzy dzielili się z nami swoją wiedzą i doświadczeniem.

Dziękujemy paniom Kristen Kirchner, Cathy Ginther, Gwyneth Finnell i Amy Sutton za ich pracę redakcyjną i organizacyjną, a Shirley Morrison i Diane McGrath za cierpliwe organizowanie nam warunków do pracy w naszym Centrum. Dziękujemy zespołowi wydawnictwa Contemporary Books w osobach Judith McCarthy, Michele Pezzuti, Marizy L'Heureux, Pam Juarez, Susan Moore-Kruse, Nicka Panosa i Dawna Shoemakera za poparcie naszego przedsięwzięcia. Dziękujemy całej utalentowanej ekipie KidsHealth, a zwłaszcza Jennifer Lynch, Karen Riley, Annie Hill i Elaine Chan, za ich pomoc.

Bardziej osobiście Steve Dowshen pragnie podziękować swojej żonie Arlene za jej miłość, wsparcie i cierpliwość w okresie pracy nad tą książką, swoim dorastającym córkom Nadii i Beth, które są dowodem na to, że jego żona (głównie) i on sam nie najgorzej spisali się jako rodzice, a także Florence i Albertowi Dowshen oraz Jean Lucker za najlepsze z możliwych osobiste wzorce postępowania. Elisabeth Bass ma szczególne słowa wdzięczności dla swojego męża, Josepha Masci, M.D., syna Jonathana i mamy, Beatrice Bass, za ich wyrozumiałość, inspirację i miłość. Neil Izenberg kieruje osobiste podziękowania do swoich rodziców, Jima i Shirley Izenbergów, oraz do członków rodziny, takich jak Seth, Paul, Karen, Lisa, Rebecca, Ben, Karlin, Josh, Jake i Lia.

CZĘŚĆ I

Ciąża, poród
i pierwsze miesiące
życia dziecka

Rozdział 1

Opieka prenatalna

Jak zapewnić dziecku dobry start

Będziemy mieli dziecko!

Po pierwsze – gratulacje!
Zaczynasz oto jedną z największych życiowych przygód, podróż w krainę miłości i radości, ale także trudów i – od czasu do czasu – obaw.

Jedno jest pewne i potwierdzą ci to wszyscy rodzice: twoje życie nigdy już nie będzie takie, jak przedtem. Nie może być inaczej, skoro będziesz odtąd patrzeć na świat innymi oczami – oczami matki lub ojca (a niekiedy również oczami twojego dziecka).

Jeśli jesteś podobna(-y) do większości przyszłych rodziców (a dlaczego miałoby być inaczej?), odczuwasz teraz niewątpliwie podniecenie, zdenerwowanie, radość i emocje – wszystko naraz. Bywają też momenty, w których nad tymi i innymi uczuciami znienacka bierze górę lęk: czy moje dziecko urodzi się zdrowe?

Zacznijmy zatem od dobrych wieści: w większości przypadków – a raczej powiedzmy: w ogromnej większości przypadków – dzieci przychodzą na świat zdrowe i pełne energii. Statystyka jest więc po twojej stronie: według wszelkiego prawdopodobieństwa również i twoje dziecko urodzi się zdrowe i pełne energii. I kolejna dobra wiadomość: przestrzegając zaledwie kilku prostych zasad, takich jak zdrowe odżywianie, przyjmowanie kwasu foliowego, regularne wizyty u lekarza oraz unikanie papierosów, alkoholu, narkotyków i leków, kobieta w ciąży może „dramatycznie" zwiększyć szanse swojego dziecka na pomyślny, zdrowy życiowy start.

Powyższe elementarne zasady higienicznego trybu życia nie dotyczą oczywiście wyłącznie kobiet ciężarnych. Są równie ważne dla przyszłych ojców, dla rodziców adopcyjnych i dla wszystkich młodych ludzi, którzy któregoś dnia zapragną mieć dziecko. Właściwe nawyki zdrowotne mają znaczenie nie tylko dla nich samych, ale też stwarzają lepsze warunki ich przyszłym dzieciom. Przykładowo, jeśli nikt w domu nie pali, oznacza to dla dziecka mniejsze ryzyko takich chorób jak astma, zapalenie oskrzeli, zapalenie ucha i wielu innych. Jeśli cała rodzina zdrowo się odżywia i dba o aktywność fizyczną, dziecko od najmłodszych lat będzie przyswajać sobie te dobre nawyki, ważne w perspektywie całego jego życia. Młode pary muszą też zdawać sobie sprawę z tego, że wdrażanie zasad zdrowia na co dzień jest znacznie przyjemniejsze i prostsze, jeśli robi się to wspólnie, a nie w pojedynkę. Przyszły ojciec powinien więc czynnie wspierać swoją żonę, przestrzegając razem z nią właściwej diety, zachowując aktywność fizyczną i usuwając z domu wszelkie szkodliwe pokusy dla obojga, a zwłaszcza papierosy i alkohol.

Cóż jednak robić, jeśli tak się złożyło, że jesteś w ciąży już od dłuższego czasu, ale jak dotąd nie dbałaś o siebie tak, jak powinnaś? No cóż, stara zasada „lepiej późno niż wcale" idealnie odnosi się i do tej sytuacji. Nieważne, w którym jesteś miesiącu ciąży – jeśli jeszcze palisz papierosy czy pijesz alkohol, skończ z tym od zaraz dla dobra was obojga. Nie zadręczaj się jednak wyrzutami sumienia. Nadal istnieją wszelkie szanse, że twoje dziecko urodzi się zdrowe.

A jeśli już przestrzegasz zdrowego trybu życia? W czasie oczekiwania na dziecko, czy to własne, czy adoptowane, mogą oczywiście zdarzyć się momenty lęku, jednak pamiętaj, że zamartwianie się na zapas nie pomoże ani jemu, ani tobie. Jeśli zadbałaś o to, co zależy od ciebie, postaraj się odprężyć, myśleć pozytywnie i jak najlepiej przeżyć ten jedyny w swoim rodzaju okres oczekiwania, marzeń i planów.

Prawda o ciąży wygląda tak, że w kwestii zdrowia dziecka rozwijającego się w łonie matki nie mamy nadal stuprocentowych gwarancji ani pewników. Tak jak większość niemowląt przynosi na świat kapitał dobrego zdrowia niezależnie od twojego postępowania, tak też niektóre rodzą się z problemami – nawet mimo twoich największych starań. W przeważającej liczbie takich przypadków rodzice nie mają na to żadnego wpływu ani możliwości zapobiegania. Innymi słowy, nie jest to niczyją winą, co wszyscy w rodzinie muszą sobie z całą mocą uświadomić.

Wszystko, co możesz osiągnąć przestrzeganiem właściwych zasad, sprowadza się do wzrostu szans twojego dziecka na pomyślny rozwój. Nie dając absolutnej pewności, jest to jednak dostatecznie dużo, by w pełni uzasadniać podjęcie tego trudu.

Porady zawarte w niniejszym rozdziale mają ci pomóc w osiągnięciu tego celu. Rozdział ten podzieliliśmy na dwie części, omawiając:

1. Zdrowy tryb życia, włącznie z kwestiami odżywiania, wysiłku fizycznego, odpoczynku, pracy zawodowej, seksu i unikania szkodliwych substancji; oraz
2. Opiekę lekarską, włącznie z informacjami na temat wyboru lekarza i wykonywanych testów oraz poradami, jak uzyskać taką opiekę mimo braku ubezpieczenia zdrowotnego i jak rozpoznać stan wymagający kontaktu z lekarzem.

Jeśli planujesz dziecko

Postępując lub nie postępując – w określony sposób – możesz zawczasu zatroszczyć się o dobry start życiowy dla twojego przyszłego dziecka.

1. Przyjmuj codziennie kwas foliowy (jedną z witamin z grupy B). Zacznij co najmniej na miesiąc przed planowanym poczęciem dziecka i kontynuuj przez pierwsze trzy miesiące ciąży. To proste działanie ma udział w zapobieganiu większości przypadków rozszczepu kręgosłupa i innych wad cewy nerwowej, czyli wad wrodzonych mózgu i rdzenia kręgowego. Zalecana dawka kwasu foliowego, wynosząca 0,4–0,8 mg dziennie, wchodzi w skład większości preparatów wielowitaminowych.

2. Jeśli palisz papierosy lub pijesz alkohol (nawet umiarkowanie), zrezygnuj z nich całkowicie.

3. Jeśli masz znaczną nadwagę lub niedowagę, postaraj się osiągnąć właściwszy ciężar ciała, zanim podejmiesz próby zajścia w ciążę. Może to zmniejszyć ryzyko wielu problemów okresu prenatalnego.

4. Jeśli jesteś dotknięta chorobą przewlekłą lub podejrzewasz u siebie zakażenie przenoszone drogą płciową, zgłoś się do lekarza i doprowadź swoje zdrowie do optymalnego stanu jeszcze przed zajściem w ciążę.

5. Nie zażywaj doustnych leków zwanych retinoidami (syntetycznych pochodnych witaminy A), które mogą być niebezpieczne dla płodu. Izotretinoina (Accutane), stosowana w leczeniu trądziku, wiąże się z dużym ryzykiem działania teratogennego (uszkadzającego płód) głównie we wczesnym okresie ciąży, często jeszcze zanim kobieta zda sobie sprawę ze swojego stanu. Inne leki z tej grupy, acytretyna (Soriatane) i etretynat (Tigason), zalecane z powodu łuszczycy, mogą uszkadzać płód jeszcze przez pewien czas po odstawieniu. Jeśli kiedykolwiek przyjmowałaś powyższe leki, nie zapomnij powiedzieć o tym lekarzowi.

   (Niektóre kremy kosmetyczne, takie jak Retin-A czy Renova, zawierają związki z tej samej grupy – tretynoinę lub kwas retinojowy. Przeprowadzone dotychczas badania nie wskazują, by zewnętrzne stosowanie tych substancji mogło mieć znaczenie dla płodu, jednak z powodu braku ewidentnie rozstrzygających danych rozsądniej jest zrezygnować z tych kosmetyków przed i w czasie ciąży).

Za najwłaściwszą postawę trzeba uznać zapobieganie potencjalnym problemom wszędzie tam, gdzie jest to możliwe. Również i z tego powodu lekarze zalecają przyszłym matkom, a jeszcze lepiej obojgu rodzicom, tak zwane „badania przedkoncepcyjne" na kilka miesięcy przed planowaną ciążą (omawiamy je dokładniej w dalszej części tego rozdziału).

Higieniczny tryb życia w ciąży

Racjonalne odżywianie

Optymalna dieta zdrowego człowieka jest urozmaicona i składa się z dużych ilości pełnoziarnistych produktów zbożowych (pieczywa, makaronu, płatków itp.), wielu owoców i warzyw oraz – w mniejszej ilości – przetworów mlecznych o obniżonej zawartości tłuszczu i produktów wysokobiałkowych, takich jak mięso, drób, ryby, warzywa strączkowe i orzechy. „Piramida żywieniowa" opracowana przez amerykański Departament Rolnictwa, świetnie nadaje się jako podstawa do komponowania codziennego menu (patrz Rycina 1.1). Wynika z niej jednoznacznie, że najlepiej unikać tak zwanych „pustych kalorii", czyli produktów w rodzaju słodyczy, chipsów czy napojów gazowanych – wysokoenergetycznych („tuczących"), a przy tym pozbawionych wartości odżywczych.

W okresie ciąży staraj się przestrzegać kilku dodatkowych zasad żywieniowych.

- Jedz nieco więcej – ale bynajmniej nie „za dwóch". Dodatkowe potrzeby kobiety ciężarnej o przeciętnym ciężarze ciała wynoszą około 300 kalorii dziennie. Nie jest to znowu aż tak dużo – ilość ta odpowiada na przykład dwóm jogurtom „light" i jabłku albo kanapce z wędliną drobiową, popitej szklanką chudego mleka. Takie wartościowe produkty są dobrym źródłem dodatkowych kalorii (chociaż od czasu do czasu pucharek lodów w środku nocy można również uznać za przywilej „odmiennego stanu").
- Przybieraj na wadze. Kobieta o prawidłowym ciężarze ciała powinna pod koniec ciąży ważyć 11–16 kg więcej niż przed ciążą. U kobiety z nadwagą przyrost masy ciała powinien być mniejszy (7–11 kg), a w przypadku niedowagi – większy (12–18 kg). Jeśli w ocenie lekarza twoje dziecko dobrze się rozwija, nie przejmuj się zbytnio powyższymi normami wagi. Większość kobiet nie mieszczących się w tych przedziałach również rodzi zdrowe dzieci. Na pewno jednak nie próbuj odchudzać się w czasie ciąży; odłóż to na okres po porodzie.
- Pij dużo wody, bo podczas ciąży potrzebujesz jej w zwiększonej ilości. Objętość krwi kobiety ciężarnej wzrasta o 50%, do czego dochodzi płód, łożysko i płyn owodniowy. Niedostateczne nawodnienie organizmu pogłębia zmęczenie w pierwszych miesiącach ciąży, a w późniejszym okresie może nawet wyzwalać przedwczesną czynność porodową. Staraj się wypijać co najmniej 2 litry płynów dziennie, z czego większą część powinna stanowić woda.
- Nie jedz surowego czy niedogotowanego mięsa, surowych jaj, surowego (niepasteryzowanego) mleka ani serów wyprodukowanych z takiego mleka. Produkty te mogą zawierać szkodliwe – zwłaszcza dla płodu – drobnoustroje, na przykład bakterie *Listeria monocytogenes* czy pierwotniaki *Toxoplasma gondii*, wywołujące toksoplazmozę. W restauracji zamawiaj dobrze wysmażone befsztyki, w domu gotuj i piecz mięso do wewnętrznej temperatury 70°C. Jeśli dotykasz surowego mięsa, natychmiast potem umyj dokładnie ręce i wszystkie przybory kuchenne, które miały z nim kontakt. Myj surowe warzywa i owoce przed jedzeniem. Przestrzegaj ogólnych zasad higieny, by uchronić się przed zakażeniem. Niekiedy lekarze sugerują, by kobiety w ciąży unikały niektórych ryb morskich, takich jak miecznik, rekin czy makrela, z powodu ryzyka podwyższonej zawartości rtęci w ich mięsie.
- Dbaj o dostateczne spożycie żelaza i wapnia. Zalecana dawka żelaza, zapobiegająca niedokrwistości u kobiety ciężarnej, wynosi 30 mg dziennie, a u kobiet o masywnej budowie lub w razie ciąży mnogiej zwiększa się ją do 60–100 mg. Wła-

ściwa podaż żelaza jest szczególnie ważna w drugiej połowie ciąży, kiedy to płód, łożysko i sama matka wytwarzają zwiększoną objętość krwi i tym samym mogą łatwo wyczerpać zapasy tego pierwiastka, zgromadzone w jej organizmie. Zalecana kobietom w ciąży dawka wapnia wynosi 1200 mg dziennie. Rutynowo stosowane preparaty wielowitaminowe zawierają zwykle tylko 200–300 mg wapnia, ponieważ jego większe ilości interferowałyby z wchłanianiem żelaza, które również wchodzi w skład tych suplementów. Jeśli jednak zażyjesz multiwitaminę i preparat wapnia w odstępie kilku godzin, zakłócenia te przestaną być problemem. Jeśli więc podejrzewasz, że sama dieta nie zapewnia ci dostatecznej podaży wapnia, możesz dodatkowo przyjmować tabletkę multiwitaminy rano i tabletkę wapnia na wieczór.

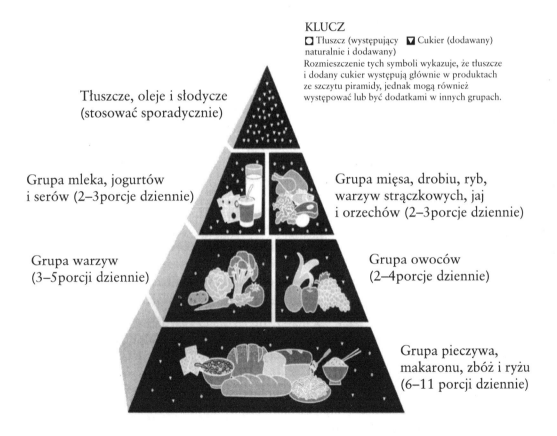

KLUCZ

☐ Tłuszcz (występujący ▼ Cukier (dodawany)
naturalnie i dodawany)
Rozmieszczenie tych symboli wykazuje, że tłuszcze i dodany cukier występują głównie w produktach ze szczytu piramidy, jednak mogą również występować lub być dodatkami w innych grupach.

Tłuszcze, oleje i słodycze
(stosować sporadycznie)

Grupa mleka, jogurtów
i serów (2–3porcje dziennie)

Grupa mięsa, drobiu, ryb,
warzyw strączkowych, jaj
i orzechów (2–3porcje dziennie)

Grupa warzyw
(3–5porcji dziennie)

Grupa owoców
(2–4porcje dziennie)

Grupa pieczywa,
makaronu, zbóż i ryżu
(6–11 porcji dziennie)

Rycina 1.1. Piramida żywieniowa Amerykańskiego Departamentu Rolnictwa (USDA) jest cenną pomocą w planowaniu racjonalnej diety w czasie ciąży i później – dla ciebie i całej rodziny. Zasięgnij porady lekarza, położnej lub dietetyka na temat szczególnych wymagań żywieniowych okresu ciąży. *(Źródło: U.S. Department of Agriculture/U.S. Department of Health and Human Services)*

Lekarz radzi

Unikaj nadmiaru witaminy A

Nie zażywaj preparatów ziołowych lub wielowitaminowych, zwłaszcza w dużych dawkach (wyższych niż zalecane), bez porozumienia z lekarzem. Szczególne ryzyko dla płodu stwarza przedawkowanie witaminy A (chociaż bezpieczny jest beta-karoten, związek przetwarzany w organizmie na witaminę A).

W jednym z badań stwierdzono związek między przyjmowaniem ponad 10 000 j.m. witaminy A przez kobiety w ciąży a zwiększonym ryzykiem wad wrodzonych u płodu. Wiele multiwitamin zawiera 5000 j.m. witaminy A w jednej tabletce, tak więc już przyjmowanie ich dwa razy dziennie sprawia, że wkraczasz w niebezpieczną strefę.

Sen i wypoczynek

Zapewne nieraz będziesz dziwić się swemu zmęczeniu w pierwszych miesiącach ciąży, czyli w okresie, kiedy w ogóle jeszcze nie widać jej na zewnątrz. Większość kobiet czuje się najlepiej w środkowym trymestrze ciąży, po czym większe zmęczenie ponownie zaznacza się pod koniec. Nie walcz z uczuciem zmęczenia. Weź drzemkę albo połóż się z uniesionymi stopami, przymknij oczy i posłuchaj muzyki. Jeśli pracujesz poza domem, postaraj się znaleźć miejsce, gdzie będziesz mogła położyć się choćby na kilka minut w ciągu dnia. Kładź się wcześnie spać, nawet jeśli miałabyś nie zdążyć ze wszystkimi zajęciami – przerzuć je przynajmniej częściowo na męża albo odłóż na jutro. W tym okresie musisz dbać przede wszystkim o siebie.

Aktywność fizyczna

Jeśli twój lekarz nie ma nic przeciwko temu, postaraj się kontynuować regularne, niesiłowe zajęcia ruchowe, takie jak marsz, pływanie czy jazda na stacjonarnym rowerze. 20–30 minut takiego ruchu co najmniej trzy razy w tygodniu to dawka zalecana i właściwa dla większości kobiet w ciąży. Jeśli jesteś wytrawną sportsmenką, prawdopodobnie będziesz mogła kontynuować treningi, tyle że z mniejszą intensywnością. Pamiętaj jednak, że u niektórych kobiet istnieją przeciwwskazania do jakiegokolwiek wysiłku fizycznego, tak więc niezależnie od dyscypliny, jaką uprawiasz, musisz omówić tę kwestię z lekarzem.

W miarę zaawansowania ciąży kobietom zdarzają się zaburzenia równowagi, a jednocześnie więzadła wzmacniające stawy ulegają pewnemu rozluźnieniu. Są to zjawiska fizjologiczne, zależne od wpływów hormonalnych, niemniej jednak w opinii wielu lekarzy oznaczają one przeciwwskazanie do uprawiania sportów, w których łatwo o upadek, takich jak narty, rower czy jazda konna. Za szczególnie niebezpieczne i zde-

Lekarz radzi

Sen w okresie ciąży

W miarę jak powiększa się twój brzuch, powinnaś starać się jak najczęściej spać czy odpoczywać na lewym boku. Pozycja ta zapobiega uciskaniu dużych naczyń przez rosnącą macicę, co może upośledzać dopływ krwi do łożyska (a więc i do dziecka). Ponieważ ucisk ten dotyczy również naczyń żylnych, pozycja na lewym boku przeciwdziała zarazem skłonności do obrzęków kończyn.

cydowanie przeciwwskazane w okresie ciąży uważa się narty wodne, surfing i nurkowanie.

Podczas wysiłku fizycznego rób częste przerwy i pij dużo płynów. Ograniczaj do minimum ćwiczenia w upalne, wilgotne dni, kiedy to łatwo o przegrzanie organizmu. Począwszy od drugiego trymestru ciąży, unikaj ćwiczeń wymagających leżenia płasko na plecach – w tej pozycji powiększona macica uciska duże naczynia tętnicze i żylne, co powoduje zmniejszenie dopływu krwi do serca. Nawet jeśli jesteś w dobrej formie, nie staraj się o życiowe rekordy i nie przekraczaj granic swoich możliwości. Za taką bezpieczną granicę uważa się czynność serca (mierzoną jako tętno) poniżej 140 na minutę.

Aerobik oraz ćwiczenia wzmacniające i rozciągające mogą pomóc w profilaktyce bólów krzyża i innych dolegliwości okresu ciąży. Spróbuj na początek ćwiczeń pasa miednicy oraz tak zwanych ćwiczeń Kegla.

Ćwiczenia pasa

Opuść się „na cztery łapy", opierając się na dłoniach i kolanach. Rozluźnij grzbiet, po czym na wydechu usztywnij mięśnie brzucha i zniż pośladki do pięt. Twój grzbiet w naturalny sposób wygnie się wtedy do góry. Odlicz do pięciu lub dziesięciu, odpocznij, powtórz. Możesz również wykonywać to ćwiczenie na stojąco przy ścianie: podczas napinania brzucha i obniżania pośladków powinnaś opierać się okolicą lędźwiową płasko na ścianie.

Ćwiczenia Kegla

Ćwiczenia te mają za zadanie wzmocnić mięśnie dna miednicy (mięśnie wokół pochwy i odbytu), a tym samym ułatwić poród, przyspieszyć późniejszą rekonwalescencję i zapobiec problemom z nietrzymaniem moczu, na które często skarżą się młode matki. Jednocześnie, z powodu wzmacniania ścian mięśniowych pochwy, mogą one mieć również korzystny wpływ na twoje życie seksualne.

Co więcej, ćwiczenia te są niezwykle proste w wykonaniu. Nie musisz robić nic innego, jak tylko zacisnąć mięśnie krocza, tak jakbyś starała się zatrzymać strumień moczu. Utrzymaj taki skurcz przez kilka sekund, po czym rozluźnij mięśnie. Wykonuj 10–20 skurczów trzy lub cztery razy dziennie, starając się utrzymać je przez 10 sekund. Możesz robić to na stojąco, siedząco lub leżąco w dowolnym miejscu – na czerwonym świetle, w kolejce do kasy w supermarkecie, w poczekalni u lekarza itp.

Lekarz radzi

Kiedy przerwać wysiłek i zadzwonić do lekarza

Poniżej podajemy listę objawów, których wystąpienie wymaga natychmiastowego przerwania dowolnego wysiłku fizycznego i szybkiego porozumienia się z lekarzem. Są to objawy następujące:

- Krwawienie lub wyciek płynu z pochwy
- Ból pleców, brzucha, okolicy krocza lub o wszelkiej innej lokalizacji
- Obrzęk palców rąk lub twarzy
- Zamazane widzenie
- Uporczywe wymioty
- Dreszcze lub gorączka
- Trudności lub ból przy oddawaniu moczu
- Zawroty głowy
- Duszność
- Nieregularne lub szybkie bicie serca
- Osłabienie mięśniowe
- Trudności w poruszaniu się
- Przedłużający się, nietypowy brak ruchów płodu (począwszy od szóstego miesiąca ciąży)

Najważniejsze zakazy okresu ciąży

Ponieważ nigdy nie dość ostrożności, musimy jeszcze raz przypomnieć ci wszystko to, czego nie powinnaś robić w czasie ciąży.

Nie pij alkoholu

Znaczna konsumpcja alkoholu (5–6 drinków dziennie) w okresie ciąży grozi wystąpieniem płodowego zespołu alkoholowego, na który składa się szereg ciężkich, nieuleczalnych zaburzeń w postaci niedorozwoju umysłowego, deformacji twarzy i wad serca (więcej informacji na ten temat znajdziesz w rozdziale 26, „Medyczne aspekty adopcji dziecka"). Nawet jednak picie umiarkowane (1–2 drinki dziennie) lub okazjonalne nadużycie alkoholu (5 lub więcej drinków podczas jednej „biesiady") zwiększa ryzyko poronienia, porodu przedwczesnego, niskiej wagi urodzeniowej dziecka

Czy jeden drink może zaszkodzić?

Ostrzeżenia przed piciem alkoholu mają i ten efekt, że wiele kobiet zamartwia się jednym czy dwoma kieliszkami wypitymi, zanim uświadomiły sobie, że są w ciąży. Inne mają z kolei wątpliwości, czy rzeczywiście lampka wina wypita dla uczczenia specjalnej okazji może być groźna dla dziecka. Cóż na to odpowiedzieć? Istotnie nie ma dowodów, że jeden lub dwa drinki są szkodliwe, nie ma również najmniejszego sensu martwić się czymś, co już się stało – czyli alkoholem wypitym, zanim zdałaś sobie sprawę z ciąży. Jeśli jednak już o niej wiesz albo planowo się o nią starasz, eliminacja alkoholu wydaje się zdecydowanie najbezpieczniejszym podejściem. Jeśli z jakichś powodów nie możesz odmówić sobie drinka, zrób przynajmniej wszystko, by jeden kieliszek nie stał się wstępem do drugiego ani żeby takie „specjalne okazje" nie powtarzały się zbyt często.

oraz zaburzeń wzrostu i rozwoju utrzymujących się również po porodzie. Z najnowszych badań poświęconych temu zagadnieniu wynika, że libacje alkoholowe matki we wczesnym okresie ciąży znamiennie zwiększają ryzyko rozszczepu wargi i podniebienia u dziecka. Ponieważ nie wiemy, czy istnieje „bezpieczny" poziom konsumpcji alkoholu i ile wynosi, najrozsądniejsze, co można zrobić, to zrezygnować z niego całkowicie.

Nie pal papierosów

Nie pal sama i unikaj dłuższego przebywania wśród palaczy. Palenie papierosów ma udowodniony udział w wielu przypadkach niskiej wagi urodzeniowej dziecka, poronień i porodów przedwczesnych. Szkodliwe może być również palenie bierne. Jeśli ktokolwiek w twoim domu czy miejscu pracy nie może zerwać z nałogiem, żądaj od niego wychodzenia na papierosa na zewnątrz. Jeśli z jakiegoś powodu jest to niemożliwe, spraw przynajmniej, by palił w jednym wydzielonym pomieszczeniu, którego sama będziesz unikać.

Nie przesadzaj z kofeiną

Wykazano związek między konsumpcją znacznej ilości kofeiny a zwiększonym ryzykiem poronienia i niskiej wagi urodzeniowej dziecka. W opinii części ekspertów bezpieczna dawka kofeiny dla kobiet w ciąży wynosi 200–300 mg dziennie, co odpowiada mniej więcej dwóm małym filiżankom kawy. (Oczywiście, jeśli pijasz kawę, zrezygnuj z innych źródeł kofeiny, takich jak wiele napojów gazowanych). Inni badacze uważają, że najbezpieczniej jest całkowicie wyeliminować kofeinę. Kofeina ma jeszcze inne niekorzystne efekty: nasila utratę wody i wapnia, na co kobieta w ciąży nie bardzo może sobie pozwolić, a także działa moczopędnie, co dodatkowo zaostrza typową w tym czasie niedogodność w postaci częstego oddawania moczu. Kofeina występuje przede wszystkim w kawie, herbacie, coca-coli i niektórych innych napojach gazowanych, przy czym wszystkie one mają co najwyżej znikomą wartość odżywczą.

Nie używaj nielegalnych ani „rekreacyjnych" narkotyków

Kokaina, „crack", heroina i fencyklidyna (PCP) są niebezpieczne dla twojego zdrowia, a tym bardziej dla zdrowia twojego dziecka. Podobnie groźne efekty mogą mieć środki zarówno pobudzające (z grupy amfetaminy), jak i uspokajające (w tym nasenne), nie wspominając o wąchaniu kleju.

Ostrożnie z lekami

Nie używaj żadnych leków – zarówno na receptę, jak i dostępnych w wolnej sprzedaży, syntetycznych i „naturalnych", technologicznie zaawansowanych ani ziołowych – bez porozumienia z lekarzem. Jeśli istnieje możliwość wyboru, tak jak w większości niezbyt groźnych chorób, należy z zasady stosować metody niefarmakologiczne – czyli na przykład, w razie przeziębienia, raczej bulion i termofor niż tabletki. Jeśli dokuczają ci poranne nudności, nie ufaj reklamom leków, które jakoby mają je znosić, a raczej staraj się częściej zjeść kromkę chleba czy krakersa.

Amerykańskie Narodowe Instytuty Zdrowia (NIH, *National Health Institutes*) uznały niedawno akupunkturę za skuteczną metodę zwalczania nudności i wymiotów w okresie ciąży. W razie nasilonych dolegliwości zapytaj lekarza o tę możliwość.

Nie odstawiaj jednak <u>stale</u> przyjmowanych leków ani nie zmniejszaj ich dawek bez porozumienia z lekarzem. Jeśli usłyszałaś lub przeczytałaś coś niepokojącego na temat przyjmowanego przez ciebie leku, również omów to z lekarzem. Doniesienia, jakie do ciebie dotarły, nie zawsze bywają kompletne czy wiarygodne. Pamiętaj również, że w pewnych sytuacjach zaniechanie leczenia przewyższa ryzyko ewentualnych działań niepożądanych leku. Jeśli chodzi o liczne dostępne w wolnej sprzedaży środki przeciwgorączkowe i przeciwbólowe, jak dotąd paracetamol uznaje się ogólnie za bezpieczny, w przeciwieństwie do aspiryny czy ibuprofenu. Staraj się jednak <u>nie stosować</u> niczego na własną rękę, bez konsultacji z lekarzem.

Unikaj przegrzania

Nie przesiaduj długo na słońcu, w saunie ani w wannie z bardzo gorącą wodą. Z zasady unikaj wszelkich sytuacji, w których temperatura twojego ciała mogłaby wzrosnąć powyżej 38,5°C.

Lekarz radzi

Szukaj „ukrytej" kofeiny

Niektóre napoje gazowane, na przykład Mountain Dew, mogą zawierać tyle samo kofeiny, co coca-cola, a nawet więcej. Uważaj również na wielkość napojów. Duże porcje coca-coli sprzedawane w fast-foodach mają objętość 500 ml i zawierają dużą, jednorazową dawkę kofeiny, znacznie większą niż mała filiżanka kawy, wymieniana zwykle jako „miarka" dziennego spożycia.

Unikaj narażania się na toksyczne środki chemiczne

W okresie ciąży musisz tym bardziej trzymać się z daleka od takich toksycznych związków jak pestycydy, tlenek węgla, ołów czy rozpuszczalniki organiczne (toluen, czterochloroetylen, glikol i inne substancje, stosowane głównie w przemyśle). Chociaż ich szkodliwe efekty nie zawsze są do końca poznane, wyżej wymienione substancje wykazują między innymi wpływ na wzrost ryzyka poronienia. Jeśli wiesz czy podejrzewasz, że jesteś narażona na te związki w miejscu pracy, musisz zasięgnąć opinii lekarza, ewentualnie upomnieć się o swoje prawa u pracodawcy, w razie potrzeby z pomocą związku zawodowego. Przepisy BHP wyraźnie określają status kobiety w ciąży w zakładzie pracy, trzeba do nich dotrzeć i umieć je wykorzystać.

Liczne cytostatyki – leki stosowane w chorobach nowotworowych – wywierają szkodliwe działanie na płód. Jeśli wymagasz chemioterapii, musisz dokładnie przedyskutować kwestię potencjalnej lub już zaistniałej ciąży z lekarzem--onkologiem.

Uważaj na promieniowanie

Zwykłe diagnostyczne zdjęcia rentgenowskie, w tym stomatologiczne, nie stwarzają zagrożenia dla płodu, jednak nie zapomnij uprzedzić lekarzy, pielęgniarek i techników, że jesteś lub możesz być w ciąży. Większe problemy mogą stwarzać wyższe dawki promieniowania, takie jak stosowane w radioterapii nowotworów.

Unikaj zagrożenia wirusami i bakteriami

Wzmożone zagrożenie drobnoustrojami dotyczy przede wszystkim kobiet zatrudnionych w służbie zdrowia lub stykających się z dużymi skupiskami dzieci w szkołach czy innych placówkach wychowawczych i opiekuńczych. Jeśli należysz do którejś z tych grup zawodowych, omów z lekarzem kwestię szczepień ochronnych i dodatkowych metod profilaktyki.

Nie zbliżaj się do kociej kuwetki

Gdyby kobiety w ciąży miały wybrać zakaz, który najbardziej im się podoba, ten zająłby niewątpliwie jedno z pierwszych miejsc: nie zmieniaj kotu piasku, sceduj ten obowiązek na kogoś innego. Jest to standardowe zalecenie, ponieważ kontakt z kocimi odchodami stanowi jedną z głównych dróg potencjalnego zakażenia toksoplazmozą. (Poza tym można zarazić się tą chorobą przez spożycie surowego lub niedogotowanego mięsa, surowych jaj oraz surowego mleka koziego). Zakażenie pierwotniakiem *Toxoplasma gondii* w okresie ciąży grozi poronieniem lub urodzeniem dziecka z poważnymi wadami rozwojowymi. Przed zajściem w ciążę dobrze jest wykonać testy pod kątem wcześniejszego zakażenia, które pozostawia po sobie odporność. Omów tę kwestię z lekarzem. Jeśli nie przebyłaś zakażenia lub nie wykonałaś testów, musisz zachować szczególną ostrożność. Możesz przebadać swoje koty, czy nie mają aktywnej infekcji, możesz też zmniejszyć jej prawdopodobieństwo, nie wypuszczając kota na dwór i nie karmiąc go surowym mięsem. Dopilnuj również, by koci piasek był codziennie wymieniany, ponieważ odchody stają się z czasem bardziej zakaźne. Jeśli mimo wszystko musisz robić to sama, nie zapomnij przynajmniej o jednorazowych gumowych rękawiczkach i o dokładnym umyciu rąk.

Niezależnie od tego, czy masz kota w domu, zawsze używaj rękawiczek do prac w ogrodzie, bo gleba może być zanieczyszczona pasożytami; z tego samego powodu unikaj również piaszczystych terenów i piaskownic. Całkowicie zrezygnuj z surowego czy niedogotowanego mięsa, a po każdej obróbce surowego mięsa myj dokładnie ręce i przybory kuchenne. Myj również przed jedzeniem surowe owoce i warzywa.

Praca zawodowa

Ogromna większość kobiet w ciąży o prawidłowym przebiegu może kontynuować pracę, praktycznie – jeśli sobie tego życzą – aż do dnia porodu. Choć ważna jest oczywiście opinia lekarza, w decyzji o przerwaniu czy kontynuowaniu pracy główną rolę odgrywa twój komfort – czy raczej dyskomfort z powodu rozmiarów, ociężałości i zmęczenia, a także względy praktyczne (chęć zachowania całego urlopu na okres po urodzeniu dziecka).

Jeśli twoja praca wymaga znacznego wysiłku fizycznego, schylania się, dźwigania czy długich godzin na stojąco, lekarz może doradzać ci, abyś skróciła jej wymiar albo poświęciła kilka tygodni urlopu macierzyńskiego na odpoczynek przed czekającymi cię nowymi obowiązkami. Istnieją dowody, że ciężka praca fizyczna lub długotrwała pozycja stojąca w zaawansowanej ciąży zwiększają ryzyko nadciśnienia tętniczego u matki oraz niskiej wagi urodzeniowej dziecka. Problem ten nasila się u kobiet drobnej budowy lub w razie ciąży mnogiej.

Jeśli twój lekarz obawia się porodu przedwczesnego lub jakichkolwiek powikłań przebiegu ciąży, być może będziesz zmuszona całkowicie zrezygnować z pracy i prowadzić bardziej oszczędzający tryb życia. Czasami konieczne jest wręcz kilkumiesięczne leżenie w łóżku, ale na szczęście zdarza się to stosunkowo rzadko.

Westchnienie ulgi

Wdzisiejszych czasach dawne przesądy na temat ciąży zastąpiły nowe obawy co do szkodliwości pewnych typowych elementów naszego środowiska – na przykład kuchenek mikrofalowych, produktów spożywczych „light" czy nawet farby do włosów. Jak dotąd ich szkodliwości nie potwierdziły jednak żadne badania. Jeśli czujesz taką potrzebę, możesz oczywiście zrezygnować z mikrofalówki, pewnych chemicznych kosmetyków czy aspartamu (słodziku używanego w większości produktów „dietetycznych"), tym bardziej że masz w tym zakresie wolny wybór. Nie wydaje się jednak, by stosowanie tych produktów pociągało za sobą jakiekolwiek zagrożenie dla dziecka. Jeśli zaś chodzi o rzecz najważniejszą, czyli o komputery, przed którymi zasiadają codziennie miliony kobiet (tu akurat nie mając zwykle wolnego wyboru), badania również nie wykazały ich wpływu na wzrost ryzyka poronienia, choć wcześniej formułowane były takie obawy.

Seks

W niepowikłanej i niezbyt zaawansowanej ciąży nie ma „odgórnych" przeciwwskazań do seksu, tak długo, jak masz na to ochotę. Jeśli jednak istnieje ryzyko porodu przedwczesnego czy innych powikłań położniczych, lekarz może zalecić abstynencję.

Jeśli kontynuujesz życie seksualne w okresie ciąży, musisz brać pod uwagę ewentualność zakażenia przenoszonego drogą płciową. Ponieważ choroby te stanowią zagrożenie dla przebiegu ciąży, a niektóre grożą poważnymi uszkodzeniami płodu, kobiety są rutynowo badane pod tym kątem i w razie potrzeby odpowiednio leczone natychmiast po stwierdzeniu ciąży. Jeśli jednak do zakażenia dojdzie w późniejszym okresie, może ono ujść uwadze pacjentki i lekarza, tym bardziej że objawy bywają często dyskretne. Postulat „bezpiecznego seksu" nabiera więc w ciąży szczególnego znaczenia. Niezbędne minimum profilaktyki obejmuje stosowanie prezerwatyw i unikanie przypadkowych kontaktów seksualnych. W razie podejrzenia wystąpienia choroby wenerycznej (przenoszonej drogą płciową) musisz porozmawiać o tym z lekarzem.

Opieka medyczna

Ile już razy w tym rozdziale radziliśmy ci zasięgnięcie porady lekarza na temat tego, co jest najlepsze konkretnie dla ciebie? Nie musisz liczyć – zajęłoby to zbyt dużo czasu. Nie ulega najmniejszej wątpliwości, że musisz przygotować się na liczne kontakty z lekarzem, zwłaszcza jeśli masz mniej niż 15 lub więcej niż 35 lat, albo też z innych powodów twoją ciążę można uznać za tak zwaną „ciążę wysokiego ryzyka" (patrz ramka na stronie 31).

Wybór lekarza bywa niekiedy wręcz automatyczny – pozostajesz po prostu pod opieką swojego dotychczasowego ginekologa lub lekarza rodzinnego, o ile ten ostatni ma odpowiednie doświadczenie w położnictwie. Czasami zachodzi jednak potrzeba znalezienia nowego lekarza, choćby z powodu warunków ubezpieczenia. Zazwyczaj, jeśli lekarz pierwszego kontaktu nie podejmuje się sam prowadzenia ciąży, to on doradza pacjentce, do kogo może się zwrócić. Dobrym źródłem informacji są również pielęgniarki i położne z twojego terenu. Wybierając lekarza na ten ważny okres, musisz uwzględnić kilka kwestii, które kolejno omówimy.

Różne specjalności medyczne

Fachowi pracownicy służby zdrowia, z których usług może skorzystać kobieta w ciąży, dzielą się na trzy główne kategorie.

Ginekolodzy-położnicy

W systemie kształcenia medycznego ginekolog-położnik jest lekarzem, który po ogólnych studiach medycznych odbył praktykę, uzyskując odpowiedni stopień specjalizacji (I czy już II)[1]. Z zasady w wielu krajach, w tym i w Polsce, tylko oni zajmują się ciążą wysokiego ryzyka i mają uprawnienia do wykonywania cięć cesarskich. Jeśli dotyczą cię jakiekolwiek czynniki ryzyka powikłań ciąży, najprawdopodobniej powinnaś trafić pod opiekę fachowego położnika.

W razie jakichkolwiek wątpliwości co do statusu lekarza, który miałby opiekować się pacjentką w ciąży, najlepiej po prostu bezpośrednio go o to zapytać.

Niektórzy dyplomowani ginekolodzy-położnicy uzyskują również tytuł „perinatologa", czyli specjalisty medycyny okołoporodowej, zarówno od strony matki, jak i płodu. W razie potrzeby na konsultację czy pod opiekę takiego specjalisty kieruje pacjentkę jej stały lekarz prowadzący.

Dyplomowane pielęgniarki-położne

Dyplomowane pielęgniarki-położne są odpowiednio przeszkolonymi, zarejestrowanymi pracownikami służby zdrowia z potwierdzonymi egzaminem uprawnieniami do opieki nad ciążą prawidłową i prowadzenia normalnego porodu siłami natury. W wielu krajach praktykują one samodzielnie, ale w ścisłej współpracy z lekarzami (w ramach tzw. praktyki kolaboracyjnej), i w razie potrzeby muszą mieć zawsze możliwość szybkiego wezwania lekarza. Większość położnych pracuje w szpitalach lub izbach porodowych, ale niektóre prowadzą również porody domowe.

---

[1] W Polsce pieczątka „lekarz medycyny" oznacza lekarza bez specjalizacji i nie precyzuje, czy kształci się on dalej, czy nie. Tytuł „ginekologa-położnika" przysługuje lekarzom z I stopniem specjalizacji, a tytuł „specjalisty ginekologa-położnika" – lekarzom z II stopniem specjalizacji (przyp.tłum.).

Ciąża wysokiego ryzyka

Nie ma oficjalnej definicji ciąży „wysokiego" lub „niskiego" ryzyka, istnieją jednak pewne okoliczności uznawane za sygnały zwiększonego ryzyka powikłań. W razie stwierdzenia jednego z tych czynników, a tym bardziej dwóch lub trzech, większość lekarzy kwalifikuje dany przypadek jako „ciążę wysokiego ryzyka". Brzmi to groźnie, ale w rzeczywistości nie musi oznaczać niczego więcej poza koniecznością częstszych wizyt lekarskich lub przestrzegania kilku dodatkowych środków ostrożności. Jeśli nie dotyczy cię żaden z podanych niżej czynników, możesz uznać, że jesteś w ciąży „niskiego ryzyka".

Na podwyższone ryzyko powikłań położniczych ze strony matki wskazują następujące czynniki:
* Powikłania ciąży w przeszłości
* Wiek poniżej 15 lub powyżej 35 (40 według części lekarzy) lat
* Ciąża mnoga (bliźnięta, trojaczki itp.)
* Choroby przewlekłe: cukrzyca, nadciśnienie tętnicze, padaczka, przewlekłe schorzenia serca, płuc lub wątroby
* Choroby przenoszone drogą płciową (weneryczne) lub inne poważne zakażenia
* Nikotynizm, alkoholizm lub narkomania
* Liczni partnerzy seksualni
* Brak opieki prenatalnej
* Znikome przybieranie na wadze lub jego brak
* Krwawienie z dróg rodnych poza pierwszym trymestrem ciąży
* Podwyższone ciśnienie tętnicze z powodu i w przebiegu ciąży (tzw. stan przedrzucawkowy, *preeclampsia*)

Na podwyższone ryzyko powikłań położniczych ze strony płodu wskazują następujące czynniki:
* Zaburzenia czynności serca
* Objawy świadczące o zahamowaniu czy zwolnieniu tempa wzrostu (tzw. wewnątrzmaciczne opóźnienie wzrostu.

W ostatnich latach ta forma opieki położniczej zyskuje coraz większe uznanie z uwagi na jej wysoką jakość i nastawienie na profilaktykę, a przy tym niższe koszty. Badania wykazują, że w przypadku prawidłowych ciąż i porodów siłami natury pielęgniarki-położne osiągają równie dobre, czy nawet lepsze rezultaty od lekarzy.

Lekarze rodzinni

Specjalizacja w medycynie rodzinnej liczy sobie stosunkowo niewiele lat, niemniej jednak na całym świecie (w tym i w Polsce – *przyp. tłum.*) zyskuje na popularności i sprawdza się jako ekonomicznie uzasadniona, a przy tym wykwalifikowana forma podstawowej opieki zdrowotnej, zastępująca dawną praktykę „lekarza ogólnego". Lekarze rodzinni przechodzą po studiach specjalne staże, podczas których zdobywają wiedzę z zakresu chorób wewnętrznych, pediatrii, chirurgii, ginekologii-położnictwa i – w mniejszym stopniu – z innych dziedzin. Są zatem przygotowani do opieki nad całą rodziną, czyli nad pacjentami w różnym wieku i w różnych sytuacjach, a poza tym – co może najważniejsze – utrzymują z nimi bliski kontakt, orientują się w ich sytuacji życiowej i specyficznych problemach, co ma z założenia stanowić przeciwwagę dla obserwowanych w medycynie niepokojących tendencji do anonimowości i dehumanizacji. Niektórzy z lekarzy rodzinnych – zwłaszcza na terenach wiejskich – z powodzeniem zajmują się również położnictwem, jednak nie jest to powszechną regułą. Wielu lekarzy rodzinnych podejmuje się opieki nad zdrowymi kobietami w ciąży, jednak w razie jakichkolwiek powikłań odsyłają je do położników.

Wybór najwłaściwszego rodzaju opieki medycznej

Na fachowych pracowników służby zdrowia, tak jak przedstawicieli wszelkich innych zawodów, składają się poszczególni, bardzo różni ludzie, tak więc jakakolwiek generalizacja jest zawsze ryzykowna. W ujęciu zbiorowym każda z wyżej omówionych grup zawodowych ma jednak pewne ogólne mocne i słabe strony.

Ogólnie ujmując, powinnaś na pewno wybrać specjalistę-położnika, jeśli jesteś dotknięta chorobą przewlekłą, masz urodzić bliźnięta lub trojaczki, masz 40 lub więcej lat lub też istnieją inne powody do obaw przed powikłaniami ciąży i/lub porodu. Poza tym wybór zależy w dużym stopniu od twoich indywidualnych preferencji. Jeśli masz zacięcie „naukowe", chcesz dowiedzieć się jak najwięcej o rozwoju twojego jeszcze nie narodzonego dziecka, czy też fascynują cię najnowsze zdobycze medycyny, można założyć, że kontakt ze specjalistą-położnikiem przyniesie ci najwięcej satysfakcji. Jeśli z kolei jesteś zorientowana „naturalnie" i chcesz do minimum ograniczyć ingerencję medycyny w rozwój i przyjście na świat twojego dziecka, znalezienie kogoś podzielającego twoje podejście będzie prawdopodobnie nieco trudniejsze (ale nie niemożliwe!).

Dyplomowane pielęgniarki-położne mają zwykle tendencję do poświęcania pacjentkom więcej czasu i do skupiania się w większym stopniu na wsparciu emocjonalnym, prawidłowej diecie i innych aspektach zdrowego trybu życia w okresie ciąży. Może to być szczególnie ważne, jeśli jesteś osobą samotną, jeśli brakuje ci wsparcia w rodzinie lub jeśli masz problemy z dostosowaniem się do wymogów ciąży, takich na przykład, jak rezygnacja z papierosów czy odpowiednie odżywianie.

W okresie porodu położne starają się zwykle unikać nadmiaru interwencji w rodzaju indukcji porodu, cięcia cesarskiego czy nacinania krocza (żeby powiększyć drogę wyjścia dla dziecka). Z drugiej strony, nawet mimo dużej wprawy i doświadcze-

Nie rezygnuj z wyboru

Twój ginekolog jest najprawdopodobniej również położnikiem, ale nie czuj się przez to zobowiązana do pozostania właśnie przy nim. Lekarz, do którego chodziłaś raz w roku na badanie, po receptę na środki antykoncepcyjne czy w razie zakażenia grzybiczego, nie musi być osobą towarzyszącą ci przez całą ciążę i odbierającą twoje dziecko. Ciąża i poród wymagają innego rodzaju kontaktów, tak więc dobrze się zastanów, kogo najchętniej widziałabyś w tej roli. Masz pełne prawo wybrać innego lekarza, choćby na zasadzie czystej sympatii.

nia, nie są one jednak lekarzami i mogą mieć trudności w rozpoznaniu ewentualnych komplikacji i podjęciu odpowiednich środków zaradczych. W razie jakichkolwiek problemów mają zresztą obowiązek wzywać lekarza. Praktyka polegająca na ścisłej współpracy między lekarzem a położną stanowi rozwiązanie optymalne, dzięki któremu daje się wyeliminować wady, a za to w pełni korzystać z zalet obu sposobów podejścia. Jeśli twoja ciąża przebiega prawidłowo, możesz w ramach opieki prenatalnej odwiedzać głównie położną, natomiast w razie problemów masz pod ręką również znajomego ci lekarza.

Lekarze rodzinni traktują zwykle poród jak wydarzenie rodzinne. Jeśli twój lekarz rodzinny jest w stanie zapewnić ci opiekę prenatalną, z reguły zna on również dobrze ojca dziecka i wszyscy macie wtedy lepsze warunki do współpracy i współuczestnictwa w tym doniosłym akcie. Później ten sam lekarz może opiekować się twoim dzieckiem przez długie lata, co daje poczucie ciągłości i bliskiej więzi. Musisz jednak liczyć się z ewentualnością, że w razie jakichkolwiek problemów, często w najmniej spodziewanym momencie, lekarz rodzinny najprawdopodobniej skieruje cię do specjalisty--położnika, którego wcześniej nie miałaś okazji poznać. Może to być przyczyną dodatkowych stresów i psychicznego dyskomfortu.

Inne czynniki do uwzględnienia przy wyborze opieki położniczej

Miejsce odbycia porodu

Wybierając lekarza lub położną, musisz dowiedzieć się o placówkę, w której przyjmuje on/ona porody. A oto kilka pytań, na jakie powinnaś uzyskać odpowiedź:

- Czy łatwo dostać się do wskazanego szpitala/izby porodowej?
- Jak jest on wyposażony, zwłaszcza na wypadek powikłań?
- Ile pacjentek przypada na jedną pielęgniarkę/położną? (Wskaźnik 2:1 uważa się za właściwy w przypadku porodu prawidłowego, natomiast w razie powikłań oraz w okresie parcia powinien on wynosić optymalnie 1:1).
- Jakie procedury są stosowane po porodzie?

- Czy ojciec może uczestniczyć w porodzie i czy dziecko zostanie później przy tobie (w tzw. systemie rooming-in)?
- Jeśli zależy ci na ciepłej, rodzinnej atmosferze, dowiedz się również, czy w szpitalu są małe, pojedyncze salki porodowe, czy też istnieje wręcz możliwość odbycia porodu w domu? Dokładniej omawiamy te kwestie w rozdziale 3, „Narodziny dziecka".

Wielkość praktyki

Jeśli wybierasz na okres ciąży opiekę pojedynczego lekarza lub położnej, na pewno w nadchodzących miesiącach nawiążesz z nim lub z nią bliską więź. Co się jednak stanie, jeśli osoba ta pójdzie na urlop czy będzie zajęta przy innej pacjentce akurat w momencie, gdy zaczniesz rodzić? Istnieje obawa, że zastąpi ją przy tobie ktoś, kogo nigdy wcześniej nie widziałaś. Jeśli zatem oddajesz się pod opiekę pojedynczego lekarza/położnej, powinnaś zawczasu zapoznać się z jego/jej zmiennikiem.

Jeśli wybierasz większy ośrodek, najprawdopodobniej podczas większości wizyt będziesz spotykać się z tą samą osobą, ale czasami może to być również ktoś inny. Ma to tę zaletę, że przynajmniej z widzenia znasz również innych członków tego zespołu. W przypadku dużych ośrodków niektóre osoby możesz jednak zobaczyć dopiero podczas porodu.

Dogodność

Wybierając rodzaj opieki prenatalnej, nie zapomnij o kwestiach czysto praktycznych. Czy gabinet/ośrodek mieści się w miarę blisko twojego miejsca zamieszkania lub pracy? Jakie są godziny przyjęć? Jak wygląda łączność telefoniczna z twoim opiekunem, czy możesz zadzwonić do niego w każdej chwili? W jaki sposób płacisz za usługi?

Sprawdzanie warunków ubezpieczenia

Planując ciążę, każda kobieta powinna zawczasu sprawdzić, jakie usługi medyczne pokrywa jej ubezpieczenie. Wyjaśnienia wymagają następujące kwestie:
- Czy wizyty lekarskie w okresie ciąży są całkowicie bezpłatne, czy też konieczny jest udział własny?
- Czy/ile trzeba zapłacić z własnej kieszeni za pobyt na oddziale położniczym?
- Czy ubezpieczenie pokrywa koszty rutynowych badań prenatalnych?
- Czy ubezpieczenie obejmuje takie usługi jak szkoła rodzenia, poradnictwo genetyczne, asysta przy porodzie, znieczulenie zewnątrzoponowe, nauka karmienia piersią lub pomoc domowa po porodzie?

Rutynowa opieka prenatalna

Opieka ta może i powinna rozpocząć się jeszcze przed zajściem w ciążę i trwać aż do momentu rozwiązania.

Lekarz radzi

Asysta przy porodzie

Badania wykazują, że poród w asyście doświadczonej i wprawnej osoby, zapewniającej stałe wsparcie emocjonalne i fizyczne przebiega łatwiej. Jeśli w czasie ciąży jesteś pod opieką położnej, nadaje się ona znakomicie do tej roli. Możesz również rodzić pod nadzorem dodatkowej „asystentki". Więcej informacji na ten temat znajdziesz w rozdziale 3, „Narodziny dziecka".

Wizyta lekarska przed poczęciem dziecka

Eksperci zgodnie zalecają kobietom, czy jeszcze lepiej parom planującym powiększenie rodziny, odbycie tak zwanej wizyty „przedkoncepcyjnej". Lekarz zbiera wówczas informacje na temat wszelkich obecnych i dawniejszych problemów zdrowotnych, przebiegu ewentualnych poprzednich ciąż i stanu zdrowia urodzonych z nich dzieci oraz chorób występujących rodzinnie. Na podstawie tych informacji, a także wieku i przynależności etnicznej pacjentki, lekarz może zalecić konsultację w poradni genetycznej lub od razu skierować przyszłych rodziców na odpowiednie badania (opisane w dalszej części tego rozdziału). Wizyta taka jest również doskonałą okazją do zadania wszelkich możliwych pytań i wyjaśnienia różnego rodzaju wątpliwości.

Lekarz powinien również zapytać o twój styl życia, w tym o palenie papierosów, picie alkoholu, stosunek do narkotyków, sposób odżywiania i aktywność fizyczną. Jeśli ważysz za dużo lub za mało, usłyszysz zapewne zalecenie osiągnięcia właściwszego ciężaru ciała jeszcze przed zajściem w ciążę. Lekarz udzieli ci również porad co do zwiększenia szans na macierzyństwo i najprawdopodobniej poprosi o prowadzenie kalendarzyka małżeńskiego, pomocnego w ustaleniu dokładnej daty poczęcia dziecka. Jej znajomość jest ważna zarówno dla ciebie, jak i dla lekarza, który może na tej podstawie lepiej ocenić rozwój płodu.

W czasie wizyty przedkoncepcyjnej rutynowo pobiera się wymaz z szyjki macicy na badanie cytologiczne (pod kątem zmian nowotworowych) oraz krew na morfologię i odczyny serologiczne wykluczające kiłę i zakażenie wirusem zapalenia wątroby typu B (wzw B), a także na inne badania pod kątem chorób przewlekłych. Zaleca się również testowanie przyszłych matek na nosicielstwo HIV (wirusa odpowiedzialnego za AIDS) oraz pod kątem rzeżączki i zakażenia chlamydiowego.

Już podczas pierwszej wizyty lekarz powinien sprawdzić twoją odporność na różyczkę. Jest to typowa, łagodna choroba wirusowa wieku dziecięcego, jeśli jednak do zakażenia dojdzie w okresie ciąży, grozi to ciężkimi wadami rozwojowymi u płodu. Jeśli nie przebyłaś różyczki w dzieciństwie i nie jesteś na nią uodporniona, powinnaś poddać się szczepieniu ochronnemu na co najmniej 3 miesiące przed zajściem w ciążę. Jeśli nie chorowałaś na ospę wietrzną, możesz zapytać również i o tę szczepionkę. Lekarz może też zasugerować ci inne szczepienia, na przykład przeciwko wzw B.

Jeśli masz w domu kota lub mieszkasz w okolicy obfitującej w koty, zapytaj lekarza, czy nie powinnaś przejść badań pod kątem odporności na wcześniej omówioną toksoplazmozę. Stwierdzenie braku odporności na zakażenie pasożytem *Toxoplasma gondii* wymaga od ciebie szczególnych środków ostrożności.

Pierwsza wizyta prenatalna

Jeśli podejrzewasz, że jesteś w ciąży, nie zwlekaj z wizytą u lekarza. Aby się upewnić, wykonasz zapewne jeden czy dwa domowe testy ciążowe. Nie czekaj jednak dłużej niż do terminu drugiej z kolei, nie pojawiającej się miesiączki.

Jeśli wcześniej nie odbyłaś wizyty „przedkoncepcyjnej”, to właśnie teraz przychodzi pora na wyżej omówione pytania, porady i badania (aczkolwiek jest już za późno na szczepienia przeciwko różyczce i ospie wietrznej). Lekarz może już podczas tej pierwszej wizyty wykonać USG (opisane dalej w tej części), dzięki któremu na własne oczy zobaczysz rozwijające się w twym łonie dziecko. Przygotuj się na niezapomniane przeżycie: po 6–7 tygodniach prawidłowej ciąży płód wygląda jak ziarnko fasoli z bijącym sercem. Pojawienie się czynności serca jest niezwykle ważne w przebiegu ciąży, oznacza znaczny spadek ryzyka poronienia.

Podczas tej pierwszej wizyty oraz każdej następnej będziesz proszona o próbkę moczu do badania pod kątem objawów dwóch spośród najczęstszych powikłań ciąży: cukrzycy ciężarnych (czyli związanej wyłącznie z ciążą) oraz stanu przedrzucawkowego, zwanego inaczej gestozą lub zatruciem ciążowym, na który składa się nadciśnienie tętnicze, białkomocz i obrzęki.

Późniejsze wizyty prenatalne

Według standardowego schematu kobieta ciężarna powinna odwiedzać lekarza co 4 tygodnie aż do 28. tygodnia ciąży, następnie co 2 tygodnie do tygodnia 36. i w końcu co tydzień aż do porodu. Z nowszych badań wynika jednak, że liczbę wizyt prenatalnych można bezpiecznie zredukować, szczególnie w pierwszych sześciu miesiącach ciąży.

Wizyta kontrolna nie zajmuje zwykle wiele czasu. Lekarz lub położna zważą cię, zmierzą ciśnienie tętnicze, określą wielkość macicy i osłuchają serce dziecka specjalnym stetoskopem. Czynność serca płodu daje się wysłuchać, począwszy od 16–19 tygodnia ciąży, i wynosi prawidłowo 120–160 uderzeń na minutę. Słyszane dźwięki przypominają tykanie budzika pod poduszką. (Mniej więcej w tym samym czasie zaczniesz odczuwać pierwsze, nieśmiałe jeszcze ruchy dziecka).

Z punktu widzenia lekarza jednym z głównych celów wizyty kontrolnej jest sprawdzenie korelacji między wiekiem ciążowym a stopniem rozwoju płodu. Pomaga to

Lekarz radzi

Szczerość przede wszystkim

Aby otrzymać najlepszą opiekę medyczną, nie możesz zataić przed lekarzem niczego, co dotyczy twojego zdrowia – ani żadnych potencjalnie szkodliwych nawyków/nałogów, ani przebytych chorób, ani życia seksualnego. Jeśli idziecie do lekarza we dwoje, musicie wcześniej omówić wszelkie drażliwe kwestie w cztery oczy. Gabinet lekarski nie jest miejscem, w którym twój mąż czy partner powinien dowiedzieć się o czymś po raz pierwszy, a z kolei błędem jest również zatajać istotne informacje przed lekarzem z uwagi na jego obecność. Jeśli istnieje coś, o czym nie możesz powiedzieć twojemu partnerowi, wybierz się raczej do lekarza sama, przynajmniej z pierwszą wizytą.

w interpretacji różnych możliwych objawów oraz w decyzjach co do postępowania w razie jakichkolwiek późniejszych problemów.

Z punktu widzenia rodziców regularne wizyty prenatalne pozwalają upewnić się, że ciąża przebiega prawidłowo, wyjaśnić wszelkie wątpliwości i uzyskać wskazówki, jak radzić sobie z różnymi niedogodnościami ciąży. W miarę upływu czasu lekarz lub położna mogą zaproponować ci udział w „szkole rodzenia" czy w spotkaniach w grupach rodziców, a także umożliwić kontakt z pielęgniarką dziecięcą, specjalistą od karmienia piersią czy położną, która może zapewnić ci asystę przy porodzie. Możesz również skorzystać z ich sugestii co do wyboru lekarza dla twojego dziecka, gdy już przyjdzie na świat. (Patrz rozdział 12, „Wybór lekarza-pediatry i nawiązanie z nim współpracy").

Poradnictwo i badania genetyczne

Lekarze zalecają zwykle poradnictwo genetyczne przed zajściem w ciążę w razie przynależności pacjentki lub jej partnera do następujących grup etnicznych:
- Pochodzenia afrykańskiego, z powodu możliwości nosicielstwa genu niedokrwistości sierpowatokrwinkowej

Optymistyczne statystyki

Mamy dla ciebie dobre wieści: około 90% dzieci przychodzi na świat o czasie (czyli po 37–42 tygodniach ciąży) i waży ponad 2500 g. Niespełna 2% noworodków ma bardzo niską wagę urodzeniową (poniżej 1500 g). Szacuje się, że poważne wady rozwojowe dotyczą od 3 do 5% dzieci – co oznacza, że 95–97% rodzi się bez żadnych takich wad.

- Pochodzenia włoskiego, greckiego lub z innych krajów europejskich czy azjatyckich basenu Morza Śródziemnego, z powodu możliwości nosicielstwa genów talasemii
- Żydów wywodzących się z Europy Wschodniej, Kanadyjczyków lub Amerykanów pochodzenia francuskiego, z powodu możliwości nosicielstwa genu choroby Taya-Sachsa

Jeśli oboje rodzice są nosicielami wyżej wymienionych genów, istnieje 25% ryzyko, że ich dziecko urodzi się dotknięte którąś z tych chorób. W takich przypadkach rodzice mogą podjąć to ryzyko lub zrezygnować z posiadania dziecka, a jeśli ciąża jest już faktem, zdecydować się na badania genetyczne płodu. Jeśli okaże się, że dziecko urodzi się chore, rodzice mają wtedy więcej czasu na zapoznanie się z czekającymi ich problemami w razie kontynuacji ciąży. W pewnych przypadkach może też zapaść decyzja o jej przerwaniu. Każdy z wyborów będzie trudny, bolesny i stresujący, tak więc rodzice wymagają w takiej sytuacji porady i wsparcia ze strony lekarza, psychologa czy też różnego rodzaju grup samopomocy.

Badania genetyczne bywają również zalecane, jeśli:

- W rodzinie któregoś z rodziców występują choroby dziedziczne, takie jak mukowiscydoza, dystrofia mięśniowa Duchenne'a, pląsawica Huntingtona, niedorozwój umysłowy czy wady wrodzone serca bądź innych narządów.
- Kilka poprzednich ciąż zakończyło się poronieniem samoistnym.

Badania w okresie ciąży

Tak jak rosnąca liczba zagrożeń dla dziecka daje się obecnie wykryć jeszcze przed jego poczęciem, tak i coraz więcej problemów można stwierdzić już w okresie życia płodowego. Wykonywane w tym celu badania dzielą się na dwie kategorie: badań przesiewowych i badań diagnostycznych. Badania przesiewowe (skriningowe) krwi są zalecane u wszystkich kobiet, natomiast diagnostyczne przeprowadza się w razie dodatnich wyników badań przesiewowych u kobiet obciążonych dodatkowymi czynnikami ryzyka. Należy do nich na przykład wiek powyżej 35 lat, związany z wyższym prawdopodobieństwem zespołu Downa czy innych zaburzeń chromosomalnych.

Badania przesiewowe

Badania przesiewowe z założenia muszą charakteryzować się prostotą i bezpieczeństwem – najczęściej wymagają jedynie pobrania próbki krwi – a także stosunkowo niewielkim kosztem. Nie dają one jednak odpowiedzi na pytanie, czy płód jest chory czy zdrowy, a jedynie wskazują na podwyższone (lub nie podwyższone) ryzyko określonych zaburzeń. W razie stwierdzenia podwyższonego ryzyka zaleca się z reguły dokładniejsze badania diagnostyczne. (W większości przypadków przynoszą one dobre wieści: dziecko jest zdrowe). Badania przesiewowe zwykle obejmują:

Zasadność badań prenatalnych

Badania prenatalne wiążą się niewątpliwie z dużym stresem. Ponieważ większość kobiet, u których wychodzą one nieprawidłowo, rodzi ostatecznie zdrowe dzieci, a z drugiej strony szeregu wykrytych anomalii i tak nie daje się leczyć, część kobiet nie decyduje się na wykonanie badań, wychodząc z założenia, że „co ma być, to będzie”.

Niezależnie od tego, co wybierzesz, na pewno nie unikniesz rozważań, co zrobić w razie wykrycia u dziecka poważnych wad rozwojowych. Naszym zdaniem, im wcześniej się o tym dowiesz, tym lepiej. Wiele kobiet odrzuca badania prenatalne dlatego, że i tak z góry wykluczają decyzję o aborcji, jednak nawet wtedy warto mieć więcej czasu, by zebrać wszystkie możliwe informacje i przygotować się na przyjście na świat chorego dziecka zarówno od strony praktycznej, jak i emocjonalnej. Położnik czy specjalista poradnictwa genetycznego może pomóc ci w zdobyciu informacji, ustaleniu priorytetów i rozważeniu różnych możliwości postępowania.

Trzeba podkreślić, że badania prenatalne są oferowane kobietom, ale nie podyktowane do wykonania pod przymusem. Masz pełne prawo zapytać lekarza, dlaczego radzi ci je przeprowadzić, jakie wiążą się z nimi korzyści i zagrożenia, a przede wszystkim – o czym będą świadczyć takie czy inne wyniki.

Jeśli masz wątpliwości co do sposobu udzielania ci odpowiedzi na powyższe pytania, nie zawahaj się powiedzieć o tym lekarzowi. Nie musisz bynajmniej zadowolić się wyjaśnieniem, że twój lekarz „zleca to badanie wszystkim swoim pacjentkom”.

- Oznaczanie poziomu alfa-fetoproteiny (AFP), białka produkowanego przez wątrobę płodu, w surowicy matki. Podwyższone stężenie AFP oznacza zwiększone ryzyko wad rozwojowych cewy nerwowej (rozszczepu kręgosłupa, przepuklin mózgowo-rdzeniowych) oraz szeregu innych defektów, natomiast poziom poniżej normy wiąże się ze wzrostem ryzyka zespołu Downa i innych zaburzeń chromosomalnych. Wahania poziomu AFP nie muszą jednak oznaczać patologii, a tylko mogą wynikać z nieprawidłowego ciężaru ciała matki czy z faktu ciąży mnogiej.
- Test potrójny (*triple test*), czyli rozszerzona wersja powyższego, staje się obecnie standardowym badaniem przesiewowym, zalecanym przez większość lekarzy. Jest on wykonywany zazwyczaj między 15. a 20. tygodniem ciąży i polega na oznaczaniu poziomu AFP oraz dwóch innych związków biochemicznych: ludzkiej gonadotropiny kosmówkowej (hCG, *human chrorionic gonadotropin*) i estriolu, jednego z hormonów estrogenowych. (Inna wersja, tzw. test podwójny, nie obejmuje badania poziomu estriolu). Testy podwójne lub potrójne charakteryzują się większą czułością w wykrywaniu zespołu Downa niż samo oznaczenie AFP, co

nie zmienia faktu, że ich wyniki pozostają dalekie od doskonałości: identyfikują one średnio 50% przypadków zespołu Downa i około 85% przypadków przepuklin mózgowo-rdzeniowych. U co dwudziestej pacjentki stwierdza się wyniki fałszywie dodatnie, to znaczy podejrzenie choroby mimo jej faktycznego braku. Musisz więc zapamiętać, że nieprawidłowy wynik badania przesiewowego bynajmniej nie jest równoznaczny ze stwierdzeniem choroby, którą w większości przypadków wykluczają dalsze badania diagnostyczne.

Badania diagnostyczne

Badania diagnostyczne w okresie ciąży są w stanie zidentyfikować szeroki zakres wad rozwojowych, chorób i zaburzeń. Do najczęściej wykonywanych należy ultrasonografia, test bezstresowy, amniocenteza i biopsja kosmówki.

Ultrasonografia (USG). USG należy do badań obrazowych, z wykorzystaniem ultradźwięków do otrzymania ruchomego obrazu struktur wewnętrznych, w tym przypadku płodu w jamie macicy. W miarę przesuwania po brzuchu kobiety ciężarnej głowicy generującej fale ultradźwiękowe, na ekranie monitora pojawiają się zamazane kształty dziecka. We wczesnym okresie ciąży badanie USG wymaga niekiedy wprowadzenia głowicy do pochwy.

USG nie wiąże się z bólem ani żadnymi przykrościami i jest uważane za badanie bezpieczne zarówno dla matki, jak i dla płodu. W miarę postępów w aparaturze medycznej dostarcza ono coraz więcej informacji i ma coraz szersze zastosowanie, zarówno dla oceny ciąży prawidłowej, jak i w diagnostyce patologii. Niewyraźny obraz USG staje się często pierwszą fotografią dziecka w rodzinnym albumie, z dumą pokazywaną znajomym przez nowoczesne matki. Poglądy na temat zasadności rutynowego wykonywania USG w niepowikłanej ciąży bywają zróżnicowane, jednak większość lekarzy proponuje swoim pacjentkom to badanie, zwykle między 18. a 20. tygodniem ciąży. Nawet w przypadku prawidłowej ciąży dostarcza ono cennych informacji lekarzowi, a przyszłym rodzicom widok dziecka poruszającego się w łonie matki daje radość i pewność, że wszystko jest w najlepszym porządku.

W razie ciąży wysokiego ryzyka dokładniejsze badania USG można powtarzać kilkakrotnie, monitorując wzrost i rozwój płodu. Wykorzystuje się je również do okre-

> ### „Głos doświadczenia"
>
> *„Jednym z najmilszych zajęć przyszłych rodziców jest obmyślanie imienia dla dziecka. My z mężem staraliśmy się ograniczyć wybór do dwóch imion dla synka i dwóch dla córeczki. Ostateczna decyzja zapadła jednak po urodzeniu dziecka, kiedy mogliśmy już uwzględnić jego wygląd i osobowość. Wydaje mi się, że trzeba brać to pod uwagę, tak aby imię odzwierciedlało również indywidualne cechy dziecka, a nie było przesądzone na długo przed jego przyjściem na świat".*
> – ZA: KIDSHEALTH PARENT SURVEY

ślenia „profilu biofizycznego" ciąży, czyli oceny ogólnego stanu płodu na podstawie jego ruchów i ilości płynu owodniowego. Z reguły łączy się to z monitorowaniem czynności serca drogą tak zwanego testu bezstresowego, opisanego poniżej.

A oto przykładowe stany patologiczne, możliwe do zidentyfikowania w badaniu USG:

- Ciąża ektopowa, zwana inaczej pozamaciczną, w której jajo płodowe zagnieżdża się i rozwija się poza jamą macicy.
- Obumarcie płodu i poronienie w toku.
- Liczne wady rozwojowe, takie jak brak kończyn, malformacje serca lub dróg moczowych, a czasem również rozszczep wargi/podniebienia lub rozszczep kręgosłupa.
- Niektóre przypadki zespołu Downa i innych zaburzeń chromosomalnych.
- Patologicznie wolne tempo rozwoju płodu, określane jako wewnątrzmaciczne opóźnienie wzrostu (IUGR).
- Nieprawidłowe położenie płodu lub łożyska, wymagające szczególnych środków ostrożności lub rozwiązania ciąży przez cięcie cesarskie.

USG potwierdza również ciążę mnogą (bliźniaczą, trojaczą itp.), pomaga lekarzowi w ocenie wieku ciąży, a także często, choć nie zawsze, pozwala określić płeć dziecka.

Test bezstresowy (NST, non-stress test). Podczas tego badania na brzuchu matki umieszcza się aparat do monitorowania czynności serca płodu przez około 30 minut. Matka ma za zadanie naciskać odpowiedni przycisk za każdym razem, gdy poczuje ruchy dziecka. Przyspieszenie czynności serca podczas ruchów uważa się za objaw zdrowia płodu. Badanie to wykorzystuje się do oceny dobrostanu płodu, począwszy od około 26. tygodnia ciąży. Można wykonywać je wielokrotnie, a nawet codziennie w razie ciąży wysokiego ryzyka, a zwłaszcza wtedy, gdy matka ma wysokie nadciśnienie tętnicze lub cukrzycę albo gdy płód nie rozwija się w prawidłowym tempie. W takich przypadkach wyniki NST mogą pomóc lekarzowi w decyzji o przyspieszeniu porodu. Ocena zapisu NST jest jednak subiektywna i opiera się przede wszystkim na doświadczeniu lekarza.

Amniocenteza. Badanie to polega na wprowadzeniu pod kontrolą USG cienkiej igły przez powłoki brzuszne i pobraniu z jamy macicy niewielkiej ilości płynu owodniowego. Płód jest dokładnie otoczony tym płynem, tak więc zawiera on jego komórki. Komórki te są hodowane w warunkach laboratoryjnych, a następnie służą do badań garnituru chromosomów (kariotypu) pod kątem zespołu Downa i innych zaburzeń chromosomalnych, a także licznych defektów poszczególnych genów. Amniocenteza pomaga również w identyfikacji rozszczepu kręgosłupa i innych wad cewy nerwowej, umożliwiając pomiar stężenia alfa-fetoproteiny bezpośrednio w płynie owodniowym.

Badanie wykonuje się zazwyczaj między 15. a 18. tygodniem ciąży, a oczekiwanie na wyniki trwa zwykle 1–2 tygodnie. Czułość amniocentezy w wykrywaniu zespołu Downa i innych anomalii chromosomalnych szacuje się na ponad 99%. Nie zaleca się jej jednak rutynowo u wszystkich kobiet z powodu niewielkiego ryzyka poronienia – ocenianego na jeden przypadek na 200–400 badań, czyli poniżej 0,5%. (Ryzyko to nieco wzrasta, jeśli badanie wykonuje się we wczesnym okresie ciąży, między 11. a 14. tygodniem).

Choć amniocenteza nie jest obowiązkowa, lekarze zalecają ją zwykle kobietom w wieku powyżej 35 lat, ponieważ dotyczy je większe ryzyko urodzenia dziecka z zespołem Downa. (Częstość występowania zespołu Downa rośnie wraz z wiekiem matki. Szacuje się je na 1:400 dla kobiet 20-letnich, 1:250 dla 35-letnich, 1:75 dla 40 – letnich i 1:20 dla 45-letnich). Zanim zdecydujesz się na to badanie, powinnaś dokładnie omówić z lekarzem wszelkie swoje obawy i wątpliwości.

Lekarz może zalecać amniocentezę również wtedy, gdy pacjentka już wcześniej urodziła dziecko z wadą wrodzoną, jeśli w rodzinie któregoś z rodziców występują choroby genetycznie uwarunkowane lub też w razie podejrzenia wady cewy nerwowej na podstawie wcześniej omówionych badań przesiewowych. Badanie komórek płodu obecnych w płynie owodniowym ujawnia również płeć dziecka, jednak nie powinno to być jedynym powodem wykonania zabiegu, chyba że istnieje podejrzenie choroby dziedzicznej związanej z płcią.

Zakażenie paciorkowcowe

Hasło „zakażenie paciorkowcowe" kojarzy ci się zapewne z bolesną anginą, jaką przechodziłaś w dzieciństwie. Wedle wszelkiego prawdopodobieństwa dostałaś wtedy antybiotyki, po których gorączka i ból gardła ustąpiły bez śladu. Paciorkowce są jednak odpowiedzialne nie tylko za anginę. Inne rodzaje tych bakterii, tak zwane paciorkowce grupy B (GBS, *group B Streptococcus*) lub gatunek *Streptococcus agalactiae*, mogą wywołać ciężkie, a nawet groźne dla życia zakażenie okołoporodowe noworodka. Bakterie te wchodzą w skład mikroflory pochwy lub okolicy odbytu u 10–30% kobiet. Ryzyko zakażenia dotyczy więc okresu porodu, a jego następstwem może być ciężka posocznica (sepsa, zakażenie krwi) lub zapalenie opon mózgowo-rdzeniowych u noworodka. Aby zminimalizować to ryzyko, lekarz może pod koniec ciąży pobrać wymaz z pochwy na badanie mikrobiologiczne pod kątem nosicielstwa GBS. U większości kobiet wypada ono ujemnie, jednak 10–30% okazuje się nosicielkami tych bakterii. Również i te kobiety rodzą najczęściej zdrowe dzieci, ale ryzyko zakażenia noworodka jest w tym przypadku znacznie większe. W razie dodatniego wyniku posiewu lekarze często zalecają więc antybiotyki przed porodem i w trakcie porodu, zależnie od dodatkowych czynników, takich jak przedwczesne pęknięcie pęcherza płodowego („odejście wód"), poród przedwczesny czy gorączka. Nie ma ujednoliconych zasad postępowania w okresie ciąży, w każdym razie warto przedyskutować kwestię GBS z lekarzem.

Brak gwarancji

Chociaż badania okresu prenatalnego są w stanie wykluczyć wiele potencjalnych problemów, nie obejmują jednak swym zakresem wszelkich patologii, a ich prawidłowe wyniki nie stanowią stuprocentowej gwarancji, że dziecko urodzi się zdrowe. Amniocenteza i CVS charakteryzują się wysoką czułością w wykrywaniu zespołu Downa i innych aberracji chromosomalnych, jednak USG i badania monitorujące stan płodu są często trudne do interpretacji. Jeśli więc otrzymasz wyniki, które z jakichś względów cię niepokoją, postaraj się zasięgnąć opinii drugiego lekarza – najlepiej specjalisty w zakresie patologii ciąży. Konsultacja taka ma szczególne znaczenie wtedy, gdy rozważasz przerwanie ciąży z powodu wykrytych w badaniach nieprawidłowości.

Biopsja kosmówki (CVS, chorionic villus sampling). Badanie to polega na pobraniu drobnego fragmentu kosmówki, jednej z błon płodowych, albo przez powłoki brzuszne, albo od strony pochwy i szyjki macicy. Wskazania do biopsji i jej czułość są podobne jak w przypadku amniocentezy, z jednym tylko wyjątkiem: takim, że nie daje się wykryć w ten sposób wad rozwojowych cewy nerwowej. Zaletą CVS jest natomiast wcześniejszy czas wykonywania, z reguły między 10. a 12. tygodniem ciąży, co ewentualnie umożliwia jej przerwanie ze wskazań lekarskich. Jeśli z kolei wynik okazuje się ujemny (a tak dzieje się w większości przypadków), również lepiej usłyszeć tę pomyślną wiadomość wcześniej niż później.

Wadą CVS w porównaniu z amniocentezą jest za to nieco wyższe ryzyko poronienia, szacowane na 1–2%. Niektóre badania sugerują ponadto, że CVS może wiązać się z częstszymi przypadkami deformacji lub braku części palców dłoni lub stóp. Ryzyko tej wady wynosi 1 na 3000 urodzeń. Istnieją również badania, w których nie potwierdzono zależności między CVS a zwiększoną częstotliwością malformacji.

Zarówno w przypadku amniocentezy, jak i biopsji kosmówki, ryzyko poronienia zależy w dużym stopniu od doświadczenia i wprawy lekarza wykonującego zabieg.

Przyjemność wizyty u lekarza

Nie da się ukryć, że dla większości ludzi wizyta u lekarza wiąże się z mniejszym czy większym stresem, a w każdym razie nie należy do przyjemności. Perspektywa badań, które opisaliśmy w tym rozdziale, może dodatkowo zwiększać twoje napięcie, przynajmniej w początkowym okresie.

Tymczasem może czekać cię miła niespodzianka. Prawdopodobnie, tak jak wiele kobiet przed tobą, odkryjesz ze zdumieniem, że będąc w ciąży po raz pierwszy w życiu idziesz do lekarza z przyjemnością.

Po pierwsze, nie jesteś chora. Czujesz się na ogół znakomicie, a może nawet lepiej niż kiedykolwiek przedtem (jak twierdzi wiele kobiet). Jeśli masz szczęście, wchodzisz do przyjemnie urządzonej poczekalni, w której siedzą inne, sympatyczne, młode, brzuchate pacjentki. Zapewne chętnie zamienisz z nimi kilka słów, bo przecież łączy was bardzo wiele. Potem przyjmie cię wybrana położna lub lekarz. Masz okazję zadać nurtujące cię pytania i opisać wszystkie dziwne wrażenia i przeżycia, którymi nie chcesz zanudzać przyjaciółek (bo i tak nie zrozumieją). Masz również wszelkie szanse, by usłyszeć dobre wieści i uzyskać fachowe porady, jak radzić sobie z różnego rodzaju niedogodnościami.

Dzięki specjalnemu stetoskopowi słyszysz bicie serca twojego dziecka na długo przedtem, zanim będziesz trzymać je w ramionach. Czasami możesz również zobaczyć na ekranie ultrasonografu, jak się porusza, kopie czy ssie kciuk. Dzięki temu wszystkiemu zaczynasz naprawdę czuć się matką. Tak czy inaczej, spędzasz miłą i pouczającą godzinę.

Jeśli potrzebujesz dodatkowych informacji, zasięgnij porady lekarza.

Rozdział 2

Przygotowanie domu i rodziny

„All you need is love" – potrzebujesz tylko miłości
(oraz pieluszek, łóżeczka, fotelika samochodowego...)

Przygotowanie domu na przyjście dziecka jest ważnym elementem twoich ogólnych przygotowań do rodzicielstwa. Samo dziecko, które na razie mieszka jeszcze w tobie (albo które zamierzasz adoptować), i twoja przyszła rola zaczynają wtedy nabierać realności. Wykorzystaj ten czas oczekiwania, by ułatwić sobie życie na przyszłość, tym bardziej że później nieraz będziesz żałować, że doba ma tylko 24 godziny! Nie mówiąc o tym, że same przygotowania mogą dać ci wiele radości.

W tym rozdziale omówimy kwestię przygotowania na wielkie wydarzenie wszystkich członków rodziny – włącznie z tobą, twoim mężem i innymi dziećmi, jeśli już je masz. Podpowiemy również, jakie zmiany warto poczynić w domu, by przystosować go do potrzeb i bezpieczeństwa niemowlęcia. I wreszcie udzielimy ci paru rad na temat zapasów rzeczy dla dziecka, jakie powinnaś zgromadzić przed jego narodzinami. Pamiętaj, że robiąc pierwsze zakupy dla dziecka – zwłaszcza pierworodnego – jesteś wspaniałym „łupem" dla żądnych zysku sprzedawców. Ich sugestywne namowy mogą sprawić, że wydasz na wyprawkę dwa razy więcej pieniędzy niż potrzeba. Dlatego dobrze jest przygotować zawczasu listę, a zwłaszcza tych rzeczy, których nigdy nie może ci zabraknąć.

Przygotowanie członków rodziny

Każdy mieszkaniec twojego domu musi przygotować się na nowego, szczególnego przybysza. Zacznij od siebie samej.

Sześć praktycznych porad na dobry początek

1. Nie żałuj czasu na rozmowy z mężem. Dzielcie się waszymi nadziejami związanymi z dzieckiem, wyobrażeniami o rodzicielstwie, poglądami na temat roli matki i ojca, własnymi doświadczeniami z dzieciństwa – dobrymi i złymi. Nie

ma lepszej metody, aby poznać się nawzajem – a przy okazji poznać również siebie – niż wymiana myśli, obaw i oczekiwań. Bodźcem do takich rozmów może być wspólne czytanie książek i artykułów na temat wychowania dziecka czy obserwacja krewnych i przyjaciół w roli rodziców. Nie starajcie się jednak na wyrost rozstrzygnąć wszystkich teoretycznych kwestii – na przykład jaki sport powinno uprawiać wasze dziecko. Jeszcze go nie znacie, a więc nie możecie z góry zaplanować mu przyszłości bez uwzględnienia jego osobistych skłonności i uzdolnień.

2. Przejdź szkolenie w resuscytacji krążeniowo-oddechowej (CPR) niemowlęcia, zasadach ratującego życie postępowania na wypadek zatrzymania oddechu. Kursy takie są organizowane przez szpitale, placówki Czerwonego Krzyża i wiele innych instytucji. Najprawdopodobniej nigdy nie będziesz zmuszona do wykorzystania swojej wiedzy w praktyce, ale na wszelki wypadek lepiej ją posiadać.

3. Zawczasu pomyśl o zapewnieniu sobie pomocy na pierwsze dni po powrocie z noworodkiem do domu. Może to być ktoś z rodziny czy przyjaciół, ale również ktoś z fachowego personelu medycznego – odpłatnie czy ochotniczo – w rodzaju pielęgniarki dziecięcej lub instruktorki karmienia piersią, czy wreszcie zwykła pomoc domowa. Ktoś, kto pomoże ci odnaleźć się w nieuniknionym zamieszaniu pierwszych dni, jest szczególnie pożądany przy pierwszym dziecku, kiedy nie masz jeszcze żadnych wcześniejszych doświadczeń i dopiero zaczynasz karmić piersią, a także po cięciu cesarskim. Jeśli planujesz zdać się na rodzinę, zastanów się nad tym od każdej możliwej strony. „Wszystkowiedząca" szwagierka, która zawsze cię denerwowała, nie jest może najlepszą osobą, z którą miałabyś spędzić kilka najbardziej emocjonujących i burzliwych tygodni życia.

4. Jeśli liczysz się z szybkim powrotem do pracy po urlopie macierzyńskim, już teraz zacznij szukać stałej opiekunki do dziecka. Więcej informacji na ten temat znajdziesz w rozdziale 25, „Wybór opiekunki lub placówki opieki nad dzieckiem".

5. Jeśli wcześniej nie zajmowałaś się przyszłością twojej rodziny od strony finansowej, pomyśl o tym w oczekiwaniu na dziecko. Zasięgnij porady na temat najlepszej formy oszczędzania na przyszłe potrzeby dziecka, na przykład na opłacenie studiów. Załóż mu polisę ubezpieczeniową. Pomyśl o innych formach zabezpieczenia jego przyszłości, na przykład o darowiźnie lub testamencie.

6. Wybierz, kup i zamontuj fotelik samochodowy dla niemowlęcia (patrz odpowiedni ustęp w dalszej części tego rozdziału).

Wielki (starszy) Brat (lub Siostra) obserwuje

Chociaż niektórzy eksperci uważają, że rywalizacja między rodzeństwem jest nieunikniona, reakcje małych dzieci na nowego przybysza do rodziny są zmienne. Na przykład, dzieci w wieku pięciu lat i starsze często wydają się zachwycone udziałem w przygotowaniach i późniejszym pomaganiem rodzicom, przynajmniej od czasu do

Lekarz radzi

Przygotowanie rodzeństwa

Zanim twoje dziecko dowie się o braciszku czy siostrzyczce „w drodze", porozmawiaj z nim o rodzinie jako takiej, jak powinna wyglądać itp. Zwróć uwagę dziecka na fakt, że jego kuzyni i koledzy mają rodzeństwo, dzięki czemu nabierze ono przekonania, że posiadanie brata czy siostry jest czymś normalnym, a nie żadnym wymyślonym przez ciebie „spiskiem", skierowanym, nie daj Boże, przeciwko niemu samemu.

czasu. Niezależnie od wieku twojego starszego dziecka czy dzieci, musisz przygotować je na nadchodzące zmiany i tym samym ułatwić im odnalezienie się w nowej roli brata lub siostry niemowlęcia.

Przede wszystkim, musisz uprzedzić je o tym zawczasu, jeszcze zanim cokolwiek będzie po tobie widać. Jeśli twoje dziecko jest dostatecznie duże, powiedzmy, trzy- lub czteroletnie, powiedz mu o nadchodzącym powiększeniu rodziny w tym samym momencie, w którym ogłosisz tę doniosłą nowinę pozostałym członkom rodziny. Nie pozwól, by twoje dziecko usłyszało ją od kogokolwiek innego ani żeby samo nabrało podejrzeń, że coś się przed nim ukrywa. Ponieważ dzieci mają trudności w percepcji czasu, użyj określeń, które jest w stanie zrozumieć, na przykład „kiedy znowu zrobi się ciepło", albo „zaraz po twoich urodzinach". Jest to zarazem dobra okazja, by wytłumaczyć kilkulatkowi – mniej czy bardziej oględnie, zależnie od jego wieku – skąd biorą się dzieci.

Wyjaśniając to wszystko dziecku, postaraj się jednocześnie i o dodanie mu otuchy, i o szczerość. Nie mów, że nic się nie zmieni (bo to nieprawda) ani że będzie to „jego" dzidziuś (bo a nuż zechce skorzystać ze swojego prawa własności i wymienić niemowlę na coś pożyteczniejszego!). Nie łudź dziecka, że od razu będzie miało z kim się bawić. Połóż za to nacisk na wszystko to, co naprawdę nie ulegnie zmianom („będziesz nadal chodzić do przedszkola i odwiedzać babcię w każdy wtorek"). Staraj się unikać obietnic, których nie będziesz w stanie dotrzymać („codziennie wieczorem będę ci czytać na dobranoc"). Wyraźnie wytłumacz dziecku, że na początku dzidziuś będzie za mały, żeby można się było z nim bawić i robić mnóstwo innych ciekawych rzeczy, tak jak z kolegami.

Postaraj się zorganizować dom w taki sposób, by w życiu twojego starszego dziecka zaszło naprawdę jak najmniej zmian. Jeśli planujesz przenieść je do innego pokoju, zrób to z kilkumiesięcznym wyprzedzeniem. (I nie mów przypadkiem, że „musi" się przenieść, bo jego dotychczasowy pokój będzie potrzebny niemowlęciu!). Z dużym wyprzedzeniem zacznij również pracę nad innymi przełomami w trybie życia kilkulatka – takimi jak zamiana dziecinnego łóżeczka na duże łóżko, odstawienie od piersi, odzwyczajenie od wózka, wyjście z pieluch, zapisanie do przedszkola. Jeśli jednak twoje dziecko nie jest na to wszystko gotowe, nie przyspieszaj niczego na siłę, a raczej poczekaj na pojawienie się w domu noworodka.

W wielu rodzinach opieka nad dzieckiem przypada w większym stopniu jednemu z rodziców, najczęściej matce. Gdy na świat przychodzi niemowlę, część tej opieki przejmuje siłą rzeczy drugi rodzic. Starsze dziecko zyskuje w ten sposób nie tylko młodszego brata lub siostrę, ale też ma okazję pogłębić więź z ojcem. Również i w tym przypadku warto zacząć wprowadzać zmiany z wyprzedzeniem, tak aby dziecko miało czas przyzwyczaić się, że to ojciec układa je do snu, karmi czy ubiera. Jednocześnie, jeśli jest ono dostatecznie duże, warto w tym okresie zachęcać je do większej samodzielności, na przykład do samoobsługi przy stole.

Przygotowując się na powitanie maleństwa, zwracaj uwagę na wysyłane przez starsze dziecko sygnały, czy i w jaki sposób chce ci pomóc. Jeśli okazuje zainteresowanie, pozwól mu na przykład samodzielnie wybrać coś dla niemowlęcia (pozytywkę w misie zamiast pozytywki w króliki). Zapytaj je, co samo lubiło jak było młodsze i poproś o „radę", co jego zdaniem może spodobać się dzidziusiowi.

Jest wiele książek pomagających przygotować dziecko na narodziny brata lub siostry. W niektórych szpitalach organizuje się również specjalne „kursy" dla dzieci, na których pokazuje się im, jak trzymać niemowlę, jak zmieniać mu pieluszki (z ćwiczeniami praktycznymi na lalkach) i jak z nim rozmawiać. Przedszkolaki mogą również obejrzeć film o pielęgnacji niemowlęcia, zobaczyć na własne oczy salę porodową i oddział noworodków i popatrzeć przez szybę, jak pielęgniarki ważą je, karmią i przewijają.

Jeśli spędzisz w szpitalu więcej niż jeden dzień, postaraj się, by dziecko odwiedziło cię jak najszybciej, najlepiej pod nieobecność innych gości. Później, już po powrocie do domu, musisz dołożyć wszelkich starań, by okazać starszemu dziecku zainteresowanie, czułość i miłość. Poświęć przynajmniej pół godziny dziennie na pobycie z nim sam na sam, na zajęcia, które najbardziej lubi. Nie zapomnij o jakimś drobnym upominku dla niego po powrocie ze szpitala, zadbaj też o to, by odwiedzający was goście nie przynosili prezentów tylko dla niemowlęcia. Możesz również poprosić kogoś bliskiego, by okazał twojemu starszemu dziecku szczególne względy w tym przełomowym okresie.

Zachęcaj waszych gości, by rozmawiali ze starszym dzieckiem o jego własnych sprawach, a nie tylko o dzidziusiu. Sama również nie zapomnij rozmawiać z nim o jego kolegach, zabawkach, o tym, co lubi, a czego nie lubi. Twoje zainteresowanie, jak mu się jeździ na nowym trójkołowym rowerku, jest bardziej wskazane niż wypytywanie w kółko, czy kocha braciszka.

Pozwól dziecku pomagać ci przy niemowlęciu, jeśli tylko ma na to ochotę. Nawet dwulatek może podać ci pieluszkę czy przytrzymać kocyk. Nieco starsze dziecko na pewno z przyjemnością weźmie czynny udział w kąpieli malucha albo potrzyma go, siedząc na podłodze. Pokaż dyplomatycznie, jak należy łagodnie obchodzić się i rozmawiać z niemowlęciem, ale nie zostawiaj obojga samych w pokoju dłużej niż na chwilę. Pomysły dzieci bywają nieprzewidywalne, a bezpieczeństwo musi być twoim bezwzględnym priorytetem.

Lekarz radzi

Kto się mną zajmie?

Twoje starsze dziecko musi zawczasu wiedzieć, z kim zostanie na czas twojego pobytu w szpitalu. Dzieci zwykle zakładają, że gdy nie ma mamy, zajmuje się nimi tata, nie są natomiast przygotowane na zniknięcie obojga. Oszczędź mu więc niemiłej niespodzianki, gdyby pewnego dnia miało obudzić się i nie zastać w domu nikogo poza sąsiadką. Musisz również uprzedzić dziecko, że możesz wyjechać do szpitala w środku nocy i ustalić, czy obudzisz je wtedy, żeby się pożegnać, czy nie. To, co nam wydaje się drobiazgiem, może mieć duże znaczenie dla kilkulatka, dlatego omów z nim wszystkie te sprawy z wyprzedzeniem, na wypadek gdyby poród zaczął się nieprzewidzianie wcześnie.

Jak radzić sobie z reakcjami starszego dziecka

Mimo twoich najlepszych chęci i wysiłków, by przygotować starsze dziecko na powitanie niemowlęcia, nie raniąc przy tym jego uczuć, nie łudź się, że wszystko przebiegnie zupełnie bezboleśnie. Narodziny braciszka czy siostrzyczki są dla dziecka głębokim wstrząsem i zasadniczą zmianą w jego dotychczasowym świecie. Niektóre dzieci reagują na to pewnym zahamowaniem w rozwoju – mogą na przykład ponownie wymagać pieluchy, chociaż wcześniej doskonale się już bez niej obywały. Nie bądź zaskoczona, jeśli twój „duży" synek czy córeczka nagle zacznie zachowywać się jak niemowlę, domagając się noszenia na rękach, ssania piersi czy butelki, lub też mocząc się w nocy.

Jeśli coś takiego nastąpi, najlepszym wyjściem jest pozwolić dziecku na ten regres, przynajmniej przez pewien czas, reagując raczej uśmiechem niż złością. Staraj się przy tym podkreślać wszystko to, co duże dziecko już potrafi, w przeciwieństwie do niemowlęcia. Autorka książek pedagogicznych Penelope Leach ujmuje to następująco: „Daj dziecku do zrozumienia, że we wszystkim, co robisz przy niemowlęciu, a czego nie robisz już przy nim, nie ma niczego takiego, czego ono samo nie mogłoby otrzymać, tyle że po prostu już z tego wyrosło".

Gdy w domu pojawia się niemowlę i wywraca dotychczasowy, uporządkowany świat kilkulatka do góry nogami, może on również odczuwać – i bezpośrednio okazywać – gniew i zazdrość. Jeśli dziecko jest dostatecznie duże, by rozmawiać o uczuciach, pomóż mu je wyrazić. Daj mu do zrozumienia, że liczysz się z jego uczuciami, ale jednocześnie ustal wyraźną granicę między dopuszczalnym a niedopuszczalnym sposobem wyrażania tychże uczuć. Innymi słowy, dopuszczalne (i wymowne) jest namalowanie portretu rodziny, na którym nie ma niemowlęcia, ale niedopuszczalne – krzyki pod jego adresem czy jakikolwiek przejaw fizycznej agresji (podobnie jak i pod adresem rodziców). Nie ukrywamy, że proces akceptacji maleństwa przez starsze dziecko będzie niejednokrotnie wymagać od ciebie wielkiej samokontroli, bezmiaru cierpliwości i stanowczości, ale możemy cię pocieszyć, że ostatecznie wszystko ułoży się pomyślnie.

Przygotowanie zwierząt domowych

- Jeśli twój pies czy kot ma zwyczaj spać w twoim łóżku, a przewidujesz, że przynajmniej czasami będzie w nim spać niemowlę, musisz zawczasu przyzwyczaić zwierzę do innego legowiska.
- Jeśli masz niewytresowanego, niesfornego psa, zastanów się nad oddaniem go na przeszkolenie albo postaraj się zrobić to sama, z pomocą dobrej książki.
- Podobnie jak będziesz pomagać starszemu dziecku zaadoptować się do nowej sytuacji, w dniu przyjazdu do domu niemowlęcia i przez kilka najbliższych tygodni nie możesz zapomnieć o istnieniu psa lub kota, a wręcz przeciwnie, musisz okazywać mu zdwojoną czułość.

> **„Głos doświadczenia"**
>
> *„Będąc jeszcze w szpitalu z noworodkiem, przekaż do domu którąś z jego pieluszek czy innych rzeczy, tak aby pies mógł zawczasu zapoznać się i oswoić z zapachem nowego członka rodziny".*
> – ZA: KIDSHEALTH PARENT SURVEY

Przygotowanie domu

Najważniejsza część przygotowań polega na tym, by uczynić dom miejscem bezpiecznym dla niemowlęcia. Wykorzystanie niżej podanych sugestii służy temu celowi w odniesieniu do każdego domu czy mieszkania, niezależnie od tego, czy przebywa w nim małe dziecko. Jeśli jednak masz w perspektywie powiększenie rodziny, z całą pewnością włożysz w tę pracę tym większy zapał.

- Zainstaluj czujniki dymu. Powinnaś mieć je przynajmniej na każdym piętrze lub w pobliżu sypialni i kuchni. Jeśli twój dom już jest w nie wyposażony, sprawdź, czy na pewno działają. Regularnie testuj je i wymieniaj baterie. (Inspektorzy przeciwpożarowi zalecają te czynności dwa razy w roku – na wiosnę i jesienią, równolegle z przestawianiem zegarów na czas letni czy zimowy. Dobrze jest zapisać to dla pewności w kalendarzu).
- Nastaw piec łazienkowy na temperaturę poniżej 50°C, aby zapobiec przypadkowemu poparzeniu dziecka.
- Sprawdź, czy masz działające gaśnice w różnych miejscach domu.
- Jeśli mieszkasz w domu piętrowym, zainstaluj drabinę ewakuacyjną między piętrem a dachem.
- Zamontuj kraty w oknach na wyższych piętrach, żeby wykluczyć nieszczęśliwy wypadek. (W niektórych krajach władze zobowiązują do tego właścicieli mieszkań wynajmowanych rodzinom z małymi dziećmi).
- Zakaż palenia w domu i w samochodzie. Papierosy są nie tylko jedną z przyczyn pożarów, ale ponadto narażenie dzieci na dym papierosowy ma udowodniony związek z takimi chorobami jak zapalenie ucha, astma, zapalenie płuc i inne pa-

tologie układu oddechowego, a także z tak zwaną „śmiercią w kołysce", czyli zespołem nagłej śmierci niemowlęcia (SIDS, z ang. *sudden infant death syndrome*), rzadkimi, lecz tragicznymi przypadkami znalezienia w łóżeczku martwego dziecka, które kilka godzin wcześniej w pełni zdrowia zostało położone spać.

- Sprawdź dom pod kątem wszelkich możliwych zagrożeń pożarem i wyeliminuj je w razie wykrycia. Do najczęstszych takich zagrożeń należy przeciążona instalacja elektryczna, przewody przebiegające pod dywanem, kable z poprzecieraną warstwą izolacyjną, a także lampy, lampki nocne lub piecyki ustawione zbyt blisko czy wręcz dotykające zasłon okiennych lub innych tkanin. Zwróć szczególną uwagę na lampy halogenowe – jeśli mrugają, przegrzewają się lub wydzielają zapach spalenizny, trzeba wymienić je na nowe. Dbaj o regularne czyszczenie przewodów kominowych, zwłaszcza jeśli w domu często pali się w kominku.

- Jeśli masz w domu ogrzewanie gazowe lub olejowe, zainstaluj detektor tlenku węgla. Piec gazowy lub olejowy może wydzielać ten bezwonny gaz, grożący potencjalnie śmiertelnym zatruciem (zaczadzeniem). Szczególnie podatne na zatrucie tlenkiem węgla są oczywiście niemowlęta. Zadbaj o regularną, coroczną kontrolę pieca grzewczego, aby upewnić się, że działa bez zarzutu.

- Naklej kartki z numerami ratunkowymi na ścianach przy każdym domowym telefonie stacjonarnym. Powinny to być numery straży pożarnej, policji, pogotowia ratunkowego, lekarza, najbliższego ośrodka leczenia zatruć oraz sąsiadów, którzy udzielą ci pomocy w kryzysowej sytuacji.

- Jeśli twój dom, mieszkanie czy samochód wymagają jakichkolwiek większych reperacji, w miarę możności przeprowadź je teraz. Naprawa dachu, pieca czy wymiana opon może wydawać się zajęciem bardzo prozaicznym w zestawieniu z dekorowaniem pokoju dziecka według najlepszych wzorów z magazynów, jednak pamiętaj, że z punktu widzenia niemowlęcia bezpieczeństwo i ciepło są znacznie ważniejsze niż perfekcyjnie dobrane „bodźce kolorystyczne".

Lekarz radzi

Bezpieczeństwo przede wszystkim

Pamiętaj, że nawet najłagodniejszy, ukochany pies czy kot może przez czysty przypadek zrobić krzywdę bezbronnemu niemowlęciu. Dlatego też *nigdy* nie zostawiaj dziecka i zwierzęcia sam na sam w pokoju. (I upewnij się, że zwierzę nie ma dostępu do niemowlęcia w nocy, kiedy śpisz).

W domach, w których mieszkają dzieci poniżej 5 lat, nie powinno się trzymać gadów, czyli węży, jaszczurek i żółwi. Zwierzęta te są bowiem często zakażone salmonellą, rodzajem bakterii szczególnie niebezpiecznych dla małych dzieci.

- Jeśli planujesz odnowienie mieszkania czy samego pokoju dziecka, zrób to możliwie wcześnie, tak aby wszelkie zapachy farby, kleju do tapet czy lakieru ulotniły się całkowicie przed przybyciem do domu noworodka.

Niestety, nikt mi wcześniej nie powiedział...

„...że powinnam sama «poraczkować» po podłodze domu, żeby zauważyć wszystko to, na co w swoich wędrówkach natyka się małe dziecko – czyli nie zamknięte szuflady, w których może sobie przyciąć palec, kratę kominka, o którą może się oparzyć, i kable za telewizorem, do których dosięga”.

Niestety, nikt mi wcześniej nie powiedział...

„...że istnieją specjalne klamry, którymi można umocować meble do ściany, tak aby nie zwaliły się na dziecko, gdyby przyszło mu do głowy wspinać się po wysuniętych szufladach jak po schodach”.

- Jeśli używasz wody ze studni i masz jakiekolwiek wątpliwości co do jej zanieczyszczenia czy skażenia, daj ją do zbadania.
- Pomyśl o kontroli domu pod kątem radonu. Przewlekłe wysokie stężenia tego radioaktywnego gazu, naturalnie wydzielanego w procesie wietrzenia skał i gleby, ma związek z zapadalnością na raka płuc, szczególnie u palaczy tytoniu.

Zabezpieczenie domu pod kątem dziecka

„Nie ma czegoś takiego, jak zabezpieczenie domu przed dzieckiem”, odpowiedziała nam pewna doświadczona matka w jednej z ankiet przeprowadzanej przez KidsHealth. Miała rację – mimo wszelkich starań nie da się zabezpieczyć domu w taki sposób, by wszędobylskie, nieprzewidywalne i pozbawione instynktu samozachowawczego dziecko nie mogło zrobić sobie w nim krzywdy. Nie pozostaje więc nic innego, jak permanentny nadzór. Pomimo to, dzięki kilku prostym zmianom, jesteś w stanie zapobiec wielu niebezpieczeństwom, włącznie z najpoważniejszymi urazami. (Nazwijmy to może nie tyle „zabezpieczeniem”, co „uodpornieniem” dziecka na dom). Spróbuj na początek skorzystać z listy naszych sugestii:

- Przeprowadź inspekcję domu pod kątem bezpieczeństwa dwa razy – raz obchodząc powoli wszystkie pomieszczenia, a drugi raz przemierzając tę samą trasę na czworakach, czyli na poziomie wzroku dziecka. Musisz powtarzać całą procedurę za każdym razem, gdy twoje dziecko osiągnie kolejny etap rozwoju ruchowego, czyli gdy zaczyna raczkować, chodzić, biegać i wspinać się.
- Usuń poza zasięg dziecka wszelkie ostre przedmioty – noże, widelce, obieraczki do warzyw, przybory do szycia itp. – albo dorób zamki do szuflad i szafek, w których je przechowujesz. Różnego rodzaju zamknięcia do mebli można kupić zarówno w sklepach gospodarstwa domowego, jak i zamówić z katalogów sprzedaży wysyłkowej czy przez Internet.

- Usuń z zasięgu dziecka lub przechowuj pod kluczem wszystko, co nadaje się do połknięcia – lekarstwa, witaminy, tabletki czyszczące, kosmetyki, kulki naftaliny, detergenty, żywność dla zwierząt itp. Niedostępne dla małego dziecka powinny być również produkty spożywcze, którymi co prawda nie można się zatruć, ale za to można się zadławić.
- Jeśli masz szafy lub komody z szufladami, które dają się w całości wysuwać, zabezpiecz je specjalnymi listewkami lub zamkami, tak aby dziecko nie mogło ich na siebie ściągnąć.
- Zabezpiecz nieużywane gniazdka elektryczne odpowiednimi nakładkami.
- Sprawdź wszelkie swobodnie zwisające druty, kable, sznurki itp., do których dziecko może mieć dostęp i które grożą mu uduszeniem lub porażeniem prądem.
- Usuń przedmioty, które mogą potłuc się lub spaść.
- Usuń lub zabezpiecz niestabilne meble. Wysokie regały czy sekretarzyki powinny zostać przytwierdzone do ściany, żeby nie przewróciły się pod ciężarem dziecka, jeśli przyjdzie mu ochota na wspinaczkę. Możesz również zabezpieczyć ostre kanty mebli miękką taśmą samoprzylepną, która zapobiegnie wielu guzom.
- Przygotuj się na zamontowanie bramek blokujących od dołu i od góry wejście na schody. (Wybieraj modele przytwierdzane na stałe do ścian jako bardziej stabilne).

Uwaga na farby ołowiowe

Jeśli twój dom lub mieszkanie pochodzi sprzed roku 1978, od którego obowiązuje zakaz dodawania ołowiu do farb ściennych, i jeśli stare warstwy farby gdziekolwiek łuszczą się czy odpadają, musisz sprawdzić je pod kątem zawartości ołowiu. Farba ołowiowa ma kuszący, słodki smak. Małe dzieci obgryzając wiórki takiej farby, czy tylko wdychając jej pył, mogą ulec zatruciu ołowiem. Nawet łagodne, przewlekłe formy takiego zatrucia mają z kolei związek z pogorszeniem sprawności intelektualnej dziecka i problemami w nauce. W ciężkich przypadkach może dojść do niedorozwoju umysłowego i szeregu powikłań fizycznych. W razie wykrycia w domu farby ołowiowej najlepiej byłoby ją dokładnie usunąć i odmalować ściany na nowo przed przyjściem na świat dziecka. Co więcej, powinna zrobić to profesjonalna ekipa, doświadczona w postępowaniu z pyłem ołowiowym. (Więcej informacji na temat zatrucia ołowiem znajdziesz w rozdziale 14, „Badania przesiewowe", oraz w rozdziale 32, „Problemy zdrowotne okresu wczesnego dzieciństwa").

Wiedza na temat farb ołowiowych jest szczególnie ważna wtedy, gdy planujesz odnowić pomieszczenia, właśnie z powodu pyłu, jaki wydziela się i rozprzestrzenia podczas takich prac.

Jeśli wynajmujesz dom czy mieszkanie, a jego właściciel odmawia przeprowadzenia badań pod kątem ołowiu, skontaktuj się z miejscowym wydziałem zdrowia. Przepisy w tym zakresie są zmienne zależnie od miejsca, niemniej jednak może się zdarzyć, że obowiązek usunięcia farby ołowiowej z wynajmowanych lokali spoczywa na właścicielu.

Lekarz radzi

Pięć rodzajów rzeczy niezbędnych w wyposażeniu domu

1. Detektory dymu
2. Gaśnice
3. Detektory tlenku węgla
4. Latarki kieszonkowe
5. Drabina ewakuacyjna

Wyprawka dla noworodka (czyli: ile zapasów na jedno dziecko?)

Sklepy, katalogi i strony internetowe kuszą nas nieustannie ubrankami i wszelkiego rodzaju gadżetami dla najmłodszych. Trzeba sobie jasno powiedzieć, że w dużej części są to rzeczy absolutnie zbędne, przynajmniej w początkowym okresie życia niemowlęcia, pochłoniętego głównie snem, jedzeniem, odkrywaniem własnego ciała i przestrzeni wokół niego w promieniu co najwyżej kilkunastu centymetrów. Właściwie dobrana wyprawka dla dziecka może jednak znacznie ułatwić i uprzyjemnić ci rodzicielstwo, a jemu samemu zapewnić niezbędny komfort i bezpieczeństwo.

> ### „Głos doświadczenia"
>
> *„Staraj się patrzeć na wszystkie rzeczy z punktu widzenia dziecka. To oczywiście ogromna przyjemność dla ciebie kupować czy dostawać prześliczne miniaturowe ubranka, ale w rzeczywistości niemowlęta nie cierpią przebierania! Po kilku próbach założenia dziecku sukieneczki przez głowę, połączonych z krzykiem i oporem, zarówno ty, jak i ono docenicie najprostsze kaftaniki i śpioszki, zapinane od przodu, z «klapą» do zmiany pieluchy. Pamiętaj przede wszystkim o wygodzie".*
> – ZA: KIDSHEALTH PARENT SURVEY

Mnóstwo rzeczy z wyprawki będzie służyć tylko przez krótki okres, tak więc można rozważyć ich wypożyczenie czy kupno „z drugiej ręki". Zachowaj jednak ostrożność – stare ubranka czy sprzęty mogą nie spełniać aktualnych wymogów bezpieczeństwa albo kryć w sobie innego rodzaju wady. W wielu przypadkach lepiej jest wydać nieco więcej, ale nie narażać dziecka na tego rodzaju zagrożenia. Szczególnie dwa kluczowe elementy wyprawki – fotelik samochodowy i łóżeczko – powinny być w miarę możności kupione jako nowe.

Zanim zdecydujesz się na zakup czegokolwiek, warto jednak przejść się po sklepach i porównać ceny. Bardzo pomocne mogą okazać się różnego rodzaju informatory i raporty organizacji konsumenckich. Jak zwykle, nieocenionym źródłem informacji o wszelkiego rodzaju produktach dla dziecka jest oczywiście Internet.

Lekarz radzi

Certyfikaty bezpieczeństwa

Zarówno foteliki samochodowe, jak i łóżeczka dla dzieci muszą spełniać określone wymogi bezpieczeństwa. Także inne artykuły, takie jak rozkładane foteliki z pulpitem, wózki spacerowe czy bramki zabezpieczające schody i wiele innych przedmiotów, powinny mieć atesty odnotowane na etykietkach, potwierdzające, że dany ptodukt odpowiada pewnym standardom.

Lista podstawowych zakupów

Zacznijmy od rzeczy najważniejszych. Zestaw tego, co będzie ci potrzebne od zaraz do opieki nad noworodkiem, obejmuje:
- Fotelik samochodowy;
- Łóżeczko, kosz lub inne bezpieczne miejsce do spania;
- Stół do przewijania czy coś, co spełni taką funkcję (na przykład materacyk rozkładany na podłodze czy stole);
- Pieluchy i pojemnik na pieluchy;
- Kaftaniki, śpioszki i kocyki;
- Środki pierwszej pomocy i kosmetyki pielęgnacyjne;
- Nosidełka;
- Wózek;
- Zestaw sprzętów do karmienia (patrz rozdział 9, „Karmienie piersią", i rozdział 10, „Karmienie sztuczne").

Możesz również rozważyć dodatkowy ekwipunek, nieobowiązkowy, lecz poręczny, a w opinii wielu rodziców absolutnie niezastąpiony, na który składają się rzeczy następujące:
- Wanienka;
- Monitor oddechu;
- Bujany leżaczek lub kołyska (szybkie ukojenie dla krzyczącego niemowlęcia);
- Zabawki;
- Kojec.

I wreszcie lista „uzupełniająca" – rzeczy, które warto mieć, jeśli możesz sobie na nie pozwolić, ale bez których z całą pewnością również sobie poradzisz:
- Telefon z przenośną słuchawką, dla wygody, łączności ze światem i bezpieczeństwa. (Dlaczego bezpieczeństwa? Dlatego, że mając słuchawkę w kieszeni, nie będziesz narażona na pokusę zostawienia dziecka „tylko na moment" samego – na przykład na stole do przewijania – żeby odebrać telefon. Telefon zawsze pod ręką może się też przydać w nagłej sytuacji);

- Magnetofon lub odtwarzacz kompaktowy i kasety/płyty z muzyką do pokoju dziecka;
- Fotel bujany w pokoju dziecka;
- Zapas mrożonek, domowych lub kupnych;
- Pralka automatyczna i suszarka do bielizny.

Sześć rzeczy do unikania

1. Miękkie posłanie w łóżeczku – poduszki, jaśki, pierzynki, miękki materac. Eliminacja tych rzeczy z łóżeczka dziecka wydaje się zmniejszać ryzyko zespołu nagłej śmierci niemowlęcia (SIDS).
2. Pluszowe czy inne miękkie zabawki w łóżeczku. One również nie powinny spać razem z dzieckiem z tego samego powodu – potencjalnego związku z SIDS.
3. Siedzenia do wanny. Takie plastikowe „trony" z oparciem mają w założeniu stabilizować podczas kąpieli niemowlę, które już samodzielnie siedzi, jednak eksperci zalecają, by ich unikać. Widok wygodnie siedzącego i bawiącego się w wannie niemowlęcia może dawać rodzicom złudną pewność, że jest ono bezpieczne – co usypia czujność, sprzyja pozostawieniu dziecka samego i grozi nieszczęściem.
4. Chodziki. Tego rodzaju siedzenia na kółkach (przeznaczone dla dzieci powyżej 6 miesięcy) są przyczyną wielu zgłoszeń do szpitala. Do wypadków dochodzi najczęściej wtedy, gdy dziecko razem z chodzikiem stoczy się ze schodów, podjedzie pod gorący piec, czy też korzystając z okazji, sięgnie po coś, do czego normalnie nie miałoby dostępu. Wbrew rozpowszechnionym poglądom urządzenie takie wcale nie pomaga dziecku w nauce chodzenia. Bezpieczną namiastką chodzika są siedzenia bujane i obracające się w miejscu, bez możliwości poruszania się wraz z nimi po pokoju. Dziecko może sobie na nich „potrenować" w sposób znacznie bardziej kontrolowany.
5. Talk lub puder dla niemowląt. W razie inhalacji ma on działanie drażniące na drogi oddechowe.
6. Gumowe baloniki. Nie nadmuchane czy pęknięte grożą niemowlęciu zadławieniem.

Nieoceniony fotelik samochodowy

Jeśli twoje dziecko będzie przewożone samochodem – twoim, przyjaciół, dziadków czy taksówką – pilnie potrzebujesz fotelika samochodowego. Ten bezwzględnie podstawowy element wyprawki dla niemowlęcia wymaga dobrania we właściwym rozmiarze, prawidłowego montażu i stosowania *za każdym razem*, gdy wnosisz dziecko do samochodu (patrz Ryciny 2.1a-c). Co roku ginie w wypadkach bardzo dużo dzieci w wieku poniżej 5 lat – i są to głównie dzieci przewożone bez pasów. Korzystanie z fotelików samochodowych przy każdej podróży nie tylko uratowałoby wiele tragicznie przerwanych istnień, ale i zapobiegło tysiącom urazów wypadkowych, do jakich dochodzi w tej grupie wiekowej. Jeśli twoje nowo narodzone dziecko ma odbyć pierwszą w życiu podróż ze szpitala do domu samochodem, już od tego momentu potrzebujesz fotelika.

Eksperci w dziedzinie bezpieczeństwa uważają, że foteliki samochodowe powinny być w miarę możności nowe. Kupując nowy fotelik, masz po pierwsze pewność, że spełnia on najbardziej aktualne wymagania, po drugie, w razie potrzeby możesz go reklamować z tytułu własności i wreszcie nie ryzykujesz, że kiedykolwiek był on uszkodzony. Większość fotelików ma okres ważności od pięciu do ośmiu lat, zależnie od modelu. Jeśli masz zamiar wypożyczyć fotelik od rodziny czy przyjaciół, musisz upewnić się, że jest to egzemplarz stosunkowo nowy i absolutnie „bezwypadkowy". Przejmując po kimś używany fotelik, upomnij się o instrukcję obsługi; jeśli właściciel gdzieś ją zawieruszył, zwróć się do producenta po dodatkową kopię. Jeśli decydujesz się na fotelik z drugiej ręki, zadzwoń do producenta również po to, by dowiedzieć się, czy dany egzemplarz był kiedykolwiek reklamowany. Reklamacje czasem się zdarzają i w takich przypadkach producent jest często w stanie dostarczyć ci któryś z elementów czy wręcz nowy model.

Przed zakupem musisz też zajrzeć do książki twojego samochodu, co często pomaga w wyborze najodpowiedniejszego dla danej marki typu fotelika. Zamontuj fotelik w samochodzie na długo przedtem, zanim naprawdę będzie potrzebny. Pozwoli ci to nabrać wprawy i wyrobić dobre nawyki, a także wyjaśnić ewentualne problemy. (Zanim zdecydujesz się na zakup, dowiedz się o praktykowane w danym sklepie zasady reklamacji).

Trzy rodzaje fotelików samochodowych

Z czasem, w miarę wzrostu dziecka, będziesz potrzebować dwóch lub trzech różnych fotelików.

Etap I: Do czasu, aż dziecko ukończy co najmniej rok i osiągnie wagę co najmniej 10 kg, musi jeździć w foteliku skierowanym do przodu lub do tyłu, zamontowanym na tylnym siedzeniu. Może to być specjalny fotelik niemowlęcy, używany tylko w tym okresie, lub uniwersalny, którego można używać, gdy dziecko będzie większe.

Etap II: Dzieci o wadze 10–20 kg (do około 4 lat) jeżdżą w foteliku zamontowanym na tylnym siedzeniu. Może to być wyżej opisany model uniwersalny albo osobny fotelik dla małego dziecka. Foteliki uniwersalne mają kształt płytkiego wiaderka, czasem z bokami kołyszącymi dziecko podczas snu. Foteliki ustawione wyłącznie do przodu mają wysokie oparcie, ale nie mają boków. Niektóre nowsze modele samochodów mają wmontowane foteliki dla dzieci w ustawieniu przednim.

Etap III: Osiągnąwszy wagę 20 kg, przedszkolaki mogą przesiąść się na pionowy fotelik skierowany do przodu. Dziecko siedzi w nim na podwyższeniu, w związku z czym można przypiąć je standardowymi pasami samochodowymi przez klatkę piersiową lub w pasie, bez obawy nadmiernego uciśnięcia szyi czy brzucha. W niektórych fotelikach dla młodszych dzieci barierka od przodu daje się zdemontować, tak więc z czasem nadają się one również dla przedszkolaka. Najlepszą ochronę zapewniają foteliki z wysokim oparciem.

Rodzice traktują nieraz przesiadkę z jednego fotelika na inny jak ważne wydarzenie w rozwoju dziecka. Pamiętaj jednak, że im bardziej „dorosły" jest fotelik, tym mniejsze zabezpieczenie. Dlatego cierpliwie czekaj, aż dziecko naprawdę wyrośnie ze swojego starego fotelika, nie przyspieszając przejścia na „wyższy etap". Jest to szczególnie ważne przy zamianie niemowlęcego fotelika skierowanego do tyłu na skierowany do przodu. Twoje dziecko musi spełniać do tego oba kryteria: zarówno wieku (co najmniej jeden rok), jak i wagi (co najmniej 10 kg).

Współpasażer na tylnym siedzeniu

Każdy rodzaj fotelika bezwzględnie wymaga zamontowania na tylnym siedzeniu. Nie łudź się jednak, że zapakujesz noworodka na tylne siedzenie i możesz spokojnie ruszać w drogę. Twoje dziecko potrzebuje opieki drugiej osoby dorosłej, która będzie siedzieć obok niego i podtrzymywać mu główkę na zakrętach czy przy wszelkich gwałtowniejszych manewrach. Trzeba również pilnować, by noworodek za bardzo nie zsunął się w czasie jazdy, co mogłoby utrudniać mu oddychanie. Dopóki dziecko nie będzie sprawnie dźwigać główki i siedzieć, najrozsądniej jest skracać przejażdżki do minimum i odbywać je zawsze w towarzystwie drugiej osoby dorosłej na tylnym siedzeniu.

Wybór fotelika samochodowego dla noworodka

A oto kilka kwestii do przemyślenia, zanim zdecydujesz się, czy kupić fotelik niemowlęcy, czy raczej uniwersalny.

W pierwszych miesiącach życia fotelik specjalnie dla niemowlęcia jest do niego lepiej dopasowany. Foteliki takie są tańsze, lżejsze i wyposażone w rączki, a zatem mogą służyć do noszenia dziecka również w domu. Łatwość manipulowania fotelikiem bywa bardzo zróżnicowana, tak więc sprawdź kilka modeli pod tym kątem. Niektóre foteliki są pomyślane jako część „systemu podróżnego", co oznacza, że łatwo wyjąć je z samochodu i przekształcić w wózek spacerowy. Zaletą takiego rozwiązania jest to, że nie musisz budzić dziecka, aby przenieść je z samochodu do wózka. (Ma to szczególne znaczenie wtedy, gdy musisz odbywać wiele krótkich jazd).

Lekarz radzi

Tylko fotelik samochodowy

Nie myl fotelika samochodowego dla niemowlęcia z przenośnym koszem, w którym możesz nosić dziecko w domu. Fotelik samochodowy musi być wyraźnie oznaczony jako taki, z adnotacją, że spełnia stosowne normy bezpieczeństwa. Żaden inny rodzaj siedzenia dla dzieci nie nadaje się do użytku w samochodzie.

2.1a. Fotelik dla niemowlęcia, skierowany do tyłu, z barierką w kształcie litery „T".

2.1b. Fotelik uniwersalny (z rączką) skierowany do tyłu, z rozwidloną, regulowaną barierką.

2.1c. Fotelik dla małego dziecka, skierowany do przodu. Pas mocujący fotelik do siedzenia musi być dobrze napięty, nie luźny.

Ryciny 2.1a-c. Bezpieczne foteliki samochodowe dla dzieci.

Uwaga: Jeśli używasz fotelika samochodowego w domu, pamiętaj, by nie zostawiać w nim dziecka bez opieki, zwłaszcza na jakimkolwiek podwyższeniu. Fotelik „luzem" nie jest stabilny i w razie wywrócenia może urazić lub przydusić niemowlę.

Jeśli spodziewasz się niewielu podróży samochodowych z noworodkiem (dobra zasada, o ile tylko da się wprowadzić ją w życie), fotelik uniwersalny może oszczędzić ci dodatkowego wydatku na zakup niemowlęcego. Niektóre z tych fotelików nadają się ponadto do przewożenia w pozycji tylnej (twarzą w stronę oparcia) dzieci o wadze do 13–15 kg (sprawdź to przed zakupem). Jest to korzystne, ponieważ pozycja do tyłu lepiej chroni rdzeń kręgowy dziecka w razie wypadku. Ma to znaczenie zwłaszcza w przypadku dużych niemowląt, które mogą osiągnąć wagę 10 kg jeszcze przed ukończeniem roku, a jednocześnie nadal wymagają tej dodatkowej ochrony, jaką zapewnia ustawienie fotelika w kierunku przeciwnym do jazdy.

Foteliki samochodowe dla bardzo małych niemowląt i wcześniaków

Ponieważ większość fotelików jest zaprojektowana dla dzieci ważących co najmniej 3,5 kg, siłą rzeczy będą one za duże dla najmniejszych pasażerów. Niektóre bardzo drobne noworodki, a zwłaszcza wcześniaki, mogą mieć kłopoty z oddychaniem w pozycji na wpół uniesionej, jakiej wymagają takie foteliki. Foteliki dla wcześniaków nie powinny mieć nakładek na brzuch, opaść pod rączki ani plastikowych nakryć na barierce zabezpieczającej. Istnieją modele bardziej rozkładane, w których noworodek może podróżować w pozycji poziomej, ułatwiającej mu oddychanie. Po zajechaniu na miejsce fotelik taki może pełnić funkcję kołyski. Foteliki maksymalnie płaskie są przeznaczone dla dzieci o wadze do 4,5 kg.

Lekarz radzi

Bezpieczeństwo na przednim siedzeniu

Jeśli bezwzględnie musisz przewieźć dziecko na przednim siedzeniu – na przykład samochodem, który ma tylko dwa miejsca – przesuń fotel pasażera maksymalnie do tyłu. Jeśli samochód ma poduszkę powietrzną dla pasażera, nie wolno instalować fotelika dziecięcego na przednim siedzeniu. Otwarcie poduszki grozi ciężkimi obrażeniami lub nawet śmiercią niemowlęcia czy małego dziecka. Niektóre nowsze samochody są wyposażone w wyłącznik systemu poduszek powietrznych, i tylko w takich przypadkach można przewieźć w nich dziecko na przednim siedzeniu – co z zasady powinno być sytuacją absolutnie wyjątkową.

Lekarz radzi

Uwaga na rozgrzany metal

Po kilku godzinach w pełnym słońcu metalowe zapięcia pasów fotelika mogą być wystarczająco rozgrzane, by poparzyć delikatną skórę niemowlęcia. Miej w samochodzie ręcznik lub prześcieradło do nakrywania fotelika w gorące dni. Możesz również kupić specjalne, odblaskowe nakrycie, dzięki któremu cały fotelik będzie zdecydowanie chłodniejszy od otoczenia. W ostateczności chowaj zapięcia pod fotelik, żeby nie rozgrzewały się podczas postoju samochodu.

Montaż fotelika samochodowego

Z niektórych prowadzonych w tym zakresie badań wynika, że w niemal 80% przypadków foteliki samochodowe są niewłaściwie zainstalowane lub używane. Najczęstszy błąd polega na zbyt luźnym umocowaniu fotelika do samochodu lub słabo opinających dziecko pasach.

Musisz dokładnie przeczytać instrukcję montażu załączoną do fotelika, jak również instrukcję w książce twojego samochodu, i zastosować się do nich punkt po punkcie. Następnie przed każdym użyciem fotelika najpierw sprawdzić, czy jest on dostatecznie sztywno umocowany.

Inne akcesoria samochodowe

Możesz kupić do samochodu zasłony przeciwsłoneczne, chroniące oczy i skórę niemowlęcia (niektóre foteliki samochodowe mają je wmontowane). Inne akcesoria obejmują specjalne poduszki, otulające małe dziecko na dużym siedzeniu i stabilizujące jego główkę. W tym samym celu można również użyć zrolowanych ręczników lub koców. Wyściółki tego rodzaju powinny znajdować się tylko po bokach dziecka, nie między nim a barierką fotelika. Tak czy inaczej, najważniejsze jest czujne oko i pomocna dłoń dorosłego opiekuna niemowlęcia na tylnym siedzeniu.

Foteliki samochodowe w samolocie

Taszczenie fotelika przez nie kończące się korytarze lotniska i wąskie przejścia w samolocie niewątpliwie nie należy do przyjemności i może rodzić w tobie pokusę, by zostawić fotelik w domu. Wielu rodziców argumentuje również, że w razie katastrofy fotelik i tak nie pomoże dziecku. Czasami ludzie wychodzą jednak żywi nawet z katastrof samolotowych, a fotelik daje dziecku większe szanse przeżycia niż twoje kolana. Co więcej, użycie „systemu unieruchomienia dziecka", mówiąc językiem lotniczym (w skrócie CRS, z ang. *child restraint system*), może zapobiec urazom podczas turbulencji czy awaryjnego lądowania, czyli sytuacjom znacznie częstszym.

Podczas długiej podróży umieszczenie dziecka w foteliku może nawet pozwolić ci na drzemkę lub lekturę, a już po dotarciu do celu twoje dziecko będzie miało swój znajomy fotelik do jazdy samochodem. Standardowe foteliki samochodowe są w większości przypadków zatwierdzone do użytku na pokładzie samolotu, ale sprawdź to na etykietce przed zakupem.

Chociaż dzieci poniżej 2 lat mogą podróżować bezpłatnie na kolanach rodziców, dla pewności, że będziesz mogła użyć fotelika, powinnaś wykupić dla niemowlęcia bilet. Jeśli go nie kupiłaś, a w samolocie są wolne miejsca, przewoźnik może (ale nie musi) pozwolić ci na ustawienie fotelika. Przed każdą podróżą warto sprawdzić, czy dane linie lotnicze oferują bilety dla małych dzieci po obniżonej cenie, czy można bez dopłaty wykorzystać na fotelik ewentualne wolne miejsce i na jakich lotach jest ono możliwe.

Fotelik w wynajętym samochodzie

Jeśli planujesz wynająć samochód, zaznacz z wyprzedzeniem, że będziesz potrzebować fotelika dla dziecka, z reguły dostępnego za niewielką dopłatą. Musisz dokładnie sprecyzować, jak duże jest twoje dziecko i jakiego typu fotelika potrzebujesz.

Łóżeczko

W doniosłej kwestii, czy noworodek powinien od razu spać w swoim łóżeczku, czy raczej w koszu przy łóżku rodziców, czy wręcz w tymże łóżku, zdania są zdecydowanie podzielone. Dokładniej omawiamy to zagadnienie w rozdziale 21, „Sen". Mimo różnych opini, ostatecznie niemal wszyscy rodzice nabywają pełnowymiarowe łóżeczko dla dziecka i korzystają z niego w mniejszym lub większym stopniu.

Warto mieć na względzie i to, że łóżeczko jest (i powinno być) bezpiecznym miejscem, w którym można pozostawić niemowlę samo. W rzeczywistości jest to wręcz jedyne miejsce w całym domu, w którym twoje niemowlę spędzi wiele godzin nie pilnowane przez nikogo. Zakup nowego łóżeczka oznacza pewność, że nie było ono reklamowane ani uszkodzone w sposób stawiający pod znakiem zapytania jego bezpieczeństwo dla dziecka.

Jeśli jednak z jakichś względów decydujesz się na łóżeczko używane, sprawdź, czy ma ono następujące właściwości:

- Odstęp między szczeblami nie przekracza 6 cm, dzięki czemu nie ma zagrożenia, że główka dziecka utknie między nimi (patrz Rycina 2.2).
- Żaden bok łóżeczka nie ma wycięć, w które dziecko mogłoby wcisnąć główkę.
- Mechanizm opuszczania poręczy jest zabezpieczony przed wszelkimi manipulacjami dziecka.
- W najwyższej pozycji poręcz znajduje się w odległości co najmniej 65 cm od najniżej opuszczonego stelaża podtrzymującego materac.
- Odległość między stelażem a najniżej opuszczoną poręczą wynosi co najmniej 22,5 cm.

- Połączenia boków nie mają żadnych wystających rogów, o które mogłoby zaczepić się ubranie dziecka, narażając je na ryzyko uduszenia.
- Łóżeczko nie jest pomalowane farbą ołowiową. Ewentualność taka istnieje w przypadku łóżeczek wyprodukowanych przed rokiem 1978 lub służących po kolei wielu rodzinom i odmalowywanych domowym sposobem. Jeśli dziecko zje wiórki łuszczącej się farby, grozi to zatruciem ołowiem. W razie jakichkolwiek podejrzeń łóżeczko wymaga dokładnego oskrobania i pokrycia nową farbą.

Wstawiając do domu zarówno nowe, jak i – zwłaszcza – używane łóżeczko, musisz upewnić się, że wszystkie jego części, włącznie ze szczebelkami, sztywno tkwią na swoich miejscach, bez żadnego chybotania. Sprawdź również, czy jesteś w stanie bez większych trudności podnosić i opuszczać poręcz. Mechanizm ten powinien być zabezpieczony przed dziećmi, ale czasami zdarza się, że jest „zabezpieczony" również przed dorosłymi.

Wielkość łóżeczek dziecięcych jest w zasadzie znormalizowana, tak że każdy nowy materac powinien idealnie pasować do w miarę nowego egzemplarza. Chodzi o to, by między materacem a bokami łóżeczka nie było żadnych większych szpar, w których mogłaby uwięznąć dowolna część ciała dziecka, a zwłaszcza głowa. Jeśli będziesz korzystać z używanego łóżeczka, sprawdź to tym dokładniej – nie powinnaś zmieścić dwóch palców między materac a jego boki. Sam materac musi być spoisty i sprężysty (nie miękki!), aby zminimalizować ryzyko uduszenia się dziecka. Wkładając materac do łóżeczka, usuń z niego dokładnie wszelkie strzępy folii ochronnej.

Kosze i kołyski

Przez kilka pierwszych miesięcy życia niemowlęcia wielu rodziców woli układać je do snu w koszu – małym, przenośnym łóżeczku, stawianym zwykle na noc tuż przy ich własnym łóżku, a w dzień swobodnie wędrującym po całym domu. Jeśli będziesz korzystać z tej możliwości, musisz podjąć kilka środków ostrożności:

- Sprawdzić, czy materacyk/podłoże kosza jest dostatecznie spoiste i szczelnie przylega do jego boków, nie grożąc dziecku uduszeniem;
- Sprawdzić, do jakiej wagi dziecka można używać danego kosza i zrezygnować z niego, jeszcze zanim dziecko osiągnie ten limit;
- Sprawdzić, czy dziecko ma w koszu swobodę ruchów;
- Nie używać kosza, jeśli istnieje ryzyko, że może przypadkiem stratować go pies czy inne małe dzieci w domu.

Kołyska jest małym łóżeczkiem, obdarzonym dodatkową właściwością: ruchem huśtającym. W kołyskach od stuleci wychowywały się kolejne pokolenia niemowląt, jednak dzisiejsi eksperci w kwestiach bezpieczeństwa mają do nich zastrzeżenia. Największe ryzyko polega na tym, że dziecko może sturlać się w róg kołyski i mieć trudności w oddychaniu. Jeśli będziesz używać kołyski, upewnij się, że ma ona blokadę ograniczającą jej wychylenie do maksimum 5°.

Poza koszem i kołyską istnieje jeszcze kilka innych możliwości wyboru miejsca do spania dla bardzo młodego niemowlęcia, takich jak:

- Przenośne łóżeczko podobne do kosza, tyle że zwykle bardziej stabilne i niżej ustawiane. Nowsze modele są lekkie i dają się składać w razie podróży.
- Specjalne łóżeczka o trzech bokach, dostawiane czwartą, otwartą stroną do łóżka matki. Konstrukcja taka ułatwia karmienie niemowlęcia w środku nocy, a jednocześnie zapewnia mu osobną przestrzeń do spania, bezpieczniejszą niż łóżko rodziców. Niedogodność polega na konieczności dokładnego dopasowania poziomów obu łóżek i ścisłego połączenia, aby wyeliminować ryzyko upadku czy wypadnięcia dziecka.

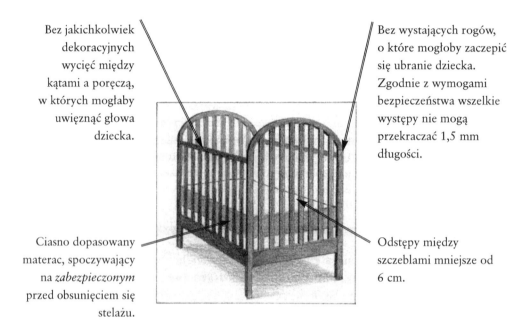

Bez jakichkolwiek dekoracyjnych wycięć między kątami a poręczą, w których mogłaby uwięznąć głowa dziecka.

Bez wystających rogów, o które mogłoby zaczepić się ubranie dziecka. Zgodnie z wymogami bezpieczeństwa wszelkie występy nie mogą przekraczać 1,5 mm długości.

Ciasno dopasowany materac, spoczywający na *zabezpieczonym* przed obsunięciem się stelażu.

Odstępy między szczeblami mniejsze od 6 cm.

Rycina 2.2. Bezpieczne łóżeczko dla dziecka. Sprawdź, czy łóżeczko przeznaczone dla twojego niemowlęcia spełnia wszelkie zalecane standardy, zapobiegające przypadkowemu zadzierzgnięciu, uduszeniu lub upadkowi. Powyższa ilustracja przedstawia przykładowy model, zgodny z opisanymi w tekście wymogami bezpieczeństwa. Zwróć przede wszystkim uwagę na zalecany odstęp między szczeblami, nie większy niż 6 cm.

Posłanie i akcesoria

Do łóżeczka, kołyski czy kosza możesz dobrać kilka dodatkowych rzeczy zwiększających komfort i bezpieczeństwo dziecka. Spróbuj znaleźć następujące:

- Wyściółka wnętrza łóżeczka, chroniąca dziecko przed kontaktem z jego twardymi bokami. Jest to po prostu pas grubej, pikowanej tkaniny, przylegającej od środka do szczebli. Najważniejsze jest jej odpowiednie zamocowanie, bez żadnych zwi-

sających kawałków czy tasiemek, żeby nie narażać niemowlęcia na ryzyko uduszenia czy zadławienia się. Gdy dziecko nauczy się już samodzielnie wstawać, musisz usunąć materiał, który mógłby posłużyć za „schodek" do pokonania poręczy i wydostania się z łóżeczka.

- Trzy lub cztery warstwy prześcieradeł na spód kosza lub kołyski, ciasno przyle-
gających do boków.
- Od dwóch do sześciu podkładek z ceraty pod prześcieradło i do użycia w innych
miejscach domu.

Zaleca się, by dziecko spało raczej w ciepłym śpiworku niż pod kocem. Pozwala
to uniknąć w łóżeczku ruchomej warstwy tkaniny, którą niemowlę mogłoby przypadkowo naciągnąć sobie na głowę. Luźny kocyk w łóżeczku grozi trudnościami w oddychaniu i zwiększa ryzyko zespołu nagłej śmierci niemowlęcia (SIDS). Jeśli obsta-
jesz za kocykiem, wybierz jak najcieńszy i podwijaj jego brzeg pod materac od strony
stóp dziecka, tak aby przykrycie sięgało najwyżej do wysokości jego klatki piersiowej.

Stół do przewijania

Możesz przewijać dziecko na dowolnej, płaskiej i bezpiecznej powierzchni, na
przykład na materacu w łóżeczku przy opuszczonej poręczy. Biorąc jednak pod
uwagę, że będziesz wykonywać tę czynność niezliczoną ilość razy w ciągu najbliższych miesięcy, być może zechcesz ułatwić sobie życie i mieć do dyspozycji
osobny sprzęt.

Dla wielu rodziców takim bezpiecznym, wygodnym meblem jest osobny stół do
przewijania, otoczony poręczą, z higieniczną, winylową podkładką, barierką zabezpieczającą oraz półkami czy szufladkami po bokach, dzięki którym wszystkie potrzebne
pieluchy, ubranka i kosmetyki znajdują się w zasięgu ręki.

Decydując się na taki zakup, musisz przede wszystkim sprawdzić, czy rzeczywiście
będziesz mieć pod ręką wszystkie potrzebne rzeczy. Ułatwi ci to przestrzeganie podstawowej zasady bezpieczeństwa przy przewijaniu dziecka: cokolwiek robisz, czy po

Lekarz radzi

Zakup stołu do przewijania

Kupując stół do przewijania, zwracaj uwagę na takie cechy jak trwałość,
stabilność i przestrzeń na różne potrzebne akcesoria. Płaszczyzna, na której kładziesz dziecko, powinna mieć barierki wysokości 5 cm. Jeśli używasz
komody z wysuwaną platformą do przewijania, musisz zachować szczególną
ostrożność, bo taki sprzęt z reguły nie ma barierek.

cokolwiek sięgasz, przynajmniej jedna twoja ręka musi pozostać w stałym kontakcie z dzieckiem. (Druga zasada, wynikająca z powyższej brzmi: jeśli musisz się po coś oddalić, zabierz dziecko ze sobą). Upadków dzieci ze stołu do przewijania naprawdę daje się uniknąć.

Pieluchy

Możesz planować używanie jednorazowych pampersów lub pieluszek z tetry (z ceratką lub bez), albo też jednych i drugich, stosownie od potrzeb i możliwości. Niezależnie od wybranych, musisz przewidzieć dla noworodka średnio 10 lub więcej pieluszek dziennie.

Nawet jeśli decydujesz się wyłącznie na kosztowne pampersy, zawsze warto kupić co najmniej kilka bawełnianych pieluch do innego użytku, na przykład jako osłonę przed ulewaniem czy zabezpieczenie przed słońcem. Jeśli będziesz używać pieluch z tetry przede wszystkim zgodnie z ich podstawowym przeznaczeniem, oddziel i oznacz tych kilka sztuk do innych celów, żeby się ze sobą nie mieszały.

Garderoba niemowlęcia

W dzisiejszych czasach nie ma na szczęście żadnych trudności w znalezieniu estetycznych i wygodnych rzeczy dla niemowląt, spełniających wszelkie wymogi funkcjonalności. Ubranka dla dzieci muszą być:

* Łatwe do zakładania i zdejmowania. Oznacza to na przykład zapięcie z przodu lub z tyłu, bez konieczności przeciągania przez głowę, albo przynajmniej duży otwór i zapięcie na ramieniu. Pamiętaj, że niemowlęta mają duże główki i zazwyczaj nie cierpią ubrań zakładanych przez głowę.
* Łatwe do rozpięcia, żeby przewinąć dziecko. Standardowy jednoczęściowy kombinezon niemowlęcy ma zapięcia (rzepy) od szyi do stóp, tak więc bez trudu możesz wydobyć z niego samą dolną połowę ciała do przewinięcia. Unikaj rzeczy niepraktycznych, na przykład ze wstawkami z dzianiny, które nie dają się rozpiąć.
* Miękkie i rozciągliwe. Unikaj ubranek ze sztywnych, marszczonych czy plisowanych tkanin, z grubymi, wystającymi szwami czy różnego rodzaju twardymi aplikacjami, nawet jeśli prezentują się niezwykle atrakcyjnie.
* Nadające się do prania w pralce automatycznej.
* Bezpieczne. Tę cechę powinniśmy właściwie wymienić na pierwszym miejscu. Unikaj zatem rzeczy wiązanych przy szyi lub głowie, ewentualnie usuń lub skróć tasiemki, aby wyeliminować

> ### „Głos doświadczenia"
>
> „Rozmiary ubranek niemowlęcych bywają bardzo mylące. Dla wielu noworodków rozmiar «na 3 miesiące» może nadawać się tylko przez kilka tygodni. O ile tylko nie wiesz z góry, że dziecko urodzi się bardzo małe, najbardziej prawdopodobne jest, że będziesz szybko potrzebować rozmiaru «na 6 miesięcy», tak więc zawczasu zrób odpowiednie zapasy".
> – ZA: KIDSHEALTH PARENT SURVEY

choćby najmniejsze ryzyko zadzierzgnięcia. Zatrzaski lub rzepy są bezpieczniejsze od suwaków, które mogą przyciąć dziecku skórę, a także od guzików, które mogą się niepostrzeżenie urwać i powędrować do buzi dziecka. Ubranko do spania musi być ognioodporne (sprawdź etykietkę). Sprawdzaj śpioszki i śpiwory w poszukiwaniu wszelkich luźnych nitek, które mogą owinąć się wokół delikatnych paluszków dziecka (jest to przypadłość wcale nierzadka i bardzo bolesna).

A oto zestaw podstawowych rzeczy, jakie musisz mieć pod ręką, z chwilą gdy w domu pojawi się noworodek:
• 3–6 koszulek, z długimi lub krótkimi rękawami, zależnie od pory roku. Wielu rodziców preferuje bieliznę dla niemowląt „w jednym kawałku", zapinaną w kroku i nigdy nie podwijającą się do góry.
• 3–6 lub więcej rozciągliwych, ciepłych ubranek jednoczęściowych, zwłaszcza jeśli narodziny dziecka wypadają w zimnej porze roku. W wielu przypadkach taki praktyczny „kombinezon", łączący w sobie kaftanik, spodenki i skarpetki, jest podstawowym strojem dziennym i nocnym. Można zakładać go na koszulkę lub bez niczego pod spodem, zależnie od temperatury otoczenia.
• 3–6 lub więcej jednoczęściowych lżejszych ubranek dla „letniego" niemowlęcia. Są one czymś pośrednim między cienką bielizną a wyżej wspomnianymi kombinezonami. Z reguły mają krótkie rękawy, zapięcie w kroku i krótkie nogawki albo są w ogóle bez nogawek.
• 3–6 śpiworków. Śpiworek ma rękawy, ale nie ma nogawek, i jest zapinany od góry do dołu, co ułatwia przewijanie. Można używać go zamiast dziennego kombinezonu albo na wierzch, dzięki czemu nie potrzeba już kocyka. Niektóre niemowlęta wydają się bardzo lubić ten strój, inne denerwują się skrępowanymi nóżkami. Uwaga: śpiwór nie nadaje się do samochodu, bo zabezpieczenie fotelika musisz przełożyć między nogami dziecka.
• Dwa lub więcej śliniaków. Choć dziecko długo jeszcze nie będzie jeść pokarmów stałych, śliniak jest dobrą osłoną przed ulewaniem, pluciem itp.
• 1–3 sweterki lub bluzy. Wystrzegaj się sweterków z luźnej dzianiny (robionych na drutach), w której oczkach może utknąć palec dziecka. Dobrym, choć mniej tradycyjnym rozwiązaniem jest bluza z kapturem, zapinana od góry do dołu na suwak. Jeśli kaptur ma troczki pod brodą, bezpieczniej będzie je usunąć.
• 1–3 czapeczki, w tym jedna cieplejsza na zimę i dwie cienkie letnie.
• 3–6 par skarpetek lub włóczkowych „bucików".
• Jeden ciepły kombinezon wierzchni dla niemowlęcia urodzonego w chłodnej porze roku. Postaraj się znaleźć taki, który będzie się nadawał do fotelika samochodowego.
• 3–6 grubych flanelowych pieluch lub cienkich kocyków do zawijania dziecka w całości. Takich „becików" używa się w szpitalu dla noworodków i właściwie można je uznać bardziej za część garderoby niż pościeli. W ciepłym pomieszczeniu

zawinięte w ten sposób niemowlę może mieć na sobie tylko pieluszkę. Poza tym takie płachty flaneli świetnie nadają się na wszelkiego rodzaju podkładki, ściereczki itp.

- 2–3 grube ręczniki kąpielowe z kapturami.
- 3–6 ściereczek lub myjek wyłącznie dla niemowlęcia.

Kosmetyki i środki pierwszej pomocy

Jeśli chodzi o kremy, olejki, mydła itp., na dzień dzisiejszy podstawowa zasada głosi: im mniej, tym lepiej. Początkowo możesz myć noworodka samą ciepłą wodą, później dołączyć do niej łagodne, bezzapachowe mydło i specjalny szampon dla dzieci „bez łez". Większość niemowląt nie potrzebuje żadnych roztworów do ciała, a niektóre mogą nawet reagować wysypką na oliwkę mineralną. Jeśli skóra dziecka wydaje ci się sucha, możesz użyć łagodnego, bezzapachowego balsamu nawilżającego. Zestaw naprawdę niezbędnych przyborów toaletowych jest bardzo skromny i składa się z miękkiej szczoteczki i grzebienia oraz zakrzywionych nożyczek do paznokci, najlepiej specjalnie dla niemowląt. U noworodka wielu rodziców woli używać pilniczka niż nożyczek: do tak mikroskopijnych paznokci jest on zapewne bezpieczniejszy, a przy tym równie prosty w użyciu.

Powinnaś jednak mieć pod ręką kilka środków pierwszej pomocy. Najlepiej zgromadź je wszystkie zawczasu w jednym pudełku czy szufladzie. Jeśli spędzasz wiele czasu w samochodzie lub w domu kogoś z rodziny, dobrze byłoby mieć drugi taki przenośny zestaw. Na wieczku pudełka naklej kartkę z numerami telefonów ratunkowych: lekarza twojego dziecka, najbliższego ośrodka leczenia zatruć, pogotowia, straży pożarnej, policji i sąsiadów, którzy w razie potrzeby przyjdą ci z pomocą.

W rozdziale 28, „Pierwsza pomoc i postępowanie w stanach nagłych", wymieniamy wszystko, co powinno znaleźć się w domowej apteczce. Traktuj tamtą listę jako podstawę, a to, co poniżej, jako uzupełnienie specjalnie pod kątem opieki nad noworodkiem. Są to następujące produkty:

- Maść z tlenkiem cynku na wypadek rumienia pośladków (odparzenia od pieluch).
- Paracetamol dla niemowląt, lek przeciwgorączkowy. Pamiętaj, że możesz podać go dziecku, podobnie jak wszelkie inne leki, tylko w porozumieniu z lekarzem. Przez pierwsze trzy miesiące życia każda gorączka u niemowlęcia wymaga skontaktowania się z lekarzem.
- Wazelina oraz gaziki nasączone alkoholem do nawilżania i czyszczenia termometru, jeśli jest to termometr do mierzenia temperatury w odbycie. (Ten sposób pomiaru jest zalecany przez co najmniej pierwsze trzy miesiące życia, głównie z uwagi na ważną w tym okresie dokładność). Pomiar temperatury u niemowlęcia omawiamy dokładnie w rozdziale 29, „Dolegliwości i objawy".
- Gruszka aspiracyjna do usuwania nadmiaru wydzieliny z nosa.
- Kalibrowana łyżka lub strzykawka doustna do dokładnego odmierzania porcji leków.

Bezpieczne noszenie dziecka

Aoto kilka zasad bezpieczeństwa, jakich powinnaś przestrzegać przy noszeniu dziecka na sobie w nosidełkach, zwłaszcza na początku, kiedy nie jesteś do tego przyzwyczajona:

- Dopóki nie nabierzesz wprawy, korzystaj z pomocy drugiej osoby dorosłej przy wkładaniu i wyjmowaniu niemowlęcia z nosidełek. Wykonujcie te manewry nad łóżkiem, na wypadek gdyby dziecko wyślizgnęło się wam z rąk.
- W pierwszym okresie poruszaj się po mieszkaniu, otaczając dziecko ramionami, żeby uchronić je przed zderzeniem z meblem czy framugą drzwi. Wkrótce będziesz wiedzieć odruchowo, ile potrzebujesz przestrzeni do manewrów.
- Jeśli musisz zniżyć się do podłogi, rób to zginając kolana, a nie skłaniając się w pasie. Pochylanie się z dzieckiem na plecach grozi jego wypadnięciem z nosidełek. (Jednocześnie oszczędzasz również swoje plecy i ubranie).
- Staraj się unikać gwałtownych ruchów obrotowych.
- Nosząc dziecko przy sobie, nie możesz zbliżać się do kuchni ani gorącego pieca, pić gorących napojów ani – oczywiście – palić papierosów.
- Z dzieckiem na plecach czy przed sobą nie możesz również jechać na rowerze czy na wrotkach, biegać, skakać ani uprawiać jakiegokolwiek innego sportu, jak również wsiadać do samochodu. W samochodzie dziecko musi zawsze siedzieć w swoim foteliku.

Nosidełka

Wielu przyszłych rodziców zyskuje spokój ducha dopiero po zapewnieniu sobie możliwości noszenia dziecka na stałe przy sobie – z przodu czy na plecach. Nosidełka zaspokajają jedną z najgłębszych, by nie rzec atawistycznych potrzeb dziecka – potrzebę stałego, bezpośredniego kontaktu z ciałem matki (czy ojca), a jednocześnie pozwalają rodzicom w miarę swobodnie posługiwać się rękami. Nosząc dziecko od przodu, czyli przed sobą, niejednokrotnie można jednocześnie karmić je piersią czy butelką.

Wózek

Jeśli znajdziesz się na jakimkolwiek większym spotkaniu młodych rodziców, będziesz mieć niewątpliwie okazję podsłuchać grupkę świeżo upieczonych tatusiów dyskutujących nad nowymi modelami wózków dziecięcych zupełnie tak, jakby omawiali wady i zalety swoich samochodów. Faktem jest, że niektóre wózki wyższej klasy szeroko korzystają ze zdobyczy nowoczesnych technologii, począwszy od tworzywa, a skończywszy na różnego rodzaju mechanizmach składających, opuszczających itp.

Czyż nie możemy oczekiwać, że pewnego dnia pojawi się w nich system stereo, podgrzewane siedzenie czy wręcz komputer pokładowy?

A oto kilka aspektów wartych uwzględnienia przy wyborze wózka:

- Wózek dla dziecka, które jeszcze nie potrafi siedzieć, musi rozkładać się do pozycji całkowicie poziomej. Pod nadzorem opiekuna może on służyć leżącemu na plecach i przypiętemu pasami dziecku za przenośne łóżeczko, zarówno w domu, jak i na dworze. Najbezpieczniejszy mechanizm zapinający ma kształt litery T i składa się z przekładki między nogami i poziomego pasa wokół brzuszka.
- Wózki spacerowe – czyli nic innego jak kawałek tkaniny rozpiętej na składanym, metalowym szkielecie na kółkach – nie zapewniają noworodkowi dostatecznej ochrony przed światem zewnętrznym i z reguły nie dają się całkowicie rozłożyć do poziomu. Są one za to praktycznym środkiem transportu dla starszego niemowlęcia i dziecka w drugim, czy nawet trzecim roku życia, jeśli zabierasz je na dłuższy spacer.
- Każdy wózek, niezależnie od typu, musi mieć budkę czy inną ochronę przed słońcem.
- Sprawdź wagę wózka, łatwość manewrowania nim i składnia. Włóż do środka obciążenie 10–12 kg i przejedź się po sklepie. Spróbuj pchać wózek jedną ręką – również i wtedy powinnaś utrzymać go w linii prostej. Spróbuj złożyć go i rozłożyć.
- Dla maksymalnej stabilności kółka wózka powinny być szeroko rozstawione, a siedzenie zawieszone możliwie nisko względem ramy. Wózek powinien też mieć prostą w uruchomieniu blokadę przed cofaniem się.
- Przestronna półka pod siedzeniem uchroni cię przed dźwiganiem ciężkiej torby na plecach czy na ramieniu (ale nie na poręczy wózka).

Wózek dla dwójki dzieci

W takim podwójnym wózku dzieci mogą siedzieć albo jedno za drugim, jak na rowerze typu tandem, albo obok siebie. Ta ostatnia konfiguracja nie zawsze pasuje do standardowych drzwi, więc sprawdź to przed zakupem. Tandemy są ogólnie prostsze w manewrach, zwłaszcza jeśli twoi pasażerowie różnią się wagą (jeden ma kilka, a drugi kilkanaście miesięcy). Są również bardziej „kompaktowe" po złożeniu. Układ „bok do boku" pozwala jednak dzieciom wygodnie się położyć i zapewnia im wzajemną komunikację. (Możesz również spróbować sadzać je w „tandemie" naprzeciw siebie).

„Głos doświadczenia"

„Nigdy nie wieszaj siatek, toreb ani żadnych innych ciężarów na poręczy wózka. Grozi to przeważeniem i wywróceniem wózka, a podczas upadku niemowlę może nie tylko potłuc się, ale również zaplątać w rączki toreb i udusić".
– ZA: KIDSHEALTH PARENT SURVEY

Wózki „sportowe"

Jest to specjalna odmiana wózków spacerowych, przeznaczonych do pchania przed sobą podczas joggingu. Mimo dobrych resorów wózek podskakuje jednak przy większej szybkości, tak więc poczekaj z tą aktywnością, aż dziecko będzie miało około roku, a i wtedy wybieraj do biegania gładkie, asfaltowe ścieżki.

Dodatkowe akcesoria do rozważenia

Wanienka

Mówi się często, że można kąpać dziecko w dowolnej plastikowej misce, w umywalce czy w dużej wannie wyłożonej podkładką antypoślizgową lub ręcznikiem. Choć wszystko to prawda, kąpiel noworodka jest przedsięwzięciem poważnym i dość skomplikowanym, zwłaszcza dla debiutantów, w którym specjalnie wymodelowana, mała wanienka może okazać się dużym ułatwieniem.

Wanienka dla niemowlęcia powinna być wykonana z plastiku na tyle sztywnego, by nie wyginał się pod ciężarem nalanej do pełna wody. Powinna mieć również korek w dnie, aby łatwo było ją opróżniać. Dno powinno być chropowate (antypoślizgowe), a ścianki wymodelowane w taki sposób, by utrzymywać niemowlę w pozycji półleżącej. Jeśli planujesz dłuższe korzystanie z wanienki, wybierz model nieco większy, odpowiedni również dla dziecka powyżej roku. Cenną zaletą są płaskie miejsca na mydło, myjkę czy kubek (do spłukiwania).

Niezależnie od tego, co wybierzesz, przez kilka pierwszych tygodni nie zanurzaj w wodzie brzuszka noworodka, aż do czasu pełnego wygojenia się kikuta pępowiny. Zanim to nastąpi, po prostu codziennie przecieraj dziecko wilgotną myjką czy gąbką. Więcej informacji na temat kąpieli znajdziesz w rozdziale 11, „Podstawowa opieka nad niemowlęciem".

Monitor

Monitor pozwala ci podsłuchać krzyk, westchnienia i rytm oddechu niemowlęcia wtedy, gdy jest ono poza zasięgiem wzroku. System składa się z nadajnika umieszczonego w pobliżu dziecka i odbiornika umieszczonego w drugim pokoju czy noszonego przy sobie. Głośność przekazu można regulować, a niektóre modele są dodatkowo wzbogacone o sygnały wzrokowe, na przykład migające czerwone światełka. Monitor niewątpliwie daje rodzicom pewien komfort psychiczny, zwłaszcza jeśli mają oni głęboki sen lub duży dom, a mimo to chcą wiedzieć, kiedy dziecko budzi się z drzemki i co wtedy robi.

Uwaga: Przekaz dźwiękowy z monitora bywa słyszalny w telefonie komórkowym albo w odbiorniku sąsiadów, jeśli i oni posługują się tym urządzeniem. Dlatego też uważaj na to, co mówisz w pokoju dziecka – niejedni rodzice znaleźli się w kłopotliwej sytuacji, gdy ich słowa przypadkiem dotarły do niepowołanych uszu.

Leżaczek lub fotelik dla dziecka do użytku w domu

Uwaga, to zupełnie coś innego niż solidny fotelik samochodowy. Domowe foteliki dla nie-mowlęcia są przede wszystkim lżejsze. Najpopularniejsze są leżaczki na sprężystej ramie, wprawiane w ruch baraszkowaniem dziecka, albo wyposażone w osobny, wibrujący mo-torek. Niezależnie od rodzaju fotelik musi mieć pas bezpieczeństwa, do użytku za każdym razem, oraz konstrukcję uniemożliwiającą dziecku wywrotkę czy ześlizgnięcie się. Leżaczki nadają się dla dzieci o wadze poniżej 10, maksymalnie 15 kg (sprawdź etykietkę).

Huśtawki dla niemowląt mają siedzenie dostosowane do pozycji półleżącej, za-wieszone na sztywnych prętach umocowanych w solidnej, czterokątnej ramie. Do-stępne są wersje elektryczne lub mechanicznie nakręcane. Niemowlęta reagują na huś-tanie bardzo różnie: jedne przerażeniem, inne obojętnie, a jeszcze inne nieustającym zachwytem. Zanim zdecydujesz się na zakup, warto więc zrobić próbę generalną, tym bardziej że urządzenie to nie jest tanie, a przy tym zajmuje sporo miejsca.

Zabawki

Noworodek może spokojnie obyć się bez zabawek, a zwłaszcza dużych, kolorowych pluszowych zwierząt, które zapewne pojawią się w twoim domu w obfitości wraz z ko-lejnymi gośćmi. Dla bezpieczeństwa w łóżeczku i większej przestrzeni życiowej w łó-żeczku noworodka nie powinno być właściwie żadnych zabawek.

Jeśli jednak chcesz koniecznie umilić dziecku pierwsze tygodnie życia, możesz roz-ważyć kilka możliwości:
- Mechanicznie nakręcana lub elektryczna karuzela, zawieszona nad łóżeczkiem, jest ciekawym obiektem do oglądania z pozycji leżącej na plecach. Zabawki ta-kie mają najczęściej ruchome elementy i pozytywkę z łagodną muzyką. Muszą być oczywiście niezawodnie umocowane, znajdować się poza zasięgiem dziecka i nie bezpośrednio nad łóżeczkiem (na wypadek, gdyby jednak jakimś cudem się urwały). Zabawki takie trzeba usunąć z chwilą, gdy dziecko nauczy się unosić na dłoniach i kolanach, co następuje zwykle w wieku 5–6 miesięcy. Karuzela wi-dzialna ze stołu do przewijania może pomóc ci w zabiegach toaletowych, sku-tecznie odwracając uwagę dziecka.
- Gdy niemowlę nauczy się już chwytać, będzie przypuszczalnie przepadać za grze-chotkami, zwłaszcza atrakcyjnymi i wyposażonymi w ruchome części. Grzechotki muszą być oczywiście gładkie, nietłukące się, niełamliwe, a wszystkie ich rucho-me elementy wymagają solidnego połączenia w jedną całość.
- Wyściełane materacyki, często z segmentami wydającymi śmieszne odgłosy, są dużą atrakcją dla niemowlęcia, które dopiero zaczyna pełzać. Należy kłaść je na podłodze.
- Drabinki gimnastyczne dają dziecku możliwość chwytania i podciągania się pod-czas zabawy na podłodze.

(Więcej informacji na temat zabawek odpowiednich dla dzieci w różnym wieku znajdziesz w rozdziale 18, „Czas zabawy").

Wysokie krzesła i podkładki dla niemowląt

W przeciwieństwie do leżaczków i huśtawek, nadających się już dla noworodka, wysokie, drewniane czy plastikowe krzesła są do użytku dopiero wtedy, gdy dziecko umie już pewnie siedzieć i siadać samodzielnie, czyli zwykle w drugim półroczu życia. Szukaj fotela stabilnego, nie grożącego przewróceniem się razem z dzieckiem czy na dziecko, łatwego do mycia i wyposażonego w „biurko" – zdejmowaną do mycia tackę. Sprawdź, czy sama bez trudu wyjmujesz ją i zakładasz. Jeśli krzesło ma kółka lub składane nogi, upewnij się, że daje się je blokować. Siedzenie w wysokim krześle wymaga zawsze zabezpieczenia pasem w kroku, który młodszemu dziecku uniemożliwi wyślizgnięcie się, a starsze powstrzyma przed wstawaniem.

W niektórych rodzinach wysokie krzesło jest używane na okrągło przez dobre dwa lata, w innych tylko przejściowo, szybko ustępując miejsca plastikowej nakładce – podwyższeniu mocowanemu na normalnym krześle kuchennym. Bezpieczeństwo takiego siedzenia zależy przede wszystkim od stabilności samego krzesła. Nakładki mają zwykle blacik, który daje się odłączyć, tak żeby dziecko mogło jeść przy stole. Z powodu mniejszego podparcia i zabezpieczenia, nakładka na krzesło nadaje się tylko dla niemowlęcia, które dobrze opanowało już sztukę samodzielnego siedzenia. Do jej głównych zalet należy zajmowanie minimalnej ilości miejsca, łatwość przenoszenia i przyjemność, jaką sprawia niemowlęciu integracja z pozostałymi domownikami przy rodzinnym, „dorosłym" stole.

Kojec

Niektórzy rodzice nie wyobrażają sobie życia bez kojca, inni nie używają go wcale. Nawet jeśli należysz do tych pierwszych, nie musisz oczywiście kupować kojca jeszcze przed przyjściem dziecka na świat. Kojec służy głównie dzieciom, które umieją już samodzielnie bawić się na siedząco, jednak bynajmniej nie zastępuje czujnego oka rodzica. Zarówno standardowe, jak i składane, podróżne kojce mają uniesioną podłogę i miękkie ściany z siatki.

Wybierając kojec, zwracaj uwagę na grubość wyściółki wzdłuż jego górnej krawędzi i metalowych elementów szkieletu. Aby zapobiec urazom, czy nawet uduszeniu się dziecka, podłoga kojca musi być nieruchoma, równa i spoista, bez zapadania się i jakichkolwiek wybrzuszeń. Nie używaj kojca uszkodzonego, z podartą siatką, w którą dziecko mogłoby wcisnąć głowę i udusić się, ani z dziurawym, strzępiącym się materacem, którego fragment niechybnie powędrowałby do buzi.

Jeśli chodzi o kojec składany, unikaj modeli z zawiasami na górnej krawędzi. Poręcz kojca musi być idealnie gładka, żeby nie narażać dziecka na ryzyko zaczepienia się ubraniem o jakikolwiek wystający element. Podłoga musi być oczywiście i w tym przypadku spoista i ciasno przylegająca do ramy.

Możesz również pomyśleć o kojcu bez podłogi – czymś w rodzaju parawanu, wyznaczającego dziecku bezpieczną przestrzeń do zabawy. Jest to mniej „restrykcyjny" sposób utrzymania go w jednym miejscu. Nie musisz zresztą odgradzać samego dziecka, tylko na przykład jakiś niebezpieczny dla niego obiekt, taki jak obwieszona bombkami choinka. Również i w tym przypadku bawiące się dziecko wymaga nadzoru osoby dorosłej.

Jeśli potrzebujesz dodatkowych informacji, zasięgnij porady lekarza.

Rozdział 3

Narodziny dziecka

Najważniejsze wydarzenie

„Przyjaciółka powiedziała mi, żeby obserwować w lustrze, jak moje dziecko wychodzi ze mnie na świat. Była to najlepsza rada, jaką w życiu otrzymałam – przeżyłam magiczny, niezapomniany moment!".

„Przy narodzinach mojego syna to ja przeciąłem pępowinę. Byłem bardzo szczęśliwy, że choćby w ten sposób mogę czynnie uczestniczyć w porodzie. Do końca życia nie zapomnę widoku żony, przytulającej po raz pierwszy nasze dziecko".

„Urodzenie dziecka było najcięższą pracą, jaką kiedykolwiek w życiu wykonałam – i najbardziej niesamowitą. Nie wszystko przebiegło dokładnie według planu, ale skończyło się szczęśliwie – mamy prześliczną, wymarzoną córeczkę i już nie mogę się doczekać drugiego dziecka".

Jest to niewątpliwie jedno z najdonioślejszych wydarzeń w życiu kobiety i całej rodziny. Lekarze i inny personel medyczny nie ustają w wysiłkach, by narodziny odbywały się w jak najbezpieczniejszy sposób, w kompetentnym, godnym zaufania i przyjaznym otoczeniu. Ale nie zależy to wyłącznie od nich. Każdy poród jest w pewnej części odzwierciedleniem potrzeb danego dziecka, a częściowo również decyzji podjętej przez rodziców.

Niniejszy rozdział skupia się na doświadczeniach i możliwościach, jakie mogą stać się twoim udziałem. Piszemy o ludziach, którzy pomagają ci w okresie ciąży i porodu, i o miejscach narodzin, jakie możesz brać pod uwagę. Omawiamy przebieg poszczególnych okresów porodu, wskazania do cięcia cesarskiego oraz walkę z bólem. Wtajemniczamy cię wreszcie w rutynowe zabiegi medyczne wykonywane podczas porodu i bezpośrednio po przyjściu dziecka na świat.

Kto może ci pomóc

Przygotowując się na narodziny dziecka, zbuduj wokół siebie „grupę wsparcia". Pomyślny przebieg porodu i dobre wspomnienia na całe życie zależą w dużym stopniu od ludzi w twoim otoczeniu, którzy udzielą ci pomocy.

- Zapisz się do szkoły rodzenia. Fachowi, doświadczeni instruktorzy uczą w niej przyszłe matki – i ojców – czego mają oczekiwać podczas porodu i jak wziąć w nim aktywny udział. Poznasz cały proces ze szczegółami, nauczysz się również pomocnych technik oddychania, relaksacji i innych sposobów radzenia sobie z bólem i zmęczeniem. Jeśli nie jest planowana asysta ojca przy porodzie, pomyśl o innej osobie z rodziny lub najbliższych przyjaciół, która będzie razem z tobą uczęszczać do szkoły rodzenia, a potem wspierać cię w decydującym momencie.
- Na okres ciąży i porodu postaraj się wybrać odpowiedniego lekarza (lub położną). Powinna to być osoba, którą lubisz, której ufasz i która podziela twoje poglądy na temat narodzin dziecka. Jeśli pragniesz urodzić w sposób jak najbardziej naturalny, bez znieczulenia i interwencji położniczych, dobrze byłoby, gdyby twój lekarz należał do zwolenników tej „szkoły". Wielu ekspertów zaleca wręcz sporządzenie „planu narodzin", czyli spisanie czarno na białym twoich preferencji, oczekiwań itp. Choć oczywiście warto to zrobić, musisz pamiętać, że nie sposób przewidzieć wszystkiego, co może się zdarzyć, czego będziesz potrzebować i co odczuwać. Jedno jest pewne: musisz mieć zaufanego lekarza, który doradzi ci jak najlepiej, a przy tym w miarę możności będzie respektować twoje życzenia. Więcej informacji na temat wyboru takiej osoby znajdziesz w rozdziale 1, „Opieka prenatalna".

I jeszcze jedna ważna uwaga: nie staraj się odbyć „perfekcyjnego" porodu. Jeśli jesteś osobą, która z natury rzeczy dużo od siebie wymaga i lubi wzorowy porządek w różnych życiowych sprawach, potraktuj poród jako pierwszą lekcję „antyperfekcjonizmu", co na przyszłość przyda się i tobie, i twojemu dziecku. Jeśli poznałaś ze szczegółami przebieg porodu i wiesz, jak powinien wyglądać, przygotuj się na wiele niespodzianek i „odchyleń". Powtarzamy raz jeszcze: porodu nie da się przewidzieć do końca, co wymaga od ciebie pewnej elastyczności, umiejętności dostosowania się do sytuacji. Tak więc wybierz godne zaufania osoby do pomocy i fachowego nadzoru, poczyń własne plany, a następnie skoncentruj się na tym, co najważniejsze: żeby urodzić zdrowe dziecko.

Zaangażowanie ojca i innych bliskich

Zawczasu porozmawiaj z lekarzem czy położną na temat udziału w porodzie ojca (lub ewentualnie innej bliskiej osoby) – oczywiście jeśli on sam tego pragnie. Nie możesz zmusić męża czy partnera do czegoś, co ewidentnie go przerasta. Tak, tak, nawet dzisiaj niektórzy mężczyźni nie przekroczą za nic w świecie progu sali porodowej albo, co gorsza, mdleją tam! Coraz więcej młodych ojców nie wyobraża sobie jednak spędzenia tego doniosłego momentu gdzie indziej, a własnoręczne przecięcie pępowiny, trzymania żonie lustra, żeby mogła zobaczyć ukazującą się główkę, i inne zabiegi, jakie przypadają im w udziale, pozostają w ich wspomnieniach jedynym w swoim rodzaju, cudownym i wzruszającym przeżyciem. Nie odkładaj tej kwestii na ostatnią chwilę. Wielu mężczyzn reaguje z zachwytem na tę perspektywę, ale też i wymaga pewnego przygotowania.

Gdzie odbyć poród

Miejsce, w którym będziesz rodzić – szpital lub izba porodowa – może mieć wpływ na sposób przyjścia na świat twojego dziecka. Oba typy placówek osiągają zbliżone, minimalne wskaźniki umieralności noworodków i matek, jednak izby porodowe z reguły przyjmują tylko pacjentki z ciążą niskiego ryzyka, a ich liczba wykazuje tendencję spadkową.

Szpital

Około 99% amerykańskich kobiet odbywa poród w szpitalu. Główną zaletą takiego wyboru jest pewność, że w razie jakichkolwiek komplikacji czy to ty, czy twoje dziecko otrzymacie natychmiast fachową pomoc. Zastanawiając się nad odpowiednim szpitalem, musisz sprawdzić, czy jest on dobrze przygotowany do odbierania porodów zarówno powikłanych, jak i niepowikłanych (nie jest to regułą). Szpital powinien mieć warunki do wykonania cięcia cesarskiego w trybie pilnym, czyli w ciągu 30 minut od podjęcia takiej decyzji przez lekarza. Powinien być również przygotowany na resuscytację i intensywne leczenie noworodka, ewentualnie na błyskawiczne odesłanie go do odpowiedniego większego ośrodka. Aby było to możliwe, w skład zespołu sali porodowej musi wchodzić położnik, anestezjolog i pediatra.

Jeśli dotyczą cię jakiekolwiek czynniki podwyższonego ryzyka ciążowego (niektóre z nich są wymienione w rozdziale 1, „Opieka prenatalna"), najlepiej byłoby odbyć poród w szpitalu specjalistycznym, wyposażonym w oddział intensywnej terapii noworodka, doświadczony w ratowaniu życia najmniejszych i najbardziej zagrożonych dzieci.

> ## „Głos doświadczenia"
> „Nie zapomnij dokładnie omówić z lekarzem, kiedy powinnaś do niego zadzwonić i kiedy jechać do szpitala, gdy poród już się rozpocznie. Utrwalone w powszechnej świadomości sceny z licznych seriali, kiedy to żonę łapią pierwsze skurcze, a mąż z szaleńczą prędkością wiezie ją do szpitala, nie mają wiele wspólnego z rzeczywistością. Poród może trwać od wielu godzin, zanim skurcze staną się na tyle silne i regularne, że w ocenie twojego lekarza musisz jechać do szpitala. Odesłanie z izby przyjęć do domu z powodu «fałszywego alarmu» może być przykrym przeżyciem emocjonalnym".
> – ZA: KIDSHEALTH PARENT SURVEY

Narodziny w takim ośrodku wiążą się z ogromną redukcją ryzyka zgonu w tej grupie noworodków. Jeśli wiesz, że twoje dziecko może się urodzić przedwcześnie lub mieć

„Głos doświadczenia"

„Pakując się przed wyjazdem do szpitala, nie zapomnij o kamerze lub aparacie fotograficznym. Twoje zdjęcie z jednominutowym noworodkiem w objęciach jest zbyt bezcenną pamiątką, by się jej pozbawić. Utrwal ten niepowtarzalny moment!".
– ZA: KIDSHEALTH PARENT SURVEY

„Głos doświadczenia"

„Najwspanialszym wspomnieniem z porodu były narodziny naszego synka! W szpitalu bardzo się starano, żeby moja żona jak najmniej cierpiała i miała wszystko, co potrzeba. Dla mnie liczyło się wtedy tylko to".
– ZA: KIDSHEALTH PARENT SURVEY

inne poważne problemy, na pewno podniesie cię na duchu pewność, że przyjdzie ono na świat w doświadczonym, od dawna istniejącym i cieszącym się dobrą opinią ośrodku, w którym uratowano już wiele innych noworodków w podobnej sytuacji. Oddziały intensywnej terapii noworodka istnieją zwykle przy większych, specjalistycznych ośrodkach klinicznych.

Różne sposoby postępowania

Zasady opieki nad matką i dzieckiem bywają różne w poszczególnych szpitalach, jednak w większości z nich istnieje jeden ustalony schemat postępowania obowiązujący cały personel oddziału położniczego. Niezależnie od tego, czy wybierasz szpital zupełnie swobodnie, czy też jesteś ograniczona warunkami twojego ubezpieczenia zdrowotnego, powinnaś zawczasu się z nim zapoznać. Powinnaś z góry wiedzieć, czego oczekiwać w momencie, gdy zgłosisz się do danego ośrodka w celu odbycia porodu.

Poród w domu

Niewielka część kobiet decyduje się na poród w domu, zwykle pod opieką położnej. Położne praktykujące porody domowe są dyplomowanymi pielęgniarkami-położnymi (patrz rozdział 1, „Opieka prenatalna"). Choć większość porodów domowych kończy się szczęśliwie, osobiście raczej ich nie propagujemy z uwagi na brak możliwości szybkiej interwencji w razie jakichkolwiek powikłań. Szczególna ostrożność powinna dotyczyć kobiet rodzących po raz pierwszy, najbardziej narażonych na ryzyko. Jeśli jesteś doświadczoną matką i koniecznie chcesz urodzić w domu, musisz upewnić się, że osoba, która będzie ci asystować, ma odpowiednią wiedzę i doświadczenie, a także nawiązane zawczasu kontakty z najbliższym szpitalem i pogotowiem ratunkowym, na wypadek gdybyś potrzebowała pilnej pomocy.

Dodatkowa ultrasonografia kontrolna

Jeśli rozważasz poród w domu, pomyśl o dodatkowym badaniu USG w późnym okresie ciąży, nawet jeśli wszystko przebiega w najlepszym porządku. To niebolesne, nieinwazyjne badanie może ujawnić pewne nieprawidłowości położenia płodu (np. pośladkowe czy stópkowe) bądź inne potencjalne problemy, w obliczu których decyzja

o porodzie poza szpitalem byłaby nierozsądna. Więcej informacji na temat USG znajdziesz w rozdziale 1, „Opieka prenatalna".

Kiedy wzywać lekarza lub położną

Im bliżej dnia porodu, tym dokładniejsze będą instrukcje lekarza co do rozpoznania
oznak rozpoczynającej się akcji. Większość lekarzy i położnych życzy sobie natychmiastowego uprzedzenia o tym fakcie (nawet jeśli w efekcie okaże się to przedwczesnym alarmem). Chyba że umówiłaś się inaczej, zadzwoń do lekarza lub położnej niezależnie od pory dnia (czy nocy) w razie wystąpienia którejś z następujących sytuacji:
- Skurcze pojawiają się coraz częściej i przybierają na sile.
- Przerwa między kolejnymi skurczami trwa krócej niż 10 minut, a one same stają się coraz trudniejsze do zniesienia.
- Ciąża trwa krócej niż 37 tygodni i odczuwasz utrzymujące się skurcze.
- Stwierdzasz krwawienie z pochwy.
- Dochodzi do przerwania pęcherza płodowego (odejścia wód). Płyn może chlu-
  snąć dużym strumieniem lub wyciekać kroplami. Jeśli stwierdzisz jego zielonka-
  we, brązowe lub krwiste podbarwienie, dzwoń do lekarza natychmiast.
- Płód porusza się rzadziej niż zwykle.

Jeśli w którejś z powyższych sytuacji nie możesz porozumieć się ze swoim lekarzem, jedź do szpitala.

Przebieg porodu siłami natury

Prawidłowy poród dzieli się na kilka okresów i faz. Niżej przedstawiony opis ma dać
ci orientację, czego możesz oczekiwać. Pamiętaj jednak, że podane przez nas ramy
czasowe są jedynie statystycznymi średnimi. Prawidłowy poród może trwać równie
dobrze znacznie dłużej lub znacznie krócej.

Pierwszy okres

Pierwszy okres porodu trwa od momentu pojawienia się pierwszych skurczów do pełnego rozwarcia (otwarcia się) szyjki macicy (jej najwęższej części). Okres ten dzieli się
na trzy fazy:
1. Faza wczesna lub utajona. Skurcze są początkowo krótkotrwałe (30–45 sekund)
   i rzadkie (co 5–20 minut). Stopniowo przybierają jednak na długości (60–90 sekund), intensywności i częstotliwości (pojawiają się częściej niż co 5 minut). Faza ta trwa średnio około 8 godzin u pierwiastek, czyli rodzących po raz pierwszy (aczkolwiek nawet 20 godzin mieści się w granicach normy), a krócej
   u wieloródek. Przedział czasowy zmienia się jednak w szerokim zakresie, tym
   bardziej że często trudno jest ustalić rzeczywisty moment początkowy, umykają-
   cy świadomości wielu kobiet. Jeśli nawet kobieta ma pewność, że „zaczęło się",

3.1a

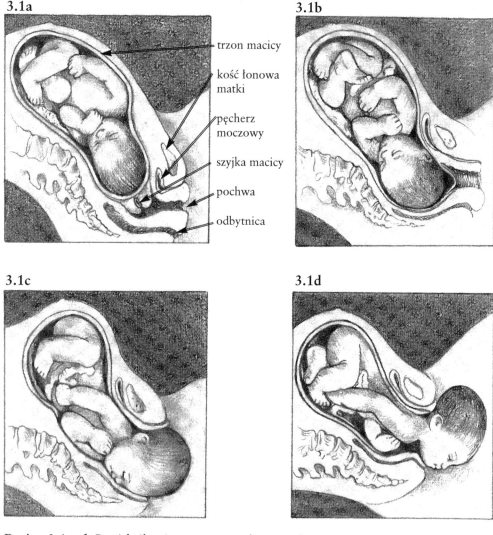

trzon macicy

kość łonowa matki

pęcherz moczowy

szyjka macicy

pochwa

odbytnica

3.1b

3.1c

3.1d

Ryciny 3.1a–d. Poród siłami natury. Dziecko przechodzi przez kanał rodny główką do przodu.

nie musi zbytnio się spieszyć, może pozostać w domu, zdrzemnąć się, pochodzić, zjeść lekki posiłek i spokojnie przygotować się na wyjazd do szpitala.

W tej wczesnej fazie u wielu przyszłych matek dochodzi do wydalenia tak zwanego „czopu śluzowego" z szyjki macicy, zwykle podbarwionego krwią. Możliwe jest również pęknięcie pęcherza płodowego, połączone z obfitym lub skąpym odejściem wód. W fazie tej szyjka macicy ulega rozwarciu na 3–4 cm i całkowicie się zaciera (wtapia w trzon macicy).

2. Faza aktywna. Skurcze występują co 3–4 minuty i trwają po 40–60 sekund. Rozwarcie szyjki osiąga 7–9 cm. Faza ta zajmuje zwykle 5–8 godzin u pierwiastek i 3–6 godzin przy kolejnych porodach. Z reguły nasila się wtedy ból i dyskomfort. Już od począt-

ku tej fazy rodząca powinna znaleźć się w szpitalu. Jeśli nie dojdzie do samoistnego pęknięcia pęcherza płodowego, wielu położników praktykuje jego przebicie. Podczas fazy aktywnej u wielu kobiet pojawia się potrzeba złagodzenia bólu. Może ono polegać na masażu, odpowiednim oddychaniu i innych technikach wyćwiczonych w szkole rodzenia albo na podaniu farmakologicznych środków znieczulających.

3. Faza przejściowa. Jest to faza krótsza, ale i najbardziej wyczerpująca. Skurcze stają się coraz częstsze, nawracają co 2–3 minuty, trwają po 60–90 sekund i osiągają maksymalną intensywność. Czasami rodzące czują, jakby między skurczami nie było w ogóle przerwy. Możliwe jest silne parcie na okolicę krzyżową, odbytnicę i krocze, czyli przestrzeń między pochwą a odbytnicą. (Jest ono odczuwane jako parcie na stolec, który rzeczywiście zostaje nieraz wydalony w tym okresie. Nie należy się tym krępować. Położne na sali porodowej są do tego przyzwyczajone i błyskawicznie cię obmyją). Jeśli szyjka macicy nie uległa jeszcze pełnemu rozwarciu, rodząca musi powstrzymać potrzebę parcia. Jest to dla niej bardzo trudny moment, pełen frustracji, zniechęcenia, a często i złości na otoczenie. Jeśli kobieta rzuci jakieś nieprzychylne słowo pod adresem męża czy położnej, jest duże prawdopodobieństwo, że znajduje się właśnie w fazie przejściowej. Trwa ona od 15 minut do godziny i kończy się pełnym (10 cm) rozwarciem szyjki macicy.

Drugi okres

Drugi okres porodu jest kulminacyjnym momentem całego procesu: wydaniem na świat dziecka. Matka aktywnie „wydala" wtedy płód z macicy przez całkowicie rozwartą szyjkę. Trwa to średnio około godziny u pierwiastek i 20 minut u wieloródek, ale niekiedy również dłużej, zwłaszcza jeśli rodząca otrzymała znieczulenie zewnątrzoponowe (opisane dalej) i tym samym nie odczuwa naturalnej potrzeby parcia. Nawet przy braku znieczulenia rodząca prze zwykle pod kierunkiem położnej i wkłada w tę pracę wszystkie siły. Gdy w ujściu kanału rodnego zaczyna pojawiać się główka dziecka, personel sali porodowej przygotowuje się do odebrania porodu, co może polegać na przewiezieniu rodzącej do osobnej sali czy usunięciu części łóżka porodowego. Po urodzeniu największej części ciała (główki) potrzeba zwykle tylko kilku chwil i kilku skurczów, by wysunął się tułów i kończyny dziecka.

„Głos doświadczenia"

„Tak naprawdę nikt i nic nie jest w stanie w pełni przygotować cię na akt porodu twojego pierwszego dziecka. Jest to głębokie, duchowe przeżycie, a zarazem ogromny stres i traumatyczny wstrząs. I to tylko z punktu widzenia ojca! Moja żona odbyła dwa porody bez żadnej interwencji ani znieczulenia farmakologicznego. Chyba tylko wyjątkowo widzi się najbliższą, ukochaną osobę w takim cierpieniu, a przy tym, szczerze mówiąc, nie każdy zniesie ilość krwi i tkanek, jakie produkuje nawet najnormalniejszy poród. Obecnie, z perspektywy czasu, uważam jednak to wydarzenie za jedyne w swoim rodzaju i nie wyobrażam sobie, bym mógł w nim nie uczestniczyć. (Moja żona nie podziela mojego entuzjazmu i często żartuje, że następnym razem musimy zamienić się rolami!)".
– ZA: KIDSHEALTH PARENT SURVEY

Trzeci okres

Po wydaniu na świat noworodka matkę czeka jeszcze trzeci okres porodu. Jeśli dziwisz się, dlaczego, oznacza to, że zapomniałaś o łożysku. Łożysko pozostaje jeszcze przez chwilę w macicy i również wymaga wydalenia. Zajmuje to zwykle około 15 minut słabszych, praktycznie nieodczuwalnych już tak skurczów. Nic dziwnego, że kobiety nie przywiązują większej wagi do tego okresu. Właśnie urodziły dziecko, a cała reszta nie ma dla nich znaczenia.

Rozwiązanie przez cięcie cesarskie

Wiele noworodków przychodzi na świat drogą cięcia cesarskiego, operacji polegającej na nacięciu powłok brzusznych i ściany macicy i wydobyciu dziecka przez powstały otwór.

Cięcie cesarskie niewątpliwie ratuje życie wielu dzieciom, a matkom oszczędza poważnych urazów okołoporodowych. Eksperci powtarzają jednak już od lat (odkąd tylko postępy chirurgii i anestezjologii zmniejszyły do minimum ryzyko związane z samą operacją), że w praktyce wykonuje się wiele zbędnych cięć cesarskich.

Cała trudność w ograniczeniu liczby niepotrzebnych cięć cesarskich polega na rozstrzygnięciu, czy rzeczywiście w danym przypadku jest ono niepotrzebne. Jeśli nawet lekarz nie ma 100% pewności co do zasadności cięcia cesarskiego u tej czy innej pacjentki, z reguły zdecyduje się raczej wykonać operację niż narazić zdrowie matki i dziecka na jakiekolwiek ryzyko. Większość rodziców przyjmie taką decyzję z pełnym zrozumieniem. Jeśli sytuacja nie jest pilna, możesz poprosić o opinię drugiego lekarza, ostatecznie jednak nie pozostaje ci nic innego, jak zdać się na wiedzę i doświadczenie położników.

Wskazania do cięcia cesarskiego

W pewnych okolicznościach cięcie cesarskie jest ewidentnie konieczne. Jeśli twój lekarz rozpozna któryś z niżej podanych stanów, cięcie cesarskie powinno być wykonane jeszcze przed rozpoczęciem porodu. Są to okoliczności następujące:

- Łożysko przodujące (*placenta praevia*). Łożysko leży tuż nad ujściem szyjki macicy i częściowo je blokuje. Z chwilą rozpoczęcia skurczów porodowych i rozwierania się szyjki łożysko ulega naderwaniu, co grozi obfitym krwotokiem.
- Odklejenie się łożyska (*abruptio placentae*). Większa część narządu oddzieliła się od ściany macicy.
- Czynne zakażenie wirusem opryszczki narządów płciowych (*Herpes genitalis*) u matki. Rozwiązanie przez cięcie cesarskie zapobiega zakażeniu się dziecka w trakcie wędrówki przez kanał rodny.
- Wypadnięcie pępowiny. W razie wczesnego pęknięcia pęcherza płodowego strumień wód płodowych może porwać ze sobą sznur pępowinowy, który wciska się do szyjki macicy i pochwy. Jest to stan zagrożenia życia płodu z powodu ryzyka przerwania dopływu tlenu.

W innych sytuacjach, wymagających szybkiego urodzenia dziecka z przyczyn medycznych, położnik stara się zwykle wywołać poród. Jeśli jednak trwa to zbyt długo lub powoduje stan zagrożenia płodu (objawiający się nieprawidłową czynnością serca), cięcie cesarskie może być również koniecznością. A oto kilka przykładów takich sytuacji:

- Wywołanie porodu przed czasem jest niezbędne z powodu stanu przedrzucawkowego (*preeclampsia*), czyli wysokiego nadciśnienia uwarunkowanego ciążą, lub cukrzycy u matki.
- Płód wykazuje cechy wewnątrzmacicznego opóźnienia wzrostu (IUGR) (wydaje się, że przestał rosnąć), jednak jest dostatecznie dojrzały do porodu.
- Ciąża jest przenoszona o dwa lub więcej tygodni. Po tym terminie warunki życia wewnątrzmacicznego zaczynają się pogarszać, co oznacza zagrożenie dla płodu.
- Nastąpiło odejście wód płodowych, ale akcja porodowa nie rozpoczyna się samoistnie w określonym przedziale czasu, z reguły w ciągu 24 godzin. (Dłuższa zwłoka zwiększa ryzyko zakażenia).

Najczęstsze powody wykonywania cięć cesarskich nie należą jednak do wyżej wymienionych. Typowo operację przeprowadza się z następujących przyczyn:

- Kobieta miała wcześniej cięcie cesarskie.
- Płód jest w położeniu pośladkowym/stópkowym lub poprzecznym (przoduje ramię). W takich sytuacjach istnieje czasem możliwość odwrócenia dziecka przed porodem albo urodzenie go mimo wszystko drogą pochwową, choć nieraz z pomocą kleszczy i w znieczuleniu.
- Poród zatrzymał się na określonym etapie lub nie postępuje w prawidłowym rytmie. Jest to stan zwany dystocją lub po prostu brakiem postępu porodu. W niektórych przypadkach przyczyną zatrzymania czynności porodowej może być nadmierna wielkość główki w stosunku do kanału rodnego matki, co nosi nazwę niestosunku porodowego lub niestosunku główkowo-miednicznego.
- Monitorowanie czynności serca (a czasem również pomiar wysycenia krwi tlenem) wskazuje na stan zagrożenia płodu. Pod tym bardzo ogólnikowym terminem kryją się objawy wszelkiego rodzaju zaburzeń ważnych czynności życiowych. Objawy te niejednokrotnie sprawiają lekarzom trudności w interpretacji. W razie wątpliwości część lekarzy unika posługiwania się terminem „stanu zagrożenia płodu", a raczej używa innych, wskazujących bardziej na niepewność co do rozpoznania i konieczność wzmożonej czujności.

Lekarz radzi

Poród siłami natury po wcześniej przebytym cięciu cesarskim

Lekarze wiedzą już dzisiaj, że większość kobiet po przebytym cięciu cesarskim może bezpiecznie urodzić kolejne dziecko „dołem", czyli siłami natury. Jeśli jesteś w ciąży lub planujesz ją, a miałaś wcześniej cięcie cesarskie, zapytaj o zdanie twojego lekarza.

Dwie ostatnie przyczyny – brak postępu porodu i stan zagrożenia płodu – budzą najwięcej kontrowersji, częściowo dlatego że opierają się na subiektywnych ocenach. Istnieją badania wykazujące, że rutynowe stosowanie kardiotokografów – czyli stałe monitorowanie czynności serca płodu – przyczyniło się do zbyt częstego rozpoznawania przez lekarzy stanu zagrożenia płodu, a co za tym idzie, do wykonywania niepotrzebnych cięć cesarskich bez istotnych korzyści dla dziecka czy matki. Niektórzy eksperci w dziedzinie położnictwa utrzymują również, że wielu cięć cesarskich wykonywanych z powodu „braku postępu porodu" można było uniknąć na szereg sposobów: przez zastosowanie technik zwalczania bólu, co umożliwiłoby dłuższy przebieg porodu, dzięki zastosowaniu oksytocyny dla wzmocnienia siły skurczów czy najzwyczajniej przez cierpliwe oczekiwanie.

Rycina 3.2. Płód w położeniu pośladkowym. W okresie porodu dziecko ustawia się do miednicy i kanału rodnego matki nie główką, lecz pośladkami. Czasami możliwe jest odwrócenie pozycji dziecka o 180° przed porodem, co często praktykowali dawni położnicy, w czasach gdy cięcie cesarskie oznaczało najczęściej wyrok śmierci dla matki. Obecnie możliwy jest poród pośladkowy drogą naturalną, ale w praktyce najczęściej kończy się to cięciem cesarskim.

Dlaczego warto uniknąć cięcia cesarskiego

Cięcie cesarskie należy do rozsądnie bezpiecznych operacji, niemniej jednak jest operacją, co pociąga za sobą określone ryzyko. Noworodki zazwyczaj nie odczuwają żadnych następstw przyjścia tą drogą na świat, ale czasem mogą u nich wystąpić przejściowe zaburzenia oddychania, wymagające dokładnej obserwacji i w razie potrzeby leczenia szpitalnego. Matki są narażone na większe niż w przypadku porodu drogą pochwową ryzyko zakażenia lub krwawienia wymagającego transfuzji. Chociaż wskaźnik śmiertelności matek w związku z cięciem cesarskim pozostaje bardzo niski, jest on jednak wyższy niż po porodzie naturalnym. Ponadto przebycie cięcia cesarskiego zwiększa ryzyko poważnych powikłań w przyszłych ciążach, zwłaszcza u kobiet, u których i bez tego występuje więcej niż jeden czynnik podwyższonego ryzyka.

Cięcie cesarskie wykonuje się często w znieczuleniu zewnątrzoponowym, inaczej lędźwiowym, które znosi czucie od pasa w dół, ale pozostawia pacjentce pełną świadomość. Tym samym słyszy ona pierwszy krzyk dziecka, może wziąć je natychmiast

Lekarz radzi

Depresja poporodowa

Wpierwszych tygodniach po powrocie z noworodkiem do domu, wiele świeżo upieczonych matek – jak również ojców – doświadcza okresowo niezrozumiałych dla nich samych stanów przygnębienia i lęku, a niekiedy wręcz poważnej depresji. Jeśli rodzina i przyjaciele nie są w stanie dodać ci otuchy, jak najszybciej szukaj fachowej pomocy. Lekarz, który opiekował się tobą w okresie ciąży, powinien wskazać ci odpowiedniego specjalistę. W bardzo poważnych przypadkach nie zwlekaj ze zgłoszeniem się na oddział pomocy doraźnej najbliższego szpitala.

w objęcia, a ojcu zezwala się zwykle na asystowanie. Taki poród może być równie radosnym przeżyciem, jak naturalny. Cięcie wykonywane w trybie pilnym wymaga jednak często znieczulenia ogólnego, które działa znacznie szybciej. W efekcie matka wydaje na świat dziecko w głębokim uśpieniu, a ojciec, tak jak dzieje się zwykle przy pilnych operacjach, może jedynie czekać na korytarzu.

Cięcie cesarskie bywa dużym rozczarowaniem dla rodziców, którzy sumiennie przygotowywali się do porodu siłami natury. Może również sprawić, że okres noworodkowy będzie przebiegał z większymi trudnościami dla matki. Po przebytej operacji brzusznej ma ona z reguły więcej dolegliwości, a czasem nawet podniesienie dziecka bywa dla niej poważnym problemem. Niewygodne z powodu rany jest również karmienie piersią. Niektóre kobiety wpadają w przygnębienie, zwłaszcza jeśli bardzo pragnęły „normalnego" porodu, a w efekcie po wielu godzinach cierpień skończyło się na operacji w znieczuleniu ogólnym.

Jak złagodzić następstwa cięcia cesarskiego

Choć nikt nie może ci obiecać, że cięcie cesarskie będzie dla ciebie „drobnostką", istnieje jednak kilka sposobów, by zminimalizować jego przykre następstwa:

- Jeśli wiesz lub podejrzewasz, że twoje dziecko urodzi się przez cięcie cesarskie, zawczasu omów z lekarzem wszystkie wątpliwości i obawy. Przykładowo, matce może zależeć na zachowaniu przytomności, ojcu – na obecności przy porodzie, a obojgu na tym, by natychmiast przytulić narodzone dziecko. Jeśli ojciec nie może asystować, poproś kogoś z personelu sali operacyjnej, żeby tuż po porodzie zrobił noworodkowi zdjęcie.
- Omów z lekarzem rutynowo stosowane procedury operacyjne: jeśli wykonuje on niskie, poziome cięcie, tak jak robi to większość położników, rosną twoje szanse na poród siłami natury w kolejnej ciąży. Jeśli lekarz praktykuje w dodatku bardzo niskie cięcie typu „bikini", blizna będzie w dużej części ukryta pod owłosieniem łonowym. (Osobno wykonuje się nacięcia powłok i osobno mięśnia macicy).

Jak dostrzec dobre strony cięcia cesarskiego (sposobem Polyanny)

Porodów przez cięcie cesarskie należy niewątpliwie w miarę możności unikać. Jeśli jednak wiesz z góry, że będzie ono niezbędne z powodów medycznych, możesz spróbować skupić się na jego pozytywnych aspektach (tak jak w różnych sytuacjach miała to w zwyczaju bohaterka uroczej książeczki dla dzieci). Jeśli natomiast wskazania do cięcia pojawiły się niespodziewanie po wielu ciężkich godzinach porodu, poniższe „plusy" nie mają zwykle zastosowania.

- Przy planowym cięciu cesarskim dokładnie wiesz, kiedy urodzi się twoje dziecko. Nie musisz bać się jakiegokolwiek bólu i z reguły jesteś przytomna i wypoczęta na powitanie noworodka.
- Twoje maleństwo niewątpliwie znacznie ładniej wyjdzie na pierwszym zdjęciu, ponieważ jego główka nie dozna żadnych przejściowych deformacji podczas przeciskania się przez kanał rodny.
- Nie będziesz miała dolegliwości w rodzaju nietrzymania moczu, gazów lub kału, które nieraz przejściowo pojawiają się u kobiet po porodzie siłami natury.
- Gdy będziesz gotowa na wznowienie życia seksualnego, odczujesz zapewne więcej przyjemności, a mniej dyskomfortu niż po naturalnym porodzie.

- Postaraj się zawczasu zorganizować dodatkową pomoc ze strony rodziny, przyjaciół, ewentualnie płatnej opiekunki na pierwszy tydzień lub dwa po powrocie do domu. W tym okresie nie powinnaś robić właściwie niczego poza kołysaniem i karmieniem dziecka, i własnym odpoczynkiem (co już może wydawać się napiętym harmonogramem!). W podnieceniu związanym z opieką nad noworodkiem nawet najbliższym nietrudno zapomnieć, że dochodzisz do siebie po świeżo przebytej operacji brzusznej.
- Powtarzaj sobie samej, że sposób, w jaki twoje dziecko przyszło na świat, nie ma nic wspólnego z twoją „jakością" jako matki ani z więzią, jaka wytworzy się między wami. Jeśli jednak czujesz się psychicznie źle, przynajmniej o to się nie obwiniaj. Możesz kochać dziecko, a jednocześnie nadal żałować tego, co się stało. W podobnej sytuacji u wielu kobiet uczucia wdzięczności i szczęścia przeplatają się z nastrojami smutku i złości na cały świat.

Walka z bólem

Skala bólu porodowego jest bardzo zróżnicowana, co więcej, zależy w dużym stopniu od ciebie samej. Dlatego warto poświęcić czas na naukę technik jego łagodzenia. Zapoznaj się ze wszystkimi możliwościami i dokładnie omów je z lekarzem na długo przed terminem porodu.

Poród bez leków

Badania wykazują, że percepcja bólu porodowego może się znacznie zmniejszyć wtedy, gdy kobieta wie, czego się spodziewać, ma zaufanie do siebie samej i do otaczających ją fachowców, ma w pobliżu swoich najbliższych oraz wsparcie i pomoc ze strony doświadczonej położnej – „asystentki porodowej". Do technik niefarmakologicznego zwalczania bólu zaliczają się ćwiczenia relaksacyjne i oddechowe, poznane na zajęciach w szkołach rodzenia, hipnoza i autohipnoza, masaże, metoda „przeciwparcia", zmiany pozycji i zanurzanie się w ciepłej wodzie. W większości przypadków naukę i praktyczny trening należy zacząć na kilka miesięcy czy co najmniej tygodni przed porodem.

Środki narkotyczne

Aby przytłumić ból związany ze skurczami i rozwieraniem się szyjki macicy, można zastosować pochodne morfiny w iniekcjach podskórnych co 2–4 godziny lub dożylnych. Leki tej grupy obejmują między innymi dolantynę (Dolargan), meperydynę (Demerol), fentanyl (Sublimaze), butorfanol (Stadol) lub nalburfinę (Nubain). Często podaje się je razem z lekiem przeciwko nudnościom, które należą do ich głównych działań niepożądanych. Inne możliwe objawy uboczne u matki to senność, wymioty i spadek ciśnienia tętniczego. (Ulga pod wpływem pochodnych morfiny, a także podatność na objawy niepożądane charakteryzują się znaczną zmiennością u poszczególnych pacjentek).

Wpływ narkotyków na noworodka – włącznie z ospałością, która może utrudniać karmienie natychmiast po porodzie – zależy od wielkości dawki i od czasu, jaki dzieli podanie leku matce od momentu porodu. W rzadkich przypadkach u noworodka dochodzi do stłumienia czynności ośrodka oddechowego pod działaniem narkotyków przeciwbólowych, co może wymagać tlenoterapii, a nawet oddechu wspomaganego. Z reguły efekt narkotyków daje się jednak szybko zniwelować podaniem innego leku o działaniu antagonistycznym.

Znieczulenie zewnątrzoponowe i inne rodzaje znieczulenia miejscowego

Znieczulenie zewnątrzoponowe, zwane również lędźwiowym, jest najczęściej stosowaną metodą zwalczania bólu porodowego. Pacjentka ma całkowicie zniesione czucie od pasa w dół, zachowuje natomiast pełną świadomość. W przeciwieństwie do narkotyków, podawanych w zwykłych wstrzyknięciach, znieczulenie zewnątrzoponowe wymaga wprowadzenia przez igłę cienkiego cewnika do kanału kręgowego na poziomie krzyża, a następnie do przestrzeni nadoponowej, tuż nad najbardziej zewnętrzną oponą twardą, okrywającą rdzeń kręgowy. Przez cewnik ten podaje się w sposób ciągły leki znieczulające, które częściowo blokują czucie w dolnej połowie ciała. Ponieważ procedura ta wymaga udziału odpowiednio przeszkolonego anestezjologa, nie wszystkie szpitale mają ją w swojej ofercie.

Znieczulenie zewnątrzoponowe może wydłużyć drugi okres porodu i utrudnić pacjentce efektywne parcie (bo musi to robić „na komendę", a nie z wewnętrznej potrzeby). W kilku badaniach na ten temat zastosowanie znieczulenia wiązało się z większym prawdopodobieństwem zakończenia porodu przez cięcie cesarskie lub drogą naturalną, ale z użyciem kleszczy czy próżniociągu. Z badań tych nie wynika jednak wyraźnie, czy zabiegi były konieczne z powodu znieczulenia, czy też i one, i znieczulenie wynikały z innych powikłań położniczych.

Uważa się również, że minimalizacja efektów niepożądanych znieczulenia zależy w dużej mierze od wprawy anestezjologa, od doboru właściwych dawek leków oraz od właściwego momentu ich podania (z reguły wtedy, gdy poród jest już dobrze zaawansowany, ale na długo przed fazą skurczów partych).

Chociaż jest to najbardziej rozpowszechniona metoda znieczulenia miejscowego, istnieją również inne, takie jak:

- Blokada lędźwiowa, podobna w procedurze i efektach do znieczulenia zewnątrzoponowego, z tym że głębiej działająca, stosowana często przy cięciu cesarskim.
- Blokada „siodłowa", znosząca czucie bólu na mniejszym obszarze, głównie w okolicy pochwy i krocza, stosowana przy porodach zabiegowych z użyciem kleszczy czy próżniociągu.
- Blokada krocza. Jest to płytkie znieczulenie miejscowe podawane w ścianę pochwy o działaniu ograniczonym do pochwy i krocza. Ten rodzaj znieczulenia stosuje się nieraz przy porodach drogą naturalną, do nacięcia i późniejszego zeszycia krocza, a czasem również przed użyciem kleszczy.

Znieczulenie ogólne

Znieczulenie ogólne, wprowadzające pacjenta w głębokie uśpienie, było dawniej często stosowane w położnictwie, jednak obecnie rezerwuje się głównie do cięć cesarskich ze wskazań pilnych i tylko do niektórych porodów kleszczowych. Zapewnia ono nie tylko całkowite zniesienie bólu, ale i szybko działa. Środek znieczulający podaje się najczęściej drogą wziewną, po czym pacjentka niemal natychmiast zasypia, a oddychanie prowadzi za nią anestezjolog przez wprowadzoną do tchawicy rurkę intubacyjną.

Stan nieprzytomności trwa zwykle tylko kilka minut, potrzebnych do wydobycia dziecka, jednak wybudzeniu towarzyszy zwykle osłabienie i zawroty głowy, a czasem również nudności. Środek znieczulający może także działać na noworodka, co położnicy starają się zwykle ograniczyć do minimum, usypiając pacjentkę możliwie jak najpóźniej, tuż przed urodzeniem dziecka. Zmniejsza to jego narażenie na znieczulenie, ponieważ leki nie mają czasu dotrzeć do jego organizmu.

Ewentualność znieczulenia ogólnego jest jednym z głównych powodów, dla których rodzącym zabrania się jeść. Reakcją na znieczulenie są bowiem często wymioty, co grozi inhalacją treści żołądkowej do płuc. Czasami przed znieczuleniem podaje się również środki zobojętniające, aby zmniejszyć ryzyko podrażnienia układu oddechowego zarzuconą w okresie nieprzytomności kwaśną treścią żołądkową.

Inne częste zabiegi położnicze

Podczas porodu w szpitalu stosuje się też szereg innych zabiegów. A oto krótki przegląd tych, z którymi najprawdopodobniej możesz się zetknąć.

Monitorowanie czynności serca płodu

Pewne formy kontroli czynności serca płodu stosuje się praktycznie przy wszystkich porodach. Najprostsza metoda polega na osłuchiwaniu w regularnych odstępach czasu przy użyciu specjalnego stetoskopu (w kształcie tubki) lub głowicy dopplerowskiej (dzięki której i ty możesz usłyszeć bicie serca twojego dziecka). Z reguły wykonuje to położna co 5, 15 lub 30 minut w zależności od sytuacji i stopnia zaawansowania porodu. Badania wykazują, że tego rodzaju kontrola przynosi równie dobre rezultaty, co wymagające specjalnej aparatury monitorowanie elektroniczne, opisane poniżej. Rzetelność monitorowania osłuchowego wymaga oczywiście odpowiednio licznego personelu pielęgniarskiego – w niektórych przypadkach oznacza to, że jedna położna powinna przypadać na jedną pacjentkę.

W ciągu ostatnich dziesięcioleci w większości szpitali wprowadzono jednak monitorowanie elektroniczne, stosowane rutynowo u wszystkich czy prawie wszystkich rodzących. Monitorowanie to może mieć formę zewnętrzną lub wewnętrzną. W tym pierwszym przypadku brzuch rodzącej otacza się specjalnym pasem (lub dwoma). Aparat (zwany kardiotokografem) rejestruje zarówno skurcze macicy, jak i czynność serca płodu, a tym samym reakcję tej ostatniej na skurcze porodowe. W każdej chwili fragment zapisu można utrwalić na papierze do dalszej analizy, a czasami aparat ma również wmontowany system alarmowy, który w określonych sytuacjach zaczyna działać automatycznie. (Nie wpadaj w panikę, gdy przytrafi ci się coś takiego: alarmy są bardzo często fałszywe. Urządzenie włącza je w każdym przypadku, kiedy przestaje „słyszeć" czynność serca płodu, czego przyczyną może być również najzwyklejsze zsunięcie się pasa). Monitor może pracować w sposób ciągły lub przerywany, w określonych odstępach czasu.

W przypadku monitorowania wewnętrznego elektrodę rejestrującą wprowadza się za pomocą cewnika przez szyjkę macicy i umieszcza na główce (skalpie) płodu. Jest to możliwe dopiero po samoistnym lub zabiegowym przerwaniu ciągłości pęcherza płodowego i po osiągnięciu pewnego stopnia rozwarcia szyjki macicy. Metodę tę stosuje się w przypadkach wymagających większej dokładności lub w razie problemów z monitorowaniem zewnętrznym.

Tak jak wspomnieliśmy już wcześniej, niekorzystnym następstwem rozpowszechnienia monitorowania elektronicznego może być wzrost liczby nieuzasadnionych cięć cesarskich.

Amniotomia (przebicie pęcherza płodowego)

Jest to jeden z najczęstszych zabiegów położniczych, wykonywany w celu wywołania porodu, przyspieszenia jego przebiegu lub dokładniejszej oceny stanu płodu, na przykład pobrania krwi z główki lub podłączenia elektrody monitorującej czynność serca. Przebicie pęcherza płodowego wykonuje położna lub lekarz podczas badania ginekologicznego za pomocą niewielkiego plastikowego haczyka. Już po przerwaniu błony owodniowej, czy to naturalnym, czy zabiegowym, dalszych badań przez pochwę powinno się unikać z powodu ryzyka zakażenia.

Indukcja porodu

Poród wywołuje się sztucznie w sytuacjach, w których stan matki lub dziecka wskazuje na konieczność szybkiego rozwiązania. Niektóre z tych stanów zostały omówione wcześniej, przy okazji wskazań do cięcia cesarskiego.

Niektórzy położnicy decydują się na indukcję porodu również na życzenie matki, z powodów pozamedycznych. Przykładowo, jeśli matka mieszka daleko od szpitala i ma problemy ze zorganizowaniem opieki nad starszymi dziećmi, może zależeć jej na znajomości jak najdokładniejszej daty porodu. Nie wszyscy lekarze zgadzają się jednak na takie udogodnienia, stojąc na stanowisku, że ingerencja w naturalny przebieg porodu musi być zarezerwowana wyłącznie do uzasadnionych medycznie sytuacji.

Trzeba pamiętać, że wywołanie porodu w niczym nie przypomina mechanicznego „odkręcenia kranu". Jeśli organizm matki nie jest jeszcze do tego przygotowany, indukcja może się nie udać i w efekcie po wielu godzinach czy nawet dniach prób nie pozostaje nieraz nic innego, jak wykonać cięcie cesarskie. Jest to najbardziej prawdopodobne w razie „niedojrzałości" szyjki macicy, czyli sytuacji, gdy nie dochodzi do jej ścieńczenia i rozwarcia.

W celu wywołania porodu położnicy mogą podjąć następujące działania:
- Podać dopochwowo preparat zawierający prostaglandyny w żelu lub tabletce dla przyspieszenia dojrzewania szyjki macicy. Zazwyczaj wykonuje się to w godzinach wieczornych po przyjęciu pacjentki do szpitala, tak aby poród mógł rozpocząć się rano.
- Przebić pęcherz płodowy, czyli wykonać wyżej opisaną amniotomię, co nieraz samo w sobie wywołuje akcję porodową.
- Podać dożylnie hormon oksytocynę, pobudzającą czynność skurczową macicy. Wlew zaczyna się od małych dawek, pod ścisłą kontrolą stanu płodu. Skurcze wywołane oksytocyną są zwykle częstsze i silniejsze niż samoistne. Oksytocynę stosuje się również często dla przyspieszenia wolno postępującego lub nie postępującego porodu.

Kleszcze lub wyciągacz próżniowy (próżniociąg, vacuum extractor)

Część matek rodzi drogą naturalną, ale niezupełnie „siłami natury", tylko z pomocą zabiegów położniczych. Zabiegi te polegają na ingerencji w położenie płodu oraz na zastosowaniu dodatkowej siły mechanicznej dla ułatwienia i/lub przyspieszenia jego przyjścia na świat. Do najczęstszych porodów zabiegowych należy poród kleszczowy lub z użyciem próżniociągu (zwanego powszechnie *vacuum*). W pierwszym przypadku lekarz obejmuje główkę dziecka narzędziem podobnym do pary wygiętych łyżek, po czym mechanicznie wyciąga ją na zewnątrz (czasem po wcześniejszym wykonaniu pewnych obrotów). Próżniociąg składa się z kolei z miseczkowatej końcówki zakładanej na główkę i podłączonej do pompy próżniowej, która „wysysa" ją z kanału rodnego siłą podciśnienia. Na temat porodów kleszczowych krążyły dawniej dość przerażające opinie, jednak obecnie rzeczywiście ryzykowne procedury przy użyciu tego narzędzia (a zwłaszcza tak zwane „wysokie kleszcze" i większość „średnich kleszczy") zostały zastąpione cięciem cesarskim.

Obecnie zarówno kleszcze, jak i próżniociąg stosuje się w większości przypadków tylko wtedy, gdy główka dziecka jest już widoczna w kanale rodnym (tzw. kleszcze zewnętrzne) lub na krótko przedtem („niskie kleszcze"). Zabiegi te wiążą się z minimalnym ryzykiem dla dziecka, u którego rzadko tylko występują przejściowe objawy urazu, takie jak obrzęk tkanki podskórnej oraz siniaki na skórze główki czy twarzy. Poród kleszczowy zwiększa również prawdopodobieństwo żółtaczki noworodków. W odniesieniu do matki ryzyko urazu dróg rodnych i krocza jest większe po zastosowaniu kleszczy niż po próżniociągu czy porodzie siłami natury. Z reguły rodząca otrzymuje przed interwencją znieczulenie miejscowe, a czasem lędźwiowe lub nawet ogólne. Jeśli dziecka nie uda się urodzić z pomocą kleszczy czy próżniociągu, położnicy muszą przygotować się do cięcia cesarskiego.

Porody zabiegowe przeprowadza się wtedy, gdy u matki lub dziecka wystąpią oznaki zaburzeń wymagających szybszego zakończenia porodu. Do zaburzeń tych należy niedotlenienie płodu (wyrażające się zmianami czynności serca), przedwczesne odklejenie się łożyska, choroby serca lub płuc matki, wyczerpanie matki lub czas trwania fazy skurczów przekraczający 2–3 godziny. Innym częstym powodem użycia kleszczy jest nieprawidłowe położenie płodu, utrudniające poród siłami natury.

Położnicy różnią się między sobą zarówno poglądami na temat kleszczy czy *vacuum*, jak i wprawą w ich stosowaniu. W efekcie niektórzy wolą wykonać cięcie cesarskie w sytuacjach, w których inni użyliby kleszczy czy próżniociągu.

Nacięcie krocza (episiotomia)

Nacięcie krocza było jeszcze niedawno rutynowym zabiegiem wykonywanym tuż przed porodem w okresie maksymalnego napierania główki dziecka na krocze i rozciągania jego tkanek. Miało to na celu poszerzenie ujścia kanału rodnego, a położnicy uzasadniali, że lepiej jest wykonać kontrolowane nacięcie na szczycie skurczu, niż dopuścić do samoistnych, mniej regularnych i trudniej gojących się pęknięć.

Badania nie potwierdziły jednak korzyści ze stosowania tego zabiegu przy prawidłowych porodach siłami natury. Co więcej, stwierdzono, że nacięcie w linii pośrodkowej może niekiedy prowadzić do uszkodzenia włókien zwieracza odbytu z przykrymi następstwami w postaci bólu oraz przejściowych problemów z kontrolą wydalania gazów, a nawet kału. W efekcie specjaliści nie zalecają już obecnie rutynowego nacinania krocza. Pęknięcia skóry i tkanki podskórnej zdarzają się rzeczywiście dość często, ale z reguły są one powierzchowne i łatwe do zszycia.

Nacięcie krocza jest natomiast zwykle wskazane przy porodach powikłanych, na przykład pośladkowych lub kleszczowych, a także w razie ryzyka większych uszkodzeń (np. przy pierwszym porodzie dużego dziecka).

Również w odniesieniu do tego zabiegu opinie położników są bardzo podzielone. Niektórzy należą do jego zdecydowanych zwolenników, inni, szczególnie położne, częściej starają się pomóc kobietom wyjść z porodu z nietkniętym kroczem. Jeśli masz jakiekolwiek wątpliwości na ten temat, omów je ze swoim lekarzem czy położną na długo przed oczekiwaną datą porodu.

Ocena stanu zdrowia noworodka

Natychmiast po przyjściu na świat twoje dziecko zostanie wszechstronnie zbadane dla oceny ogólnego stanu zdrowia i wykluczenia wszelkich problemów wymagających szczególnej czujności czy dodatkowych zabiegów.

Skala Apgar

Już w pierwszej minucie po porodzie noworodek otrzymuje pierwszą w życiu ocenę punktową w tak zwanej skali Apgar. Jej nazwa pochodzi od nazwiska Virginii Apgar, lekarza-anestezjologa, która wprowadziła ją w roku 1952. Badanie to służy ocenie pięciu podstawowych parametrów życiowych noworodka – rytmu serca, czynności oddechowej, napięcia mięśniowego, zabarwienia skóry i odpowiedzi odruchowej – w skali od 0 do 2. Ostateczny wynik jest sumą pięciu cząstkowych ocen. Jeśli wynosi on 7–10 punktów, stan noworodka uznaje się za dobry, natomiast niższa ocena oznacza konieczność podania tlenu lub zastosowania innych pomocniczych zabiegów.

Badanie przeprowadza się w pierwszej minucie życia, a następnie w piątej. Trzeba pamiętać, że odzwierciedla ono przede wszystkim doraźny stan dziecka po niezwykle ciężkim przeżyciu, jakim jest dla niego przyjście na świat, natomiast ma o wiele mniejsze znaczenie w rokowaniu zdrowia dziecka w dalszej perspektywie. Jeśli twoje dziecko uzyskało po porodzie ocenę poniżej siedmiu punktów, nie znaczy to bynajmniej, że nie będzie zdrowe czy „normalne". Niższa punktacja szczególnie często dotyczy noworodków przedwcześnie urodzonych.

Tuż po prawidłowym porodzie

Jeszcze na sali porodowej, w tak zwanym „kąciku noworodka", pielęgniarka lub położna wykonuje rutynowo następujące czynności:
- Oczyszcza nos i górne drogi oddechowe dziecka ze śluzu przy użyciu specjalnej strzykawki z gruszką lub cewnika, co ułatwia mu oddychanie.
- Waży noworodka, mierzy długość ciała i obwód główki, mierzy temperaturę i ocenia jego wiek ciążowy.
- Podaje krople lub maść do oczu z antybiotykiem, aby zapobiec infekcji.

- Zakłada dziecku bransoletkę identyfikacyjną z twoim imieniem i nazwiskiem, datą urodzenia i płcią. (Dane te będą sprawdzane w oddziale za każdym razem, gdy pielęgniarki będą ci przynosić dziecko po jakiejkolwiek rozłące).
- Wyciera dziecko, owija w pieluszki i kocyk, zakłada cienką czapeczkę i być może wkłada je do ocieplanego kosza (lub kładzie ci na brzuchu), aby zapobiec wychłodzeniu. (Noworodki nie potrafią jeszcze sprawnie regulować temperatury swojego ciała).

Początki więzi

Jeśli wszystko jest w normie, już po kilku chwilach będziesz miała je w objęciach. (Oboje rodzice powinni otrzymać szansę przytulenia noworodka). Gdy już dotrze do ciebie (przynajmniej częściowo) zdumiewająca prawda, że oto przyszło na świat, możesz zacząć się z nim zapoznawać. Bezpośrednio po urodzeniu dziecko jest najczęściej spokojne i przebudzone przez mniej więcej godzinę, i może się wydawać, że uważnie obserwuje świat, na którym właśnie się pojawiło. Później przez kilka godzin czy dni przede wszystkim śpi. Pierwszy okres czuwania jest najlepszym momentem, by rozpocząć karmienie piersią, nawet jeśli noworodek wyssie tylko kilka kropli żółtawej, przejrzystej siary, czyli pierwszego pokarmu wytwarzanego przez sutek. Jeśli pogłaskasz dziecko po policzku, najprawdopodobniej obróci w tę stronę główkę, gotowe do ssania. (W badaniach obserwacyjnych noworodki położone na brzuchu matki natychmiast po przyjściu na świat odpoczywały przez około 30 minut, a później zaczynały ssać pierś).

Już w tych pierwszych chwilach życia twoje dziecko posługuje się wszystkimi zmysłami, włącznie z powonieniem i dotykiem, by cię zidentyfikować i nawiązać z tobą więź. Może obracać główkę lub wyraźnie reagować na dźwięk twojego głosu. Choć jego widzenie jest jeszcze zamazane, potrafi dostrzec obiekty znajdujące się w odległości do 60 cm i najprawdopodobniej „studiuje" twarze, a zwłaszcza twoją, jeśli ma ją wystarczająco blisko. Gdy dotkniesz palcem jego dłoni, odruchowo odwzajemni „powitanie", otaczając go swoimi paluszkami. Noworodek ma za sobą ciężkie doświadczenie przyjścia na świat i potrzebuje odpoczynku, ale w tej pierwszej chwili wydaje się zainteresowany wszystkim dookoła.

Okres spokojnego czuwania dziecka tuż po porodzie bywa czasem nazywany okresem budowania więzi. Termin ten został spopularyzowany w latach 70. XX wieku wraz z wysuniętą przez część pediatrów teorią, że miłość matki do dziecka i ich wzajemne dobre relacje są bardziej prawdopodobne wtedy, gdy w pierwszej godzinie po porodzie miała ona okazję trzymać je w ramionach, „skórą do skóry", i nawiązać z nim pierwszy kontakt.

Powyższa teoria, czy może raczej jej nadinterpretacja, do dziś naraża na wielkie stresy wszystkich rodziców, którzy z różnych powodów nie mogą wziąć swojego dziecka na ręce przez wiele godzin, dni, czy nawet tygodni po urodzeniu. Pamiętaj jednak, że jest to tylko teoria, która nie tylko nie została nigdy potwierdzona, ale i przeczy jej zdrowy rozsądek. Odbieranie niemowląt matkom na co najmniej 12 godzin po porodzie było w końcu kiedyś powszechną praktyką, nie wspominając o milionach rodziców dzieci przedwcześnie urodzonych, chorych czy adoptowanych – czyż można odmówić im wszystkim głębokiej miłości i więzi z dziećmi mimo niedopełnienia tego poporodowego rytuału? W rzeczywistości wielu rodziców „przywiązuje się" do swoich dzieci jeszcze zanim je zobaczą, w okresie ciąży czy w oczekiwaniu na adopcję, wtedy, kiedy pożywką dla uczuć są tylko wyobrażenia czy ewentualnie zdjęcie dziecka. Wielu innych z kolei – i też mieści się to w granicach normy – dojrzewa do miłości rodzicielskiej powoli, przez szereg dni czy nawet tygodni, chociaż mieli okazję trzymać maleństwo w ramionach.

Tak naprawdę wytwarzanie więzi jest długim procesem. Miłość, zaufanie i przywiązanie budują się i umacniają dzień po dniu, w miarę jak opiekujesz się swoim dzieckiem, zaspokajasz jego potrzeby i uczysz się odczytywać wysyłane przez nie sygnały. Trzymanie dziecka w ramionach i karmienie go piersią tuż po porodzie jest cudownym przeżyciem – zrób to, jeśli tylko możesz. Jeśli jednak nie możesz – lub jesteś tak wyczerpana po porodzie, że z najwyższym trudem rzucasz okiem na dziecko – postaraj się tym nie zamartwiać. Nam osobiście wydaje się mało prawdopodobne, by jakikolwiek rodzic, który na tyle troszczy się o swoje dziecko, by sięgać po tę książkę – miał problemy z nawiązaniem z nim więzi.

Następne kroki

W wielu szpitalach po pierwszym powitaniu z matką i ojcem dziecko zabiera się na oddział noworodkowy, czasem w towarzystwie ojca, podczas gdy matka odpoczywa i przenosi się na oddział położniczy – chyba że i poród, i rekonwalescencja odbywają się jednym pomieszczeniu przeznaczonym tylko dla ciebie. Jeśli rodzisz w ośrodku pozaszpitalnym, jest większe prawdopodobieństwo, że dziecko również pozostanie z tobą i tym samym będziesz świadkiem wszystkich zabiegów, jakim zostanie poddane.

O ile pediatra nie był obecny przy porodzie, zostaje wezwany do nowego pacjenta w tym momencie. Jeśli wcześniej nie wybrałaś lekarza, który będzie na stałe opiekował się twoim dzieckiem (patrz rozdział 12, „Wybór lekarza-pediatry i nawiązanie z nim współpracy"), lub też nie ma go w szpitalu w dniu, w którym rodzisz, pierwszych oględzin dokonuje lekarz dyżurny.

Nawiązywanie więzi w ujęciu statystycznym

W jednym z badań zadano 97 młodym matkom pytanie, kiedy po raz pierwszy poczuły miłość do swojego dziecka. Odpowiedzi ankietowanych przedstawiały się następująco: 41% – w okresie ciąży, 27% – tuż po porodzie, 27% – w pierwszym tygodniu życia dziecka, 8% – po upływie pierwszego tygodnia.

Lekarz ma do wykonania następujące czynności:

• Całościowe badanie noworodka, z dokładnymi oględzinami, osłuchiwaniem serca i płuc, poruszaniem kończynami, obmacaniem brzuszka i sprawdzeniem odruchów.

• Zlecenie badań laboratoryjnych, do których krew dziecka pobiera się z niewielkiego nakłucia piętki. Podstawowy zestaw badań przesiewowych wykonuje się obowiązkowo, poza szczególnymi przypadkami braku zgody matki. Należy do nich zwykle test na fenyloketonurię i wrodzoną niedoczynność tarczycy, ponieważ obie te choroby mogą spowodować ciężki niedorozwój umysłowy dziecka, jeśli nie zostaną jak najszybciej rozpoznane i leczone. Inne badania przesiewowe mogą mieć na celu wykluczenie pewnych wrodzonych zaburzeń metabolicznych (np. homocystynurii, galaktozemii) oraz niedokrwistości sierpowatokrwinkowej.

• Zlecenie dodatkowych badań laboratoryjnych lub radiologicznych w razie potrzeby.

Problemy przy narodzeniu

Przedstawiony w tym rozdziale scenariusz jest najbardziej prawdopodobną wersją wydarzeń, zakończoną wyczerpaniem i radością z narodzin zdrowego dziecka. Niewielka liczba noworodków (3–5%) przynosi jednak ze sobą na świat poważne problemy zdrowotne, wymagające specjalistycznej opieki medycznej.

Niektóre z nich, takie jak wady rozwojowe, choroby uwarunkowane genetycznie i anomalie chromosomalne, dają się rozpoznać już w okresie prenatalnym, zwłaszcza jeśli u matki wykona się USG lub amniocentezę (patrz rozdział 1, „Opieka prenatalna"). Do schorzeń tych należy na przykład rozszczep kręgosłupa (wada polegająca na niepełnym zamknięciu rdzenia kręgowego w kanale kostnym), zespół Downa, niektóre wady wrodzone serca oraz rozszczep wargi/podniebienia. Te i inne patologie omawiamy dokładniej w rozdziale 32, „Problemy zdrowotne okresu wczesnego dzieciństwa".

W razie stwierdzenia lub poważnego podejrzenia wady rozwojowej przed urodzeniem dziecka położnik przygotowuje matkę na wszystko, co może się zdarzyć po porodzie. W takich przypadkach poród musi oczywiście odbyć się w odpowiednim szpitalu, w którym dziecko ma szansę otrzymać maksymalną pomoc. Jeśli można spodziewać się poważnych defektów lub skrajnie przedwczesnego porodu, najlepszym miejscem, w którym powinien on nastąpić, jest niemal zawsze szpital specjalistyczny, wyposażony w oddział intensywnej terapii noworodka. (Więcej informacji na temat wcześniactwa znajdziesz w rozdziale 6, „Dziecko przedwcześnie urodzone").

Jeśli wiesz, że twoje dziecko będzie wymagać po urodzeniu opieki specjalistycznej, możesz odwiedzić taki ośrodek zawczasu i zawrzeć znajomość z ludźmi, którzy będą opiekować się twoim maleństwem. W skład zespołu leczącego wchodzi zwykle neonatolog (pediatra z podspecjalizacją w patologii noworodka), anestezjolog dziecięcy i chirurg dziecięcy i oczywiście liczne, odpowiednio przeszkolone i doświadczone pielęgniarki. Szpital tego rodzaju ma najczęściej pracownika socjalnego, pomagającego rodzicom w poruszaniu się z chorym dzieckiem po systemie opieki zdrowotnej, oraz psychologa, który pomaga im stawić czoło trudnej sytuacji i uporać się ze wszelkimi stanami emocjonalnymi, jakich mogą doświadczać.

Czasami jednak wada rozwojowa czy choroba dziecka nie zostaje wykryta w okresie prenatalnym, albo też do poważnych powikłań dochodzi dopiero podczas porodu – jak dzieje się na przykład w zespole aspiracji smółki, ciężkiej chorobie, w której noworodek wydala smółkę do wód płodowych, a następnie wciąga ją do układu oddechowego. Nie do przewidzenia jest również większość przypadków wcześniactwa.

W takiej sytuacji rodzice przeżywają niewątpliwie tym większy szok, przygnębienie i lęk przed przyszłością. Często muszą rozstać się z dzieckiem na długie tygodnie jego leczenia. To, jak szybko dojdą do siebie, zależy w ogromnej mierze od personelu szpitala – zarówno od zaufania i nadziei, jakie budzi jego profesjonalizm, jak i od postawy pełnej delikatności i empatii.

Przemyśl wszystko dokładnie

Rozdział, który właśnie zakończyłaś, przytłoczył cię zapewne obfitością informacji na temat rozmaitych możliwości związanych ze zbliżającymi się narodzinami twojego dziecka. Postaraj się na spokojnie zastanowić się przede wszystkim nad ludźmi, którzy mogą ci pomóc w czasie ciąży i porodu, a także nad miejscem przyjścia dziecka na świat. Przyswój sobie wiedzę o przebiegu poszczególnych etapów porodu, bo im więcej wiesz, tym pewniej się czujesz i tym bardziej świadomie możesz uczestniczyć w tym doniosłym wydarzeniu. Zawczasu omów z lekarzem kwestię zwalczania bólu. Miej rozeznanie we wskazaniach do cięcia cesarskiego i w innych częstych zabiegach położniczych, z jakimi możesz się zetknąć. Wiedza pozwoli ci poczuć się podmiotem, a nie przedmiotem tych zabiegów, da ci poczucie kontroli nad całym procesem i złagodzi lęk przed nieznanym. Narodziny twojego dziecka są tak cudownym wydarzeniem, że warto się do nich jak najlepiej przygotować.

Jeśli potrzebujesz dodatkowych informacji, zasięgnij porady lekarza.

Rozdział 4

Zapoznanie się z noworodkiem

„Wykapany tatuś!"

Na pewno nie raz widziałaś scenę porodu w filmie, w której młoda matka – często o twarzy znanej gwiazdy – w pełnym makijażu i co najwyżej gustownie zwilżoną fryzurą „rodzi" dziecko po kilku jękach, a już po chwili przynoszą jej prześliczne, kilkumiesięczne (bo przecież trudno „wypożyczyć" do filmu prawdziwego noworodka!) niemowlę bez jednej skazy, które wygląda tak dorodnie, że bez mała mogłoby wyjść z sali porodowej na własnych nóżkach.

Jak to się ma do rzeczywistości? Oczywiście – nijak. Jeśli twoja wiedza o noworodkach opiera się na podobnych obrazach, przygotuj się na ogromne rozczarowanie. Tuż po opuszczeniu łona matki noworodek jest sinawy, mokry, pokryty krwią i białą mazią, pomarszczony, przykurczony, zmaltretowany – i zagubiony. Z czysto estetycznego punku widzenia na pewno nie można nazwać go „ślicznym".

To, że twoje dziecko po porodzie na pewno nie będzie przypominać hollywoodzkich kanonów dziecięcego piękna, nie powinno cię zresztą dziwić. Pamiętaj, że płód rozwija się w macicy zanurzony w wodach płodowych, że w miarę wzrostu musi zwijać się coraz bardziej w ciasnej przestrzeni, a wreszcie pojawia się na świecie wypchnięty siłą przez jeszcze ciaśniejszy kanał kostny, nieraz z pomocą metalowych kleszczy czy ssawki próżniociągu. W chwili narodzin twoje dziecko jest naprawdę po ciężkich przejściach.

Gdy będziesz oglądać je z bliska po raz pierwszy, miej jednak świadomość, że większość cech, które nie dodają mu urody, są tylko przejściowymi objawami urazu porodowego. Przypatrz się dokładnie każdej fałdce, bruździe i wybrzuszeniom – najprawdopodobniej patrzysz na zdrowe, donoszone dziecko. (Wcześniaki mogą wyglądać się i zachowywać nieco inaczej – omawiamy to dokładniej w rozdziale 6, „Dziecko przedwcześnie urodzone"). Mimo wszystkich śladów porodu jesteśmy głęboko przekonani, że nie ma nic piękniejszego na świecie od noworodka – a patrząc na swoje własne dziecko, z całą pewnością się z nami zgodzisz!

Główka

Najwięcej śladów po porodzie znajduje się na główce dziecka – największej części jego ciała, z reguły przodującej w wędrówce przez kanał rodny. Czaszka noworodka jest zbudowana z szeregu kości, między którymi nie ma jeszcze trwałych połączeń. Umożliwia to główce pewną zmianę kształtu podczas przeciskania się przez miednicę i pochwę matki. Ponieważ odbywa się to pod działaniem dużych sił, wkrótce po porodzie główka wykazuje często pewne oznaki deformacji (patrz Rycina 4.1c) w postaci częściowego zachodzenia kości na siebie, wydłużenia, asymetrii czy nawet pewnej spiczastości. Deformacje te będą stopniowo ustępować w ciągu najbliższych dni, w czasie których kości czaszki wrócą do prawidłowego położenia. Noworodki urodzone przez cięcie cesarskie lub z położenia pośladkowego zwykle od początku mają kształtne, zaokrąglone główki.

Z powodu niezrośnięcia się kości czaszki możesz wyczuć (nie bój się, na pewno nie zrobisz dziecku krzywdy) dwa miękkie miejsca na szczycie główki. Są to ciemiączka – większe przednie, w kształcie rombu, o największym wymiarze od 2,5 do 7,5 cm. Mniejsze, trójkątne ciemiączko tylne leży na poziomie potylicy, gdzie meszek na główce dziecka może być wytarty. Nie wpadaj w panikę, jeśli podczas krzyku czy napinania się niemowlęcia zobaczysz ciemiączka wybrzuszone lub tętniące w szybkim rytmie jego serca. Jest to zjawisko absolutnie normalne. Ciemiączka stopniowo zanikają, w miarę jak między kośćmi wytwarzają się ścisłe szwy – najpierw tylne, z reguły pod koniec pierwszego półrocza życia, później przednie, w wieku 12–18 miesięcy.

Główka noworodka może być nie tylko wydłużona, ale również obrzęknięta i guzowata w następstwie urazu porodowego. Tak zwane przedgłowie (*caput succedaneum*) oznacza okrężny obrzęk i zasinienie na szczycie czaszki i ku tyłowi (czyli w części torującej główce drogę przez kanał rodny). Zmiany te ustępują samoistnie w ciągu kilku dni.

Czasami na główce dziecka widoczny jest również krwiak (*cephalohematoma*), czyli guz spowodowany wynaczynieniem krwi pod błoną okrywającą jedną z kości czaszki. Z reguły dochodzi do tego pod wpływem ucisku główki na któryś z elementów kostnych miednicy matki. Krwiak ogranicza się do jednej połowy czaszki, nadając jej

Lekarz radzi

Przewidywanie koloru oczu

Jeśli zastanawiasz się, jakiego koloru będą oczy twojego dziecka, oto kilka ogólnych zasad rządzących tym zjawiskiem: Jeśli noworodek ma od początku ciemne, brązowe oczy, kolor ten pozostanie mu na całe życie. Dotyczy to większości dzieci pochodzenia azjatyckiego czy afrykańskiego. Dzieci rasy białej rodzą się najczęściej z oczami niebieskimi lub szarymi, które jednak mogą stopniowo ciemnieć, aż do ustalenia się ostatecznego koloru między trzecim a szóstym miesiącem życia.

asymetrię, i w przeciwieństwie do przedgłowia potrzebuje więcej czasu na ustąpienie – tygodnia czy nawet dwóch. Wchłanianie się krwiaka może mieć związek z większym nasileniem żółtaczki noworodków w pierwszym tygodniu życia.

Trzeba podkreślić, że zarówno przedgłowie, jak i krwiak oznaczają uraz zewnętrznej powierzchni czaszki i w żadnym razie nie dają powodów do obaw o uszkodzenie mózgu dziecka.

Twarzyczka

Buzia noworodka może wydawać się obrzęknięta z powodu kumulacji płynów w tkance podskórnej w następstwie urazu porodowego. Rysy twarzy bywają również zniekształcone pozycją w macicy i przeciskaniem się przez kanał rodny. Jeśli drugi okres porodu przebiegał bardzo szybko, twarzyczka może być nawet pokryta siniakami. Nie ma jednak powodów do zmartwień – wszystkie ciężkie przejścia dziecko ma już za sobą, a ślady po nich w postaci obrzękłych rysów, spłaszczonego noska czy asymetrycznej żuchwy w niedługim czasie znikną samoistnie.

Oczy

W kilka minut po przyjściu na świat, gdy minie pierwszy szok, większość noworodków otwiera oczy i zaczyna dość intensywnie, choć spokojnie przypatrywać się otoczeniu. Niemowlę z całą pewnością nieźle widzi, natomiast przez pierwsze dwa lub trzy miesiące może mieć kłopoty z koordynacją wzroku i ustalaniem go w jednym punkcie. Oczy noworodka wydają się więc często „uciekać" lub zezować. (Jest to normalne w pierwszych trzech miesiącach życia, jednak po tym okresie ustawienie oczu powinno się już samoistnie skorygować. Jeśli tak nie jest, musisz zwrócić na to uwagę lekarzowi). Z powodu obrzęku powiek niektóre noworodki nie są w stanie od początku szeroko otwierać oczu – ku rozczarowaniu wpatrujących się w nie z zachwytem rodziców. Można to jednak pobudzić, wykorzystując odruch zwany „oczami lalki": niemowlę odruchowo otworzy oczy, gdy uniesiesz je do pozycji pionowej.

Rodzice wpadają nieraz w przerażenie na widok częściowo lub całkowicie przekrwionych białek oczu dziecka. Stan ten nosi nazwę krwotoku podspojówkowego i mimo groźnego wyglądu nie oznacza zwykle niczego poza niewielkim wynaczynieniem krwi w obrębie zewnętrznej błony okrywającej gałkę oczną wskutek urazu porodowego, w takim samym mechanizmie, jaki prowadzi do siniaków skóry. Zmiany wchłaniają się w ciągu kilku dni i z reguły nie pozostawiają żadnych następstw dla oczu dziecka.

Uszy

Uszy noworodka mogą być zniekształcone wskutek pozycji, jaką zajmował w macicy. Ponieważ chrząstki nadające małżowinie ostateczny kształt nie są jeszcze w pełni wykształcone i sztywne, korekcja dokonuje się zwykle samoistnie w ciągu pierwszych tygodni życia.

Lekarz radzi

Przerwy w oddychaniu

Niemowlęta we wczesnym okresie życia mają skłonność do nieregularnego oddychania. Często zdarza się, że miedzy kolejnymi oddechami następuje przerwa na 5–10 sekund, po czym dziecko samoistnie je podejmuje. Stan ten nosi nazwę napadów bezdechu, bardziej prawdopodobnych podczas snu. Jeśli jednak przerwy trwają dłużej niż 10–15 sekund, natychmiast wzywaj lekarza.

Nos

Nawet niewielka ilość płynu lub śluzu w nosie noworodka może wywoływać głośne, sapiące oddychanie, mimo braku innych oznak przeziębienia. Dzieje się tak dlatego, że noworodek oddycha głównie przez nos, a jego przewody nosowe są bardzo wąskie. Jeśli niepokoi cię ciągła „sapka", poradź się lekarza co do zapuszczania soli fizjologicznej w kroplach do nosa albo oczyszczania wydzieliny specjalną gruszką czy strzykawką. Noworodki często kichają, co jest u nich normalnym odruchem czyszczącym przewody nosowe i nie ma związku z infekcją, alergią czy inną przyczyną chorobową.

Jama ustna

Gdy noworodek szeroko otwiera buzię przy ziewaniu lub krzyku, można niekiedy dostrzec na jego podniebieniu niewielkie białe plamki, skupione głównie w linii pośrodkowej. Noszą one nazwę pereł Epsteina i składają się z drobnych skupisk komórek. Zarówno one, jak i obecne czasem na dziąsłach niewielkie torbielki wypełnione płynem, zanikają w ciągu kilku pierwszych tygodni życia.

U niektórych niemowląt tak zwane wędzidełko, czyli cienkie pasmo błony śluzowej łączące dolną powierzchnię języka z dnem jamy ustnej, wydaje się bardzo krótkie. Często rodzi to obawy rodziców o ograniczenia ruchów języka, co mogłoby utrudniać dziecku ssanie czy w przyszłości naukę mowy. Kiedyś obawy te podzielali również lekarze i często praktykowali nacięcie wędzidełka. Obecnie uznaje się ten zabieg za niepotrzebny w ogromnej większości przypadków i wykonuje się go bardzo rzadko.

Sporadycznie dziecko przychodzi na świat z jednym lub kilkoma ząbkami. Na podstawie zdjęcia rentgenowskiego można wtedy ocenić, czy są to ząbki „nadprogramowe", czy też – co zdarza się znacznie częściej – normalne zęby mleczne, które po prostu wydostały się z dziąseł wcześniej niż zwykle. Zęby u noworodka mogą wymagać usunięcia, zwłaszcza jeśli są luźno osadzone w dziąsłach i grożą dziecku połknięciem lub, co gorsza, aspiracją do dróg oddechowych.

Klatka piersiowa

Niezależnie od płci noworodki często rodzą się z obrzmiałymi sutkami. Za zjawisko to odpowiadają estrogeny krążące we krwi matki, które częściowo przechodzą przez łożysko i przedostają się do organizmu płodu. Poniżej brodawek sutkowych noworodka można nieraz wyczuć dość spoiste, dyskowate guzki tkanki, a sporadycznie wycisnąć z brodawki kilka kropel białawej wydzieliny (zwanej w popularnym języku „mlekiem czarownic"). Obrzęk sutków cofa się niemal zawsze w ciągu kilku pierwszych tygodni życia. Wbrew rozpowszechnionym wśród rodziców poglądom, tkanki sutków nie należy uciskać ani masować – nie ma to żadnego wpływu na jej obkurczanie, zależne jedynie od eliminacji hormonów matczynych z organizmu noworodka.

Z powodu cienkiej ściany klatki piersiowej noworodka możesz bez trudu obserwować jej unoszenie się w rytm bicia serca. Jest to zjawisko prawidłowe i nie powinno cię niepokoić.

Brzuch

Brzuszek zdrowego noworodka wydaje się dość pełny i zaokrąglony. Ma to związek ze słabo rozwiniętą warstwą mięśni, tworzącą z obu stron ścianę jamy brzusznej. Podczas krzyku lub napinania się dziecka skóra w linii pośrodkowej może uwypuklać się powyżej warstwy mięśniowej. Zjawisko to zanika niemal zawsze w ciągu kilku pierwszych miesięcy życia, w miarę wzrostu dziecka i rozwoju mięśni.

Kikut pępowiny i otaczająca go skóra mają często fioletową barwę z powodu gencjany, przeciwbakteryjnego roztworu stosowanego w wielu oddziałach noworodkowych. Więcej informacji na temat pielęgnacji kikuta pępowiny znajdziesz w rozdziale 11, „Podstawowa opieka nad niemowlęciem".

Narządy płciowe

Zarówno u chłopców, jak i u dziewczynek narządy płciowe (genitalia) mogą wydawać się tuż po urodzeniu stosunkowo duże i obrzęknięte. Jest to uzależnione od dzia-

---

Lekarz radzi

Dźwięki wydawane przez noworodka

Choć upłynie jeszcze dużo czasu, zanim zacznie mówić, twoje dziecko już teraz wydaje bogatą symfonię dźwięków – chrząknięcia, stęknięcia, pojękiwania, piski, nie wspominając oczywiście o donośnym krzyku. Często zdarza mu się kichanie i czkawka, które w tym okresie życia nie są oznaką infekcji, alergii ani problemów z trawieniem.

> ### 10 cech noworodka, które często niepokoją rodziców, choć z reguły nie oznaczają niczego złego
>
> 1. Wydłużona lub spiczasta główka;
> 2. Zakrzywione nóżki i stopy;
> 3. Sinawe zabarwienie dłoni i stóp;
> 4. Powiększone sutki;
> 5. Wydzielina lub krwawienie z pochwy;
> 6. Częste kichanie;
> 7. Częsta czkawka;
> 8. Łuszcząca się skóra;
> 9. Drżenie podczas krzyku;
> 10. Zez (po upływie dwóch czy trzech miesięcy oczy niemowlęcia powinny jednak przez większość czasu utrzymywać się w jednej linii. Jeśli tak nie jest, zasięgnij porady lekarza; patrz też rozdział 15, „Słuch i wzrok").

łania hormonów matki w okresie życia płodowego i od urazu porodowego, a jednocześnie należy do prawidłowych oznak tego etapu wzrostu i rozwoju.

U dziewczynek obrzęk dotyczy często warg sromowych większych (zewnętrznych). Skóra warg może być zarówno gładka i napięta, jak i pomarszczona. Czasami ze szpary między wargami sromowymi wystaje połyskliwy, różowy fragment tkanki – jest to fałd błony dziewiczej, bez jakiegokolwiek znaczenia patologicznego, który cofnie się do wewnątrz w miarę wzrostu narządów płciowych. U większości noworodków płci żeńskiej stwierdza się wydzielinę z pochwy, złożoną ze śluzu, niekiedy podbarwionego krwią. Ta tak zwana „miesiączka noworodków" trwa zwykle kilka dni i jest zjawiskiem prawidłowym, kolejnym objawem wpływu hormonów matki na organizm płodu i noworodka. Jeśli zauważasz obrzęk pachwiny, może to wskazywać na przepuklinę, aczkolwiek przepukliny pachwinowe zdarzają się znacznie częściej u chłopców niż u dziewczynek.

U chłopców obrzęknięta wydaje się często moszna, worek skórny zawierający jądra. Przyczyną tego stanu jest zwykle niewielkie skupisko płynu wokół jądra, czyli tak zwany wodniak (*hydrocoele*). Z reguły wchłania się on samoistnie w ciągu kilku pierwszych miesięcy życia. Nie zawsze łatwo jest wymacać jądra noworodka, zarówno z powodu obrzęku moszny, jak i odruchowego skurczu włókien mięśniowych, na jakich zawieszone są jądra. Skurcz ten powoduje „ucieczkę" jąder do kanału pachwinowego pod wpływem takich bodźców jak dotyk czy ekspozycja na chłodną temperaturę. Zdrowe noworodki mają często wzwód prącia, zwykle tuż przed oddaniem moczu. Powinnaś skonsultować się z lekarzem, jeśli zauważysz obrzęk lub guzek w okolicy pachwiny synka, który utrzymuje się po 3–6 miesiącach życia lub wydaje się zanikać i nawracać. Może to wskazywać na przepuklinę pachwinową, wymagającą korekcji drogą niewielkiego zabiegu chirurgicznego.

Zakończenie prącia nie obrzezanego noworodka pozostaje zwykle całkowicie zakryte fałdem napletka. Napletek jest w okresie niemowlęcym przyrośnięty do żołędzi prącia, tak więc nie powinno się nim manipulować ani próbować odprowadzić. (Napletek daje się już swobodnie odprowadzić u niemal wszystkich nie obrzezanych chłopców w wieku około 5 lat. Jest to właściwy moment, by włączyć ten zabieg do codziennej toalety dziecka i wyrobić w nim ten nawyk). Ujście napletka powinno być dostatecznie duże, by dziecko mogło oddawać mocz silnym strumieniem. Skontaktuj się z lekarzem, jeśli jest inaczej.

Ponad 95% noworodków oddaje mocz w pierwszej dobie życia. Jeśli twoje dziecko przyszło na świat w szpitalu, pielęgniarka oddziału noworodkowego może zapytać, czy nie nastąpiło to podczas waszego sam na sam. Często pierwsze siusianie wydaje się opóźnione, a w rzeczywistości jest tylko przeoczone, bo odbyło się tuż po porodzie. Ponieważ dziecko i tak rodzi się mokre od wód płodowych, łatwo nie zauważyć kilku kropel moczu.

Kończyny

Kończyny urodzonych o czasie noworodków są z reguły przykurczone – zgięte i zbliżone do tułowia, czyli zachowują pozycję, do jakiej przyzwyczaiły się w ciasnej macicy. Dłonie są zwykle zaciśnięte w piąstki i możesz mieć trudności, żeby je otworzyć. Dotknięcie wewnętrznej powierzchni dłoni dziecka lub włożenie do niej palca wywołuje silny odruch chwytny.

Natychmiast po przyjściu dziecka na świat wielu rodziców robi często szybkie rachunki, zakończone najczęściej prawidłowym wynikiem: doliczają się dziesięciu paluszków dłoni i dziesięciu paluszków stóp. Dodatkowe palce nie należą jednak do rzadkości. W większości przypadków te dodatkowe palce przedstawiają sobą niewiele

Odruchy noworodka

Noworodek przychodzi na świat wyposażony w instynktowne wzorce odpowiedzi na bodźce, na przykład światło czy dotyk. Te tak zwane odruchy prymitywne stopniowo zanikają, ustępując miejsca świadomym reakcjom. Do odruchów prymitywnych zalicza się:
- Odruch ssania. Noworodek ssie każdy przedmiot włożony mu do ust (w tym sutek!).
- Odruch chwytny. Noworodek zaciska palce, gdy dotkniesz wnętrza jego dłoni.
- Odruch Moro (lękowy). Noworodek rozkłada ramiona na boki, a następnie szybko przywodzi je z powrotem do klatki piersiowej w linii pośrodkowej za każdym razem, gdy przestraszy go hałas, jaskrawe światło, silny zapach czy nagły ruch.

więcej niż wypustki skórne z częściowo uformowanymi paznokciami, połączone cienką szypułką z podstawą małego palca dłoni lub stopy. Nie mają większego znaczenia z punktu widzenia medycznego i wydają się występować na podłożu rodzinnym. Lekarz usuwa je zwykle najprostszym, bezkrwawym sposobem, ciasno obwiązując podstawę szypułki, co przerywa dopływ krwi. Kończy się to łagodnym „uwiądem" i samoistnym odpadnięciem nadprogramowego palca w ciągu kilku dni.

Nie martw się „krzywymi" nóżkami i stopami noworodka. Typową pozycją kończyn dolnych płodu w macicy w ostatnich miesiącach ciąży jest zgięcie w stawie biodrowym i kolanowym, z podudziami i stopami ciasno skrzyżowanymi na brzuchu. Nic więc dziwnego, że i po urodzeniu nóżki i stopy są zakrzywione do wewnątrz. Nie oznacza to jednak żadnej trwałej deformacji. Z reguły możesz bez trudu ustawić je w pozycji „chodzącej", a ostatecznie nastąpi to naturalnie z chwilą, gdy dziecko podrośnie i zacznie stawiać pierwsze kroki.

Skóra

Tak jak w języku polskim o kimś niedoświadczonym mówi się, że ma „mleko pod nosem", tak Amerykanie mówią – w dosłownym tłumaczeniu – że jest „mokry za uszami". Oba zwroty odwołują się do małego dziecka, a angielski wręcz do noworodka. Noworodek rzeczywiście rodzi się mokry, zresztą nie tylko za uszami. Wynurza się z łona matki pokryty mieszaniną różnorodnych substancji – przede wszystkim płynem owodniowym, często krwią (nie swoją, lecz matki), a także gęstszą, białawą wydzieliną zwaną mazią płodową, złożoną ze złuszczonych komórek nabłonka i jego własnych wydzielin. Wszystko to razem zostaje zwykle usunięte podczas pierwszej kąpieli.

Również zabarwienie skóry noworodka bywa nieraz niepokojące dla rodziców. Wiele noworodków rodzi się „nakrapianych" – ich skóra jest gęsto usiana zaczerwienionymi i bledszymi punkcikami. Jest to wyrazem niestabilności powierzchniowego krążenia krwi, podobnie jak równie częste zasinienie dłoni i stóp, szczególnie w niższej temperaturze otoczenia, zwane akrocyjanozą (sinicą kończyn). Gdy noworodek napina się do krzyku lub oddania stolca, może chwilowo zaczerwienić się „jak burak" albo przybrać sinopurpurowe zabarwienie. Na główce i innych częściach ciała częste są

Lekarz radzi

Uwaga na zadrapania

Noworodki przychodzą czasem na świat z długimi paznokciami, a ponieważ mają skłonność przywodzić rączki do twarzy, tym łatwiej mogą się zadrapać. Lepiej w takim przypadku ostrożnie obciąć paznokcie małymi nożyczkami. Jeśli nie możesz zrobić tego natychmiast, w charakterze tymczasowej ochrony nałóż na piąstki dziecka niemowlęce skarpetki.

również czerwone plamki, zadrapania, siniaki i wybroczyny (drobne, punktowe wynaczynienia krwi). Są to ślady urazu porodowego – przeciskania się przez wąski kanał rodny pod działaniem dużych sił, a czasem również ślady po kleszczach. Na szczęście wszystkie te zmiany goją się i zanikają w ciągu 1–2 pierwszych tygodni życia.

Twarz, ramiona i plecy noworodka, zwłaszcza urodzonego przed czasem, bywają nieraz pokryte delikatnymi, miękkimi włoskami. Jest to tak zwane lanugo, czyli meszek płodowy, zanikający w ciągu kilku pierwszych tygodni życia.

Naskórek noworodka, najbardziej zewnętrzna warstwa skóry, złuszcza się w ciągu kilku–kilkunastu pierwszych dni życia. Jest to zjawisko prawidłowe, nie wymagające szczególnych zabiegów pielęgnacyjnych. Złuszczanie naskórka jest często widoczne już w chwili narodzin, zwłaszcza u noworodków przenoszonych (urodzonych po terminie).

Znamiona

Nie wszystkie dzieci rodzą się ze znamionami skórnymi, niemniej jednak zdarzają się one często. Niektóre z nich mają charakter przejściowy, inne trwały. A oto, jak się prezentują:

- Częste są różowe lub czerwonawe plamy różnej wielkości, zwane nieraz plamami łososiowymi (patrz Rycina 4.1a–b). Występują one zwykle na karku, w okolicy skrzydełek nosa, na powiekach lub łukach brwiowych, ale możliwe jest również dowolne inne umiejscowienie. Dawniej nazywano je poetycko „śladem po bocianim dziobie" czy „anielskim pocałunkiem". Szczególnie wyraźnie widać je u dzieci o jasnej karnacji, ale z reguły zanikają do końca pierwszego roku życia.
- Plamy „truskawkowe", czyli naczyniaki włośniczkowe, są nieco uniesionymi ponad powierzchnię skóry znamionami, utworzonymi z rozszerzonych, powierzchownych najdrobniejszych naczyń skórnych (kapilar, czyli naczyń włośniczkowych). Naczyniaki te są zwykle dość blade tuż po urodzeniu, a powiększają się i ciemnieją w pierwszych miesiącach życia. W ciągu kilku lat obkurczają się jednak i zanikają bez leczenia.
- Plamy „winne" są dużymi, płaskimi, czerwonopurpurowymi przebarwieniami, które nie mają tendencji do samoistnego ustępowania. Choć zwykle nie stanowią one objawu innej choroby, mogą stwarzać problemy kosmetyczne – zwłaszcza przy umiejscowieniu na twarzy – i z tego względu wymagają z czasem konsultacji dermatologa.
- Plamy typu „kawa z mlekiem" są zgodnie z nazwą jasnobrązowe i stosunkowo częste. Mogą ciemnieć lub pojawić się po raz pierwszy u nieco starszych dzieci. Z reguły nie mają żadnego znaczenia chorobowego, jeśli jednak jest ich sześć lub więcej i mają ponad 1 cm średnicy, mogą wskazywać na chorobę.
- Plamy „atramentowe", koloru granatowego lub niebieskozielonkawego, występują głównie na plecach i pośladkach, ale i w innych okolicach ciała (patrz Rycina 4.1d). Stwierdza się je u ponad połowy amerykańskich niemowląt pochodzenia afrykańskiego, rdzennego lub azjatyckiego, a rzadziej u rasy białej. Nie mają one żadnego znaczenia i niemal zawsze bledną i zanikają w ciągu kilku pierwszych lat życia.

Ryciny 4.1a–d. Zmiany skórne w granicach normy.

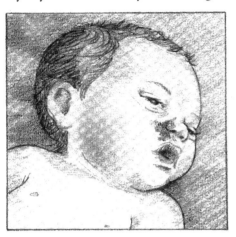

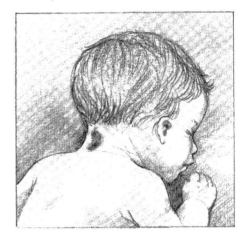

4.1a. Plamy łososiowe występują często w dolnej części czoła (często nazywa się je wtedy „anielskim pocałunkiem") i wokół nosa. W większości przypadków zanikają do końca pierwszego roku życia.

4.1b. Plamę łososiową na karku noworodka często nazywa się żartobliwie „śladem po bocianim dziobie".

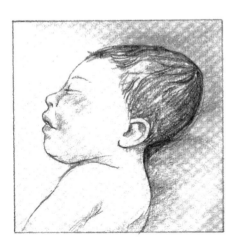

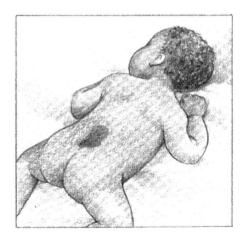

4.1c. Główka noworodka jest często wydłużona w następstwie przeciskania się przez kanał rodny. Z reguły w ciągu kilku dni powraca ona do prawidłowego, zaokrąglonego kształtu.

4.1d. Granatowe lub niebiesko-zielonkawe przebarwienia – „plamy atramentowe" – zdarzają się często, występują typowo w dolnej części pleców (lub gdzie indziej) i z reguły zanikają z czasem.

- Znamiona barwnikowe, popularnie zwane „pieprzykami" lub „myszkami", mają barwę brązową lub czarną i mogą być obecne od urodzenia lub pojawiać się bądź ciemnieć w późniejszym wieku. Znamiona duże, szybko rosnące lub niepokojące z jakiegokolwiek innego powodu (np. nierównej powierzchni czy skłonności do krwawień) muszą być pokazane lekarzowi, bo być może będą wymagać usunięcia.

Więcej informacji na temat znamion znajdziesz w rozdziale 32, „Problemy zdrowotne okresu wczesnego dzieciństwa".

Wysypka skórna

Tuż po urodzeniu lub w pierwszych dniach życia na skórze noworodka stwierdza się często różnego rodzaju wykwity bez znaczenia chorobowego. Należą do nich:
- Prosaki – drobne, płaskie, żółtawe lub białe plamki na nosie i policzkach. Ich przyczyną jest nagromadzenie się wydzieliny gruczołów skórnych. Z reguły zanikają one w ciągu kilku pierwszych tygodni życia.
- Potówki – niewielkie, zaczerwienione grudki, często z białą lub żółtawą „główką", zwane nieraz z powodu charakterystycznego wyglądu „trądzikiem noworodków". Choć potówki mogą zajmować znaczne obszary twarzy lub tułowia, nie są szkodliwe i ustępują w pierwszych tygodniach życia bez dodatkowych zabiegów pielęgnacyjnych.
- Rumień toksyczny – mimo groźnie brzmiącej nazwy jest to również rodzaj nieszkodliwej wysypki noworodków. Składają się nań czerwone plamiste wykwity z białym lub żółtawym przebarwieniem w części centralnej, podobne w wyglądu do pokrzywki. Zmiany osiągają zwykle maksymalne nasilenie z pierwszym i drugim dniu życia, a następnie w ciągu tygodnia zanikają.
- Tak zwana czerniaczka krostkowa – ciemnobrązowe grudki lub pęcherzyki rozsiane na szyi, plecach, kończynach i dłoniach, zanikające samoistnie. Wysypka tego rodzaju dotyczy głównie noworodków rasy czarnej.
- Pęcherzyki na palcach, dłoniach lub przedramionach – mogą być śladami po ssaniu, uskutecznianym przez niektóre dzieci już w życiu płodowym.

Wiek ciążowy noworodka

- Noworodek donoszony: urodzony o czasie, czyli w okresie dwóch tygodni przed lub po ustalonym terminie porodu, wyznaczonym na 40. tydzień ciąży
- Noworodek nie donoszony: urodzony przedwcześnie, czyli przed upływem 37. tygodnia ciąży
- Noworodek przenoszony: urodzony po upływie 42. tygodnia ciąży

Żółtaczka

Żółtaczka – żółtawe zabawienie skóry i białek oczu – występuje u około 60% noworodków. Z reguły pojawia się ona nie w pierwszej, lecz w drugiej lub trzeciej dobie życia i ustępuje całkowicie po 1–2 tygodniach. Więcej informacji na ten temat znajdziesz w rozdziale 5, „Najczęstsze problemy zdrowotne u noworodków".

Jeśli potrzebujesz dodatkowych informacji, zasięgnij porady lekarza.

Najczęstsze problemy zdrowotne u noworodka

Na czym polegają i co wtedy robić

Niezależnie od zewnętrznych oznak wyczerpującej podróży na świat, wiele noworodków zdradza objawy pewnych stanów z pogranicza fizjologii lub wykraczających poza fizjologię, które wymagają ściślejszej obserwacji, a czasem również leczenia. Nazwy medyczne mogą brzmieć dla ciebie groźnie, jednak problemy w rodzaju żółtaczki noworodków czy pleśniawek występują bardzo często i są z reguły łatwe do opanowania. W ogromnej większości przypadków nie ma się więc czym martwić – twoje dziecko jest i będzie zdrowe!

Zapewne jednak, tak jak wielu młodych rodziców, chciałabyś dowiedzieć się czegoś więcej o tych rozpowszechnionych problemach okresu noworodkowego. A to ich krótki przegląd, który da ci potrzebną orientację.

Żółtaczka

Żółtaczka oznacza żółtawe zabarwienie skóry i białek oczu. Występuje u około 60% noworodków donoszonych i u 80% wcześniaków i z reguły przechodzi samoistnie, nie czyniąc dziecku żadnej szkody. Żółtaczka zaczyna się typowo od twarzy, a na tułów i kończyny „schodzi" w miarę nasilania się.

Przyczyną żółtaczki jest nadmierne stężenie we krwi bilirubiny, barwnika wytwarzanego w toku rozpadu zużytych krwinek czerwonych. W warunkach prawidłowych bilirubina przechodzi przez wątrobę, gdzie wiąże się z pewnymi związkami, po czym zostaje wydalona z żółcią do jelit i wreszcie z kałem na zewnątrz (to właśnie ona odpowiada za barwę stolca). Czasami jednak powstaje zbyt szybko w stosunku do możliwości jej wydalenia. Żółtaczka noworodków jest w większości przypadków przejawem zwykłej, przejściowej niedojrzałości wątroby, która nie nadąża z „przerobem" bilirubiny do postaci wydalanej przez przewód pokarmowy. W innych przypadkach nadmiar bilirubiny we krwi wynika z jej nadmiernej produkcji lub absorpcji z jelit do krwioobiegu, zanim noworodek zdąży wydalić ją ze stolcem.

Jaki poziom bilirubiny uznaje się za zbyt duży u noworodka? Odpowiedź na to pytanie zależy od szeregu czynników, głównie od wielkości dziecka, stopnia jego dojrzałości i ogólnego stanu zdrowia. Poziom bezpieczny dla zdrowego, donoszonego noworodka może oznaczać zagrożenie w razie wcześniactwa lub choroby. (Zagrożenie to polega przede wszystkim na działaniu neurotoksycznym nadmiaru bilirubiny, czyli uszkadzaniu tzw. jąder podkorowych mózgu). Jeśli lekarz podejrzewa takie ryzyko u twojego dziecka, omówi z tobą różne możliwości postępowania.

Fototerapię, czyli naświetlanie lampą fluorescencyjną, rozpoczyna się jeszcze przed osiągnięciem potencjalnie niebezpiecznego stężenia bilirubiny. Nagiego noworodka wystawia się na działanie niebieskiego lub szerokospektralnego białego światła aż do czasu opadnięcia poziomu bilirubiny. Jeśli wyraźna żółtaczka zaznaczy się jeszcze w czasie pobytu w szpitalu, jest to dobrą okazją do rozpoczęcia fototerapii. Jeśli żółtaczka pojawi się już po wypisaniu, dziecko może być leczone w domu z pomocą przenośnego zestawu do naświetlań, ewentualnie musi wrócić do szpitala.

W rzadkich przypadkach noworodek wymaga transfuzji wymiennej, to znaczy zastąpienia jego własnej krwi krwią dawcy.

A oto najczęstsze rodzaje żółtaczki noworodków:

Żółtaczka fizjologiczna

Ta postać żółtaczki występuje u większości noworodków i jest wyrazem przejściowej niedojrzałości wątroby. Zażółcenie pojawia się zwykle w 2–4 dobie życia i zanika między pierwszym a drugim tygodniem.

Żółtaczka związana z karmieniem piersią

U 10–15% noworodków karmionych piersią żółtaczka fizjologiczna ma większe nasilenie, ponieważ w pierwszym tygodniu życia otrzymują one mniej pokarmu niż dzieci karmione sztucznie. Z reguły można temu zapobiec, częściej przystawiając dziecko do piersi lub zmieniając technikę karmienia. Rzadko tylko jest to powodem do rezygnacji z karmienia piersią.

Żółtaczka związana z pokarmem matki

Jest to typ rzadszy od wyżej omówionego, dotyczący 1–2% noworodków naturalnie odżywianych. Żółtaczka pojawia się później, po ukończeniu pierwszego tygodnia życia, i trwa od 3 do 10 tygodni. Jej przyczyna nie jest do końca jasna, wydaje się jednak, że dzieci te reagują na pewną substancję zawartą w mleku matki, w następstwie działania której ma miejsce zwolnione wydalanie bilirubiny do jelit. Jeśli poziom bilirubiny staje się niepokojący, kilkudniowe przejście na pokarm sztuczny prowadzi zwykle do jego szybkiego spadku. Można wtedy bezpiecznie powrócić do karmienia piersią.

Lekarz radzi

Żółtaczka

Częste karmienie piersią lub mieszanką jest jednym z czynników zapobiegających nadmiernemu wzrostowi poziomu bilirubiny we krwi noworodka.

Żółtaczka hemolityczna związana z niezgodnością grupową krwi między matką a dzieckiem

Jeśli matka i noworodek mają różne grupy krwi, organizm matki może produkować przeciwciała niszczące krwinki czerwone dziecka. Wzmożony rozpad krwinek dziecka prowadzi z jednej strony do wzrostu poziomu bilirubiny, a z drugiej do niedokrwistości. Żółtaczka tego rodzaju pojawia się zwykle już w pierwszej dobie życia i szybko osiąga znaczne nasilenie. Jedna z postaci niezgodności grupowej krwi – w zakresie czynnika Rh między matką Rh-ujemną a dzieckiem Rh-dodatnim – może wywoływać szczególnie ciężką żółtaczkę, jednak obecnie temu tak zwanemu konfliktowi serologicznemu umiemy już zapobiegać i spotyka się go coraz rzadziej.

Kiedy wzywać lekarza w związku z żółtaczką

Natychmiast dzwoń do lekarza, jeśli u twojego dziecka wystąpi któraś z następujących sytuacji:
- Żółtaczka w pierwszej dobie życia.
- Żółtaczka widoczna na kończynach dziecka, a nie tylko na twarzy i tułowiu.
- Gorączka powyżej 38°C (mierzona w odbytnicy).
- Letarg i brak apetytu dziecka lub jakiekolwiek inne niepokojące oznaki.
- Pogłębienie się żółtawej barwy skóry po siedmiu dniach trwania żółtaczki.
- Żółtaczka nie ustępująca po 10 dniach.
- Brak moczu (sucha pieluszka) od ponad 6 godzin.
- Niepokojąca intensywność zażółcenia.

Przepuklina pępkowa

Przepuklina pępkowa jest częstym zjawiskiem u noworodków, zwłaszcza pochodzenia afrykańskiego. Dochodzi do niej dlatego, że w ścianie brzucha istnieje otwór w miejscu, przez które przebiegał sznur pępowinowy, a obecnie formuje się pępek. Wielkość otworu jest zwykle czymś pośrednim między monetą dziesięciogroszową a pięćdziesięciogroszową (a czasem przekracza tę ostatnią). Gdy dziecko napina się podczas krzyku lub wypróżnienia, rośnie napór trzewi na ścianę brzucha i do otworu uwypukla się fragment jelita, co jest widoczne jako wybrzuszenie.

Przepuklina pępkowa ma zwykle charakter łagodny i niebolesny. W większości przypadków zasklepia się samoistnie w ciągu kilku pierwszych lat życia. Jeśli to nie następuje, można rozważyć zamknięcie otworu i wzmocnienie ściany brzucha drogą prostego zabiegu chirurgicznego. Nie powinno się próbować likwidacji przepukliny różnymi tradycyjnymi, domowymi sposobami, w rodzaju bandażowania czy przyklejania monety. Metody te są bezskuteczne i mogą skończyć się co najwyżej zakażeniem czy innym urazem skóry.

Pleśniawki

Pleśniawki są następstwem zakażenia jamy ustnej mikroorganizmami grzybiczymi podobnymi do drożdży (*Candida*). Drożdżaki powodują pękanie kącików ust oraz białe lub żółtawe, podobne do zsiadłego mleka naloty na wargach, języku, podniebieniu i wewnętrznej powierzchni policzków. Jeśli się je zeskrobie, można odsłonić drobne, krwawiące nadżerki. Sama obecność zmian w jamie ustnej bywa jedynym objawem drożdżycy, albo też wydają się one dokuczać dziecku, co wyraża się niepokojem i osłabieniem apetytu. Pleśniawki występują u 2–5% ogólnie zdrowych noworodków, zwykle w 7.–10. dobie życia. Łagodne przypadki nie wymagają szczególnego postępowania, natomiast w bardziej nasilonych lekarz może zalecić miejscowy środek przeciwgrzybiczy.

Drożdżaki są obecne w przewodzie pokarmowym i drogach rodnych wielu zdrowych dorosłych. Noworodek zaraża się nimi najczęściej w drodze przez pochwę matki. U ludzi zdrowych rozwój drożdżaków jest ograniczony obecnością innych drobnoustrojów i działaniem układu odpornościowego, w związku z czym nie dochodzi do objawowej infekcji. Noworodki, nawet ogólnie zdrowe, są jednak na nią bardziej podatne, a z kolei w późniejszym okresie życia pleśniawki często nawracają pod wpływem leczenia antybiotykami, zakłócającego naturalną równowagę mikroflory organizmu. Jeśli pleśniawki utrzymują się długo lub mają skłonność do częstych nawrotów, dziecko powinno być zbadane pod kątem ewentualnych przyczyn tej szczególnej podatności na zakażenie.

Zakażenie drożdżakowe nie musi objawiać się wyłącznie pleśniawkami. U zdrowych noworodków jego najczęstszą postacią jest rumień pośladków (wyprzenie). Skóra na obszarze pieluchy staje się zaczerwiona i napięta, zwłaszcza w fałdach i bruzdach. Na obrzeżach głównej zmiany widoczne są typowo mniejsze, okrągłe, zaczerwienione i łuszczące się plamki. W leczeniu stosuje się miejscowy środek przeciwgrzybiczy w maści.

Zakażenia drożdżakowe bywają bardzo poważnym problemem u wcześniaków, a także u dzieci dotkniętych nowotworami, zakażeniem HIV czy innymi chorobami osłabiającymi układ odpornościowy. W takich sytuacjach drożdżaki mogą szerzyć się drogą krwi i atakować płuca lub inne narządy wewnętrzne. Dochodzi wtedy do tak zwanej drożdżycy (kandydozy) uogólnionej lub systemowej. Więcej informacji na ten temat znajdziesz w rozdziale 30, „Choroby zakaźne wieku dziecięcego".

Inne częste stany chorobowe w pierwszych miesiącach życia

Już u bardzo młodych niemowląt mogą pojawić się inne problemy zdrowotne, o których zapewne słyszałaś. Należy do nich:

- Refluks żołądkowo-przełykowy (choroba refluksowa) – cofanie się pokarmu z żołądka do przełyku;
- Bezdechy – przerwy w oddychaniu;
- Kolka jelitowa – nadmierny niepokój i krzyk dziecka;
- Wyprysk – zmiany skórne, często o podłożu alergicznym;
- Przepuklina pachwinowa – wpuklanie się pętli jelit do kanału pachwinowego i do moszny;
- Wnętrostwo – niezstąpienie jednego lub obu jąder do worka mosznowego.

Powyższe choroby omawiamy dokładniej w rozdziałach 29, „Dolegliwości i objawy", oraz 32, „Problemy zdrowotne okresu wczesnego dzieciństwa".

Jeśli potrzebujesz dodatkowych informacji, zasięgnij porady lekarza.

Rozdział 6

Dziecko przedwcześnie urodzone

Noworodek specjalnej troski

Gdy poród zaczyna się niespodziewanie wcześnie, oboje rodzice są zwykle kompletnie zaskoczeni i nieprzygotowani. Wpadają w popłoch niczym gospodarze wielkiego przyjęcia, którzy nagle, w ferworze prac kuchennych, słyszą dzwonek gości do drzwi o dwie godziny za wcześnie. W rzeczywistości czują się znacznie gorzej, bo i sytuacja jest poważniejsza od towarzyskiego nieporozumienia. Oprócz paniki, że nie ma jeszcze wózka czy wyprawki, dochodzi przecież znacznie gorszy lęk o życie i zdrowie niedonoszonego dziecka.

Dla noworodków urodzonych po 28. tygodniu ciąży rokowanie uległo na szczęście w ostatnich kilku latach poprawie. Ogromne postępy medycyny, przekładające się na nowe zabiegi, aparaturę i leki, sprawiły, że szanse przeżycia i prawidłowego rozwoju w przyszłości są u tych dzieci bardzo wysokie. Niniejszy rozdział ma na celu dostarczyć ci informacji na temat szczególnej opieki medycznej, na jaką może liczyć twoje przedwcześnie urodzone dziecko, aby szybko i bezpiecznie nadrobić zaległości rozwojowe.

Na czym polega wcześniactwo?

Donoszona ciąża trwa około 40 tygodni. Według standardowej metody wiek ciąży liczy się od daty wystąpienia ostatniej miesiączki, mimo że do poczęcia dziecka dochodzi w większości przypadków co najmniej w tydzień lub dwa tygodnie później. Jeśli więc dziecko rodzi się o czasie, czyli w 40. tygodniu tak wyliczonej ciąży, w rzeczywistości może mieć za sobą tylko 38 tygodni istnienia. Oznacza to również, że ustalony przez lekarza termin porodu nie zawsze zgadza się z twoimi własnymi kalkulacjami, uwzględniającymi moment poczęcia.

Pozostając jednak przy rutynowej metodzie, poród uważa się za przedwczesny, jeśli dochodzi do niego między 20. a 37. tygodniem ciąży (szansa na przeżycie dziecka pojawia się w rzeczywistości po 23 tygodniach życia wewnątrzmacicznego). Dziecko

Noworodek SGA

Skrót ten (z ang. *small for gestational age*) oznacza noworodka małego w stosunku do wieku ciąży. Dawniej określano tę sytuację mianem dystrofii wewnątrzmacicznej. Noworodki SGA charakteryzują się niższą wagą urodzeniową, niż można by oczekiwać po czasie rozwoju w macicy matki. Termin ten może odnosić się zarówno do dzieci urodzonych o czasie, jak i do wcześniaków. Noworodek SGA, podobnie jak wcześniak, wymaga często szczególnej opieki w pierwszych dniach po przyjściu na świat.

urodzone w tym okresie jest noworodkiem niedonoszonym, czyli wcześniakiem, i z reguły wymaga specjalnych warunków dla kontynuacji procesu dojrzewania do samodzielnego życia.

Stopnie wcześniactwa

Przewidywana wielkość, waga, potrzeby i szanse na przeżycie dziecka przedwcześnie urodzonego są zmienne w szerokim zakresie i zależą przede wszystkim od jego wieku ciążowego w momencie porodu. Przedstawione poniżej dane statystyczne nie obejmują dzieci z wadami rozwojowymi nie wykazującymi bezpośredniego związku z wcześniactwem.

Noworodek urodzony między 35. a 37. tygodniem ciąży znajduje się na pograniczu wcześniactwa. Pod względem cech zewnętrznych, a nawet ciężaru ciała, nie musi on różnić się od dziecka donoszonego. Waga większości noworodków urodzonych w tym terminie zawiera się w przedziale od 1700 do 3300 g, przy długości 42–45 cm. Wskaźnik przeżycia wynosi w tej grupie 98–100%.

Noworodki urodzone między 30. a 34. tygodniem ciąży ważą zwykle od 1100 do 2500 g i mają od 35 do 46 cm długości. Również i dla nich wskaźnik przeżycia przekracza 98%.

Im większy odstęp czasu dzieli rzeczywisty termin porodu od planowanego, tym bardziej niedojrzałe jest dziecko w momencie przyjścia na świat. Niedojrzałość ta oznacza problemy z podstawowymi czynnościami życiowymi, takimi jak pobieranie pokarmu, oddychanie i regulacja temperatury ciała. Dziecko musi nadrobić wiele zaległości w rozwoju, zanim upodobni się do noworodka donoszonego pod względem wyglądu zewnętrznego (i stanu narządów wewnętrznych). Nie stanowi to samo w sobie powodu do zmartwienia: dziecko wygląda dokładnie tak, jak powinno wyglądać w stosunku do swojego wieku ciążowego i jest na swój sposób śliczne. (Przypominamy, że wiek ciążowy oznacza liczbę ukończonych tygodni ciąży w momencie porodu).

Noworodek urodzony między 26. a 29. tygodniem ciąży (czyli o 11–14 tygodni za wcześnie) jest bardzo niedojrzały. Dzieci te ważą najczęściej od 700 do 1600 g i mają średnio od 30 do 42 cm długości. Szanse na przeżycie są zmienne: dla dzieci urodzonych bliżej 26. tygodnia i ważących około 1000 g wynoszą one 90–95%, natomiast w razie przedłużenia ciąży o dodatkowe 2–3 tygodnie wzrastają do 98 i więcej procent.

Noworodki urodzone przed upływem 26 tygodni ciąży (ponad 14 tygodni za wcześnie) uznaje się za skrajnie niedojrzałe. Najczęściej ważą one poniżej 750 g i mierzą mniej niż 30 cm. Do tej kategorii zalicza się niespełna 5% wszystkich wcześniaków. Szanse na przeżycie wahają się dla nich w szerokich granicach i wynoszą od 50% bliżej górnej granicy wieku ciąży do znacznie niższych wskaźników dla dzieci urodzonych poniżej 25. tygodnia. Tak niedojrzałe noworodki są narażone na liczne niebezpieczeństwa i wymagają bardzo intensywnej opieki medycznej.

Dlaczego niektóre dzieci rodzą się za wcześnie?

W większości przypadków przyczyna przedwczesnego porodu pozostaje nieznana. Wiadomo jednak, że jego prawdopodobieństwo rośnie w pewnych sytuacjach, takich jak:

- Ciąża mnoga – bliźnięta, trojaczki itp.;
- Nieprawidłowości budowy szyjki lub całej macicy;
- Krwawienie z łożyska przodującego (częściowo zakrywającego ujście szyjki macicy) lub przedwcześnie odklejonego (odłączonego od ściany macicy);
- Choroby matki: zatrucie ciążowe (nadciśnienie tętnicze związane z ciążą), zakażenie wewnątrzmaciczne oraz choroby przewlekłe, takie jak cukrzyca, wady serca lub pierwotne nadciśnienie tętnicze;
- Wiek matki: poniżej 20 lub powyżej 40 lat.

Szczególna opieka w okresie ciąży

W razie jakichkolwiek powikłań ciąży zwiększających ryzyko porodu przedwczesnego, twój położnik może skierować cię do perinatologa, czyli specjalisty w zakresie patologii ciąży, oraz do neonatologa – pediatry wyspecjalizowanego w opiece nad noworodkiem, w tym noworodkiem specjalnej troski. Perinatolog razem z twoim lekarzem będzie śledził przebieg twojej ciąży, zlecając w razie potrzeby niezbędne badania dodatkowe i zabiegi. Neonatolog może udzielić ci porad dotyczących opieki nad przedwcześnie urodzonym dzieckiem. Ponadto, jeśli dotyczy cię ryzyko przedwczesnego porodu, powinnaś zawczasu zarezerwować sobie miejsce w szpitalu, w którym twoje dziecko otrzyma w razie potrzeby natychmiastową, intensywną opiekę na najwyższym poziomie. Noworodki urodzone znacznie przed czasem mogą wymagać leczenia dostępnego jedynie w wyspecjalizowanych ośrodkach.

Pewien wpływ na przedwczesne zakończenie ciąży może mieć również przepracowanie matki, palenie papierosów, nadużywanie alkoholu, narkomania, niedostateczne odżywianie i słaby przyrost masy ciała; trzeba przy tym pamiętać, że wiele kobiet obciążonych nawet kilkoma powyższymi czynnikami ryzyka rodzi jednak o czasie. Ich wpływ jest więc indywidualnie zmienny w bardzo szerokim zakresie.

W niektórych przypadkach na podstawie ultrasonografii czy innych badań przesiewowych można ustalić, że dziecko nie rozwija się tak jak powinno lub jest dotknięte innym schorzeniem, w którym wskazane byłoby skrócenie ciąży. Pomimo to wiele porodów przedwczesnych dotyczy matek ogólnie zdrowych i prowadzących higieniczny tryb życia. Przedwczesne narodziny dziecka są więc kompletnym zaskoczeniem zarówno dla nich, jak i dla ich lekarzy.

Początek porodu przedwczesnego – co robić?

Nawet przedwczesne rozwiązanie może być najlepszym wyjściem, zwłaszcza w razie szybko postępującej akcji porodowej lub powikłań ze strony matki, takich jak wysokie nadciśnienie tętnicze, zakażenie lub krwawienie.

Jeśli w opinii lekarzy poród da się zatrzymać, pacjentkę unieruchamia się w łóżku i nawadnia, co czasem pozwala przedłużyć ciążę. Lekarze mogą również spróbować leków hamujących czynność skurczową macicy (tokolitycznych). W ramach przygotowań do ewentualnego porodu przedwczesnego ciężarna otrzymuje zwykle kortykosteroidy (na przykład betametazon) w celu przyspieszenia dojrzewania płuc płodu i tym samym poprawy jego szans na przeżycie. (Kortykoterapia prenatalna jest najbardziej skuteczna, jeśli zastosuje się ją na ponad 24 godziny przed rozwiązaniem). Mimo wysiłków lekarzy w wielu przypadkach nie udaje się zahamować porodu przedwczesnego.

Przygotowanie do porodu przedwczesnego

Jeśli przed czasem zaczęła się u ciebie czynność porodowa, powinnaś od razu zgłosić się do szpitala, w którym niewątpliwie złoży ci wizytę lekarz lub pielęgniarka z oddziału opieki nad wcześniakami, czyli osoba najbardziej kompetentna do udzielenia odpowiedzi na szereg nurtujących cię pytań, o ile tylko na tym etapie jest to możliwe.

- W pierwszej kolejności będziesz oczywiście chciała wiedzieć, jakie perspektywy rysują się przed twoim dzieckiem – jednak przed porodem jest to trudne do ustalenia. Rokowanie co do przeżycia zależy od wielu czynników, przede wszystkim od wieku ciąży i wagi urodzeniowej twojego dziecka, stopnia zaburzeń oddychania, obecności lub braku dodatkowych powikłań, zakażenia oraz wad rozwojowych.
- Będziesz też chciała wiedzieć, czy twoje dziecko ma szanse na prawidłowy rozwój, czy też grozi mu kalectwo lub upośledzenie. Do częstych niewielkich zaburzeń, jakie mogą mieć związek z wcześniactwem, należą trudności w skupianiu

uwagi, problemy w nauce i słaba koordynacja ruchowa („niezgrabność"). Cięższe następstwa obejmują niedorozwój umysłowy, zaburzenia chodu, wzroku i słuchu. Problemy te mogą wystąpić również u dzieci urodzonych o czasie, ale zarówno prawdopodobieństwo, jak i nasilenie wad rozwojowych może rosnąć proporcjonalnie do stopnia wcześniactwa. W odniesieniu do żadnego noworodka nie sposób z góry określić prawdopodobieństwa znacznego upośledzenia w rozwoju, znane są jednak czynniki zwiększające takie zagrożenie. Największe ryzyko dotyczy dzieci urodzonych skrajnie przed czasem, zwłaszcza między 22. a 24. tygodniem ciąży, dzieci ciężko chorych tuż po porodzie i przez kilka pierwszych tygodni życia oraz niemowląt z wadami rozwojowymi mózgu stwierdzanymi już w okresie prenatalnym lub związanymi z wcześniactwem.

- Na pewno zadasz też pytania dotyczące samych przedwczesnych narodzin dziecka. Kto zajmie się nim zaraz po porodzie? Czy szpital dysponuje oddziałem wcześniaków i odpowiednio przeszkolonym personelem, czy też twoje dziecko będzie przewiezione gdzie indziej? Na czym polega opieka nad wcześniakiem? Uzyskanie odpowiedzi na powyższe pytania niewątpliwie doda ci otuchy.

> ### „Głos doświadczenia"
>
> *„Jestem pełna najwyższego uznania dla pielęgniarek z oddziału intensywnej terapii, na którym nasze bliźnięta spędziły pierwszy tydzień życia. Siostry opiekowały się nimi z pełnym poświęceniem, a jednocześnie wykazały tyle zrozumienia dla mnie i męża, dla wszystkich naszych emocji. Dzieci znakomicie dochodziły do siebie i w efekcie mogliśmy je zabrać do domu wcześniej, niż początkowo przewidywano".*
> – ZA: KidsHealth Parent Survey

Opieka nad szczególnymi narodzinami

Opieka nad przedwcześnie urodzonym noworodkiem wymaga współpracy wielu fachowców. Dzieci wymagające zwiększonego nadzoru i leczenia trafiają na oddział intensywnej terapii, zwany też oddziałem patologii noworodka. Oddział taki pracuje pod kierunkiem specjalisty-neonatologa. To właśnie z nim możesz omówić indywidualny plan postępowania wobec twojego dziecka, zależny od jego stanu i potrzeb.

Neonatolog ściśle współpracuje z innymi członkami zespołu, w którego skład mogą wchodzić następujące osoby:
- Pediatrzy specjalizujący się w neonatologii;
- Lekarze specjalizujący się w pediatrii;
- Lekarze-stażyści;
- Pielęgniarki przeszkolone w neonatologii i intensywnej opiece neonatologicznej, niezastąpione w specjalistycznych zabiegach;
- Pielęgniarki ogólne i praktykantki pielęgniarskie, wykonujące prostsze zabiegi pielęgnacyjne i szkolące rodziców w ich wykonywaniu;
- Fizykoterapeuta przeszkolony w terapii oddechowej, dawkowaniu tlenu, obsłudze respiratorów itp.;

Lekarz radzi

Jak się nie pogubić

W opiece nad dzieckiem przedwcześnie urodzonym uczestniczy często liczny zespół. Dobrą zasadą jest zapisywanie nazwisk i funkcji osób, z którymi najczęściej się stykasz.

- Psychologowie, rehabilitanci, terapeuci zajęciowi i logopedzi specjalnie przeszkoleni w opiece nad niemowlętami, którzy mogą nauczyć cię odpowiedniego postępowania na przyszłość, pobudzającego rozwój twojego dziecka.

W razie potrzeby do zespołu opiekującego się twoim dzieckiem może dołączyć kardiolog, neurolog lub okulista. Więcej informacji na temat lekarzy różnych specjalności znajdziesz w rozdziale 27, „System opieki zdrowotnej".

Ekipa transportowa

Jeśli poród przedwczesny jest przewidywany, można zawczasu uzgodnić miejsce w odpowiednim szpitalu, dysponującym oddziałem intensywnej terapii noworodka. Jeśli jednak wszystko odbywa się z zaskoczenia i wcześniak przychodzi na świat w miejscu pozbawionym takich możliwości, konieczne jest jego natychmiastowe przewiezienie do właściwego ośrodka, który zapewni mu optymalną, specjalistyczną opiekę.

Jak zawrzeć znajomość z wcześniakiem

Odwiedzając dziecko na oddziale patologii noworodków, zobaczysz je w otoczeniu skomplikowanej, nowoczesnej aparatury, dzięki której może żyć i nadrabiać zaległości rozwojowe. Maleństwo będzie spało w inkubatorze zapewniającym mu niezbędne ciepło. Będzie podłączone do monitorów rejestrujących czynność jego serca, rytm oddychania i temperaturę ciała, według której automatycznie będzie regulowana temperatura w inkubatorze.

Być może zobaczysz niewielką „lampkę" założoną na dłoń, stopę, palec czy nadgarstek dziecka i połączoną przewodem z aparatem zwanym pulsoksymetrem. Jest to metoda stałego pomiaru wysycenia tlenem krwi tętniczej. Dziecko będzie też mieć z całą pewnością cewnik założony na stałe do żyły na dłoni, stopie lub główce, służący do podawania płynów, leków i substancji odżywczych, a także do pobierania krwi do badań bez potrzeby sprawiania mu bólu przy każdym wkłuciu. Cewnik może być również wprowadzony do żyły lub tętnicy pępowinowej.

Lekarze i pielęgniarki opiekujący się twoim dzieckiem na pewno wyjaśnią ci znaczenie poszczególnych urządzeń, a także wydawanych przez nie odgłosów. Choć

„Głos doświadczenia"

„Kiedy nasz synek, obecnie pięcioletni, urodził się o sześć tygodni za wcześnie w małym wiejskim szpitaliku i trzeba było przewieźć go na oddział intensywnej terapii, byliśmy z mężem śmiertelnie przerażeni i zrozpaczeni. Cała ekipa transportowa i personel naszego szpitala nie szczędzili nam jednak słów wsparcia i otuchy. Obiecywali, że nie potrwa to dłużej niż trzy tygodnie, a w rzeczywistości wyszło jeszcze lepiej i już po ośmiu dniach mogliśmy zabrać synka do domu. Od tego czasu rośnie i rozwija się prawidłowo".
– ZA: KIDSHEALTH PARENT SURVEY

pierwsze wrażenie może być przerażające, wkrótce nie tylko przyzwyczaisz się do „okablowania" twojego dziecka, ale wręcz doda ci otuchy świadomość, że cała ta „maszyneria" rejestruje i kontroluje każdy jego oddech.

Wygląd zewnętrzny dziecka może cię również zaszokować lub zdziwić. Postaraj się jednak nie zapominać, że nie patrzysz na noworodka donoszonego, tylko na wcześniaka znajdującego się na takim etapie rozwoju, jaki inne dzieci odbywają jeszcze w łonie matki. Twoje dziecko wygląda zatem tak, jakby jeszcze się nie narodziło i właśnie nadrabia tygodnie brakujące do planowego terminu porodu (a nowoczesna aparatura i wszystkie zabiegi mają stworzyć mu do tego optymalne warunki). Główka wcześniaka wydaje się nieproporcjonalnie duża w stosunku do reszty ciała. Jego skóra jest pomarszczona i ma czerwonawy odcień. Wrażenie „nadmiaru skóry" wynika z tego, że nie wyściela jej jeszcze warstwa tkanki tłuszczowej. Plecy i twarzyczkę dziecka porasta delikatny meszek płodowy, czyli tak zwane lanugo.

U bardzo niedojrzałych wcześniaków skóra przypomina podobną do żelatyny, półprzezroczystą warstwę, przez którą wyraźnie prześwitują powierzchowne naczynia krwionośne. Uszy nie mają jeszcze szkieletu chrzęstnego, tak więc gdyby je zawinąć, nie odkształciłyby się samoistnie. Klatka piersiowa jest mała i wątła, z wystającymi żebrami. Dziecko nie ma brodawek ani tkanki podskórnej sutków. Ciemniejsza obwódka wokół brodawki (obłączek) jest ledwie zarysowana. Paznokcie palców dłoni i stóp dopiero się zawiązują, a podeszwom stóp brakuje bruzd skórnych.

Nawet u dziecka urodzonego skrajnie przedwcześnie można za to wyraźnie rozpoznać narządy płciowe męskie lub żeńskie. U chłopca jądra nie zstąpiły jeszcze najprawdopodobniej do worka mosznowego, który wydaje się mniejszy i gładszy niż u starszego niemowlęcia. U dziewczynki z powodu niedorozwoju warg sromowych widoczna jest stercząca łechtaczka. Wcześniak charakteryzuje się znacznie osłabionym napięciem mięśniowym, co utrudnia mu utrzymywanie kończyn w typowej pozycji płodowej, czyli w zgięciu i przywiedzeniu do tułowia. Niedojrzałość układu nerwowego sprawia, że ruchy dziecka wydają się „szarpane".

Po pierwszym zaskoczeniu wyglądem wcześniaka większość rodziców dostrzega w nim dość powodów do wzruszenia i zachwytu. Ich dziecko, nawet skrajnie niedojrzałe, ma jednak rączki, nóżki, palce, narządy płciowe! Maleństwo otwiera oczy, mruży je pod wpływem światła, wzdraga się na hałaśliwe dźwięki, przeciąga się, ziewa, kicha i ma czkawkę. Może czasem zakwilić, a nawet podejmować próby ssania. Pierwsze oznaki budzenia się wcześniaka do życia są naprawdę cudownym wydarzeniem.

Brzemię rodzicielskich emocji

Zbyt wczesne narodziny dziecka są niewątpliwie jednym z najbardziej stresujących doświadczeń dla rodziców. Pierwszy okres po porodzie matka przeżywa nieraz w stanie szoku, jest całkowicie pochłonięta tym, co się stało, niezdolna do trzeźwego myślenia, z trudem reaguje na to, co się do niej mówi. Niektóre informacje trzeba powtarzać jej kilkakrotnie. Czasem obserwuje się u niej reakcję wyparcia, negacji rzeczywistości, niedowierzania, że wszystko to stało się naprawdę. Kobieta czuje się nieraz tak, jakby za chwilę miała obudzić się ze złego snu. Zdarza się rozpacz, jeśli dziecko jest chore, smutek i poczucie winy, że nie urodziła go o czasie, tak jak było to planowane.

Cała rodzina przeżywa bardzo trudny okres, nierzadko z objawami stanów lękowych i depresji. Wielu rodziców szuka wsparcia u krewnych, przyjaciół czy duchownych, lub też zwraca się po pomoc do specjalistów. Najważniejszymi ludźmi w tym momencie są jednak dla nich niewątpliwie lekarze i pielęgniarki oddziału patologii noworodka, sprawujący bezpośrednią opiekę nad ich dzieckiem. To ich postawa, fachowość, empatia i optymizm dodają rodzicom największej otuchy. Przy niektórych szpitalach działają grupy wsparcia skupiające rodziców, którzy mają już za sobą podobne doświadczenia. Porada czy pociecha z ich ust ma oczywiście ogromne znaczenie. Ważnym źródłem wsparcia jest również lekarz, wybrany do późniejszej stałej opieki nad dzieckiem. Jedno jest pewne: rodzice nie mogą pozostać sami ze swoimi problemami, a w razie trudnych do opanowania na własną rękę oznak depresji nie powinni wahać się przed szukaniem fachowej pomocy.

Co możesz zrobić dla wcześniaka?

Niezależnie od niezbędnej opieki specjalistycznej również ty i tylko ty możesz coś zrobić dla swojego malutkiego dziecka, aby pomóc mu rosnąć.

Karmienie piersią

Pokarm naturalny ma dla twojego przedwcześnie urodzonego dziecka szczególnie dobroczynne znaczenie. Poza zaletami karmienia piersią, jakie dotyczą wszystkich niemowląt (patrz rozdziały 8, „Karmienie naturalne czy sztuczne?", i 9, „Karmienie piersią"), pokarm matki zawiera szereg składników odżywczych, tym bardziej potrzebnych wcześniakowi. Pierwszy pokarm, zwany siarą, jest wyjątkowo bogaty w przeciwciała i komórki odpornościowe, chroniące niedojrzały organizm dziecka przed zakażeniem. Mleko matki jest pokarmem najlepiej przez nie tolerowanym, co zmniejsza ryzyko martwiczego zapalenia jelit, ciężkiego, związanego z wcześniactwem powikłania w zakresie przewodu pokarmowego. Nawet bardzo niewielkie ilości pokarmu matczynego w pierwszych dniach i tygodniach życia wcześniaka mogą przynieść mu konkretne korzyści zdrowotne. Jeśli więc do tej pory nie byłaś zdecydowana na karmienie piersią, pomyśl o zapewnieniu dziecku pokarmu naturalnego przynajmniej na kilka pierwszych tygodni, czy na okres pobytu w szpitalu.

Rycina 6.1. Wcześniak w inkubatorze. Nawet dla niedojrzałych noworodków, wymagających przebywania przez pewien czas w specjalnym środowisku, bardzo ważny jest delikatny, kojący dotyk rodziców. Regularny kontakt z dzieckiem uspokaja je i pomaga mu rosnąć.

W początkowym okresie karmienie wcześniaka wymaga szczególnej cierpliwości, czasu, a często również pomocy odpowiedniego sprzętu. Wiele przedwcześnie urodzonych dzieci jeszcze przez szereg dni nie będzie w stanie ssać piersi. Karmienie odbywa się wtedy przez cewnik wprowadzony przez nos lub jamę ustną bezpośrednio do żołądka. Dziecku podaje się w ten sposób odciągnięte mleko matki. Ściąganie pokarmu trzeba rozpocząć jak najszybciej po porodzie i kontynuować je w regularnych odstępach, aby pobudzić laktację w zastępstwie ssącego niemowlęcia. Stopniowo, w miarę dojrzewania, dziecko osiągnie jednak umiejętność ssania piersi i będziesz mogła karmić je sama.

Kontakt skórny

Niezależnie od karmienia piersią czy butelką każdy noworodek, w tym również wcześniak, potrzebuje bezpośredniego, cielesnego kontaktu z rodzicami, podobnie zresztą jak potrzebują tego oni sami. Kontakt „skórą do skóry", zwany również „metodą kangurzą", polega na szczególnym sposobie trzymania i przytulania niemowlęcia. Dziecko, ubrane tylko w pieluszkę, układa się między piersiami matki lub pośrodku piersi ojca. Główka dziecka jest obrócona na bok, przylegając policzkiem i uchem do nagiej skóry rodzica. Wszystkie przewody monitorujące mocuje się dla wygody na ubraniu matki lub ojca, a plecy dziecka okrywa kocykiem. W ten sposób, usadowiona wygodnie w fotelu, możesz cieszyć się chwilą bliskiego, intymnego kontaktu z twoim maleństwem, nie utrudniając jednocześnie pielęgniarkom monitorowania jego podstawowych parametrów życiowych.

Oprócz oczywistego znaczenia kontaktu skórnego dla rozwoju waszej więzi emocjonalnej, twoje dziecko czerpie z niego również bezpośrednie korzyści dla zdrowia fizycznego. Stwierdzono, że nawet kilkuminutowy, ale codzienny taki kontakt sprzyja tendencjom do stabilizowania się temperatury ciała, rytmu serca i oddychania wcześniaka. Dzieci pielęgnowane w ten sposób lepiej przybierają na wadze, więcej jedzą, dłużej śpią i mniej krzyczą. Jednocześnie u matek karmiących piersią „kangurzą" opieka nad dzieckiem ma korzystny wpływ na laktację.

Pielęgnacja rozwojowa

Twój udział w programie stymulującym rozwój fizyczny i umysłowy przedwcześnie urodzonego dziecka ma dla niego kapitalne znaczenie. Pod pojęciem pielęgnacji rozwojowej kryje się proces, w którym opiekunowie niemowlęcia – oczywiście z rodzicami włącznie – uczą się interpretować wysyłane przez nie sygnały i okazywane reakcje. Umożliwia to rodzicom identyfikację upodobań i awersji dziecka oraz lepsze zaspokajanie jego specyficznych potrzeb.

Tak jak każdy inny noworodek, tak i wcześniak mimo swojej niedojrzałości jest odrębną jednostką ludzką, z jedyną w swoim rodzaju, niepowtarzalną osobowością. Twoje malutkie dziecko już na tym etapie ma wyraźny system odpowiedzi na środowisko i na opiekę, jaką otrzymuje. Odpowiedzi te grupuje się w dwóch kategoriach: „sygnałów stabilności" i „sygnałów stresu". Sygnały stabilności, takie jak rozluźniona pozycja ciała, płynne ruchy i zogniskowana uwaga, mogą oznaczać pozytywną reakcję dziecka na to, co aktualnie się z nim dzieje, lub gotowość do interakcji. Sygnały stresu, takie jak czkawka, wiercenie się i rozdrażnienie, wskazują raczej na sprzeciw lub dyskomfort. Wyrażają one często potrzebę przerwania aktywności, jaką dziecko w danym momencie wykonuje czy jakiej jest poddawane. Wykazano, że tego rodzaju wsłuchiwanie się w odczucia dziecka skraca okres jego pobytu w szpitalu, zmniejsza ryzyko powikłań i interwencji oraz poprawia odległe perspektywy rozwojowe dziecka.

Gdy twoje dziecko leży w szpitalnym inkubatorze i wydaje ci się najbardziej wątłe i bezbronne, na pewno starasz się chronić je przed nadmiarem bodźców w rodzaju ostrego światła czy hałasu. Używając zwiniętego kocyka możesz pomóc mu ułożyć się w pozycji zgięciowej, wygodniejszej i korzystniejszej dla jego rozwoju ruchowego. Czuwając nad jego niezakłóconym snem, zapewniasz mu odpoczynek, niezbędny do wzrostu i nabierania sił. W miarę jak dziecko dojrzewa a jego stan ulega stabilizacji, możesz coraz częściej stwarzać mu okazję do interakcji w momentach przebudzenia.

Częste problemy i zabiegi medyczne

Opieka nad twoim przedwcześnie urodzonym dzieckiem jest w znacznym stopniu zindywidualizowana, zależna od jego specyficznych potrzeb. Zespół leczący twoje dziecko wytłumaczy ci dokładnie, na czym polegają te potrzeby i w jaki sposób są zaspokajane. Pewne problemy występują jednak typowo u większości wcześniaków i wymagają określonych zabiegów i zasad postępowania, o których powinnaś mieć pojęcie. Będziesz się sama lepiej czuła, orientując się, o czym mówi lekarz, i mogąc nawiązać z nim bardziej partnerski dialog na najważniejszy temat: zdrowia twojego dziecka.

Termoregulacja

Wcześniaki nie mają dostatecznie rozwiniętej tkanki tłuszczowej, by utrzymywać stałą temperaturę ciała. Przedwcześnie urodzony noworodek potrzebuje więc sztucznego źródła ciepła, które spełnia tę funkcję niejako zamiast jego własnego organizmu.

Inkubator, zwany inaczej cieplarką, zapewnia dziecku takie środowisko, w którym temperatura jego ciała pozostaje na stałym poziomie, bez ryzyka wychłodzenia. Temperatura wcześniaka jest stale monitorowana, a inkubator automatycznie reaguje na jej zmiany, generując mniej lub więcej ciepła. W miarę dojrzewania dziecka staje się ono coraz bardziej zdolne do życia poza inkubatorem i do utrzymania stałej temperatury w otwartym łóżeczku po dokładnym opatuleniu kocykami.

Problemy z oddychaniem

Tylko niektóre przedwcześnie urodzone noworodki są w stanie oddychać bez jakiegokolwiek wspomagania tej podstawowej dla życia czynności. W większości przypadków ich płuca nie są jeszcze na tyle dojrzałe, by efektywnie pracować wyłącznie o własnych siłach. Niedojrzałość układu oddechowego należy do najważniejszych problemów związanych z wcześniactwem i może prowadzić do wielu zaburzeń wymagających specjalistycznego leczenia.

Zespół zaburzeń oddychania (RDS)

Zespół ten, określany skrótem RDS (ang. *respiratory distress syndrome*), jest najczęstszą chorobą płuc u przedwcześnie urodzonych noworodków. Stopień dojrzałości płuc zależy od wieku ciąży w momencie przyjścia na świat, tak więc ryzyko RDS jest tym większe, im wyższy stopień wcześniactwa. Istotę patologii stanowi niedobór surfaktantu w pęcherzykach płucnych. Ta podobna do mydła substancja, zwana inaczej czynnikiem powierzchniowym, jest wytwarzana przez komórki tkanki płucnej i wyściela cienką warstwą wnętrze pęcherzyków. Działanie surfaktantu polega na zmniejszaniu napięcia powierzchniowego pęcherzyków płucnych, dzięki czemu nie zapadają się one podczas wydechu i pozostają drożną, czynną strukturą wymiany gazowej.

Noworodek z RDS może wymagać dodatkowej porcji tlenu do oddychania lub też podawania tlenu przez specjalny aparat, utrzymujący ciągłe dodatnie ciśnienie w drogach oddechowych (tzw. CPAP, *continuous positive airway pressure*), które zapobiega zapadaniu się pęcherzyków płucnych. Przy znacznym niedoborze surfaktantu dziecko może wymagać intubacji, czyli wprowadzenia rurki dotchawiczej i podłączenia do respiratora. Stosuje się również leczenie zastępcze preparatami sztucznego surfaktantu, podawanego bezpośrednio do płuc przez rurkę dotchawiczą. Całe postępowanie wymaga niezwykle ścisłego nadzoru, zaawansowanej technologii i wysokich kwalifikacji zespołu leczącego. U dzieci skrajnie niedojrzałych lub dotkniętych innymi poważnymi zaburzeniami proces zdrowienia przebiega niekiedy z opóźnieniem.

W przypadku RDS o ciężkim przebiegu lub innych powikłań u dziecka może rozwinąć się dysplazja oskrzelowo-płucna (BDP, *bronchopulmonary dysplasia*). Chorobę tę, polegającą na zwłóknieniu płuc, uważa się za następstwo reakcji niedojrzałych płuc i na niedobór surfaktantu i na leczenie tego niedoboru w postaci tlenoterapii i wentylacji mechanicznej. Niemowlęta dotknięte BPD wymagają przedłużonego podawania tlenu i odpowiednich leków przez kilka tygodni, miesięcy, a nawet do roku, ale zwykle powracają do zdrowia.

Bezdechy wcześniaków

Jest to zaburzenie polegające na okresowych przerwach w oddychaniu, którym często towarzyszy zwolnienie czynności serca (bradykardia) lub zmiany zabarwienia skóry dziecka – bladość, czerwienienie lub sinienie. Zaburzenia te wynikają z niedorozwoju ośrodka oddechowego w mózgu. Wcześniaki mają typowo nieregularny rytm oddychania, z naprzemiennymi seriami głębokich i płytkich oddechów lub chwilowymi przerwami. Bezdechy wcześniaków mogą być leczone farmakologicznie z zastosowaniem kofeiny, teofiliny i aminofiliny. Niektóre dzieci wymagają podawania tlenu pod dodatnim ciśnieniem (CPAP) przez cewniki donosowe, a czasem nawet podłączenia do respiratora. Bezdechy wcześniaków ustępują zazwyczaj samoistnie, w miarę jak dziecko rośnie i dojrzewa.

Hipoglikemia

Hipoglikemia, czyli obniżony poziom glukozy we krwi, należy do częstych zaburzeń u przedwcześnie urodzonych dzieci. Z powodu przyspieszonego przyjścia na świat nie miały one czasu na zgromadzenie odpowiednich rezerw cukru w postaci glikogenu w wątrobie, zapewniających energię do typowej dla noworodka „pracy" – oddychania, krzyku, poruszania rączkami i nóżkami. W pierwszych godzinach po porodzie wcześniak wymaga ścisłego monitorowania glikemii i w razie potrzeby podania glukozy w roztworze dożylnym.

Problemy z karmieniem i odżywianiem

Przez kilka dni po porodzie wcześniaki otrzymują zwykle dożylnie (np. przez żyłę pępowinową) specjalny płyn, zwany roztworem hiperalimentacyjnym, który zapewnia im niezbędną porcję tłuszczów, białek, węglowodanów, witamin i soli mineralnych. Gdy tylko stan dziecka na to pozwala, przechodzi się na żywienie dojelitowe w postaci odciągniętego mleka matki lub pokarmu sztucznego. Zależnie od wieku ciążowego koordynacja ssania, połykania i oddychania przekracza często możliwości wcześniaka, tak więc pierwsze karmienia muszą odbywać się przez sondę założoną przez usta lub przez nos bezpośrednio do żołądka. Żywienie może przebiegać w powolnym wlewie ciągłym lub porcjami. Niezależnie od sposobu żywienia dojelitowego (enteralnego) stopniowo zwiększa się jego dzienną objętość przy jednoczesnym wycofywaniu wlewów dożylnych, czyli żywienia pozajelitowego (parenteralnego).

W okresie karmienia przez sondę dziecku podaje się często „pusty" smoczek, żeby zaspokoić i rozwinąć jego naturalną potrzebę ssania. Być może niepokoi cię to, bo słyszałaś, że noworodki wcześnie przyzwyczajone do smoczka mogą mieć trudności w ssaniu piersi. Owszem, istnieje taka zależność, ale w odniesieniu do noworodków donoszonych, natomiast u wcześniaków ssanie „na sucho" (bez pobierania pokarmu) ma działanie kojące, pomaga w trawieniu i poprawia przybieranie na wadze.

Stopniowo, w miarę jak dziecko dojrzewa i nabiera sił, rozpoczyna się naukę ssania piersi lub butelki. Około 34. tygodnia wieku ciążowego u większości wcześniaków rytm ssania-połykania-oddychania stabilizuje się na tyle, że jest to już możliwe. (Niektóre noworodki osiągają tę gotowość wcześniej, w 32. tygodniu, inne później, około 36 tygodnia wieku ciążowego). Początkowo dziecko przystawia się do piersi lub butelki tylko raz dziennie, a następnie stopniowo coraz częściej. Odżywianie się przez usta jest jedną z najważniejszych i najtrudniejszych umiejętności, jakie przedwcześnie urodzone dziecko musi opanować przed wypisaniem ze szpitala.

Żółtaczka

Żółtaczka noworodków w pierwszych dniach życia dotyczy zarówno dzieci donoszonych, jak i wcześniaków. W leczeniu stosuje się zazwyczaj fototerapię – naświetlania lampą fluorescencyjną, co omawiamy w rozdziale 5, „Najczęstsze problemy zdrowotne u noworodka".

Zakażenia

Z powodu niedojrzałości układu odpornościowego noworodki przedwcześnie urodzone są szczególnie podatne na zakażenia, które – z tych samych względów – stanowią dla nich większe zagrożenie. Jednocześnie tak się nieszczęśliwie składa, że zakażeniom tym sprzyjają procedury intensywnego leczenia, takie jak oddychanie wspomagane, cewnikowanie żył itp. W celu minimalizacji ryzyka lekarze starają się wychwytywać oznaki zakażenia jak najwcześniej, często kontrolując próbki krwi, moczu czy płynu mózgowo-rdzeniowego dziecka i wdrażając w razie potrzeby odpowiednie antybiotyki. Do najczęstszych zakażeń u wcześniaków należą:
- Zakażenia uogólnione lub zakażenie krwi, czyli tzw. posocznica (sepsa);
- Zapalenie płuc;
- Zapalenie opon mózgowo-rdzeniowych;
- Zakażenia układu moczowego;
- Zakażenia skóry lub tkanki podskórnej (ropnie).

Zakażenia stanowią jedno z najpoważniejszych zagrożeń dla życia przedwcześnie urodzonych dzieci i dla ich perspektyw zdrowotnych.

Niedokrwistość

Niedokrwistość oznacza niedobór krwinek czerwonych, odpowiedzialnych za transport tlenu do wszystkich komórek i tkanek organizmu. W różnym stopniu i z różnych przyczyn niedokrwistość występuje u większości przedwcześnie urodzonych noworodków i może objawiać się problemami w żywieniu dziecka, słabym przybieraniem na wadze i przyspieszoną czynnością serca jako próbą kompensacji niedostatecznego dowozu tlenu do tkanek. W poważniejszych przypadkach stosuje się transfuzje masy krwinkowej.

Przetrwały przewód tętniczy (PDA)

Przewód tętniczy jest naczyniem łączącym w życiu płodowym tętnicę płucną z tętnicą główną (aortą), dzięki czemu część krwi może ominąć nieczynne w tym okresie płuca i zasilić od razu krążenie obwodowe. W warunkach prawidłowych już w pierwszych godzinach po porodzie, kiedy dziecko podejmuje samodzielne oddychanie, niepotrzebny już przewód tętniczy zwęża się i zamyka. U wcześniaków jednak, zwłaszcza dotkniętych zespołem zaburzeń oddychania (RDS), przewód pozostaje drożny, czego następstwem jest nadmierny dopływ krwi do płuc i dodatkowe utrudnienie oddychania.

Jeśli przeciek jest niewielki, lekarze mogą zdecydować się na czekanie, aż przewód uwsteczni się samoistnie. W okresie jego drożności dziecku podaje się nieco mniej płynów, aby zmniejszyć obciążenie serca i płuc, ewentualnie dołącza się diuretyki, czyli leki moczopędne. W leczeniu przetrwałego przewodu tętniczego (PDA, *patent ductus arteriosus*) próbuje się wywołać jego niedrożność metodami farmakologicznymi, a jeśli to nie skutkuje, podwiązuje się go operacyjnie z nacięcia klatki piersiowej dziecka.

Martwicze zapalenie jelit (NEC)

Martwicze zapalenie jelit (NEC, *necrotizing enterocolitis*) jest ciężką chorobą, zagrażającą zniszczeniem pewnego odcinka jelita cienkiego lub grubego. Podobnie jak wszystkie inne narządy wcześniaka, jego jelita są również niedojrzałe i szczególnie wrażliwe na niedokrwienie. Zmiany w przepływie krwi mogą zaburzać normalną aktywność bakterii jelitowych, co z kolei prowadzi do zakażenia ściany jelita, jej podrażnienia, obrzęku i martwicy.

Nie wiadomo dokładnie, dlaczego niektóre noworodki zapadają na NEC. Ryzyko to dotyczy w większym stopniu bardzo niedojrzałych wcześniaków i dzieci urodzonych w ciężkim stanie. Rzadziej choroba rozwija się u niemowląt karmionych mlekiem matki.

NEC jako stan zagrożenia życia jest szczególnie niebezpieczny dla wcześniaków, które wymagają ścisłej obserwacji pod tym kątem. W razie podejrzenia choroby przerywa się żywienie dziecka drogą jelitową i przechodzi całkowicie na dożylne preparaty odżywcze. Cewnik pozostaje w żołądku dziecka w celu odsysania wydzieliny przewodu pokarmowego. Wprowadza się antybiotykoterapię i kontroluje jej skuteczność w toku powtarzanych badań laboratoryjnych i radiologicznych.

Jeśli choroby nie uda się opanować metodami zachowawczymi, dziecko wymaga operacyjnego usunięcia martwiczego fragmentu jelita. Odcinek powyżej wyciętej pętli wyłania się na powierzchnię skóry przez otwór, zwany stomią lub sztucznym odbytem, służący do ewakuacji kału do zewnętrznego worka. Gdy dziecko wróci do zdrowia i podrośnie, niezmienione końce jelita można połączyć, przywracając ciągłość przewodu pokarmowego i naturalną drogę wydalania stolca.

Większość noworodków, które udaje się uratować, wraca do zdrowia bez dodatkowych powikłań. W pewnych przypadkach pozostałością NEC jest jednak bliznowacenie i zwężenie jelit, zagrażające epizodami niedrożności. W razie konieczności usunięcia znacznego odcinka jelita jego pozostała część może okazać się niewystarczająca dla wchłaniania składników odżywczych, niezbędnych do prawidłowego wzrostu i rozwoju dziecka.

Retinopatia wcześniaków (ROP)

Retinopatia wcześniaków (ROP, *retinopathy of prematurity*) polega na nieprawidłowym rozroście naczyń krwionośnych w siatkówce oka. W warunkach prawidłowych naczynia rozrastają się od tyłu gałki ocznej we wszystkich kierunkach ku przodowi. Proces ten dobiega końca na kilka tygodni przed porodem o czasie. U wcześniaków, w następstwie zakłócenia tego rytmu, może dojść do nadmiernej proliferacji i nieprawidłowego rozgałęziania się naczyń. Największe ryzyko dotyczy dzieci najmniejszych i najbardziej niedojrzałych. Pierwsze badanie okulistyczne przeprowadza się u nich w wieku 4–6 tygodni, a następnie co 1–2 tygodnie, aż do całkowitego zakończenia proliferacji naczyń, czyli osiągnięcia przez nie brzegów siatkówki.

Okulista bada dno oka dziecka, sprawdzając prawidłowość tego procesu. Niemowlęta z ROP w stadium I i II z reguły nie wymagają leczenia, ponieważ zaburzenia korygują się samoistnie. Konieczna jest jedynie ścisła obserwacja. Przypadki ROP w stadium III mogą wymagać laseroterapii (zniszczenia przerośniętych naczyń pod wpływem ciepła) lub krioterapii (zamrażania naczyń). Bez leczenia niekontrolowany rozrost naczyń może prowadzić do bliznowacenia i zniekształceń siatkówki, a nawet do jej odklejenia i utraty wzroku. Leczenie retinopatii zmniejsza ryzyko ślepoty, ale nie zawsze jest w stanie jej zapobiec. Następstwem ROP może być również krótkowzroczność, ambliopia („leniwe" oko) oraz zez.

Krwawienie dokomorowe (IVH)/Wodogłowie

Naczynia krwionośne w obrębie i w sąsiedztwie mózgu przedwcześnie urodzonego dziecka są delikatne, podatne na pęknięcie czy rozerwanie. W większości oddziałów intensywnej terapii u noworodków urodzonych przed 32–34 tygodniem ciąży wykonuje się rutynowo badania przesiewowe pod kątem krwawienia dokomorowego (IVH, *intraventricular hemorrhage*), czyli wynaczynienia krwi do wypełnionych płynem przestrzeni, zwanych komorami mózgu.

Najbardziej wiarygodnym, a przy tym najprostszym takim badaniem jest ultrasonografia centralnego układu nerwowego, możliwa do wykonania bezpośrednio przy łóżeczku (inkubatorze) dziecka.

Ryzyko IVH rośnie proporcjonalnie do stopnia wcześniactwa i związanych z nim innych powikłań. Na podstawie obrazu USG różnicuje się cztery stopnie IVH, od najłagodniejszego do najcięższego. W krwawieniu stopnia I niewielka objętość wynaczynionej krwi ogranicza się do tak zwanej przestrzeni podwyściółkowej, czyli tkanki bogatej w naczynia i szczególnie szybko rosnącej w okresie życia płodowego.

W stopniu II niewielką ilość krwi stwierdza się również w komorach mózgu. Krew ta ulega z czasem samoistnej, powolnej resorpcji (wchłanianiu). IVH stopnia I i II nie wykazuje długoterminowego, niekorzystnego wpływu na wzrost i rozwój dziecka.

W IVH stopnia III komory mózgu są wypełnione na tyle znaczną objętością krwi, że ulegają poszerzeniu, czasem jedynie przejściowemu. Samoistna resorpcja krwi jest możliwa, jednak jej nadmiar w komorach może blokować prawidłowe krążenie i wchłanianie płynu mózgowo-rdzeniowego wokół mózgu. W efekcie dochodzi do rozwoju wodogłowia, czyli rozdęcia komór nadmiarem płynu. Wodogłowie objawia się szybkim przyrostem obwodu główki i wywiera ucisk na tkankę mózgową. Na szczęście u większości niemowląt z IVH stopnia III nie dochodzi do rozwoju wodogłowia. Dzieci wymagające zabiegu chirurgicznego dla odbarczenia mózgu są narażone na znaczne ryzyko opóźnień rozwojowych.

IVH stopnia IV oznacza krwawienie bezpośrednio do tkanki mózgowej. Towarzyszy mu często obecność znacznej objętości krwi w komorach i wodogłowie. Jest to stan podobny do „wylewu", czyli udaru krwotocznego u człowieka dorosłego. Noworodki dotknięte tym powikłaniem są szczególnie zagrożone trwałym uszkodzeniem mózgu i poważnymi zaburzeniami rozwojowymi. Odmienną postacią zaburzeń neurologicznych u wcześniaków jest leukomalacja okołokomorowa (PVL, *periventricular leukomalacia*). Uraz dotyczy w tym przypadku części mózgu odpowiedzialnej za koordynację ruchową. PVL w okresie okołoporodowym kojarzy się z rozwojem porażenia mózgowego dziecięcego (patrz rozdział 32, „Problemy zdrowotne okresu wczesnego dzieciństwa").

Dokładnych informacji na temat IVH udzielą ci w razie potrzeby lekarze zajmujący się dzieckiem na oddziale intensywnej opieki. Dziecko po przebyciu tego powikłania pozostaje zwykle przez pewien czas pod obserwacją neurologiczną, a w nieco późniejszym wieku wykonuje się u niego kontrolne badanie USG. Trzeba jednak podkreślić, że prawidłowy wynik USG nie oznacza zażegnania wszelkich zagrożeń. Chociaż badania obrazowe mózgu mają duże znaczenie dla rokowania, na dzień dzisiejszy nie potrafimy dokładnie przewidzieć, jak będzie przebiegać dalszy rozwój dziecka. Zależy to od zbyt wielu czynników – podłoża genetycznego, ogólnego stanu zdrowia, środowiska rodzinnego, wychowania itp. Dopiero kilkuletnia obserwacja pozwoli ocenić, czy twoje dziecko w pełni pokonało wszystkie perypetie neurologiczne okresu noworodkowego.

Powrót z wcześniakiem do domu

Większość wcześniaków nadaje się do wypisania do domu z chwilą, gdy potrafią utrzymać stałą temperaturę ciała w otwartym łóżeczku, odżywiają się wyłącznie poprzez ssanie piersi lub butelki i regularnie przybierają na wadze. Statystyczny wcześniak spełnia powyższe kryteria na 2–4 tygodnie przed pierwotnie ustalonym, prawidłowym terminem porodu, jednak istnieją pod tym względem duże rozbieżności, zwłaszcza w odniesieniu do noworodków najmniejszych i najbardziej niedojrzałych.

W miarę zbliżania się chwili wypisu personel większości oddziałów patologii noworodka pozwala matce pozostać z dzieckiem przez kilka nocy w szpitalu, co umożliwia jej lepsze oswojenie się z noworodkiem i nabranie pewności siebie.

Jeśli już wcześniej wybrałaś dla swojego dziecka stałego lekarza, musisz poinformować go o wypisie i jak najszybciej zaprosić na pierwszą wizytę domową. Być może twoje dziecko będzie wypisane z dodatkowymi zaleceniami, takimi, na przykład, jak objęcie wczesnym programem interwencyjnym czy stała opieka neurologiczna. Jeśli twój synek miał być obrzezany, teraz nadchodzi moment na ostateczne podjęcie tej decyzji. Na pewno będziesz chciała poznać wyniki wszystkich rutynowych badań przesiewowych wykonanych podczas pobytu w oddziale i dowiedzieć się, które i kiedy powinny być powtórzone. Do tych rutynowych badań należy badanie słuchu i wzroku, testy enzymatyczne i ultrasonografia głowy. Zapytaj o szczepienia ochronne i poproś o dokumentację tych, które wykonano w szpitalu.

Wszyscy rodzice, a rodzice wcześniaków w szczególności, powinni nauczyć się zasad resuscytacji krążeniowo-oddechowej niemowlęcia. W Polsce odpowiednie szkolenia w tym zakresie są organizowane przez szpitale lub instytucje lokalne.

Większość rodziców stwierdza z nieprzyjemnym zdziwieniem, że długo oczekiwana chwila zabrania dziecka do domu przynosi im zamiast radości lęk i przygnębienie. Jak to możliwe, przecież marzyli o tym od dawna! Jest to tymczasem reakcja zupełnie naturalna. Przejęcie opieki nad „miniaturowym" dzieckiem, które ma za sobą intensywne, całodobowe leczenie i monitorowanie, może być trudnym momentem. Ale głowa do góry – nie zostajesz przecież sama. Lekarze, pielęgniarki, pracownicy socjalni, nie wspominając o rodzinie i przyjaciołach, będą nadal wspierać cię w tym doniosłym okresie wielkiej życiowej przemiany. Zanim twoje dziecko dojrzeje do zamieszkania w domu, dojrzejesz do tego również i ty – mimo całego zdenerwowania. Myśl przede wszystkim o tym, że wreszcie będziecie razem.

Jeśli potrzebujesz dodatkowych informacji, zasięgnij porady lekarza.

Rozdział 7

Obrzezanie

Kwestie związane z decyzją

Jeśli zaglądasz do tego rozdziału z nadzieją, że znajdziesz w nim rozstrzygające zalecenia medyczne co do wykonania lub niewykonania tego zabiegu u twojego synka, przykro nam, ale nie udzielimy ci takiej odpowiedzi. Niemal we wszystkich przypadkach obrzezanie dziecka pozostaje decyzją głęboko osobistą, zależną wyłącznie od rodziców. W tym rozdziale znajdziesz natomiast informacje, które mogą pomóc ci w jej świadomym podjęciu.

Na czym polega obrzezanie?

Obrzezanie oznacza chirurgiczne usunięcie fałdu skórnego – napletka – otaczającego i okrywającego szczytową część prącia, czyli żołądź. Usunięcie napletka odsłania zatem żołądź prącia.

Ustalenie, jak często wykonuje się ten zabieg u niemowląt płci męskiej, nastręcza wiele trudności, ponieważ w większości przypadków obrzezanie rytualne ma miejsce poza szpitalem. Częstotliwość obrzezania waha się w szerokich granicach w poszczególnych grupach rasowych, etnicznych i społeczno-ekonomicznych.

U noworodka zabieg trwa z reguły nie dłużej niż kilka minut, a powikłania należą do rzadkości, o ile tylko wykonuje go wprawny lekarz (najczęściej położnik, lekarz rodzinny lub pediatra) lub „mohel" (specjalista od obrzezania rytualnego u Żydów). Skóra prącia goi się zwykle w ciągu kilku dni, wymagając niewielu czynności pielęgnacyjnych (patrz rozdział 11, „Podstawowa opieka nad niemowlęciem").

Decyzja o obrzezaniu

Jeśli dowiadujesz się, że będziesz miała synka jeszcze w okresie ciąży, powinnaś podjąć decyzję o ewentualnym obrzezaniu przed jego przyjściem na świat. Później będziesz miała tyle nowych wrażeń i zajęć, że warto zawczasu załatwić i rozstrzygnąć jak najwięcej spraw.

Decyzja ta wydaje się najprostsza wtedy, gdy wpisuje się w kontekst zasad tej czy innej wiary. Dla wyznawców judaizmu czy islamu obrzezanie stanowi ważny, praktykowany od wieków czy tysiącleci akt zawierzenia nowonarodzonego dziecka Bogu. Dla rodziców należących do tych wspólnot religijnych decyzja jest zatem oczywista. W innych przypadkach obrzezanie praktykuje się z pobudek nie tyle głęboko religijnych, co bardziej zwyczajowych czy kulturowych – dlatego że obrzezany jest ojciec dziecka – a także ze względów estetycznych i higienicznych. Zdarza się również, że decyzja o obrzezaniu jest oparta na rozpowszechnionych, choć nieprawdziwych przekonaniach, na przykład takich, że zmniejsza to skłonność do masturbacji.

Zabieg staje się trudnym problemem wtedy, gdy rodzice mają na jego temat odmienne poglądy, wynikające na przykład z ich przynależności do różnych kręgów wyznaniowych czy kulturowych. W takich przypadkach nie ma rozstrzygającej odpowiedzi. Jeśli oboje rodzice dowiedzą się na ten temat jak najwięcej i wspólnie przedyskutują to, co przeczytali (choćby w tym rozdziale), być może ułatwi im to dojście do porozumienia. Czasami jedno z rodziców (typowo ojciec) ma znacznie bardziej sprecyzowane poglądy na ten temat (za lub przeciw) niż drugie. Jeśli tak wygląda sytuacja w twojej rodzinie, być może optymalnym wyjściem jest uwzględnienie woli tej strony, dla której decyzja ta wydaje się mieć większe znaczenie.

Niezależnie od waszych postanowień warto pamiętać, że ogromna większość chłopców rośnie zdrowo i szczęśliwie zarówno po obrzezaniu, jak i po zaniechaniu obrzezania. Sposób rozstrzygnięcia sporu między rodzicami – czyli jeszcze głębsze porozumienie lub dodatkowe ziarno niezgody – może w ogólnym rozrachunku znaczyć dla twojego dziecka więcej niż samo jego meritum.

A oto kilka kwestii, które powinniście uwzględnić przed dokonaniem wyboru.

Zakażenia dróg moczowych

Obecnie dysponujemy już dość przekonującymi dowodami, że zakażenia układu moczowego w pierwszym roku życia występują częściej u chłopców nieobrzezanych niż u obrzezanych. Należy jednak podkreślić, że ogólna zapadalność na te infekcje jest u chłopców niska (rzędu 1:100 u niemowląt nie obrzezanych i 1:1000 u obrzezanych). Zakażenia układu moczowego są w pełni uleczalne, a odległe następstwa przebycia takiego epizodu w wieku niemowlęcym pozostają niejasne.

W opinii ekspertów

Istniejące dane naukowe wskazują na potencjalnie korzystne następstwa zdrowotne obrzezania u noworodków płci męskiej; dane te nie są jednak na tyle rozstrzygające, by rutynowo zalecać ten zabieg".
(Stanowisko Grupy specjalnej ds. obrzezania przy Amerykańskiej Akademii Pediatrii, sformułowane w roku 1999)

Ropne zapalenie żołędzi i napletka (balanitis), stulejka i kwestie higieniczne

U noworodków płci męskiej napletek nie jest zwykle całkowicie oddzielony od czubka prącia, co uniemożliwia jego pełne ściągnięcie i odsłonięcie żołędzi. Napletek staje się przesuwalny dopiero po wielu miesiącach czy nawet latach i dopiero wtedy można przyuczyć dziecko do toalety tej okolicy. (U 90% nieobrzezanych chłopców dokonuje się to około 5. roku życia). Ropne zapalenie żołędzi prącia i napletka (*balanitis*) dotyczy częściej dzieci nieobrzezanych, jednak można mu zapobiec skrupulatnym przestrzeganiem higieny, począwszy od momentu, gdy napletek staje się przesuwalny.

U 5–10% nieobrzezanych chłopców napletek pozostaje ciasno nasunięty na żołądź prącia i nie daje się odprowadzić. Stan ten nosi nazwę stulejki (*phimosis*). W pewnych przypadkach stulejka pociąga za sobą zwiększone ryzyko zapalenia (*balanitis*), bólu podczas wzwodu oraz utrudnienia w odpływie moczu. (Nawet nieobrzezane niemowlę powinno oddawać mocz silnym strumieniem – jeśli zauważysz u synka wyciekanie moczu kroplami, zgłoś ten fakt lekarzowi). Usunięcie stulejki może wymagać leczniczego obrzezania, które poza okresem noworodkowym jest zabiegiem poważniejszym, wykonywanym w znieczuleniu ogólnym.

Rak prącia i choroby przenoszone drogą płciową

Chociaż zapadalność na raka prącia wydaje się większa u mężczyzn nieobrzezanych, ogólnie pozostaje ona na niskim poziomie. W Stanach Zjednoczonych odnotowuje się średnio 1 przypadek na 100 000 mężczyzn. Niepewna pozostaje również kwestia

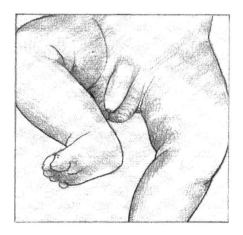

Rycina 7.1. Prącie u niemowlęcia nieobrzezanego. U noworodka prącie jest w całości pokryte napletkiem, fałdem skórnym zachodzącym na żołądź.

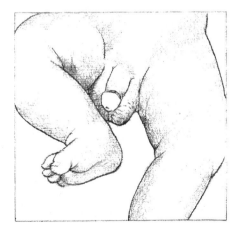

Rycina 7.2. Prącie po obrzezaniu. Chirurgiczne usunięcie napletka odsłania żołądź prącia.

zwiększonego ryzyka raka szyjki macicy u partnerek seksualnych nieobrzezanych mężczyzn.

Pewne badania naukowe sugerują, że mężczyźni nieobrzezani są narażeni na większe ryzyko chorób przenoszonych drogą płciową, w tym kiły i zakażenia HIV, jednak dane te nie upoważniają jak na razie do wyciągnięcia ostatecznych wniosków.

Funkcja i doznania seksualne

Według anegdotycznych doniesień obrzezanie może zarówno wzmacniać, jak i osłabiać wrażliwość prącia na bodźce zmysłowe. Badania naukowe nie wykazały żadnych różnic w tym zakresie między mężczyznami obrzezanymi a nieobrzezanymi.

Wygląd i akceptacja społeczna

Dla wielu rodziców podstawą decyzji jest ich osobiste przeświadczenie, że fakt obrzezania (lub nieobrzezania) będzie miał pozytywny wpływ na akceptację dziecka w rodzinie i grupie rówieśniczej. Czasami ważnym względem jest podobieństwo syna do taty czy do innych chłopców w szkolnej szatni. Pojawiają się jednak również głosy, że z punktu widzenia etycznego preferencje społeczne rodziców nie są dostatecznym uzasadnieniem dla poddania niemowlęcia operacji, choćby nawet tak niewielkiej.

Ból towarzyszący obrzezaniu

Jeszcze stosunkowo niedawno temu nie przywiązywano wielkiej wagi do bólu podczas obrzezania czy innych zabiegów przeprowadzanych u noworodków. Na podstawie badań naukowych wiadomo jednak obecnie, że noworodki zdradzają wyraźne objawy bólu i stresu, jeśli obrzezanie wykonywane jest „na żywo". Choć ból ten nie trwa długo, zaleca się stosowanie podczas zabiegu którejś z dostępnych, bezpiecznych i skutecznych metod znieczulania. Nadają się do tego zarówno zewnętrzne leki miejscowe, jak i leki w iniekcjach. Niedawno przeprowadzone badanie na ten temat wskazuje, że jedna z technik, zwana blokadą pierścieniową i polegająca na wstrzykiwaniu leku przeciwbólowego wokół podstawy napletka, wydaje się najskuteczniej zwalczać ból towarzyszący obrzezaniu. Rodzice powinni zapytać o tę i inne metody walki z bólem osobę, która ma wykonać zabieg u ich dziecka, by nie narażać go na niepotrzebne cierpienie.

Wybór właściwego momentu

Jeśli podejmujesz decyzję na tak, najlepiej dokonać obrzezania w ciągu pierwszych dwóch lub trzech tygodni życia. Po upływie tego okresu staje się ono poważniejszym i bardziej formalnym zabiegiem chirurgicznym, przeprowadzanym na sali operacyjnej. Ponadto, w przeciwieństwie do obrzezania u noworodka, w późniejszym wieku rutynowo zakłada się szwy na ranę, aby przyspieszyć jej gojenie i zapobiec utracie krwi.

Możliwe powikłania po zabiegu

Powikłania związane z obrzezaniem noworodka należą do rzadkości, jeśli zabieg wykonuje doświadczona, wprawna osoba. Najczęstsze z powikłań, nadmierne krwawienie, występuje średnio w jednym na 1000 przypadków, a i wtedy daje się zwykle bez trudu opanować i nie wymaga transfuzji krwi.

Aby uniknąć powikłań, w niektórych okolicznościach powinno się odstąpić od zabiegu. Zabieg możliwy jest z zasady tylko u dziecka w stabilnym stanie zdrowia, nie wcześniej niż po 12–24 godzinach po porodzie (czyli nie na sali porodowej). Obrzezanie należy odłożyć na później w razie podejrzenia jakichkolwiek zaburzeń krzepnięcia krwi lub pewnych anomalii w budowie prącia. W tym ostatnim przypadku napletek może przydać się do przyszłej chirurgicznej korekcji defektu.

Mimo pewnych dowodów przemawiających za korzystnym wpływem obrzezania na zdrowie większość lekarzy stoi na stanowisku, że z medycznego punktu widzenia nie jest ono konieczne. Przed podjęciem decyzji rodzice muszą być w pełni poinformowani o wszelkich potencjalnych korzyściach i zagrożeniach. Jeśli decydujesz się na obrzezanie synka, musisz mieć pewność, że zabiegu dokonuje doświadczona osoba u dziecka w dobrym i stabilnym stanie zdrowia i z zastosowaniem właściwej metody znieczulenia.

Jeśli potrzebujesz dodatkowych informacji, zasięgnij porady lekarza.

Rozdział 8

Karmienie naturalne czy sztuczne?

Co jest najlepsze dla dziecka i całej rodziny?

Gdyby ludzkie mleko zostało wymyślone przez naukowców, a następnie ktoś wpadłby na pomysł, by sprzedawać je po sześć kartonów w supermarketach, niewątpliwie okrzyknięto by je cudownym produktem i obsypano nagrodami. Mleko ludzkie zaspokaja zapotrzebowanie na wszystkie składniki odżywcze w najwłaściwszych proporcjach, chroni przed biegunką, zapaleniem ucha i innymi chorobami, nie wymaga podgrzewania, chłodzenia ani przyrządzania, a jeszcze do tego – skoro jednak nie sprzedaje się go w supermarketach – nic nie kosztuje!

Zgodnie dziś się podkreśla, że karmienie piersią jest najlepsze dla niemowląt. AAP (Amerykańska Akademia Pediatrii) formułuje swoją opinię następująco: „W karmieniu niemowląt mleko kobiece jest produktem bezkonkurencyjnym".

Decyzja, jak karmić noworodka – piersią czy butelką – nie zawsze jest jednak aż tak prosta. Często ma ona charakter głęboko emocjonalny. Ankietując rodziców na ten temat, dostaliśmy wiele odpowiedzi, że karmienie piersią było najwspanialszym z możliwych wyborów, jedynym w swoim rodzaju źródłem radości, przyjemności i satysfakcji.

Usłyszeliśmy jednak również opinie kobiet, które karmiły piersią ze względu na korzyści dla dziecka, ale same czuły się w tej roli źle z powodu ograniczeń czy trudności. Niektóre matki wspominały, że niemożliwość karmienia piersią lub rezygnację z niego z tych czy innych powodów przypłaciły głębokim poczuciem winy. Jeszcze inne konstatowały, że kampania na rzecz karmienia piersią „za wszelką cenę" zamieniła pierwsze tygodnie ich koegzystencji z noworodkiem w prawdziwy koszmar dla obu stron,

> ### Najlepsza rada, jakiej mi udzielono...
>
> *„...dotyczyła udziału w kursach karmienia piersią. Gorąco polecam to wszystkim przyszłym matkom, nawet jeśli dopiero zaczynają rozmyślać o tej kwestii. Nic tak nie pomaga i nie dowartościowuje, jak wiedza o tym, co się robi i w jakim celu. Z kolei brak tej elementarnej wiedzy może być stresujący i zniechęcający".*

o co miały żal do nadgorliwych propagatorów.

Zarówno karmienie naturalne, jak i sztuczne mają swoje zalety i wady. Decyzję w tej sprawie może podjąć wyłącznie matka w porozumieniu ze swoim partnerem, na podstawie osobistego przeświadczenia na temat tego, co będzie najlepsze dla całej rodziny. Pamiętaj, że niezależnie od twojego wyboru twoje dziecko może być zdrowe, szczęśliwe i zadbane. Niezależnie od twojego wyboru ty sama możesz być dobrą, kochającą, pełną poświęcenia matką, nawiązującą z niemowlęciem głęboką więź. Niezależnie od twojego wyboru nie może on wpędzać cię w poczucie winy. Ty i tylko ty wiesz, co jest najlepsze dla ciebie i twojej rodziny. Decyzja należy do ciebie, nie do kogokolwiek innego.

> ### „Głos doświadczenia"
>
> *„Karmienie piersią «za wszelką cenę» okazało się w naszym przypadku bardzo nieszczęśliwym zaleceniem... Oczywiście, każda matka powinna spróbować (ja i moje dziecko wytrzymaliśmy dwa miesiące), ale jeśli coś ewidentnie w tym szwankuje, jedyne, co trzeba zrobić rzeczywiście «za wszelką cenę», to umożliwić dziecku prawidłowy wzrost i rozwój".*
> – ZA: KIDSHEALTH PARENT SURVEY

Ustaliwszy to wszystko na wstępie, musimy jasno wypowiedzieć się na jeden temat. Dzisiejsza wiedza medyczna wskazuje bardzo wyraźnie na wyjątkowe korzyści, jakich dostarcza niemowlętom karmienie mlekiem matki, i my sami również gorąco do tego zachęcamy. Nawet jeśli w początkowym okresie wiąże się to z pewnymi problemami dla noworodków i ich matek, w większości przypadków okazują się one przejściowe i do pokonania, zwłaszcza jeśli matka otrzyma potrzebne wsparcie z zewnątrz.

Jednocześnie rozumiemy, że pewne okoliczności zdrowotne i osobiste mogą niekiedy utrudniać lub uniemożliwiać kobiecie karmienie piersią. W takich sytuacjach butelka jest zdrową i bezpieczną ewentualnością. Jeśli jednak masz całkowicie wolny wybór, gorąco zachęcamy do karmienia piersią. Jak wyczytasz w tym rozdziale, zapewnia ono twojemu dziecku na tym etapie życia pokarm po prostu idealny.

Jeśli nie masz pewności, czego naprawdę chcesz, zastanów się nad karmieniem piersią tytułem próby. W ostateczności zawsze możesz przecież przejść na butelkę, natomiast jeśli zaczniesz od butelki, przejście w odwrotnym kierunku bywa niekiedy niemożliwe, głównie z powodu zahamowania laktacji. Poza tym nawet kilka tygodni karmienia piersią może pomóc w ochronie dziecka przed chorobami w okresie, kiedy jego własny układ odpornościowy nie funkcjonuje jeszcze w pełni sprawnie. Jeśli podejmiesz taką próbę, być może sama odkryjesz, że jest to prostsze, niż myślałaś, i przynosi więcej satysfakcji, niż sobie wyobrażałaś.

Ważny wybór: piersią czy butelką?

Zacznijmy od kilku kwestii związanych z karmieniem niemowlęcia. Jeśli się wahasz, co wybrać, poniższe informacje mogą pomóc ci w decyzji. Jeśli już dokonałaś tego czy innego wyboru, postaramy się zaakcentować jego aspekty pozytywne i pomóc ci zminimalizować negatywne. W najogólniejszym ujęciu chodzi o to, by twoje doświadczenie

Najlepsza rada, jakiej mi udzielono...

„...brzmiała, żeby zbyt łatwo nie rezygnować. Po blisko dwóch tygodniach karmienia piersią i ja, i moje dziecko byliśmy mocno zestresowani. Zwierzyłam się przyjaciółce, która powiedziała, żeby się nie zniechęcać i dalej próbować, przynajmniej do końca pierwszego miesiąca czy sześciu tygodni. Posłuchałam jej rady i w końcu wszystko zrobiło się prostsze. W efekcie karmiłam dziecko przez siedem miesięcy".

z karmieniem dziecka okazało się jak najszczęśliwsze i najkorzystniejsze dla wszystkich zainteresowanych: dziecka, ciebie i całej rodziny.

Wartość odżywcza

Ludzkie mleko jest w oczywisty sposób najwłaściwsze dla ludzkich osesków. Pokrywa ono w całości zapotrzebowanie ogromnej większości niemowląt na wszystkie składniki odżywcze w formie najlżej strawnej i najlepiej przyswajalnej. Zawiera ponadto przeciwciała i żywe komórki układu odpornościowego, które chronią dziecko przed chorobami. Co więcej, mleko danej matki jest wyjątkowo dobrane właśnie dla jej dziecka; przykładowo, jego skład zmienia się wraz z wiekiem dziecka. Nie wszystkie składniki mleka kobiecego zostały jak dotąd zidentyfikowane, a tym bardziej powielone przemysłowo. Nie może zatem dziwić się opinii, że nawet najdoskonalszy, „humanizowany" pokarm sztuczny „znacząco różni się" od naturalnego.

Z drugiej jednak strony miliony zdrowych i dobrze odżywionych dzieci wychowały się na mieszankach komercyjnych, wartościowych i bezpiecznych. Skład wszystkich takich produktów dostępnych na rynku podlega regulacjom odpowiednich placówek.

Wpływ na zdrowie

Liczne badania potwierdzają korzystny wpływ karmienia piersią na zdrowie dziecka. Istnieją bezsporne dowody, że niemowlęta karmione mlekiem matki przez sześć pierwszych miesięcy życia rzadziej zapadają na pewne choroby, takie jak biegunka, infekcje dolnych dróg oddechowych, zapalenie ucha i zakażenia dróg moczowych, w porównaniu z dziećmi karmionymi sztucznie. Większość badań w tym zakresie skupia się na pierwszym półroczu życia, w którym ochronę przed zakażeniem uznaje się za najważniejszą; po tym okresie układ immunologiczny dziecka dojrzewa i sam zaczyna lepiej radzić sobie z zagrożeniami.

Rozwój szczęk i zębów

Ruchy ssania wykonywane przez dziecko karmione piersią – nieco odmienne od ruchów ssania butelki – sprzyjają właściwemu ukształtowaniu szczęk i zębów.

Lekarz radzi

Korzyści zdrowotne dla matki

Karmienie piersią jest również korzystne dla młodych matek. U kobiet karmiących macica szybciej obkurcza się i powraca do pierwotnego kształtu, a krwawienie poporodowe jest zwykle ograniczone. Karmienie piersią wydaje się zmniejszać ryzyko raka jajników i wczesnego (w okresie przed menopauzą) raka sutka. Prawdopodobnie ma ono również wpływ na wzrost masy kostnej, co przeciwdziała osteoporozie i złamaniom kostnym w późniejszym okresie życia.

Istnieją również dane wskazujące – choć jak dotąd jeszcze nie tak ewidentnie – że karmienie piersią może mieć udział w ochronie dziecka przed zespołem nagłej śmierci niemowlęcia (SIDS), a w przyszłości zmniejszać jego podatność na cukrzycę, otyłość, alergie i przewlekłe choroby zapalne jelit, takie jak choroba Leśniowskiego-Crohna i wrzodziejące zapalenie jelita grubego.

Choć niemowlęta karmione piersią wykazują korzyści zdrowotne jako grupa, wszyscy oczywiście wiemy, że mnóstwo dzieci karmionych sztucznie przechodzi okres dzieciństwa szczęśliwie i w najlepszym zdrowiu. Wiele z nich bynajmniej nie zapada na biegunkę, zapalenie ucha czy infekcje oskrzelowo-płucne częściej niż dzieci karmione piersią. Z drugiej strony te ostatnie mogą również chorować, zapadać na alergie czy przewlekłe problemy zdrowotne. Pamiętaj, że wszystko, o czym mówimy, to tylko statystyka. Karmienie piersią nie daje gwarancji zdrowia, a tym bardziej karmienie sztuczne nie zapowiada zagrożenia. Nadzieje, jakie można wiązać z karmieniem piersią, oznaczają wyłącznie większe szanse na uniknięcie choroby.

Szczególne przypadki

Pewne problemy zdrowotne okresu noworodkowego wymagają czasem szczególnych starań, by umożliwić karmienie piersią. W przypadku dziecka przedwcześnie urodzonego mleko matki musi być często ściągane z piersi, wzmacniane i podawane przez sondę żołądkową aż do czasu, gdy wcześniak dojrzeje do samodzielnego ssania (patrz rozdział 6, „Dziecko przedwcześnie urodzone"). Jeśli dziecko urodziło się z rozszczepem podniebienia, karmienie piersią może wymagać specjalnych nakładek i dodatkowego przeszkolenia matki, aby zapewnić niemowlęciu odpowiednią porcję pokarmu.

Chociaż powyższe sytuacje utrudniają karmienie piersią, trzeba pamiętać, że płynące z niego korzyści są tym ważniejsze dla wcześniaka czy dziecka dotkniętego problemami zdrowotnymi.

Wyjątki od reguły

Z karmienia piersią musi zrezygnować kobieta, która jest nosicielką HIV (wirusa odpowiedzialnego za AIDS) lub ma czynną, nieleczoną gruźlicę, ponieważ przez pokarm może przekazać zakażenie niemowlęciu. (Kobiety z wirusowym zapaleniem wątroby typu B i C powinny wcześniej skonsultować się z lekarzem). Karmienie piersią jest również przeciwwskazane w następujących przypadkach:

- Jeśli matka przyjmuje narkotyki lub nadużywa alkoholu;
- Jeśli matka wymaga leczenia pewnymi lekami, takimi jak cyklosporyna lub cytostatyki stosowane w chorobach nowotworowych (w razie przyjmowania jakichkolwiek leków musisz zasięgnąć porady lekarza, czy nie przenikają one do mleka i czy możesz bezpiecznie karmić niemowlę);
- Jeśli matka jest ciężko niedożywiona lub dotknięta chorobą przewlekłą i zachodzi obawa, że karmienie może stanowić dla niej dodatkowe ryzyko lub zbyt duże obciążenie;
- Jeśli dziecko urodziło się dotknięte galaktozemią (blokiem enzymatycznym, w którym nie dochodzi do rozkładu galaktozy, cukru obecnego w mleku).

Istnieje również kilka innych stanów, które mogą uniemożliwiać karmienie piersią, jednak z reguły nie da się tego przewidzieć. Na przykład po zabiegach chirurgicznych na sutkach, zwłaszcza w okolicy brodawki, przewody mleczne mogą okazać się niedrożne. I wreszcie, u niewielkiego odsetka kobiet laktacja jest bardzo skąpa. Rzadko jednak nie można na to nic poradzić. W większości przypadków obaw o zbyt małą ilość pokarmu albo są one bezpodstawne, albo też można pobudzić laktację metodami opisanymi w rozdziale 9, „Karmienie piersią".

Karmienie piersią a inteligencja dziecka

Kwestia, czy sposób karmienia niemowlęcia ma jakikolwiek wpływ na jego rozwój intelektualny, jest aktualnie przedmiotem naukowych dyskusji. Jak wynika z niektórych badań, dzieci karmione piersią w okresie niemowlęcym wykazują niewielką, ale jednak znaczącą przewagę w testach na inteligencję i osiągają nieznacznie lepsze oceny w szkole w porównaniu z dziećmi karmionymi sztucznie. Efekty te są z reguły najbardziej spektakularne w grupie dzieci o niskiej wadze urodzeniowej i karmionych wyłącznie piersią. Inne badania nie potwierdzają jednak powyższych korelacji: albo nie wykazują jakiegokolwiek wpływu karmienia na rozwój umysłowy (inteligencję) dziecka, albo też wiążą zaobserwowane korzyści w większym stopniu z czynnikami społecznymi niż

> **„Głos doświadczenia"**
>
> *„Karmienie piersią okazało się dla mnie optymalnym rozwiązaniem. Nigdy nie zapomnę błogich chwil spędzonych przy tej okazji z każdym z moich trojga dzieci, chwil, dzięki którym doświadczyłam najgłębszych i najpiękniejszych emocji macierzyństwa".*
> – ZA: KidsHealth Parent Survey

z karmieniem piersią jako takim. (W badaniach tych zauważono bowiem tendencję do wyższego poziomu wykształcenia i zamożności matek karmiących
piersią w porównaniu z nie karmiący-
mi). Tak czy inaczej, wyniki badań co
najmniej sugerują pewne korzystne
wpływy, zwłaszcza w odniesieniu do
niemowląt o niskiej masie urodzeniowej.

> ### „Głos doświadczenia"
> *„Karmienie piersią nie jest jedyną formą zajmowania się dzieckiem i okazywania mu miłości. Wzięcie w ramiona głodnego niemowlęcia i podanie mu ciepłej butelki z mlekiem może być równie pięknym i satysfakcjonującym doznaniem".*
> – ZA: KidsHealth Parent Survey

Więź z dzieckiem i więzi rodzinne

Po szczęśliwym okresie karmienia piersią wiele matek wspomina, że miało ono korzystny wpływ na ich więź z niemowlęciem, pogłębiło miłość i pomogło zrozumieć
potrzeby i osobowość dziecka. Z drugiej strony – oczywiście – matki (i ojcowie),
które karmiły swe dzieci butelką, są również głęboko do nich przywiązane, dobrze
je znają i czują do nich wszechogarnia-
jącą miłość.

Zwolennicy karmienia piersią często
wypowiadają się w taki sposób, jakby
uważali za oczywiste, że sprzyja ono wytwarzaniu więzi z dzieckiem bardziej niż
karmienie sztuczne. Tymczasem do dziś
nie wiadomo, czy jest tak naprawdę, tym
bardziej że o próbę odpowiedzi na to
pytanie pokusiło się jak dotąd niewielu
badaczy. Jedno z takich badań, przeprowadzone w Nowej Zelandii, nie

> ### *Niestety, nikt mi wcześniej nie powiedział...*
> *„...że macierzyństwo wiąże się z intensywnie przeżywanym poczuciem winy z takich powodów jak karmienie, praca zawodowa itp. Jeśli nie karmisz dziecka piersią, nie oznacza to, że jesteś gorszą czy «niepełną» matką".*

stwierdziło większych różnic w przystosowaniu psychologicznym i społecznym, za-
grożeniu narkomanią ani ryzyku wejścia w konflikt z prawem między nastolatkami,

Czy karmienie piersią pomaga schudnąć?

Karmienie piersią pochłania dużo energii, tak więc możesz stracić na wadze bez ograniczania podaży kalorii. Przyspiesza również obkurczanie się
macicy, co pomaga wrócić do bardziej smukłej sylwetki (o ile słowo to pasuje do kobiety świeżo po porodzie). Z drugiej strony, karmiąc dziecko sztucznie, matka może pozwolić sobie na pewne ćwiczenia czy dietę odchudzają-
cą, jakich nie powinna stosować w razie karmienia piersią. Tak czy inaczej,
musisz założyć, że powrót do wagi sprzed ciąży zajmie ci średnio od 9 do 12
miesięcy. Jeśli karmisz piersią, a twoja waga mieści się w granicach normy,
nie powinnaś tracić więcej niż 0,5–1 kg miesięcznie.

które w niemowlęctwie były karmione piersią, a tymi, które wyrosły na butelce. Jednocześnie stwierdzono jednak pewną zależność między długością okresu karmienia piersią a postrzeganiem własnej matki jako troskliwej.

Matki karmiące piersią siłą rzeczy spędzają ze swoimi niemowlętami wiele czasu w bardzo intymnym kontakcie. Rodzice odżywiający dzieci butelką mogą oczywiście robić to samo – kołysać je w ramionach, patrzeć im w oczy, przytulać do nagiej skóry – jednak wymaga to już pewnego starania. Karmienie piersią zapewnia taki kontakt niejako automatycznie.

Jeśli chodzi o więź dziecka z ojcem (lub innymi członkami rodziny), karmienie butelką może ją ułatwić. Przy tym systemie ojciec może zajmować się niemowlęciem na równi z matką, dzieląc z nią wszystkie podstawowe obowiązki, z najważniejszym włącznie. Ma to na pewno wpływ na ich wzajemną bliskość, a zarazem zapobiega u ojca poczuciu wykluczenia z intymnego, jedynego w swoim rodzaju przeżycia, jakim jest podawanie dziecku własnej piersi do ssania. Starsze rodzeństwo, dziadkowie i inni krewni niemowlęcia również mają wtedy szansę odegrać w jego życiu większą rolę. Może to mieć szczególne znaczenie w rodzinach mniej tradycyjnych – takich na przykład, w których to ojciec zostaje z dzieckiem w domu, a matka kontynuuje pracę zawodową, albo gdy w opiece nad niemowlęciem czynnie pomaga babcia lub dziadek.

Karmienie piersią przez matkę nie przekreśla oczywiście znaczenia ojca, który poza tą jedną czynnością może uczestniczyć we wszystkich innych zabiegach pielęgnacyjnych, nie mówiąc o zabawie, spacerach i tym podobnych sposobach wzajemnej interakcji. Czasami jednak oboje rodzice muszą zwracać większą uwagę na to, by ojciec nie zszedł w życiu dziecka na dalszy plan ani nie czuł się odsunięty.

Swoboda i styl życia matki

Karmiąc dziecko butelką, matka może łatwiej zostawić je z kimś innym i wyjść z domu w dowolnych sprawach, czy to przymusowo, czy rekreacyjnie. Jeszcze ważniejsza dla wielu kobiet jest możliwość powrotu do pracy zawodowej bez dodatkowych obowiązków w postaci ściągania i przechowywania mleka. Młoda matka może pracować, ile chce, i spać tylko tyle, ile musi, bez obaw, że odbije się to niekorzystnie na laktacji. Łatwiej jej dojechać do pracy i spokojnie z niej wracać.

Karmiąc niemowlę sztucznie, matka może ubierać się tak, jak lubi, podczas gdy karmienie piersią ogranicza ją do rzeczy przeznaczonych do częstego prania i rozpinanych dla ułatwienia dostępu dziecku. W miejscu publicznym matka karmiąca sztucznie nie musi obawiać się, że płacz dziecka spowoduje gwałtowny (i widoczny na zewnątrz) wyciek mleka (widok niemowlęcia czy usłyszenie jego głosu jest czynnikiem pobudzającym laktację). Jeśli matka wymaga badań diagnostycznych czy leczenia, może się im poddać bez zastanawiania się, czy nie zaszkodzą dziecku.

W zestawieniu ze wszystkimi doniosłymi zmianami, jakie powoduje samo przyjście dziecka na świat, dodatkowe ograniczenia związane z karmieniem piersią wydają się jednak nieznaczne i przejściowe. Przykładowo, większość kobiet nie musi specjalnie modyfikować diety. Pozostawianie noworodka pod opieką innej osoby siłą rzeczy nie zdarza się często – niezależnie od sposobu karmienia i tak wymaga planowania i wiąże się ze stresem dla matki. Mleko odciągnięte z piersi można w końcu przechować w butelce, aby matka w razie potrzeby mogła gdzieś wyjść. Ponadto kobiety karmiące piersią z reguły mają mniej trudności w wypadach z domu razem z dzieckiem, bo przecież nie muszą pakować żadnych akcesoriów do karmienia!

Większym wyzwaniem może być pogodzenie karmienia piersią z pełnoetatową pracą poza domem – jest to zresztą jeden z głównych powodów przejścia na pokarm sztuczny. Kilka praktycznych wskazówek, jak to zorganizować, podajemy w rozdziale 9, „Karmienie piersią”.

Stres dla rodziców

Przez kilka pierwszych tygodni po porodzie karmienie dziecka bywa wyczerpujące dla wszystkich rodziców. Wielokrotne, całodobowe przystawianie niemowlęcia do piersi może męczyć zwłaszcza matkę osłabioną po ciężkim porodzie albo u której laktacja nie jest jeszcze w pełni ustabilizowana. Ponieważ pokarm naturalny jest lżej strawny niż sztuczny, niemowlęta karmione piersią ogólnie jedzą częściej, częściej budzą się w nocy i zaczynają zachowywać przerwę nocną później niż dzieci przyzwyczajone do butelki. Mimo tendencji do ogólnie krótszego snu, odstępy między karmieniami w nocy można wydłużyć, stosując techniki opisane w rozdziale 9, „Karmienie piersią”. W przypadku karmienia sztucznego matka ma ten komfort, że mąż czy inna osoba do pomocy może zastąpić ją w tym obowiązku, czasem nawet przez całą noc, aby mogła się porządnie wyspać.

Innym źródłem stresu dla wielu rodziców jest obawa, czy dziecko zjada dostateczne ilości mleka. Karmiąc butelką, możesz kontrolować to co do mililitra przy każdym posiłku, co zwłaszcza w razie problemów z przybieraniem niemowlęcia na wadze bywa dużą ulgą.

Tak czy inaczej, większość stresów związanych z karmieniem piersią ogranicza się zwykle do kilku pierwszych tygodni i można je skutecznie zmniejszyć, jeśli ktoś poda matce pomocną dłoń. Przy dobrej organizacji życia w domu karmiąca matka może spędzić pierwszy tydzień lub dwa po porodzie głównie w łóżku, zajmując się tylko karmieniem dziecka i własnym odpoczynkiem. Analogicznie kontrola wagi dziecka i ścisła współpraca z lekarzem mogą rozwiać obawy rodziców co do stanu odżywienia dziecka.

Gdy minie pierwsze zamieszanie, a laktacja ustabilizuje się na odpowiednim poziomie, karmienie piersią może okazać się bardziej relaksujące niż butelka. Jeśli niemowlę śpi blisko ciebie, nie musisz nawet wstawać z łóżka do karmienia. Prostsze są wszelkie podróże z dzieckiem. Co więcej, w opinii wielu kobiet karmienie niemowlęcia piersią wyzwala uczucia głębokiego odprężenia i dobrostanu (być może związane z przemianami hormonalnymi).

Trzeba przy tym podkreślić, że w wielu przypadkach karmienie piersią jest od samego początku równie proste jak butelką – mleko płynie szerokim strumieniem, a niemowlę rośnie „w oczach”.

Wygoda i koszty

Matce karmiącej piersią nigdy nie zdarza się sytuacja „wyczerpania zapasów"; nie musi też wydawać pieniędzy na zakup mieszanek. Jeśli pozostaje z dzieckiem w domu i karmi je wyłącznie piersią, może wręcz obyć się bez butelek i smoczków, nie musi ich myć, sterylizować, podgrzewać czy studzić pokarmu, zabierać ze sobą sporej torby z przyborami przy każdym wyjściu z dzieckiem poza dom, ani biegać do kuchni w środku nocy. Wiele kobiet podkreśla ogromną wygodę tego rozwiązania.

Sytuacja zmienia się w momencie, gdy karmiąca matka zaczyna spędzać czas poza domem. Powrót do pracy oznacza konieczność ściągania i przechowywania mleka, inwestycji w odpowiednie przybory, czyszczenia i przygotowania butelek.

W przypadku karmienia sztucznego wygoda ma ścisły związek z kosztami. Mieszanki w proszku do rozmieszania z wodą są stosunkowo tanie, ale za to wymagają czasu i staranności w przygotowaniu. Pojedyncze porcje gotowe do spożycia w jednorazowych butelkach są maksymalnie wygodne, ale za to znacznie droższe (podobnie jak pampersy w porównaniu z bawełnianymi pieluchami). Istnieje również szereg możliwości pośrednich. Karmiąc dziecko sztucznie, potrzebujesz oczywiście odpowiedniego wyposażenia, butelek, smoczków, szczotek, naczyń, być może również sterylizatora. Musisz mieć też specjalną torbę z warstwą izolacyjną, aby zabierać całe to gospodarstwo ze sobą przy każdej wyprawie z dzieckiem poza dom.

Emocje, skrępowanie i seks

Wybierz jedną z dwóch odpowiedzi: Karmienie piersią jest (a) podniecające, (b) wręcz przeciwnie.

Omawianie seksualnych aspektów karmienia piersią nie wszystkim przychodzi bez oporów, jednak dla wielu par jest to dość ważny problem. Szczera rozmowa na ten temat byłaby zawsze pożądana, aczkolwiek nie zawsze można przewidzieć własne uczucia i doznania, zanim ta czy inna okoliczność nie stanie się faktem.

U części kobiet myśl o nowej, „utylitarnej" funkcji piersi budzi pewną odrazę i obawę, że będzie to odstręczające również dla ich partnerów. Są kobiety zażenowane karmieniem jako takim, a zwłaszcza perspektywą uskuteczniania go w miejscu publicznym (chociaż w rzeczywistości, przy odrobinie wprawy, można robić to bardzo dyskretnie). U niektórych mężczyzn kobiece piersi w roli innej niż seksualna również budzą mieszane uczucia. Inni z kolei, zarówno mężczyźni, jak i kobiety, uważają to za bardzo zmysłowe i podniecające. Nie ma tu żadnych reguł – najważniejsza jest szczerość w wyrażaniu własnych emocji.

Badania sugerują, że kobiety karmiące piersią mają tendencję do mniejszego zainteresowania seksem w ciągu kilku pierwszych miesięcy po porodzie. Na pewno dużą rolę odgrywa w tym zmęczenie, a także fizyczne i psychiczne zaangażowanie w karmienie i pielęgnowanie dziecka, związane z podświadomą potrzebą „nietykalności". Niektóre kobiety skarżą się na suchość pochwy spowodowaną obniżonym wydzielaniem estrogenów podczas laktacji, czemu można zaradzić, stosując odpowiednie środki nawilżające.

Lekarz radzi

Czy karmienie deformuje piersi?

Kobiety obawiają się nieraz, że po karmieniu dziecka będą miały obwisłe i trwale zdeformowane piersi. W rzeczywistości nie ma jednak powodów do zmartwień. Na zmianę kształtu piersi wpływa wiele czynników, a zwłaszcza ciąża, wiek i przyrost masy ciała, ale nie karmienie. W zapobieganiu obwisłości piersi pomagają odpowiednie, podtrzymujące biustonosze dla kobiet karmiących.

Choć pewne negatywne odczucia są niewątpliwie faktem, z reguły zacierają się one w miarę stabilizacji rytmu karmienia piersią i nowego trybu życia w ogóle. W opinii wcale niemałej części kobiet karmienie piersią miało korzystny wpływ na ich życie seksualne, ponieważ dodało im większej „cielesnej" pewności siebie i wzmogło wrażliwość na bodźce. Czasami partnerzy seksualni przeżywają z zachwytem „skąpanie" w mleku, które może wydzielać się czy wręcz wytryskać podczas stosunku. W odczuciu niektórych kobiet sama czynność ssania piersi przez dziecko budzi podniecenie seksualne. Częściej karmieniu towarzyszą przyjemne doznania bez podtekstu erotycznego. Każda z powyższych reakcji jest w pełni normalna.

Jeśli karmisz dziecko sztucznie, wybór ten nie powinien mieć żadnego wpływu na twoje życie seksualne (poza wpływem związanym z rodzicielstwem jako takim).

Jeśli nadal masz wątpliwości

Jeśli nie podjęłaś jeszcze decyzji, zapoznaj się z dwoma kolejnymi rozdziałami, 9, „Karmienie piersią", i 10, „Karmienie sztuczne", oraz zbierz wywiad wśród matek, które wypróbowały obie możliwości.

Jeśli potrzebujesz dodatkowych informacji, zasięgnij porady lekarza.

Rozdział 9

Karmienie piersią

Zgodnie z naturą

Karmienie piersią jest naturalne i ze wszech miar korzystne dla dziecka, ale czasami może sprawiać trudności. Według danych z ostatnich lat, większość matek karmi niemowlęta piersią w chwili powrotu ze szpitala do domu, ale już w ciągu kilku pierwszych tygodni wiele z nich przechodzi na butelkę. W wieku sześciu miesięcy tylko 20% dzieci jest nadal karmionych piersią. Aby zwiększyć szanse na dłuższą jego kontynuację, zacznij przygotowania jeszcze przed przyjściem dziecka na świat:

- Dowiedz się jak najwięcej o karmieniu piersią i nawiąż kontakt z osobami, które będą mogły pomóc ci w razie problemów czy wątpliwości. Książki są oczywiście pożyteczne, ale nic nie zastąpi zasięgnięcia porady u matek, które same przez to przeszły. Jeśli nie znasz żadnych doświadczonych karmicielek, postaraj się dotrzeć do odpowiednich stowarzyszeń przez Internet. Jeśli masz zamiar zatrudnić kogoś do pomocy po urodzeniu dziecka, postaraj się, by była to osoba doświadczona również i w tej dziedzinie.
- Musisz mieć pewność, że zarówno ty, jak i twój partner jesteście emocjonalnie przygotowani na nieustanne, wielokrotne karmienie piersią przez całą dobę, przynajmniej przez kilka pierwszych tygodni. Karmienie – w połączeniu z jedzeniem i odpoczynkiem, by mieć na to siłę – może stanowić główną aktywność młodej matki. Młody ojciec musi się również do tego psychicznie przygotować, bo to na nim spocznie w tym czasie większość domowych obowiązków, a nie zapominajmy, że sam będzie przy tym walczyć z chronicznym niewyspaniem. Jego zaangażowanie, dobra wola i zachęta mogą mieć decydujące znaczenie w tym sukcesie.
- Sprawdź, czy lekarz wybrany do zajmowania się na stałe twoim dzieckiem posiada odpowiednią wiedzę na temat karmienia piersią i uważa porady i pomoc w tym zakresie za ważny element swojej pracy, jako działanie w najlepszym interesie małego pacjenta. Większość lekarzy opowiada się oczywiście za karmieniem piersią – odmienne poglądy byłyby dzisiaj uznane za herezję – jednak tak jak w przypadku wszelkich grup zawodowych, poszczególni lekarze

znacznie różnią się między sobą i pod względem wiedzy na ten temat, i znaczenia, jakie do niego przywiązują. Jedni są w stanie skutecznie pomóc w przezwyciężeniu pewnych problemów, drudzy poradzą przejście na butelkę, nie próbując nawet wyczerpać innego sposobu.

- Przygotuj wygodne miejsce do karmienia (czy kilka kącików w dużym domu). Wiele kobiet najlepiej czuje się w miękkim fotelu z oparciami, ze stołeczkiem pod nogi i poduszką do ułożenia dziecka pod właściwym kątem. Możesz życzyć sobie radia w zasięgu ręki oraz stolika na coś do picia czy jedzenia dla ciebie oraz na rzeczy dla dziecka (śliniaki, ręcznik, pieluchy itp.), gdy będzie mu się odbijać po karmieniu. Jeśli masz starsze dziecko, przygotuj w pobliżu zabawki, książeczki czy gry, żeby miało się czym zająć na czas karmienia niemowlęcia.

Niezbędne wyposażenie

Karmienie piersią nie wymaga wielkiego „oprzyrządowania", niemniej jednak parę rzeczy będzie ci potrzebnych i lepiej przygotować je zawczasu:

- Specjalny biustonosz. Dobrze dopasowany, podtrzymujący biustonosz poprawi ci samopoczucie i zapobiegnie obwisaniu piersi. Biustonosz taki ma klapki na każdej miseczce, odpinane do karmienia. Poszukaj stanika w całości bawełnianego, bez drucianych usztywnień, z klapkami łatwo otwieranymi jedną ręką. Stanik nie powinien być ciasny, uciskający piersi. Przez kilka pierwszych tygodni po porodzie większość kobiet przejściowo używa biustonoszy o rozmiar większych niż normalnie.
- Wkładki do biustonosza. Czasami są sprzedawane w komplecie razem ze stanikiem. Wkładki powinny być albo jednorazowe, albo bawełniane, łatwe do prania. Możesz zrobić je sama z bawełnianych pieluszek lub chusteczek do nosa. Wkładane do biustonosza, mają one za zadanie wchłaniać wyciekający pokarm, zwłaszcza w pierwszych tygodniach, i muszą być często zmieniane, gdy tylko poczujesz wilgoć. Nie używaj wkładek z plastikową wyściółką.
- Oczyszczona maść lanolinowa. Ta gęsta maść sprzyja gojeniu się obolałych, popękanych brodawek, a jej dobroczynne działanie potwierdza wiele kobiet. Maść lanolinowa ma tę wielką zaletę, że nie wymaga zmywania przed karmieniem. Można kupić ją w aptekach, dużych drogeriach, specjalnych sklepach dla matki i dziecka czy przez Internet.
- Ubrania. Wszystko, czego naprawdę potrzebujesz, to luźne, łatwe do prania bluzki, które można dyskretnie podciągnąć lub rozpiąć do karmienia. Bogaty wybór garderoby dla matek karmiących oferują specjalistyczne sklepy i katalogi wysyłkowe. Z reguły rzeczy te mają wiele sprytnych klapek i kieszonek, umożliwiających dostęp do piersi bez konieczności rozbierania się. Jest to praktyczne rozwiązanie dla kobiet lubiących rzeczy jednoczęściowe. Wiele matek używa również szali lub chust, aby osłonić się razem z dzieckiem podczas karmienia poza domem.
- Ściągaczka do pokarmu. Jeśli musisz odciągać mleko tylko sporadycznie, możesz robić to ręką czy prostą ręczną ściągaczką. Jeśli jednak czynność ta będzie czekać

cię codziennie przez dłuższy czas – co typowo ma miejsce po powrocie do pracy lub w razie przedwczesnego urodzenia dziecka – pomyśl o zaopatrzeniu się w specjalną ściągaczkę elektryczną. Tego rodzaju „pompa" ma zarówno działanie pobudzające laktację, jeśli jest ona skąpa, jak i pomaga pozbyć się nadmiaru pokarmu, a więc łagodzi dyskomfort i zapobiega zaleganiu (grożącemu zapaleniem czy nawet ropniem piersi). Choć możesz poczekać z tym zakupem do czasu, aż uznasz, że rzeczywiście jest ci potrzebny, warto przynajmniej zapoznać się z dostępnymi na rynku urządzeniami, aby później nie kupować w pośpiechu pierwszego lepszego.

Najlepszym rozwiązaniem dla wielu kobiet jest wypożyczenie ściągaczki elektrycznej ze szpitala, zwykle z pomocą „konsultanta do spraw laktacji", lub poprzez oddział położniczy. Koszty wypożyczenia nie są zwykle wygórowane.

Możesz również natrafić na mniejsze ściągaczki na baterię, a także na wiele rodzajów mechanicznych. W tym przypadku trzeba liczyć się z mniejszą skutecznością opróżniania piersi z pokarmu, a przed zakupem najlepiej poradzić się kogoś doświadczonego.

Przygotowanie piersi do karmienia

W ostatnich miesiącach ciąży należy zrezygnować z mycia brodawek sutkowych mydłem czy innymi środkami chemicznymi, aby uniknąć ich wysuszania. Powinnaś również sprawdzić, czy twoje brodawki nie są płaskie lub wklęsłe, co nie zawsze bywa oczywiste. Ujmij brodawkę między kciuk a palec wskazujący, ułożone na obrzeżach otoczki (ciemnej obwódki na szczycie sutka) i uciśnij. Jeśli pod wpływem ucisku brodawka raczej spłaszcza się lub wciska do wnętrza piersi, a nie uwypukla, zasięgnij porady eksperta. W większości przypadków nie przeszkadza to w karmieniu piersią, ale być może na początku wskazane będzie stosowanie ściągaczki. Czasami kobietom pod koniec ciąży zaleca się noszenie specjalnych plastikowych „muszelek" na piersiach albo między karmieniami tuż po porodzie, co miałoby pomóc w wykształceniu brodawek. Metoda ta budzi jednak kontrowersje – nie wiadomo z całą pewnością, czy jest

Rycina 9.1. Elektryczna ściągaczka do pokarmu. Dzięki temu urządzeniu odciąganie i zbiórka pokarmu przebiega szybko i sprawnie, co nie jest bez znaczenia dla wiecznie zajętej młodej matki.

skuteczna, a przy tym może oznaczać dla matki dodatkową uciążliwość, zniechęcającą ją do karmienia. Tylko w rzadkich przypadkach wklęsłe brodawki sutkowe rzeczywiście uniemożliwiają karmienie piersią.

„Hartowanie" brodawek, na przykład szorstkim ręcznikiem, nie jest wskazane, a wręcz sprzyja ich bolesnym pęknięciom.

> ### „Głos doświadczenia"
>
> *„W okresie karmienia piersią miej zawsze przygotowany koszyk z różnymi potrzebnymi rzeczami (telefonem bezprzewodowym, ściereczką, notesem, długopisem, książką itp.). Warto mieć to wszystko w jednym pakunku i pod ręką w dowolnym miejscu, w którym usiądziesz do karmienia".*
> – ZA: KIDSHEALTH PARENT SURVEY

Rozpoczęcie karmienia piersią

Dziecko powinno być przystawione do piersi tuż po porodzie – najlepiej jeszcze na sali porodowej. Czując na wargach dotyk sutka, nawet noworodek, którego samodzielne życie liczy się jeszcze na minuty, z reguły poliże go i wykona kilka ruchów ssania. Na tym etapie nie musisz przejmować się techniką – jest to po prostu twoje pierwsze spotkanie z dzieckiem.

Prawdziwe mleko pojawia się zwykle w trzeciej lub czwartej dobie po porodzie, ale czasem wcześniej lub później. Do tego czasu dziecko wysysa z piersi niewielkie ilości tak zwanej siary, żółtawego płynu, który nie jest jeszcze mlekiem, ale za to obfituje w cenne przeciwciała zapewniające noworodkowi ochronę przed chorobami.

W tym wstępnym okresie powinnaś przystawiać dziecko do piersi jak najczęściej – mniej więcej co dwie godziny. Jest to najprostsze wtedy, gdy przebywa ono razem z tobą – w tak zwanym systemie „rooming-in", czyli przez całą dobę w tej samej sali szpitalnej. Jeśli twój szpital położniczy ma inną organizację, postaraj się, by dziecko mogło spędzać przy tobie jak najwięcej czasu w ciągu dnia.

Gdy już pojawi się prawdziwe mleko, przygotuj się na karmienie noworodka 8–12 razy na dobę. Pojedynczy seans karmienia może trwać zaledwie 15 minut (jeśli dziecko ma dobry apetyt i naturalne uzdolnienia do ssania), ale nieraz nawet godzinę, jeśli noworodek ssie bez zapału, podsypia, rozgląda się, wypluwa sutek, czy też wydaje się bardziej zainteresowany samą czynnością ssania niż jej efektami. Nawet takie „nieproduktywne" ssanie zaspokaja jednak ważne potrzeby dziecka – uspokaja je i daje mu poczucie bezpieczeństwa.

Poza sytuacjami szczególnych wskazań medycznych dziecku nie należy podawać w tym czasie wody, wody z glukozą czy sztucznej mieszanki mlecznej (co, niestety, należy do częstych praktyk na oddziałach noworodkowych). Pomijając fakt, że zaspokaja to głód, a tym samym osłabia potrzebę ssania, picie z butelki polega na nieco innych ruchach niż ssanie piersi. Jeśli dziecko zasmakuje w butelce, która zwykle wymaga od niego mniejszego wysiłku, może później odmawiać ssania piersi. Z tego samego powodu na tym etapie przeciwwskazane są smoczki-gryzaki; trzeba zrobić wszystko, by naturalną u dziecka potrzebę ssania zaspokajała wyłącznie pierś matki. Musisz porozmawiać na ten temat z personelem oddziału, aby mieć pewność, że wszyscy podzielają twoje stanowisko i działają w tym samym kierunku. Wyjątek od tej reguły stanowi wcześniactwo, co omawiamy w rozdziale 6, „Dziecko przedwcześnie urodzone".

Wczesna kontrola efektów

Po krótkim pobycie w szpitalu większość matek zabiera dzieci do domu jeszcze przed rozpoczęciem właściwej laktacji. Specjaliści zalecają, by zwłaszcza kobiety karmiące piersią po raz pierwszy odbyły konsultację w tej sprawie w kilka dni po powrocie do domu, po prostu dla sprawdzenia, jak sobie radzą. Można wykorzystać w tym celu pierwszą wizytę położnej lub lekarza u noworodka. Kontrola taka powinna odbyć się w ciągu 2–3 dni pobytu w domu.

Jak trzymać dziecko do karmienia piersią

Istnieje kilka sposobów zapewnienia dziecku i sobie wygodnej pozycji do karmienia piersią (patrz ryciny 9.2a–c). Niezależnie od stosowanych przez ciebie „chwytów", najważniejsze jest ustawienie szyi niemowlęcia – wyprostowane, a nie w przygięciu.

Chwyt „kolebkowy"

Jest to najprostszy sposób trzymania dziecka do karmienia w pozycji siedzącej, z poduszką pod plecami dla wygody. Układasz dziecko na jednej ręce, tak aby jego główka wtulała się w twoje zgięcie łokciowe, a pośladki spoczywały na dłoni. Przekręć je nieco na bok, brzuszkiem do twojego brzucha, unieś do wysokości piersi i podłóż poduszkę podtrzymującą ciężar dziecka i twojego ramienia. Jeśli będziesz raczej unosić dziecko, niż pozwolisz mu spoczywać na poduszce, wkrótce zdrętwieje ci ręka i zaczną boleć plecy. Z tego samego powodu staraj się nie pochylać i nie zniżać piersi do ust dziecka. Musisz siedzieć prosto i wygodnie, z dzieckiem podwyższonym poduszką do wysokości piersi, przytulonym do twego ciała. Spróbuj oprzeć stopy na stołeczku, być może będzie ci wygodniej.

W początkowym okresie łatwiej będzie ci zapewne karmić dziecko na leżąco, zwłaszcza jeśli miałaś cięcie cesarskie. Połóż się na boku, z głową opartą na poduszce, tak abyś nie musiała zginać szyi. Połóż dziecko na boku, twarzą w twarz, i przybliż je do piersi, podtrzymując „kolebkowo" dolną ręką.

Chwyt „krzyżowy"

Jest on podobny do wyżej opisanego, z tym tylko że trzymasz dziecko na ramieniu przeciwstawnym do piersi, którą karmisz. Połóż się na boku, połóż dziecko na boku na wprost siebie, podtrzymując je górną ręką w taki sposób, by mieć dłoń pod jego szyją, kciuk i palce pod główką, a przedramię pod plecami. Następnie unieś je do piersi. Ponieważ przy tym uchwycie lepiej kontrolujesz główkę dziecka, jest on przydatny szczególnie wtedy, gdy noworodek ma kłopoty z właściwym uchwyceniem sutka.

Chwyt „piłkarski"

Ten sposób trzymania bywa przydatny w przypadku drobnego dziecka lub dużych piersi, albo po cięciu cesarskim, ponieważ dziecko nie przylega wtedy do brzucha matki. Usiądź z poduszką pod plecami. Przygotuj obok drugą poduszkę i połóż dziecko przed sobą, tak aby jego główka spoczywała na szczycie twoich kolan. Otocz je ramieniem, podtrzymując dłonią główkę i kark, i podnieś do piersi. Gdy dziecko zacznie ssać, wsuń pod nie poduszkę, na której oprze się jego i ciężar twojej ręki.

Właściwe uchwycenie piersi przez dziecko

Specjaliści zgodnie podkreślają, że kluczem do skutecznego, odżywczego ssania jest sposób, w jaki dziecko chwyta ustami sutek. Niemowlę powinno wziąć do buzi jak największą część otoczki (ciemnej obwódki na szczycie sutka), a dziąsłami obejmować nie podstawę brodawki, lecz okolicę oddaloną od niej o co najmniej 2,5 cm (patrz Ryciny 9.3a–c). Pokarm jest magazynowany w zbiornikach pod powierzchnią otoczki. Podczas ssania dziecko przyciska językiem otoczkę do swojego podniebienia, co przesuwa mleko do brodawki, a z niej do jego buzi. Niemowlę powinno zatem ssać otoczkę, a nie brodawkę.

Ssanie przez dziecko brodawki, a nie jej otoczki, może powodować szereg problemów. Niemowlę wyciąga z piersi mniej pokarmu, na co organizm matki reaguje zmniejszonym wydzielaniem. Jednocześnie narażone na większe urazy brodawki mają skłonność do tkliwości i pękania. Ból – i jego antycypowanie przez matkę w momencie przygotowań do karmienia – jest dodatkowym czynnikiem hamującym laktację. W efekcie dziecko będzie głodne i rozdrażnione, a matka obolała i zestresowana. W razie utrwalenia się takiego błędnego koła matka może uznać, że ma za mało pokarmu i zrezygnować z karmienia piersią, podczas gdy do rozwiązania problemu często wystarczyłaby stosunkowo prosta zmiana techniki.

Lekarz radzi

Karmienie na żądanie

Powinnaś karmić noworodka – zarówno piersią, jak i sztucznie – za każdym razem, gdy zdradza on oznaki głodu. Do oznak tych należy przebudzenie lub aktywność, wkładanie rączek do buzi, ruchy warg i języka. Krzyk jest późnym objawem głodu – gdy noworodek zaczyna krzyczeć, oznacza to, że już od pewnego czasu czuje głód. Noworodka należy karmić 8–12 razy na dobę, za każdym razem aż do momentu, gdy nie chce więcej ssać. Pediatrzy i inni specjaliści w dziedzinie opieki nad dzieckiem uważają, że wbrew dawniejszym zaleceniom sztywny, godzinowy rozkład karmień może być przyczyną zwolnienia tempa wzrostu dziecka. To ono samo powinno wypracować sobie własny rytm.

9.2a. Właściwa pozycja do karmienia dziecka na siedząco.

9.2b. Podwójny „chwyt piłkarski" do karmienia bliźniąt.

9.2c. Właściwa pozycja do karmienia na leżąco.

Ryciny 9.2a–c. Prawidłowe pozycje do karmienia piersią.

Jak pomóc dziecku właściwie chwytać pierś

Pierwszym krokiem w tym kierunku jest odczekanie, aż dziecko szeroko otworzy buzię. Uchwyć sutek między kciukiem na szczycie a palcem wskazującym od spodu i pocieraj brodawką wargi niemowlęcia, aż buzia otworzy się – nie ledwie-ledwie, lecz szeroko jak przy ziewaniu. W tym momencie przyciągnij dziecko do siebie i do piersi. Jeśli nie zrobisz tego dostatecznie szybko, buzia może być ponownie na wpół zamknięta, zanim uchwyci pierś. W takim przypadku lepiej przerwać ssanie, wsuwając palec między dziąsła dziecka a brodawkę, i zacząć wszystko od nowa. Jeśli musisz ucisnąć czubek piersi palcami, aby bardziej dopasować ją do buzi dziecka, uchwyć ją zdecydowanie do tyłu od otoczki. Być może uda ci się wtedy wycisnąć kilka kropel mleka, które możesz dać dziecku do posmakowania na palcu tytułem zachęty.

Gdy dziecko już uchwyci pierś, obie jego wargi powinny wywijać się na zewnątrz podczas ssania. Jeśli tak nie jest, wywiń je sama palcem, bo w przeciwnym razie niemowlę może ssać nie pierś, lecz własną wargę.

Obserwuj rytmiczne ruchy policzków dziecka podczas ssania; gdy mleko trafi już do jego buzi, powinnaś również słyszeć odgłos połykania. Nabrawszy nieco doświadczenia, matki potrafią odróżnić tak zwane ssanie odżywcze (wypijanie mleka), od spokojniejszego ssania nieproduktywnego, które służy innym celom (ukojeniu) i często kończy seans karmienia.

Typowy seans karmienia piersią

Pozwól noworodkowi ssać jedną pierś tak długo, jak ma na to ochotę, następnie unieś je pionowo do odbicia powietrza i po chwili przystaw do drugiej piersi. Ponieważ dziecko wysysa zwykle więcej pokarmu z pierwszej piersi, zmieniaj je przy kolejnych karmieniach. Żeby się nie pomylić, możesz oznaczać odpowiednie ramiączko biustonosza agrafką lub wstążeczką. Niektóre uczestniczki naszej ankiety podsuwały również pomysł przekładania zegarka z jednej ręki na drugą.

Gdy mleko zacznie płynąć, powinnaś kontynuować karmienie tak długo, by dziecko za każdym razem raczej porządnie opróżniło przynajmniej jedną pierś, niż wyssało po niewielkiej porcji z obu. Ma to swoje uzasadnienie: pierwszy pokarm wydobywający się piersi zawiera mniej tłuszczu niż końcowy, a więc jest mniej odżywczy. Aby prawidłowo rosnąć, niemowlę powinno więc dokładnie opróżniać pierś.

Z zasady pozwalaj dziecku ssać tak długo, jak ma na to ochotę. Nie będzie to trwało w nieskończoność: zwykle w pewnym momencie niemowlę przerywa ssanie lub po prostu przy nim zasypia. Jeśli jednak karmienia regularnie przedłużają się do ponad godziny, skontaktuj się z lekarzem, żeby sprawdzić, czy dziecko wypija dostateczną porcję mleka. Jeśli po ukończeniu jednego miesiąca lub dwóch dziecko energicznie ssie i prawidłowo rośnie, a jednocześnie wyraźnie lubi długie okresy „nieproduktywnego" ssania, możesz pomyśleć o smoczku. Nie próbuj go jednak wcześniej, zanim rytm karmienia nie ustali się na dobre. Wczesne przyzwyczajenie niemowlęcia do smoczka zmniejsza szanse na dłuższą kontynuację karmienia piersią.

Jeśli musisz przerwać karmienie, nie wyciągaj piersi z ust niemowlęcia, bo będzie cię to bolało. Zamiast tego delikatnie wsuń palec między jego dziąsła w kąciku ust.

Po czym poznać, że dziecko wypija dostateczną porcję mleka?

Jest to jedna z podstawowych trosk młodych rodziców, zwłaszcza jeśli dziecko urodziło się przedwcześnie lub z niską wagą. Spadek wagi urodzeniowej o 7–10% w pierwszym tygodniu życia jest zjawiskiem w pełni fizjologicznym, przy czym pod koniec drugiego tygodnia noworodek powinien już wyrównać tę stratę. Czasami jednak trwa to nieco dłużej, co budzi u rodziców zrozumiały niepokój.

Jeśli masz jakiekolwiek wątpliwości, czy twoje dziecko otrzymuje dość pokarmu, albo też jeśli nie widzisz u niego uspokajających objawów z niżej podanej listy, zgłoś się z nim do lekarza na kontrolę wagi. Jest to zresztą rutynowo praktykowane: w pierwszym okresie po powrocie do domu lekarz życzy sobie zwykle oglądać małego lub przedwcześnie urodzonego noworodka dwa lub trzy razy w tygodniu. W rzadkich przypadkach lekarz może nawet zlecić ważenie dziecka przed i po każdym karmieniu, co pozwala ustalić wielkość wypijanej porcji. Zwłaszcza w okresie noworodkowym nie powinnaś zwlekać z zasięgnięciem porady lekarskiej, jeśli masz obawy związane ze stanem odżywienia dziecka.

Karmiąc piersią, nie możesz oczywiście zmierzyć ilości wypitego mleka, tak jak wskazuje to podziałka na butelce. Poza ważeniem dziecka masz jednak do dyspozycji jeszcze inne orientacyjne oznaki, świadczące o prawidłowym stopniu jego odżywienia:

- Gdy laktacja rozpocznie się już na dobre, twoje dziecko powinno moczyć 6–8 pieluch bawełnianych lub 5–6 pampersów dziennie, przejrzystym lub słomkowym moczem. Ustalenie stopnia zmoczenia pieluszki jednorazowej może być trudne, dlatego przynajmniej w początkowym okresie lepiej posługiwać się bawełnianymi, ewentualnie wkładać do pampersa kawałek tkaniny.
- Niemowlę powinno wydalać od dwóch do pięciu stolców dziennie. Przez kilka pierwszych dni życia stolec ma ciemną barwę, jednak po ustabilizowaniu się laktacji powinien charakteryzować się papkowatą konsystencją i żółtawą barwą. Gdy minie pierwszy miesiąc karmienia piersią, u większości dzieci liczba stolców zmniejsza się, a nawet od czasu do czasu może ich nie być przez cały dzień.
- Twoje dziecko powinno sprawiać wrażenie ożywionego i zadowolonego z życia. Skontaktuj się z lekarzem, jeśli w pierwszych tygodniach życia przesypia ono bez przebudzenia ponad cztery godziny z rzędu albo jeśli długo ssie pierś, ale już wkrótce potem krzyczy i zdradza inne oznaki niepokoju.
- Twoje dziecko powinno regularnie przybierać na wadze. Pod koniec drugiego tygodnia życia powinno powrócić do wagi urodzeniowej, a następnie, przez pierwsze trzy miesiące, rosnąć w tempie co najmniej 150–200 g tygodniowo. W tym okresie tempo przyrostu masy ciała niemowląt karmionych naturalnie lub sztucznie nie wykazuje większych różnic. W drugim kwartale życia staje się ono

zwykle nieco wolniejsze u dzieci karmionych piersią i wynosi średnio 90–150 g tygodniowo. W trzecim kwartale przyrost masy ciała ulega typowo dalszemu spowolnieniu. Dziecko powinno być ważone na specjalnej lekarskiej wadze dla niemowląt; nie nadają się do tego domowe wagi łazienkowe.

Ryciny 9.3a–c. Proces przystawiania dziecka do piersi.

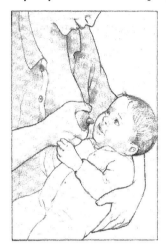 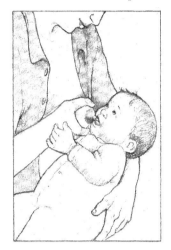 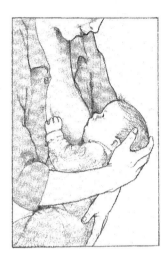

9.3a. Pobudzanie tzw. odruchu korzeniowego. Gdy niemowlę jest już właściwie ułożone do karmienia, ujmij czubek piersi kciukiem i palcem wskazującym do tyłu od otoczki i pogłaskaj brodawką policzek dziecka.

9.3b. Chwytanie piersi. Niemowlę odpowie na bodziec, odwracając w tę stronę główkę, aby uchwycić pierś. W jego buzi powinna znaleźć się cała brodawka wraz z otoczką. Aby mu w tym pomóc, zmniejsz wielkość piersi, lekko uciskając ją palcami poza otoczką.

9.3c. Właściwa pozycja dziecka podczas karmienia. Zwróć uwagę, jak głęboko pierś jest wsunięta do buzi dziecka. Zapewnia mu to obfity strumień mleka, a matce oszczędza bolesnych urazów brodawek.

Pobudzanie produkcji mleka

W większości przypadków produkcja mleka rośnie proporcjonalnie do wielkości i częstotliwości wysysanych przez niemowlę porcji. Oznacza to, że jesteś w stanie zaspokoić rosnące potrzeby dziecka w najprostszy sposób – przystawiając je do piersi częściej i na dłużej. Pomocnicze znaczenie mają również inne strategie, stosowane dla pobudzenia laktacji:

- Musisz dobrze się odżywiać i zwiększyć podaż płynów. Przed karmieniem lub w jego trakcie wypijaj dodatkową szklankę mleka, wody, soku owocowego lub jogurtu.
- Dużo odpoczywaj. Gdy dziecko śpi, śpij i ty, nawet kosztem zaległości w pracach domowych.
- Przed i w trakcie karmienia staraj się maksymalnie zrelaksować. Możesz spróbować technik wizualizacji lub medytacji (wykładanych zwykle w szkołach rodzenia) albo po prostu weź przedtem ciepłą kąpiel, posłuchaj muzyki czy utnij sobie miłą pogawędkę z kimś bliskim.
- Podczas karmienia przytulaj dziecko, pozostając z nim w bezpośrednim kontakcie „skórą do skóry".
- Przed karmieniem zrób masaż piersi. Zacznij od góry i posuwaj się w kierunku i wokół otoczki, uciskającymi ruchami okrężnymi palców. Po chwili rozpocznij od innego miejsca. Przesuwaj dłonią od szczytu i boków piersi w kierunku brodawki.
- Jeśli pomimo to nadal produkujesz niewiele mleka, wyciskaj je lub odciągaj po karmieniach i między nimi, również w nocy; taka zwiększona stymulacja powinna nasilić wydzielanie. Przechowuj ściągnięte mleko w lodówce lub zamrażarce, tak jak opisujemy to dalej, aby użyć go w charakterze uzupełnienia karmienia piersią.

Mechanizm wydzielania mleka

Wyciek mleka odbywa się na zasadzie odruchu wyciskającego go z gruczołów mlecznych (gdzie powstaje) do przewodów wyprowadzających, których ujścia znajdują się w brodawce. Odruch ten, zwany również odruchem wyrzutu mleka (ang. *letdown*), bez którego byłoby ono niedostępne lub tylko w znikomym stopniu dostępne dla dziecka, zależy od uwalniania hormonu oksytocyny przez przysadkę mózgową matki. Zjawisko to zachodzi zwykle więcej niż jeden raz podczas każdego seansu karmienia.

W ciągu kilku pierwszych tygodni karmienia piersią dziecko musi z reguły ssać nieprzerwanie przez kilka minut, by pobudzić odruch wyrzutu. Jeśli niemowlę początkowo szybko męczy się i zniechęca, odciąganie mleka ściągaczką pomaga w wywołaniu odruchu i zapobiega frustracji dziecka.

W późniejszym okresie odruch wyzwala się zwykle szybciej. U wielu kobiet następuje to już w momencie usadowienia się do karmienia z dzieckiem w objęciach, u niektórych wystarcza do tego sam widok dziecka lub dźwięk jego krzyku. Kobiety codziennie odciągające mleko (na przykład dla wcześniaka w szpitalu) mogą zwykle uwarunkować wystąpienie odruchu, jeśli będą przy tym patrzeć na fotografię dziecka.

> ## „Głos doświadczenia"
>
> *„Musisz ustalić priorytety w pracach domowych, a z niektórych po prostu zrezygnować. W okresie karmienia piersią potrzebujesz przede wszystkim odpoczynku i dobrego odżywiania. Jest to ważniejsze dla twojego dziecka niż porządek w każdym kącie, okupiony twoim – i jego – stresem".*
>
> – ZA: Kidshealth Parent Survey

U wielu kobiet wyrzut mleka wywołuje uczucie swędzenia, drapania lub pełności. Istnieją również inne objawy: gdy karmisz dziecko z jednej piersi, mleko może sączyć się z drugiej. Możesz też odczuwać kurczowe pobolewania brzucha, ponieważ oksytocyna, hormon zaangażowany w wydzielanie mleka, wywołuje również skurcze macicy. Wiele kobiet nie odczuwa jednak niczego szczególnego, czym młode matki nieraz się niepokoją. Jeśli jednak twoje dziecko wydaje się dobrze odżywione – według wcześniej podanych objawów – z całą pewnością wydzielasz pokarm, czy czujesz to, czy nie.

Dokarmianie niemowlęcia

W pewnych przypadkach noworodek może potrzebować dodatkowych karmień do czasu, aż mleko matki pojawi się w dostatecznych ilościach albo aż on sam nabierze dość sił, by efektywnie ssać. W perspektywie późniejszego karmienia piersią dokarmianie przy użyciu rurki lub strzykawki bywa nieraz korzystniejsze niż butelka. Czasami stosuje się metodę, w której dziecko jednocześnie ssie pierś i pobiera pokarm przez rurkę. W doborze odpowiedniej techniki pomagają „konsultanci do spraw laktacji".

Dokarmianie butelką okazuje się jednak zwykle najprostsze i preferowane przez lekarzy, zwłaszcza u bardzo małych czy osłabionych noworodków. Przejściowe podawanie dziecku butelki nie musi oznaczać pogrzebania szans na karmienie piersią, jeśli matka dołoży wszelkich starań, by je kontynuować. Niektóre niemowlęta bez problemów wracają od butelki do piersi, inne można do tego przekonać cierpliwością. Czasami, w razie opóźnionej lub wolniejszej laktacji u matki, dobre efekty przynosi karmienie dziecka najpierw piersią, a następnie mieszanką z butelki, albo natychmiast, albo po odczekaniu kilku minut. W innych przypadkach butelkę (ze ściągniętym mlekiem matki lub mieszanką) można wprowadzić na stałe jako jeden posiłek dziennie. W razie początkowych problemów z laktacją trzeba jednak starać się ją pobudzić, ściągając mleko z piersi po każdym karmieniu butelką. W miarę zwiększania się produkcji mleka można będzie pomyśleć o rezygnacji z dokarmiania.

> **„Głos doświadczenia"**
>
> *„Sygnały wysyłane przez dziecko są ważniejsze niż wskazówki zegara czy książkowe zalecenia. Obserwuj dziecko i karm je na żądanie, nie według zegara".*
> – ZA: KIDSHEALTH PARENT SURVEY

Specjaliści z zasady zalecają ostrożność w posługiwaniu się butelką przed ustaleniem się rytmu karmienia piersią, co zwykle zajmuje około sześciu tygodni. Jeśli jednak alternatywa miałaby polegać na głodzeniu dziecka czy też na całkowitej rezygnacji z karmienia piersią, dokarmianie ma oczywiście sens i zawsze warto go spróbować.

Gdy i matka, i dziecko mają już dobrze opanowaną sztukę karmienia piersią, w pewnych okolicznościach można pozwolić sobie na sporadyczne podanie butelki – na przykład żeby zaoferować matce luksus przespania całej nocy czy wyjścia na kilka godzin z domu. Niemowlę łatwiej zaakceptuje butelkę, jeśli zetknie się z nią po raz pierwszy w miarę wcześnie – w wieku 7–8 tygodni – i jeśli poda mu ją ojciec czy ktoś inny poza matką. Matka może przygotować na taką okoliczność pokarm ściągnięty z piersi i zamrożony.

Gdy kobieta po porodzie wraca do pełnoetatowej pracy poza domem, dokarmianie dziecka butelką staje się koniecznością (chyba że może zabierać je ze sobą lub zostawiać pod opieką w przyzakładowym żłobku). Do rutynowych, codziennych czynności dochodzi wtedy regularne odciąganie i przechowywanie mleka z piersi.

Ściąganie mleka z piersi

Zanim przystąpisz do ściągania mleka, poświęć kilka minut na przygotowanie się do tej czynności. Po pierwsze, starannie umyj ręce. Następnie zrób masaż piersi, od podstawy w kierunku brodawki. Staraj się sprowokować wyrzut mleka, myśląc o dziecku i o karmieniu. W końcu zacznij ściąganie. Jeśli robisz to ręcznie lub przy użyciu mechanicznej pompki, musisz przeznaczyć około 15–30 minut na opróżnienie obu piersi; ściągaczka elektryczna pozwala zwykle skrócić tę procedurę.

Ręczne ściąganie mleka

Aby wycisnąć mleko ręcznie, ułóż palce na otoczce piersi, z kciukiem powyżej, a palcem drugim i trzecim poniżej brodawki. Uciśnij sutek do klatki piersiowej, a następnie przetocz kciuk i palce do przodu, tak jakbyś miała złożyć odciski palców. Powtarzaj tę czynność, uciskając różne części otoczki. Mleko musi spływać do czystego naczynia z szerokim wlotem, najlepiej tego samego, w którym będzie można je przechować. Początkowo możesz „utoczyć" z piersi tylko kilka kropel, ale później uda ci się zapewne dojść do kilkudziesięciu mililitrów za każdym razem. Niektóre matki osiągają dużą wprawę w ręcznym wyciskaniu pokarmu.

Ściąganie mleka ściągaczką elektryczną

Jeśli korzystasz z urządzenia elektrycznego, cała procedura zależy od jego typu. Musisz pamiętać o dokładnym myciu ściągaczki, ściśle według załączonej instrukcji obsługi.

Przechowywanie ściągniętego mleka

Ściągnięty pokarm naturalny można przechowywać w lodówce w zakręcanych butelkach lub w specjalnie przeznaczonych do tego celu woreczkach foliowych, ale nie w zwykłych torebkach plastikowych. Mleko z lodówki nadaje się do użytku przez 72 godziny, jeśli jednak jesteś pewna, że nie wykorzystasz go w ciągu najbliższej doby, bardziej wskazane będzie zamrożenie. Zamrażaj pokarm w porcjach po 50 lub 100 ml, tak abyś mogła racjonalnie nim gospodarować. Zapisuj na porcjach daty zbiórki i przechowuj je w najzimniejszej części zamrażarki (w głębi, a nie przy drzwiach). W temperaturze −18°C mleko z piersi można przechowywać przez 3–6 miesięcy, jeśli natomiast dysponujesz tylko zamrażalnikiem w lodówce bez osobnych, zewnętrznych drzwiczek, czas ten skraca się do zaledwie 2–3 tygodni.

Rozmrażanie powinno mieć miejsce w lodówce, ewentualnie, jeśli zależy ci na czasie, możesz włożyć zmrożoną porcję do miski z ciepłą wodą. Staraj się nie używać do tego kuchenki mikrofalowej, ponieważ podgrzewa ona w sposób nierównomierny, tak że w danej porcji mogą zdarzyć się gorące „zatoki", zagrażające dziecku oparzeniem. Jeśli musisz użyć kuchenki, przed podaniem mleka niemowlęciu nie zapomnij dokładnie go wymieszać i zawsze, obowiązkowo, sprawdzaj temperaturę gotowej porcji.

Powrót matki do pracy

Wiele kobiet kontynuuje karmienie piersią mimo powrotu do swojej poprzedniej pracy zawodowej. A oto kilka wskazówek, jak przygotować się do tej zasadniczej zmiany:

- Ćwicz ściąganie mleka z piersi jeszcze podczas urlopu, aby zawczasu osiągnąć w tym wprawę i skuteczność. Zamrażaj porcje mleka do późniejszego użytku.
- Powoli przyzwyczajaj dziecko do butelki, podając w ten sposób wcześniej ściągnięty pokarm. Optymalnie jest wprowadzić butelkę po co najmniej 6 tygodniach efektywnego ssania piersi i na tydzień lub dwa przed powrotem do pracy. Niemowlęta wydają się często chętniej pić z butelki podanej przez kogoś innego niż matka – np. przez ojca czy opiekunkę, która będzie zajmować się dzieckiem podczas twojej nieobecności. Widząc, że twoje dziecko już od dobrych kilku dni ze smakiem pije z butelki, będzie ci łatwiej zostawić je na wiele godzin bez obaw, że się zagłodzi.
- Postaraj się znaleźć do opieki nad dzieckiem osobę, która będzie z tobą dobrze współpracować i wspierać cię w wysiłkach na rzecz kontynuacji karmienia piersią. Przykładowo, ostatni posiłek przed twoim powrotem z pracy dziecko powinno dostać stosunkowo wcześnie, tak aby zaraz po czułym powitaniu z zapałem zabrało się do piersi.
- Jeśli tylko to możliwe, postaraj się maksymalnie złagodzić pierwszy okres rozłąki. Podejmij pracę w środę lub w czwartek, żeby wkrótce potem wypadł weekend, albo zacznij od kilku dni w zmniejszonym wymiarze godzin.

Jeśli mimo powrotu do pracy pragniesz kontynuować karmienie piersią jak najdłużej, staraj się maksymalizować je w okresie, kiedy jesteś w domu. Budź się nieco wcześniej, żeby spokojnie i bez stresu, że się spóźnisz, nakarmić dziecko rano przed wyjściem, karm je wyłącznie piersią podczas weekendów. Chociaż większość rodziców niecierpliwie (czy wręcz desperacko) wyczekuje momentu, w którym niemowlę przestanie budzić się (i ich) w nocy, pamiętaj, że nocne karmienie może pomóc ci w przedłużeniu laktacji.

Lekarz radzi

Przechowywanie mleka

Jeśli ściągasz mleko z piersi w pracy, przechowuj je w czystym, szczelnie zamkniętym naczyniu w torbie na mrożonki lub w lodówce.

Opieka nad kobietą karmiącą

Matka karmiąca powinna stosować tę samą zdrową, urozmaiconą dietę, jaka zalecana jest w okresie ciąży. (Jeśli będąc w ciąży, jadłaś tłusto i słodko, teraz masz dobrą okazję, by skorygować te nawyki).

Żywnościowa Piramida Zdrowia, opisana w rozdziale 22, „Zdrowe odżywianie", jest dobra dla dzieci, więc nie ma powodu, by nie była dobra również dla ciebie. Musisz tylko zwiększyć liczbę porcji: do 6–8 z grupy zbóż, 3–5 z grupy warzyw, 2–4 z grupy owoców i trzech z grupy mięsa, jaj, orzechów i warzyw strączkowych. Połóż nacisk na produkty z grupy mleka i jego przetworów, aby zaopatrzyć się w niezbędny wapń. Jeśli nie jadasz produktów mlecznych, musisz pomimo to zadbać o prawidłową podaż wapnia w postaci wzbogaconych w ten pierwiastek soków czy płatków zbożowych albo suplementów.

Jeśli jesteś weganką (wegetarianką wykluczającą z diety wszelkie pokarmy pochodzenia zwierzęcego, włącznie z mlekiem, serem i jajami), musisz zwrócić uwagę na dostateczną podaż kalorii (typowo 2200–2700 kcal dziennie), białka i witamin, w tym zwłaszcza witaminy B_{12}.

Pij jak najwięcej bezkofeinowych napojów, co najmniej 6 szklanek dziennie. Pij wodę przed i w trakcie karmienia dziecka.

Żywność „problematyczna"

Białka i inne składniki pokarmowe twojej diety mogą przenikać do mleka i tym samym trafiać do organizmu dziecka. Jeśli w twojej rodzinie częste są przypadki alergii, astmy oskrzelowej czy wyprysku alergicznego, lekarz może zalecić ci ograniczenie lub rezygnację ze spożycia mleka w okresie karmienia piersią, a także unikanie innych produktów znanych z działania uczulającego, takich jak masło orzechowe, soja, ryby i inne „owoce morza", białko jaja kurzego i pszenica.

Jeśli natomiast w twojej rodzinie nie ma alergii (i sama nie jesteś nią dotknięta), możesz jeść wszystko, co lubisz, włącznie z ostrymi, pikantnymi potrawami. Aby uniknąć problemów, lepiej zjadać różnorodne pokarmy w umiarkowanych ilościach niż opierać dietę na jednym, codziennie powtarzanym typie produktów. Jeśli przypuszczasz, że marudzenie czy brak apetytu dziecka jest reakcją na jakiś składnik twojej diety, postaraj się unikać go przez kilka dni lub tydzień. Po ustąpieniu objawów zjedz ten podejrzany składnik ponownie, obserwując reakcję dziecka. Spożywane przez ciebie produkty mogą nieco zmieniać smak czy zapach mleka, co po prostu nie zawsze trafia w gust niemowlęcia.

Niektóre matki zauważają, że jedząc brokuły, brukselkę czy kapustę, narażają niemowlę na zwiększoną produkcję gazów. Wcale nierzadko za rozdrażnienie i bezsenność dziecka odpowiada kofeina spożywana przez matkę i przenikająca do mleka, która może kumulować się w organizmie dziecka przez kilka tygodni. Choć w większości przypadków 1–2 filiżanki (po 100–150 ml) prawdziwej kawy dziennie nie zaszkodzą niemowlęciu, musisz pamiętać o kofeinie „ukrytej" w napojach gazowanych, herbacie, czekoladzie i lekach dostępnych bez recepty. W rzeczywistości możesz spożywać więcej kofeiny, niż ci się wydaje.

W razie wysypki, wymiotów czy biegunki – czyli objawów nasuwających podejrzenie alergii lub innej choroby – musisz oczywiście skontaktować się z lekarzem.

Alkohol, papierosy i leki

Alkohol przedostaje się do mleka matki, a tym samym do organizmu dziecka – musisz więc zachować szczególną ostrożność. Jeśli od czasu do czasu wypijesz jedno piwo, kieliszek wina czy odrobinę mocniejszego alkoholu w drinku, nie zaszkodzi to karmionemu piersią niemowlęciu, jeśli jednak zdarza ci się zwielokrotnić te dawki lub masz problem alkoholowy, musisz omówić tę kwestię z lekarzem. Nadużywanie alkoholu przez matkę należy do przeciwwskazań do karmienia piersią.

Przeciwwskazaniem takim nie jest natomiast palenie papierosów. Dziecko palącej matki wykazuje większą podatność na infekcje niezależnie od sposobu karmienia, nie ma więc powodu, by pozbawiać je korzyści zdrowotnych, jakie może zapewnić pokarm naturalny.

Większość leków – ale nie wszystkie – uznaje się za bezpieczne podczas karmienia piersią, jednak za każdym razem trzeba to sprawdzić w porozumieniu z lekarzem. Przychodząc po receptę do dowolnego specjalisty, nie zapomnij uprzedzić go, że karmisz piersią.

Lekarz radzi

Karmienie piersią nie zapobiega ciąży

Wiele kobiet zachodzi ponownie w ciążę w okresie karmienia piersią. Karmienie pobudza wydzielanie prolaktyny, hormonu przysadki mózgowej, który działa hamująco na inne hormony przysadki niezbędne do zajścia w ciążę. Poziom prolaktyny wykazuje jednak dość znaczne wahania, a nierzadko obniża się do wartości umożliwiających poczęcie, zwłaszcza jeśli karmienie piersią nie jest wyłącznym sposobem żywienia niemowlęcia. Po urodzeniu dziecka owulacja i płodność pojawiają się nieraz jeszcze przed powrotem miesiączkowania. Nie polegaj więc ani na karmieniu piersią, ani na braku miesiączki jako gwarancji skutecznej antykoncepcji.

Większość leków dostępnych w wolnej sprzedaży (w tym paracetamol, ibuprofen, aspiryna, leki antyhistaminowe i przeciwobrzękowe) również uznaje się za bezpieczne do doraźnego użytku. Jeśli jednak musisz przyjmować je dłużej niż przez kilka dni, skonsultuj to z lekarzem. Z zasady staraj się unikać leków z powodu drobnych dolegliwości, a w razie rzeczywistej potrzeby stosuj je jak najoszczędniej – innymi słowy, jeśli dokucza ci tylko kaszel, nie bierz leków zwalczających również katar, gorączkę itp.

Nie zakładaj z góry, że leki ziołowe są bezpieczne z racji swojej „naturalności". Niektóre zioła, zwłaszcza przyjmowane w większych ilościach, mogą zaszkodzić niemowlęciu lub niekorzystnie wpływać na laktację. Ponadto, uwzględniając różne źródła pochodzenia, nie zawsze dokładnie wiadomo, co tak naprawdę wchodzi w skład tych środków. Dla bezpieczeństwa lepiej więc i w tym przypadku konsultować się z lekarzem-pediatrą przed zażyciem któregoś z takich specyfików.

Częste problemy związane z karmieniem piersią

Zanim i ty, i twoje dziecko dobrze opanujecie sztukę karmienia piersią, przygotuj się na kilka możliwych problemów. W ogromnej większości przypadków nie dają one powodów do paniki ani do rezygnacji z karmienia piersią.

Obrzęk piersi

Gdy twój organizm uruchamia produkcję mleka, piersi mogą powiększać się i twardnieć. Czasami stwardnienie bywa tak znaczne, że dziecku trudno jest uchwycić sutek. W takich przypadkach możesz wycisnąć czy odpompować ściągaczką nieco mleka, co zmniejszy przepełnienie i napięcie piersi. Również ciepły prysznic czy owinięcie piersi ciepłym, wilgotnym ręcznikiem wydaje się ułatwiać wypływ mleka. Niektórym matkom ulgę przynoszą zimne okłady po karmieniu. Podstawowym sposobem zapobiegania obrzękom jest jednak regularne i częste karmienie dziecka, przynajmniej co 2–3 godziny.

Bolesność brodawek

W pierwszych dniach karmienia piersią wiele kobiet odczuwa niewielką bolesność brodawek sutkowych. Dolegliwości znaczne lub uporczywe są jednak w opinii ekspertów objawem nieprawidłowym i nie należy zbyt długo zwlekać z podjęciem środków zaradczych. Ból wynika najczęściej z błędów technicznych, a głównie z faktu, że niemowlę ssie samą brodawkę, a nie jej otoczkę. Jeśli w twoim przekonaniu robicie wszystko prawidłowo, zasięgnij porady specjalisty w dziedzinie karmienia piersią.

W oczekiwaniu na konsultację spróbuj wyciskać kilka kropel mleka lub nie wycieraj się po karmieniu, tak aby na brodawkach pozostała ochronna, zaschnięta warstwa mleka. Możesz również smarować je oczyszczoną maścią lanolinową, której, jak już wspomnieliśmy, nie trzeba zmywać przed karmieniem. Inne domowe środki zaradcze obejmują zmianę pozycji do karmienia, wyciskanie mleka przed przystawieniem dziecka do piersi, aby usprawnić karmienie, oraz dostępne bez recepty leki przeciwbólowe w rodzaju acetaminofenu lub paracetamolu.

Czasami przyczyną bólu brodawek sutkowych jest zakażenie grzybicze, głównie drożdżakami z rodzaju *Candida*. Grzyb ten odpowiada za pleśniawki w jamie ustnej dziecka (w postaci białych, serowatych nalotów), skąd zakażenie może przejść na piersi matki, wywołując piekący lub tępy ból w trakcie i po karmieniu. W przeciwieństwie do banalnych dolegliwości, które najczęściej występują w pierwszych dniach karmienia, ból z powodu zakażenia drożdżakowego może pojawić się w dowolnym momencie, na przykład po kilku tygodniach udanego karmienia. Jeśli podejrzewasz zakażenie drożdżakowe u siebie lub u dziecka, skontaktuj się z lekarzem. Więcej informacji na ten temat znajdziesz w rozdziale 29, „Dolegliwości i objawy".

Zaczopowanie przewodu mlecznego

Każdy sutek zawiera 15–20 przewodów wyprowadzających mleko do brodawki. Zaczopowanie któregoś z nich objawia się twardym, bolesnym guzkiem piersi i grozi rozwojem zakażenia sutka (*mastitis*). Aby do tego nie dopuścić, karm dziecko jak najczęściej, zwłaszcza z tej piersi. Stosuj też ciepłe okłady i delikatny masaż zablokowanej okolicy bezpośrednio przed karmieniem w celu poprawy przepływu mleka. Jeśli dziecko nie opróżnia całkowicie zajętej piersi, musisz robić to sama za pomocą ściągaczki. W razie utrzymywania się guzka dłużej niż przez kilka dni skontaktuj się z lekarzem.

Zapalenie gruczołu sutkowego (mastitis)

Do zapalenia dochodzi najczęściej pod wpływem bakterii w następstwie wyżej opisanej sytuacji. Stan ten nie oznacza zagrożenia dla dziecka, ale matka odczuwa zwykle nieprzyjemne objawy w postaci miejscowego bólu, obrzęku i rozgrzania, a czasem również gorączki i ogólnego osłabienia. Powinna wtedy szybko zgłosić się do lekarza, ponieważ zapalenie typowo leczy się antybiotykami. Poza tym wskazane jest leżenie w łóżku i ciepłe okłady przed karmieniem, które zwykle mimo infekcji udaje się kontynuować.

Żółtaczka

Noworodki bardzo często mają żółtaczkę, z reguły tak zwaną fizjologiczną. Więcej informacji na temat związku żółtaczki noworodków z karmieniem piersią i samym pokarmem matki znajdziesz w rozdziale 5, „Najczęstsze problemy zdrowotne u noworodka".

Odmowa ssania piersi

Czasami po kilku miesiącach satysfakcjonującego karmienia piersią niemowlę nagle i bez wyraźnej przyczyny zaczyna odmawiać ssania. Jeśli spróbujesz przezwyciężyć jego opór, „bunt" nie trwa zwykle dłużej niż 1–2 dni. Dobre efekty wydaje się przynosić karmienie dziecka w cichym, przyciemnionym pomieszczeniu. Możesz w tym czasie ściągać mleko i podawać mu je łyżeczką. Jeśli dziecko ma 6 miesięcy lub więcej, być może chce ci w ten sposób przekazać, że jest gotowe do stopniowego wprowadzania pokarmów stałych.

Karmienie bliźniąt i nie tylko

Matka planująca karmienie piersią bliźniąt już na wstępie wymaga pomocy. Początkowo większość matek karmi osobno każde z dzieci, tak więc praktycznie wypełnia im to czas bez reszty. Potrzebna jest wtedy dodatkowa para rąk do zajęcia się noworodkiem w danym momencie nie karmionym (i do wszelkich innych zabiegów pielęgnacyjnych). Później, gdy oba bliźnięta nauczą się dobrze ssać, zwykle daje się je karmić jednocześnie, zmieniając piersi, jeśli jedno z dzieci wydaje się silniejsze i żarłoczniejsze od drugiego. Jednoczesne karmienie bliźniąt oznacza, że odpada zwykle problem odciągania nadmiaru mleka, ale też nie ulega wątpliwości, że może to być absorbujące i wyczerpujące.

Ponieważ bliźnięta często przychodzą na świat przed czasem, musisz być odpowiednio wcześnie przygotowana na sprostanie zdwojonym obowiązkom. Poza poszukiwaniem pomocy z wcześniej omówionych źródeł dobrze jest nawiązać kontakt z miejscową czy wirtualną grupą wsparcia, zrzeszającą rodziców bliźniąt.

Jeśli dzieci rodzi się na raz jeszcze więcej, ich wyłączne karmienie piersią staje się oczywiście trudniejsze, a często jest wręcz niemożliwe. Czasami matka karmi na raz dwoje dzieci, podczas gdy ktoś inny podaje pozostałemu (czy pozostałym) pokarm z butelki. Przy następnym karmieniu następuje rotacja, tak aby wszystkie maluchy miały od czasu do czasu szansę na ssanie piersi. Nie można jednak obyć się wtedy bez butelki.

Karmienie piersią dziecka adoptowanego

Przy dużym nakładzie czasu i starań niektórym kobietom udaje się pobudzić wydzielanie mleka do karmienia niemowlęcia adoptowanego. Jest to tak zwana „laktacja indukowana". Cały proces polega na regularnej stymulacji piersi elektryczną, wydajną ściągaczką codziennie co kilka godzin przez wiele tygodni oczekiwania na dziecko. Czasami dołącza się do tego leki oddziałujące na hormony przysadki.

Nawet kobiety, które mają już za sobą karmienie piersią, rzadko są w stanie wyprodukować tyle mleka, by w pełni zaspokoić potrzeby żywieniowe niemowlęcia, tak więc konieczne jest dokarmianie mieszanką. Często mimo wysiłków pokarm pojawia się w znikomej ilości lub wcale. Zagorzali zwolennicy karmienia piersią doradzają wtedy karmienie w systemie wspomagającym, to znaczy jednoczesne podawanie dziecku piersi i rurki z pokarmem sztucznym. Ma to przede wszystkim wytworzyć więź i bliskość poprzez karmienie. Według opinii międzynarodowej ligi na rzecz karmienia piersią (La Leche Ligue International), „jeśli pojawia się wówczas laktacja, można uznać ją za pożądany efekt uboczny osiągniętego celu, jakim jest głęboka więź między matką a dzieckiem, zachodząca poprzez karmienie".

Inni z kolei – zarówno specjaliści, jak i przybrani rodzice – uważają, że walka o karmienie piersią za wszelką cenę oznacza nadmierną koncentrację na biologicznych aspektach macierzyństwa i obciąża proces adopcyjny dodatkowym, zbędnym stresem. Rodzice adopcyjni, zwłaszcza po trudnym okresie bezowocnych starań o poczęcie dziecka, muszą pamiętać o milionach rodzin, w których miłość, więź i ze wszech miar udane relacje z dziećmi wytworzyły się bez udziału karmienia piersią. To nie fakt karmienia piersią jako taki czyni z kobiety „prawdziwą" matkę.

Odstawianie dziecka od piersi

Niemowlęta przez okres pierwszych sześciu miesięcy życia nie potrzebują niczego poza mlekiem matki. W drugim półroczu, stopniowo rozszerzając dietę dziecka o pokarmy stałe, należy mimo to kontynuować karmienie piersią co najmniej do ukończenia roku, a następnie tak długo, jak długo pragną tego matka i dziecko. Na dzień dzisiejszy większość specjalistów uważa, że ssanie piersi przez dziecko w drugim czy nawet trzecim roku życia jest zjawiskiem w pełni naturalnym i zależnym wyłącznie od chęci obu zainteresowanych „stron". Jednocześnie matka nie powinna jednak zmuszać dziecka powyżej roku do kontynuacji karmienia piersią, jeśli ono samo nie ma już na to ochoty.

Niemowlęta zaczynają zwykle kosztować pierwszych pokarmów stałych w wieku około sześciu miesięcy (patrz rozdział 22, „Zdrowe odżywianie"), ale zazwyczaj dopiero w wieku 9–12 miesięcy spożywają je w takiej ilości, by mogło to zmniejszyć ich apetyt na mleko matki. W tym też okresie wiele dzieci zaczyna tracić zainteresowanie ssaniem piersi, a matki stopniowo zastępują seanse karmienia piersią posiłkami przy stole, złożonymi z pokarmów stałych i napojów z kubka.

W optymalnych warunkach odstawianie od piersi odbywa się stopniowo. Zaczyna się od jednego karmienia, następnie, po mniej więcej tygodniu, odpada następne. Przy takim rytmie zarówno dziecko, jak i matka mają czas na przystosowanie się do zmian. Jako pierwsze wypada zwykle karmienie w środku dnia, często najmniej obfite,

Lekarz radzi

Pielęgnacja piersi

- Brodawki między karmieniami powinny być suche. Zmieniaj wkładki w biustonoszu od razu, gdy poczujesz wilgoć. Używaj biustonoszy bawełnianych, bez jakichkolwiek plastikowych warstw, które zatrzymywałyby wilgoć i sprzyjały maceracji skóry. Staraj się suszyć piersi na powietrzu, odpinając klapki biustonosza.
- Biustonosz powinien podtrzymywać, ale nie uciskać piersi.
- Nie używaj mydła ani innych wysuszających środków higienicznych do mycia piersi.

a za to najbardziej kłopotliwe dla matki. Dzieci i ich matki wydają się najdłużej przywiązane do ostatniego karmienia przed snem i często kontynuują je jeszcze przez wiele miesięcy, częściowo w charakterze miłego rytuału na dobranoc, chociaż poza tym dieta dziecka opiera się już w pełni na pokarmach stałych.

Innym podejściem do odstawienia jest całkowite pozostawienie decyzji w rękach dziecka. Gdy zjada ono regularnie trzy posiłki w ciągu dnia plus kilka mniejszych przekąsek, możesz nie podawać mu już piersi z własnej inicjatywy, a jedynie na jego życzenie. W tym układzie niektóre dzieci traktują karmienie piersią jako „przekąskę" i kontynuują je jeszcze długi czas po przejściu na pokarmy stałe. Z reguły idzie to w parze ze stopniowym zahamowaniem laktacji, chyba że matka nadal pobudza ją ściąganiem pokarmu.

Niezależnie od tego, czy wybierasz „politykę małych kroków", czy też „karmienie tylko na życzenie", możesz ułatwić dziecku okres dostosowania się do innego żywienia. W porach, które przedtem były porami karmienia piersią, proponuj mu ulubione przekąski, aktywną zabawę czy atrakcyjny wypad poza dom. Unikaj siadania w fotelu służącym wcześniej do karmienia oraz ubrań, w których zwykle to robiłaś. Jeśli twoje dziecko wyrywało się do jakiejś aktywności „dla dużych dzieci", postaraj się stworzyć mu taką możliwość teraz, aby mogło uświadomić sobie, jak przyjemnie jest rosnąć.

Tak czy inaczej musisz w tym okresie okazać swojemu dziecku szczególną czułość i zainteresowanie, dzięki którym szybko zrozumie, że odstawienie od piersi bynajmniej nie oznacza „odstawienia" od twojej miłości.

Zakończenie karmienia piersią przed upływem roku

Mimo zaleceń ekspertów, większość kobiet przestaje karmić piersią, zanim dziecko ukończy pierwszy rok życia. Decyzja w tej sprawie należy do ciebie i musi opierać się na dokładnym rozważeniu, co jest najlepsze dla dziecka, ciebie i całej rodziny. W razie rezygnacji z karmienia piersią gdy dziecko ma tylko kilka miesięcy, musisz zastąpić je specjalnym pokarmem sztucznym dla niemowląt – który stanie się podstawą żywienia dziecka aż do pierwszych urodzin – a nie zwykłym mlekiem krowim. Jeśli dziecku niewiele brakuje do roku, możesz pomyśleć o mieszance dla niemowląt, ale raczej z kubka niż z butelki. Przechodząc z karmienia naturalnego na sztuczne, koniecznie przeczytaj następny rozdział. Podajemy w nim wiele wskazówek, jak zapewnić karmionemu butelką niemowlęciu maksymalne korzyści odżywcze i zdrowotne.

Jeśli potrzebujesz dodatkowych informacji, zasięgnij porady lekarza.

Rozdział 10

Karmienie sztuczne

Poradnik dla rodziców

Jeśli decydujesz się na karmienie dziecka butelką, nie zwracaj uwagi na niczyje komentarze, które miałyby wpędzić cię w poczucie winy z powodu braku karmienia piersią. To twoje dziecko, twoje ciało i twoja decyzja. Ciesz się nią i obserwuj, jak z twojego noworodka wyrasta zdrowe i silne niemowlę.

Jeśli natomiast chciałaś karmić piersią, ale z jakichś powodów okazało się to zbyt trudne, możesz czuć pewne rozczarowanie. Postaraj się jednak dłużej tego nie roztrząsać. Nawet jeśli karmienie butelką nie było twoim pierwszym wyborem, teraz jest najlepsze dla ciebie i twojego dziecka. I można tylko dziękować Bogu, że masz do dyspozycji to bezpieczne i odżywcze rozwiązanie. Zastosuj je z radością i nie oglądaj się za siebie.

Podstawowe wiadomości

Karmienie powinno stać się dla ciebie doświadczeniem pełni macierzyństwa, czasem bezgranicznego skupienia na twoim dziecku. A oto kilka wskazówek, jak uczynić z karmienia butelką jak najszczęśliwsze przeżycie dla was obojga:

- Wybierz do tego wygodny fotel w zacisznym, przytulnym pomieszczeniu albo ułóż się w łóżku. Przytul do siebie dziecko, tak aby jego główka opierała się w twoim zgięciu łokciowym, a dolna część ciała na ręce. Możesz też karmić niemowlę, trzymając je przed sobą w nosidełkach. Aby zmniejszyć ryzyko ulewania, dziecko powinno być w pozycji półleżącej, z głową wyżej niż stopy (patrz rycina 10.1).
- Dla większego podobieństwa do karmieniem piersią możesz rozpiąć bluzkę, tak abyście stykali się z dzieckiem „skórą do skóry".
- Delikatnie wsuń smoczek między wargi dziecka. Butelkę trzymaj w pochyleniu, tak aby smoczek był zawsze wypełniony mlekiem. Zapobiega to połykaniu powietrza, a tym samym eliminuje jedną z przyczyn ewentualnego dyskomfortu dziecka.

- Mniej więcej w połowie karmienia przerwij je i unieś dziecko pionowo, żeby mu się odbiło (patrz rozdział 11, „Podstawowa opieka nad niemowlęciem"). Zrób to ponownie na koniec karmienia.
- Patrz czule w oczy ssącemu dziecku i łagodnie do niego przemawiaj.
- Po karmieniu potrzymaj je przez dłuższą chwilę w pozycji półpionowej, aby zmniejszyć prawdopodobieństwo ulewania pokarmu. Uporanie się z butelką jest zwykle mniej pracochłonne dla niemowlęcia niż ssanie piersi, w związku z czym odbywa się szybciej. Nie oznacza to jednak, że należy skracać czas waszego bliskiego, czułego kontaktu. Po jedzeniu przytulaj więc dziecko, głaszcz je i kołysz, ale delikatnie. Jeśli będziesz podrzucać je czy kręcić nim jak na karuzeli, skończy się to zapewne zwróceniem całego posiłku wprost na ciebie.
- Nigdy nie dawaj dziecku butelki do łóżeczka, żeby mogło karmić się samo. Pozbawia je to pełnego miłości kontaktu z tobą, którego potrzebuje na równi z pokarmem, a ponadto może być niebezpieczne z powodu ryzyka zachłyśnięcia się.
- Nie kładź dziecka do snu z butelką w rączkach. Grozi to nie tylko ulewaniem i zachłyśnięciem się, ale również sprzyja zapaleniom ucha i rozwojowi próchnicy zębów.
- Jeśli ktoś z rodziny czy wynajęta opiekunka ma nakarmić dziecko podczas twojej nieobecności, upewnij się, że osoba ta zna powyższe zasady i będzie ich przestrzegać.

Wybór mieszanki

W wyborze pokarmu dla dziecka powinien pomóc ci lekarz. Zaleca się stosowanie mieszanek na bazie mleka krowiego i wzbogaconych w żelazo. W mieszankach tych mleko krowie podlega pewnym modyfikacjom (stąd nazwa: mieszanki lub mleko modyfikowane), dzięki którym staje się łatwiej strawne dla niemowlęcia i bardziej zbliżone do mleka ludzkiego (humanizowane). U niemowląt, które marudzą, sprawiają wrażenie, jakby dokuczały im gazy czy kolka, i codziennie rozdzierająco krzyczą bez wyraźnego powodu, rodzice często podejrzewają alergię na stosowaną mieszankę czy jej nietolerancję, jednak badania wykazują, że zdarza się to dość rzadko. Czasami niemowlę może rzeczywiście różnie reagować na poszczególne produkty na bazie mleka krowiego, jednak na ogół jest to po prostu kwestia smaku.

W ostatnich latach, wraz z popularyzacją wegetarianizmu i przetworów soi, wzrosła liczba rodziców sięgających po mieszanki na bazie białka sojowego. Większość lekarzy nie zaleca jednak takiego wyboru poza przypadkami rzeczywistej alergii dziecka na modyfikowane mleko krowie czy nietolerancji laktozy (cukru mlekowego), skądinąd rzadkiej u niemowląt. Mieszanki sojowe są generalnie mniej podobne do pokarmu naturalnego niż modyfikowane mleko krowie. Jedna z głównych różnic polega na braku laktozy, która sprzyja wchłanianiu wapnia.

Niemowlęta uczulone na mieszanki na bazie mleka krowiego są, niestety, często uczulone również na sojowe. U dzieci tych stosuje się zwykle pokarm oparty na hydrolizatach białkowych (białkach poddanych wstępnemu nadtrawieniu). W specy-

Rycina 10.1. Prawidłowa technika karmienia butelką. Zwróć uwagę na ustawienie butelki, której dno tworzy kąt skierowany do góry i do przodu. W tej pozycji smoczek jest przez cały czas wypełniony mlekiem, dzięki czemu dziecko podczas ssania nie połyka nadmiaru powietrza.

ficznych przypadkach dostępne są również innego typu mieszanki. Jeśli sądzisz, że twoje dziecko potrzebuje mieszanki sojowej czy hydrolizowanej, w pierwszej kolejności zasięgnij opinii pediatry.

Niezależnie od typu wybranej przez ciebie mieszanki pamiętaj, że musi to być znormalizowany produkt dla niemowląt. Na substytuty pokarmu naturalnego nie nadaje się zwykłe mleko krowie, mleko sojowe czy mleko w proszku, ani też mieszanki wytwarzane domowym sposobem. W Internecie czy wśród rodziców dzieci dotkniętych różnymi schorzeniami krążą nieraz przepisy na takie domowe mieszanki. Z zasady należy ich unikać, bo mogą być nieodpowiednie z punktu widzenia potrzeb odżywczych dziecka, bądź też mogą zawierać niebezpieczne czy nie sprawdzone składniki. Nie powinnaś również „ulepszać" produktu handlowego rozcieńczaniem (co może prowadzić do niedożywienia dziecka), zagęszczaniem (co może nadmiernie obciążać nerki) ani żadnymi dodatkami (niebezpiecznymi z powodu ryzyka zadławienia). Jeśli uważasz, że twoje dziecko potrzebuje jakiejkolwiek zmiany, omów to najpierw z lekarzem.

Sposób pakowania mieszanek

Mieszanki modyfikowane są dostępne na rynku najczęściej w postaci proszku do rozmieszania z przegotowaną wodą (sterylizowaną, jeśli pochodzi ze studni), w puszkach lub hermetycznych torebkach. Można także kupić:
- Zagęszczone mieszanki płynne do rozcieńczenia przegotowaną wodą (sterylizowaną, jeśli pochodzi ze studni);
- Gotowe do podania mieszanki w dużych puszkach (po otwarciu puszki należy przechowywać je w lodówce i zużyć w ciągu 24–48 godzin – sprawdź etykietkę);
- Gotowe do podania mieszanki w puszkach wielkości jednorazowej porcji, do przelania do butelki;
- Gotowe do podania mieszanki w jednorazowych butelkach.

Niezależnie od używanego na stałe rodzaju dobrze jest mieć zapas kilku porcji w jednorazowych butelkach czy puszkach. Mogą się przydać w sytuacji nieprzewidzianego wyjścia z domu czy po prostu na wszelki wypadek, żeby nie trzeba było w popłochu szukać czynnego sklepu w środku nocy.

Gdy niemowlę polubi już pewną markę pokarmu, możesz zaoszczędzić pieniądze, kupując go w większych ilościach w sklepach dyskontowych czy hurtowni. Nie zapomnij oczywiście o sprawdzeniu daty ważności całego opakowania zbiorczego, żeby przypadkiem nie okazało się przeterminowane, zanim zdążysz je zużyć. Niezależnie od formy zaopatrzenia zawsze powinnaś mieć w domu zapas mieszanki na co najmniej kilka dni.

Rodzaje butelek dla niemowląt

Butelki są dostępne w różnych kształtach i rodzajach, a wybór zależy głównie od preferencji twoich i niemowlęcia. Możesz spróbować kilku i ostatecznie zakupić większą liczbę tych, którymi najłatwiej się wam posługiwać.

Butelki występują typowo w dwóch wielkościach: 100 i 200 ml. Jeśli od samego początku karmisz sztucznie, będziesz potrzebować przypuszczalnie 4–6 małych i 6–10 większych. Dla oszczędności możesz też od razu używać większych, tyle że wlewając do nich początkowo małe porcje mieszanki.

Oba rozmiary występują zwykle w trzech wersjach jako:

1. Klasyczne butelki proste – jest to najczęściej stosowany standard.
2. Butelki ze zgiętą szyjką. Taka konstrukcja pozwala ci wygodniej trzymać butelkę, a jednocześnie zachować wypełnienie smoczka mlekiem, dzięki czemu niemowlę nie połyka powietrza. Trudniejszą sztuką jest za to napełnienie takiej butelki bez rozlewania mleka dookoła.
3. Butelki proste z jednorazowymi, jałowymi wkładkami. Jest to stosunkowo nowe udogodnienie, które zwalnia cię z obowiązku sterylizacji butelki, a przy tym ma zapobiegać połykaniu powietrza. Minusem tego rozwiązania jest oczywiście konieczność bieżącego zaopatrywania się w nowe wkładki.

Lekarz radzi

Bezpieczne zakupy

- Zanim cokolwiek kupisz, zawsze dokładnie sprawdzaj daty ważności na opakowaniu mieszanki (czy wszelkich innych produktów dla dzieci).
- Jeśli zauważysz na półkach żywność przeterminowaną, nie przechodź obojętnie, lecz miej obywatelski odruch poinformowania o tym fakcie pracowników sklepu, którzy powinni natychmiast usunąć takie towary.
- Nie kupuj żadnych puszek zdeformowanych ani wzdętych.

Twoją uwagę zwrócą też na pewno butelki w ciekawych, nietypowych kształtach i z uszkami, które ułatwiają dziecku samodzielne ssanie. Pamiętaj jednak, że butelka dla niemowlęcia ma spełniać przede wszystkim dwa warunki: musi być łatwa do mycia (a więc bez dodatkowych załamków, ozdóbek itp.) i mieć wyraźną, czytelną podziałkę (żeby wiedzieć, ile dziecko wypiło z danej porcji). Ponieważ noworodek i tak nie będzie karmić się sam, wszelkie rączki i uszka są zbędne.

Zdarzają się jeszcze butelki szklane, ale najczęściej produkuje się je z tworzyw sztucznych. Sztywne, przezroczyste butelki plastikowe są wykonane głównie z poliwęglanów. Mniej sztywne, barwione butelki i jednorazowe wkładki wytwarza się zwykle z polietylenu (PE) lub polipropylenu (PP).

W roku 1999 pojawiły się kontrowersje wokół butelek poliwęglanowych, a Raport Konsumencki zamieścił wręcz ostrzeżenie przed ich użyciem. Powodem zaniepokojenia były pewne doświadczenia, w których po 30-minutowym gotowaniu w płynie zawartym w butelkach stwierdzono znikome ilości bisfenolu-A, substancji uwolnionej z ich tworzywa. Inne badania nie potwierdziły jednak tego zjawiska, nie wiadomo również, czy bisfenol-A, nawet jeśli przenikałby z butelki do pokarmu, byłby w jakikolwiek sposób szkodliwy dla dziecka. Ostatecznie amerykańska Administracja Żywności i Leków (FDA) orzekła, że butelki poliwęglanowe są bezpieczne do rutynowego użytku. Jeśli korzystasz z takich sztywnych, plastikowych butelek, możesz zminimalizować ewentualne ryzyko przecieku, sterylizując je i studząc przed wypełnieniem mieszanką. Więcej informacji na temat sterylizowania butelek znajdziesz w dalszej części tego rozdziału.

Rodzaje smoczków

Smoczki nakładane na butelki występują zasadniczo w trzech typach: standardowym w kształcie dzwonka, „ortodontycznym", czyli wydłużonym i spłaszczonym z jednej strony, oraz spłaszczonym, przy czym te ostatnie wchodzą zwykle w skład

Lista rzeczy niezbędnych do karmienia sztucznego

- Butelki o pojemności 100 ml;
- Butelki o pojemności 200 ml;
- Smoczki;
- Szczotka do mycia butelek;
- Szczotka do mycia smoczków (albo uniwersalna szczotka do butelek i smoczków);
- Otwieracz do puszek lub butelek;
- Słoik z przykrywką do przechowywania smoczków;
- Torba z izolacją i woreczki na lód lub przenośny pojemnik-lodówka na karmienia poza domem;
- Ewentualnie szczypce do sterylizacji, sterylizator, podgrzewacz do butelek.

jednorazowego zestawu do karmienia. Smoczki typu „ortodontycznego" i spłaszczone mają w założeniu pobudzać ruchy bardziej zbliżone do ssania piersi, nie ma jednak ewidentnych dowodów, że są one korzystniejsze dla rozwoju jamy ustnej niemowlęcia w porównaniu ze standardowymi.

Smoczki różnią się również między sobą wielkością otworu, co pozwala zorientować się, jak wiele pracy wymaga od niemowlęcia zdobycie pokarmu. Przy zbyt małym otworze dziecko męczy się i denerwuje znikomym efektem swojego wysiłku; zbyt duży oznacza z kolei nadmierny strumień mleka i ryzyko zachłyśnięcia się. Praktyczna zasada głosi, że po odwróceniu butelki do góry dnem mieszanka powinna wypływać z niej przez kilka sekund w tempie jednej kropli na sekundę, po czym nawet ten skąpy wyciek powinien się zatrzymać. Jeśli musisz poszerzyć otwór dla rosnącego niemowlęcia lub zrobić dodatkowy, użyj do tego szpilki lub igły krawieckiej.

Przepływ pokarmu można również modyfikować, manipulując pierścieniowatą nakładką, która łączy smoczek z butelką. Poluzowanie nakładki wpuszcza do butelki nieco powietrza, co zwiększa strumień mleka, a jej dokręcenie ma skutek odwrotny.

Smoczki są produkowane z lateksu (ciemniejsze) lub silikonu (jaśniejsze, przezroczyste). Lateksowe mają tendencję do sklejania się i deformacji i z reguły po kilku miesiącach nie nadają się już do użycia. Smoczki silikonowe są łatwiejsze do utrzymania w czystości, nie kleją się i nie deformują, ale za to możliwe jest ich naderwanie.

Używając jednych bądź drugich, musisz dokładnie sprawdzać ich stan przed założeniem na butelkę i zawsze mieć zapas na wymianę. Nie można dopuścić do tego, by w buzi dziecka został kawałek odgryzionego smoczka.

Czy musisz sterylizować butelki, smoczki i wodę?

Zadaj powyższe pytanie lekarzowi. Część pediatrów zaleca sterylizację smoczków i butelek przez pierwsze trzy miesiące życia dziecka. Inni nie uważają tego za konieczne przy używaniu chlorowanej wody z miejskiej sieci, ale nie w przypadku wody ze studni czy jakiegokolwiek innego, niechlorowanego ujęcia. Ponadto, niezależnie od rodzaju wody, na etykietkach opakowań butelek, smoczków i innych artykułów branych przez dziecko do buzi znajduje się często zalecenie wysterylizowania ich przed pierwszym użyciem.

Jeśli postanawiasz sterylizować butelki, musisz płukać je natychmiast po karmieniu dziecka, usuwając wszelkie widoczne ślady mleka. Następnie możesz sterylizować je na szereg sposobów:

- W zmywarce do naczyń nastawionej na program z gorącą wodą i suszeniem na gorąco.
- Gotując przez 20 minut we wrzącej wodzie w garnku z przykrywką. Jeśli używasz butelek szklanych, wyłóż garnek ściereczką lub ręcznikiem, aby zapobiec obtłuczeniom.
- W autoklawie, czyli specjalnym szczelnym naczyniu, w którym sterylizacja następuje pod działaniem pary wodnej.

- W sterylizatorze elektrycznym. Jest to sposób najprostszy i najbardziej uniwersalny, nie wymagający niczego poza gniazdkiem elektrycznym. Poza tym sterylizator automatycznie się wyłącza.
- W sterylizatorze mikrofalowym, wstawianym do kuchenki. Również i on wyłącza się samoistnie, a przy okazji unikasz nagrzewania całej kuchni.

Jeśli sterylizujesz butelki, musisz sterylizować również wszystkie naczynia i przybory służące do przyrządzania pokarmu. Zależnie od rodzaju używanej mieszanki należą do nich na przykład otwieracze do puszek, miarki lub łyżeczki, nakładki i osłonki na smoczek, słoik do przechowywania smoczków i kubek czy garnuszek do mieszania proszku z wodą.

Jeśli używasz mieszanki w proszku lub zagęszczonej, do jej rozcieńczenia musisz używać czystej wody – przegotowanej z zimnego kranu lub butelkowanej. W razie zalecenia lekarza, by sterylizować wodę dla dziecka, gotuj ją przez 5 minut. Woda sprzedawana w butelkach z reguły nie jest sterylizowana, chyba że jest przeznaczona do użytku medycznego, o czym informują etykietki. Nie gotuj wody tak długo, by znaczna jej część zdążyła wyparować, bo zwiększa to stężenie wszelkich związków chemicznych, jakie mogą w niej występować.

Wymogi higieny

Jeśli nie sterylizujesz butelek i smoczków, musisz tym bardziej przestrzegać podstawowych zasad utrzymania ich w czystości:
- Myj butelki, smoczki, nakrętki itp. w gorącej wodzie z detergentem. Do mycia butelek i smoczków używaj szczotek przeznaczonych wyłącznie do tego celu. Po umyciu smoczka musisz przepłukać go czystą wodą, wyciskając ją przez dziurkę (-i).
- Jeśli używasz mieszanki w puszkach, umyj wieczko puszki gorącą wodą z detergentem i wysusz je przed otwarciem. (Jeśli sterylizujesz naczynia, przepłucz je wrzącą wodą).
- Do puszek z mieszanką dla dziecka używaj osobnego otwieracza i myj go za każdym razem równie dokładnie, jak butelki.
- Susz butelki, smoczki i inne przybory na powietrzu, rozkładając je na czystej ściereczce lub papierowym ręczniku. Ułatwieniem może być specjalna suszarka do butelek.

Przygotowanie mieszanki

Na początek umyj ręce. Stosuj się dokładnie do podanych na etykietce zaleceń co do mieszania, wstrząsania, przechowywania mieszanki i czasu przydatności do spożycia pokarmu z otwartego pojemnika. W przypadku mieszanki w płynie sprawdź dwa razy, czy i w jaki sposób należy ją rozcieńczyć. Bardzo ważne jest, by zachować właściwe, przewidziane przez producenta stężenie gotowego pokarmu – nie rozrzedzając go ani nie zagęszczając na własną rękę. Jeśli zmieniasz markę czy rodzaj opakowania, tym dokładniej wczytuj się w instrukcje, które mogą być odwrotne do tych, do jakich się przyzwyczaiłaś.

Lekarz radzi

Karmienie na żądanie

Noworodki powinny być karmione przy pierwszych oznakach głodu, tak długo jak długo mają ochotę na ssanie. Karm noworodka za każdym razem, gdy zauważasz, że jest głodny. Do wczesnych objawów głodu należy przebudzenie lub wzmożona aktywność, wkładanie rączek do buzi i obracanie buzią w różne strony. Nie sądź, że skoro dziecko nie krzyczy, to nie jest głodne. Krzyk jest późną oznaką głodu – jeśli noworodek zaczyna krzyczeć, musi być głodny już od dłuższej chwili. A poza tym krzyk może sygnalizować szereg innych problemów – lub żadnego!

Uważa się, że u niektórych noworodków rygorystyczne przestrzeganie godzin karmienia może być przyczyną zwolnienia tempa wzrostu.

Ponieważ trawienie pokarmu sztucznego zajmuje nieco więcej czasu, niemowlęta odżywiane w ten sposób zachowują zwykle nieco dłuższe odstępy między karmieniami niż dzieci karmione piersią. Przez pierwsze tygodnie życia noworodki karmione butelką jedzą zwykle co 3–4 godziny, na okrągło przez całą dobę. Dziecko w pierwszym tygodniu życia, a zwłaszcza dziecko z niską wagą urodzeniową, może jeść nawet częściej. Jeśli noworodek śpi dłużej niż 4–5 godzin z rzędu, obudź go na karmienie.

Przez kilka pierwszych dni po porodzie dzieci jedzą bardzo niewiele – jednorazowe porcje mają objętość rzędu łyżeczki do herbaty czy nawet mniejszą. W następnym miesiącu niemowlę zjada średnio 50–100 ml pokarmu na jeden raz. Praktyczna zasada głosi, że w ciągu każdej doby dziecko spożywa 50–75 ml mieszanki na każde 500 g swojej masy. Przykładowo dziecko ważące 3,5 kg będzie wypijać dziennie 350–525 ml pokarmu sztucznego.

W miarę upływu czasu niemowlęta wypijają coraz więcej mleka na jedno karmienie, a za to jedzą rzadziej, zwykle w już ustalonym, w miarę regularnym rytmie. Po osiągnięciu około 6 kg wagi wiele dzieci potrafi już zachować krótszą lub dłuższą przerwę nocną. Pod koniec pierwszego półrocza życia dzieci jedzą pokarm sztuczny średnio 4–5 razy dziennie, wypijając jednorazowo po 180–200 ml, do 1 litra dziennie. Na tym etapie w diecie dziecka powinny stopniowo pojawić się pokarmy stałe, których proporcja z czasem będzie się powiększać. Można również zacząć zachęcać dziecko do picia z kubka (patrz rozdział 22, „Zdrowe odżywianie”).

Najlepszym wskaźnikiem, czy niemowlę zjada dostateczne ilości pokarmu, jest oczywiście tempo jego wzrostu. Jeśli jednak twoje dziecko regularnie wypija znacznie więcej lub znacznie mniej niż podane tutaj ilości – albo jeśli niepokoi cię cokolwiek innego – zasięgnij porady lekarza.

Przygotowuj nie więcej niż porcję na jeden dzień. Możesz albo od razu rozlać mieszankę do butelek, zakręcić je i wstawić do lodówki, albo trzymać całość w jednym czystym (lub wysterylizowanym) słoiku w lodówce i odlewać z niego tyle, ile potrzeba ci na jedno karmienie. Nie zamrażaj gotowej mieszanki.

Gdy dziecko skończy jeść, wylej z butelki wszystko, co w niej zostało, chyba że chodzi o krótką, kilkunastominutową przerwę. Nie zachowuj jednak resztek z jednego karmienia na następne, bo w tym czasie mogą pojawić się w nich bakterie.

Zabierając butelkę z gotową mieszanką na karmienie poza domem, zapakuj ją w torbę izolacyjną i obłóż lodem lub zamrożonymi kartonami soku. Pokarm możesz bez obaw podać dziecku, jeśli w momencie karmienia butelka jest jeszcze zimna w dotyku. Bezpieczną alternatywą jest zabieranie ze sobą nienaruszonej puszki z jednorazową porcją i czystej, zamkniętej nakrywką butelki do napełnienia bezpośrednio przed karmieniem.

Większość niemowląt wydaje się chętnie pić mieszankę zimną (bezpośrednio po wyjęciu z lodówki) lub lekko ogrzaną (do temperatury pokojowej lub temperatury ciała). Zależy to od indywidualnych preferencji dziecka lub przyzwyczajenia. Jeśli podajesz mieszankę na ciepło, przy jej ogrzewaniu przestrzegaj następujących zasad:

- Potrzymaj wyjętą z lodówki butelkę przez kilka chwil pod kranem z ciepłą wodą lub włóż ją do naczynia wypełnionego ciepłą wodą.
- Przydatnym urządzeniem, szczególnie w nocy, jest elektryczny podgrzewacz do butelek, ustawiony zwykle w pobliżu łóżka. Utrzymuje on niską temperaturę mieszanki na czas przechowywania, a w razie potrzeby szybko ją podgrzewa, dzięki czemu nie musisz w środku nocy wędrować do lodówki.
- Nie podgrzewaj butelki w kuchence mikrofalowej. Choć butelka z zewnątrz wydaje się chłodna, w jej zawartości tworzą się nieraz gorące „zatoki", które mogą oparzyć dziecko.
- Nie zostawiaj butelki do ogrzania w temperaturze pokojowej dłużej niż przez kilka minut.
- Sprawdzaj temperaturę mieszanki, wylewając kilka kropli na wewnętrzną stronę przedramienia. Powinnaś odczuć je jako obojętne – ani cieplejsze, ani chłodniejsze niż twoja skóra.

Lekarz radzi

Porcja z lekkim zapasem

Ile mieszanki powinnaś wlewać do butelki na pojedyncze karmienie? Średnio o 25–50 ml więcej niż dziecko zwykle wypija, co zapewnia mu rezerwę na wypadek wyjątkowego głodu czy wzrastającego apetytu. Jeśli odmierzasz dokładnie tyle, ile dziecko powinno wypić, i za każdym razem opróżnia ono butelkę do ostatniej kropli, nigdy nie masz pewności, czy nie zjadłoby więcej, gdyby było to możliwe.

Najczęstsze problemy przy karmieniu butelką

W okresie karmienia butelką twojemu dziecku mogą przytrafić się typowe problemy w postaci ulewania, wymiotów czy alergii pokarmowych. Zasady postępowania w przypadku każdego z nich omawiamy w rozdziale 11, „Podstawowa opieka nad niemowlęciem".

Odzwyczajanie od butelki

Wielu pediatrów i stomatologów zaleca odzwyczajanie dziecka od butelki po ukończeniu przezeń roku, głównie w celu zapobiegania próchnicy zębów. W rzeczywistości jednak wiele dzieci karmionych sztucznie, podobnie jak karmionych piersią, nie zdradza jeszcze w wieku 12 miesięcy gotowości do rezygnacji z kojącego ssania. Inne z kolei mają jeszcze w tym wieku duże trudności w piciu z kubka. Zdarza się bardzo często, że dzieci dwu- czy nawet trzyletnie domagają się butelki, zwłaszcza przed snem, dokładnie na tej samej zasadzie, na jakiej dzieci karmione przez cały okres niemowlęcy piersią chcą jej nadal na dobranoc. Nie powinnaś się niepokoić ani mieć poczucia winy z tego powodu. Możesz jednak uniknąć sytuacji, w której przywiązanie dziecka do butelki staje się problemem, przestrzegając kilku prostych zasad postępowania:

- Nie pozwalaj dziecku zabierać butelki do łóżka. Zasypianie z buzią pełną mieszanki, mleka czy soku może być przyczyną znacznej próchnicy zębów – tak zwanej „próchnicy butelkowej", przed którą mocno przestrzegają lekarze – a także zwiększa ryzyko zapalenia ucha. Nawet jeśli w butelce jest tylko woda, zabieranie jej do łóżka utrwala w dziecku skojarzenie między butelką a zasypianiem, czego należy unikać.
- Nie pozwalaj dziecku chodzić z butelką przez cały dzień i traktować jej jak uspokajającego smoczka. Ogranicz korzystanie z butelki do określonych momentów i miejsc – na przykład przy stole do posiłku czy w fotelu bujanym w porze dobranocki.
- Nie proponuj dziecku butelki, jeśli samo o nią nie poprosi.
- Staraj się nie dawać dziecku tak dużych porcji mieszanki czy mleka z butelki, by mogło to pozbawić je apetytu na pokarmy stałe. Często wymaga to znalezienia pewnego „złotego środka": jeśli twoje dziecko jest zdeklarowanym niejadkiem albo krztusi się czy ma kłopoty z połykaniem, możesz oddychać z ulgą, że chce ssać z butelki, widząc w niej jedyną szansę na uniknięcie śmierci głodowej – przynajmniej do czasu, aż nabierze większej wprawy w jedzeniu czy poprawi mu się apetyt. Cała sztuka polega na tym, by nie za bardzo polegać na butelce i tym samym nie zniechęcać dziecka do innego, bardziej dorosłego jedzenia.

Ostatecznie większość dzieci albo traci zainteresowanie butelką, albo rezygnuje z niej z konieczności, nie chcąc narażać się na kpiny rówieśników. Jeśli zaczynasz odzwyczajanie jeszcze zanim tak się stanie, rób to stopniowo, z zachowaniem mniej więcej tygodniowego odstępu między kolejnymi etapami. A oto kilka metod, jakich możesz spróbować:

• Zrezygnuj najpierw z jednego karmienia butelką, zastępując je mieszanką lub mlekiem do wypicia z kubka i jakąś przekąską stałą. Po tygodniu zastąp w ten sposób kolejne karmienie. Z reguły jako pierwsze wypada karmienie w środku dnia, a najtrudniej rozstać się z ostatnim, bezpośrednio przed snem.

• Stopniowo zmniejszaj porcje mieszanki przy kolejnych karmieniach butelką, a następnie opuszczaj jedno po drugim, podając dziecku w zamian mleko w kubku.

• Przejdź od mieszanki do wody w butelce, a następnie opuszczaj jedno karmienie po drugim, w zamian podając dziecku wodę w kubku.

Niezależnie od zastosowanej metody odzwyczajania możesz ułatwić dziecku ten okres, proponując mu ulubione przekąski lub pasjonującą zabawę w porach, w których dotąd ssało zwykle butelkę. Jeśli dziecko już wcześniej koniecznie chciało robić coś zastrzeżonego „dla dużych dzieci", postaraj się umożliwić mu to teraz, aby miało okazję odczuć, jak przyjemnie jest rosnąć. A przede wszystkim okaż mu jak najwięcej czułości i zainteresowania, aby pomóc mu bezboleśnie rozstać się z butelką, źródłem ukojenia i bezpieczeństwa.

Jeśli potrzebujesz dodatkowych informacji, zasięgnij porady lekarza.

Rozdział 11

Podstawowa opieka nad niemowlęciem

Praktyczne porady na co dzień

O dpręż się!", „Ciesz się!". Oto odpowiedzi wielu doświadczonych rodziców na nasze pytanie o najważniejszą radę, jakiej udzieliliby świeżo upieczonej matce i ojcu po powrocie z noworodkiem do domu. Znakomita rada – możesz westchnąć – gdyby jeszcze tylko dało się ją zastosować. Wielu młodych ludzi z zachwytem wita perspektywę rodzicielstwa, a pierwsze tygodnie z dzieckiem są dla nich okresem prawdziwego „amoku" miłości i dziękczynienia (tym bardziej nierzeczywistym, że żyją w chronicznym niewyspaniu). Mimo całej radości i szczęścia adaptacja do zupełnie odmiennej życiowej sytuacji nie jest łatwa i zwykle wpisują się w nią również momenty załamania, przytłoczenia, niepokojów czy wręcz najprawdziwsze napady paniki. „Mam dziecko! Jak sobie poradzę?". Wszystkie te uczucia – i dobre, i złe – są absolutnie naturalne. Z pewną pomocą ze strony bardziej doświadczonych matek i ojców, a w razie potrzeby również profesjonalistów, masz większe szanse przejść przez ten okres ze zdrowym, szczęśliwym niemowlęciem i zachować po nim najpiękniejsze wspomnienia na całe życie.

Jeśli czujesz się niepewnie, pamiętaj, że nie jesteś sama. Jeśli trapią cię problemy i wątpliwości, nie zadręczaj się nimi w milczeniu: pytaj, proś o pomoc, szukaj wsparcia. Choć pobyt w szpitalu trwa najczęściej bardzo krótko, postaraj się wykorzystać i ten kontakt z doświadczonymi ludźmi. Wiele szpitali zatrudnia specjalistów do spraw żywienia, którzy mogą pomóc ci w nauce karmienia dziecka piersią czy butelką. Pielęgniarki chętnie pokażą ci, jak trzymać, przewijać czy myć noworodka. Rodzina i przyjaciele, którzy mają to już za sobą, będą służyć ci informacją o przydatnych instytucjach, stowarzyszeniach rodziców czy agencjach opiekunek do dzieci.

Nie wahaj się jednak korzystać z pomocy najbliższych, którzy najczęściej nie dość, że nie dają się długo prosić, to wręcz o tym marzą. Choć nie zawsze musisz się z nimi zgadzać, nie lekceważ ich doświadczenia. Mama czy teściowa pod ręką jest w tym okresie bezcennym skarbem, a przy okazji taka współpraca może zaowocować zupełnie nową jakością kontaktów „międzypokoleniowych".

Tak czy inaczej, czy masz pomoc, czy nie, skoncentruj się na potrzebach dziecka i twoich własnych, a całą resztę świadomie zepchnij na drugi plan. Idealny porządek w domu czy poczęstunek dla gości powinny być twoim ostatnim zmartwieniem. Zapraszaj tylko te osoby, które ci pomogą – czy to uważnie wysłuchując twoich porodowych przeżyć, czy robiąc pranie. Nie wymagaj od siebie więcej niż dobrej opieki nad dzieckiem i budowania twojej nowej rodziny.

W razie wątpliwości, czy „prawidłowo" robisz cokolwiek wokół dziecka, pamiętaj, że w tym przypadku nie istnieje jedyna, idealna procedura. Tak długo, jak długo twoje dziecko jest bezpieczne i zdrowe, a ty nie padasz z wyczerpania, postępujesz „prawidłowo". Jedna z matek, która odpowiedziała na naszą ankietę, ujęła to następująco: „Słuchaj uważnie wszystkich rad, a następnie rób to, co uważasz za stosowne. Rodzicielstwo nie jest nauką ścisłą. Idź za głosem instynktu".

Na samym początku życia świat twojego dziecka nie jest zbyt skomplikowany. Większość czasu we dnie i w nocy zajmuje mu sen i jedzenie, i powinnaś pozwolić mu oddawać się tym „zajęciom" w jego własnym rytmie. Jeśli to pierwszy noworodek w twoim życiu, możesz dziwić się, jak niewiele wydaje się interesować go poza tym. Kwestiom karmienia poświęcamy rozdziały 8–10, a sen omawiamy w osobnym rozdziale 21. W tym rozdziale skupimy się na pozostałych elementarnych kwestiach opieki nad niemowlęciem – takich jak trzymanie go na rękach, uspokajanie, przewijanie i kąpiel – które staną się nieodłączną częścią tego wyjątkowego okresu w twoim życiu – i w życiu twojego dziecka.

Jak trzymać noworodka

Zacznijmy od tego, że nie musisz obchodzić się z noworodkiem jak z bezcenną, kruchą figurką z porcelany. Musisz za to zwracać uwagę na podtrzymywanie jego główki. Na tym etapie dziecko nie opanowało jeszcze kontroli pozycji główki, tak więc musisz trzymać je w taki sposób, by główka nie opadała bezwładnie na boki, do tyłu ani do przodu. Niemowlę musi mieć ustabilizowaną główkę w pozycji leżącej i podtrzymywaną wtedy, gdy ustawiasz je pionowo, kładziesz do łóżeczka czy nosisz na rękach.

Uważaj, by nie potrząsać noworodkiem ani w zabawie, ani ze złości. Potrząsanie może spowodować uszkodzenie mózgu, a nawet śmierć dziecka. Jeśli jego nieustający krzyk zaczyna doprowadzać cię do szaleństwa, a nikt nie może cię przy nim zastąpić, połóż je w bezpiecznym miejscu i wyjdź z pokoju, dopóki nie odzyskasz samokontroli. Jeśli chcesz obudzić dziecko, nie potrząsaj nim, a tylko delikatnie połaskocz w stopy czy pogłaszcz po policzku.

Podczas każdej podróży noworodek musi być właściwie zabezpieczony w wózku, nosidełkach czy foteliku samochodowym. Staraj się ograniczyć do minimum przejażdżki samochodem i inne działania które mogą narazić dziecko na jakiekolwiek wstrząsy. Wszystko, co przy nim robisz, rób delikatnie. Noworodek nie jest gotowy do dynamicznych zabaw, takich jak podrzucanie czy „patataj" na kolanach. W tym okresie podstawą waszej obecnej i przyszłej wzajemnej więzi jest twoja czułość i łagodność. Możesz mu je okazać na wiele sposobów – przytulając je, głaszcząc, obserwując, przemawiając do niego i śpiewając.

Uspokajanie i zacieśnianie więzi

Niemowlęta czują się pod opieką, gdy są noszone, głaskane, masowane i całowane. W ogromnej większości przypadków dziecko przepada za okazywaną mu czułością. Usiądź z dzieckiem w objęciach i delikatnie głaskaj je w zmiennym rytmie. Ten prosty gest miłości i opieki ma dla niemowlęcia ogromne znaczenie: badania wykazują, że dzieci rzadko dotykane rosną i rozwijają się gorzej, niż powinny. Jeśli oboje będziecie często przytulać i pieścić maleństwo, już wkrótce zacznie ono dostrzegać różnice między dotykiem mamy i taty.

Dzieci przedwcześnie urodzone czy dotknięte problemami zdrowotnymi mogą wykazywać szczególną wrażliwość na masaż. Masaż niemowlęcia jest omawiany w wielu książkach i demonstrowany na kasetach wideo; zapytaj lekarza, który z jego rodzajów byłby najbardziej wskazany dla twojego dziecka. Zachowaj jednak ostrożność: niemowlę jest słabsze i mniej odporne od dorosłego i nie można poddawać go takim samym uciskom czy manipulacjom, jak w typowym masażu dla dorosłych.

Już bardzo małe noworodki uwielbiają dźwięki, więc nie szczędź dziecku rozmów, piosenek, odgłosów itp. Większość niemowląt lubi również codzienne, domowe dźwięki, takie jak brzęk naczyń kuchennych, a także odgłosy zabawy i śmiech innych dzieci. Zwracaj też uwagę na dźwięki, jakie wydaje ono samo: powtarzaj je i obserwuj, czy zachęcone w ten sposób odpowie ci kolejnymi. Takie pierwsze „rozmowy" są dla dziecka lekcją tonacji, rytmu i zabierania głosu na zmianę, w swojej kolejności. Dotykaj i nazywaj części jego ciała. Baw się jego rączkami i nóżkami, przenosząc swoje ręce z jednych na drugie.

Tak jak większość dzieci, również i twoje będzie zapewne lubiło muzykę. Wypróbuj różne rodzaje (nie zapominając o klasycznej) i obserwuj, czy jest coś, czego dziecko wydaje się słuchać

Najlepsza rada, jakiej mi udzielono...

„...pochodziła od pediatry opiekującego się moim starszym synkiem. Lekarz ten uświadomił mi, że zamiast ślepo stosować się do niezliczonych i często wzajemnie sprzecznych opinii na temat pielęgnacji i wychowywania dziecka, mam kierować się przede wszystkim zdrowym rozsądkiem i miłością, a na pewno nie zrobię niczego, co mogłoby mu zaszkodzić".

„Głos doświadczenia"

„Nikt nie kocha twojego dziecka tak jak ty! Kochaj je więc i okazuj mu tę miłość od samego początku. Wykorzystaj ten jedyny, niepowtarzalny okres. Już nigdy później nie będzie między wami tak bezgranicznej bliskości".
– ZA: KIDSHEALTH PARENT SURVEY

z największym upodobaniem. Muzyczne grzechotki i ruchome pozytywki są inną pożyteczną metodą pobudzania słuchu niemowlęcia. Gdy dziecko zaczyna marudzić, próbuj rozchmurzyć je śpiewem, recytacją poezji czy wierszyków dla dzieci albo chwilą lektury (tak, tak, już w tym wieku!) w fotelu bujanym. Albo nastaw jakąś kojącą muzykę. Przybliż buzię dziecka do swojej twarzy i delikatnie kołyszcie się razem w rytm muzyki. Najprawdopodobniej dobrze zrobi to wam obojgu. Zabierz dziecko na spacer w wózku czy nosidełkach i śpiewaj mu po drodze, jeśli zacznie się niepokoić.

Niektóre niemowlęta, a zwłaszcza przedwcześnie urodzone, wykazują niezwykłą nadwrażliwość na dotyk, światło lub hałas. Nawet normalne bodźce mogą wywoływać u nich odruchy lękowe (Moro), krzyk, niepokój lub odwracanie główki w drugą stronę na dźwięk głosu rodziców. W takim przypadku trzeba zwracać tym większą uwagę na względną ciszę i łagodne światło, a wszelkie poruszanie czy inne interakcje z dzieckiem muszą odbywać się szczególnie powoli i delikatnie. Rodzice powinni czujnie obserwować reakcję niemowlęcia i przerywać pewne działania, jeśli dostrzegą jego stres.

Najczęściej jednak dzieci chciałyby być *ciągle* noszone i przytulane. W im większym stopniu uda ci się zaspokoić tę potrzebę (na przykład dzięki nosidełkom na brzuchu czy na plecach), tym lepiej dla niego – i dla ciebie.

Chandra i depresja poporodowa

Szacuje się, że nastrój przygnębienia w pierwszym tygodniu po porodzie, najtrafniej określany w języku angielskim jako „baby blues", dopada około 50% młodych matek, a także wielu młodych ojców i rodziców adopcyjnych. Zazwyczaj nie trwa on dłużej niż kilka dni, ale są to trudne dni lęku, smutku, rozdrażnienia i bezsenności. Możesz również zauważyć wahania nastroju od radości do płaczu bez uchwytnego powodu. Nie pozwól, by uczucia te dodatkowo wpędziły cię w przygnębienie. Jak wskazuje wyżej podana liczba, jest to stan w pełni normalny i przemijający.

Tylko w rzadkich przypadkach mamy do czynienia z poważniejszą, prawdziwą depresją poporodową, czasem w dwa lub trzy miesiące po porodzie. Na szczęście jest ona w wysokim stopniu uleczalna. Jeśli czujesz się przygnębiona przez większość czasu w ciągu dwóch tygodni lub dłużej, wymagasz szybkiej pomocy lekarskiej. Do objawów depresji należy utrata zainteresowania zajęciami i rzeczami, które zwykle sprawiały ci przyjemność, bezsenność lub nadmierna senność, permanentne rozdrażnienie lub „wypranie z sił", poczucie bezwartościowości lub winy oraz niezdolność do koncentracji. Jeśli miewasz myśli o śmierci, samobójstwie czy zrobieniu krzywdy dziecku, potrzebujesz pomocy natychmiast. Możesz zacząć od telefonu do lekarza albo od razu zgłosić się na pogotowie czy oddział pomocy doraźnej najbliższego szpitala.

Miejsce dla taty

Gdy od samego początku w życiu dziecka uczestniczą oboje rodzice, jest to ze wszech miar korzystne i dla niego, i dla całej świeżo powiększonej rodziny. Czasami jednak ojciec może czuć się zepchnięty na drugi plan – zwłaszcza jeśli matka karmi piersią – albo onieśmielony w kontaktach z noworodkiem. Jeśli tak właśnie wygląda sytuacja w twojej rodzinie, musicie oboje podjąć wysiłek włączenia ojca we wszystkie aspekty życia dziecka. Obydwoje możecie je nosić na rękach, kołysać, przewijać, kąpać, bawić się, wychodzić na spacer, mówić do niego, czytać bajeczki i śpiewać. Jedyne, czego nie potrafi czuły ojciec, to oczywiście karmienie piersią, ale i wtedy może być w pobliżu, aby dotrzymać żonie i dziecku towarzystwa i dzielić z nimi te szczególne momenty. Nawet we dwoje będziecie mieć pełne ręce roboty.

Przewijanie

Zarówno pieluszki bawełniane, jak i jednorazowe pampersy mają swoje wady i zalety. Pieluszki z tetry są naturalne, z reguły znacznie tańsze w dłuższej perspektywie, delikatniejsze dla skóry dziecka i bardziej przepuszczalne dla powietrza. W wystarczających ilościach i przy korzystaniu z pralki pieluszki bawełniane okazują się niemal równie wygodne w użyciu, jak jednorazowe. Oczywiście tylko te ostatnie w ogóle nie wymagają prania, prasowania ani składania. Wielu rodziców używa pieluch bawełnianych przez kilka pierwszych tygodni, a następnie przechodzi na pampersy, inni z kolei używają pieluch bawełnianych w domu, a jednorazowych przy wszelkich wyjściach. Niezależnie od rodzaju wyboru, musisz przewidzieć zużycie średnio 10 pieluch dziennie, czyli 70 tygodniowo.

Pieluchy a ochrona środowiska

Z licznych dyskusji na temat efektów środowiskowych pieluch wielokrotnego i jednorazowego użytku nie wynika jak dotąd jednoznacznie, które z nich są w tym aspekcie lepsze. Większość ekspertów przyznaje, że pranie pieluch bawełnianych wymaga znacznego zużycia wody i generuje zwiększoną objętość ścieków. Pranie w domu oznacza ponadto większe zużycie energii niż pranie w pralniach, czego również nie można pominąć w ogólnej kalkulacji kosztów.

Pieluchy jednorazowe mają oczywiście również swoje minusy. Ich produkcja pochłania więcej surowców i zajmują one trzecie miejsce na liście największych źródeł odpadów stałych – czemu trudno się dziwić, zważywszy że jedno niemowlę zużywa przeciętnie 70 sztuk tygodniowo! Choć wielu producentów reklamuje swoje wyroby jako ulegające biodegradacji, brak tlenu w składowiskach odpadów powoduje, że w praktyce biodegradacja pieluch jednorazowych będzie trwała bardzo długo.

Zastanawiając się nad optymalnym wyborem, możesz brać pod uwagę powyższe kwestie w odniesieniu do twojego lokalnego środowiska naturalnego. Jeśli mieszkasz na przykład w rejonie podatnym na suszę i niedobór wody, pieluchy jednorazowe mogą okazać się rozwiązaniem lepszym.

Przygotowania

Zanim zaczniesz przewijać dziecko, sprawdź, czy masz w zasięgu ręki wszystko, co będzie ci potrzebne do tej operacji. Nigdy – nawet na moment – nie zostawiaj dziecka bez zabezpieczenia na stole do przewijania. Jak entuzjastycznie ujął to jeden z naszych czytelników, „nie wolno nie doceniać niezwykłych zdolności dziecka do turlania się".
Aby przewinąć noworodka, musisz zgromadzić koło siebie następujące rzeczy:
- Czystą pieluszkę i ceratkę lub agrafki, jeśli używasz pieluch bawełnianych;
- Maść cynkową lub wazelinę, zwłaszcza jeśli dziecko ma odparzenia;
- Waciki, miskę z letnią wodą i czysty ręcznik (ewentualnie jednorazowe, nasączane chusteczki, o ile tylko dziecko nie reaguje na nie uczuleniem).

Co dalej? Usuwasz brudną pieluchę, delikatnie unosząc nóżki dziecka i wysuwając ją spod pośladków. Użyj wacików, wody i ręcznika lub chusteczek do dokładnego umycia i osuszenia okolicy krocza i pośladków. Przy przewijaniu synka musisz uważać, bo ekspozycja na chłodniejsze powietrze jest często bodźcem wywołującym natychmiastowy

Jak pozbyć się odparzeń pośladków

Większość niemowląt przynajmniej kilkakrotnie doświadcza odparzeń pośladków („wysypki od pieluch"), a niektóre mają je tak często, że prowadzi to do stałego podrażnienia skóry. Aby mu zapobiec albo przyspieszyć gojenie się tej przykrej dla dziecka dolegliwości, spróbuj następujących sposobów:
- Przewijaj niemowlę jak najczęściej, kiedy tylko ma mokro, a szczególnie szybko po oddaniu stolca.
- Po umyciu całej okolicy łagodnym mydłem i wodą lub gotową, nasączoną chusteczką posmaruj pośladki kremem dla niemowląt. Zalecane są kremy z tlenkiem cynku, ponieważ wytwarzają barierę ochronną przed wilgocią.
- Jeśli używasz pieluch bawełnianych, pierz je w specjalnym proszku dla niemowląt, bez barwników i środków zapachowych, i unikaj suszenia ich w suszarce razem z bielizną wypraną w innych, pachnących proszkach.
- Pozwól dziecku codziennie pobaraszkować bez pieluchy czy z rozwiniętą pieluchą, aby pośladki mogły się przewietrzyć. (Jeśli masz synka, przykryj go pieluszką od przodu, żeby nie obsiusiał ciebie, ścian i wszystkiego dookoła).

Jeśli zaczerwienienie utrzymuje się dłużej niż 3 dni, skontaktuj się z lekarzem – być może doszło do zakażenia grzybiczego, wymagającego zastosowania maści na receptę.

strumień moczu, wprost na ciebie. Gdy wycierasz dziewczynkę, pamiętaj o zachowaniu kierunku od przodu do tyłu, aby zapobiec zakażeniu dróg moczowych bakteriami z okolicy odbytu. Jeśli dziecko ma odparzenia, pokryj je maścią. (Niektórzy rodzice stosują ochronną maść czy krem rutynowo, nie czekając na zaczerwienienie skóry). Po przewinięciu dziecka nie zapomnij o umyciu rąk.

Jeśli używasz pieluch jednorazowych, zakładaj je w następujący sposób (ryciny 11.1a–b):

- Rozwiń pieluchę, delikatnie unieś nóżki dziecka i wsuń ją pod jego pośladki. Następnie „zapakuj" dziecko z wykorzystaniem warstw samoprzylepnych po obu stronach.
- Przed wyrzuceniem brudnego pampersa do śmieci musisz strząsnąć z niego kał dziecka do toalety. Pamiętaj o częstym, regularnym opróżnianiu kosza na śmieci.

Jeśli używasz pieluch bawełnianych, procedura przewijania wygląda następująco (ryciny 11.2a–c):

- Pieluchy mogą być fabrycznie złożone w trójkąt lub prostokątne. Początkowo będziesz musiała przypuszczalnie podwijać jeden z brzegów, by zmniejszyć pieluchę mniej więcej o jedną trzecią, bo inaczej będzie za duża dla noworodka. Jeśli pielucha ma dodatkową, nieprzemakalną wyściółkę, układaj ją od przodu u chłopca i od tyłu u dziewczynki.
- Ułóż dziecko w pieluszce, delikatnie unosząc jego nóżki (możliwie jak najmniej) i podsuwając ją pod pośladki. Jeśli pielucha jest prostokątna, przełóż ją do góry i do środka i umocuj po bokach. Jeśli masz pieluchę trójkątną, zawiń jej dolny róg na brzuszek dziecka, a następnie nałóż na ten róg końce boczne i umocuj całość pośrodku.

11.1a

11.1b

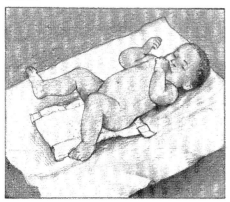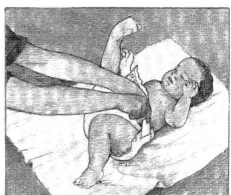

Ryciny 11.1a–b. Przewijanie z użyciem pieluch jednorazowych. Najpierw podłóż pod plecy dziecka rozwiniętą pieluchę (część szczytową z warstwą przylepca), mniej więcej do wysokości jego pępka. Następnie przełóż przednią (dolną) część pieluchy między nóżkami dziecka w kierunku brzuszka. Połącz całość przylepcami stabilnie, ale niezbyt ciasno dla dziecka.

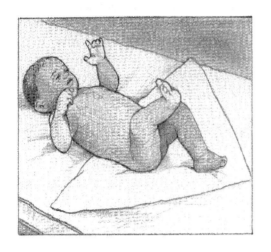

11.2a. Przewijanie niemowlęcia
z użyciem pieluszki bawełnianej
odbywa się w trzech etapach.
Najpierw złóż pieluchę na pół,
robiąc z niej trójkąt, po czym wsuń
ją pod pośladki dziecka, tak jak na
rycinie.

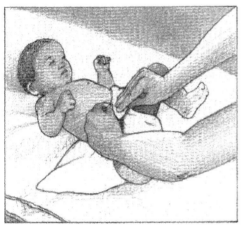

11.2b. Przełóż dolny róg trójkąta
między nóżkami do brzuszka, po
czym zwiń i załóż nań jeden
z rogów bocznych.

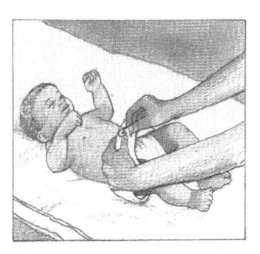

11.2c. Na koniec zrób to samo
z ostatnim rogiem, tak aby
wszystkie trzy spotkały się na
brzuchu dziecka. Umocuj je
agrafką z bezpiecznym zapięciem,
uważając, by nie ukłuć przy tym
dziecka. Możesz również
zabezpieczyć pieluchę z obu
stron – niczym jednorazową
z przylepcami – używając do tego
dwóch agrafek.

Ryciny 11.2a–c. Technika zakładania pieluchy bawełnianej.

- Agrafki do zapinania pieluch muszą być duże, z plastikowymi główkami bezpieczeństwa. Aby nie ukłuć dziecka, podkładaj rękę między pieluchę a jego skórę. Jeśli boisz się używać agrafek, możesz zastąpić je specjalną taśmą adhezyjną do pieluch.
- Jeśli sama pierzesz pieluchy, pierz je osobno, bez innej bielizny, z użyciem specjalnego, łagodnego proszku dla niemowląt. Nie używaj środków zmiękczających czy antystatycznych, które mogą podrażniać delikatną skórę niemowlęcia. Pierz pieluchy w gorącej wodzie i dokładnie płucz.

Zawijanie

Gdy po raz pierwszy widzisz swoje dziecko przyniesione z oddziału noworodków, przypomina ono najczęściej zgrabny, dobrze zawinięty pakiecik. W szpitalach noworodki rutynowo zawija się w kocyk w taki sposób, że ich ręce przylegają do tułowia, a nóżki są porządnie okryte. Przez kilka pierwszych tygodni życia twoje dziecko może spędzać większość czasu w takich „powijakach”. Nie tylko chroni je to przed utratą ciepła, ale również wydaje się zapewniać poczucie bezpieczeństwa. A oto jak powinnaś zawijać dziecko (ryciny 11.3a-d):

1. Rozłóż płasko kocyk.
2. Połóż dziecko na plecach na kocyku z główką w jednym rogu.
3. Zawiń dolny róg koca do góry i przytrzymaj na brzuchu dziecka.
4. Zawiń jeden z bocznych rogów w kierunku dośrodkowym, zakrywając nóżki dziecka.
5. Zawiń drugi koniec kocyka wokół dziecka, tak aby kończył się na jego plecach.

I to wszystko! Twoje dziecko jest teraz bezpiecznie zawinięte.

Smoczki

Niemowlęca potrzeba ssania własnego kciuka czy smoczka wynika z naturalnego, wrodzonego odruchu. Takie „behawioralne” formy ssania nie świadczą o żadnych problemach emocjonalnych dziecka. W rzeczywistości blisko 80% niemowląt ssie w okresach między karmieniami, a więc w celu innym niż pobieranie pokarmu. Wydaje się, że czynność ssania dodaje dziecku otuchy i pozwala mu uspokoić się we własnym zakresie. Większość dzieci pozbywa się tego nawyku w wieku około jednego roku.

Ponieważ ssanie jest naturalną potrzebą dziecka, nie należy go powstrzymywać. I kciuk, i smoczek mają swoje zalety. Kciuk nigdy nie zawieruszy się w środku nocy, smoczek pozostaje w większym stopniu pod kontrolą rodziców i może być z czasem usunięty. Trudno rozstrzygnąć, które rozwiązanie jest lepsze.

Jeśli decydujesz się na smoczek-gryzak, powinnaś wprowadzić go w ciągu pierwszych ośmiu tygodni – jeśli jednak karmisz piersią, nie wcześniej niż wtedy, gdy dziecko dobrze opanuje już sztukę ssania sutka. Używaj wyłącznie smoczków wykonanych z jednego kawałka tworzywa, a wystrzegaj się takich, które mogą rozpaść się na kilka kawałków. Gdy twoje dziecko wybierze któryś z modeli, warto zrobić pewien

11.3a

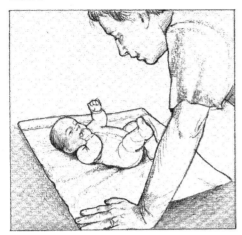

11.3b

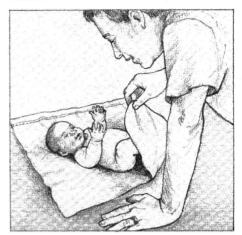

11.3c

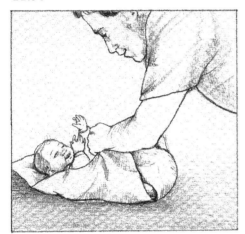

11.3d

Ryciny 11.3a–d. Zawijanie dziecka w kocyk. Zacznij od ułożenia dziecka na kwadratowym lub prostokątnym kocyku, tak jak na rycinie (a). Następnie przykryj je zawiniętym, dolnym rogiem koca, zawiń jeden z bocznych rogów na brzuszek, a drugi przełóż dookoła dziecka, tak aby pokrywał pozostałe rogi i kończył się na plecach. Uważaj, by nie skrępować dziecka zbyt mocno.

zapas, tak aby dało się bezboleśnie zastąpić smoczek zużyty czy wyciągnięty spod szafy przez psa.

Nie pokrywaj smoczka żadnym słodkim syropem; przyzwyczajenie do trzymania w buzi czegoś słodkiego nie jest dziecku do niczego potrzebne, a wręcz przeciwnie. Nigdy nie wieszaj mu smoczka na szyi na tasiemce z powodu ryzyka nieszczęśliwego wypadku. Usuwaj smoczek przed snem nocnym czy drzemką, aby niemowlę nie „uzależniło się" od niego przy zasypianiu. Smoczek należy stopniowo odstawiać w drugim półroczu życia, zanim dziecko zdąży się do niego przyzwyczaić. Wyniki jednego z niedawnych badań sugerują ponadto, że stosowanie smoczka może zwiększać ryzyko zapalenia ucha. (Informacje na temat smoczków u starszych dzieci znajdziesz w rozdziale 19, „Temperament, zachowanie i dyscyplina").

Krzyk i kolka

Wszystkie niemowlęta krzyczą w pierwszych tygodniach życia. Pierwszy krzyk na sali porodowej napełnia płuca dziecka powietrzem i wytłacza z nich zalegający płyn. Niemowlę krzyczy, bo jest głodne, zmęczone, znudzone, bo ma mokro, bo coś mu doskwiera, a czasem również bez żadnej uchwytnej przyczyny. Po pewnym czasie rodzice zaczynają odróżniać znaczenie poszczególnych krzyków. Krzyk twojego dziecka nie oznacza z reguły, że robisz coś nie tak. Nie zwlekaj jednak z wyjęciem małego krzykacza z łóżeczka; szybka odpowiedź na krzyk noworodka w pierwszych tygodniach życia przynosi mu pociechę i ukojenie, ważne dla jego prawidłowego rozwoju.

Około drugiego–trzeciego tygodnia życia u niemowląt pojawia się zazwyczaj krzyk typu klasycznego marudzenia. Większość dzieci miewa napady marudzenia między 6.00 a 10.00 rano (czyli niestety wtedy, gdy rodzice są najbardziej zmęczeni), a następnie często nasilają się one pod wieczór. Powinnaś spróbować różnych sposobów uspokojenia krzyku: karmienia, wzięcia na ręce, kołysania, przeniesienia z łóżeczka na fotelik czy leżak, śpiewania, spaceru, przejażdżki samochodem itp. Któraś z tych metod zadziała zapewne raz czy drugi, ale zwykle na krótko i niestale, albo też żadna nie zadziała w ogóle. Pociesz się jednak, że marudzenie nie trwa wiecznie, a często kończy się po najobfitszym posiłku w ciągu dnia czy z najdłuższą drzemką.

Ponad 25 lat temu doktor T. Berry Brazelton badał rytmy krzyku noworodków i stwierdził, że w pierwszych siedmiu tygodniach życia krzyk zajmuje im średnio 2 godziny 15 minut dziennie, osiągając kulminację w szóstym tygodniu, kiedy to dawka ta dochodzi do trzech godzin dziennie. To oczywiście tylko statystyka – każde dziecko jest odrębną jednostką, tak więc twoje może krzyczeć zarówno znacznie mniej, jak i – niestety – znacznie więcej.

Czasami krzyk niemowlęcia nasuwa rodzicom podejrzenie kolki jelitowej, jednak nie musi tak być automatycznie. Kolkę definiuje się zwykle jako nieutulony, ciągły krzyk trwający co najmniej 3 godziny dziennie przez wiele tygodni. Niemowlę sprawia wrażenie zbolałego, pręży się, pojękuje, przyciąga kolana do brzuszka. Krzyk nie jest spowodowany głodem, przemoczeniem ani żadną inną uchwytną przyczyną i co gorsza, nie można go uspokoić. Przypadłość ta – niewątpliwie nad wyraz stresująca dla rodziców – dotyczy około 10% dzieci i ustępuje zwykle samoistnie po ukończeniu trzeciego miesiąca życia.

Gdy podejrzewasz u swojego niemowlęcia kolkę, najważniejsze, co musisz zrobić, to wykluczyć chorobę jako przyczynę krzyku. Dzieci dotknięte kolką mają z reguły zdrowy odruch ssania i dobry apetyt, podczas gdy choroba powoduje zakłócenia w tym względzie. Niemowlęta z kolką lubią zwykle noszenie na rękach, natomiast chore niekoniecznie, niezależnie od marudzenia. Dziecko „kolkowe" może od czasu do czasu ulewać nieco pokarmu, jednak w razie prawdziwych wymiotów czy jakiekolwiek innych niepokojących objawów w połączeniu z krzykliwością dziecka skonsultuj się z lekarzem – choćby dla własnego uspokojenia, że nie dolega mu nic poważnego.

> ### Najlepsza rada, jakiej mi udzielono...
>
> „...padła jeszcze w czasie, gdy żona była w ciąży. Jej lekarka-ginekolog, która sama miała troje dzieci, powiedziała nam, że pod koniec pierwszego roku nie będziemy pamiętać żadnych złych momentów, a za to ze szczegółami wszystkie dobre. Była również jedyną osobą, która uświadomiła nam niezwykłą rozpiętość rodzicielskich emocji. Bardzo nam to pomogło, zwłaszcza gdy dziecko miało kolkę o trzeciej nad ranem! Mam wrażenie, że wielu rodziców w ogóle nie rozmawia z lekarzami o swoich uczuciach do dzieci. W końcu okazało się, że nasza lekarka miała w 100% rację: gdy córeczka skończyła rok, wszelkie kolki, stresy i nieprzespane noce rzeczywiście wyparowały z naszej pamięci".

Dokładna przyczyna kolki nie jest znana – być może składa się na nią kilka czynników, albo też u różnych dzieci jest nią co innego. Wbrew obiegowym opiniom lekarze uważają, że rzadko tylko kolka wynika z alergii na mleko czy reakcji na inne produkty spożywcze. Jeśli jednak karmisz piersią i zauważasz pewną korelację między twoją dietą a objawami dziecka, spróbuj wyeliminować podejrzany pokarm i obserwuj, czy przyniesie to pożądany skutek. Jeśli karmisz dziecko sztucznie, zapytaj lekarza, co sądzi o zamianie jednego rodzaju mieszanki na inny.

Zdaniem lekarzy, również nadmiar gazów jelitowych jest rzadką przyczyną kolki. Sugerują oni raczej zależność odwrotną – niemowlę połyka dużo powietrza podczas krzyku i stąd może mieć dużo gazów, które tym samym byłyby skutkiem, a nie przyczyną kolki. Potwierdzeniem tej tezy wydaje się niewielka skuteczność leków wiatropędnych w zwalczaniu kolki.

Wielu lekarzy sądzi, że kolka może być uwarunkowana odmiennościami w rozwoju układu nerwowego dziecka. Innymi słowy, u niektórych niemowląt proces przystosowania się do świata trwa nieco dłużej niż u innych. Nie jest to patologią – nawet jeśli nieustający krzyk dziecka przyprawia cię o ciężką frustrację. Kolka minie – musisz powtarzać sobie te słowa i nie upadać na duchu.

W oczekiwaniu na ten upragniony moment staraj się jednak wszelkimi sposobami pocieszyć dziecko. Spróbuj karmienia, kołysania, leżaczka, muzyki, połóż sobie dziecko na brzuchu i pomasuj mu plecki. Czasami działa ponoszenie niemowlęcia twarzą w twarz w nosidełkach. Niektórzy rodzice z powodzeniem stosują krótką przejażdżkę samochodem.

Lekarz radzi

Uspokajanie za pomocą odkurzacza

Gdy dziecko z kolką krzyczy, czasami wydaje się, że nic nie jest w stanie go uciszyć. W ostateczności spróbuj jeszcze odkurzacza – jego monotonny szum działa nieraz kojąco na rozwrzeszczane niemowlę. Jeśli twoje dziecko zareaguje na odkurzacz, możesz nawet nagrać jego pracę i tym samym mieć tę magiczną „ścieżkę dźwiękową" zawsze pod ręką.

Znoszenie krzyków dziecka należy niewątpliwie do najtrudniejszych wyzwań wczesnego rodzicielstwa. Matkę, ojca czy innego opiekuna ogarniają wtedy często uczucia kompletnej bezsilności, zniechęcenia, frustracji, a niekiedy również agresja w stopniu zagrażającym fizyczną przemocą. Jeśli czujesz się u kresu sił, a nikt nie może zastąpić cię nawet na chwilę, lepiej jest włożyć dziecko do łóżeczka i uciec na drugi koniec mieszkania, niż ryzykować utratę samokontroli i jakikolwiek brutalny akt.

Najlepiej jednak nie dopuszczać do tak skrajnych stanów i zrelaksować się, zanim krzyk dziecka doprowadzi cię do szału. W takiej sytuacji rodzice powinni dyżurować przy nim na zmianę, ewentualnie poprosić o to kogoś z rodziny, czy nawet wynająć na kilka dni płatną pomoc, tak aby matka mogła codziennie spędzić kilka godzin poza domem. Pomocne są również zrzeszające rodziców grupy wsparcia, a czasem dla przetrwania tego okresu wystarczy tylko szczera rozmowa z partnerem i okazanie sobie nawzajem zrozumienia i serdeczności. Staraj się maksymalnie wykorzystać na relaks czas, kiedy dziecko śpi.

Kąpiel

Noworodek nie potrzebuje częstych kąpieli, o ile tylko dokładnie myjesz go w okolicy krocza przy każdym przewijaniu. Przez pierwszy tydzień lub dwa, dopóki kikut pępowiny nie odpadnie, a miejsce po nim nie zagoi, powinnaś kąpać dziecko wyłącznie „na sucho", bez zanurzania w wodzie. Później, przez cały pierwszy rok życia w zupełności wystarczy kąpiel 2–3 razy w tygodniu. Częstsze kąpiele mogą prowadzić do nadmiernego wysuszenia skóry dziecka.

Kąpiel „na sucho"

Zanim zabierzesz się do mycia dziecka, musisz zgromadzić pod ręką czystą myjkę lub miękką gąbkę, łagodne mydło dla niemowląt, jeden lub dwa ręczniki, kocyk i miskę z ciepłą wodą. Temperaturę wody sprawdzaj łokciem; powinnaś odczuwać ją jako ciepłą, nie gorącą i nie zimną.

Wybierz ciepłe pomieszczenie i dowolną płaską i wygodną dla was obojga powierzchnię, jak stół do przewijania, podłoga czy blat kuchenny w pobliżu zlewu. Jeśli

Lekarz radzi

Uspokajanie starszego rodzeństwa

Gdy w domu pojawia się noworodek, starsze dzieci mogą być również zaskoczone i przerażone jego krzykiem. Dwutygodniowe niemowlęta krzyczą zwykle przez dwie godziny dziennie, a sześciotygodniowe jeszcze dłużej, dochodząc do blisko trzech godzin. Po tym apogeum natężenie krzyku spada i wynosi około godziny w wieku dwunastu tygodni. Ulubioną porą na krzyki są zwykle godziny popołudniowe i wieczorne, od 15.00 do 23.00. Uspokój starsze dziecko, że to normalne i przejściowe, że za krzykiem małego braciszka czy siostrzyczki nie kryje się nic złego.

jest to powierzchnia twarda, wyłóż ją kocem lub ręcznikiem. O ile tylko dziecko nie leży na podłodze, zabezpiecz je ze wszystkich stron lub **przez cały czas** trzymaj na nim jedną rękę, aby wykluczyć wszelkie ryzyko upadku z wysokości.

Rozbierz niemowlę i owiń ręcznikiem. Wysuwaj z ręcznika tylko tę część ciała, którą w danym momencie myjesz. Zacznij od buzi, którą przetrzyj wilgotną myjką lub gąbką, nie używając mydła. Następnie umyj całą resztę, zwracając szczególną uwagę na fałdki pod pachami, za uszami, wokół szyi i w okolicy narządów płciowych. Po umyciu dokładnie osusz każde z tych miejsc.

Kąpiel w wannie

Po odpadnięciu kikuta pępowiny i wygojeniu pępka możesz już wkładać dziecko bezpośrednio do wody. Pierwsza „prawdziwa" kąpiel powinna być delikatna i krótka. Jeśli dziecko reaguje na wodę przerażeniem, wróć do przecierania na sucho na tydzień lub dwa, po czym ponów próbę wanny.

Dziecko można kąpać w specjalnej niemowlęcej wanience (rycina 11.4), w zlewie lub w normalnej plastikowej wannie wyłożonej ręcznikiem. Zanim włożysz dziecko do wody, sprawdź jej temperaturę łokciem. Jeśli napełniasz wannę wodą z kranu, zacznij od zimnej, a potem dodawaj gorącej. Piec czy terma do ciepłej wody muszą być nastawione na maksimum 50°C.

Zanim przyniesiesz dziecko do kąpieli, ogrzej pomieszczenie, w którym ma się ona odbyć, i przygotuj wszystkie niezbędne rzeczy, żeby mieć je w zasięgu ręki. Potrzebujesz czystej myjki lub gąbki, łagodnego mydła dla niemowląt, jednego lub dwóch ręczników i kubka do opłukania dziecka czystą wodą. Jeśli dziecko ma włoski, możesz stosować również szampon dla niemowląt.

Po rozebraniu dziecka natychmiast włóż je do wody, żeby nie zdążyło zmarznąć. Jedną ręką podtrzymuj główkę, a drugą zanurzaj dziecko ostrożnie, zaczynając od stóp i łagodnie do niego przemawiając. Dla bezpieczeństwa większa część ciała dziecka

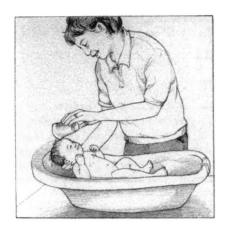

Rycina 11.4. Bezpieczeństwo przy kąpieli. W trakcie kąpieli nie możesz nawet na sekundę zostawić dziecka bez nadzoru.

(i oczywiście twarz) powinna zdecydowanie wystawać ponad poziom wody, w związku z czym przez cały czas trwania kąpieli musisz często polewać je ciepłą wodą, żeby go nie wyziębić.

Do mycia buzi i głowy używaj miękkiej myjki, a szamponu najwyżej 1–2 razy w tygodniu. Delikatnie masuj skórę czaszki, włącznie z okolicą ponad ciemiączkami – nie obawiaj się, że sprawi to dziecku ból. Przy spłukiwaniu mydła lub szamponu z głowy trzymaj rękę na jego czole, żeby mydliny spływały na boki, a nie do oczu. Jeśli mimo wszystko odrobina mydła przedostanie się do oczu, weź czystą myjkę i przecieraj oczy z dużą ilością ciepłej wody, dopóki dziecko nie otworzy ich ponownie (i nie uspokoi się).

Po wyjęciu z wody natychmiast dokładnie owiń niemowlę ręcznikiem, nie zapominając o główce. Dobrze nadają się do tego specjalne dla dzieci ręczniki z kapturkiem.

Jeśli czegokolwiek zapomniałaś lub też w czasie kąpieli dzwoni dzwonek do drzwi czy telefon, zabierz dziecko ze sobą. Nigdy, nawet na chwilę, nie zostawiaj go samego w wodzie.

Lekarz radzi

Nie kąpać codziennie

Jeśli chodzi o skórę i włosy, zasady higieny dla niemowląt są łagodniejsze niż u dorosłych. Niemowlę nie poci się pod pachami, nie pracuje fizycznie i nie ma tendencji do przetłuszczania się włosów. Codzienne kąpiele nie są mu zatem potrzebne, a wręcz mogą powodować nadmierne wysuszenie skóry. Ogranicz ich liczbę do dwóch lub trzech w tygodniu, a w dniach bez kąpieli poprzestań na myciu buzi, rączek i okolicy krocza.

Pielęgnacja prącia

U nie obrzezanego noworodka prącie jest zwykle całkowicie zakryte napletkiem. Przez cały okres niemowlęctwa napletek pozostaje trwale połączony ze szczytem prącia, tak więc nie należy podejmować prób odprowadzenia go dla celów higienicznych. (W wieku około 5 lat u ogromnej większości chłopców napletek daje się już całkowicie odprowadzić i w tym okresie dziecko powinno nauczyć się tego zabiegu i wykonywać go przy codziennej toalecie). Otwór w napletku powinien być dostatecznie duży, by dziecko mogło oddawać mocz silnym, nieprzerwanym strumieniem. Jeśli twój synek oddaje mocz kroplami, skontaktuj się z lekarzem.

Jeśli decydujesz się na obrzezanie dziecka (patrz rozdział 7, „Obrzezanie"), najlepiej wykonać ten zabieg w ciągu kilku pierwszych tygodni życia. Natychmiast po obrzezaniu na szczyt prącia zakłada się zwykle gazik pokryty wazeliną. Opatrunek ten spada oczywiście przy pierwszym oddaniu moczu. Prawdopodobnie nie ma potrzeby powtarzać opatrunków kilkakrotnie w ciągu dnia aż do całkowitego wygojenia ranki, o ile tylko przy każdym przewijaniu jest ona delikatnie przemywana wodą z mydłem. Gojenie następuje szybko, a zaczerwienienie i podrażnienie powinny zniknąć po kilku dniach. Powikłania zdarzają się raczej rzadko, jeśli jednak zauważysz narastanie zaczerwienienia i obrzęku lub pęcherzyki z podobną do ropy wydzieliną, istnieje duże prawdopodobieństwo infekcji i musisz niezwłocznie skontaktować się z lekarzem.

Pielęgnacja kikuta pępowiny

Nie zdziw się, jeśli kikut pępowiny twojego noworodka okaże się fioletowy lub niebieski. Jest to kolor gencjany, przeciwbakteryjnego barwnika, stosowanego w większości szpitali. Aby zapobiec zakażeniu, przecieraj okolicę pępka regularnie spirytusem, aż do czasu wyschnięcia i odpadnięcia kikuta pępowiny, co zwykle zajmuje od 10 dni do trzech tygodni. W tym okresie okolicy pępka nie powinno się zanurzać w wodzie. Przysychający kikut pępowiny będzie zmieniał barwę, od żółtawej do brązowej lub czarnej, co jest bez znaczenia. Musisz natomiast zwracać uwagę na ewentualne zaczerwienienie okolicy pępka, przykry zapach lub pojawienie się wydzieliny. Czasami po odpadnięciu kikuta pępek nie w pełni goi się i zasklepia samoistnie, co objawia się sączeniem podbarwionej krwią wydzieliny, zostawiającej ślady na pieluszce. W takich przypadkach lekarz przyżega okolicę pępka niewielką ilością azotanu srebra.

Ograniczenie listy gości

Infekcje, przeziębienie i inne choroby dotyczą około 10% niemowląt w pierwszym miesiącu życia. Mimo tak wysokiego wskaźnika poważniejsze zakażenia zdarzają się rzadko, o ile nie towarzyszą im dodatkowe czynniki ryzyka, takie jak niska waga urodzeniowa.

Z powodu niedojrzałości układu odpornościowego noworodka ze wszech miar wskazane jest ograniczenie liczby gości, którzy w pierwszych tygodniach po porodzie zapewne pospieszą do was z gratulacjami. Zapytaj również lekarza, od kiedy możesz zabierać dziecko w większe skupiska ludzi, na przykład na zakupy do supermarketu. Jeśli któryś z krewnych czy przyjaciół przechodzi aktualnie infekcję, rozumie się samo przez się, że powinien odłożyć swoją wizytę do czasu wyzdrowienia. W razie zachorowania członka rodziny mieszkającego pod jednym dachem z dzieckiem nie pozostaje nic innego jak ograniczyć ich wzajemne kontakty. (Osoba taka nie może w szczególności całować dziecka ani kasłać w pobliżu niego). Każdy członek rodziny (z tobą włącznie) musi wyrobić sobie nawyk dokładnego mycia rąk przed dotknięciem dziecka.

Wczesne wyjścia z domu

Świeże powietrze i zmiana otoczenia są pożądane i dla ciebie, i dla dziecka, tak więc nawet w pierwszym miesiącu życia zabieraj je na spacer, jeśli tylko pozwoli na to pogoda. Oczywiście przed każdym wyjściem musisz je odpowiednio ubrać. W porównaniu ze starszymi dziećmi i dorosłymi niemowlę w pierwszym roku życia ma większe trudności w utrzymaniu stałej temperatury ciała. Należy przyjąć jako zasadę, że gdy jest zimno na dworze, dziecko powinno mieć na sobie o jedną warstwę więcej niż ty (w postaci ubrania czy koca). Pamiętaj jednak, by nie przegrzewać go w gorące dni – wtedy ubieraj je tak, jak ubierasz się sama.

Niemowlę, szczególnie w pierwszym półroczu życia, jest również niezwykle wrażliwe na słońce i oparzenia słoneczne. Musisz więc trzymać je poza zasięgiem bezpośredniego lub odbitego (od śniegu, wody, piasku itp.) światła słonecznego, zwłaszcza w porach maksymalnego nasłonecznienia, czyli między godziną 10.00 a 16.00. W słoneczne dni ubieraj dziecko w lekkie, jasne rzeczy, nie zapominając o czapeczce lub kapeluszu dla ocienienia twarzy. Gdy dziecko leży lub siedzi w jednym miejscu, musisz zapewnić mu pozostanie przez cały czas w cieniu, zmieniając położenie wózka w miarę wędrówki słońca. Jeśli musisz wyjść z dzieckiem na słońce, użyj filtra ochronnego na skórę. (Więcej informacji na ten temat znajdziesz w rozdziale 24, „Bezpieczeństwo dziecka").

W miarę możności nie wyprowadzaj dziecka na dwór w zimne, deszczowe, wietrzne dni. Jeśli musisz wyjść, ubierz je ciepło, załóż ciepłą czapkę przykrywającą uszy i okryj wózek plandeką. Możesz osłonić buzię dziecka kocykiem przed zimnem, nie nasuwając go oczywiście zbytnio na nos i usta, aby zachować swobodę oddychania.

Aby sprawdzić, czy dziecko jest dostatecznie ciepło ubrane, dotknij jego rączek, stóp i skóry klatki piersiowej. Dłonie i stopy powinny być nieco chłodniejsze niż tułów, ale nie zimne. Skóra klatki piersiowej powinna być ciepła w dotyku. Jeśli dziecko ma zimne dłonie, stopy i tułów, zabierz je do ciepłego pomieszczenia, rozwiń z wierzchnich warstw i mocno przytul, aby ogrzało się ciepłem twojego ciała.

Odbijanie

Niemowlęta często połykają powietrze podczas jedzenia, po czym stają się rozdrażnione i marudne. W takich przypadkach lepiej jest przerwać karmienie, pozwolić dziecku beknąć i dopiero wtedy wrócić do karmienia. Jeśli tego nie zrobisz, niemowlę

Na co powinnaś się przygotować i czego oczekiwać w pierwszych tygodniach życia dziecka

Niedogodności:

- Przygotuj się na chroniczne niewyspanie.
- Przygotuj się na głębokie zmiany w twoim dotychczasowym trybie życia. Na pewno przeżyjesz niejeden dzień, kiedy to ubranie się czy posprzątanie po śniadaniu wydadzą ci się wyczynem ponad siły.
- Przygotuj się na płacz dziecka akurat w tych momentach, w których i ty miałabyś ochotę płakać.
- Przygotuj się na to, że ustabilizowanie się rytmu karmienia dziecka – czy to piersią, czy butelką – zajmie nieco czasu.
- Przygotuj się na to, że ustabilizowanie się rytmu snu dziecka również wymaga czasu, i to zwykle jeszcze dłuższego.
- Przygotuj się, jako młoda matka, na mało romantyczne nastroje i obawy, że już do końca życia będziesz wyglądać i czuć się jak matrona. Jeśli jesteś młodym ojcem, przygotuj się na to, że twoja żona nie będzie w romantycznym nastroju i może sprawiać wrażenie, jakby całkowicie pochłaniała ją opieka nad dzieckiem.
- Przygotuj się na niezliczone „dobre rady" ze strony otoczenia, nierzadko sprzeczne z twoimi własnymi poglądami.
- Przygotuj się na popełnianie błędów.

Radości:

- Oczekuj, że twoje dziecko od samego początku będzie na ciebie reagować i szukać u ciebie pociechy i miłości.
- Oczekuj, że po dźwiękach, ruchach i zachowaniu dziecka szybko nauczysz się rozpoznawać jego potrzeby, pragnienia i cechy osobowości.
- Oczekuj, że karmiąc i tuląc dziecko, przeżyjesz wiele niezapomnianych, nieznanych wcześniej momentów bliskości i szczęścia.
- Oczekuj pierwszego uśmiechu dziecka w pierwszym miesiącu życia.
- Oczekuj, że z tygodnia na tydzień będziesz zauważać, jak twoje dziecko z bezradnego noworodka zmienia się w energiczne, pełne życia niemowlę, którego wzrok, słuch, węch, sprawność i siła mięśni poprawiają się niemal z dnia na dzień.
- Oczekuj wzbogacenia własnej osobowości, pogłębienia poglądów, wzmocnienia siły charakteru.
- Oczekuj, że twoi bliscy docenią i zaakceptują w tobie tę nową osobę.
- Oczekuj, że będziesz uczyć się na własnych błędach.

połknie jeszcze więcej powietrza, co nasili jego dyskomfort i może skończyć się ulaniem pokarmu.

Dobrą strategią jest kilkakrotne przerywanie karmienia na odbicie powietrza, nawet jeśli dziecko nie zdradza niepokoju. Pauza i zmiana pozycji zwalniają tempo ssania i zmniejszają połykanie powietrza. Karmiąc dziecko butelką, rób takie przerwy po wypiciu każdych kolejnych 50–75 ml mleka. Karmiąc piersią, wykorzystaj na to moment zmiany piersi.

Istnieje kilka sposobów umożliwienia dziecku odbicia powietrza (ryciny 11.5a–c). Wypróbuj je wszystkie, a wkrótce zorientujesz się, która pozycja najbardziej odpowiada wam obojgu.

- Unieś dziecko pionowo, z główką opartą na twoim ramieniu, podtrzymując główkę i plecy jedną ręką, a drugą delikatnie poklepując je po plecach. Dobrym pomysłem jest ręcznik czy pieluszka pod buzią dziecka, gdyby miało ulać nieco pokarmu.
- Posadź sobie dziecko na kolanach, podtrzymując jego główkę i klatkę piersiową od przodu jedną ręką, a drugą oklepując plecy. Na wysokości buzi dziecka przewieś sobie przez nadgarstek śliniak, ręcznik lub pieluchę.
- Przełóż dziecko przez kolana, plecami do góry. Podłóż mu jedną rękę pod główkę, która u niemowlęcia jest zbyt ciężka jak na siłę jego tułowia, a drugą ręką delikatnie oklepuj lub masuj jego plecy.

Jeśli dziecku nie odbije się przez kilka minut, wróć do karmienia. Po jego zakończeniu ponownie ustaw dziecko do odbicia i potrzymaj je przez 10–15 minut w pozycji wyprostowanej (najlepiej z główką na twoim ramieniu), aby zmniejszyć ryzyko ulania pokarmu.

Kaszel

Gdy dziecko je zbyt łapczywie lub próbuje po raz pierwszy pić wodę, zdarza mu się zakrztusić i zakasłać, jednak kaszel powinien ustąpić natychmiast po przystosowaniu się do nowego rytmu czy nowego pokarmu. Jeśli dziecko stale kaszle i krztusi się przy jedzeniu, musisz zgłosić ten fakt lekarzowi. Jeśli przeziębione dziecko zacznie wydawać dźwięki podobne do świstów, chrząknięć czy „szczekania", lub też wydaje się z trudem łapać powietrze – co objawia się przyspieszeniem oddechu, zaciąganiem skóry klatki piersiowej przy wdechach, rozszerzeniem nozdrzy lub sinawym odcieniem skóry – natychmiast szukaj pomocy lekarskiej, bo są to oznaki ostrych i groźnych zaburzeń oddychania.

Ulewanie pokarmu

Ulewanie polega na automatycznym zwróceniu świeżo spożytego pokarmu, bez wysiłku ani jakichkolwiek sygnałów zapowiadających. Niemowlę nie zdradza żadnych objawów dyskomfortu i często natychmiast chce jeść dalej. Ulewanie zdarza się

11.5a

11.5b

Ryciny 11.5a–c. Pozycje do usuwania powietrza u małego dziecka: (a) na ramieniu, (b) na siedząco, (c) na leżąco na brzuszku. Aby pomóc dziecku wydalić połknięte powietrze, kołysz je i delikatnie oklepuj lub masuj mu plecy. Nie zapomnij zabezpieczyć się pieluchą lub ręcznikiem na wypadek, gdyby ulało mu się nieco pokarmu.

11.5c

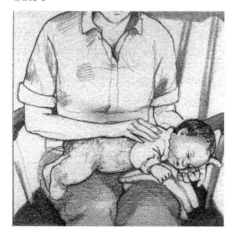

powszechnie w pierwszym roku życia, zwłaszcza równolegle z połykaniem powietrza czy ślinieniem się, a u niektórych dzieci występuje zdecydowanie częściej niż u innych (aczkolwiek rzadko w stopniu zakłócającym prawidłowe odżywienie). Czasami ulewanie wchodzi w skład obrazu klinicznego refluksu żołądkowo-przełykowego (GERD, omawianego szczegółowo w rozdziale 32, „Problemy zdrowotne okresu wczesnego dzieciństwa"). Schorzenie to polega na niedorozwoju mięśnia zwieracza przełyku, zapobiegającego cofaniu się treści pokarmowej z żołądka do przełyku. U niemowląt sytuacja ta często poprawia się w miarę upływu czasu, jeśli jednak twoje dziecko bardzo często ulewa pokarm, porozmawiaj o tym z lekarzem. Lekarz może zalecić zmianę pozycji podczas snu lub modyfikacje w sposobie karmienia dziecka.

Choć ulewaniu nie można całkowicie zapobiec, zastosowanie się do poniższych wskazówek powinno zmniejszyć jego częstotliwość:

• Staraj się, by każde karmienie przebiegało jak najbardziej spokojnie i „na luzie".
• Przerywaj karmienie co najmniej co 3–5 minut, żeby dziecku mogło się odbić.
• Karm dziecko w pozycji bardziej półpionowej niż na płasko.
• Zadbaj, by dziecko po jedzeniu pozostało przez mniej więcej godzinę w pozycji półpionowej.
• Bezpośrednio po karmieniu unikaj gwałtownych zmian pozycji dziecka i dynamicznych zabaw.
• Staraj się karmić dziecko, zanim będzie bardzo głodne.
• Przy karmieniu butelką zwracaj uwagę, by otwór w smoczku nie był ani za duży (co powoduje zbyt silny strumień mieszanki), ani za mały (co powoduje połykanie powietrza podczas nieefektywnego ssania). Otwór w smoczku jest w sam raz, jeśli po odwróceniu butelki do góry dnem wypływa z niej kilka kropel, a po chwili już nic.

Wymioty

W przeciwieństwie do ulewania, którego niemowlę wydaje się nie zauważać, wymioty wymagają od niego pewnego wysiłku i z reguły wiążą się z niepokojem i dyskomfortem. Wymioty występują zwykle wkrótce po jedzeniu i są obfitsze niż ulewanie. Niemowlęta wymiotują niekiedy po epizodzie intensywnego krzyku lub kaszlu, a czasem również bez uchwytnej przyczyny. Częściej jednak niż ulewanie wymioty mogą być objawem nietolerancji pokarmowej lub choroby, zwłaszcza jeśli występują po każdym posiłku i wiążą się z brakiem prawidłowego przybierania na wadze. Jeśli twoje dziecko wymiotuje więcej niż jeden raz lub zdradza inne oznaki choroby, takie jak apatia, temperatura mierzona w odbytnicy rzędu 38°C lub więcej, wyraźna zmiana w wyglądzie czy częstotliwości stolców, utrata apetytu, uporczywy krzyk lub wzbranianie się przed wzięciem na ręce, nie zwlekaj z telefonem do lekarza.

> **„Głos doświadczenia"**
>
> „Trzeba cieszyć się okresem niemowlęcym, bo dziecko wyrasta z niego zawrotnie szybko i bezpowrotnie".
> – ZA: KIDSHEALTH PARENT SURVEY

Zaparcie

Większość niemowląt oddaje jeden lub więcej stolców dziennie, jednak w pierwszych miesiącach życia zdarzają się im czasem nawet kilkudniowe przerwy. Zazwyczaj mieści się to w granicach normy. Zaparcie u niemowlęcia oznacza utrudnione wydalanie twardego stolca. Nawet przy prawidłowych wypróżnieniach niemowlęta mogą stękać, czerwienieć na twarzy i sprawiać wrażenie wytężonego parcia. Jeśli jednak dziecko wydaje ci się cierpiące, krzyczy przy wypróżnieniu, a jednocześnie wydala tylko niewielkie, zbite grudki kału, najprawdopodobniej rzeczywiście ma zaparcie. Czasami w twardym stolcu daje się zauważyć świeża krew, pochodząca ze szczeliny odbytu (pęknięcia skóry wokół odbytu w następstwie parcia i urazu po przejściu twardego stolca).

Zwalczanie zaparcia u niemowlęcia polega na stosowaniu pewnych syropów roślinnych (w porozumieniu z lekarzem) lub 50–75 ml soku jabłkowego bądź śliwkowego dwa razy dziennie (wyłącznie u dzieci w wieku powyżej dwóch miesięcy). Czasami niemowlęta reagują zaparciem na zbyt wczesne (przed ukończeniem roku) przejście na mleko krowie. W takich przypadkach pomóc może powrót do mieszanki modyfikowanej. Starsze niemowlęta mogą jeść tarte owoce i warzywa bogate we włókna roślinne. Nie należy stosować doustnych środków przeczyszczających, czopków doodbytniczych ani lewatyw. Skontaktuj się z lekarzem, jeśli dziecko sprawia wrażenie coraz bardziej cierpiącego, nie może oddać stolca albo też w stolcu lub na pieluszce zauważysz krew.

„Ciemieniucha" (łojotokowe zapalenie skóry)

Jest to częsta przypadłość u niemowląt, zwłaszcza w pierwszych tygodniach życia. Na całej czaszce dziecka daje się wtedy zauważyć tłusta, biała lub żółtawa wydzielina, układająca się w ogniska łusek czy strupków. Zmiany mogą objąć również łuki brwiowe, skórę za uszami oraz fałdy na karku i pod pachami. Warstwa łusek bywa gruba i mocno zrośnięta ze skórą, zlepiająca włosy i utrudniająca czesanie dziecka. Sama skóra czaszki pod strupkami może być zaczerwieniona i podrażniona.

Przyczyna „ciemieniuchy" nie jest znana, choć pewną rolę, jak się wydaje, ma wpływ hormonów ciążowych matki. Rutynowe mycie i masowanie główki dwa razy w tygodniu w celu zmiękczenia i usunięcia zmian z reguły zapobiega poważniejszym problemom. Ostatecznie ciemieniucha niemal zawsze ustępuje samoistnie, jednak może to zająć szereg miesięcy. W razie znacznego nasilenia opisanych wyżej zmian spróbuj następujących środków:

- Postaraj się zmiękczyć „skorupę" na główce dziecka: smaruj ją ciepłym (nie gorącym) roztworem parafiny, oliwką dla niemowląt, masłem kokosowym lub zwykłą oliwą z oliwek, jednocześnie starannie masując skórę czaszki. Pozostaw mazidło na 1–2 godziny, następnie umyj głowę dziecka szamponem.
- Szampony: w charakterze leczenia pierwszego rzutu stosuj raz dziennie łagodny szampon przeciwłupieżowy z dodatkiem selenu, dostępny w aptece bez recepty. Dokładnie namydl główkę i włosy, po czym użyj gęstego grzebienia, miękkiej szczotki czy myjki do masażu i usunięcia świeżo zmiękczonych ognisk ciemieniuchy.

Na koniec dokładnie spłucz główkę, przez cały czas masując, tak aby na pewno usunąć cały olej i pianę. Po mniej więcej tygodniu, w ciągu którego powinna nastąpić znaczna poprawa, przejdź na zwykły szampon dla niemowląt i myj dziecku głowę dwa razy w tygodniu.

Jeśli skóra czaszki pod warstwą ciemieniuchy wykazuje zaczerwienienie i inne objawy zapalenia, albo też jeśli zmiany nie ograniczają się do szczytu czaszki, lekarz może zlecić łagodny krem steroidowy (z hydrokortyzonem) w celu ograniczenia reakcji zapalnej. U niektórych dzieci zmiany skórne pod skorupą wydzieliny ulegają zakażeniu i wymagają wtedy leczenia antybiotykami.

Jeśli potrzebujesz dodatkowych informacji, zasięgnij porady lekarza.

CZĘŚĆ II

Rutynowa opieka lekarska: zachowanie zdrowia

Rozdział 12

Wybór lekarza dla dziecka i nawiązanie z nim współpracy

Godny zaufania partner

Potencjalni rodzice mają często własną wizję idealnego lekarza dla ich dziecka. Wśród najczęściej wymienianych cech pierwsze miejsca zajmuje serdeczność, głęboka wiedza, doświadczenie, cierpliwość i brak pośpiechu. Krótko mówiąc, lekarz--pediatra powinien łączyć w sobie umysł uczonego z dobrą komunikatywnością. Choć oczywiście niełatwo jest znaleźć taką chodzącą doskonałość, zawsze warto poszukać kogoś, czyj sposób bycia, poglądy i podejście do dzieci będzie odpowiadać twoim oczekiwaniom. Jeśli ci się to uda, będziesz mieć nie tylko ułatwioną współpracę, ale i większe poczucie bezpieczeństwa, wynikające z zaufania, że zdrowie twojego dziecka jest w dobrych rękach. Jeśli wszystko dobrze się ułoży, relacja twojego dziecka z lekarzem może trwać dziesięć czy nawet dwadzieścia lat, dłużej niż niejedno małżeństwo.

Twoje opcje

Choć wybór odpowiedniego lekarza bywa ograniczony szeregiem czynników, takich jak miejsce zamieszkania czy rodzaj ubezpieczenia zdrowotnego, z reguły masz przynajmniej dwie możliwości – pediatrę i lekarza rodzinnego.

Pediatra

Pediatria jest szeroką specjalnością medyczną, poświęconą w całości zdrowiu fizycznemu, emocjonalnemu i społecznemu dzieci od urodzenia do końca wieku młodzieńczego. Pediatrzy kończą ogólne studia medyczne, a następnie przygotowują się do specjalizacji przez kilka lat staży w szpitalach i przychodniach dziecięcych.

Lekarz radzi

Unikaj wyboru z konieczności

Po przeprowadzce do innego miasta czy dzielnicy nie zwlekaj z poszuki-waniami pediatry aż do chwili, gdy będziesz go pilnie potrzebować. Wy-bierz lekarza dla twojego dziecka na długo przedtem, zanim pojawi się pierw-sze w nowym miejscu zamieszkania zapalenie ucha czy wysypka. Poproś o rekomendacje innych znanych ci rodziców lub nowych sąsiadów, a jeszcze przed przeprowadzką zapytaj o to również dotychczasowego lekarza twoje-go dziecka, który, być może, będzie w stanie ci kogoś polecić.

Lekarz rodzinny

Program specjalizacji w medycynie rodzinnej obejmuje szkolenia w zakresie pedia-trii i wielu innych dziedzinach, włącznie z chorobami wewnętrznymi, chirurgią, gi-nekologią i położnictwem. Lekarz rodzinny ma z założenia dysponować szeroką wiedzą, umożliwiającą mu opiekę nad pacjentami ze wszystkich grup wiekowych i z bardzo różnorodnymi problemami. Szkolenia w zakresie opieki zdrowotnej nad dziećmi trwają kilka miesięcy, czyli znacznie krócej niż 3-letnie staże specjalizacyj-ne dla przyszłych pediatrów. Wiedza lekarzy rodzinnych w zakresie pediatrii jest więc siłą rzeczy płytsza i mniej rozległa. Czasami, zwłaszcza w rejonach obfitują-cych w pediatrów, lekarze rodzinni przyjmują niewiele dzieci lub wręcz nie podej-mują się opieki nad niemowlętami i małymi dziećmi z racji braku doświadczenia. Ważne jest zatem, by już na wstępie zapytać danego lekarza o zasady jego prakty-ki w zależności od wieku pacjenta. Korzyści z powierzenia dziecka lekarzowi ro-dzinnemu polegają przede wszystkim na tym, że może on jednocześnie zajmować się wszystkimi członkami rodziny na poziomie podstawowej opieki zdrowotnej. Le-karze rodzinni nawiązują ze swymi pacjentami bliski kontakt, dokładnie ich pozna-ją – i to nie tylko od strony czysto medycznej – a w wielu przypadkach, bardziej świadomi złożonych problemów emocjonalnych, życiowych i społecznych danej ro-dziny, mogą lepiej zatroszczyć się o zdrowie i dobrostan żyjących i dorastających w niej dzieci.

Pierwsze etapy poszukiwań

Dzieci przychodzą nieraz na świat wcześniej, niż było to planowane, a wybór leka-rza, którego styl i osobowość będą ci naprawdę odpowiadać, niewątpliwie wymaga nieco czasu. Dobrym momentem na rozpoczęcie poszukiwań wydaje nam się zatem początek ostatniego trymestru ciąży.

Sporządź własną listę kandydatów na podstawie rekomendacji osób, do których masz zaufanie – krewnych, przyjaciół, sąsiadów, kolegów z pracy itp. – i które podzielają twoje poglądy na rodzicielstwo. Nie zapomnij o takim źródle informacji jak twój lekarz rodzinny, położnik, położna i inni znani ci pracownicy służby zdrowia.

Jeśli dopiero od niedawna mieszkasz w danej okolicy, może się zdarzyć, że nie będziesz mieć u kogo „zasięgnąć języka". W takim przypadku zwróć się do miejscowego szpitala czy uczelni medycznej po informacje zarówno formalne, jak i nieformalne. Możesz na przykład zapytać stażystów lub pielęgniarki na oddziale pediatrii, do kogo chodzą ze swoimi własnymi dziećmi.

> **„Głos doświadczenia"**
>
> *„Bardzo ważne jest, by znaleźć pediatrę, który będzie podzielać nasze poglądy na wychowanie i który w opiece nad dzieckiem będzie traktować rodziców jak sprzymierzeńców, a nie jak adwersarzy".*
> – ZA: KidsHealth Parent Survey

Jak zweryfikować lekarza

A więc masz już spis lekarzy polecanych przez ludzi, którym ufasz. Jaki powinien być twój następny krok? Czy możesz w jakiś sposób sprawdzić poszczególne nazwiska, zanim zdecydujesz się na bezpośrednią rozmowę z jednym lub dwoma kandydatami? Niełatwo jest ocenić kompetencje lekarza, zwłaszcza laikowi, jednak możesz przynajmniej sprawdzić, czy dany lekarz nie miał w swojej karierze poważniejszych problemów. W Polsce działają izby lekarskie, a w ich obrębie komisje rozpatrujące skargi pacjentów. W razie stwierdzenia winy lekarza komisje te są władne zastosować wobec niego sankcje dyscyplinarne, począwszy od nagany, a skończywszy na zawieszeniu czy odebraniu prawa wykonywania zawodu. W pewnych przypadkach lekarz może być również zobowiązany do odbycia dodatkowych szkoleń czy pracy pod nadzorem. Tego rodzaju sankcje zdarzają się stosunkowo rzadko i z reguły podaje się je do publicznej wiadomości.

O co musisz zapytać

Po sporządzeniu i wstępnej weryfikacji listy kandydatów możesz już przystąpić do „przesłuchań". Pierwsze spotkanie przyszłych rodziców z lekarzem jest znakomitą okazją do zadania mu wielu pytań, przekonania się na własne oczy, jak wygląda gabinet, jaka panuje w nim atmosfera i kto w nim pracuje.

Podczas pierwszego spotkania z potencjalnym lekarzem twojego dziecka musisz poznać jak najwięcej zasad funkcjonowania jego praktyki. Najlepiej zrobisz, przygotowując sobie listę pytań na

> **„Głos doświadczenia"**
>
> *„Rodzice z zasady odpowiadają za zdrowie swoich dzieci i z całą pewnością powinni być pełnoprawnymi partnerami lekarzy. Nie traktuj lekarza jak wyroczni, polemizuj z nim, jeśli z czymś się nie zgadzasz, zadawaj jak najwięcej pytań i staraj się maksymalnie poszerzyć twoją własną wiedzę pediatryczną. My, rodzice, spędzamy z naszymi dziećmi 24 godziny na dobę, podczas gdy lekarz widzi je tylko czasami przez 5 czy 10 minut. Lekarz ma służyć naszym dzieciom swoją wiedzą, ale w porozumieniu z nami".*
> – ZA: KidsHealth Parent Survey

piśmie, aby sprecyzować własne myśli i niczego nie pominąć. A oto kluczowe kwestie, jakie powinnaś wziąć pod uwagę:

1. Jakie są godziny pracy gabinetu? Być może wolałabyś lekarza przyjmującego wieczorem czy w weekendy. Czy godziny przyjęć w dni powszednie zaczynają się dostatecznie wcześnie bądź kończą dostatecznie późno, byś zdążyła odbyć wizytę z dzieckiem przed lub po pracy?

2. Czy jest to praktyka indywidualna, czy zespołowa? W tym pierwszym przypadku dowiadujesz się, że twoje dziecko będzie zawsze przyjęte przez tego samego lekarza, a ty sama będziesz mieć również do czynienia z osobowością i poglądami tylko jednej osoby. Jeśli jednak zajdzie potrzeba pomocy lekarskiej w nocy czy w dzień świąteczny, będziesz zapewne zmuszona skorzystać z usług nieznanego ci lekarza, przejmującego opiekę nad pacjentami swojego kolegi na zasadzie dyżuru. Jeśli rozważasz jednoosobową praktykę lekarską, dowiedz się dokładnie, jak wygląda kwestia zastępstw i dyżurów, włącznie z pytaniem o kwalifikacje zapewniających je lekarzy.

   Obecnie lekarze coraz częściej praktykują w zespołach. W niektórych z nich jeden i ten sam lekarz może przyjmować dziecko podczas rutynowych wizyt, w innych z kolei będą zajmować się nim na zmianę różni członkowie zespołu, tak że po pewnym czasie zawrzesz znajomość ze wszystkimi. Rodzice albo doceniają to zróżnicowanie i uważają je za zaletę, albo wręcz przeciwnie, jest ono dla nich uciążliwe i dezorientujące. Na pewno jednak praktyka zespołowa może pozwolić sobie na dłuższe godziny przyjęć, a w nagłych przypadkach – w nocy czy w niedzielę – twoim dzieckiem zajmie się znajomy lekarz.

3. Czy lekarz współpracuje na stałe z jakimś konkretnym szpitalem lub szpitalami? Czy przyjdzie do szpitala położniczego, by zbadać twoje dziecko zaraz po urodzeniu? W razie konieczności hospitalizacji dziecka dokąd zostanie skierowane? Czy lekarz będzie opiekował się nim również podczas pobytu szpitalnego, czy też leczenie przejmie wtedy w całości personel szpitala?

4. Jak wygląda kwestia kontaktów telefonicznych z lekarzem w trakcie i po godzinach przyjęć? Jest to jeden z najważniejszych (i potencjalnie frustrujących) aspektów współpracy z lekarzem. Czy istnieje określona „godzina telefoniczna" lub inna pora, w czasie której rodzice mogą dzwonić z pytaniami, czy też działa otwarta linia z poradami (z reguły obsługiwana przez pielęgniarkę) w normalnych godzinach pracy? Jak wyglądają telefony poza tymi godzinami? Jak szybko po twoim zgłoszeniu czy nagraniu się na sekretarkę możesz spodziewać się oddzwonienia przez lekarza dyżurującego pod telefonem?

5. Czy istnieje możliwość komunikowania się z lekarzem i gabinetem za pomocą poczty elektronicznej? Jeśli uważasz to za dogodne i użyteczne, nie zapomnij o nią zapytać, a także przeczytaj rozdział 34, „Zdrowie w Internecie".

6. Czy lekarz, który miałby opiekować się twoim dzieckiem, osobiście zajmuje się stanami nagłymi, czy też kieruje wtedy dziecko na oddział pomocy doraźnej lub do innego ośrodka? Czy placówki te są przygotowane od strony odpowiedniego personelu i wyposażenia, aby skutecznie leczyć pediatryczne stany nagłe?

Lekarz radzi

Odrób „pracę domową"

Musisz znaleźć lekarza? Zacznij od podstawowych informacji: listy pediatrów lub lekarzy rodzinnych praktykujących na twoim terenie. Z reguły można otrzymać je w oddziałach odpowiednich stowarzyszeń i izb lekarskich, w szpitalach, miejscowych wydziałach zdrowia, w księgarniach medycznych, w książce telefonicznej, w Internecie... Choć raczej nie dowiesz się tą drogą szczegółów o stylu pracy i cechach osobowości poszczególnych lekarzy, jest to znakomity punkt wyjścia do dalszych poszukiwań.

7. Czy na miejscu w gabinecie wykonuje się badania laboratoryjne? W niektórych gabinetach lekarze są w stanie wykonać podstawowe badania, takie jak morfologia krwi, analiza moczu i szybki test paciorkowcowy bez wysyłania próbek do zewnętrznego laboratorium. Może oznaczać to dla ciebie oszczędność czasu i pieniędzy (zależnie od ustaleń co do płatności).
8. Jakie są warunki płatności? Kwestia ta nabiera szczególnej ważności przy braku ubezpieczenia zdrowotnego. Jak przedstawiają się koszty wizyty lekarskiej i poszczególnych usług? Czy musisz opłacić je w całości przy każdej wizycie? Czy istnieją zniżki lub udogodnienia co do płatności dla pacjentów w trudnej sytuacji materialnej? Czy możesz skorzystać z kredytu, jeśli w momencie wizyty nie jesteś w stanie uiścić całej kwoty honorarium?
9. Jakie zasady rządzą kierowaniem dziecka do specjalistów, jeśli potrzebuje ono dodatkowych badań czy konsultacji? Czy lekarz ma zwyczaj kierować dziecko do przedstawicieli podspecjalności pediatrycznych, czy po prostu do bardziej doświadczonych pediatrów ogólnych, tak jak często postępują lekarze rodzinni, zajmujący się przede wszystkim dorosłymi pacjentami?

„Rekonesansowa" wizyta w gabinecie

Podczas pierwszego „wywiadu" z lekarzem masz okazję naocznie sprawdzić funkcjonowanie jego praktyki, zwłaszcza jeśli umówisz się w normalnych godzinach pracy, kiedy wszystko działa na pełnych obrotach. Zwróć uwagę na recepcję i poczekalnię – ilu pacjentów oczekuje na przyjęcie? Więcej niż kilku może oznaczać, że wizyty są źle zaplanowane w czasie, jednak tłok w poczekalni nie zawsze musi wskazywać na problemy organizacyjne. Czasami opóźnienie wynika po prostu z tego, że lekarz poświęca nadprogramowy czas pacjentowi, który akurat tego wymaga. Bez wątpienia nie miałabyś nic przeciwko takiemu odstępstwu od terminarza, gdyby pacjentem tym było twoje dziecko. I analogicznie, pusta poczekalnia nie gwarantuje efektywnej pracy gabinetu. Może kryć się za tym wydłużenie odstępów między kolejnymi wizytami,

Zachowaj efekty swoich poszukiwań

Gdy już zdecydowałaś się na konkretnego lekarza, nie wyrzucaj informacji, jakie udało ci się zebrać na temat innych „finalistów". Sytuacja może ulec zmianie – i niewykluczone, że wkrótce będziesz szukać nowego lekarza. Czasami – wcale nierzadko – znalezienie właściwej osoby wymaga co najmniej kilku prób. Nabierając doświadczenia jako rodzic, z czasem będziesz w stanie lepiej ocenić umiejętności i postępowanie lekarza. Nie da się również ukryć, że tak jak we wszystkich innych zawodach, niektórzy ludzie robią znakomite wrażenie w „rozmowach kwalifikacyjnych", a gorzej sprawdzają się w codziennej praktyce.

a tym samym konieczność długiego oczekiwania i zapisów ze znacznym wyprzedzeniem. Zorientuj się również, czy poczekalnie dla dzieci chorych i dla zdrowych są od siebie oddzielone. Zwróć uwagę na czystość i wyposażenie pomieszczeń. W recepcji i poczekalni powinny znaleźć się liczne zabawki dla dzieci w różnym wieku, aby miały się one czym zająć w oczekiwaniu na wizytę.

Przez cały czas swojej wizyty obserwuj personel w kontaktach z dziećmi i ich rodzicami. Czy okazuje im uprzejmość, szacunek, życzliwość i troskę? Czy może raczej pielęgniarki i recepcjonistki wydają się złe, zniecierpliwione, zdenerwowane? Jak ty sama zostałaś potraktowana przez telefon, umawiając się na wizytę?

Wykorzystaj pobyt w poczekalni na rozmowę z innymi rodzicami. Czy są zadowoleni z opieki nad swoimi dziećmi? Czy oni sami i ich dzieci mają dobry kontakt z lekarzem i pozostałym personelem? Czy mają zaufanie do staranności i kompetencji lekarza? Ogólna atmosfera w poczekalni może dostarczyć ci cennych informacji o sposobie funkcjonowania praktyki.

Osobowość i sposób bycia lekarza

Niektórzy rodzice lepiej się czują, pokładając swoje zaufanie w lekarzu stanowczym, czy nawet nieco apodyktycznym, który nie bawi się w nadmiar wyjaśnień i roztrząsanie wszystkich za i przeciw poszczególnych metod postępowania. Według naszego doświadczenia większość woli jednak lekarza, który potrafi uważnie wysłuchać, zachęca do zadawania pytań, dokładnie wszystko wyjaśnia, nie boi się powiedzieć „nie wiem" i raczej współpracuje z rodzicami w opiece nad dzieckiem, niż ustawia się w roli zwierzchnika.

Pierwsza wizyta powinna dać ci pewien wgląd w powyższe aspekty osobowości lekarza, ale poza tym musisz wziąć pod uwagę jeszcze inne kwestie. Czy wiek i płeć lekarza mają dla ciebie znaczenie? Czy lekarz będzie podzielał twoje poglądy i wyobrażenia o rodzicielstwie w odniesieniu do takich kwestii jak obrzezanie, karmienie piersią, dyscyplina, stosowanie antybiotyków i innych leków? Czy postępowanie lekarza skupia się głównie na profilaktyce, a więc na szczepieniach ochronnych i nadzorze nad bezpieczeństwem i właściwym odżywianiem dziecka? Czy ważne są dla ciebie poglądy lekarza na specyficzne sprawy, jak na przykład wegetarianizm czy stosowanie metod medycyny alternatywnej u dzieci? Czy możesz liczyć na zrozumienie, jeśli będziesz chciała zasięgnąć opinii innego lekarza? Czy masz wrażenie, że właśnie ten lekarz będzie dla ciebie wsparciem w rozlicznych problemach i obawach związanych ze zdrowiem dziecka? Słowem – czy trafiłaś na lekarza z powołania?

Dobry kontakt i współpraca z lekarzem twojego dziecka

Jest godzina 8.00 rano i do gabinetu pediatry jako pierwsza pacjentka wjeżdża w wózku 10-miesięczna Beth. Dziecko kilka razy płakało w nocy, a rano obudziło się rozdrażnione, z kaszlem i zatkanym nosem.
„Wygląda mi to na przeziębienie – mówi lekarz po zbadaniu Beth – nic poważnego, pewnie jakiś wirus". Zmęczona i niewyspana matka kiwa głową, narzeka na wyczerpanie i wzdycha, że pewnie będzie zmuszona wziąć tydzień zwolnienia z pracy, choć bardzo jej to nie na rękę. Lekarz wypisuje receptę na antybiotyk i dodaje kilka instrukcji, jak go podawać. Po kilku minutach Beth i jej matka są już w drodze do domu.

W skali całego kraju odbywają się codziennie tysiące podobnych wizyt. Na pierwszy rzut oka mogłoby się wydawać, że system pracuje całkiem sprawnie – dziecko zostało zbadane, rozpoznanie

> ## „Głos doświadczenia"
>
> *„Znajdź pediatrę, któremu będziesz ufać i z którym nawiążesz dobre porozumienie. Nie wahaj się zmienić lekarza, który z jakichś powodów ci nie odpowiada. To, że przy okazji jest on znajomym twojej mamy czy że twoja przyjaciółka ma o nim jak najlepsze zdanie, jest sprawą absolutnie drugorzędną. Jeśli nie czujesz się dobrze w kontaktach z tym lekarzem, nie uda się wam współpracować w sposób najlepszy dla twojego dziecka. A to przecież liczy się najbardziej".*
> – ZA: KIDSHEALTH PARENT SURVEY

ustalone, a leczenie zaordynowane. A jednak nie do końca. Lekarz miał rację, mówiąc, że przyczyną przeziębienia są wirusy. Nie miał jednak racji, wypisując z tego powodu antybiotyk, bo antybiotyki działają na bakterie, a nie na wirusy. „Leczenie" jest więc nieuzasadnione i nieskuteczne. Pół biedy, gdyby było przy tym przynajmniej nieszkodliwe, ale niestety bywa inaczej. Wszędzie w mediach można znaleźć doniesienia o nadużywaniu antybiotyków, o zbędnym narażaniu pacjentów na ich efekty niepożądane, o rozwoju groźnych szczepów bakterii opornych na antybiotyki właśnie wskutek stosowania ich zbyt często i bez potrzeby...

Dlaczegóż zatem wykształcony lekarz przepisał antybiotyk przeziębionemu niemowlęciu?

W wielu przypadkach u podłoża takiej sytuacji leżą problemy w komunikacji między lekarzem a pacjentem, czy też rodzicem pacjenta. W tej części omówimy dokładniej, w jaki sposób możesz przyczynić się do optymalizacji opieki medycznej nad twoim dzieckiem, nawiązując właściwy, roboczy kontakt z jego lekarzem.

Zmiany w relacji lekarz – pacjent

Choć może jeszcze nie wszyscy rodzice dobrze zdają sobie z tego sprawę, a z kolei wielu lekarzy nadal podchodzi do tego dość nieufnie, nie ulega wątpliwości, że pacjenci mają dzisiaj znacznie większy wpływ na opiekę, jaką oni sami czy ich dzieci otrzymują od swoich lekarzy, niż miało to miejsce kiedykolwiek wcześniej. Z założenia trzeba uznać to zjawisko za pozytywne – w końcu to ty jako rodzic ponosisz ostateczną odpowiedzialność za zdrowie twojego dziecka. Czasami jednak próby wychodzenia naprzeciw domniemanym oczekiwaniom pacjenta, podobnie jak wymagania i ograniczenia systemu opieki zdrowotnej, wywierają na lekarzy nadmierną presję i skłaniają ich do decyzji niekoniecznie zgodnych z najlepszym interesem pacjenta.

Wróćmy ponownie do przypadku małej Beth. Lekarz mógł zinterpretować narzekania jej matki na zmęczenie i obawy co do zwolnienia lekarskiego jako oczekiwanie, że zrobi coś (czyli wypisze leki), co przyspieszy wyzdrowienie dziecka – choć prawdopodobnie jej słowa nie miały wcale tego podtekstu. Lekarz mógł jednak pomyśleć, że nie spełniając wydedukowanych przez siebie oczekiwań matki i pozostawiając dziecko bez leków, ryzykuje jego utratę jako pacjenta. Czując presję systemu, by pracować jak najwydajniej, czyli przyjmować jak najwięcej pacjentów w jak najkrótszym czasie, i wiedząc, że w poczekalni już gromadzą się następni, lekarz zrezygnował z wdawania się w dyskusję o nieskuteczności antybiotyków w leczeniu zakażeń wirusowych.

Zasady budowania partnerskiej relacji z lekarzem

Możesz stać się skuteczniejszym rzecznikiem interesów zdrowotnych twojego dziecka, przestrzegając kilku podstawowych zasad współpracy z jego lekarzem i całym personelem:

- Daj lekarzowi do zrozumienia, że przyjmiesz z zaufaniem jego zalecenia oparte wyłącznie na tym, co w jego opinii będzie najlepsze dla zdrowia dziecka. Nie oznacza to rezygnacji z twoich praw i odpowiedzialności jako rodzica. Warto jednak poinformować lekarza wprost, że nie oczekujesz od niego decyzji podyktowanych chęcią zrobienia ci przyjemności. Powiedz wyraźnie, że oczekujesz recept na antybiotyki czy inne leki tylko wtedy, gdy mają one pomóc dziecku, a nie tobie.
- Zachowaj krytycyzm wobec „szumu informacyjnego". W ostatnich latach, w następstwie rozwoju Internetu i obfitości wszelkich innych drukowanych czy audiowizualnych źródeł informacji, wiedza medyczna znalazła się praktycznie w zasięgu ręki laików (patrz rozdział 34, „Zdrowie w Internecie"). Przekazywane przez media informacje są często prawdziwe i pożyteczne, jednak trafiają się wśród nich również błędne, niepełne, niewłaściwie interpretowane czy też nieproporcjonalnie nagłośnione.

  Wcale nierzadko zdarza się, że rodzice przychodzą do lekarza z plikiem artykułów na dany temat zdrowotny, ściągniętych z Internetu czy skopiowanych z przeróżnych publikacji. Oczekiwanie, że lekarz zna je wszystkie lub też zechce na miejscu przeczytać i skomentować, jest wysoce nierealne, zwłaszcza w zestawieniu z czasem przeznaczonym na jedną wizytę. Co więcej, nawet lekarz może mieć trudności w ocenie źródła pochodzenia i wiarygodności wielu informacji pojawiających się w Internecie. Nawet jeśli są one prawdziwe i dotyczą na przykład wyników rzeczywiście przeprowadzonych badań, nigdy nie ma pewności, że inne badania nie przyniosły w tym samym czasie wyników dokładnie odmiennych. Mimo żmudnej i skomplikowanej procedury zaskakująco wiele wstępnych wyników badań naukowych w medycynie nie wytrzymuje próby czasu.

Jeśli uważasz za konieczne uzyskać opinię lekarza na temat jakiegoś artykułu odnoszącego się do sytuacji twojego dziecka, który szczególnie cię zainteresował czy zaniepokoił, lepiej zrobisz, przesyłając go lekarzowi mailem, faksem czy pocztą na kilka dni przed wizytą lub rozmową telefoniczną. Lekarz ma tym sposobem czas, aby spokojnie przeczytać rzeczoną publikację i określić swoje stanowisko. Dobrym pomysłem jest również prośba o materiały źródłowe, jakie lekarz mógłby polecić ci na dany temat. Zapoznawszy się z nimi w pierwszej kolejności, zyskasz szerszą perspektywę i będziesz bardziej równorzędnym partnerem w dyskusji.

• Zapoznaj się z zasadami pracy gabinetu i staraj się ich przestrzegać. Przychodź na wizyty punktualnie (lub kilka minut wcześniej), a jeśli musisz się spóźnić, uprzedź o tym telefonicznie z jak największym wyprzedzeniem. Pozwoli to personelowi uniknąć dezorganizacji pracy, a tobie oszczędzi jazdy do lekarza na próżno, gdyby nie mógł już przyjąć cię tego dnia. Jeśli musisz odwołać wizytę, zrób to co najmniej na dzień wcześniej. Staraj się nie zapracować sobie na opinię kogoś, kto robi to notorycznie. W wielu gabinetach tacy pacjenci są zapisywani na wszelki wypadek razem z innymi, co siłą rzeczy oznacza poświęcenie im mniej czasu.

W miarę możności umawiaj się na wizytę z wyprzedzeniem i informuj o jej celu. Jeśli na przykład wiesz od dwóch miesięcy, że twoje dziecko potrzebuje bilansu zdrowia przed pójściem do przedszkola, nie przypomnij sobie o tym na dzień

Lekarz radzi

„Gabinet zamknięty z powodu urlopu”

Nawet najlepszy i pełen poświęcenia lekarz musi czasem odpocząć, ale czy wiesz, kto zastąpi go na czas zasłużonego urlopu? Czy będzie to ten sam lekarz, co w zeszłym roku? Czy dobrze ci się z nim współpracowało?

Dowiedz się o to wszystko zawczasu, zanim automatyczna sekretarka zaskoczy cię nieznanym nazwiskiem i numerem telefonu lekarza „na zastępstwie".

„Głos doświadczenia"

„Zawsze opuszczaj gabinet lekarza z prze-konaniem, że uzyskałaś odpowiedzi na wszystkie swoje pytania. Musisz dokład-nie rozumieć, co się dzieje z twoim dziec-kiem, aby być w stanie mu pomóc".
– ZA: KIDSHEALTH PARENT SURVEY

„Głos doświadczenia"

„Nigdy nie wahaj się zadzwonić do leka-rza twojego dziecka w razie jakichkol-wiek obaw czy wątpliwości. Lekarz jest po to, by ci pomagać i by opiekować się twoim dzieckiem zarówno w chorobie, jak i w zdrowiu".
– ZA: KIDSHEALTH PARENT SURVEY

przed ostatecznym terminem składania dokumentacji i nie tłumacz recepcjoni-stce, że musisz być przyjęta o 8.00 rano. Gdy już znajdziesz się w gabinecie, trzy-maj się zapowiedzianego przedmiotu wi-zyty, bo ma to znaczenie przy układaniu grafiku przyjęć – przykładowo, na wizy-tę z powodu przeziębienia przeznacza się z reguły mniej czasu niż na dokład-ne poznanie problemów behawioral-nych. Niespodziewana zmiana w planie wizyty może postawić lekarza w nie-zręcznej sytuacji i narazić innych pa-cjentów na dłuższe oczekiwanie.

Ułatwiaj i kontroluj przepływ informa-cji. Zadzwoń zawczasu do gabinetu, by
• upewnić się, że przed planowaną wizy-tą do lekarza dotarły wyniki konsultacji i badań laboratoryjnych czy jakakolwiek ważna informacja z innego ośrodka. Jeśli nie, zrób wszystko, by tak się stało, ewentualnie wydobądź sama tę dokumenta-cję i przynieś ze sobą na wizytę. Nie zapominaj również o innych wymaganych dokumentach, jak książeczka ubezpieczeniowa, skierowania czy formularze do wypełnienia w czasie wizyty.

• Za każdym razem upewnij się, że rozumiesz i pamiętasz zalecenia lekarza oraz że jesteś w stanie się do nich zastosować. Dobrą zasadą jest powtórzenie słów lekarza w jego obecności dla sprawdzenia, czy prawidłowo je sobie przyswo-iłaś. Przydatne bywają również własne notatki lub prośba do lekarza o kartkę ze spisanymi zaleceniami. Jest to szczególnie ważne w razie skomplikowanego leczenia, na przykład jednocześnie kilkoma lekami o różnym sposobie dawko-wania, albo jeśli jesteś tak przygnębiona czy niewyspana z powodu choroby dziec-ka, że ciężko ci zebrać myśli. Jeśli dostosowanie się do zaleceń lekarza wydaje ci się z jakichkolwiek powodów trudne czy wręcz niemożliwe, natychmiast mu o tym powiedz. Lekarz jest zwykle w stanie dokonać pewnych korekt w swoim planie, tak aby dostosować go do twoich możliwości i zapewnić dziecku wła-ściwe leczenie.

• Jeśli tylko masz taką możliwość, zostaw inne dzieci w domu. Wizyta może być trudna i stresująca zarówno dla ciebie, jak i dla lekarza, jeśli będą przeszkadzać w niej inne małe dzieci. Nie należy oczekiwać, że usiedzą one spokojnie z boku i przez cały czas trwania wizyty nie spróbują zwrócić na siebie uwagi.

Równie ważne jest, by w wizycie poświęconej poważniejszym czy bardziej zło-żonym problemom, zwłaszcza behawioralnym i rozwojowym, uczestniczyło któ-reś z rodziców dziecka, a nie ktoś inny w zastępstwie. Jeśli nagle okazuje się to niemożliwe, lepiej przełożyć taką wizytę na inny termin, niż wysyłać na nią dziecko z babcią czy opiekunką. Z reguły nie będą one umiały odpowiedzieć na szczegółowe pytania lekarza, przez co cała wizyta stanie się „sztuką dla sztuki".

• Kieruj się zdrowym rozsądkiem, jeśli chodzi o pytania przez telefon. Jeśli wiesz, że dane pytanie nie ma charakteru pilnego, zachowaj je na następną wizytę lub zadzwoń w ustalonych „godzinach pod telefonem" w ciągu dnia. Gdy przyjdzie ci do głowy jakieś pytanie do lekarza, zapisz je dla pamięci i zadaj przy najbliższej okazji. Unikaj dzwonienia w weekend czy wieczorem w mniej ważnych czy naglących sprawach. Często praktyki lekarskie organizują się w taki sposób, że na telefony po godzinach odpowiada jeden lekarz dyżurny (nie znający twojego dziecka), albo też korzystają z systemu „pielęgniarki pod telefonem". W tym ostatnim przypadku rolą dyżurnej pielęgniarki jest udzielanie porad w sprawach nagłych i pilnych, a nie takich, które spokojnie mogą poczekać do rana.

Jeśli potrzebujesz dodatkowych informacji, zasięgnij porady lekarza.

Rozdział 13

Rutynowa opieka lekarska

Lepiej zapobiegać niż leczyć

Jak powinna wyglądać opieka medyczna nad twoim dzieckiem w gabinecie wybranego dla niego lekarza? Ten rozdział omawia usługi, jakich możesz oczekiwać, i podpowiada, po czym poznać, że jest to opieka najlepsza z możliwych. Omawiamy przebieg rutynowych wizyt kontrolnych, a następnie kwestię szybkiego uzyskania pomocy w razie choroby dziecka. Prosimy również nie pomijać końcowych podrozdziałów – podajemy w nich sposoby uspokojenia wystraszonego dziecka i zasady posługiwania się ulubioną „bronią" wielu rodziców: wiarą we własny instynkt.

Bilanse zdrowia dziecka

Regularne badania kontrolne są ważnym elementem zapewnienia twojemu dziecku optymalnego życiowego startu. Lekarz może dzięki nim obserwować wszechstronny wzrost i rozwój dziecka – fizyczny, umysłowy i emocjonalny.

Wizyty kontrolne umożliwiają również wczesne wykrycie wszelkiego rodzaju problemów, które na tym etapie są zwykle w najwyższym stopniu uleczalne. Ciało i mózg małego dziecka nie są jeszcze w pełni ukształtowane, a to oznacza, że wczesne leczenie stwarza niejednokrotnie szansę na całkowitą korekcję szeregu potencjalnych problemów. Przykładowo, dziecko z tak zwaną ambliopią („leniwym okiem") może zachować pełne widzenie obuoczne pod warunkiem wczesnej interwencji, polegającej zwykle na przejściowym stosowaniu okularów z przesłoną na jedno oko. W razie zaniechania tej prostej metody korekcyjnej dziecku grozi nawet całkowita i nieodwracalna utrata wzroku w jednym oku.

Poza problemami do pilnej interwencji badanie kontrolne może też ujawnić inne nieprawidłowości, które lekarz będzie obserwować podczas kolejnych wizyt dla oceny, czy ustępują samoistnie, czy też ostatecznie wymagają leczenia.

Jeśli u dziecka nie stwierdza się żadnych odchyleń, badanie kontrolne przynosi także pożądane odprężenie i satysfakcję, że wszystko przebiega prawidłowo.

Zadowolenie i mniejsze napięcie rodziców mają z kolei korzystny wpływ na całą rodzinę.

Podczas wizyty kontrolnej lekarz może również poruszyć kwestię karmienia i snu, obserwować twoje interakcje z dzieckiem i promować zdrowe nawyki. Rodzice mają okazję do zadania wszelkich pytań na temat zdrowia czy zachowania dziecka lub do zasięgnięcia opinii lekarza w sprawach bardziej ogólnych. Rodzice często krępują się „zawracać głowę" lekarzowi i dzwonić do niego z banalnymi pytaniami, natomiast chętnie zadadzą je „przy okazji". Lekarze i pielęgniarki doświadczeni w opiece nad małymi dziećmi mogą ponadto polecić ci dobre źródła informacji czy różnego rodzaju usług – od książek i filmów edukacyjnych do stowarzyszeń rodziców i placówek opiekuńczych.

Wizyty ze zdrowym dzieckiem: jak często?

Nawet zdrowe jak rydz niemowlę powinno być częstym bywalcem w gabinecie lekarza. Zaleca się ponad tuzin rutynowych wizyt kontrolnych (i jeszcze więcej szczepień ochronnych) w okresie, zanim twoje dziecko pójdzie do przedszkola, przy czym większość z nich kumuluje się w pierwszym roku życia.

A oto rozkład rutynowych bilansów zdrowia:
- Przed wypisaniem noworodka ze szpitala;
- W ciągu 48–72 godzin po wypisie, jeśli dziecko opuszcza szpital przed upływem drugiej doby życia;
- W przypadku noworodków karmionych piersią w 3–4 dobie życia;
- Niezależnie od sposobu karmienia między drugim a czwartym tygodniem życia;
- W pierwszym roku życia w wieku 2, 4, 6, 9 i 12 miesięcy;
- W drugim roku życia w wieku 15, 18 i 24 miesięcy;
- Wkrótce po ukończeniu trzech, czterech i pięciu lat.

> ### „Głos doświadczenia"
>
> *„Gdy mój synek miał mniej więcej miesiąc, zdarzyło mu się krzyczeć przez cały dzień bez zmrużenia oka. Byłam wyczerpana i przerażona, ale na szczęście następnego dnia wypadała nam rutynowa wizyta kontrolna u lekarza. Doktor nie stwierdził niczego złego, a gdy zapytałam, skąd bierze się tyle krzyku, położył mi rękę na ramieniu i powiedział, że to typowe dla niemowląt. Powiedział to tak serdecznie i ze zrozumieniem, że do dziś pamiętam to proste wyjaśnienie, które bardzo mi wtedy pomogło. Wreszcie w pełni zdałam sobie sprawę, że moje dziecko jest zdrowe i całkowicie normalne".*
> – ZA: KIDSHEALTH PARENT SURVEY

Jeśli twoje dziecko urodziło się przedwcześnie lub z niedowagą, najprawdopodobniej będziesz odwiedzać lekarza jeszcze częściej. Oprócz tego, rzecz jasna, spotkacie się zapewne niejeden raz z powodu przeziębienia, gorączki, wysypki, zapalenia ucha czy w ramach kontroli po leczeniu wcześniej stwierdzonych problemów.

Przebieg kontrolnej wizyty u lekarza

Rutynowe badanie lekarskie zdrowego dziecka, zwane również bilansem zdrowia, składa się najczęściej z następujących elementów:

Wywiad zdrowotny

Lekarz zada ci szereg pytań na temat zdrowia dziecka, twojego własnego i całej rodziny. Zebranie wywiadu rodzinnego może mieć miejsce jeszcze przed narodzeniem dziecka, w ramach wizyty prenatalnej, lub podczas którejś z pierwszych wizyt z noworodkiem. Są to ważne informacje, wskazujące na przykład na podwyższone ryzyko pewnych chorób genetycznych, zakaźnych czy uwarunkowanych środowiskowo, a tym samym na zasadność wykonania u twojego dziecka odpowiednich badań przesiewowych dla ich wykluczenia. Inne dane, dotyczące na przykład wzrostu rodziców i bliskich krewnych, pozwalają lekarzowi lepiej ocenić ewentualne zaburzenia rozwojowe u dziecka. Podczas każdego badania kontrolnego musisz informować lekarza o wszelkich problemach zdrowotnych, jakie wystąpiły u dziecka od czasu poprzedniej wizyty, jak również o ważniejszych zmianach w stanie zdrowia domowników.

Obserwacja wzrostu

Przy każdym badaniu kontrolnym dziecko musi być zważone i zmierzone, a wyniki naniesione na standardową siatkę dla celów porównawczych. W pierwszych dwóch latach życia mierzy się również zwykle obwód głowy dziecka, odzwierciedlający rozwój mózgu.

Ocena rozwoju

Opóźnienia w rozwoju fizycznym, emocjonalnym, behawioralnym czy społecznym dziecka mogą wynikać z uleczalnych stanów chorobowych, wymagających czujności

Lekarz radzi

Picasso w gabinecie pediatry

Oczekiwanie na badanie lekarskie bywa stresujące dla dzieci (i dla dorosłych!). Aby odwrócić uwagę dziecka i pomóc mu się zrelaksować, dobrze jest zabrać ze sobą kilka kredek. Obecnie stoły do badania są zwykle pokryte arkuszem papieru zmienianym przed każdym kolejnym pacjentem, tak więc bez wielkiej szkody twoje dziecko może wykorzystać go na swoją twórczość.

lekarza. Dlatego też przedmiotem rutynowej wizyty kontrolnej muszą być również te zagadnienia.

Badania przesiewowe pod kątem postępów w rozwoju

Istnieje wiele standardowych testów sprawdzających postępy rozwojowe dziecka. Lekarz lub pielęgniarka obserwują również dziecko podczas wykonywania określonych zadań (np. skakania na jednej nodze) lub zadają mu proste pytania („Która linia jest dłuższa?" itp.).

Lekarz radzi

Prowadź własną dokumentację zdrowia dziecka

Załóż swój własny zeszyt do zapisywania wzrostu i wagi dziecka oraz innych danych, takich jak daty szczepień ochronnych czy wyniki badań przesiewowych. Niektórzy lekarze sami oferują rodzicom swoich pacjentów stosowne książeczki przeznaczone na ten cel. W różnych nagłych sytuacjach, kiedy to często rodzice są zbyt zestresowani, by zachować przytomność umysłu, zapisane informacje na temat dziecka mogą pomóc personelowi medycznemu w podjęciu właściwych decyzji. Twoje notatki przydadzą się również podczas rozmowy telefonicznej z lekarzem, który nie ma pod ręką całej dokumentacji z gabinetu, czy też przy każdej wizycie u nowego lekarza.

Musisz również pamiętać, że żadne badanie przesiewowe nie jest doskonałe. Dziecko może „źle wypaść" w teście po prostu dlatego, że jest tego dnia zmęczone czy niezbyt skłonne do współpracy. Znacznie bardziej wiarygodne są więc wyniki uzyskane przez nie na przestrzeni dłuższego czasu niż w jednorazowym badaniu. Bardzo często zdarza się również, że dzieci wykazujące pewne opóźnienia w jednej czy kilku sferach objętych testem nadrabiają je przy kolejnych badaniach i ostatecznie rozwijają się prawidłowo. Jednocześnie, nawet jeśli twoje dziecko dobrze wypada w testach przesiewowych, nie możesz zaniechać podzielenia się z lekarzem wszelkimi twoimi obawami czy niepokojącymi obserwacjami na temat jego rozwoju i zachowania. Twoje obserwacje i wyczucie, że „coś jest nie tak", mogą okazać się trafniejsze niż wyniki testów.

W razie podejrzenia jakichkolwiek nieprawidłowości lekarz może skierować twoje dziecko na konsultację do neurologa, audiologa, okulisty, psychologa, specjalisty w dziedzinie medycyny rozwojowej czy każdej innej, zależnie od podejrzewanego problemu.

Badanie fizykalne

Proporcje i kolejność poszczególnych etapów badania fizykalnego będą zmieniać się w zależności od wieku dziecka. I tak w przypadku niemowląt i małych dzieci szczególne znaczenie ma oglądanie. Obserwacja ogólnego wyglądu, aktywności i reaktywności oraz sposobu interakcji dziecka z otoczeniem dostarcza lekarzowi wielu cennych wskazówek co do stanu jego zdrowia i rozwoju.

Jeśli chodzi o dalsze etapy badania wymagające bezpośredniego kontaktu fizycznego, lekarz zaczyna je zwykle od najmniej przykrych dla dziecka, czyli od osłuchiwania serca i płuc stetoskopem. Stresujące i zwykle donośnie „oprotestowane" elementy badania, takie jak zaglądanie do gardła i do uszu, zostawia się z reguły na sam koniec.

U starszych niemowląt i małych dzieci odczuwających naturalny lęk przed obcymi i za młodych, by rozumieć potrzebę współpracy, ważną rolę odgrywają rodzice (lub inni znani dziecku opiekunowie). Większa część badania odbywa się zwykle na ich kolanach lub w ich objęciach. Lekarz może cię również prosić o odwrócenie uwagi dziecka lub o uspokojenie go podczas tych etapów badania, które powinny odbyć się w ciszy. Cenną pomocą jest wtedy zwykle ulubiona zabawka czy inny interesujący obiekt, o czym warto pomyśleć, wychodząc z domu.

Ocena wzroku, słuchu i stanu uzębienia

Już począwszy od pierwszego badania noworodka, lekarz zwraca uwagę na oznaki wszelkich potencjalnych zaburzeń wzroku i słuchu. Podziel się z lekarzem własnymi obserwacjami w tym zakresie, zwłaszcza jeśli jest coś, co cię niepokoi. Spostrzegawczość rodziców ma ogromne znaczenie we wczesnym rozpoznawaniu problemów ze wzrokiem i słuchem. Więcej informacji na ten temat znajdziesz w rozdziale 15, „Słuch i wzrok".

Jeszcze zanim z dziąseł niemowlęcia wynurzą się pierwsze ząbki mleczne, podczas każdej wizyty kontrolnej lekarz będzie zaglądać mu do buzi w poszukiwaniu ewentualnych objawów zakażenia (np. pleśniawek) czy innych nieprawidłowości w obrębie jamy ustnej. Otrzymasz od niego wskazówki na temat ząbkowania i mycia zębów, a w razie podejrzenia jakichkolwiek problemów zapewne również skierowanie do stomatologa dziecięcego. Jeśli chodzi o rutynowe wizyty kontrolne u dentysty, zaleca się ich rozpoczęcie w wieku około trzech lat (jeśli wcześniej nie pojawią się problemy), natomiast wiele towarzystw stomatologicznych obniża ten wiek do 12 miesięcy. Więcej informacji na ten temat znajdziesz w rozdziale 23, „Opieka stomatologiczna".

Inne badania przesiewowe

Lekarz może zlecić lub wykonać u dziecka badania pod kątem gruźlicy, zatrucia ołowiem, podwyższonego poziomu cholesterolu lub niedokrwistości, jeśli w jego ocenie jest ono narażone na zwiększone ryzyko tych patologii. Badania przesiewowe omawiamy dokładniej w rozdziale 14 pod tym tytułem.

Porady i wskazówki

Rutynowe wizyty kontrolne mają jeszcze i to ważne uzasadnienie, że stwarzają okazję do wysłuchania z ust fachowców wielu cennych porad, które pomogą ci wychować zdrowe i szczęśliwe dziecko. Spodziewaj się, że lekarz, pielęgniarki i inny personel poświęci za każdym razem sporo czasu na udzielenie ci porad i informacji. Mają oni również obowiązek dokładnie i w zrozumiały sposób odpowiedzieć na wszystkie twoje pytania dotyczące zdrowia dziecka. Choć odbywa się to przede wszystkim w toku bezpośredniej rozmowy, w wielu gabinetach i ośrodkach można również zaopatrzyć się w ulotki informacyjne, broszury i tym podobne materiały drukowane. Można w nich znaleźć więcej szczegółów, a także wykaz dodatkowych źródeł informacji, takich jak książki, kompetentne strony internetowe i grupy wsparcia. Materiały te pomogą ci również lepiej zapamiętać to, co usłyszałaś w gabinecie. Niektóre gabinety i ośrodki pediatryczne organizują również grupowe sesje dla rodziców dzieci w zbliżonym wieku, podczas których dyskutują oni na różne tematy związane ze zdrowiem, rozwojem i zachowaniem dzieci z fachowymi pracownikami służby zdrowia.

Rozmowa z lekarzem podczas wizyty kontrolnej powinna dotyczyć również i tego, co pediatrzy nazywają „poradnictwem antycypowanym". Mówiąc prościej, oznacza to omówienie przemian fizycznych i emocjonalnych, jakim podlega twoje dziecko, jeszcze zanim rzeczywiście wystąpią. Lekarz poruszy z tobą między innymi takie tematy, jak zapobieganie nieszczęśliwym wypadkom, zdrowe odżywianie i sposoby pobudzania naturalnej ciekawości dziecka. Dzięki tego rodzaju wskazówkom dowiesz się, czego oczekiwać w najbliższej przyszłości, a wiedza ta doda ci pewności siebie. Uczuli cię to również na niebezpieczeństwa czyhające na dziecko w miarę nabierania przez nie coraz większej sprawności ruchowej. Będziesz także lepiej przygotowana na trudny, choć naturalny etap rozwoju emocjonalnego dziecka, jakim jest lęk przed rozstaniem. „Poradnictwo antycypowane" może zapobiec pewnym problemom zdrowotnym i behawioralnym w początkowym okresie poszczególnych etapów rozwoju, a zarazem pozwala ci zrozumieć zachodzące przemiany, stymulować je i cieszyć się szybko rosnącą sprawnością dziecka we wszystkich dziedzinach.

W praktyce zdarza się jednak, że lekarze skracają tę część wizyty do minimum. Trzeba z ubolewaniem stwierdzić, że w czasach coraz większego nacisku na „wydajność" i aspekty finansowe opieki zdrowotnej lekarze czują się wręcz przymuszeni do poświęcania pacjentom jak najkrótszego czasu. Stwierdziwszy, że dziecko jest zdrowe i zadbane, lekarz może tym bardziej dać ci do zrozumienia, że czekają na niego kolejni pacjenci. Jeśli za każdym razem masz takie wrażenie, pewną pomocą będzie na pewno dobre przygotowanie się do wizyty, co omawiamy w dalszej części. Masz również prawo w grzeczny sposób wyrazić swoje rozczarowanie błyskawicznym przebiegiem wizyty i dyskomfort z powodu lakonicznych odpowiedzi na twoje pytania. Jeśli sytuacja będzie się powtarzać, zawsze pozostaje ci możliwość poszukania innego lekarza, mniej zapracowanego czy bardziej komunikatywnego. Często jednak nie ma takiej potrzeby, a twoje zaufanie do tego

Lekarz radzi

Bądź dobrze poinformowanym rodzicem

Korzystaj z okazji, jaką stwarza każda wizyta kontrolna, by zadać wszelkie nurtujące cię pytania na temat zdrowia lub wychowania dziecka. Nie obawiaj się, że ktoś może uznać twoje pytanie za banalne czy „głupie". Przyklej notesik na lodówce do zapisywania wszystkich pytań, jakie przyjdą ci do głowy, a następnie, żeby o niczym nie zapomnieć, zabierz ze sobą ich spis na najbliższą wizytę u lekarza.

lekarza i pewność, że dziecko jest w dobrych rękach, przewyższają powyższe niedostatki.

Szczepienia ochronne

Rozkład badań kontrolnych u zdrowych niemowląt wynika po części z kalendarza szczepień ochronnych. Odkrycie bezpiecznych i skutecznych szczepionek, zapobiegających wielu potencjalnie śmiertelnym czy rujnującym zdrowie chorobom zakaźnym, było jednym z najdonioślejszych triumfów medycyny w służbie ludzkości. Dopilnowanie, by dziecko w pełni skorzystało z tych dobrodziejstw, należy do najważniejszych obowiązków jego opiekunów. Dobra współpraca rodziców z lekarzem ma zapewnić nie tylko wykonanie wszystkich zalecanych szczepień, ale również wykonanie ich według optymalnego harmonogramu. Nieuzasadnione wydłużenie odstępu między kolejnymi dawkami szczepionek może niepotrzebnie zwiększać podatność dziecka na daną chorobę. Więcej szczegółów na ten temat znajdziesz w rozdziale 16, „Szczepienia ochronne".

Inne usługi dostępne w ramach praktyki pediatrycznej i konsultacje specjalistyczne

Większe, grupowe gabinety lekarskie i ośrodki przyszpitalne oferują często dodatkowe usługi, z których można skorzystać podczas rutynowej wizyty kontrolnej:
- Pracownik socjalny służy pomocą rodzinom w trudnej sytuacji finansowej czy ubezpieczeniowej, pomaga w koordynacji opieki zdrowotnej, jeśli wymaga ona udziału innych specjalistów lub instytucji, wspiera starania o przydział specjalistycznego sprzętu, niezbędnego w leczeniu lub rehabilitacji, a także zajmuje się szczególnymi problemami, takimi jak patologie rodzinne, zaniedbywanie dziecka, akty przemocy itp.
- Psycholog lub psychiatra może pomóc w rozwiązywaniu problemów emocjonalnych, behawioralnych, szkolnych itp.
- Dietetyk lub inny specjalista w dziedzinie żywienia udziela porad w przypadku specjalnych potrzeb dietetycznych dziecka.

W razie problemów zdrowotnych wymagających konsultacji i leczenia specjalistycznego lekarz pierwszego kontaktu, który na stałe opiekuje się twoim dzieckiem, powinien pełnić funkcję ich koordynatora. Ma to szczególne znaczenie u dzieci ze skomplikowanymi schorzeniami lub potrzebami. Bliska współpraca z lekarzem prowadzącym jest niezbędna nie tylko z punktu widzenia zdrowotnego, ale również w aspekcie finansowym, aby dopilnować wszelkich procedur i przepływu dokumentów stanowiących podstawę do objęcia ponadstandardowych świadczeń ubezpieczeniem zdrowotnym.

Przygotowanie do wizyty kontrolnej

Aby maksymalnie wykorzystać wizytę u lekarza, warto się do niej przygotować, zwłaszcza jeśli twój lekarz należy do gatunku „wiecznie zajętych" lub musisz odwiedzić kogoś, kogo nie znasz.

- Prowadź regularnie listę pytań i problemów pojawiających się w okresach między wizytami. Bezpośrednio przed wyznaczoną datą wizyty przejrzyj tę listę i ponumeruj zagadnienia według ważności. Jako pierwsze zadaj pytania, które są dla ciebie najważniejsze. (Badania wykazują, że pacjenci często zachowują najbardziej nurtujące ich kwestie na sam koniec wizyty. W efekcie albo rezygnują z ich poruszenia, albo robią to w chwili, gdy lekarz jest już „jedną nogą", a zwłaszcza myślami, za drzwiami gabinetu). Nie krępuj się czytać pytań ze swojej „ściągawki", to nie egzamin.
- Przypomnij lekarzowi historię medyczną dziecka, zwłaszcza w razie chorób przewlekłych, na przykład astmy czy padaczki. Nie zapomnij poinformować o wszelkich przyjmowanych przez nie lekach, zarówno na receptę, jak i dostępnych w wolnej sprzedaży. Nie polegaj wyłącznie na dokumentacji, jaką lekarz ma przed sobą, ani nie licz na to, że będzie on pamiętał istotne szczegóły równie dobrze jak ty.
- Miej ze sobą coś do pisania i notuj wszelkie zalecenia czy inne istotne informacje przekazywane przez lekarza. Jeśli nie w pełni rozumiesz instrukcje lub od razu widzisz, że będziesz mieć kłopoty z ich przestrzeganiem, natychmiast powiedz o tym lekarzowi. Przynieś ze sobą własną, prowadzoną przez ciebie dokumentację zdrowotną dziecka i w razie potrzeby od razu, na miejscu ją uzupełnij
- Nie zapomnij o zabawkach czy innych rzeczach, które umilą twojemu dziecku czas oczekiwania na wizytę. Jeśli dziecko wejdzie do gabinetu rozkapryszone czy z płaczem, będzie to nie tylko nieprzyjemne dla was wszystkich, ale również utrudni lekarzowi dokładne badanie.
- Jeśli tylko masz taką możliwość, zostaw starsze dzieci w domu, aby cię nie rozpraszały.
- Jeśli jakieś ważne pytanie przypomniało ci się już po pożegnaniu z lekarzem, powiedz pielęgniarce lub recepcjoniste, że chciałabyś zamienić z nim jeszcze kilka słów. Jeśli nie ma takiej możliwości natychmiast, zadzwoń do lekarza jeszcze tego samego dnia.

- Analogicznie, jeśli po powrocie do domu masz trudności w realizacji zaleceń czy też pojawia się jakiś inny problem, nie omieszkaj jak najszybciej poinformować o tym lekarza, aby mógł on od razu wprowadzić stosowne korekty w planie postępowania.

Kiedy dzwonić do lekarza?

Po powrocie do domu z badania kontrolnego przypominasz sobie o jakimś ważnym, a nie zadanym pytaniu. Czy powinnaś od razu zadzwonić? Co masz zrobić, jeśli w dzień po znakomitej opinii lekarza o zdrowiu twojego dziecka nagle ogłasza ono „strajk głodowy"? Dylematy „dzwonić czy czekać" należą do typowych problemów, przed jakimi wielokrotnie stają młodzi rodzice. A oto kilka wskazówek, które mogą pomóc ci w decyzji.

Rutynowy kontakt telefoniczny

W wielu gabinetach ustala się specjalne „godziny telefoniczne", w czasie których rodzice mogą swobodnie dzwonić i zadawać wszelkie, nawet pozornie błahe pytania na temat opieki nad dzieckiem. Z reguły odpowiadają na nie pielęgniarki, ale w razie potrzeby przełączają rozmowę do lekarza. System ten jest korzystny dla rodziców, ponieważ uwalnia ich od obaw o tzw. „zawracanie głowy" lekarzowi. Sam fakt ustanowienia „godzin telefonicznych" oznacza, że masz pełne prawo porozumieć się z gabinetem w każdej nurtującej cię sprawie i nie wahaj się z tego prawa korzystać. Oczywiście, jeśli dziecko jest chore i może potrzebować pilnej pomocy, nie czekaj na właściwą godzinę – dzwoń do lekarza natychmiast.

Kontakt telefoniczny w razie zachorowania

Wszelkie oznaki choroby u niemowlęcia poniżej trzech miesięcy życia wymagają szybkiej oceny lekarza, ponieważ w tym okresie stan dziecka może się bardzo szybko pogorszyć. Im młodsze i mniejsze jest dziecko, tym większe potencjalne zagrożenie, a tym samym potrzeba wzmożonej czujności.

Nawet poważna choroba u noworodka może zacząć się pozornie błahymi objawami, takimi jak rozdrażnienie, senność i apatia lub gorączka, która u starszego dziecka byłaby uznana za niewielką. Jeśli masz jakiekolwiek wątpliwości, pamiętaj, że lepiej wszcząć fałszywy alarm niż zlekceważyć prawdziwe sygnały ostrzegawcze, nawet gdyby miało to oznaczać wzywanie pogotowia w środku nocy. Nigdy też nie dawaj noworodkowi żadnych leków – nawet dostępnego bez recepty paracetamolu w kroplach dla niemowląt – bez porozumienia z lekarzem.

> ### *Niestety, nikt mi wcześniej nie powiedział...*
>
> *„...że w razie jakichkolwiek pytań czy problemów powinnam bez obaw dzwonić do lekarza. Lekarze są właśnie od tego i nawet jeśli czujesz się nieswojo, powinnaś z góry założyć, że mnóstwo pacjentów «zawraca im głowę» znacznie bardziej niż ty!".*

W miarę wzrostu dziecka i nabierania przez ciebie rodzicielskiego doświadczenia łatwiejsza będzie również ocena jego stanu. Zaczniesz rozpoznawać, kiedy należy zadzwonić do lekarza, a kiedy dziecku potrzeba po prostu nieco większej uwagi z twojej strony, ewentualnie któregoś z domowych środków na przeziębienie. Sama nie będziesz mieć ochoty ciągnąć dziecka do lekarza z każdym kaszlnięciem czy kichnięciem. Jeśli jednak coś zacznie cię niepokoić, wtedy – niezależnie od wieku dziecka – nie wahaj się zasięgnąć porady lekarza. Nie staraj się też ukrywać swoich uczuć z obawy, że wyjdziesz na rozhisteryzowaną matkę. „Dawka" lęku w głosie rodziców jest zresztą dla lekarza cenną wskazówką, jak bardzo chore może być dziecko.

Gdy dziecko zachoruje

U większości małych dzieci rutynowe badania kontrolne stanowią zaledwie trzecią część ogółu wizyt u lekarza. Ich najczęstszym powodem są ostre zachorowania i kontrola wyników leczenia chorób ostrych i przewlekłych. Gabinet lekarza pierwszego kontaktu, sprawującego opiekę nad twoim dzieckiem, musi być zatem przygotowany nie tylko na działalność profilaktyczną, ale w pierwszym rzędzie na udzielanie pomocy w razie choroby.

Gabinet lekarza czy szpital?

W razie poważnego urazu lub objawów potencjalnie zagrażających życiu dziecka powinnaś jechać od razu do szpitala, zwykle karetką pogotowia ratunkowego czy innym specjalistycznym środkiem transportu.

W pozostałych przypadkach – czyli zdecydowanie częściej – jesteś jednak w stanie poradzić sobie z chorobą dziecka w domu – samodzielnie lub z pomocą lekarza. Jeśli potrzebujesz porady lub uważasz, że konieczna jest ocena lekarza, zadzwoń do niego, opisz sytuację i zapytaj, czy masz przywieźć dziecko do gabinetu, czy też jechać bezpośrednio do szpitala. Więcej informacji na temat stanów nagłych i najczęstszych, typowych urazów znajdziesz w rozdziale 28, „Pierwsza pomoc i postępowanie w stanach nagłych".

Wizyta u lekarza z dzieckiem chorym

W większości przypadków wizyty w poradni dla dzieci chorych przebiegają podobnie do rutynowych bilansów zdrowia. Gdy dotrzesz z dzieckiem do gabinetu, pielęgniarka z reguły zważy je i zmierzy mu temperaturę, tętno i liczbę oddechów, a czasem również ciśnienie tętnicze. Jeśli pielęgniarka uzna stan dziecka za poważny, wezwie lekarza natychmiast, niezależnie od kolejki w poczekalni. Zbierając wywiad i badając dziecko fizykalnie, lekarz skoncentruje się głównie na aspektach związanych z jego aktualnym zachorowaniem. Rozpoznanie nie przedstawia zwykle większych trudności, ale czasami wymaga bardziej szczegółowych pytań i dokładniejszego badania niż podczas kontrolnego bilansu u dziecka zdrowego.

Zakończywszy badanie, lekarz powinien udzielić ci dokładnych wyjaśnień na temat tego, co stwierdził i co w związku z tym zaleca. Zależnie od rozpoznania czy też podejrzenia rozpoznania zalecenia te mogą obejmować dodatkowe badania laboratoryjne czy radiologiczne, pewne zabiegi do wykonania od razu w gabinecie, zastosowanie leków na receptę czy skierowanie do szpitala. Wielu lekarzy podaje początkowe dawki leków od razu w gabinecie, aby rodzice mogli na spokojnie zrealizować receptę. Czasami przy większych ośrodkach działają mini-apteki, gdzie na miejscu można zaopatrzyć się w rutynowo stosowane leki.

Jeśli po badaniu lekarz odsyła dziecko do domu, musisz opuścić gabinet z absolutną pewnością, że dokładnie rozumiesz wszystkie jego zalecenia, włącznie z rozpoznawaniem ewentualnych niepokojących objawów, jakie mogą pojawić się w przebiegu choroby. Rób notatki albo poproś o instrukcje na piśmie, zwłaszcza jeśli chodzi o dawki leków i sposób ich podawania. Jeśli sądzisz, że przestrzeganie planu leczenia dziecka będzie dla ciebie z jakichkolwiek powodów trudne czy niemożliwe, powiedz o tym lekarzowi od razu, żeby „od ręki" mógł go skorygować.

Szczególne potrzeby zdrowotne dziecka

Dzieci dotknięte chorobami przewlekłymi wymagają często konsultacji i opieki lekarzy różnych specjalności, terapeutów i innych fachowych pracowników służby zdrowia. Z reguły za całokształt leczenia odpowiada jednak stały lekarz pierwszego kontaktu. Oprócz tego, że zapewnia on opiekę profilaktyczną niezbędną choremu dziecku tak jak wszystkim innym, jego zadaniem jest również koordynacja poszczególnych konsultacji, usług i zabiegów i obserwacji objawów choroby. Przykładowo, jeśli dziecko cierpi na astmę oskrzelową nawet o przebiegu lżejszym, lekarz opieki podstawowej może przyjmować je wiele razy w ciągu roku w celu kontroli objawów, korekty dawek leków, oceny funkcji oddechowej (drogą badań spirometrycznych) i sposobu korzystania z inhalatorów. W systemie tak zwanych świadczeń gwarantowanych (patrz rozdział 27, „System opieki zdrowotnej nad dziećmi") lekarz pierwszego kontaktu pełni zwykle funkcję „strażnika" decydującego o skierowaniach na konsultacje i badania dodatkowe czy o potrzebie zaopatrzenia dziecka w specjalistyczny sprzęt medyczny. Choroby przewlekłe u dzieci omawiamy dokładnie w rozdziale 32, „Problemy zdrowotne okresu wczesnego dzieciństwa", a ogólne zasa-

„Głos doświadczenia"

„Ufaj przede wszystkim swojej intuicji. Jeśli wydaje ci się, że z dzieckiem «coś jest nie tak», lepiej zrobisz, starając się to wyjaśnić niż zagłuszając własny niepokój, nawet gdyby miało to oznaczać konfrontację z zaspanym lekarzem... Znajdź dla swojego dziecka lekarza najlepszego z możliwych. Nie bój się zadawać pytań i sama uważnie obserwuj dziecko, by móc podzielić się z lekarzem spostrzeżeniami. Wielokrotnie zdarza się, że rodzice lepiej dostrzegają zmiany w stanie dziecka niż lekarz, który widzi je tylko od czasu do czasu. Dobrzy lekarze zdają sobie z tego sprawę i nigdy nie lekceważą obserwacji rodziców".
– ZA: KIDSHEALTH PARENT SURVEY

dy postępowania w przypadku takich chorób w rozdziale 33, „Opieka nad dzieckiem specjalnej troski".

Stały kontakt telefoniczny

Przed rozmową z lekarzem z powodu podejrzenia choroby u dziecka dobrze jest przygotować sobie konkretny i precyzyjny opis niepokojących objawów, zwłaszcza jeśli dzwonisz w nocy lub podczas weekendu.

- Zacznij od przypomnienia lekarzowi wieku dziecka i najważniejszych przeszłych lub aktualnych problemów zdrowotnych (włącznie z wcześniactwem czy niską wagą urodzeniową) oraz wszystkich podawanych mu leków, włącznie z dostępnymi bez recepty i suplementami.
- Opisz objawy, jakie skłoniły cię do telefonicznej rozmowy. Powiedz, kiedy się zaczęły, jakie zauważyłaś w nich zmiany i co do tej pory zrobiłaś z tego powodu. Wyrażaj się najkonkretniej, jak potrafisz. Zdanie w rodzaju „zwykle budzi się co cztery godziny na karmienie, a dzisiaj do trzech ostatnich karmień sama musiałam go długo budzić" powie lekarzowi więcej niż twoje stwierdzenie, że niemowlę jest bardzo senne.
- Sprecyzuj, czym się niepokoisz. „Dziecko coraz bardziej kaszle i boję się, że będzie mu ciężko oddychać w nocy." „Ma czerwoną wysypkę na nóżkach. Myślałam, że to komary, ale właśnie się dowiedziałam, że dziecko mojej siostry, które było u nas tydzień temu, zachorowało na ospę wietrzną".
- Powiedz o wszystkim, co cię niepokoi, ale nie poruszaj innych, nie związanych z chorobą kwestii, które można omówić w dogodniejszym momencie, na przykład pytań na temat smoczka czy kiedy wprowadzać pokarmy stałe.
- Jeśli twoje dziecko jest noworodkiem, zmierz mu najpierw temperaturę i dopiero wtedy zadzwoń do lekarza, podając mu wynik wraz z godziną pomiaru.
- W razie wymiotów lub biegunki przygotuj się na ich dokładny opis wraz ze sprecyzowaniem, kiedy i ile razy wystąpiły.
- Postaraj się ocenić, czy dziecko oddaje mocz równie obficie i często jak zwykle. Jeśli stwierdzisz, że jest inaczej, koniecznie powiedz o tym lekarzowi.
- Miej pod ręką coś do pisania, aby zanotować instrukcje lekarza, a także całą prowadzoną przez ciebie dokumentację zdrowotną dziecka.
- Miej w pobliżu telefon najbliższej czynnej apteki, gdyby lekarz chciał porozumieć się z nią co do zleconych dziecku leków.

Lęk dziecka przed badaniem lekarskim

Wizyta w gabinecie lekarza może być dla małego dziecka dość przerażającym doświadczeniem. Samo miejsce jest zwykle obce, gwarne, pełne nieznajomych. Nieznajomi ci bez ceregieli dotykają i uciskają różne części ciała, a czasem zadają prawdziwy ból. Nic więc dziwnego, że dziecko wybucha płaczem często już od drzwi. Postaraj się je zrozumieć i pomóc mu w pokonaniu lęków.

Przyczyny lęku dziecka

Zrozumienie, dlaczego dziecko boi się wizyty u lekarza, pozwoli ci skuteczniej je uspokoić. A oto kilka typowych przyczyn, dla których „przywiera do ciebie jak najciaśniej" i krzyczy na widok lekarza.

- Lęk przed rozstaniem. Dzieci często boją się, że rodzice zostawią je same w gabinecie i będą czekać w innym pomieszczeniu. Lęk ten dotyczy przede wszystkim dzieci poniżej siódmego roku życia.
- Lęk przed bólem. Dzieci boją się, że badanie i wszystko, co może je spotkać u lekarza, będzie bolesne – i niestety czasami są to obawy uzasadnione!
- Lęk przed lekarzem. Trzeba sobie wyraźnie powiedzieć, że sposób bycia lekarza może nieraz przerażać dziecko. Dla dziecka – a często również i dla rodziców – szybkość i stanowczość ruchów lekarza, brak delikatności czy wręcz obcesowość w badaniu oznacza srogość, niechęć lub odrzucenie.
- Lęk przed nieznanym. Większość dzieci boi się nieznanego. Gubienie się w domysłach, co stanie się za drzwiami gabinetu, jest dla nich stresem samo w sobie.

Jak możesz mu pomóc

Możesz pomóc dziecku opanować lęk, zachęcając je do wyrażania swoich uczuć. Nie mów „nie ma się czego bać, nie płacz". Powiedz raczej: „Wiem, że boisz się pana doktora, ale pamiętaj, że będę cały czas przy tobie". Zawsze używaj słów, które dziecko jest w stanie zrozumieć, i połóż nacisk na wszelkie aspekty pozytywne. Zanim przekroczycie próg przychodni, poświęć nieco czasu na przygotowanie dziecka. Pomogą ci w tym poniższe sugestie.

Wyjaśnij cel wizyty

Jeśli wizyta ma być rutynowym bilansem zdrowia, możesz opowiedzieć o niej na przykład tak: „Pan doktor chce, żebyś był zawsze zdrowy. Ucieszy się, gdy zobaczy, jaki już z ciebie duży chłopczyk. Pan doktor musi obejrzeć cię dokładnie, żeby sprawdzić, czy wszystko jest zdrowe – i buzia, i plecy, i brzuszek... Będzie cię pytać, jak się czujesz, a ty też możesz go o coś zapytać". Podkreśl, że wszystkie dzieci chodzą do lekarza na takie badania.

Jeśli wizyta ma na celu rozpoznanie i leczenie choroby czy innych zaburzeń, wyjaśnij dziecku w jak najłagodniejszy sposób, że lekarz „musi je zbadać, żeby pomóc mu wyzdrowieć". Równie ważne jest uprzedzenie dziecka, jeśli w trakcie wizyty ma otrzymać szczepionkę czy inny zastrzyk. Nie ukrywaj, że może „troszkę" boleć. Jeśli ukryjesz to przed dzieckiem, w niczym mu to nie pomoże, a jedynie podważy zaufanie do ciebie, co jest jeszcze boleśniejsze niż rzeczywista przykrość ukłucia. Co gorsza, będzie to również niekorzystnie rzutować na przyszłe wizyty u lekarza.

Rozwiej ewentualne poczucie winy dziecka

Jeśli powodem wizyty u lekarza jest choroba czy jakikolwiek stan nieprawidłowy, dziecko może podświadomie czuć się winne. Musisz omówić z nim jego chorobę prostym, neutralnym językiem i zapewnić, że nie ma w tym żadnej jego winy. „Jesteś chory nie dlatego, że coś źle zrobiłeś albo czegoś nie zrobiłeś; choroba taka jak twoja zdarza się wielu dzieciom". I dodaj: „Czy to nie wspaniale, że mamy lekarzy, którzy wiedzą, dlaczego jesteśmy chorzy, i pomagają nam wrócić do zdrowia?".

Jeśli sama przebyłaś tę chorobę lub też dotknęła ona (czy dotyka aktualnie) kogoś z rodziny lub przyjaciół, nie zapomnij podzielić się z dzieckiem tą informacją. Świadomość, że to samo spotkało i spotyka wielu ludzi, działa na nie zwykle bardzo krzepiąco.

Jeśli twoje dziecko doświadczyło drwin czy odrzucenia przez inne dzieci (a nawet przez dorosłych) z powodu problemu zdrowotnego, musisz podwoić wysiłki, by uwolnić je od wstydu i kompleksów niższości. Wszawica, świąd okolicy odbytu spowodowany przez owsiki czy mimowolne moczenie się są przykładami przypadłości żenujących dla dziecka, a przy tym wywołujących często negatywne reakcje otoczenia. Nawet jeśli nigdy nie ustałaś w wysiłkach, by podnieść dziecko na duchu, teraz, przed wizytą u lekarza, musisz ponownie dodać mu otuchy i zapewnić, że ten czy inny stan nie jest jego winą i zdarza się wielu innym dzieciom.

Oczywiście, jeśli dziecko doznało urazu ewidentnie z własnej winy, łamiąc wszelkie zasady bezpieczeństwa, musisz podkreślić (w możliwie rzeczowy, a nie emocjonalny sposób) zaistniałą zależność przyczynowo-skutkową. I w tej sytuacji staraj się jednak złagodzić w dziecku poczucie winy. Możesz powiedzieć na przykład: „Chyba nie zdawałeś sobie sprawy z niebezpieczeństwa, gdy to robiłeś, ale teraz już rozumiesz i na pewno na przyszłość będziesz uważać". Problem staje się poważniejszy w razie powtarzania się podobnych epizodów, co może wymagać dokładniejszej analizy przyczyn, jakie skłaniają dziecko do niebezpiecznych czy autodestrukcyjnych zachowań.

W każdym z powyższych przypadków nie zapomnij wyraźnie uzmysłowić dziecku, zwłaszcza młodszemu, że pójście do lekarza na badanie nie jest żadną karą. Dziecko musi rozumieć, że do lekarza chodzą i młodsi, i starsi, i że lekarze są po to, by pomagać ludziom zachować zdrowie lub wrócić do zdrowia w razie choroby.

Opowiedz dziecku, czego może się spodziewać podczas rutynowego badania

Jeśli wizyta u lekarza jest rutynowym bilansem zdrowia, możesz pokazać młodszemu dziecku na lalce lub misiu, jak pielęgniarka będzie je ważyć i mierzyć, jak lekarz zajrzy mu do oczu, uszu i buzi (i być może będzie musiał przez chwilę przytrzymać język szpatułką, żeby zobaczyć gardło). Pokaż – na przykład za pomocą zestawu zabawek „mały doktor" – jak lekarz przyłoży słuchawkę do jego klatki piersiowej i pleców, żeby zobaczyć, „co słychać w środku", a potem może również uciskać ręką jego brzuszek. Pokaż wreszcie, jak lekarz może stukać w jego kolana i poruszać jego stopami.

Nie zapomnij również o miejscach intymnych, które lekarz musi obejrzeć, żeby sprawdzić, czy wszystko jest w porządku. Uświadom dziecku, że wszystko, co mówiłaś mu wcześniej o „prywatności" tych okolic pozostaje prawdą, ale lekarze, pielęgniarki i rodzice – i tylko oni – muszą nieraz zbadać wszystkie części ciała. Pamiętaj również o używanej przez lekarzy terminologii – dziecko nie może być zszokowane, słysząc takie słowa jak „prącie", „pochwa" czy inne nazwy anatomiczne. Jeśli wizyta będzie obejmować również szczepienie, lojalnie uprzedź o tym dziecko, by nie nadużyć jego zaufania.

Opowiedz dziecku, czego może się spodziewać podczas badania z powodu choroby

Jeśli dziecko jest chore, wybierając się z nim do stałego lekarza czy na konsultację do specjalisty, często sama nie orientujesz się dokładnie, na czym będzie polegać taka wizyta.

Gdy uzgadniasz ją telefonicznie, możesz poprosić o chwilę rozmowy z pielęgniarką lub lekarzem, aby choć w ogólnych zarysach dowiedzieć się, czego macie z dzieckiem oczekiwać. Następnie spróbuj powtórzyć dziecku zasłyszane informacje na temat celu i przebiegu wizyty, oczywiście językiem dostosowanym do jego poziomu i w miarę możności oględnym. Dziecko (i ty sama) będzie czuło się pewniej, wiedząc, co je czeka i czemu to służy.

Bądź szczera, ale nie brutalnie szczera. Uprzedź dziecko, że ta czy inna procedura może być dla niego nieco krępująca, nieprzyjemna czy nawet bolesna, ale nie wdawaj się w zbyt niepokojące szczegóły. Zapewnij, że będziesz przy nim przez cały czas i że jest to naprawdę konieczne, żeby pomóc mu wyzdrowieć. Jeśli ból lub dyskomfort będzie tylko chwilowy, powiedz to dziecku. Dzieci potrafią znieść wiele nieprzyjemności, jeśli są o nich uprzedzone, a przy okazji, uczciwie potraktowane, uczą się zaufania do swoich opiekunów.

Przyznaj się również do niewiedzy czy niepełnej wiedzy na temat danej choroby czy dolegliwości, zaznaczając zarazem, że oboje zapytacie o wszystko lekarza. Zapisz pytania dziecka obok swoich własnych.

Jeśli konieczne będzie pobranie krwi, uważaj na sposób, w jaki uprzedzasz o tym dziecko. Małe dzieci, słysząc hasło „pobranie krwi", boją się nieraz, że chodzi o całą krew. Wyjaśnij, że organizm człowieka zawiera dużo krwi, a do badania potrzebna jest tylko malutka próbka, której ubytku w ogóle się nie odczuwa. (Do większości badań laboratoryjnych rzeczywiście nie potrzeba więcej niż kilku kropli krwi. Nawet pełna probówka do wielu analiz jednocześnie ma zwykle objętość porównywalną z łyżką stołową).

Przede wszystkim jednak – co podkreślamy jeszcze raz – twoje dziecko musi dobrze zrozumieć, że żadne, nawet nieprzyjemne czy bolesne zabiegi podczas wizyty u lekarza nie są karą za jego nieposłuszeństwo, złe zachowanie ani cokolwiek innego.

Zaangażuj dziecko w troskę o własne zdrowie

Spróbuj obudzić w dziecku zainteresowanie własnym zdrowiem i całym procesem leczenia. Biorąc w nim aktywny udział, dziecko będzie się mniej bało. Jeśli sytuacja nie jest nagła, zachęć je do opracowania razem z tobą listy objawów, o których opowiecie lekarzowi. Włącz w tę listę wszystkie objawy i dolegliwości, jakie oboje stwierdzacie, nawet nie związane w twojej ocenie z aktualnym problemem. Możesz też poprosić dziecko, by przygotowało własne pytania do lekarza. Zapisz je obok swoich, a jeśli twoje dziecko jest dostatecznie duże, pozwól mu zrobić własną listę i samodzielnie zadać te pytania lekarzowi.

Wybierz lekarza, który dobrze porozumiewa się z dziećmi

Ponieważ lekarz jest twoim naturalnym sprzymierzeńcem w staraniach o to, by dziecko jak najlepiej zniosło badania, musi to być lekarz naprawdę dobrze przez ciebie wybrany. Oczywiście zależy ci przede wszystkim na jego głębokiej wiedzy i kompetencjach, ale nie zapominaj też i o takich kryteriach, jak zrozumienie dziecięcych potrzeb i lęków, łatwość nawiązywania kontaktu z małymi pacjentami, traktowanie ich po przyjacielsku, a nie z góry. Jeśli pediatra twojego dziecka lub wasz lekarz rodzinny wydaje ci się nazbyt krytyczny, niekomunikatywny, surowy czy niesympatyczny, zastanów się nad zmianą, do której masz pełne prawo. Więcej informacji na ten temat znajdziesz w rozdziale 12, „Wybór lekarza dla dziecka i nawiązanie z nim współpracy".

Zaufaj własnej intuicji

Wielu rodziców uczestniczących w naszej ankiecie KidsHealth Survey udzieliło nam tej samej odpowiedzi: zaufaj własnemu instynktowi. Jeśli czujesz, że z dzieckiem dzieje się coś złego, domagaj się pomocy. Jeśli nie przekonuje cię zdanie jednego lekarza, zasięgnij opinii drugiego lub jedź z dzieckiem do szpitala. Na izbie przyjęć czy oddziale pomocy doraźnej, zwłaszcza w szpitalu dziecięcym czy w większym ośrodku, uzyskasz na pewno fachową poradę.

Niektórzy spośród naszych respondentów byli przekonani, że lekarz, do którego zwrócili się z ostrą chorobą dziecka, zbyt długo zwlekał z uznaniem powagi sytuacji i że często potrzebna była interwencja innego lekarza. Wielu rodziców dzieci dotkniętych chorobami przewlekłymi skarżyło się z kolei, że choroby te trwały od dobrych kilku miesięcy, zanim zostały rozpoznane, bo lekarze ciągle pocieszali ich, że nie ma powodów do zmartwień, że dziecku nic nie jest albo że z tego wyrośnie. Kilku rodziców ujęło to następująco: „Jeśli wydaje ci się, że coś jest nie tak, najprawdopodobniej masz rację".

Powiedzmy sobie jednak szczerze – *nie zawsze* tak jest. Wiele (być może większość – kto wie?) rodzicielskich obaw okazuje się w rzeczywistości bezzasadnych. Większość dzieci naprawdę wyrasta z przejściowych problemów. Większość dzieci nie ma chorób przewlekłych. Nasza ankieta potwierdziła również i to: otrzymaliśmy szereg opowieści

Opowieść jednej z matek

Gdy moja córeczka była niemowlęciem, zwracała niemal każdą porcję pokarmu. Byłam przerażona i oczywiście zabrałam ją do lekarza. Lekarz powiedział mi, że dziecko ma niedorozwój zastawki w przełyku (co często zdarza się u noworodków) i że wymioty miną, gdy skończy dziewięć miesięcy. Powiedział mi również, żebym się nie martwiła, bo dziecko pomimo to rośnie i jest dobrze nawodnione. Ciężko było mi uwierzyć, że może mieć rację, a tymczasem okazało się, że miał! Córka rzeczywiście przestała wymiotować po skończeniu dziewięciu miesięcy, niemal co do dnia!

o tym, jak bardzo nieufnie rodzice przyjmowali diagnozę lekarza i jak bardzo byli szczęśliwi, gdy okazywało się, że miał rację.

Jak z tego wybrnąć? Według nas, trzeba patrzeć optymistycznie w przyszłość i ufać własnej intuicji. Jeśli myślisz, że dziecko jest chore, skontaktuj się z lekarzem. Jeśli masz wrażenie, że lekarz zlekceważył problem, zadzwoń do niego jeszcze raz albo – w razie potrzeby – postaraj się o drugą, czy nawet trzecią opinię. Nie zapominaj również o twoim prawie do oceniania lekarza. Czy wierzysz w jego rozsądek, kompetencje, ostrożność? Czy potrafi on wytłumaczyć swoje stanowisko i przesłanki, na jakich je opiera? Jeśli problem utrzymuje się mimo leczenia, czy twój lekarz próbuje spojrzeć nań z innej strony lub proponuje ci konsultację u specjalisty? Jeśli odpowiadasz twierdząco na powyższe pytania, najprawdopodobniej również twoja intuicja podpowiada ci, że trzeba darzyć tego lekarza zaufaniem. Jeśli jest inaczej, rozejrzyj się za kimś innym.

Jeśli potrzebujesz dodatkowych informacji, zasięgnij porady lekarza.

Rozdział 14

Badania przesiewowe

Które z nich są potrzebne twojemu dziecku?

Wśród środków profilaktycznych stosowanych w walce o zachowanie zdrowia badania przesiewowe pełnią niewątpliwie rolę „cichych bohaterów". Wydają się tak proste – z reguły wymagają zaledwie kilku kropel krwi lub moczu – że trudno przypisać im decydujące znaczenie. Tymczasem w rzeczywistości są one niezwykle ważnym narzędziem rozpoznawania ukrytych patologii, które – nie wykryte i nie leczone w porę – poważnie zagrażałyby zdrowiu dziecka. Nic więc dziwnego, że pediatria korzysta z nich w szerokim zakresie, aby umożliwić dzieciom prawidłowy wzrost i rozwój.

Typowo stosuje się dwa rodzaje badań przesiewowych:

- Powszechne (uniwersalne) badania przesiewowe, zalecane ogółowi populacji. Przykładowo wszystkie noworodki są badane pod kątem fenyloketonurii (PKU), ciężkiej, genetycznie uwarunkowanej choroby metabolicznej.
- Selektywne badania przesiewowe, zalecane wyłącznie dzieciom z grup podwyższonego ryzyka określonych patologii, takich jak gruźlica, zatrucie ołowiem, hipercholesterolemia i niedokrwistość.

Mimo ogromu zalet badania przesiewowe mają również swoje wady. W wielu przypadkach nieprawidłowy wynik testu nie jest równoznaczny z rozpoznaniem choroby. Wynik taki traktuje się jedynie jako sygnał ostrzegawczy, uzasadniający dalsze, dokładniejsze badania diagnostyczne. Przykładowo badania hormonalne pod kątem wrodzonej niedoczynności tarczycy u wcześniaków wykazują często wyniki nie mieszczące się w przedziale normy dla noworodków donoszonych. Odchylenia tego rodzaju bywają zwykle przejściowe i nie oznaczają, że dziecko rzeczywiście jest dotknięte zaburzeniem. Mimo pewnego problemu, jaki stanowią tak zwane wyniki fałszywie dodatnie, badania przesiewowe sygnalizują lekarzom ewentualność choroby i konieczność dokładniejszej diagnostyki.

W tym rozdziale skupimy się na najczęściej wykonywanych badaniach przesiewowych u dzieci.

Badania przesiewowe noworodków pod kątem chorób dziedzicznych i metabolicznych

Programy takich badań istnieją w większości rozwiniętych krajów świata.

Dwa spośród najbardziej powszechnie wykonywanych badań przesiewowych mają na celu wykrycie wrodzonej niedoczynności tarczycy i fenyloketonurii. Obie te choroby, nie rozpoznane i nie leczone już w pierwszych tygodniach życia, prowadzą do ciężkiego upośledzenia umysłowego (więcej informacji na ich temat znajdziesz w rozdziale 32, „Problemy zdrowotne okresu wczesnego dzieciństwa"). Same badania polegają na pobraniu niewielkiej próbki krwi (z reguły poprzez nakłucie piętki) do analizy laboratoryjnej i są wykonywane przed wypisaniem noworodka ze szpitala do domu.

Kolejne pobranie krwi może mieć miejsce podczas pierwszej wizyty w gabinecie lekarza, zależnie od różnych czynników. Przykładowo pierwsze wyniki bywają czasem niewiarygodne, szczególnie u wcześniaków lub w razie pobrania próbki przed upływem pierwszej doby życia. Ponieważ oczekiwanie na wyniki laboratoryjne trwa nieraz kilka dni, rodzice muszą dopilnować, czy szpital ma wszystkie dane, by w razie potrzeby skontaktować się z nimi i z lekarzem dziecka.

> ### „Głos doświadczenia"
>
> *„Bądź uczciwa wobec dziecka, uprzedzając je o planowanej wizycie u lekarza. Jeśli wizyta będzie połączona z pobraniem krwi, powiedz o tym dziecku, jeśli o to zapyta. Nie mów, że nie będzie bolało, skoro wiesz, że to nieprawda. Takie kłamstwo w dobrej wierze może podważyć zaufanie dziecka do ciebie czy do lekarza. Jakaś mała zabawka świetnie nadaje się na nagrodę za dzielność, ale przede wszystkim, po każdym bolesnym przeżyciu, musisz okazać dziecku zdwojoną czułość".*
> – ZA: KIDSHEALTH PARENT SURVEY

Badania przesiewowe pod kątem gruźlicy

Aktualnie badanie pod kątem gruźlicy polega na tak zwanej próbie Mantoux, w której dziecku podaje się tuż pod skórę przedramienia niewielką ilość substancji zawierającej zmodyfikowane prątki gruźlicy (Mycobacterium tuberculosis). Wynik odczytuje się po 2–3 dniach na podstawie reakcji skóry na podaną substancję – obrzęku i zaczerwienienia w miejscu wstrzyknięcia. Dokładność interpretacji zależy od doświadczenia osoby odczytującej, tak więc musi nią być odpowiednio przeszkolony, fachowy pracownik służby zdrowia. W razie wyniku dodatniego lekarz kieruje pacjenta na dodatkowe badania, po których, w razie potrzeby, rozpoczyna się leczenie przeciwgruźlicze.

Badania przesiewowe poziomu cholesterolu

Już od dawna wiadomo, że miażdżyca tętnic (stwardnienie i usztywnienie ich ścian, *arteriosclerosis*) i jej następstwa w postaci choroby niedokrwiennej serca, udaru mózgu i innych patologii naczyniowych sięgają początków wczesnego dzieciństwa.

Badania przesiewowe pod kątem gruźlicy u dzieci z grupy podwyższonego ryzyka

Czy dziecko wymaga badania w kierunku gruźlicy? Badania te należy wykonać natychmiast w następujących przypadkach:

- W razie kontaktu dziecka z osobą z potwierdzonym lub podejrzewanym czynnym zakażeniem gruźliczym;
- W razie podejrzenia gruźlicy u dziecka na podstawie objawów, wyników badań laboratoryjnych lub zdjęcia RTG;
- U dzieci imigrantów z regionów o dużym rozpowszechnieniu gruźlicy (jak Azja, Afryka, Bliski Wschód, Ameryka Łacińska);
- U dzieci podróżujących do tych krajów lub stykających się z ich mieszkańcami.

Badania powinny być wykonywane raz do roku:
- U dzieci zakażonych HIV lub mieszkających we wspólnym gospodarstwie domowym z nosicielem HIV.

Co 2–3 lata należy poddawać badaniom przesiewowym:
- Dzieci narażone na kontakt z następującymi osobami: nosicielami HIV, bezdomnymi, pensjonariuszami domów opieki społecznej, młodocianymi i dorosłymi więźniami, narkomanami oraz cudzoziemcami zatrudnianymi sezonowo do prac polowych.

W wieku 4–6 lat wskazane jest wykonywanie badań przesiewowych:
- U dzieci, których rodzice imigrowali z krajów o dużym rozpowszechnieniu gruźlicy;
- U dzieci bez dodatkowych czynników ryzyka, lecz żyjących w sąsiedztwie ognisk zwiększonej zapadalności na gruźlicę.

Badania przesiewowe pod kątem gruźlicy powinno się również rozważyć:
- U dzieci dotkniętych pewnymi chorobami przewlekłymi lub oczekujących na wprowadzenie leczenia immunosupresyjnego (tłumiącego układ odpornościowy).

Wskazania do badań przesiewowych pod kątem podwyższonego poziomu cholesterolu we krwi

Na zasadność badań przesiewowych w tym kierunku wskazują następujące czynniki ryzyka:

- Przebycie przez któregoś z rodziców lub dziadków dziecka koronarografii (cewnikowania tętnic wieńcowych – inwazyjnego badania kardiologicznego) w wieku poniżej 55 lat i rozpoznanie na tej podstawie miażdżycy naczyń wieńcowych; do kategorii tej zalicza się również osoby po przebytej angioplastyce balonowej lub operacji pomostowej (*bypass*);
- Wystąpienie u któregoś z rodziców lub dziadków dziecka zawału serca, dusznicy bolesnej, miażdżycy tętnic obwodowych, udaru mózgu lub nagłej śmierci sercowej w wieku poniżej 55 lat;
- Podwyższony poziom cholesterolu (>240 mg/dl) u któregoś z rodziców dziecka.

Jednym z głównych czynników ryzyka przedwczesnego rozwoju miażdżycy – obok palenia papierosów, otyłości, siedzącego trybu życia, cukrzycy i nie leczonego nadciśnienia tętniczego – jest podwyższony poziom cholesterolu we krwi, często uwarunkowany genetycznie. U dzieci z hipercholesterolemią stężenie cholesterolu można znacząco obniżyć przez odpowiednie zmiany nawyków żywieniowych, co zarazem zmniejsza u nich ryzyko powikłań sercowo-naczyniowych w późniejszym wieku.

Należy również rozważyć badanie przesiewowe u dziecka o nieznanym wywiadzie rodzinnym (np. w razie adopcji), zwłaszcza jeśli jest ono obciążone dodatkowymi czynnikami ryzyka chorób sercowo-naczyniowych (np. otyłością).

Badania przesiewowe pod kątem hipercholesterolemii wykonuje się zwykle po ukończeniu drugiego roku życia, ponieważ ograniczenia tłuszczów w diecie u dzieci młodszych nie są uważane za bezpieczne. O zakresie badań w tym kierunku decyduje lekarz – mogą one polegać na oznaczeniu poziomu cholesterolu całkowitego lub na pełnym lipidogramie, to znaczy oznaczeniu cholesterolu z podziałem na frakcje (HDL, czyli „dobrego" cholesterolu, i LDL, czyli „złego") oraz trójglicerydów (innych związków lipidowych o potencjalnym związku z chorobami serca). Wyniki powyższych badań ukierunkowują decyzje co do wskazanych zmian w diecie dziecka i opieki lekarskiej w dłuższej perspektywie czasu.

Badania przesiewowe poziomu ołowiu

Zwiększone prawdopodobieństwo narażenia na ołów dotyczy przede wszystkim dzieci miejskich żyjących w ubóstwie, co nie oznacza, że na wsi ani w środowiskach średnio- i bardziej zamożnych są one całkowicie wolne od tego ryzyka. Badania naukowe

Wskazania do badań przesiewowych pod kątem poziomu ołowiu we krwi

W niektórych krajach oznaczenie poziomu ołowiu we krwi jest wskazane między dziewiątym a dwunastym miesiącem życia (i w miarę możności ponownie w wieku 24 miesięcy) u dzieci mieszkających w środowiskach o podwyższonym ryzyku ekspozycji na ołów (według oceny miejscowych władz sanitarnych). Ponadto dziecko uznaje się za narażone na podwyższone ryzyko zatrucia w przypadku odpowiedzi twierdzącej chociaż na jedno spośród poniższych pytań:

1. Czy dziecko mieszka w starym domu, w którym do malowania wnętrz mogły być użyte farby zawierające ołów, bądź też regularnie odwiedza taki dom/siedzibę placówki opiekuńczej?
2. Czy któreś z rodzeństwa lub towarzyszy zabaw dziecka przebyło zatrucie ołowiem?

potwierdziły toksyczne efekty działania ołowiu na rozwijający się mózg i obwodowy układ nerwowy u małych dzieci, czego następstwem może być niższy od genetycznie „zaprogramowanego" poziom inteligencji, a także inne zaburzenia neurologiczne czy behawioralne. Więcej informacji na temat zatrucia ołowiem znajdziesz w rozdziale 32, „Problemy zdrowotne okresu wczesnego dzieciństwa".

Wytyczne co do badań przesiewowych pod kątem niedokrwistości

N ależy badać (w wieku 9–12 miesięcy, następnie po 6 miesiącach, po czym w wieku 2–5 lat raz do roku) wszystkie dzieci zaliczane do grup podwyższonego ryzyka niedokrwistości (m.in. dzieci z rodzin o niskich dochodach, dzieci imigrantów i świeżo przybyłych uchodźców).

Należy badać (w wieku 9–12 miesięcy, a następnie po 6 miesiącach):
- Niemowlęta urodzone przedwcześnie lub z niską wagą urodzeniową;
- Niemowlęta karmione przez ponad 2 miesiące pokarmem sztucznym nie wzbogacanym w żelazo;
- Niemowlęta karmione mlekiem krowim przed ukończeniem 12 miesięcy życia;
- Niemowlęta karmione piersią, u których po ukończeniu 6 miesięcy nie wprowadzono wzbogacanych w żelazo pokarmów stałych;
- Dzieci pijące ponad 650 ml mleka krowiego dziennie;
- Dzieci o pewnych szczególnych potrzebach zdrowotnych, według zaleceń lekarza.

Badania przesiewowe pod kątem niedokrwistości

Główną przyczyną niedokrwistości u niemowląt i małych dzieci jest niedobór żelaza, uwarunkowany jego niedostateczną podażą w diecie. (Nasz organizm potrzebuje żelaza przede wszystkim do produkcji hemoglobiny, białka krwinek czerwonych służącego do transportu tlenu). Badania przesiewowe pod kątem niedokrwistości są wskazane wyłącznie u niemowląt i dzieci z grup podwyższonego ryzyka niedoboru żelaza (patrz ramka na str 235).

Również i w tym przypadku trzeba być jednak przygotowanym na to, że niektóre szkoły czy placówki opiekuńcze mogą wymagać badań wykluczających niedokrwistość u wszystkich dzieci, niezależnie od obecności czynników ryzyka.

Jeśli potrzebujesz dodatkowych informacji, zasięgnij porady lekarza.

Rozdział 15

Słuch i wzrok

Kontrola najważniejszych zmysłów dziecka

Wyobraź sobie, jak twoje dziecko, rosnąc, będzie odkrywało świat, jak będzie cieszyć się szumem wiatru nad morzem i pięknem zachodu słońca. Czy wyobrażasz sobie, że za kilka lat będzie wybuchać śmiechem, słysząc żart, i samodzielnie czytać swoje ulubione bajki? Są wszelkie szanse po temu, by było w stanie robić to wszystko i dużo, dużo więcej, o ile tylko w opiece nad jego zdrowiem nikt nie zapomni o dwóch najważniejszych zmysłach: wzroku i słuchu. W tym rozdziale skupiamy się na tym, jak ty sama, lekarz opiekujący się na stałe twoim dzieckiem, a w razie potrzeby również odpowiedni specjaliści, możecie współpracować na rzecz jego dobrego słuchu i wzroku.

Słuch

Szacuje się, że znacznego stopnia niedosłuch dotyczy średnio trojga dzieci na tysiąc. Jednocześnie badania wykazują, że poważne problemy ze słuchem, obecne już w chwili narodzin, pozostają często nie rozpoznane aż do drugiego czy nawet trzeciego roku życia. Jest to sytuacja wysoce niefortunna, ponieważ im wcześniej wykryje się i zacznie leczyć zaburzenia słuchu, tym bardziej rosną szanse dziecka na prawidłową naukę i rozwój mowy.

Z tego też powodu obecnie zaleca się, by wszystkie noworodki poddawane były wczesnej ocenie słuchu. W chwili pisania naszej książki odpowiednie przepisy na temat badań przesiewowych słuchu zostały już lub są wprowadzane w wielu stanach amerykańskich, a programy takich badań funkcjonują już w licznych szpitalach położniczych. Oznacza to istotny krok w kierunku realizacji nadrzędnego celu, jakim jest wczesne wykrywanie i leczenie ubytków słuchu.

Oznaki wskazujące na możliwość zaburzeń słuchu

Badania przesiewowe pod kątem zaburzeń słuchu powinny wchodzić w skład rutynowych bilansów zdrowia dziecka. Zanim jeszcze dziecko będzie w stanie współpracować przy bardziej formalnych testach słuchowych, lekarz będzie zwracać uwagę na inne oznaki, które mogą sugerować problemy ze słuchem. Należą do nich między innymi następujące sytuacje:

- Noworodek nie reaguje odruchem Moro czy wzdrygnięciem się na nagły, silny hałas.
- Niemowlę w wieku 3–4 miesięcy nie odwraca głowy w kierunku źródła dźwięku lub wydaje się nie rozpoznawać głosu matki.
- Niemowlę grucha i gaworzy przez kilka pierwszych miesięcy życia, ale później przestaje wydawać dźwięki mowy.
- Niemowlę ma tendencję do wydawania wyłącznie dźwięków wibrujących lub podobnych do płukania gardła.
- W wieku około 12 miesięcy dziecko nie naśladuje dźwięków i nie mówi prostych słów, złożonych z tych samych sylab, takich jak *ma-ma* czy *pa-pa*.
- Dziecko opóźnia się w nauce mowy lub mówi w sposób trudny do zrozumienia.
- Dziecko wykazuje opóźnienia w innych dziedzinach rozwoju, na przykład w siedzeniu czy chodzeniu.
- Dziecko wydaje się słyszeć niektóre rodzaje dźwięków, a nie słyszeć innych.
- Dziecko ma trudności w ustaleniu, skąd pochodzi dźwięk.
- Dziecko mówi „nietypowym" głosem.
- Dziecko nie zauważa, że ktoś wszedł do pokoju, jeśli nie patrzy w stronę drzwi.
- Dziecko nie odpowiada na wołanie ani nie wykonuje poleceń.
- Dziecko ma problemy w nauce lub w koncentracji uwagi.
- Wydaje się, że dziecko musi wpatrywać się w usta mówiących.
- Dziecko nastawia radio lub telewizor na bardzo głośno.

Lekarz radzi

Nieuzasadnione obawy

Wielu młodych rodziców uważa, że nawet hałas o zwykłym natężeniu jest szkodliwy dla uszu niemowlęcia. W rzeczywistości normalne, domowe odgłosy w rodzaju szczekania psa czy włączonego telewizora nie czynią dziecku żadnej szkody. Co więcej, u wielu niemowląt bynajmniej nie zakłócają one snu, tak więc wcale nie musisz chodzić po domu na palcach.

Lekarz zwróci szczególną uwagę na badanie słuchu dziecka, jeśli jest ono obciążone którymś z czynników ryzyka możliwych zaburzeń w tym zakresie, takich jak:

- Utrata słuchu w dzieciństwie u członka rodziny;
- Przebycie przez matkę różyczki lub zakażenia wirusem cytomegalii (CMV) w okresie ciąży;
- Wcześniactwo lub poważne problemy zdrowotne w okresie okołoporodowym;
- Przebyte zapalenie opon mózgowo-rdzeniowych w wywiadzie;
- Częste zakażenia uszu, niektóre zespoły uwarunkowane genetycznie lub wady wrodzone, zwłaszcza w obrębie uszu, twarzy, czaszki lub mózgu (np. porażenie mózgowe dziecięce).

Jeśli lekarz podejrzewa u twojego dziecka zaburzenia słuchu lub zalicza je do grupy podwyższonego ryzyka tych zaburzeń, musi oczywiście wyjaśnić ci, czym się kieruje. Lekarz-pediatra jest często w stanie określić, czy zaburzenie jest wrodzone, czy też nabyte w późniejszym okresie. Uszkodzenie słuchu może wystąpić na podłożu genetycznym lub też w związku z pewnymi problemami okresu ciąży (zakażeniami, lekami przyjmowanymi przez matkę), wcześniactwem, ciężkim stanem dziecka tuż po porodzie, przebytym zapaleniem opon mózgowo-rdzeniowych lub innym zakażeniem, nawracającymi epizodami zapalenia ucha środkowego, urazowym uszkodzeniem narządu słuchu lub mózgu. Niedosłuch lub głuchota może też wchodzić w skład pewnych zespołów genetycznych lub złożonych wad wrodzonych. Niezależnie od przyczyny najważniejsze jest jak najwcześniejsze wykrycie zaburzeń słuchu i szybkie rozpoczęcie leczenia.

Postępowanie w zapaleniu ucha środkowego

Zakażenia ucha należą do najczęstszych chorób u małych dzieci. W razie wystąpienia odpowiednich objawów (patrz rozdział 30, „Choroby zakaźne wieku dziecięcego") lekarz zbada dziecku uszy, co zresztą robi się również w ramach rutynowych bilansów zdrowia. Rozpoznane zapalenie ucha z reguły leczy się antybiotykami. Po zakończeniu antybiotykoterapii lekarz najczęściej ponownie zagląda dziecku do uszu, aby upewnić się, że zmiany zapalne ustąpiły całkowicie.

Jeśli natomiast badanie kontrolne po leczeniu nie wykaże pełnego powrotu ucha do stanu prawidłowego, lekarz może przeprowadzić test zwany tympanogramem, oceniający czynność błony bębenkowej i ucha środkowego. W badaniu tym do ucha dziecka wprowadza się miękką gumową końcówkę urządzenia generującego ciśnienie powietrza i dźwięki. Celem tympanografii jest ocena wielkości absorpcji lub odbicia dźwięku przez błonę bębenkową w warunkach zmiennego ciśnienia. Badanie daje uczucie „zatkanych uszu" tak jak podczas startu samolotu, ale nie jest bolesne. Nieprawidłowe wyniki mogą wskazywać na utrzymujące się nagromadzenie płynu zapalnego po drugiej stronie błony bębenkowej, a więc o niepełnym wyleczeniu zakażenia. Jeśli mimo leczenia różnymi dawkami i/lub typami antybiotyków wyniki nie wracają do normy w ciągu kilku tygodni, lekarz najprawdopodobniej skieruje dziecko do specjalisty laryngologa.

Specjaliści w zakresie słuchu

W razie podejrzenia, że w uchu środkowym utrzymuje się płyn zapalny lub że nawracające infekcje mogą mieć wpływ na słuch dziecka, pediatra kieruje je do audiologa dziecięcego bądź laryngologa w celu dalszych badań.

> **„Głos doświadczenia"**
>
> *„Zauważyłam, że moje dziecko rzadziej zapada na zapalenia ucha, odkąd zaczęłam karmić je w pozycji półpionowej".*
> – ZA: KIDSHEALTH PARENT SURVEY

Laryngolog jest lekarzem wyspecjalizowanym w diagnostyce i leczeniu chorób uszu, jamy nosowej i gardła. Na podstawie wywiadu i dokładnego badania może on lepiej ocenić, czy dziecku zagrażają problemy ze słuchem.

Około 85–90% dzieci kierowanych do laryngologa z powodu uporczywych lub nawracających zapaleń ucha odwiedza również audiologa dziecięcego, czyli specjalistę w zakresie badania słuchu u niemowląt i dzieci.

Badania słuchu u dzieci

Istnieje szereg metod sprawdzania słuchu u dzieci. Wybór którejś z nich zależy w dużej mierze od wieku dziecka, stopnia jego rozwoju i ogólnego stanu zdrowia. A oto przegląd testów stosowanych w charakterze badań przesiewowych i w diagnostyce zaburzeń słuchu u dzieci w różnym wieku.

Badania przesiewowe u noworodków

Aktualnie najczęściej stosowaną techniką oceny słuchu noworodka jest tak zwany test emisji otoakustycznych (OAE, *otoacoustic emissions*). Można przeprowadzić go wkrótce po urodzeniu w ramach rutynowego badania noworodka. Z uwagi na możliwość nieprawidłowych wyników z powodu woskowiny czy innych „zanieczyszczeń" przewodu słuchowego tuż po porodzie lepiej jest jednak wykonać test nieco później, tuż przed wypisaniem dziecka do domu.

Innym badaniem przesiewowym słuchu u noworodka jest komputerowy test odpowiedzi słuchowej pnia mózgu (ABR, *auditory brainstem response*). Test ABR jest nieco dokładniejszy w porównaniu z OAE, ponieważ ocenia większy odcinek drogi słuchowej dziecka, od ucha do mózgu. Nie wykonuje się go jednak we wszystkich szpitalach, ponieważ interpretacja wyników wymaga większego doświadczenia badającego.

Badania słuchu u niemowląt w wieku 3–6 miesięcy

W razie podejrzenia problemów ze słuchem u niemowlęcia w drugim kwartale życia wykonuje się jeden lub oba wyżej wspomniane testy. Ponieważ test ABR wymaga uśpienia dziecka na czas badania, w razie potrzeby można podać mu lek uspokajający.

Badania słuchu u dzieci w wieku od 6 miesięcy do 2,5 roku

Dla dziecka w tym wieku badanie słuchu może być przyjemne i zabawne. Starsze niemowlęta i dwulatki lubią animacje i różnorodność bodźców, wykorzystywane w takich badaniach. Dziecko siedzi w kabinie dźwiękowej na kolanach matki i słyszy dźwięki z głośników rozmieszczonych po obu stronach kabiny. Między głośnikami umieszcza się ruchome zabawki, aby odwrócić uwagę dziecka od samych źródeł dźwięku. Gdy odwróci ono głowę we właściwym kierunku, otrzymuje „nagrodę" w postaci podświetlenia lub ruchów laleczki na wprost niego.

Badania słuchu u dzieci w wieku od 2,5 do 4 lat

Do badania słuchu w tym wieku wykorzystuje się „gry" oceniające percepcję i rozumienie mowy. Przykładowo dziecku zakłada się na głowę słuchawki i rozkłada przed nim zabawki czy obrazki. Ma ono za zadanie wskazać dany obiekt na polecenie słyszane w słuchawkach.

Badania słuchu u dzieci w wieku 4 lat i starszych

Badanie słuchu powinno wchodzić w skład rutynowego bilansu zdrowia u wszystkich dzieci, począwszy od wieku 4 lat. U dziecka czteroletniego i starszego badanie słuchu przeprowadza się podobnie jak u dorosłych – na zasadzie powtarzania dwusylabowych wyrazów oraz podnoszenia ręki czy naciskania guzika w odpowiedzi na dźwięki wydawane przez urządzenie testujące.

Wzrok

Niemowlę wodzi za tobą wzrokiem i śledzi każdy twój ruch. Gdy uśmiechasz się, i ono odpowiada ci uśmiechem. Dzięki interakcji wzrokowej twoje dziecko zdobywa wiedzę o świecie. Dla stuprocentowej pewności, że nic nie zakłóca mu percepcji świata, lekarz przez całe dzieciństwo rutynowo sprawdza jego wzrok, tak aby wszelkie potencjalne problemy mogły być wykryte i leczone jak najwcześniej.

Lekarz radzi

Ścisz!

Wiele dzieci ze słuchawkami od walkmana na głowie słucha muzyki zbyt głośno, co potencjalnie zagraża niedosłuchem. Możesz łatwo ocenić, w jaki sposób dziecko korzysta z walkmana, stając przy nim i nasłuchując przez chwilę. Jeśli dobiega cię muzyka ze słuchawek na uszach dziecka, musisz doprowadzić do jej przyciszenia.

Rozwój wzroku dziecka

Jak przebiega rozwój wzroku? Poniższe orientacyjne ramy czasowe poszczególnych etapów pozwalają na ocenę prawidłowości tego procesu:

Wiek		Wczesne wskaźniki w rozwoju wzroku*
0–1	miesiąc	Ograniczona zdolność skupiania uwagi na twarzy opiekuna czy bliskim przedmiocie; dostrzeganie świateł i kształtów
1–3	miesiące	Dłuższe okresy skupiania wzroku; wodzenie wzrokiem za przedmiotami, nauka jednoczesnego używania obu oczu
3–5	miesięcy	Badanie otoczenia wzrokiem; sięganie i chwytanie przedmiotów
5–8	miesięcy	Poprawa koordynacji oczy–ręce; naprzemienne skupianie wzroku na różnych obiektach
8–15	miesięcy	Szukanie ukrytych przedmiotów; naśladowanie min
2–2,5	roku	Poprawa percepcji odległych przedmiotów, rozwój pamięci wzrokowej

*Powyższe „parametry" mogą być osiągnięte później u wcześniaków i dzieci z opóźnieniami w rozwoju. W razie braku postępów w prawidłowym rozwoju wzrokowym wskazane bywają badania i/lub leczenie specjalistyczne.

Jeśli uważasz, że rozwój wzrokowy twojego dziecka jest opóźniony w stosunku do podanych przedziałów czasu, w pierwszej kolejności porozmawiaj o tym z jego lekarzem pierwszego kontaktu, który określi ewentualną potrzebę dokładniejszych badań w tym kierunku.

Wytyczne co do przeprowadzania badań przesiewowych wzroku u dzieci

Zaleca się następujący kalendarz badań przesiewowych wzroku u dzieci:
- Ogólna ocena narządu wzroku u noworodka powinna odbyć się wkrótce po porodzie, na oddziale położniczym lub w gabinecie lekarza pierwszego kontaktu (pediatry lub lekarza rodzinnego).
- Niemowlęta przedwcześnie urodzone, dotknięte oczywistymi wadami oczu lub obciążone problemami ze wzrokiem (jak np. zaćma, guzy gałki ocznej) w wywiadzie rodzinnym muszą być zbadane przez okulistę.
- W wieku około sześciu miesięcy wszystkie niemowlęta powinny przejść przesiewowe badanie wzroku w gabinecie lekarza pierwszego kontaktu i otrzymać skierowanie do okulisty w razie stwierdzenia jakichkolwiek odchyleń.

- Ponowne badanie przesiewowe wzroku i ustawienia oczu względem siebie powinno odbyć się u dziecka w wieku około pięciu lat, a w razie stwierdzenia przez lekarza pierwszego kontaktu jakichkolwiek odchyleń dziecko powinno być skierowane do okulisty.

Najczęstsze problemy w zakresie narządu wzroku

Szereg problemów okulistycznych nie uchodzi uwadze rodziców lub też wykrywają je badania przesiewowe. A oto przegląd kilku najczęściej spotykanych:

Ambliopia

Ambliopia (określana potocznie jako „leniwe oko") oznacza osłabienie wzroku, zazwyczaj w jednym oku, spowodowane ograniczeniem lub niespójnością obrazów docierających z każdego oka do mózgu. Ponieważ mózg nie jest w stanie złożyć w jedną całość różnych obrazów, komórki pola wzrokowego współpracującego ze słabszym okiem „wycofują się" z działalności, aby uniknąć zamieszania. Do głównych przyczyn tego stanu należy zez lub różnice w ostrości widzenia z bliska i z daleka między obydwoma oczami. Nie leczona, utrwalona ambliopia może prowadzić do trwałej jednostronnej utraty wzroku. Zaburzenie koryguje się najłatwiej w wieku poniżej 5–6 lat, aczkolwiek leczenie należy rozważyć u każdego dziecka poniżej dziewiątego roku życia. Leczenie polega głównie na przesłanianiu jednego oka, okularach lub połączeniu obu metod. Jeśli przyczyną ambliopii jest opadanie powieki (*ptosis*) lub zmętnienie soczewki (zaćma, katarakta), konieczne może być leczenie chirurgiczne.

Rycina 15.1. Zez zbieżny. Prawe oko dziewczynki na rysunku kieruje się dośrodkowo, w stronę nosa, podczas gdy lewe jest ustawione prosto. Wczesne leczenie zeza ma zasadnicze znaczenie w zapobieganiu ambliopii („leniwemu oku").

Zez (strabismus)

Zez polega na nieprawidłowym ustawieniu gałek ocznych względem siebie, a jego następstwem, w razie zaniechania leczenia, może być ambliopia. Zez występuje często u noworodków i ma wtedy charakter fizjologiczny, jednak do czasu ukończenia trzech miesięcy ustawienie oczu powinno się już samoistnie wyrównać. Jeśli to nie nastąpi, nie można już dłużej czekać, że dziecko „wyrośnie" z zeza. W leczeniu stosuje się okulary lub zabieg operacyjny. Więcej informacji na ten temat leczenia chirurgicznego zeza znajdziesz w rozdziale 32, „Problemy zdrowotne okresu wczesnego dzieciństwa".

Wady refrakcji

Do wad refrakcji zalicza się krótkowzroczność, dalekowzroczność i astygmatyzm. Ich podłożem jest nieprawidłowy kształt gałki ocznej, a następstwem – zamazane, nieostre widzenie. W rezultacie może rozwinąć się ambliopia i nadmierna męczliwość oczu. W przypadku znacznej wady wzroku konieczne mogą okazać się okulary.

Lekarz radzi

Jak polubić okulary

Jeśli twoje dziecko musi założyć okulary, pomóż mu przeżyć to jako pozytywne doświadczenie:

- Zwróć uwagę dziecka na wszystkie znane mu osoby, które również noszą okulary (włącznie z przeciwsłonecznymi!).
- Jeśli sama martwisz się tą perspektywą, zrób wszystko, by ukryć przed dzieckiem te uczucia. Postaraj się spojrzeć na okulary jak na coś wspaniałego, dzięki czemu twoje dziecko będzie w stanie lepiej widzieć i w pełni odbierać otaczający go świat.
- Pozwól dziecku ponosić twoje okulary przeciwsłoneczne, żeby przyzwyczaiło się do tego wrażenia, jeszcze zanim dostanie własne.
- Poproś okulistę o wskazanie ci dobrego optyka, przyzwyczajonego do młodych klientów. Sympatyczny i łatwo nawiązujący kontakt z dziećmi optyk może znacznie uprzyjemnić całą procedurę.
- Zwróć uwagę na właściwe dopasowanie oprawek. Dziecko będzie się źle czuło w okularach zarówno zbyt ciasnych, uciskających nos i twarz, jak i zbyt luźnych, bez przerwy zsuwających się z nosa.
- Wybierz soczewki poliwęglanowe. Okulary wykonane z tego wzmocnionego sztucznego tworzywa są oporne na zarysowania, lekkie i mniej podatne na stłuczenia.
- Upewnij się, że dziecku podobają się oprawki. Będzie ono zdecydowanie chętniej nosić okulary, w których jest mu „do twarzy".

Choroby oczu w rodzinie

Niektóre problemy okulistyczne mają poważniejszy charakter i wymagają natychmiastowej diagnostyki i leczenia. Musisz uprzedzić lekarza na stałe opiekującego się dzieckiem, jeśli w twojej rodzinie występują następujące choroby oczu:

- Siatkówczak (*retinoblastoma*). Jest to nowotwór złośliwy gałki ocznej, rozwijający się najczęściej w ciągu kilku pierwszych lat życia. Do objawów choroby należy utrata wzroku w zajętym oku, zez oraz widoczne białe przebarwienia lub inne nieprawidłowości w obrębie źrenicy. W leczeniu stosuje się z dobrym skutkiem różne metody, uzależnione przede wszystkim od stopnia zaawansowania procesu.
- Zaćma (*cataracta*). Jest to zmętnienie soczewki oka, czasami obecne już przy urodzeniu lub rozwijające się we wczesnym dzieciństwie. Postępowanie zależy od stopnia zmętnienia i może polegać na obserwacji, przesłanianiu zdrowego oka, okularach lub zabiegu chirurgicznym.
- Wrodzona jaskra (*glaukoma*). Jest to choroba rzadka w pediatrii, polegająca na zaburzeniach rozwojowych układu drenującego oka. Brak prawidłowego odpływu wydzielin gałki ocznej prowadzi do wzrostu ciśnienia w jej obrębie i przez ucisk na nerw wzrokowy grozi uszkodzeniem wzroku. Często konieczne jest leczenie operacyjne, choć stosuje się również środki farmakologiczne.

Wizyta u okulisty dziecięcego

Po zidentyfikowaniu problemu ze wzrokiem lekarz pierwszego kontaktu najprawdopodobniej skieruje dziecko do okulisty (oftalmologa) dziecięcego, specjalisty w zakresie diagnostyki i leczenia różnorodnych zaburzeń wzroku spotykanych u najmłodszych.

Lekarz radzi

Przesiadywanie przed komputerem

W wieku około pięciu lat dzieci często łapią bakcyla komputerowego i najchętniej spędzałyby przed monitorem długie godziny, pochłonięte fascynującymi grami. Zaleca się ograniczanie dzieciom „czasu ekranowego" – czyli czasu przed telewizorem, wideo i komputerem łącznie – do nie więcej niż 1–2 godzin dziennie. W przypadku przedszkolaków rozsądniej jest przyjąć raczej tę dolną granicę. Gdy już dziecko zasiądzie przed ekranem, dopilnuj, by co 30 minut zrobiło sobie przynajmniej pięciominutową przerwę na pokręcenie się po domu, poruszanie rękami i obserwację odległych przedmiotów, aby umożliwić odpoczynek oczom.

Oznaki zaburzeń wzroku

- Słabe utrwalanie wzroku na obiekcie;
- Słabe śledzenie przedmiotów w ruchu;
- Nieprawidłowe ustawienie względem siebie lub ruchy oczu („uciekanie", zezowanie) u niemowlęcia powyżej 3 miesięcy życia;
- Stałe pocieranie oczu;
- Wybitna nadwrażliwość na światło;
- Przewlekłe zaczerwienie spojówek lub wydzielina z oczu;
- Przewlekłe łzawienie;
- Białawe zabarwienie źrenicy zamiast czarnego.

Badanie oczu

Badając oczy i wzrok dziecka, okulista zwraca uwagę na następujące parametry:
- Ostrość wzroku. Lekarz ocenia zdolność każdego oka, pojedynczo i razem, do ustalania się (fiksowania) na przedmiocie i podążania za nim w ruchu. Starsze dzieci będą proszone o odczytywanie znaków z tablicy lub dobieranie ich w pary.
- Ustawienie osi gałek ocznych. Lekarz zaświeci lampką w oczy dziecka i oceni, w jaki sposób światło odbija się od gałki ocznej. Jest to tak zwany test refleksów rogówkowych. U starszych dzieci przeprowadza się również test naprzemiennego zasłaniania oczu, podczas którego dziecko ma obserwować przedmioty tylko jednym okiem.
- Percepcja głębi i widzenie barwne. Badanie to można przeprowadzić tylko u starszych, współpracujących dzieci.
- Budowa oka. Lekarz bada zewnętrzne warstwy gałki ocznej w lampie szczelinowej, a po zapuszczeniu kropli rozszerzających źrenicę może ocenić soczewkę pod kątem krótkowzroczności, dalekowzroczności lub astygmatyzmu, a także dno oka – siatkówkę i tarczę nerwu wzrokowego.

„Głos doświadczenia"

„Gdy usłyszałam od lekarza, że mój dwuipółletni synek musi nosić okulary, bardzo bałam się, że inne dzieci będą się z niego wyśmiewać. Zauważyłam jednak z ulgą, że małe dzieci nie wydają się źle reagować na rówieśników w okularach. (Jak na ironię, jedyne dziecko, które nazwało mojego synka «czterookim», zaczerpnęło ten epitet z książki, która w założeniu miała pomóc dzieciom w akceptacji okularów. Na szczęście ani tamto dziecko, ani mój synek nie wiedzieli, co to słowo oznacza, a mój synek nawet nie zorientował się, że to przewisko).

Później, gdy był już trochę starszy, dzieci były oczywiście ciekawe, dlaczego nosi okulary. Przygotowaliśmy najprostszą odpowiedź – «Bo pomagają mi dobrze widzieć» – która, jak się wydaje, była dla wszystkich w pełni satysfakcjonująca".

— ZA: KIDSHEALTH PARENT SURVEY

Uszkodzenie wzroku

W pewnych rzadkich przypadkach, takich jak albinizm czy zwyrodnienie siatkówki, uszkodzenia wzroku u dzieci nie daje się naprawić. Okulista musi pomóc ci w zrozumieniu tego problemu; musi też opracować plan działania, stwarzający dziecku możliwość osiągnięcia pełnego potencjału rozwojowego. Niedowidzenie czy nawet całkowita utrata wzroku nie stanowią same w sobie ograniczenia zdolności dziecka do nauki. Więcej informacji na ten temat znajdziesz w rozdziale 32, „Problemy zdrowotne okresu wczesnego dzieciństwa".

Jeśli potrzebujesz dodatkowych informacji, zasięgnij porady lekarza.

Rozdział 16

Szczepienia ochronne

Niezbyt przyjemne, ale ratujące życie

Wprowadzenie powszechnych szczepień ochronnych było i pozostaje jednym z największych osiągnięć w historii ochrony zdrowia publicznego. Cytując Amerykańską Akademię Pediatrii (AAP), „szczepienia ochronne pozostają najskuteczniejszą metodą zapobiegania chorobom, inwalidztwu i zgonom wśród dzieci". Jest faktem, że zapadalność na choroby zakaźne wieku dziecięcego, którym można zapobiegać drogą szczepień, osiągnęła aktualnie najniższy poziom w historii.

Szczepienia chronią dziecko przed zachorowaniem dzięki wprowadzeniu do jego organizmu niewielkiej ilości zabitych lub osłabionych drobnoustrojów patogennych. Ilość ta nie może dziecku zaszkodzić, wystarcza natomiast do pobudzenia jego układu immunologicznego (odpornościowego) do produkcji przeciwciał i uruchomienia innych mechanizmów obrony przed zakażeniem. Mechanizmy obronne wytworzone w odpowiedzi na szczepionkę zachowują aktywność w organizmie dziecka i chronią je przed zachorowaniem na daną bakterię czy wirusa. Mówimy, że dziecko zostało uodpornione na daną chorobę.

Mimo ogólnego sukcesu programów szczepień ochronnych nadal jednak zdarzają się przypadki zachorowań na ciężkie choroby wieku dziecięcego. Na kochających i troskliwych rodzicach spoczywa odpowiedzialność za dopilnowanie, by ich dziecko otrzymało wszystkie szczepienia według ustalonego, obowiązującego pediatrów kalendarza. Więcej informacji na temat chorób, których daje się uniknąć dzięki szczepieniom, znajdziesz w rozdziale 30, „Choroby zakaźne wieku dziecięcego."

Dlaczego nie wszystkie dzieci są szczepione – choć powinny

Program szczepień ochronnych funkcjonuje prawidłowo jedynie wówczas, gdy przy jego realizacji współpracują wszyscy zainteresowani. Przyjrzyjmy się zatem niektórym z powodów, dla których dzieci nie otrzymują zalecanych szczepień – mimo że powinny.

Lekarz radzi

Dar dla noworodka

Po przyjściu na świat noworodek ma przejściową i częściową odporność na pewne poważne choroby wieku dziecięcego. Jest ona darem od matki w postaci przeciwciał, jakie przechodzą przez łożysko. Karmienie piersią stanowi dalsze uzupełnianie zapasu tych matczynych przeciwciał, nie jest jednak alternatywą dla szczepień ochronnych. Mleko matki po pierwsze nie chroni dziecka całkowicie przed chorobami, a po drugie ta naturalna odporność w każdym przypadku słabnie w miarę upływu czasu. Dzieci karmione piersią wymagają więc szczepień ochronnych dokładnie w takim samym stopniu, jak dzieci karmione sztucznie.

Nieuzasadniona wiara, że zagrożenie minęło

Niektórzy rodzice uważają, że nie ma potrzeby szczepić dziecka w sytuacji, gdy niemal wszyscy dookoła byli szczepieni i tym samym nie ma się od kogo zarazić. Musimy jednak pamiętać, że żyjemy obecnie w globalnym środowisku, w którym my sami i mieszkańcy większości krajów świata swobodnie (i szybko) przemieszczają się z miejsca na miejsce. Równie swobodnie przemieszczają się wraz z nimi choroby. Tak długo, jak nagminne porażenie dziecięce (choroba Heinego-Medina) czy odra będą istnieć w dowolnym zakątku świata, tak długo i twoje dziecko będzie narażone na ryzyko zachorowania. Ogniska epidemii są od nas oddalone nie bardziej niż o jeden rejs samolotu. Z kolei na przykład w przypadku tężca nawet zaszczepienie wszystkich ludzi na świecie nie ochroni twojego dziecka przed zakażeniem, ponieważ bakterie odpowiedzialne za tę chorobę nie przenoszą się z człowieka na człowieka, ale żyją w glebie i mogą wniknąć do organizmu przez zranioną skórę.

Obawa przed zachorowaniem po szczepionce

Inne rozpowszechnione nieporozumienie, powstrzymujące niektórych rodziców przed zaszczepieniem dziecka, polega na obawie, że szczepionka wywoła chorobę, przed którą w założeniu ma chronić. W rzeczywistości jednak nie można zachorować po szczepionce przygotowanej z zabitych bakterii lub wirusów, albo tylko z pewnych składników ich budowy. Minimalne ryzyko dotyczy jedynie szczepionek złożonych z żywych, osłabionych wirusów, takich jak doustna (ale *nie* podawana w iniekcjach) szczepionka przeciwko wirusom *polio*, odpowiedzialnym za chorobę Heinego-Medina i wirusom ospy wietrznej (*varicella*). Podkreślamy, że nawet w tych przypadkach ryzyko zachorowania pozostaje na niezmiernie niskim poziomie. Kilka pęcherzyków na skórze i niewielki stan podgorączkowy, zdarzające się niekiedy po szczepionce przeciwko ospie wietrznej, są niedogodnością nieporównywalną z groźbą poważnych powikłań, jakie sporadycznie, ale jednak mogą wystąpić w przebiegu choroby. Do powikłań tych należy zapalenie płuc, zapalenie opon mózgowo-rdzeniowych, ciężkie zakażenie krwi, a nawet zgon.

Lęk przed zastrzykiem

Niektórzy rodzice odwlekają szczepienia u dziecka z obawy zadania mu bólu. Tacy przewrażliwieni rodzice muszą jednak pamiętać, że ból i stres związany z chorobą są nieporównywalnie większe od chwilowej przykrości ukłucia.

Lęk przed reakcjami niepożądanymi

Czasami opór rodziców przed szczepieniami ochronnymi wynika z obaw, że dziecko źle na nie zareaguje. O ile rzeczywiście u niektórych dzieci – nie u wszystkich! – dochodzi do niewielkich odczynów poszczepiennych w postaci zaczerwienienia i obrzęku w miejscu iniekcji, niewielkiej gorączki, a czasem wysypki, o tyle też poważniejsze reakcje alergiczne – podobnie jak na wszelkie inne leki – należą do rzadkości. U bardzo niewielu dzieci może wystąpić napad drgawkowy w przebiegu gorączki po szczepionce (tak jak w przebiegu gorączki z innej przyczyny), który jednak nie oznacza jakiegokolwiek trwałego uszczerbku na zdrowiu. Chociaż ryzyko poważnych reakcji poszczepiennych pozostaje bardzo niskie, w razie jakichkolwiek niepokojących objawów lub wątpliwości po otrzymaniu szczepionki powinnaś oczywiście skontaktować się z lekarzem.

Doniesienia na temat domniemanego związku między szczepieniami ochronnymi a stwardnieniem rozsianym, zespołem nagłej śmierci niemowlęcia czy autyzmem nie uzyskały potwierdzenia w badaniach naukowych.

Rutynowe szczepienia ochronne

Aktualnie dzieci przed osiągnięciem wieku szkolnego uzyskują dzięki szczepieniom odporność na różne choroby zakaźne. Istnieją też inne szczepionki, na przykład przeciwko grypie, zalecane niektórym dzieciom. O zasadności dodatkowych szczepień decyduje lekarz zależnie od szczególnych okoliczności zdrowotnych.

Szczepienie przeciwko wirusowemu zapaleniu wątroby typu B (wzw B)

Wirusowe zapalenie wątroby typu B (wzw B, *hepatitis B*) jest obciążone stosunkowo wysokim ryzykiem przejścia w stan przewlekły, zagrażający takimi powikłaniami, jak marskość i rak wątroby. Niektórzy ludzie stają się również przewlekłymi, bezobjawowymi nosicielami wirusa i mogą nieświadomie zarażać innych. Szczepienie daje dziecku trwałą odporność na wzw B, a tym samym zmniejsza ryzyko zachorowania na marskość wątroby lub raka w perspektywie całego życia.

Szczepionka przeciwko wzw B (HBV, Hep B) należy do najwcześniej podawanych noworodkom. Stosuje się ją w trzech dawkach. Jeśli matka jest nosicielką wirusa,

Cztery typy szczepionek

1. Osłabione szczepionki przeciwwirusowe, np. przeciwko odrze, śwince i różyczce (MMR, od angielskich nazw tych chorób), zawierające żywe, pozbawione zjadliwości wirusy.
2. Inaktywowane szczepionki przeciwwirusowe, jak szczepionka przeciwko *polio* do iniekcji (IPV), zawierające zabite wirusy.
3. Szczepionki toksoidowe, np. przeciwko błonicy i tężcowi, zawierające inaktywowaną (pozbawioną szkodliwości) toksynę produkowaną przez bakterie.
4. Szczepionki biosyntetyczne, np. przeciwko *Haemophilus influenzae* typu b (Hib), zawierające części zabitych bakterii połączone z inną substancją, która sprzyja wywołaniu silniejszej odpowiedzi immunologicznej. Szczepionka zyskuje dzięki temu na skuteczności nawet u najmłodszych niemowląt.

dziecko musi otrzymać pierwszą dawkę w ciągu 12 godzin po porodzie, równolegle z immunoglobuliną przeciwko wzw B (HIBG), czyli porcją gotowych przeciwciał. Zapobiega to zakażeniu w okresie okołoporodowym. W pozostałych przypadkach szczepionkę podaje się zwykle albo w szpitalu przed „wypisem", albo nieco później, między czwartym a ósmym tygodniem życia.

Drugą i trzecią dawkę dziecko otrzymuje zwykle razem z innymi rutynowymi szczepionkami. W razie podania pierwszej dawki wkrótce po urodzeniu druga przypada na okres 1–2 miesięcy, a ostatnia na 6 miesięcy. Jeśli pierwszą dawkę podano w wieku 4–8 tygodni, drugą podaje się 3–4 miesięcy, a trzecią w wieku 6–18 miesięcy.

Po szczepieniu u dziecka może wystąpić gorączka oraz zaczerwienienie i bolesność w miejscu wstrzyknięcia, natomiast poważniejsze reakcje należą do rzadkości.

Lekarz radzi

Jak zapobiec łzom

Ogromna większość dzieci reaguje na szczepienie donośnym krzykiem w gabinecie lekarza-pediatry. Aby złagodzić strach i ból, spytaj lekarza o nowe metody bezbolesnego wykonywania szczepień. Obecnie testuje się w tym celu miejscowe środki znieczulające w kremie i w sprayu, co oznacza, że lada moment szczepienia przestaną spędzać sen z powiek przerażonych dzieci (i ich rodziców), a w gabinetach lekarskich zapanuje cisza...

Szczepienie należy przełożyć na później w razie każdej choroby dziecka, poza łagodnym przeziębieniem, albo w razie wystąpienia wcześniejszych silnych reakcji alergicznych na drożdże piekarnicze. Jeśli po pierwszej dawce HBV u dziecka wystąpiła silna reakcja alergiczna, czasami odstępuje się od kolejnych dawek.

Szczepionka przeciwko błonicy, tężcowi i krztuścowi (DiTePer, DTaP)

Ta złożona szczepionka chroni dziecko jednocześnie przed trzema ciężkimi chorobami.

- Błonica (łac., ang. *diphteria*) jest masywnym zakażeniem górnych dróg oddechowych, zagrażającym ich niedrożnością, a także ciężkimi, potencjalnie śmiertelnymi powikłaniami ze strony serca i układu nerwowego.
- Tężec (łac., ang. *tetanus*) objawiający się m.in. charakterystycznym szczękościskiem, jest ciężką chorobą układu nerwowego, do której dochodzi wskutek zakażenia rany laseczkami tężca, bakteriami obecnymi w glebie. Ponieważ choroba zagraża ludziom w każdym wieku, również dorośli powinni otrzymywać co 10 lat dawkę przypominającą szczepionki przeciwtężcowej.
- Krztusiec (łac., ang. *pertussis*) jest ciężkim bakteryjnym zakażeniem układu oddechowego z napadami charakterystycznego kaszlu, podobnego do piania koguta (od czego pochodzi wywodząca się z języka francuskiego nazwa koklusz [*coq* = kogut]). Niemowlęta są narażone na największe ryzyko ciężkiego przebiegu i powikłań choroby, zagrażającej uszkodzeniem mózgu i śmiercią dziecka.

Szczepionkę DTaP podaje się w pięciu wstrzyknięciach, z reguły w wieku 2, 4 i 6 miesięcy, następnie między 15. a 18. miesiącem i między 4. a 6. rokiem życia. Później, w wieku 11–12 lat, dziecko powinno otrzymać dawkę przypominającą Td przeciwko tężcowi i błonicy, jeśli od ostatniej dawki DTaP upłynęło co najmniej 5 lat. Następnie dawkę przypominającą Td należy powtarzać w odstępach co 10 lat.

U części dzieci po szczepionce DTaP występują łagodne reakcje niepożądane w postaci gorączki, ogólnego złego samopoczucia, rozdrażnienia, senności i utraty apetytu. Za większość tych objawów odpowiada składowa przeciwko krztuścowi. Problemy te zdarzały się zresztą częściej w przeszłości, przy użyciu poprzedniej postaci szczepionki (DTP). Obecnie zaleca się stosowanie nowszej wersji (DTaP), w której skład wchodzi tylko część komórki pałeczki krztuśca, w miejsce całej zabitej komórki. Wprowadzenie bezkomórkowej szczepionki przeciwkrztuścowej ograniczyło liczbę i częstotliwość reakcji niepożądanych.

Ogromna większość dzieci toleruje szczepienia bez jakichkolwiek znaczących problemów. Czasami jednak, bardzo rzadko, zdarzają się poważniejsze powikłania po DTaP. Polegają one głównie na reakcjach alergicznych i napadach drgawkowych i statystycznie dotyczą jednego dziecka na dwa tysiące zaszczepionych. Choć jest to wskaźnik bardzo niski, trzeba pamiętać o tym ryzyku i w razie jakichkolwiek niepokojących objawów niezwłocznie kontaktować się z lekarzem.

Lekarz zaleci przypuszczalnie odłożenie kolejnej dawki w czasie lub odstąpienie od jej podania w razie zaistnienia którejś z poniższych sytuacji:

- Po poprzedniej dawce DTaP u dziecka wystąpiła bardzo wysoka gorączka, długi epizod nieprzerwanego krzyku (przez ponad 3 godziny) lub inne niepokojące objawy.
- Dziecko przechodzi aktualnie infekcję z objawami poważniejszymi niż przeziębienie lub niewielka gorączka.
- Dziecko jest dotknięte którymś z zespołów padaczkowych *nie poddających się* kontroli lekami lub pewnymi innymi chorobami neurologicznymi.

Szczepionka przeciwko Haemophilus influenzae typu B (Hib)

Podanie szczepionki Hib oznacza ochronę dziecka przed zapaleniem opon mózgowo-rdzeniowych, zapaleniem płuc i infekcjami o innym umiejscowieniu, wywołanymi przez tę bakterię.

Szczepionkę Hib podaje się w 2., 4. i 6. miesiącu życia. Następnie, w wieku 12–15 miesięcy, dziecko otrzymuje dawkę przypominającą. Możliwe objawy uboczne obejmują gorączkę i bolesność w miejscu wstrzyknięcia. Lekarz zleci prawdopodobnie odłożenie szczepienia na później u dziecka, które jest w danym momencie chore na coś poważniejszego niż przeziębienie lub jeśli po poprzedniej dawce wystąpiła reakcja alergiczna.

Szczepionka pneumokokowa

Pneumokoki (*Streptococcus pneumoniae*) są jedną z głównych przyczyn ciężkich zakażeń bakteryjnych, takich jak zapalenie opon mózgowo-rdzeniowych, zakażenie krwi (posocznica, sepsa) i zapalenie ucha środkowego. Jeszcze do niedawna

Lekarz radzi

Podróże zagraniczne

Jeśli planujesz taką podróż wraz z dzieckiem, wyjaśnij z lekarzem kwestię ewentualnych dodatkowych szczepień ochronnych. Wskazania do nich zależne są przede wszystkim od kraju docelowego, jednak w większości przypadków wymagają one wykonania na co najmniej miesiąc przed podróżą. Specjalne szczepionki, zalecane zwłaszcza przed wyjazdem do krajów tropikalnych, są z reguły niedostępne w gabinetach lekarzy pierwszego kontaktu, tak więc należy dodatkowo przewidzieć czas na wizytę u specjalisty medycyny tropikalnej oraz na ewentualne sprowadzenie szczepionki. Trzeba również pamiętać o zabraniu ze sobą w podróż kopii karty szczepień ochronnych dziecka.

dysponowaliśmy szczepionką nadającą się wyłącznie dla dzieci powyżej dwóch lat życia, co pozostawiało najmłodsze i najbardziej zagrożone bez ochrony przed tą niebezpieczną bakterią. Ostatnio opracowano jednak nową, biosyntetyczną szczepionkę – tak zwaną sprzężoną szczepionkę pneumokokową (PCV, nazwa handlowa Prevnar), zalecaną obecnie przez AAP dla niemowląt i dzieci w charakterze rutynowego szczepienia ochronnego.

Szczepionkę podaje się w czterech dawkach: w 2., 4., 6. i 12.–15. miesiącu życia. Można również rozważyć ją u dziecka ponaddwuletniego, jeśli jest ono dotknięte chorobą przewlekłą, na przykład w zakresie układu oddechowego czy niedokrwistością sierpowatokrwinkową.

Inaktywowana szczepionka przeciwko wirusom polio (IPV)

Szczepionka ta chroni dzieci przed zachorowaniem na nagminne porażenie dziecięce, znane też jako choroba Heinego-Medina. Wirusy *polio* szerzą się przez przewód pokarmowy, a w razie zaatakowania układu nerwowego mogą spowodować trwałe niedowłady i porażenia.

Szczepionkę IPV podaje się obecnie w iniekcjach (choć istnieje również wersja doustna) w wieku 2, 4, 6–18 miesięcy oraz 4–6 lat. Do potencjalnych reakcji niepożądanych należy gorączka, ból w miejscu wstrzyknięcia i wysypka. Szczepionki nie należy podawać jednak dzieciom uczulonym na neomycynę, streptomycynę lub polimiksynę B – antybiotyki stosowane w jej produkcji.

Szczepionka przeciwko odrze, śwince i różyczce (MMR)

Przed opracowaniem szczepionki (podawanej obecnie w postaci skojarzonej) odra, świnka i różyczka należały do najczęstszych chorób wirusowych wieku dziecięcego:

Lekarz radzi

Szczepienia „bezigłowe"

Doceniasz oczywiście znaczenie szczepień ochronnych dla zdrowia dziecka, ale jednocześnie cierpisz razem z nim z powodu strachu i bólu przed i w samym momencie iniekcji. Czyż nie byłoby wspaniale, gdyby dało się szczepić dzieci bez użycia igły? Mamy dla ciebie dobrą wiadomość: trwają już prace nad takimi metodami. Bezigłowe przyrządy nie tylko wyeliminują odczuwany przez dziecko ból, ale również umożliwią podawanie wielu szczepionek jednocześnie. Największa przyszłość rysuje się przed przyrządami wtryskowymi, z wykorzystaniem sprężonego gazu, a także sprężarkami, przez które szczepionkę podaje się w postaci strumienia o dostatecznej sile, by przeniknął przez nieuszkodzoną skórę.

Lekarz radzi

Jak pomóc dziecku znieść szczepienie

To, czy szczepienie będzie dla dziecka większym czy mniejszym stresem, w dużym stopniu zależy od ciebie. Przygotuj dziecko na to niezbyt przyjemne doświadczenie, nie mów mu, że nie wolno płakać (bo wolno!), a przede wszystkim sama zachowaj spokój. Pomyśl o odwróceniu uwagi dziecka zabraną z domu zabawką czy śpiewaną przez ciebie piosenką. Postaraj się jakoś zrekompensować mu doznaną przykrość, planując coś atrakcyjnego na później (wypad na plac zabaw itp.).

- Odra *(ang. measles)* wywołuje początkowo objawy ze strony górnych dróg oddechowych (katar, kaszel) w połączeniu z wysoką gorączką i zapaleniem spojówek. Po 3–4 dniach pojawia się charakterystyczna wysypka, rozprzestrzeniająca się od czoła na całą twarz i resztę ciała. Możliwe powikłania odry (główna przyczyna, dla której zdecydowano się na zapobieganie tej chorobie) obejmują zapalenie ucha środkowego, zapalenie płuc i najgroźniejsze zapalenie mózgu.
- Świnka (ang. *mumps*) jest jedno- lub obustronnym zapaleniem ślinianek przyusznych (zlokalizowanych między kątem żuchwy a uchem) i objawia się obrzękiem, bólem i napięciem zajętej okolicy, a także bólem przy połykaniu, niewielką gorączką, bólami głowy i utratą apetytu. Do powikłań świnki należy zapalenie mózgu, zapalenie trzustki oraz zapalenie jąder u chłopców, zagrażające trwałą niezdolnością do spermatogenezy (produkcji plemników).
- Różyczka (ang. *rubella*) objawia się powiększeniem węzłów chłonnych szyjnych i przyusznych, wysypką i niewielką gorączką. Choroba jest sama w sobie łagodna dla dzieci i dorosłych (często wręcz bezobjawowa), ale bardzo niebezpieczna dla płodu. Zakażenie różyczką w okresie ciąży zagraża poronieniem, obumarciem płodu, upośledzeniem umysłowym i poważnymi wadami rozwojowymi u dziecka. Oddziaływanie wirusa różyczki na płód jest więc główną przyczyną, dla której warto trwale uodparniać dzieci na tę chorobę.

Szczepionkę MMR podaje się w iniekcji w dwóch dawkach: między 12. a 15. miesiącem życia oraz ponownie w wieku 4–6 lat. Zapewnia ona dzieciom 90% ochronę przed wszystkimi trzema chorobami.

U niektórych dzieci pojawia się wysypka, a sporadycznie również niewielka gorączka mniej więcej po tygodniu od szczepienia. Objawy te ustępują z reguły w ciągu kilku dni. Lekarz może zalecić odłożenie lub zaniechanie szczepienia MMR u dziecka, które aktualnie jest chore (poza banalnym przeziębieniem), wykazuje nasiloną (silniejszą niż niewielka wysypka) reakcję alergiczną na neomycynę, otrzymało w ciągu ostatnich trzech miesięcy gamma-globulinę, ma osłabiony układ odpornościowy w związku z chorobą nowotworową, w tym białaczką lub chłoniakiem, lub też jest leczone kortykosteroidami (np. prednisonem). W przeszłości lekarze obawiali się nieraz podawania szczepionki przeciwko odrze dzieciom uczulonym na jaja kurze, obecnie jednak eksperci uznali, że ryzyko poważnych reakcji alergicznych w tej grupie dzieci pozostaje na niskim poziomie.

Szczepionka przeciwko ospie wietrznej (Varicella)

Do czasu wprowadzenia tej szczepionki na ospę wietrzną – wyjątkowo zakaźną chorobę wirusową – zapadały niemal wszystkie dzieci. Ospa wietrzna objawia się przede wszystkim charakterystyczną, pęcherzykową, bardzo swędzącą wysypką i gorączką. Powikłania mogą obejmować wtórne bakteryjne zakażenie skóry i rozprzestrzenienie się infekcji do krwiobiegu, wywoływać zapalenie płuc i zapalenie mózgu. Przed opracowaniem szczepionki ospa wietrzna stanowiła główną przyczynę nieobecności dzieci w szkole oraz opuszczonych dni pracy ich rodziców.

Szczepionkę podaje się w wieku 12–18 miesięcy. Zapewnia ona ochronę przed zachorowaniem u 70–90% dzieci, a u pozostałych, nawet jeśli dojdzie do zakażenia, ospa przebiega zwykle znacznie łagodniej.

Poważne reakcje poszczepienne należą do rzadkości, choć łagodniejsze objawy, takie jak złe samopoczucie, gorączka, osłabienie i wysypka, mogą wystąpić w okresie do miesiąca po szczepieniu. Z reguły ustępują one samoistnie.

Szczepienie należy odłożyć u dziecka, które aktualnie przechodzi infekcję poważniejszą niż przeziębienie, wykazuje poważną reakcję alergiczną (silniejszą niż nieznaczna wysypka) na neomycynę lub żelatynę, otrzymało w ciągu ostatnich trzech miesięcy gamma-globulinę lub transfuzję osocza lub jest dotknięte zaburzeniami układu odpornościowego.

Inne szczepionki

W pewnych szczególnych przypadkach lekarz może zalecić dodatkowe szczepienia u dziecka. Przykładowo u dzieci dotkniętych astmą oskrzelową, mukowiscydozą, niedokrwistością sierpowatokrwinkową, cukrzycą lub innymi chorobami przewlekłymi

Lekarz radzi

Wznowienie prac nad szczepionką przeciwko rotawirusom

Niedawno opracowana szczepionka dla ochrony przed rotawirusami (przyczyną ciężkich zakażeń przewodu pokarmowego u niemowląt i małych dzieci, z biegunką i odwodnieniem) została wycofana z użycia. W chwili pisania tej książki podlega ona dodatkowym badaniom, które mają na celu wyeliminować stwierdzony związek między jej podaniem a wzmożonym ryzykiem wgłobienia jelita (jednej z postaci niedrożności jelit) u niemowląt.

wskazana może być szczepionka przeciwko grypie, która ma głównie na celu ochronę takich dzieci przed ewentualnymi powikłaniami grypy.

Szczepienie przeciwko wściekliźnie okazuje się nieraz konieczne u dziecka pogryzionego przez dzikie lub nieznane zwierzę, które może być zakażone tą śmiertelną chorobą. Wścieklizna szerzy się najczęściej wśród psów, lisów, skunksów, szopów, kojotów i nietoperzy. Jeśli twoje dziecko zostało ugryzione przez zwierzę, natychmiast skontaktuj się z lekarzem i miejscowymi władzami sanitarnymi po wskazówki co do dalszego postępowania.

Szczepienie przeciwko wirusowemu zapaleniu wątroby typu A (wzw A), zwanemu również żółtaczką pokarmową, zaleca się dzieciom podróżującym w okolice o dużym rozpowszechnieniu tej choroby lub mieszkającym w takich okolicach.

Odrębne kalendarze szczepień ochronnych dotyczą dzieci zakażonych HIV lub dotkniętych innymi zaburzeniami układu odpornościowego.

Jeśli potrzebujesz dodatkowych informacji, zasięgnij porady lekarza.

CZĘŚĆ III

Twoje dziecko rośnie: radości i wyzwania rodzicielstwa

Rozdział 17

Wzrost i rozwój

Pomiary i elementy wyznaczające

Od momentu wniesienia nowo narodzonego dziecka do domu zaczynasz chciwie wyczekiwać na jego postępy. Czy jednak dobrze wiesz, jak obserwować i po czym możesz poznać, że twoje dziecko rośnie i rozwija się prawidłowo?

Ten rozdział ma spełnić rolę przewodnika po wzroście i rozwoju dziecka, ocenianych według najważniejszych wyznaczników fizycznych i ogólnorozwojowych, jakie większość dzieci może osiągnąć w każdym kolejnym miesiącu życia. Obejmują one zarówno przyrost długości ciała, wagi i obwodu głowy, jak i rozwój umiejętności poznawczych (percepcji, myślenia i zapamiętywania), ruchowych (mobilności, siły, równowagi i koordynacji), społecznych i językowych.

Wzrost fizyczny

Narodzone dziecko jest niewątpliwie ucieleśnionym cudem natury. Patrząc na tę skończoną istotę ludzką, trudno wyobrazić sobie, że zaledwie kilka miesięcy temu była ona mikroskopijnym, zapłodnionym jajem zagnieżdżonym w macicy matki. Choć pierwszy rok życia twojego dziecka upłynie pod znakiem dynamicznych, zdumiewających zmian, musisz pamiętać, że najważniejszy i najszybszy etap rozwoju ma ono już za sobą, bo jest nim okres płodowy, zakończony z chwilą przyjścia na świat. Szczegółowe „plany konstrukcyjne" dla rozwijającego się zarodka i płodu są zakodowane w jego materiale genetycznym, otrzymanym w komórce jajowej matki i plemniku ojca. Geny odgrywają zasadniczą rolę w determinacji większości fizycznych i biochemicznych cech dziecka – takich jak kolor oczu i włosów, kształt nosa, budowa ciała, a nawet skłonność do podwyższonego poziomu cholesterolu we krwi. Analogicznie „program" wzrostu i rozwoju twojego dziecka już po urodzeniu jest w znacznej mierze przygotowany dużo wcześniej, aczkolwiek mogą modyfikować go różne czynniki środowiska wewnątrz- i zewnątrzmacicznego, sposób odżywiania, ewentualne choroby itp.

Uwaga: Podane w tym rozdziale informacje na temat wzrostu fizycznego odnoszą się do dzieci donoszonych, czyli urodzonych o czasie. Wcześniaki są oczywiście mniejsze w chwili narodzin. (Więcej informacji na ten temat znajdziesz w rozdziale 6, „Dziecko przedwcześnie urodzone").

Ciężar ciała

Średni ciężar ciała donoszonych noworodków wynosi około 3,5 kg (waga urodzeniowa 90% dzieci zawiera się w przedziale od 2700 do 4500 g). Mniej ważą przy urodzeniu noworodki przedwcześnie urodzone oraz tak zwane noworodki SGA – małe w stosunku do wieku ciąży z przyczyn genetycznych lub wskutek problemów okresu ciąży. Noworodki duże w stosunku do wieku ciąży (w przypadku donoszonych – o wadze powyżej 4500 g) rodzą często kobiety chore na cukrzycę.

Nie bądź zaskoczona, że twój noworodek zaraz po urodzeniu zacznie spadać na wadze. W ciągu pierwszego tygodnia życia większość dzieci traci do 10% wyjściowego ciężaru ciała, co wynika z pozbywania się przez nie nadmiaru płynów ustrojowych, nagromadzonych w okresie życia płodowego. Tendencję do nieco większej utraty masy ciała wykazują noworodki karmione piersią, a także dzieci słabo ssące tuż po urodzeniu. Po dwóch tygodniach od porodu dziecko powinno już powrócić do wagi urodzeniowej, czy nawet nieco ją przekroczyć, po czym aż do końca pierwszego miesiąca życia powinno mu przybywać 25–30 g dziennie. Następnie tempo przyrostu masy ciała zaczyna nieustannie spadać, dochodząc w wieku 5 lat do około 170–180 g na miesiąc.

Przyrost masy ciała w pierwszym roku życia jest zdumiewająco szybki – większość niemowląt podwaja swoją wagę urodzeniową w wieku 3–4 miesięcy, a w okolicy pierwszych urodzin dziecko waży zwykle trzy razy więcej niż po porodzie! Następnie, w wieku 2–3 lat, dziecko rośnie z kolei niemal trzy razy wolniej niż pierwszym roku. „Marudzenie" dwulatka przy stole jest więc prawdopodobnie skierowanym do ciebie komunikatem, że potrzebuje on obecnie mniejszych porcji niż w jeszcze niedawno temu. (Więcej informacji na temat żywienia dzieci w wieku poniemowlęcym znajdziesz w rozdziale 22, „Zdrowe odżywianie").

Musisz również pamiętać, że mimo „gładkości" krzywych na standardowych kartach wzrostu w rzeczywistości dzieci nie rosną w stałym rytmie. Dla niemowląt charakterystyczne są na przykład „skoki" wzrostowe, czyli jedno- lub dwutygodniowe okresy, w czasie których dziecko przejawia prawdziwie „wilczy"

> ## „Głos doświadczenia"
>
> „Nie dodawaj sobie stresów skrupulatnym śledzeniem rozwoju twojego dziecka miesiąc po miesiącu, aby upewnić się, że wszystkie znane wskaźniki osiąga ono dokładnie w «podręcznikowym», przeciętnym wieku, bez jednego dnia zwłoki. W rzeczywistości nie ma dzieci «przeciętnych» – jedne zaczynają chodzić wcześniej, inne nieco później – a wszystko to mieści się w szeroko pojętej «normie». A więc nie martw się, odetchnij, baw się z dzieckiem i ciesz się nim".
> – ZA: KIDSHEALTH PARENT SURVEY

apetyt i szybko przybiera na wadze. Dwu lub trzylatek może z kolei nie drgnąć na wadze nawet o gram przez cały miesiąc czy dwa, zwłaszcza w okresie zimowym, naznaczonym nieustannymi przeziębieniami lub epizodami zapalenia ucha. Gdy zdarzy ci się to stwierdzić, przede wszystkim nie wpadaj w panikę. Ogromna większość niemowląt i dzieci przybiera na wadze i rośnie w rytmie właściwym dla nich samych, o ile tylko są prawidłowo odżywiane, kochane i pobudzane do rozwoju odpowiednimi bodźcami środowiskowymi.

Powodem do niepokoju jest natomiast znacząca niedowaga u niemowlęcia i brak przybierania na wadze w oczekiwanym tempie. Zaburzenie to opisujemy dokładniej w rozdziale 32, „Problemy zdrowotne okresu wczesnego dzieciństwa". Spowolniony może być również wzrost na długość, jednak niedowaga jest z reguły wyraźniejsza. Stan ten odzwierciedla często nieprawidłowe żywienie dziecka i/lub inne zaniedbania środowiskowe, jednak lekarze oceniają takie dzieci również pod kątem ewentualnych problemów medycznych, jakie mogą wpływać na zahamowanie czy spowolnienie wzrostu.

W krajach wysoko rozwiniętych, obfitujących we wszelkiego rodzaju żywność, znacznie częstszym problemem niż brak przyrostu masy ciała jest jednak sytuacja odwrotna – nadwaga i otyłość. Niemowlęta z natury rzeczy charakteryzują się względnie obfitszą tkanką tłuszczową niż starsze dzieci – większość pulchnych i „pyzatych" niemowląt nie staje się więc na szczęście otyłymi dziećmi. Pomimo to szacuje się, że nadwaga dotyczy obecnie około 30% amerykańskich dzieci i – co gorsza – wskaźnik ten wykazuje tendencję wzrostową. Badania wykazują, że w około jednej trzeciej przypadków otyłości u dorosłych zaczyna się ona już w dzieciństwie. Wynika z tego logicznie, że zapobieganie otyłości u dzieci może zapobiec również otyłości u dorosłych, stanowiącej poważne obciążenie dla zdrowia i ważny czynnik ryzyka wielu chorób wieku średniego i starszego. Najnowsze badania wskazują na decydujący rolę czynników genetycznych w rozwoju otyłości u dzieci, co jednak nie oznacza, że nawyki żywieniowe i aktywność fizyczna nie mają na nią również istotnego wpływu. Rodzice muszą pamiętać, że wszelkie restrykcyjne diety są niebezpieczne, a więc i zabronione u dzieci w wieku poniżej dwóch lat. Jeśli twoje dziecko wydaje się zbyt szybko przybierać na wadze, poproś lekarza o poradę. Nadwagę i otyłość u dzieci omawiamy dokładniej w rozdziale 32, „Problemy zdrowotne okresu wczesnego dzieciństwa".

Długość i wysokość ciała

Średnia długość ciała noworodków urodzonych o czasie wynosi około 50 cm (90% noworodków mieści się w przedziale od 45 cm do 54 cm). W ciągu pierwszego roku życia dzieciom przybywa średnio 25 cm „wzrostu", 12,5 cm w drugim roku, a następnie po około 6 cm rocznie aż do okresu pokwitania.

Porównując wzrost twojego dziecka ze standardową siatką wzrostu, nie traktuj jej zbyt rygorystycznie. Przyrost na długość/wysokość nie odbywa się u dzieci całkowicie płynnie i miarowo. Wiele zdrowych dzieci może „stać w miejscu" nawet przez kilka miesięcy, a następnie „nadrobić" zaległości w krótkim okresie przyśpieszenia. Pewne badania sugerują, że tempo wzrostu dzieci może podlegać wpływom i wahaniom sezonowym – wydaje się, że nieco szybciej rosną one w okresie wiosennym.

Zarówno rytm, jak i ostateczny efekt procesu wzrostu na długość/wysokość są w ogromnej mierze zaprogramowane genetycznie. Dziecko będzie rosło zgodnie z tym programem, o ile tylko nie zakłóci go jakiś czynnik zewnętrzny w rodzaju przewlekłej choroby, niedożywienia czy zaniedbań środowiskowych. Choć niektórzy rodzice mogą odczuwać pokusę pobudzenia wzrostu dziecka, karmiąc je dodatkowymi witaminami, solami mineralnymi czy nadmiarem kalorii, wszelkie takie zabiegi nie mają wpływu na przekroczenie jego genetycznie zaprogramowanego potencjału.

Odmienności w granicach normy

Zdrowym dzieciom (szczególnie w dwóch pierwszych latach życia) wcale nierzadko zdarzają się przejściowe okresy przyspieszenia lub spowolnienia wzrostu w porównaniu z większością rówieśników, co zmienia ich „pozycję" na standardowej siatce wzrostu. Przykładowo dzieci matek chorych na cukrzycę lub matek, które w czasie ciąży odnotowały ponadprzeciętny przyrost masy ciała, mają tendencję do wyższej wagi urodzeniowej, ale za to z reguły rosną wolniej w ciągu pierwszych miesięcy życia, aż dostosują się w przedział wzrostu odpowiedni do rozmiarów ich rodziców. Z kolei dziecko wysokiego ojca, rozwijające się w małej macicy drobnej matki, może urodzić się mniejsze niż można by się spodziewać. Dziecko takie będzie jednak zwykle szybko rosnąć w ciągu pierwszych miesięcy życia i „doganiać" przedział centylowy odpowiedni dla swojego genetycznie zaprogramowanego wzrostu.

Dzieci niskich rodziców rodzą się zwykle jako małe i pozostają mniej więcej w tym samym przedziale wzrostu przez cały wiek dziecięcy i młodzieńczy. Wchodzą one w okres pokwitania w tym samym czasie co ich rówieśnicy i z reguły osiągają jako dorośli wzrost zbliżony do wzrostu rodziców.

Lekarz radzi

Różnica między długością a wysokością ciała (wzrostem)

Termin „długość" odnosi się do odległości między podeszwami stóp a czubkiem głowy u dziecka mierzonego na leżąco. Dla dokładności pomiaru dziecko musi leżeć płasko na stole lub innej powierzchni, z całkowicie wyprostowanymi nóżkami. Po ukończeniu trzeciego roku życia większość dzieci potrafi już współpracować na tyle, by można było mierzyć je na stojąco, czyli na wysokość. Za „wzrost" przyjmuje się właśnie wysokość ciała w pozycji stojącej.

Inny, mieszczący się w normie rytm wzrostu, w tym wypadku nosi nazwę konstytucjonalnego opóźnienia wzrostu. Dzieci mają zwykle przeciętną długość przy urodzeniu, a ich rodzice są również przeciętnego wzrostu. Po początkowym okresie wzrostu w normalnym tempie, jeszcze w wieku niemowlęcym, zazwyczaj w drugiej połowie pierwszego roku życia dzieci te zaczynają rosnąć wolniej, co trwa do 18.–24. miesiąca życia. Dalej rosną one w tempie około 6 cm rocznie, czyli zbliżonym do innych dzieci w tym wieku. Z powodu okresu zahamowania dzieci te pozostają jednak niskie przez całe dzieciństwo. Pokwitaniowy skok wzrostu zaczyna się u nich później niż u rówieśników, ale za to rosną one nadal wtedy, gdy większość młodych ludzi zatrzymuje się już na ostatecznym poziomie. Ten ostatni okres powoduje, że w końcu doganiają one rówieśników i osiągają końcowy, dorosły wzrost zbliżony do wzrostu rodziców. W podobny sposób mogło rosnąć któreś z rodziców lub inny bliski krewny dziecka.

Dzieci skrajnie niskie lub wykazujące trwale zwolnione tempo wzrostu mogą wymagać diagnostyki pod kątem ewentualnych zaburzeń wzrostu. Kieruje się je do endokrynologa dziecięcego lub innych specjalistów. Więcej informacji na ten temat znajdziesz w rozdziale 32, „Problemy zdrowotne okresu wczesnego dzieciństwa".

Wzrost głowy

Na pewno zauważyłaś, że niemowlęta mają stosunkowo duże główki. Dzieje się tak dlatego, że zasadniczy proces wzrostu mózgu odbywa się jeszcze przed urodzeniem, a powiększanie się mózgu jest z kolei głównym bodźcem do powiększania się czaszki. W chwili narodzin obwód główki dziecka, mierzony tuż powyżej poziomu brwi, wynosi średnio 34 cm, czyli mniej więcej dwie trzecie typowego obwodu u dorosłych.

Po urodzeniu główka rośnie nadal w szybkim tempie przez cały pierwszy rok życia. W następnych latach tempo to ulega spowolnieniu, ale i tak czaszka i mózg dziecka osiągają niemal dorosłą wielkość już w wieku około 10 lat.

W ciągu pierwszych dwóch lat lekarz będzie ściśle kontrolować wzrost główki (i mózgu) twojego dziecka, mierząc jej obwód podczas każdej wizyty. Mały rozmiar główki lub wolniejsze od oczekiwanego tempo jej wzrostu u niemowlęcia mogą wynikać z szeregu przyczyn, włącznie z wadami rozwojowymi mózgu, zakażeniem wewnątrzmacicznym lub narażeniem na toksyny, zbyt szybkim kostnieniem kości czaszki oraz licznymi czynnikami dietetycznymi, genetycznymi i metabolicznymi. Zbyt szybkie i znaczne powiększanie się obwodu główki może być z kolei oznaką nadmiernego gromadzenia się płynu mózgowo-rdzeniowego i wzrostu ciśnienia śródczaszkowego, tak jak ma to miejsce w przypadku wodogłowia (omawianego w rozdziale 32, „Problemy zdrowotne okresu wczesnego dzieciństwa").

Rozwój dziecka

Czyż są na świecie rodzice, którzy nie zareagowaliby zachwytem i dumą na widok córeczki stawiającej pierwsze samodzielne kroki wcześniej niż jakiekolwiek inne dziecko w rodzinie? Czy – z drugiej strony – jakakolwiek matka i ojciec nie odczuliby choćby lekkiego niepokoju, obserwując, jak ich synek nadal domaga się czegoś pokazywaniem palcem i niezbyt artykułowanymi dźwiękami, podczas gdy jego rówieśnicy na placu zabaw używają już do tego najprawdziwszych słów? Porównywanie postępów własnych dzieci z postępami innych jest niewątpliwie jedną z ulubionych rozrywek świeżo upieczonych rodziców i dziadków.

Choć skłonność do tych porównań ewidentnie leży w ludzkiej naturze, nie wolno zapominać o tym, że znacznym różnicom w rytmie wzrostu zdrowych niemowląt i dzieci towarzyszą analogiczne różnice w szeroko pojętych procesach rozwojowych. Musisz zaufać „oku" lekarza, oceniającego postępy twojego dziecka podczas każdej wizyty kontrolnej. Jeśli dziecko wyraźnie nie dotrzymuje kroku swoim rówieśnikom, nie zawsze i nie od razu oznacza to problem, ale może uzasadniać wzmożoną czujność, co omawiamy w dalszej części tego rozdziału.

Mierniki postępów rozwojowych dziecka

Choć mamy do dyspozycji wiele metod służących temu celowi, amerykańscy lekarze pierwszego kontaktu posługują się najczęściej testem przesiewowym zwanym Denver II, opracowanym pod kątem dzieci od chwili narodzin do końca wieku przedszkolnego.

Ten i podobne testy pomagają lekarzowi w ocenie postępów twojego dziecka w czterech głównych dziedzinach czy kategoriach rozwoju, takich jak:

- Umiejętności w zakresie ruchów „dużych". Należy do nich kontrola pozycji ciała i ruchy tułowia oraz dużych grup mięśniowych, czyli takie czynności jak unoszenie główki, siedzenie bez podparcia, podciąganie się do pozycji stojącej i chodzenie.
- Umiejętności w zakresie ruchów precyzyjnych. Są to ruchy dłoni i palców, wymagające koordynacji wzrokowo-ruchowej, takie jak sięganie po przedmioty i chwytanie ich, przekładanie przedmiotów z ręki do ręki czy budowanie wieży z klocków.
- Umiejętności językowe. Należy do nich wydawanie dźwięków, rozumienie i artykułowanie pierwszych konkretnych słów, posługiwanie się gestami i innymi niewerbalnymi środkami wyrazu, składanie słów w zdania, rozpoznawanie kolorów, liczenie i rozwój złożonych form ekspresji werbalnej.
- Umiejętności osobiste/społeczne. Należy do nich przykładowo samodzielne ubieranie się czy mycie zębów, uśmiechanie się, odróżnianie rodziców od nieznajomych, machanie dłonią na pożegnanie i naśladowanie innych.

Lekarz będzie sam obserwować twoje dziecko, a także zechce dowiedzieć się jak najwięcej od ciebie, zadając ci konkretne pytania na temat jego osiągnięć i zachowania. W razie jakichkolwiek obaw co do rozwoju lub zachowania dziecka w dowolnej dziedzinie musisz przede wszystkim zwrócić na to uwagę lekarzowi. Przydatne może być również zarejestrowanie określonych domowych sytuacji na kasecie wideo, do obejrzenia przez lekarza.

Na końcu tego rozdziału zamieszczone są wykazy najważniejszych wskaźników w rozwoju dzieci w różnym wieku, które mogą posłużyć za punkty odniesienia w badaniach przesiewowych.

Co oznaczają wyniki przesiewowych testów rozwojowych?

„Wzorzec" rozwoju twojego dziecka na przestrzeni czasu jest znacznie ważniejszym wskaźnikiem niż obserwacje poczynione w toku pojedynczej wizyty. Jeśli dziecko jest w danym momencie chore, zmęczone, głodne lub z jakiegokolwiek powodu rozkojarzone, wyniki testu często okazują się nieadekwatne. Dlatego też lekarze nie są skłonni od razu martwić się opóźnieniami, chyba że dają się one zauważyć podczas więcej niż jednej wizyty, są znaczne lub dotyczą kilku dziedzin rozwoju jednocześnie. Pamiętaj również, że:

- Zwłoka w osiągnięciu jednego lub kilku stopni określonych wskaźników nie jest najczęściej oznaką jakichkolwiek poważniejszych problemów. U wielu dzieci postępy w poszczególnych głównych sferach rozwoju nie dokonują się równomiernie. Przykładowo w pełni zdrowe dzieci, które wcześnie zaczynają siadać i chodzić, często wykazują opóźnienia w nauce mowy w porównaniu z większością rówieśników. Zdarza się również, że dziecko pochłonięte zdobywaniem pewnej umiejętności lub pewnym aspektem rozwoju niejako „zapomina" o pozostałych. Niemowlę zafascynowane możliwościami badawczymi, jakie daje mu pełzanie po podłodze, może na przykład przez pewien okres ociągać się ze wstawaniem i chodzeniem.
- Wyniki testów przesiewowych nie są miarodajne, jeśli chodzi o przewidywanie przyszłych talentów i szczególnych uzdolnień dziecka. Ich zasadnicza rola ogranicza się do identyfikacji tych dzieci, których rozwój wymaga nieco dokładniejszej obserwacji lub zasięgnięcia porady u specjalisty.

Ciesz się więc postępami dziecka, jeśli jego rozwój przebiega zgodnie z oczekiwaniami, szukaj pomocy, jeśli wydaje ci się ono pozostawać w tyle, celebruj kolejne osiągnięcia – a przede wszystkim nie szczędź mu miłości, zachęty i pozytywnych bodźców!

Dlaczego warto przeprowadzać testy rozwojowe?

Niezależnie od swoich ograniczeń przesiewowe badania rozwoju dziecka dostarczają istotnych informacji. Wczesne wykrycie problemu pomaga zapobiec lub ograniczyć trwałe upośledzenie, jakie mogłoby zagrażać dziecku z trudnościami rozwojowymi.

Dziecko uważa się za opóźnione w rozwoju, jeśli w jednej lub kilku głównych dziedzinach wykazuje ono trwale spowolnione postępy. Rozpoznanie nie może opierać się jedynie na wynikach testów przesiewowych. W większości przypadków dzieci kieruje się na pogłębione badania specjalistyczne, przeprowadzane przez specjalistę medycyny rozwojowej, neurologa, audiologa i ekspertów w innych dziedzinach medycyny.

Czasami u podłoża opóźnień w rozwoju może leżeć nie rozpoznana choroba somatyczna. W takich przypadkach zasadnicze znaczenie ma oczywiście jej szybkie wykrycie i leczenie, które niejednokrotnie jest w stanie zapobiec odległym, niekorzystnym następstwom rozwojowym. Chociaż najczęściej nie udaje się stwierdzić żadnej konkretnej przyczyny, również i wtedy dzieci i ich rodzice odnoszą znaczące korzyści z wczesnej identyfikacji opóźnienia w rozwoju. Specjalne programy stymulacyjne dla niemowląt, urządzenia i zestawy wspomagające i wiele metod terapeutycznych stwarzają znacznie większe szanse wyrównania takich opóźnień, jeśli zastosuje się je w jak najmłodszym wieku, w okresie szybkiego wzrostu mózgu dziecka i przed wystąpieniem potencjalnych powikłań. Wczesna identyfikacja zaburzeń rozwojowych pozwala również rodzicom zweryfikować ich własne oczekiwania wobec dziecka i skupić się na tych działaniach, które mogą mu pomóc w wykorzystaniu całego jego potencjału.

Rola rodziców w stymulowaniu rozwoju dziecka

Szybkie lub wolne tempo rozwoju dziecka jest w dużej mierze zaprogramowane w jego genach. Rodzice mają zapewnić mu przede wszystkim ogólne zdrowie, właściwe bodźce środowiskowe, pełnowartościowe odżywianie, miłość, czułość i opiekę. Spełnienie powyższych podstawowych warunków praktycznie wyczerpuje to, co możesz (lub powinnaś) zrobić w charakterze prób „przyspieszenia" lub „udoskonalenia" rozwoju twojego dziecka. Co więcej, próby takie bywają wręcz przeciwwskazane, bo usilne nakłanianie małego dziecka do czegoś, do czego nie jest ono jeszcze zdolne, może skończyć się rozczarowaniem i frustracją zarówno dla niego, jak i dla ciebie, a nawet może zaszkodzić jego wewnętrznej motywacji i poczuciu własnej wartości.

Powyższe zastrzeżenia w niczym nie umniejszają jednak korzyści, jakie młodzi rodzice czerpią z podstawowej wiedzy na temat procesów rozwojowych dziecka. Po pierwsze, świadoma obserwacja jego postępów może podnosić cię na duchu i utwierdzać w poczuciu dobrze spełnionego obowiązku, bo prawidłowy rozwój jest jednym z głównych mierników ogólnie dobrego zdrowia dziecka. Po drugie, znajomość kolejnych etapów rozwoju pomaga ci w doborze odpowiednich zabawek, zabaw i gier, jakie w danym momencie przyniosą twojemu dziecku najwięcej radości i pożytku.

Rozwój artykulacji dźwięków i mowy

Próbując ocenić rozwój językowy dziecka, musisz pamiętać o różnicy między artykulacją dźwięków (fonacją, wymową) a mową (językiem). Artykulacja oznacza zdolność dziecka do wydawania wyraźnych dźwięków, niezależnie od ich treści i znaczeń. Mowa jest z kolei procesem przekazywania i odbierania informacji w zrozumiały sposób; innymi słowy, jest to rozumienie i bycie rozumianym drogą komunikacji. Dziecko z zaburzeniami mowy może poprawnie wymawiać poszczególne słowa, ale nie potrafi zestawić ich w logiczną całość. I odwrotnie, dziecko z zaburzeniami wymowy mówi niewyraźnie i w sposób trudny do zrozumienia, ale może prawidłowo dobierać słowa i zdania dla wyrażenia swoich myśli. W praktyce oba typy zaburzeń często współistnieją i nakładają się na siebie.

Przyczyny opóźnień w rozwoju mowy

Istnieje wiele powodów, dla których dziecko może opóźniać się z wydawaniem dźwięków i nauką języka. U skądinąd zdrowych dzieci przyczyną zaburzeń fonacji są tylko rzadko fizyczne nieprawidłowości w obrębie jamy ustnej, podniebienia czy języka, a znacznie częściej problemy ze słuchem. Dziecko niedosłyszące może mieć trudności w rozumieniu, naśladowaniu i używaniu mowy. Do przejściowego lub – rzadziej – trwałego niedosłuchu prowadzą w pierwszym rzędzie zakażenia ucha, zwłaszcza nawracające zapalenie ucha środkowego lub przewlekła obecność płynu w jamie bębenkowej. Właściwie leczone pojedyncze epizody zapalenia ucha nie powinny mieć jednak wpływu na słuch i mowę dziecka. Więcej informacji na temat słuchu znajdziesz w rozdziale 15, „Słuch i wzrok", a na temat chorób uszu – w rozdziale 32, „Problemy zdrowotne okresu wczesnego dzieciństwa".

U niektórych dzieci z opóźnieniami w rozwoju mowy istota problemu kryje się w nieprawidłowej koordynacji ruchowej, a więc na linii przekazywania pobudzeń z mózgu do mięśni i innych struktur anatomicznych zaangażowanych w fonację. Dzieci te mają trudności z użyciem warg, języka i żuchwy do wydawania dźwięków. Opóźnienia w fonacji i mowie bywają też jedną z oznak bardziej uogólnionych opóźnień rozwojowych.

Rozwój mowy jest kwestią natury i kultury, czyli predyspozycji genetycznych i wychowania. Potencjał genetyczny dziecka częściowo determinuje jego inteligencję i zdolności językowe. Ważną funkcję pełnią także pewne stany chorobowe, głównie zapalenie ucha środkowego. Pomimo to rozwój mowy zależy w ogromnej mierze od środowiska społecznego dziecka. Czy dziecko podlega właściwej stymulacji w domu lub w placówce opiekuńczej? Czy ma okazję do wymiany komunikatów i interakcji z otoczeniem? Czy otrzymuje odpowiednie „wzmocnienie" dla swoich prób i poczynań? Wszystkie te czynniki wywierają istotny wpływ na proces nauki mowy.

Jak pobudzać rozwój mowy

Aby pobudzić rozwój mowy u dziecka, musisz porozumiewać się z nim już od chwili narodzin. Jednym ze sposobów komunikacji jest czytanie mu książeczek! W początkowym okresie nie musisz czytać mu w całości długiej bajki; nawet w wieku 18–24 miesięcy dziecko przypuszczalnie nie dosiedziałoby spokojnie do końca. Zacznij od najprostszych, krótkich książeczek, opisujących pojedyncze ruchy (np. klaskanie) czy głosy zwierząt, które dziecko może za tobą powtarzać i naśladować. Czytaj wysokim, „szczebiotliwym" głosem; wiadomo, że niemowlęta są skłonne do odpowiedzi na taki głos. Następnie przejdź do rymowanych wierszyków z wyraźnym rytmem. Jeszcze później do prostych historyjek, rozwijających się w przewidywalny sposób, tak aby dziecko mogło antycypować to, co się za chwilę stanie i rozumieć, dlaczego tak się stało.

Ocena rozwoju mowy

Jeśli uważasz, że twoje dziecko nie osiąga właściwych dla jego wieku wyznaczników w nauce mowy, powinnaś zwrócić na to uwagę lekarza i porozmawiać z nim o ewentualnej konsultacji specjalistycznej. W razie rzeczywistych zaburzeń fonacji, mowy, słuchu czy deficytów ogólnorozwojowych jak najwcześniejsza interwencja stwarza tym większe szanse na ich skorygowanie i uniknięcie czy złagodzenie przyszłych problemów w nauce. Naszym zdaniem powinnaś porozmawiać z lekarzem w razie zaistnienia którejś z następujących sytuacji:

• W wieku 2–3 lat twoje dziecko potrafi jedynie powtarzać dźwięki mowy, natomiast nie wypowiada słów ani zdań spontanicznie.
• Dziecko uparcie powtarza tylko niektóre dźwięki lub słowa.
• Jego głos ma wyraźnie dziwne brzmienie lub bardzo trudno zrozumieć jego mowę.
• Dziecko nie używa języka werbalnego inaczej niż do komunikowania swoich najprostszych, natychmiastowych potrzeb.
• Dziecko nie potrafi wykonywać prostych poleceń.

Jeśli lekarz uzna, że jest powód do niepokoju, najprawdopodobniej skieruje dziecko do logopedy. Jeśli wskazana będzie terapia logopedyczna, musisz wziąć w niej czynny udział. Obserwując przebieg sesji prowadzonych przez specjalistę, możesz nauczyć się odpowiednich ćwiczeń i następnie powtarzać je w domu. Musisz dokładnie poznać i zrozumieć sposoby stymulacji nauki mowy u dziecka.

Jąkanie się

Dzieci w wieku od dwóch do pięciu lat bardzo często powtarzają całe słowa lub zdania, wstawiając między nie „wypełniacze" w postaci dźwięków „eee..." lub „uuu..." – jest to typowy dla tego wieku brak płynności mowy, nie stanowiący powodu do niepokoju. Czasami jednak jąkanie się stwarza dziecku wyraźne trudności w mówieniu.

Lekarz radzi

Biblioteka małego dziecka

Już w wieku niemowlęcym, a tym bardziej w drugim roku życia pozwól dziecku zasmakować radości obcowania z książką, co wybitnie sprzyja nauce mowy. Zacznij od książeczek atrakcyjnych w formie, zachęcających do oglądania i zabawy. Masz bardzo bogaty wybór – książeczki z tkaniny o ciekawej fakturze, książeczki z pluszowym zwierzątkiem czy inną zabawką przyczepioną do okładki, książeczki z piszczałkami do naciskania... Im ciekawszy kształt, wrażenia dotykowe i kolory, tym większa szansa, że twoje dziecko zaprzyjaźni się z książką na całe życie.

Lekarz radzi

Jąkanie się

Aż 25% dzieci w wieku od 18 miesięcy do siedmiu lat przechodzi przez fazę jąkania się. Najlepsze, co można zrobić, by pomóc dziecku w pozbyciu się tego nawyku, to przeciwdziałać stanom napięcia. Utrzymuj z dzieckiem kontakt wzrokowy, słuchaj go bez zniecierpliwienia i odpowiadaj spokojnie krótkimi, prostymi zdaniami.

Do objawów jąkania się należy:
- Nadmierne powtarzanie całych słów lub zdań;
- Częste powtarzanie poszczególnych dźwięków lub sylab;
- Wysiłek i napięcie przy mówieniu, brak płynności (przerwy w potoku mowy);
- Napięcie mięśni twarzy zaangażowanych w fonację;
- Napięcie strun głosowych, wyrażające się „podniesionym tonem" lub mówieniem bardzo głośno;
- Unikanie sytuacji, w których trzeba mówić.

Jeśli powyższe objawy jąkania utrzymują się przez 6 miesięcy lub dłużej, zasięgnij porady lekarza, który może skierować dziecko do logopedy w celu dokładniejszej diagnostyki i terapii.

Niezależnie od fachowej terapii sama możesz pomóc dziecku przezwyciężyć jąkanie się, postępując według następujących zasad:
- Nie nalegaj, by dziecko za każdym razem mówiło poprawnie.
- Uczyń z posiłków przy rodzinnym stole okazję do rozmów, wyłączając telewizor i radio.
- Zapanuj nad odruchem nieustannego poprawiania dziecka lub dokańczania za nie zdań.
- Nie zmuszaj dziecka do zabierania głosu czy czytania na głos wtedy, gdy się przed tym wzbrania.
- Gdy dziecko „zatnie się", nie każ mu zaczynać od początku ani nie strofuj, że powinno pomyśleć, zanim coś powie.
- Sama mów powoli i wyraźnie, żeby dostarczyć mu wzoru spokojnego, płynnego wysławiania się.
- Zachęcaj je do aktywności nie wymagających mówienia w okresach nasilonych trudności z płynnym wysławianiem się.

Wskaźniki rozwoju dziecka

Niżej przedstawione tabele zawierają wykazy cech i umiejętności wykazywanych i osiąganych przez małe dzieci w różnym wieku. Dla każdego przedziału wiekowego podzieliliśmy te wskaźniki na poszczególne dziedziny rozwoju. Ogólnie można założyć, że większość dzieci opanowuje każdą z wymienionych umiejętności pod koniec podanego przedziału wieku. Każdą tabelę uzupełniliśmy o rubrykę „Porozmawiaj z lekarzem, jeśli...", która ma na celu dostarczyć ci pewnych wskazówek, na co zwracać uwagę i co w rozwoju twojego dziecka może (ale nie musi!) niepokoić.

Korzystając z podanych informacji, musisz przede wszystkim pamiętać, że:

- Wiele zdrowych i w pełni „normalnych" dzieci wykazuje pewną zwłokę – opóźnienie w osiąganiu jednego lub kilku szczebli swojego rozwoju.
- Podane zestawienia w żaden sposób nie mogą jednak zastąpić oceny rozwoju dziecka, dokonywanej przez lekarza podczas każdej kolejnej wizyty kontrolnej.
- Nie wahaj się przed zasięgnięciem porady lekarza, jeśli podejrzewasz u swojego dziecka jakikolwiek problem w rozwoju, nawet jeśli nie wynika to z podanych tabel. Ufaj własnej intuicji.

WSKAŹNIKI ROZWOJU DZIECKA – PIERWSZY MIESIĄC ŻYCIA

Rozwój w zakresie ruchów „dużych" i precyzyjnych	• Porusza ramionami w „szarpany" sposób; porusza obie połowy ciała • Przez krótki moment wodzi wzrokiem za ruchomym przedmiotem • Leżąc na brzuchu, przekłada główkę z lewa na prawo i odwrotnie • Nie potrafi utrzymać prosto główki bez podparcia • Wykazuje silne reakcje odruchowe (ssanie, chwytanie, odruch lękowy Moro) • Ustawia rączki w zasięgu wzroku i ust • Potrafi utrzymać rączki przy wyprostowanych nadgarstkach
Rozwój mowy	• Wydaje dźwięki
Rozwój „osobisty" i społeczny	• Woli patrzeć na ludzkie twarze niż na inne obiekty
Inne cechy i zachowania, jakich można oczekiwać	• Skupia wzrok na przedmiotach oddalonych o 20–30 cm • Ma tendencję do „uciekania" wzrokiem i okresowo do zezowania • Boi się głośnych dźwięków • Woli barwy czarno-białe lub inne kontrastowe zestawienia
Porozmawiaj z lekarzem, jeśli twoje dziecko	• Słabo ssie i przedłuża seanse karmienia • Nie mruży oczu pod wpływem jaskrawego światła • Nie skupia wzroku na przedmiotach ani w ogóle nie śledzi wzrokiem przedmiotów poruszających się w pobliżu • Rzadko porusza kończynami; sprawia wrażenie sztywnego lub wiotkiego • Nie reaguje na głośne dźwięki

WSKAŹNIKI ROZWOJU DZIECKA – 1–3 MIESIĄCE

Rozwój w zakresie ruchów „dużych" i precyzyjnych	• Położone na brzuchu unosi główkę i klatkę piersiową • W pozycji na brzuchu podpiera się na rękach, unosząc górną połowę ciała • Leżąc na brzuchu lub na plecach, wymachuje kończynami, kopie i wierci się • Otwiera i zamyka dłonie • Odpycha się stopami ustawionymi na twardej powierzchni • Wkłada rączki do buzi • Trąca rączkami wiszące przedmioty • Chwyta zabawkę włożoną mu w rękę i potrząsa nią
Rozwój mowy	• Uśmiecha się, słysząc znajomy głos lub widząc znajomą twarz • Zaczyna gaworzyć • Mówi „ooo" i „aaa" • Śmieje się na głos i wydaje piski
Rozwój „osobisty" i społeczny	• Zaczyna odpowiadać uśmiechem na uśmiech • Przepada za zabawą z innymi i może protestować, gdy uczestnik zabawy skończy ją lub odejdzie • Staje się bardziej komunikatywne i pełne ekspresji dzięki mimice i mowie ciała • Miewa okresy marudzenia, często pod koniec dnia
Inne cechy i zachowania, jakich można oczekiwać	• Celowo i świadomie obserwuje ludzkie twarze • Odpowiada na głośne dźwięki, cichnąc i uspokajając się albo wykonując uogólnione ruchy ciała • Wodzi wzrokiem za ruchomymi przedmiotami • Rozpoznaje na odległość znajome twarze i przedmioty • Ogląda własne rączki i zaczyna używać ich w sposób skoordynowany ze wzrokiem • Długo przypatruje się różnym obiektom
Porozmawiaj z lekarzem, jeśli twoje dziecko	• Wydaje się nie reagować na głośne dźwięki • W wieku dwóch miesięcy nie uśmiecha się na dźwięk twojego głosu • W wieku 2–3 miesięcy nie śledzi wzrokiem poruszających się przedmiotów • W wieku trzech miesięcy nie chwyta i nie potrafi utrzymać przedmiotów • W wieku trzech miesięcy nie odpowiada uśmiechem na uśmiech • W wieku trzech miesięcy nie potrafi dobrze utrzymywać główki • W wieku 3–4 miesięcy nie gaworzy • Ma trudności z poruszaniem jednym lub obydwoma oczami we wszystkich kierunkach • Przez większość czasu zezuje lub jego oczy nie poruszają się jednocześnie • Nie zauważa nowych twarzy

WSKAŹNIKI ROZWOJU DZIECKA – 4–7 MIESIĘCY

Rozwój w zakresie ruchów „dużych" i precyzyjnych	• Przekręca się z brzucha na plecy i z pleców na brzuch • Siedzi, podpierając się rękoma, a następnie bez podparcia • Leżąc na brzuchu, unosi się wysoko na wyprostowanych rękach • Potrafi przynajmniej przez chwilę utrzymać cały ciężar ciała na nóżkach • Sięga rękami po przedmioty i chwyta je • Przekłada przedmioty z ręki do ręki • „Zagrabia" małe przedmioty (chwyta je dłońmi z przygiętymi palcami
Rozwój mowy	• Obraca głowę w kierunku dźwięków i głosów • Reaguje na własne imię • Zaczyna reagować na słowo „nie" • Rozróżnia emocje po tonie głosu • Używa głosu do wyrażenia radości i niechęci • Gaworzy, powtarzając ciągi sylab („ba-ba-ba-ba")
Rozwój „osobisty" i społeczny	• Znajduje częściowo ukryte przedmioty • „Bada" przedmioty, dotykając ich rękami i wkładając do buzi • „Pracuje", by zdobyć przedmiot znajdujący się poza jego zasięgiem • Uwielbia zabawy towarzyskie • Zauważa drobne przedmioty, na przykład płatki zbożowe rozsypane na wprost siebie • Odpowiada na emocje wyrażane przez innych ludzi • Wyraża radość popiskiwaniem i innymi wysokimi dźwiękami • Uśmiecha się do swojego odbicia w lustrze • Okazuje frustrację podczas próbowania nowych umiejętności, na przykład obrotów
Inne cechy i zachowania, jakich można oczekiwać	• Reaguje podnieceniem na widok znajomych osób lub na widok butelki czy piersi • Coraz lepiej widzi na odległość • Coraz lepiej śledzi wzrokiem poruszające się przedmioty
Porozmawiaj z lekarzem, jeśli twoje dziecko	• Wydaje się sztywne, z napiętymi mięśniami, lub przeciwnie, wiotkie i słabe • Nadal nie utrzymuje prosto główki w pozycji siedzącej; gdy podciągasz je za ręce do siadania, główka opada do tyłu • Chwyta przedmioty tylko jedną ręką albo wydaje się, że jedną nóżkę ma znacznie silniejszą niż druga • Nie przytula się i nie okazuje przywiązania do swojego głównego opiekuna • Ma utrwalonego zeza lub nie porusza obydwoma oczami jednocześnie • Nie reaguje na dźwięki

- Ma trudności z doniesieniem czy włożeniem przedmiotu do buzi
- W wieku czterech miesięcy nie sięga po przedmioty i nie chwyta ich
- W wieku czterech miesięcy nie gaworzy
- W wieku czterech miesięcy ma nadal odruch Moro (lękowy)
- W wieku czterech miesięcy nie utrzymuje prosto główki w pozycji siedzącej
- W wieku siedmiu miesięcy nie próbuje naśladować dźwięków mowy
- W wieku czterech miesięcy nie odpycha się stopami od twardej powierzchni
- W wieku pięciu miesięcy nie odwraca główki, by zlokalizować źródło dźwięku
- W wieku pięciu miesięcy nie przekręca się we wszystkich kierunkach
- W wieku sześciu miesięcy nie potrafi siedzieć (z niewielkim podparciem na rękach)
- W wieku sześciu miesięcy nie śmieje się na głos i nie wydaje pisków
- W wieku 6–7 miesięcy nie sięga aktywnie po przedmioty
- W wieku siedmiu miesięcy nie wodzi wzrokiem za bliskimi i oddalonymi przedmiotami
- W wieku siedmiu miesięcy nie jest w stanie nawet przez chwilę utrzymać własnego ciężaru na nogach
- W wieku siedmiu miesięcy nie podejmuje prób zwrócenia na siebie uwagi otoczenia

WSKAŹNIKI ROZWOJU DZIECKA – 8–12 MIESIĘCY

Rozwój ruchów „dużych"	• Samodzielnie siada • Samodzielnie staje na kolanach i dłoniach • Raczkuje • Stoi z podparciem • Samodzielnie podciąga się do pozycji stojącej • Chodzi, trzymając się mebli • Potrafi ustać przez chwilę bez podparcia • Może robić samodzielnie 2–3 kroki
Rozwój ruchów precyzyjnych	• Używa chwytu „szczypcami" (ujmuje przedmioty między kciuk a palec wskazujący) • Uderza o siebie dwoma przedmiotami • Wkłada przedmioty do pudełka • Wyjmuje przedmioty z pudełka • Celowo wypuszcza przedmioty z rąk • Pokazuje przedmioty palcem wskazującym
Rozwój mowy	• Zwraca coraz większą uwagę na słowa wypowiadane przez innych • Bez przerwy gaworzy i „gada", wydając najczęściej niezrozumiałe dźwięki

	• Odpowiada na proste polecenia słowne • Przerywa daną czynność, słysząc „nie", ale tylko na chwilę • Używa prostej gestykulacji, na przykład kręci głową na „nie" • Mówi „mama" i „tata" • Używa wykrzykników, na przykład „ach" czy „och" • Próbuje powtarzać słowa • Sygnalizuje, że czegoś chce
Rozwój „osobisty" i społeczny	• „Bada" przedmioty na różne sposoby (potrząsając nimi, uderzając o siebie, wyrzucając, upuszczając itp.) • Bez trudu znajduje schowane przedmioty • Patrzy na właściwy obrazek, słysząc nazwę tego, co jest na nim przedstawione • Zaczyna używać przedmiotów zgodnie z ich przeznaczeniem (pije z kubka, gładzi szczotką włosy, przykłada słuchawkę telefonu do ucha itp.) • Naśladuje gesty • Okazuje nieśmiałość lub lęk wobec obcych • Krzyczy, gdy mama lub tata wychodzą z pokoju • Z wyraźną przyjemnością naśladuje innych • Wykazuje specjalne upodobanie do niektórych osób lub zabawek • Testuje reakcję rodziców na swoje zachowania • W niektórych sytuacjach może okazywać lęk • Woli stałych opiekunów od innych osób • Powtarza dźwięki lub gesty, by zwrócić na siebie uwagę • Samodzielnie je palcami • Zgina i prostuje kończyny, żeby pomóc przy ubieraniu
Porozmawiaj z lekarzem, jeśli twoje dziecko	• Nie raczkuje • Podczas raczkowania wydaje się powłóczyć jedną połową ciała • Nie potrafi stać z podparciem • Nie szuka przedmiotów chwilę wcześniej schowanych na jego oczach • Nie naśladuje dźwięków mowy • Nie wykonuje gestów typu machania ręką na pożegnanie czy kręcenia głową • Nie wskazuje odpowiednich przedmiotów lub obrazków • W wieku ośmiu miesięcy nie gaworzy • W wieku ośmiu miesięcy nie okazuje zainteresowania zabawami w rodzaju „A ku-ku!"

WSKAŹNIKI ROZWOJU DZIECKA – 1–2 LATA

Rozwój w zakresie ruchów „dużych"	• Samodzielnie chodzi • Chodząc, ciągnie za sobą zabawki • Chodzi, nosząc dużą zabawkę lub kilka naraz • Schyla się, by podnieść coś z ziemi, i ponownie wstaje, nie przytrzymując się niczego • Potrafi iść tyłem

- Zaczyna biegać
- Staje na palcach
- Kopie piłkę
- Trzymając się poręczy, wchodzi i schodzi po schodach

Rozwój ruchów precyzyjnych	• Spontanicznie bazgrze po papierze • Odwraca pudełko do góry dnem, żeby wysypać jego zawartość • Buduje wieże z czterech lub więcej klocków
Rozwój mowy	• Zawołane po imieniu, odwraca głowę i patrzy na wołającego • Prawidłowo pokazuje rzeczywiste lub narysowane przedmioty, słysząc ich nazwy • Macha ręką, gdy ktoś wychodzi z pokoju i mówi „pa-pa!" • Rozpoznaje nazwy znajomych osób, przedmiotów i części ciała • Mówi szereg pojedynczych słów, np. „miś" czy „dom" • Buduje zdania z dwóch słów, np. „daj pić" • Wypełnia proste polecenia • Powtarza słowa podsłuchane w rozmowie • Porozumiewa się z wykorzystaniem przedmiotów, gestów ciała i prostych słów
Rozwój „osobisty" i społeczny	• Znajduje przedmioty, nawet ukryte pod dwiema czy trzema warstwami • Umie wykonać najprostsze prace domowe • Potrafi samodzielnie zdjąć z siebie jakąś część garderoby • Zaczyna bawić się w udawanie • Naśladuje zachowanie innych, zwłaszcza dorosłych i starszych dzieci • Ma rosnącą świadomość siebie jako istoty odrębnej od innych; rozpoznaje siebie na zdjęciach • Coraz chętniej bawi się z innymi dziećmi
Inne cechy i zachowania, jakich można oczekiwać	• Wykazuje coraz większą samodzielność • Wyrywa się opiekunom, jeśli jest zaciekawione czymś do „zbadania", ale boi się rozstania • Zaczyna okazywać nieposłuszeństwo • Okazuje lęk przed rozstaniem, nasilający się w wieku około 18 miesięcy i słabnący w miarę zbliżania się drugich urodzin • Próbuje naśladować mowę dorosłych i przejawia frustrację, gdy mu się to nie udaje
Porozmawiaj z lekarzem, jeśli twoje dziecko	• W wieku półtora roku nie umie samodzielnie chodzić • Po kilku miesiącach chodzenia nie nauczyło się prawidłowego stawiania stóp pięta-palce albo chodzi wyłącznie na palcach • W wieku półtora roku nie mówi przynajmniej 2–3 słów • W wieku 15 miesięcy wydaje się nie znać przeznaczenia najprostszych domowych sprzętów • W wieku dwóch lat nie naśladuje działań ani słów innych osób • W wieku dwóch lat nie jest w stanie wykonać prostych poleceń • W wieku dwóch lat nie umie pchać przed sobą zabawki na kółkach

WSKAŹNIKI ROZWOJU DZIECKA – 2–3 LATA

Rozwój ruchów „dużych”	• Sprawnie się wspina • Sprawnie biega i skacze • Wchodzi i schodzi po schodach, stawiając stopy na zmianę • Kopie piłkę do przodu • Wyrzuca piłkę znad głowy • Potrafi ustać na jednej nodze przez 1–2 sekundy • Jeździ na trójkołowym rowerku • Pochyla się bez trudu, nie tracąc równowagi
Rozwój ruchów precyzyjnych	• Rysuje linie pionowe, poziome i okrężne • Przewraca kartki książki jedną po drugiej • Buduje wieżę z ponad sześciu klocków • Trzyma ołówek we właściwej pozycji do pisania • Zakręca i odkręca wieczka słoików • Przekręca obrotowe gałki, klamki itp. • Sortuje przedmioty według kształtu i koloru • Układa puzzle z 3–4 elementów • Nakręca zabawki mechaniczne
Rozwój mowy	• Wykonuje polecenia złożone z dwóch lub trzech części („Idź po lalkę i przynieś mi ją”) • Zadaje pytania • Rozpoznaje i identyfikuje liczne przedmioty powszechnego użytku i ich obrazki • Dobiera właściwy przedmiot do pary lub pasujący do obrazka w książce • Zna i nazywa główne części ciała • Buduje zdania z czterech i pięciu słów • Potrafi podać swoje imię, wiek i płeć • Używa zaimków (ja, mnie, jej itp.) i liczby mnogiej niektórych rzeczowników • Mówi na tyle dobrze, że nieznajomi mogą zrozumieć większość jego słów
Rozwój „osobisty” i społeczny	• Bawi się „na niby” z lalkami, zwierzętami i ludźmi • Rozumie pojęcie „dwa” • Umie samodzielnie umyć i wytrzeć ręce • Naśladuje dorosłych i rówieśników • Spontanicznie okazuje sympatię znajomym dzieciom • Umie poczekać na swoją kolej w zabawie • Rozumie pojęcia „mój, moje” i „jego” lub „jej”
Inne cechy i zachowania, jakich można oczekiwać	• Wylewnie okazuje przywiązanie i sympatię • Może samodzielnie ubierać się w łatwe do założenia rzeczy • Wyraża bogatą gamę emocji • W wieku około trzech lat bez trudu rozstaje się z rodzicami • Protestuje przeciwko większym zmianom w rutynowych czynnościach czy rozkładzie dnia

| Porozmawiaj z lekarzem, jeśli twoje dziecko | • Bardzo często się przewraca lub ma problemy z chodzeniem po schodach
• Uporczywie ślini się lub niewyraźnie mówi
• Nie potrafi zbudować wieży z więcej niż czterech klocków
• Ma trudności z manipulowaniem małymi przedmiotami
• Nie potrafi porozumiewać się za pomocą krótkich zdań
• Sprawia wrażenie, jakby nie umiało się bawić
• Nie potrafi zrozumieć prostych poleceń
• Okazuje niewielkie zainteresowanie innymi dziećmi
• Z najwyższym trudem rozstaje się ze swoim głównym opiekunem |

WSKAŹNIKI ROZWOJU DZIECKA – 3–4 LATA

Rozwój ruchów „dużych"	• Skacze na jednej nodze i potrafi utrzymać równowagę na jednej nodze przez 3–4 sekundy • Wchodzi i schodzi po schodach bez trzymania się poręczy • Najczęściej udaje mu się złapać rzuconą piłkę • Zręcznie porusza się do przodu i do tyłu
Rozwój ruchów precyzyjnych	• Rysuje okręgi • Rysuje ludziki z dwiema–czterema częściami ciała • Posługuje się nożyczkami (pod nadzorem) • Zaczyna kopiować pierwsze duże litery
Rozwój mowy	• Rozumie pojęcia „takie samo" i „inne" • Poprawnie nazywa niektóre kolory • Rozumie pojęcie liczenia i ewentualnie zna kilka cyfr • Wykonuje polecenia złożone z trzech członów • Przypomina sobie pewne szczegóły z bajki czy opowiadania • Mówi zdaniami złożonymi z pięciu słów • Mówi dostatecznie wyraźnie, by być zrozumianym przez nieznajomych • Opowiada historyjki
Rozwój „osobisty" i społeczny	• Zaczyna mieć wyraźniejsze poczucie czasu • Angażuje się w zabawy wymagające wyobraźni • Jest zainteresowane zdobywaniem nowych doświadczeń • Współpracuje z innymi dziećmi • Bawi się w mamę lub tatę (odgrywa w zabawie role rodziców) • Samodzielnie ubiera się i rozbiera • „Negocjuje" rozwiązania konfliktów • Staje się coraz bardziej samodzielne i niezależne
Inne cechy i zachowania, jakich można oczekiwać	• Wyobraża sobie, że za wieloma nieznanymi postaciami kryją się „potwory" • Postrzega siebie jako integralną osobę, z ciałem, myślami i uczuciami • Może mieć trudności z odróżnianiem rzeczywistości od fantazji

Porozmawiaj z lekarzem, jeśli twoje dziecko	• Nie umie podskakiwać w miejscu • Nie umie jeździć na trójkołowym rowerku • Nie umie utrzymać ołówka między kciukiem a palcem wskazującym • Ma trudności w gryzmoleniu • Nie potrafi ustawić na sobie sześciu klocków • Nadal przywiera do rodziców lub płacze za każdym razem, gdy wychodzą • Nie wykazuje zainteresowania zabawami interaktywnymi • Nie zwraca żadnej uwagi na inne dzieci • Nie odpowiada na pytania zadane przez kogokolwiek spoza rodziny • Nie podejmuje zabaw z udziałem wyobraźni • Opiera się przed samodzielnym ubieraniem się, spaniem czy korzystaniem z toalety • Nie przejawia żadnej samokontroli w reakcjach gniewu czy rozdrażnienia • Nie używa zdań złożonych z ponad trzech wyrazów • Nie używa poprawnie słów „ja” i „ty”

WSKAŹNIKI ROZWOJU DZIECKA – 4–5 LAT

Rozwój ruchów „dużych”	• Utrzymuje równowagę na jednej nodze przez 5 sekund lub dłużej • Skacze do przodu ze złączonymi stopami • Umie zrobić „fikołka” (przewrót do przodu) • Huśta się i wspina • Może umieć skakać na skakance
Rozwój ruchów precyzyjnych	• Rysuje krzyżyki i może umieć narysować kwadrat • Rysuje ludziki z głową, tułowiem i kończynami • Umie napisać kilka liter drukowanych • Ubiera się i rozbiera bez pomocy • Używa widelca, łyżki, a czasem również noża przy stole • Zazwyczaj samo dba o swoje potrzeby fizjologiczne
Rozwój mowy	• Wypowiada zdania złożone z ponad pięciu słów • Używa czasu przyszłego • Opowiada coraz dłuższe historyjki • Potrafi podać swój adres zamieszkania • Rozróżnia i nazywa co najmniej cztery kolory • Mówi, co trzeba zrobić, gdy ktoś jest zmęczony, głodny lub zmarznięty
Rozwój „osobisty” i społeczny	• Zadaje mnóstwo pytań • Umie policzyć pięć lub więcej przedmiotów • Coraz lepiej rozumie pojęcie czasu • Jest obeznane z domowymi przedmiotami codziennego użytku • Gra w gry planszowe i w karty

	• Chce sprawiać przyjemność lubianym rówieśnikom i być podobnym do swoich przyjaciół • Jest bardziej skłonne podporządkowywać się regułom • Lubi tańczyć, śpiewać i „odgrywać role" • Wykazuje rosnącą samodzielność
Inne cechy i zachowania, jakich można oczekiwać	• Ma świadomość odmienności płci – odróżnia chłopców od dziewczynek • Potrafi oddzielić fantazję od rzeczywistości • Czasami bywa uparte i „roszczeniowe", a czasami bardzo posłuszne i skłonne do współpracy
Porozmawiaj z lekarzem, jeśli twoje dziecko	• Zachowuje się w sposób skrajnie bojaźliwy lub agresywny • Nie jest w stanie bez gorących protestów rozstać się z rodzicami • Łatwo się rozprasza i nie potrafi skoncentrować się na pojedynczej aktywności dłużej niż przez 5 minut • „Z zasady" odmawia odpowiedzi na pytania innych osób • Rzadko robi użytek z wyobraźni podczas zabawy • Zazwyczaj wydaje się nieszczęśliwe i smutne • Nie angażuje się w różnorodne działania • Unika innych dzieci i dorosłych lub wydaje się wyobcowane • Nie wyraża szerokiej gamy emocji • Ma trudności w jedzeniu, spaniu czy załatwianiu potrzeb fizjologicznych • Nie potrafi odróżnić fantazji od rzeczywistości • Nie potrafi zrozumieć ani wykonać dwuczłonowych poleceń z przyimkami lub spójnikami („Podnieś książkę i połóż na stole") • Nie potrafi poprawnie podać swojego imienia i nazwiska • Mówiąc, nie używa prawidłowo liczby mnogiej czy czasu przeszłego • Nie opowiada o swoich codziennych zajęciach czy przeżyciach • Nie umie narysować okręgu • Nie umie zbudować wieży z 6–8 klocków • Wydaje się z trudem trzymać w dłoni ołówek • Ma kłopoty z rozbieraniem się

Jeśli potrzebujesz dodatkowych informacji, zasięgnij porady lekarza.

Rozdział 18

Czas zabawy

Rozwój poprzez zabawę

Definiowana jako „spontaniczna aktywność dzieci", zabawa odgrywa nieocenioną rolę w ich rozwoju: pozwala im poszerzyć i pogłębić znajomość siebie samych i innych ludzi, pobudzając przy tym zdolności do komunikowania się ze światem.

Zabawa jest czymś znacznie więcej niż tylko rozrywką. Jest to aktywność, przez którą dziecko buduje poczucie własnej wartości i wiarę w swoje możliwości – zwłaszcza gdy rodzice odgrywają w niej czynną rolę. Czas spędzony na zabawie z rodzicami – ulubionymi i bezkonkurencyjnymi towarzyszami zabaw – jest najważniejszym czasem w życiu małego dziecka. Niemowlę otrzymujące „odpowiedź" na swoje gaworzenie w postaci uśmiechu matki czy ojca albo dwulatek nagradzany za zbudowanie wieży z klocków uczą się, że mają coś cennego do zaoferowania światu. Poza tym zabawa stanowi oczywiście znakomitą okazję do wysiłku fizycznego, co sprzyja ogólnej sprawności najpierw dziecka, potem nastolatka i wreszcie człowieka dorosłego.

> **„Głos doświadczenia"**
>
> *„Jeśli nie możesz zaofiarować dziecku nieograniczonej ilości czasu, zadbaj przynajmniej o jego jakość. Pranie, zmywanie czy inne prace domowe mogą poczekać. Przytulenie dziecka, czytanie mu książeczek, wspólne malowanie palcem czy lepienie pięknego bałwana w ogrodzie są dużo, dużo ważniejsze".*
> – ZA: KIDSHEALTH PARENT SURVEY

Rola zabawy

Potrząsając grzechotką i konstatując, że wydaje ona wtedy dźwięki, niemowlę ćwiczy zarówno myślenie przyczynowo-skutkowe, jak i koordynację ruchową. Wyciągając rączki do ruchomej karuzeli zawieszonej nad jego łóżeczkiem, dziecko uczy się równowagi i stosunków przestrzennych. (Więcej szczegółów na temat rozwoju dziecka znajdziesz w rozdziale 17, „Wzrost i rozwój").

Podczas każdej wizyty kontrolnej (opisanej w rozdziale 13, „Rutynowa opieka lekarska") lekarz zada ci zapewne pytania, które pomogą mu ustalić, czy twoje dziecko bawi się w sposób odpowiedni do jego wieku z punktu widzenia postępów w rozwoju. Lekarz może cię więc zapytać, czy dziecko bawi się w „A ku-ku!", czy próbuje wydostać się z łóżeczka, sięga po przedmioty, nakrywa i odkrywa zabawki i tak dalej. Pamiętaj, że chociaż każde dziecko rozwija się w indywidualnym, właściwym dla niego rytmie, możesz pomóc mu w osiągnięciu oczekiwanych dla jego wieku wskaźników – o ile jeszcze ich nie osiągnęło – właśnie przez zabawę: pokazując mu, jak bawić się w „A ku-ku!", jak turlać się po podłodze czy potrząsać grzechotką.

> ### „Głos doświadczenia"
> *„Nie popędzaj dziecka, żeby szybciej rosło, pozwól mu jak najdłużej być dzieckiem. Pozwól mu się wygłupiać. Pozwól mu biegać po całym domu z krzykiem i śmiechem. Podsycaj jego ciekawość, zamiast ją tłumić. Ale przede wszystkim kochaj je".*
> – ZA: KIDSHEALTH PARENT SURVEY

> ### „Głos doświadczenia"
> *„Podstawowa rada dla pracujących rodziców: kiedy tylko pod koniec dnia przełożysz nogi przez próg domu, zapomnij o zmęczeniu. Mocno przytul i ucałuj dziecko, po czym poświęć wyłącznie jemu 15-30 minut bardzo cennego dla was obojga czasu".*
> – ZA: KIDSHEALTH PARENT SURVEY

Etapy

W miarę upływu czasu zauważysz najprawdopodobniej, jak ewoluują zabawy twojego dziecka, osiągając kolejne typowe etapy rozwojowe:

- Zabawa niemowlęcia polega przede wszystkim na eksperymentowaniu z wrażeniami zmysłowymi i ruchem. Półroczne dziecko popycha piłkę i stwierdza, że oto wprawiło ją w ruch. Dziecko uczy się, że jeśli chce jeszcze raz wprawić piłkę w ruch, musi ponownie ją odepchnąć. Dziecko 12-miesięczne potrząsa grzechotką, aby usłyszeć wydawane przez nią dźwięki i doświadczyć uczucia potrząsania.
- Między dwunastym a osiemnastym miesiącem życia dzieci zaczynają odkrywać zabawę „na niby", z udziałem wyobraźni. Na pewno nieraz uda ci się podpatrzeć, jak twoje dziecko karmi misia łyżeczką z kubka albo jak przykłada sobie banana do ucha, udając, że to telefon. Jednocześnie nawet najprostsze zabawy interaktywne, w rodzaju „A ku-ku!" czy „Kosi-kosi łapki", uczą dziecko współpracy z innymi ludźmi i oczekiwania na swoją kolej.
- Na wiek od półtora roku do trzech lat przypada rozkwit zabawy udawanej, naśladującej świat dookoła. Dziecko będzie więc z zapałem grabić liście, karmić i „wychowywać" lalki i misie i urządzać dla nich „przyjęcia" – a wszystko po to, by zachowywać się tak jak ty! W tym okresie zobaczysz również, jak rolka papierowego ręcznika staje się trąbką, a twoja długa czarna spódnica peleryną Zorro. Dzieci w tym wieku lubią przebywać z innymi dziećmi, choć tak naprawdę jeszcze nie bawią się z innymi – jest to etap tak zwanej „zabawy paralelnej",

podczas której każde z dzieci zajmuje się własnymi sprawami, bez rzeczywistych interakcji.

- Cztero- i pięciolatki są specjalistami w szalonych i pasjonujących zabawach. Wyobraźnia pracuje u nich na pełnych obrotach – budują z klocków *prawdziwe* drapacze chmur, a z gliny czy plasteliny lepią *żywych* ludzi. Przepadają również za grami opartymi na określonych regułach, w których można coś zrobić dobrze albo „skusić". Coraz bardziej lubią gry planszowe, na przykład warcaby. Dzieci w tym wieku są gotowe do prawdziwie interaktywnej zabawyc w grupie, na przykład w „berka", „chowanego" czy „kółko graniaste".

Jak pomóc dziecku

Możesz sprzyjać zabawie dziecka i pomagać mu się bawić, jeśli będziesz przestrzegać następujących zasad:

- Staraj się choćby częściowo patrzeć na świat oczyma dziecka, puść wodze wyobraźni i włącz się do zabawy.
- Wybieraj dziecku zabawki odpowiednie do jego wieku i możliwości.
- Stwórz dziecku bezpieczne, przestronne i wolne od ograniczeń miejsce do zabawy.
- Zapewnij mu zabawki i inne akcesoria, które będą pobudzać jego umiejętności badawcze i adaptacyjne.
- Trzymaj zabawki na poziomie oczu dziecka i okresowo zmieniaj ich zestaw, aby uniknąć znudzenia.
- Nie szczędź dziecku pochwał w rodzaju „Jak ślicznie się bawisz" itp.

Ważne jest również, by stworzyć dziecku okazję do kontaktów z innymi dziećmi i wyładowania energii w dynamicznych zabawach ruchowych. Odpowiednio wyposażone i zabezpieczone place zabaw są przeznaczone specjalnie do tego celu.

Lekarz radzi

Zachować umiar

Wielu rodziców – i to nie tylko dzieci w wieku szkolnym, ale również najmłodszych – wierzy, że im więcej zorganizowanych „zajęć dodatkowych", tym większe szanse na ich wszechstronny rozwój i przyszłe wybitne osiągnięcia. Jeśli podzielasz ten pogląd, staraj się jednak nie popaść w przesadę. Zbyt wiele nowych aktywności, nowych kolegów i instruktorów może być stresujące, zwłaszcza dla małego dziecka. Postaraj się przeznaczyć nieco czasu na zupełnie swobodną, improwizowaną zabawę, która pozwoli twojemu dziecku myśleć i marzyć po swojemu.

Bardzo dobrym pomysłem jest zapisanie dziecka do ośrodka sportowo-rekreacyjnego czy przedszkola. Udział w takich zajęciach pozwala dziecku zdobywać pierwsze doświadczenia społeczne, a dodatkową korzyścią dla ciebie jest również poszerzenie kręgu znajomych o ludzi w podobnej do twojej sytuacji – rodziców małych dzieci, z którymi siłą rzeczy łączy cię wspólnota zainteresowań i problemów.

Wybór odpowiednich zajęć i zabawek

A oto nasze sugestie co do zabawek odpowiednich dla dzieci w różnym wieku:

- Dla niemowlęcia w wieku 3–6 miesięcy: zabawki do trzymania w rękach; karuzela z pozytywką; nietłukące się lusterko (przyczepione do boku łóżeczka lub w pobliżu stołu do przewijania); zabawki piszczące i grzechotki. (Nawet najmłodsze dzieci słuchają pozytywki i muzyki z radia czy kasety. Nigdy nie jest „za wcześnie" na rozbudzanie w dziecku zamiłowania do muzyki).
- Dla niemowlęcia w wieku 6–9 miesięcy: kolorowe plansze (przytwierdzone do boku łóżeczka); miękkie lalki i pluszowe zwierzęta; piłki do turlania i raczkowania za nimi; przybory kuchenne, takie jak garnki, rondle, plastikowe miarki, drewniane łyżki; drewniane lub plastikowe klocki; zabawki ruchome (samochodziki lub inne zabawki podskakujące po naciśnięciu odpowiedniego guzika); książeczki (sztywne, tekturowe, z dużymi, kolorowymi obrazkami).
- Dla niemowlęcia w wieku 9–12 miesięcy: zabawki do popychania przed sobą (samochodziki, taczki itp.), sprzyjające praktykowaniu świeżo nabytej sztuki chodzenia na dwóch nogach; piłki do rzucania (na stojąco!); książeczki z miękkimi stronami, np. z tkaniny; klocki do układania jeden na drugim; wiaderka i łopatki do piaskownicy.
- Dla dziecka w wieku 1–3 lat: różnokształtne klocki do budowania wież i zamków; wagoniki i inne zabawki na kółkach do popychania i ciągnięcia; układanki, zabawki do sortowania i wkładania jednych w drugie; przyrządy gimnastyczne do wspinania się; zmywalne flamastry i kredki; zabawki z siodełkami (ciężarówka, konik na biegunach) zestawy typu „mały majsterkowicz" i/lub naczynia kuchenne dla lalek; książeczki z obrazkami.
- Dla przedszkolaka: rowerek na trzech kółkach i inne zabawki do

> ### „Głos doświadczenia"
>
> *„Wchodząc w interakcje ze swoim dzieckiem, nie zawsze musisz uczyć je pouczać. Pamiętaj, żeby od czasu do czasu na poważnie zaangażować się w zabawę, a nie być tylko poważnym nauczycielem".*
> – ZA: KIDSHEALTH PARENT SURVEY

> ### „Głos doświadczenia"
>
> *„Przyjaciółka poradziła mi kiedyś, żebym sama celowo wychodziła poza kontury, pokazując dziecku, jak się wypełnia książeczki do kolorowania. Oszczędza to dziecku porównywania własnych osiągnięć z «doskonałym» rysunkiem, wykonanym ręką dorosłego".*
> – ZA: KIDSHEALTH PARENT SURVEY

jeżdżenia; piłki do rzucania i łapania lub do koszykówki; przybory malarskie, takie jak zmywalne farby i duże pędzelki (wyznacz dziecku miejsce, gdzie będzie mogło spokojnie tworzyć, nie przejmując się bałaganem); instrumenty perkusyjne; lalki do ubierania; serwisy i jedzenie dla lalek; zabawki konstrukcyjne; puzzle i inne zabawki manipulacyjne.

Wybierając zabawki dla dziecka, nie przejmuj się zbytnio kwestią płci. Nie roztrząsaj, czy dziewczynka powinna bawić się ciężarówką, a nie tylko pluszowymi zwierzątkami, albo czy synkowi „wypada" sprawić lalkę zamiast pistoletu. Wielu rodziców uważa, że stereotypowy podział ról między płciami jest dzieciom wpajany właśnie przez zabawki i zabawę. Z pewnością coś w tym jest, ale nie należy przywiązywać do tego nadmiernej wagi. Dlaczego dziecko nie miałoby samo wybierać między ciężarówką a lalką czy między pluszowym misiem a Batmanem? Pozwól mu na taką decyzję, oferując różne możliwości. Przeznaczenie „dla chłopców" czy „dla dziewczynek" naprawdę nie ma większego znaczenia. Ważne jest, by zabawki dla małych dzieci były edukacyjne, bezpieczne, a przede wszystkim zabawne.

Zabawki trzeba zawsze starannie dobierać, a bezpieczeństwo musi być twoim bezwzględnym priorytetem. Każdy dom i mieszkanie, w którym przebywa niemowlę lub małe dziecko, wymaga odpowiedniego przystosowania, czyli usunięcia lub blokady wszelkich potencjalnych zagrożeń dla jego zdrowia i życia. (Dokładnie omawiamy to w rozdziale 2, „Przygotowanie domu i rodziny"). Aby uniknąć ryzyka zadławienia się dziecka do lat trzech, poszczególne części jego zabawek powinny być na tyle duże, by nie przechodziły przez środek rolki papieru toaletowego. Wszystkie zabawki muszą być starannie wykonane i w dobrym stanie. Dla niemowlęcia i małego dziecka niebezpieczne są wszelkie sznurki i tasiemki, które mogłyby owinąć się wokół jego

Lekarz radzi

Proste zabawki dla najmłodszych

Nawet jeśli skomplikowane, zaawansowane technologicznie zabawki wyglądają bardzo atrakcyjnie i mogą wydawać się obiecujące z punktu widzenia pobudzania wszechstronnego rozwoju, dla małych dzieci, które dopiero uczą się bawić, lepsze są często rzeczy znacznie prostsze. Zdarza się również, że bogate właściwości zabawki wręcz tłumią aktywność i wyobraźnię wykazywane przez dziecko podczas zabawy. Najprostszy zestaw drewnianych wagoników może tymczasem zainspirować małego konduktora do wspaniałych podróży, zwykła szmaciana laleczka bez żadnych dodatkowych „umiejętności" bywa obiektem największej miłości, opieki i wychowywania, a stary garnek z pokrywką staje się doskonałą „pomocą naukową" w rozwoju myślenia przyczynowo-skutkowego.

Lekarz radzi

Czyszczenie zabawek

Aby nie stały się siedliskiem bakterii, wszystkie plastikowe zabawki wymagają regularnego mycia gorącą wodą z mydłem, a następnie płukania i dokładnego wysuszenia.

szyi. Z powodu ryzyka zaburzeń oddychania, czy nawet uduszenia, niemowlę w pierwszym półroczu życia nie powinno też spać w łóżeczku wypełnionym pluszowymi, miękkimi zabawkami. Więcej informacji na temat fundamentalnych kwestii bezpieczeństwa znajdziesz w rozdziale 24, „Bezpieczeństwo dziecka".

Kształtowanie umiejętności społecznych

Obserwując swoje dziecko podczas zabawy z innymi dziećmi w piaskownicy czy na placu zabaw, jesteś zarazem świadkiem jego pierwszych „treningów interpersonalnych". Dzieci uczą się głównie metodą prób i błędów (czasami z pomocą kilku rękoczynów), jak dzielić się zabawkami i rolami, jak zdobyć poważanie innych, jak okazać dobre maniery, a także odkrywają niezwykle ważną prawdę, że to, w jaki sposób postępują, ma wpływ na postępowanie innych wobec nich. Sama nie jesteś w stanie wyposażyć dziecko w całą tę wiedzę – wymaga ona osobistego doświadczenia, przeżycia – dosłownie i w przenośni – „na własnej skórze". Postępowanie wobec najczęstszych problemów behawioralnych w okresie nabywania umiejętności społecznych omawiamy dokładniej w rozdziale 19, „Temperament, zachowanie i dyscyplina".

Jeśli twoje dziecko wydaje się odstawać od rówieśników pod względem umiejętności społecznych, możesz pomóc mu, stwarzając tym więcej okazji do ich praktykowania. Nawet małe dziecko może ćwiczyć nawiązywanie kontaktów z nieznajomymi, zaczynanie rozmowy, okazywanie innym swojego zainteresowania i przyłączanie się do aktywności grupy. Rodzice mogą odgrywać i aranżować różne sytuacje towarzyskie, kształtując jednocześnie pożądany model zachowań dziecka. Oczywiście jeśli czujesz, że twoje dziecko potrzebuje bardziej specjalistycznej pomocy niż twoja, porozmawiaj na ten temat z lekarzem.

„Głos doświadczenia"

„Staraj się przełamywać własne fobie, próbować nowych doświadczeń i uczyć się razem z dzieckiem. Nigdy nie byłam wielką entuzjastką węży ani innych stworzeń pełzających, ale ponieważ nie chciałam utrwalić w mojej córeczce obrzydzenia i lęku przed nimi, któregoś dnia odważyłam się wziąć węża do ręki. I wiesz co? Węże, a nawet gąsienice są zupełnie miłe w dotyku".

– ZA: KIDSHEALTH PARENT SURVEY

Jak świetnie bawić się z dzieckiem

Jedna z naszych czytelniczek napisała do nas z prośbą, byśmy przypomnieli rodzicom, że „dzieci nie zawsze wymagają od nas wielkich rzeczy, a za to często na całe życie zapamiętują różne drobiazgi, na przykład wspólnie przeczytane książki, podrzucanie na kolanach czy wypady do zoo". W pełni podpisujemy się pod tą uwagą! A oto kilka pomysłów na „drobiazgi" – wspólne zabawy z dzieckiem, niemal od pierwszych chwil jego życia:

1–3 miesiące

Samolot: Usiądź na podłodze, trzymając dziecko przed sobą pionowo twarzą w twarz. Podtrzymuj dłońmi jego główkę. Powiedz: „Uwaga, uwaga, lecimy... Szuuu!". Płynnie i niezbyt szybko przewracając się na plecy, unieś dziecko do góry i potrzymaj w powietrzu.

Pszczółka: Trzymając dziecko wygodnie, ustaw palec w zasięgu jego wzroku i wydaj dźwięk „bzzz...". Poruszaj palcem dookoła – dziecko powinno śledzić wzrokiem „pszczółkę" w twoim wykonaniu. Następnie weź paluszek dziecka i poobracaj nim w powietrzu, przez cały czas „bzycząc". Pozwól małej „pszczółce" wylądować na twoim nosie czy policzku.

Dźwig: Połóż się na plecach i unieś dziecko ponad sobą. Powiedz: „A teraz chcę całuska!", obniżając je do swojego poziomu i całując.

Przejażdżka po „kocich łbach": Posadź sobie dziecko na kolanach, trzymając je mocno pod pachami. Przesuń się na sam brzeg siedzenia, po czym unoś i opuszczaj uda i kolana, naśladując ruchy niezbyt gwałtownego podskakiwania na wybojach. Jeśli dodasz to tej zabawy jakiś rytmiczny wierszyk, będzie jeszcze zabawniej, a przy okazji z pożytkiem dla rozwoju językowego dziecka.

4–7 miesięcy

Wywrotka: Postaw dziecko na łóżku, podtrzymując je pod pachami, i ostrożnie przewróć je na materac.

Raz, dwa, trzy!: Niemowlę przepada za antycypowaniem ruchu, więc ta zabawa jest zwykle jedną z ulubionych. Złap dziecko za rączki, gdy leży na plecach, i powiedz: „Wstajemy?... Raz, dwa, trzy!" – podciągając je delikatnie do góry.

Piłka i zabawki do pchania: W miarę jak zwiększa się ruchliwość dziecka, coraz bardziej interesują je przedmioty do wprawiania w ruch, takie jak piłki i zabawki na kółkach. Pamiętaj, by usunąć je w momencie, gdy dziecko będzie próbowało podciągać się do siadania i stania, bo może sobie zrobić krzywdę, opierając się na ruchomej podporze.

„Awangardowe" malunki: Połóż dziecku na tackę jego fotelika łyżkę purée ziemniaczanego czy budyniu i pozwól mu wykonać palcami abstrakcyjne malowidło z tej „farby". Jest to dla dziecka ogromna przyjemność.

„A ku-ku!": Ten stary standard nieodmiennie zachwyca kolejne pokolenia dzieci, ucząc je zarazem jednej z fundamentalnych prawd o świecie: że przedmioty i ludzie nie przestają istnieć nawet wtedy, gdy chwilowo nie można ich zobaczyć (jest to koncepcja zwana poczuciem trwania rzeczy). Zakryj twarz rękami czy załóż ręcznik na głowę, po czym wychyl się zza zasłony z triumfalnym okrzykiem „A ku-ku!".

8–12 miesięcy

„Sroczka kaszkę warzyła", „Idzie kominiarz po drabinie" itp.: Dzieci uwielbiają rymowanki i z wielką radością antycypują towarzyszące im ruchy.

Raz, dwa trzy, teraz ty: Rytmiczne wyliczanki doskonale nadają się do nauki wchodzenia i schodzenia po schodach.

Zabawa w chowanego: Jest to nieco wyższy „stopień wtajemniczenia" w porównaniu z „A ku-ku!", pogłębiający poczucie trwania ludzi i rzeczy. Schowaj zabawkę – lub schowaj się sama – i zachęć dziecko do poszukiwań.

1–2 lata

Cienie: Wyjdź z dzieckiem na dwór w słoneczny dzień i pokaż mu wasze cienie na ziemi. Pozwól mu odnaleźć swój i twój, potem wykonaj kilka wyraźnych ruchów i zwróć uwagę dziecka, jak twój cień tańczy razem z tobą.

Ślady: Połóż na ziemi duży arkusz papieru. Wlej do plastikowego pojemnika trochę nietoksycznej, zmywalnej farby i pozwól dziecku umoczyć w niej stopy. Następnie przenieś je na papier i zachęć do pokrycia arkusza odciskami stóp. W podobny sposób można robić odciski dłoni.

Piłka nożna: Potocz dużą piłkę w stronę stojącego dziecka i poproś, by kopnęło ją z powrotem w twoją stronę. Jest to dobre ćwiczenie zarówno refleksu, jak i utrzymywania równowagi na jednej nodze.

Obrazki z makaronu: Połóż dziecku na tacy kilka nitek spaghetti lub nieco makaronu w innych ciekawych kształtach. Pokaż mu, jak pomalować makaron farbą-plakatówką i poprzyklejać na kartce papieru.

3–5 lat

Przedstawienie kukiełkowe: Spraw dziecku kukiełki i miniscenę, np. z tekturowego pudła. Razem możecie odgrywać nieskończoną ilość scenek z życia codziennego czy z ulubionych bajek dziecka.

Zabawa w dom: Zachęcaj dziecko do zabawy lalkami, przedstawiającymi wszystkich członków waszej rodziny. Odgrywajcie razem scenki z życia codziennego, takie jak rodzinny obiad, układanie dziecka spać, spacer z psem itp.

„Kółko graniaste", „Stary niedźwiedź mocno śpi", „Stoi różyczka..." itp.: Te popularne, stare zabawy rozwijają w dziecku i jego kolegach zasady współdziałania w grupie, będąc jednocześnie lekcją rytmiki i wykonywania prostych poleceń.

Sprawność, ruch i sport

Wiek dziecięcy może i powinien być okresem wszechstronnej aktywności fizycznej. Niemowlę gimnastykuje się z zapałem, prostując i zginając kończyny, przekręcając się z brzucha na plecy i odwrotnie, raczkując i stawiając pierwsze kroki. Wszystkie te czynności wymagają znacznego wysiłku fizycznego i są dla dziecka pierwszą naturalną lekcją aktywnego trybu życia.

Dzieci dwu- i trzyletnie rosną w nieustannych, chaotycznych zabawach ruchowych, takich jak bieganie, huśtanie się, wspinanie, zabawy w piaskownicy czy – pod ścisłym jednak nadzorem – w wodzie. W wieku około dwóch lat twoje dziecko powinno umieć skakać na dwóch złączonych nogach, skakać ze skakanką i biegać. Zbliżając się do trzecich urodzin, dziecko w pełnym rozpędzie powinno swobodnie zmieniać kierunki ruchu (z lewa na prawo, do przodu i do tyłu, itp.).

Cztero- i pięciolatki uczą się bawić w sposób coraz bardziej skoordynowany i są już w stanie uczestniczyć w niektórych grach zespołowych. Dzieci w tym wieku mogą bawić się dużymi, lekkimi piłkami, a także jeździć na rowerkach ustabilizowanych dodatkowymi kółkami po bokach. (Nie wolno im jednak włączać się do normalnego ruchu, ponieważ brakuje im rozsądku i świadomości niebezpieczeństwa, jak również pełnej koordynacji). Chętnie uczą się pływać, tańczą, gimnastykują się i próbują sił na łyżwach.

Większość ekspertów uważa, że dopiero w wieku 7–8 lat dziecko może uprawiać zorganizowany sport zespołowy. Zależy to oczywiście od dziecka, niemniej jednak wiele dyscyplin zespołowych może narażać dziecko na urazy, w wieku poniżej siedmiu lat są bowiem jeszcze zwykle zbyt delikatne w swej budowie. Nie chodzi tu zresztą tylko o ryzyko urazów fizycznych, ale także o kwestię ukształtowanych umiejętności rywalizacji, wygrywania i przegrywania. Porażki sportowe są ciężkim przeżyciem nawet dla dorosłych, a małe dziecko tym bardziej nie jest przygotowane na nie emocjonalnie. Dzieci w wieku przedszkolnym powinny mieć wszelkie szanse na swobodną zabawę ruchową, bez obciążeń, kto wygra, a kto przegra.

Niezależnie od tego, w jakim wieku jest twoje dziecko i jaki uprawia sport, pamiętaj, że przede wszystkim powinno czerpać z niego radość. Jeśli widzisz, że jest inaczej, zapytaj o przyczyny i postaraj się dociec istoty problemu. Spróbuj ustalić, dlaczego twoje dziecko ma obawy lub opory przed udziałem w tej czy innej grze. W razie potrzeby wstrzymaj ten rodzaj aktywności i zaproponuj ją dziecku ponownie po kilku miesiącach czy latach, a w tym czasie znajdź mu inną, która będzie dla niego przyjemnością.

Czuwając nad dzieckiem zaangażowanym w dowolną aktywność fizyczną, musisz przestrzegać kilku podstawowych zasad:

- Nie zmuszaj dziecka do rywalizacji ani bicia rekordów. Może to całkowicie zniechęcić je do sportu i ruchu albo narazić na niebezpieczeństwo, jeśli będzie starać się przekroczyć własne możliwości.
- Koncentruj się głównie na sukcesach, a nie na porażkach dziecka. Chwal je i nagradzaj, gdy coś mu się uda, i stwarzaj mu liczne okazje do wygrywania.

Lekarz radzi

Dzielenie się i współdziałanie

Dzielenie się zabawkami i zabawą bywa trudne dla małych dzieci, które nie potrafią patrzeć na świat z innej perspektywy niż ich własna i potrzebują sporo czasu, by pogodzić się z taką koniecznością. Jeśli twojemu dziecku idzie to szczególnie opornie, pomóż mu zrozumieć istotę dzielenia się i współdziałania, stosując następujące metody:

- Wymyślaj proste zabawy wymagające współdziałania i oczekiwania na swoją kolej, jak gra w piłkę czy bujanie się na huśtawce.
- Dostarczaj dziecku przykładów uczynności wobec innych (np. podwożąc autostopowicza czy pożyczając sąsiadce szklankę cukru) i tłumacz mu, jaką przyjemność sprawia ci podzielenie się czymś z drugim człowiekiem.
- Pozwól dziecku samemu wybrać to, co nadaje się do użyczenia innym dzieciom: nic się nie stanie, jeśli któreś z jego rzeczy będą spod tego wyłączone (np. ukochany kocyk czy miś), ale za to inne zabawki (np. foremki w piaskownicy) – używane do wspólnej zabawy.

Więcej informacji na temat uczenia dziecka, jak dzielić się z innymi, znajdziesz w rozdziale 19, „Temperament, zachowanie i dyscyplina".

- Wprowadzaj nowe rodzaje aktywności fizycznej, zwłaszcza jeśli dziecko jest nimi zainteresowane. Jakakolwiek „specjalizacja" w tym wieku nie jest ani uzasadniona, ani wskazana.
- Staraj się unikać nadmiernego porównywania twojego dziecka z innymi. Jeśli nie ma ewidentnych powodów do niepokoju, pozwól mu rozwijać się i doskonalić różnorodne sprawności w jego własnym rytmie.

Czasami niechęć dziecka do zabawy czy interakcji z rówieśnikami może wskazywać na problemy natury zdrowotnej lub psychologicznej. Jeśli twoje dziecko skarży się na ból, zmęczenie czy niezdolność do dotrzymania kroku innym dzieciom albo uparcie odmawia przyłączenia się do zbiorowej zabawy, zasięgnij porady lekarza.

Rodzinne uprawianie sportu

Kiedy tylko jest to możliwe, ruszaj się i uprawiaj sport razem z twoimi dziećmi. Gdy cała rodzina wyrusza na wycieczkę rowerową czy pieszą, rodzice zachęcają dzieci do aktywności w najskuteczniejszy sposób – własnym przykładem, a jednocześnie przyjemnie i z pożytkiem dla zdrowia spędzają razem czas. Wspólne spacery, gra w piłkę, biegi na podwórku czy akrobacje na przyrządach ustawionych na placu zabaw w parku mogą być wspaniałą zabawą dla całej rodziny.

Jak zadbać o bezpieczeństwo rodzinnego sportu

Podczas jakiejkolwiek aktywności fizycznej z udziałem małego dziecka musisz stale pamiętać o kwestiach bezpieczeństwa i zapobiegania urazom. Sport i rekreacja całą rodziną bezwzględnie wymagają przestrzegania następujących zasad:

- Wyruszając na przejażdżkę rowerową, wszyscy członkowie rodziny – zarówno dorośli, jak i dzieci na trójkołowych rowerkach – muszą mieć na głowach kaski ochronne. Im wcześniej dziecko założy kask, tym większa szansa, że ta podstawowa zasada bezpieczeństwa wejdzie mu w nawyk na całe życie.
- Nad jakąkolwiek wodą – nad morzem, jeziorem czy na basenie – nie wolno spuścić małego dziecka z oka nawet na chwilę, bo też nie potrzeba więcej niż chwili, by stało się nieszczęście. Dobrą praktyczną zasadą jest pozostawanie przy dziecku w odległości nie dłuższej niż twoje ramię.
- Przed każdą zabawą na świeżym powietrzu – nawet w pochmurne dni – zabezpiecz odsłoniętą skórę dziecka filtrem przeciwsłonecznym. Zapobiega to oparzeniom słonecznym, a w dalszej perspektywie zmniejsza ryzyko raka skóry.
- Nie pozwalaj dziecku skakać na siatkach czy trampolinach. Dzieci nie powinny korzystać z tego rodzaju urządzeń z powodu dużej liczby urazów, odnotowywanych we wszystkich grupach wiekowych.

Więcej informacji na temat bezpiecznego uprawiania sportu znajdziesz w rozdziale 24, „Bezpieczeństwo dziecka".

Telewizja, komputery i inne media

Przeciętne dziecko spędza przed telewizorem od trzech do pięciu godzin dziennie. Co więcej, telewizor jest włączany w ciągu dnia w 70% placówek opieki nad dziećmi! Niekoniecznie musi to oznaczać coś złego – nikt w końcu nie odmawia telewizji walorów edukacyjnych i rozrywkowych. Nikt też jednak nie zaprzeczy, że oglądanie telewizji ma swoje niekorzystne strony.

Lekarz radzi

Ruch dla wszystkich

Przewlekła choroba czy kalectwo dziecka nie oznacza wyłączenia go z rodzinnej aktywności fizycznej. Pewne rodzaje zajęć sportowych mogą jednak wymagać modyfikacji czy dostosowania, a jeszcze inne mogą być zbyt ryzykowne, zależnie od stanu dziecka. W każdym konkretnym przypadku dobór odpowiedniej, bezpiecznej aktywności fizycznej wymaga porozumienia z lekarzem.

Badania wykazują, że dzieci regularnie spędzające przed telewizorem ponad 10 godzin tygodniowo mają większą tendencję do nadwagi, agresji i wolniejszych postępów w nauce. Dzieci oglądające w telewizji sceny przemocy – nie tylko filmy, ale i fakty, na przykład informacje o porwaniach i morderstwach w dziennikach – częściej dorastają w przeświadczeniu, że świat jest przerażający i że im również przytrafi się coś złego. Badania wskazują ponadto na istotną rolę telewizji w utrwalaniu stereotypów rasowych i związanych z płcią.

Aby ograniczyć niekorzystne efekty oglądania telewizji, zaleca się, by dzieci nie spędzały przed ekranem więcej czasu niż godzinę do dwóch dziennie – przy czym chodzi tu łącznie o wszystkie media (telewizor, komputer, wideo itp.). Rodzice zaś powinni maksymalnie ograniczyć dostęp do telewizora dzieciom poniżej dwóch lat, ponieważ, jak wynika z badań, niemowlęta i małe dzieci wykazują krytyczną potrzebę bezpośrednich kontaktów z rodzicami i innymi ważnymi w ich życiu osobami, które są im niezbędne do prawidłowego rozwoju mózgu i zdobywania odpowiednich umiejętności społecznych, emocjonalnych i poznawczych. Innymi słowy, czas spędzony przed telewizorem to czas stracony dla ważnych interakcji społecznych.

Potencjalne negatywne oddziaływania telewizji na dziecko

Dwa najczęściej omawiane i badane negatywne aspekty telewizji w odniesieniu do małych dzieci to przemoc i otyłość.

Przemoc

Telewizja pokazuje i promuje przemoc jako podniecającą i skuteczną drogę do osiągnięcia zamierzonego celu. Rodzice uczą dzieci, że bójka nie jest właściwym sposobem rozwiązywania konfliktów, ale telewizja przesyła im całkowicie odmienny komunikat: najbardziej godni podziwu bohaterowie strzelają, zadają ciosy, biją, kopią... i zwyciężają! A nawet zdecydowanie „czarne charaktery" rzadko ponoszą odpowiedzialność i zasłużoną karę za swoje czyny.

Wchłaniane przez dziecko obrazy mogą również wzbudzić w nim lęk. Według niedawno przeprowadzonego badania, dla dzieci w wieku od dwóch do siedmiu lat szczególnie przerażające są zjawiska fantastyczne i dziwaczne, na przykład „kosmiczne" potwory. Proste wyjaśnienia, że nie istnieją one naprawdę, nie są dla dziecka wielką pociechą, bo nie potrafi ono jeszcze w pełni oddzielić fantazji od rzeczywistości.

Otyłość

Badania naukowe potwierdziły związek między nadmiernym oglądaniem telewizji a otyłością – jednym z ważniejszych problemów zdrowotnych dnia dzisiejszego (patrz rozdział 32, „Problemy zdrowotne okresu wczesnego dzieciństwa"). Oglądanie telewizji jest zajęciem biernym, a dzieci tkwiące w bezruchu nie dość, że nie spalają

„Głos doświadczenia"

„Kiedy mówię moim dzieciom, że dosyć na dziś telewizji, najchętniej przełączają się na komputer lub na wideo, zamiast wyjść na dwór czy choćby pobawić się zabawkami. Z przykrością zdałam sobie sprawę, że taki zakaz oznacza dla nich po prostu zamianę jednego elektronicznego medium na inne, ale przez cały czas tkwią przed szklanym ekranem! Ustalając jakiekolwiek limity, trzeba mówić do dzieci precyzyjnie, a przy tym podsuwać im pomysły, czym mogą się zająć".
– ZA: KIDSHEALTH PARENT SURVEY

kalorii, to jeszcze mają skłonność do niekontrolowanego sięgania po jedzenie. Co gorsza, telewizja bombarduje je reklamami, zachęcającymi do konsumpcji najbardziej niezdrowych rzeczy – chipsów i słodyczy, które często stają się ulubionymi przekąskami.

Nawet wartościowe, edukacyjne programy telewizyjne wywierają pośrednio ten sam negatywny wpływ na zdrowie dziecka. Dzieci godzinami oglądające „Ulicę Sezamkową" również nie ruszają się, nie nawiązują kontaktów społecznych i nie wychodzą na świeże powietrze.

Co mogą zrobić rodzice?

Poglądy ekspertów na udział telewizji w życiu dziecka są zróżnicowane w dość szerokim zakresie: wielu z nich popiera kilka godzin programów edukacyjnych tygodniowo, inni uważają, że najlepszym rozwiązaniem jest całkowita rezygnacja z telewizora. Jeszcze inni twierdzą, że rodzice powinni kontrolować oglądanie telewizji przez dzieci i uczyć je, że telewizja może być okazyjną rozrywką, ale nie permanentną ucieczką od rzeczywistości ani ośrodkiem życia rodzinnego.

Aby wyrobić w dziecku zdrowe nawyki związane z telewizją, proponujemy przestrzeganie następujących wytycznych:

- Wprowadź limity. Możesz ograniczyć liczbę godzin spędzanych przez dziecko przed telewizorem, przenosząc odbiornik z salonu do mniej używanego pomieszczenia w domu, nie używając go w sypialniach i nie włączając podczas posiłków. Rodzice powinni ograniczyć czas spędzany przez dzieci przed telewizorem i wszelkimi innymi mediami elektronicznymi do maksymalnie jednej lub dwóch godzin dziennie.

- Planuj oglądanie telewizji z wyprzedzeniem. Zapoznawaj się z treścią filmów i programów. Filmy już od dawna były „dozwolone" od pewnego wieku, a obecnie podobne oznaczenia wprowadzono również dla innych programów. Dokładnie sprawdzaj, jakie programy nadają się do oglądania całą rodziną i tylko takich szukaj. Po programie wyłącz telewizor, żeby podzielić się wrażeniami i przedyskutować jego treść. Dobrym pomysłem jest również nagrywanie szczególnie ważnych emisji na wideo, co pozwala do nich wrócić, a zarazem oglądać je bez wstawek reklamowych.

- Nie posługuj się telewizją do nagradzania i karania dziecka. Oglądanie „w nagrodę" czy zakaz oglądania „za karę" sprawia, że telewizja nabiera w oczach dziecka dodatkowej atrakcyjności i znaczenia.

- Oglądaj telewizję razem z dzieckiem. Bardzo ważne jest omawianie z nim tego, co obejrzało, aby pomóc mu we własnej interpretacji oraz dzielić się wrażeniami i poglądami. Jeśli na ekranie pojawi się coś niezgodnego z twoją linią wychowawczą, możesz porozmawiać z dzieckiem również na ten temat. Zapytaj, co sądzi o danej sytuacji, czy było z niej jakieś inne wyjście i co ono samo zrobiłoby na miejscu tej czy innej postaci.
- Rodzice odpowiadają za ilość czasu, jaki ich dzieci spędzają przed telewizorem. Zachęcaj swoje dziecko do różnorodnych zajęć, zarówno na świeżym powietrzu, jak i w domu, a przede wszystkim do czytania. Przeznacz niektóre wieczory na specjalne zajęcia dla całej rodziny.
- Walcz z presją reklam. Nie łudź się, że twoje dziecko pozostanie głuche na reklamy słodyczy, chipsów i zabawek. Rozwijaj w nim zdrowe nawyki żywieniowe i postawę świadomego konsumenta, który zdaje sobie sprawę z trików reklamowych i potrafi się im oprzeć.
- Pamiętaj, że twój żywy przykład przemawia do dziecka nieporównywalnie silniej niż słowa. Nie spodziewaj się po nim dyscypliny w oglądaniu telewizji, jeśli sama jej nie wykazujesz. Pokaż dziecku na własnym przykładzie, jak można spędzać wolny czas na lekturze, uprawianiu sportu, rozmowach, zajmowaniu się jakimś hobby itp. – zamiast wielogodzinnego wpatrywania się w telewizor.

Rodzice są w stanie kontrolować to, co ich dzieci oglądają w telewizji. Stosując skrupulatną selekcję i blokady, a przede wszystkim ucząc dziecko właściwego użytku z telewizji, możesz przeciwdziałać jej negatywnym efektom, a jednocześnie wziąć z niej to, co najlepsze.

Dzieci a eksplozja mediów elektronicznych

Jeszcze nie tak dawno temu rodzice mieli do nadzorowania tylko telewizję – jeśli zdecydowali, że minął czas przed telewizorem, po prostu go wyłączali i mogli liczyć, że ich dzieci wkrótce zajmą się czymś bardziej twórczym i pożyteczniejszym dla zdrowia – grą w piłkę na podwórku, konstrukcjami z klocków czy pasjonującą zabawą w dom.

Dzisiaj po wyłączeniu telewizora nie ma już, niestety, takiej pewności: niejedno dziecko po prostu przesiada się od telewizora do komputera, czasem z małą przerwą na elektroniczną konsolę do gier.

Podobnie jak telewizja, i te formy rozrywki często ociekają przemocą czy innymi zupełnie niewskazanymi dla dzieci treściami; i one nie zapewniają dziecku ani dostatecznej porcji ruchu, ani bodźca dla wyobraźni i w żaden sposób nie powinny stanowić alternatywy dla normalnej zabawy i kontaktów społecznych z rówieśnikami czy dorosłymi. Nie wystarczy jednak ograniczyć się do zakazów, trzeba jeszcze pomóc dziecku w znalezieniu alternatyw w rzeczywistym, a nie wirtualnym świecie.

Czytanie dziecku: koniecznie!

Specjaliści w dziedzinie rozwoju zgodnie podkreślają, że już niemowlętom i bardzo małym dzieciom można i trzeba czytać książki. Jest to dla nich nie tylko przyjemność, ale i wspaniały bodziec do rozwoju funkcji poznawczej. A oto tylko kilka spośród korzyści, jakie twoje dziecko czerpie z lektury:

- Czytając dziecku, przyczyniasz się wybitnie do rozwoju jego umiejętności fonacyjnych i językowych.
- Czytając dziecku, nawiązujesz z nim głęboką więź intelektualną, emocjonalną i fizyczną.
- Czytając dziecku, rozwijasz w nim zamiłowanie do lektury i pozytywne nastawienie do nauki samodzielnego czytania w przyszłości (co uzyska dodatkowe pozytywne wzmocnienie, jeśli twoje dziecko będzie miało okazję obserwować, z jaką przyjemnością ty sama czytasz).
- Czytając dziecku, zachęcasz je do pracy wyobraźni.

> ### „Głos doświadczenia"
>
> *„Być może trudno ci się pogodzić z perspektywą czytania dziecku setki razy tych samych książeczek. Pamiętaj jednak, że dzieci mają pod tym względem inne potrzeby niż my. Bardziej niż nowości potrzebują komfortu i poczucia bliskości, jakie zapewnia im ta sama bajka, czytana co wieczór na dobranoc. A jeśli dojdzie już do tego, że dziecko zna ją na pamięć i wręcz recytuje razem z tobą, daje mu to ogromną satysfakcję – tak jakby samo «czytało». Tak więc nie pozostaje ci nic innego, jak przemóc się i czytać mu tak długo, aż opanuje tę sztukę samodzielnie".*
> – ZA: KIDSHEALTH PARENT SURVEY

Jak czytać dziecku z największym pożytkiem

- Traktuj czytanie małemu niemowlęciu jak doświadczenie czysto zmysłowe. Nawet jeśli dziecko nie rozumie jeszcze ani słowa z treści lektury, przepada za dźwiękiem twojego głosu, zapachem i dotykiem twojego ciała, gdy trzymasz je w objęciach, za wrażeniami, jakie dostarcza mu sama książka, jej zapach i smak, widok kolorowych obrazków, kształt stron, a także za mimiką twojej twarzy podczas lektury. Niemowlęta szczególnie lubią książeczki o bogatej „konsystencji", ze wstawkami z różnorodnych tworzyw itp. Książeczki te powinny być sztywne (najlepiej tekturowe) – aby oprzeć się nieuniknionym zabiegom „badawczym" małego czytelnika – ale bez ostrych, kanciastych brzegów.
- I ty, i dziecko powinniście oddawać się lekturze w maksymalnym komforcie. Idealnie nadaje się do tego duży fotel bujany.
- Czytaj powoli, nie szczędząc mimiki i ekspresji. Zmieniaj ton głosu, nie wahaj się przejaskrawiać czy powtarzać najbardziej interesujących dźwięków i dodawaj własne komentarze. Małe dzieci bardzo lubią rytmiczne, rymowane wierszyki – zanim się spostrzeżesz, dziecko zacznie kołysać się czy przyklaskiwać ci do rytmu.
- Zachęcaj dziecko do aktywnego uczestnictwa w lekturze, pokazując mu obrazki. Wymawiaj wyraźnie nazwy przedstawionych na nich przedmiotów, ludzi i zwierząt i wydawaj charakterystyczne dla nich dźwięki.

Lekarz radzi

Czytaj „dramatycznie"!

Czytając książki małemu dziecku, postaraj się obudzić w sobie ukryty talent aktorski! Twoje dziecko dłużej i mocniej skupi się na lekturze, jeśli wzbogacisz ją o mimikę, zmiany głosu, gesty i wszelkie inne „dramatyczne" środki wyrazu. W najbardziej ekscytujących momentach zwalniaj i przyspieszaj rytm czytania, nie zapominając oczywiście o twoim „widzu", który powinien jak najbardziej aktywnie uczestniczyć w odgrywanej historii. Zostaw dziecku czas i miejsce na zgadywanie, co może zdarzyć się za chwilę.

- Przy wyborze odpowiednich strategii lektury kieruj się wysyłanymi przez dziecko sygnałami. Daj mu szansę naśladowania po swojemu czytanych dźwięków i słów. Zachęcaj je do pokazywania czy nazywania kolorów, kształtów, rozmiarów itp. przedstawionych na obrazkach. Pytaj je o głosy zwierząt, a także o emocje bohaterów lektury („czy chłopczyk jest wesoły, czy smutny?). W miarę jak dziecko będzie coraz więcej rozumieć, nie zapomnij „podyskutować" z nim o treści świeżo przeczytanej książeczki na zakończenie lektury.
- Małemu dziecku nie wiąż z treścią lektury zbyt konkretnych oczekiwań np., że nauczy się ono dzięki temu wcześniej czytać, ani nie wywieraj na nie żadnej presji w tym kierunku. Opanowanie sztuki czytania, podobnie jak i wszelkich innych umiejętności, przebiega zgodnie z indywidualnym rytmem rozwojowym dziecka. Próby skłonienia przedszkolaka do nauki czytania, zanim on sam dojrzał do tego i odczuwa taką potrzebę, kończą się zwykle frustracją dla obu stron. Co więcej, niepowodzenia w tej dziedzinie często podkopują w dziecku wiarę we własne możliwości i dobre mniemanie o sobie, a nawet zniechęcają je do nauki czytania w późniejszym wieku. Z przeprowadzonych w tym zakresie badań nie wynika ponadto, by dzieci wcześnie zaczynające czytać miały trwałą tendencję do utrzymywania swej przewagi nad rówieśnikami w okresie szkolnym. Dzieci, które zaczynają naukę w szkole nie umiejąc czytać, z reguły doganiają bardziej zaawansowanych w tym kolegów pod koniec pierwszej klasy.
- Odwiedzaj działy dziecięce w księgarniach i bibliotekach publicznych. Można zasięgnąć tam cennej porady na temat książek odpowiednich dla dzieci w różnym wieku, a nieraz również skorzystać ze zorganizowanych imprez dla najmłodszych czytelników.

Jeśli potrzebujesz dodatkowych informacji, zasięgnij porady lekarza.

Rozdział 19

Temperament, zachowanie i dyscyplina

Wpajanie zasad

W każdej rodzinie z dzieckiem czy dziećmi są momenty spokoju, radości i szczęścia – na zmianę, oczywiście, z momentami totalnego chaosu. Któż z nas nie widział nigdy w sklepie matki w ferworze walki z kilkulatkiem, domagającym się głośnym krzykiem nowej zabawki czy kolejnej porcji słodyczy? Któż nie zna młodego ojca z podkrążonymi oczami po „upojnej" nocy z kilkunastomiesięcznym synkiem, który nagle odkrył, jaką wspaniałą zabawą jest przechodzenie przez poręcz łóżeczka, raz i drugi, i dwudziesty?

Stając się rodzicem, musisz przygotować się na takie i inne chwile próby – są one nieodłącznym składnikiem wzrostu, rozwoju i długiego procesu uczenia się dziecka, jak powinno się zachowywać. Pamiętaj, że w twoim dziecku zachodzą w ciągu pierwszych pięciu lat życia ogromne przemiany, od całkowicie bezradnego noworodka do autonomicznej, niezależnej jednostki ludzkiej, wyrażającej swoje specyficzne potrzeby i zachcianki w coraz bardziej świadomy sposób. Trzeba więc oczekiwać, że dziecko w naturalny sposób będzie przekraczać granice (bo inaczej jak dowiedziałoby się o ich istnieniu?), testować cię (bo inaczej po czym poznałoby, co jest dobre, a co złe?) i walczyć o swoje racje w miarę odkrywania, że jest integralną, odrębną osobą, a nie częścią ciebie czy kogokolwiek innego. Równolegle z tymi w pełni prawidłowymi doświadczeniami pojawią się jednak również problemy, które będziesz musiała korygować metodami „dyscyplinarnymi", tak aby twoje dziecko mogło nauczyć się, co jest dozwolone, a co nie w otaczającym je świecie.

Bez dyscypliny problematyczne nawyki behawioralne mogą utrwalić się już u dwulatków. W swoich nieustannych próbach zrozumienia i „oswojenia" świata małe dzieci domagają się od rodziców określenia limitów, których nie wolno im przekraczać, bo nie są w stanie określić ich same. Jeśli rodzice nie reagują, dziecko może agresywnie zmusić ich do tego, zachowując się tak, że w końcu „wyjdą z siebie" i pokażą mu te granice, niejednokrotnie w sposób niekontrolowany i bolesny dla obu stron.

Ostatecznym celem wychowania nie jest jednak kontrola wszelkich poczynań dziecka przez rodziców, a raczej nauczenie go, by umiało kontrolować się samo w społecznie pożądany sposób. Nadejdzie przecież dzień – i to zwykle szybciej, niż byś się spodziewała i pragnęła – kiedy twoje dziecko dorośnie i będzie zmuszone podejmować decyzje i działania na własną rękę – bez twojego udziału czy duchowego przewodnictwa. Dyscyplina – etymologicznie i faktycznie znacząca tyle, co nauczanie – jest narzędziem, jakie masz do dyspozycji, aby pomóc twojemu dziecku w nauce podejmowania samodzielnych decyzji. Nie ulega najmniejszej wątpliwości, że jest to zarazem jeden z najważniejszych sposobów okazania mu, jak bardzo je kochasz.

Pod ciśnieniem chwili, na przykład takiej, w której ze zdumieniem i zgrozą stwierdzasz, że twój trzyletni synek *znowu* pomazał flamastrem ściany, łatwiej jednak zareagować złością i ukarać, niż metodycznie dyscyplinować i uczyć. Przygotuj się zawczasu do roli wychowawcy, definiując na początek twoje własne najgłębsze przekonania na temat dyscypliny i zachowania dziecka – pomoże ci to w momentach, w których będziesz musiała działać szybko i zdecydowanie:

- Zastanów się nad zasadami – główne założenia twojej dyscypliny, zgodnie z którymi będziesz postępować.
- Ustal ogólne zasady zachowania, jakie chciałabyś wpoić twojemu dziecku.
- Zapoznaj się z zachowaniami normalnymi dla dzieci w różnym wieku. Pamiętaj, że nie możesz wymagać od swojego dziecka więcej, niż jest ono w stanie kontrolować czy rozumieć na danym etapie rozwoju.
- Postaraj się zidentyfikować właściwy twojemu dziecku typ temperamentu i dobierz takie metody dyscypliny, które działałyby raczej zgodnie z nim, a nie wbrew niemu.
- Ustal jednolitą taktykę dyscypliny z twoim partnerem, tak abyście oboje postępowali w miarę możności maksymalnie zgodnie i konsekwentnie.

Założenia dyscypliny

Zamknij oczy i wyobraź sobie taki scenariusz: już kilkakrotnie powtarzałaś swojej trzyletniej córeczce, że nie wolno zrywać kwiatów z ogródka sąsiada. I otóż zrobiła to *znowu*, i tym razem wasz spokojny jak dotąd sąsiad przyszedł do ciebie z awanturą, żądając, żebyś wreszcie wzięła dziecko „pod kontrolę". Jak zamierzasz postąpić w tej nieprzyjemnej sytuacji?

Odpowiedź na to pytanie może pomóc ci zrozumieć twoje własne naturalne skłonności pedagogiczne – a także pewne niezbędne modyfikacje, jakie powinnaś poczynić dla zapewnienia twojemu dziecku optymalnego środowiska domowego. Style rodzicielstwa różnią się między sobą w szerokim zakresie i mogą wywierać dramatycznie odmienny wpływ na dzieci. Istnieje duże prawdopodobieństwo, że zakwalifikujesz sama siebie do któregoś z trzech podstawowych profili zdefiniowanych przez Dianę Baumrind, wybitną specjalistkę w tej dziedzinie.

Styl autorytarny

Jeśli oczekujesz od dziecka niekwestionowanego i natychmiastowego posłuszeństwa, zgodnie ze ścisłym, niewzruszonym kodeksem postępowania, skłaniasz się prawdopodobnie w stronę autorytarnego stylu dyscypliny. W takich domach rodzice komunikują dzieciom zasady i zarządzenia (bez wyjątków), po czym egzekwują je z całą surowością, nierzadko z użyciem siły. Dzieci uczą się posłuszeństwa przede wszystkim ze strachu przed konsekwencjami i mają zwykle niewiele okazji (o ile mają je w ogóle) do kwestionowania zasad i decyzji rodziców, podobnie jak do dzielenia się z nimi swoimi przemyśleniami, potrzebami czy wątpliwościami. W przypadku podkradającej kwiaty córeczki twoją reakcją będzie ostre skarcenie, bez wysłuchania jej wersji wydarzeń, odesłanie jej do jej pokoju i obmyślenie ewentualnej innej dotkliwej kary.

Chociaż ten styl wdrażania dyscypliny może przynosić natychmiastowe efekty, badania wykazują, że dzieci wychowywane w autorytarnych rodzinach zachowują się „grzecznie" bardziej ze strachu, niż z rzeczywiście wpojonego poczucia, co jest dobre, a co złe. Można spodziewać się po nich nie tylko gorszych wyników w nauce samokontroli, ale również mniejszej samodzielności, niższej samooceny i mniej rozwiniętego poczucia, że potrafią wpływać na świat wokół nich.

Styl permisywny

Jeśli na pierwszym miejscu w hierarchii wartości stawiasz wolność i nieskrępowaną ekspresję twojego dziecka, nawet gdyby miało to oznaczać jeszcze kilka róż skubniętych z ogródka sąsiada, masz przypuszczalnie skłonność do bardziej permisywnej dyscypliny. W opisanej sytuacji usiadłabyś z dzieckiem i zaczęła z nim rozmawiać, koncentrując się bardziej na okazaniu mu twojej bezgranicznej i bezwarunkowej miłości, niż na wyznaczaniu limitów, dezaprobacie i kierowaniu jego zachowaniem. Innymi słowy, potrzeby, pragnienia i zachcianki dziecka stają się wtedy nadrzędną sprawą zarówno dla niego samego, jak i dla jego rodziców, zwłaszcza że nie zostały ustalone ani granice nie do przekroczenia, ani – siłą rzeczy – konsekwencje przekroczenia tychże granic.

Wyglądałoby to sielankowo (zwłaszcza gdyby na świecie nie było sąsiadów!), jednak w rzeczywistości permisywizm pociąga za sobą szereg określonych problemów. Badania wykazują, że dzieciom wychowywanym w permisywnych rodzinach brakuje często wewnętrznego „kręgosłupa", zdrowych norm społecznych i sprecyzowanych wytycznych co do zasad postępowania. Skoro wszystko im „uchodzi", mają tendencję do zachowań bardziej impulsywnych, do agresji i nadmiernej pobłażliwości wobec siebie. Ostatecznie może to prowadzić do konfliktów z otoczeniem i braku społecznej

> ### „Głos doświadczenia"
>
> *„Dzieci są wielkimi naśladowcami. Wszystko, co kiedykolwiek powiedziałam, wracało do mnie z ust moich dzieci, powtarzane dokładnie w tym samym tonie głosu. Jeśli chcesz, by dziecko umiało kontrolować negatywne emocje, musisz kontrolować swoje własne".*
> – ZA: KIDSHEALTH PARENT SURVEY

akceptacji, ponieważ wyrastają z nich ludzie przyzwyczajeni do „nadrzędności" własnych pragnień i w ogóle własnej osoby – często kosztem innych ludzi (włącznie z rodzicami!). Innymi słowy, dzieci te nie są nauczone samokontroli, co czyni je bezradnymi wobec ich własnych natychmiastowych zachcianek i porywów. W świecie, w którym przyszły sukces w różnych dziedzinach życia zależy w dużej mierze od umiejętności współdziałania z innymi, osobistej odpowiedzialności i spełniania społecznych oczekiwań, permisywni rodzice mogą rzeczywiście inspirować kreatywność dziecka, ale często nie zapewniają mu samodyscypliny, pozwalającej zrobić z tej kreatywności właściwy użytek.

Styl autorytatywny

Jeśli ustalasz wyraźne limity dla dziecka, wyznaczasz mu „wysoką poprzeczkę" własnych oczekiwań, ale jednocześnie zachowujesz pewną giętkość i dbasz o dwustronność waszej komunikacji, najprawdopodobniej skłaniasz się do autorytatywnego podejścia do dyscypliny. Mimo podobnego brzmienia, styl ten istotnie różni się od „autorytarnego". W naszym przykładowym scenariuszu zapewne natychmiast przerwałabyś dziecku zabawę i poświęciła 10 minut na rozmowę o tym, co zrobiło. Starałabyś się mu uświadomić, jak musi się czuć sąsiad, któremu giną kwiaty, i jak czujesz się ty sama wobec jego uzasadnionych pretensji. Nie omieszkałabyś również uprzedzić dziecka, jakie będą konsekwencje ewentualnego powtórzenia tego wybryku. Autorytatywni rodzice są stanowczy, a dzieci postrzegają ich jako „szefów" (zwłaszcza w ważniejszych sprawach!). Zarazem jednak wiedzą, że rodzice zawsze wyjaśnią im swoje wymagania, że będą sprawiedliwi i konsekwentni, że zapewnią pozytywne wzmocnienie i że daje się z nimi rozmawiać, a nawet negocjować. W takich domach wiadomo również z góry, jakie będą konsekwencje złamania „zasad". Wszystko to razem sprzyja internalizacji tych zasad przez dzieci, dzięki czemu w przyszłości mają one własne kryteria wyboru tych a nie innych zachowań. Rodzice pozwalają dzieciom na ekspresję w określonych granicach, tak więc uczą się one samokontroli zgodnie z wartościami wpajanymi w rodzinie.

Dzieci wychowywane w takich domach mają największe szanse na dobre przystosowanie społeczne. Dorastanie w świecie jednocześnie uporządkowanym i elastycznym wzmacnia ich szacunek do samych siebie, samokontrolę i niezależność w społecznie akceptowalnych granicach. Dzieci te mają również większą skłonność do omijania licznych „pułapek" wieku młodzieńczego, takich jak nadużywanie substancji czy niepowodzenia w nauce. Częściej są ukierunkowane na sukces i również częściej go osiągają.

Która z przedstawionych propozycji utrzymania dyscypliny wydaje ci się najbliższa? Która z nich w naturalny sposób „pasuje" do twojego partnera? W jaki sposób możesz wzbogacić swoje podejście do dyscypliny o więcej elementów stylu autorytatywnego, niewątpliwie najbardziej pożądanego? Zastanów się nad tym wszystkim na spokojnie. Omów z twoim partnerem szereg sytuacji, z którymi możecie zetknąć się

„Głos doświadczenia"

„Najmądrzejsza rada, jaką kiedykolwiek usłyszałam, brzmiała, by nie dopuszczać do konfliktów".

– ZA: KIDSHEALTH PARENT SURVEY

jako rodzice. Pomyślcie, jak zachowalibyście się w każdej z nich. Musicie wziąć pod uwagę, że każde z was może przejawiać skrajnie odmienne skłonności „naturalne", i wynegocjować „złoty środek", do zaakceptowania przez obie strony.

Ustalenie ogólnych zasad zachowania

Co należy uznać za „dobre" zachowanie? Na czym polega „złe"? Odpowiedzi na te pytania mogą zmieniać się w szerokim zakresie zależnie od momentu historycznego, religii, miejsca i indywidualnej specyfiki każdej rodziny.

Zastanów się nad twoim własnym systemem wartości. Czy uczciwość i szacunek dla autorytetów odgrywają ważną rolę w twoim życiu? A wielkoduszność, dzielenie się z innymi? Czy respektujesz odmienność innych ludzi, ich przekonania i poglądy? Czy okazujesz im zrozumienie? Jak wygląda twoja wytrwałość w dążeniu do celu? Pracowitość? Asertywność? Co sądzisz o równości płci? Czy umiesz przyznać się do błędu? Sprecyzowanie twoich własnych priorytetów może pomóc ci skoncentrować się na wychowywaniu dziecka (a nie tylko reagowaniu) w różnych „momentach próby". Pomoże ci to również w odwoływaniu się do dyscypliny w nieco wybiórczy sposób, wtedy kiedy sytuacja naprawdę tego wymaga.

Z całą pewnością będziesz popełniać błędy – popełniamy je wszyscy. Małe dzieci okazują nam na szczęście niezwykłą wyrozumiałość i skłonność do zapominania. Pamiętaj jednak, że już wtedy, gdy twoje dziecko ma zaledwie dwa, cztery czy pięć lat, kładziesz fundamenty pod jego postępowanie w przyszłości jako człowieka dorosłego.

Czego się spodziewać w miarę dorastania

Tak jak nie możesz zmusić noworodka do chodzenia, tak też nie możesz oczekiwać, że twój biegnący dwulatek sam zatrzyma się na krawężniku jezdni przed rozpędzonym samochodem. Dziecko w tym wieku nie jest w stanie przewidzieć następstw swoich działań – wie tylko tyle, że po drugiej stronie ulicy jest mały piesek, którego *musi* pogłaskać.

W miarę dorastania dzieci nabywają coraz większej zdolności rozumienia zasad i wymagań, uczuć innych ludzi, konsekwencji i logicznego rozumowania. Co najważniejsze, stopniowo zaczynają uczyć się na własne potrzeby, jak należy się zachowywać, a tym samym ponoszą coraz większą odpowiedzialność za własne czyny.

Umiejętność jak najlepszego pokierowania dzieckiem zależy w dużej mierze od twojej wiedzy na temat tego, jakie przejawy złego zachowania są typowe dla danego wieku, a także jakie metody dyscyplinowania będą najskuteczniejsze z punktu widzenia możliwości intelektualnych i emocjonalnych dziecka na tym czy innym etapie rozwoju. Omawiamy niżej podane przykłady z perspektywy autorytatywnego stylu rodzicielstwa, nie ukrywając, że to właśnie do niego chcielibyśmy najbardziej cię zachęcić.

Pierwszy rok życia

Niemowlęta mają zwykle trudności z przespaniem całej nocy, a ćwiczenia samokontroli nie przynoszą w tym wieku żadnych efektów. Zachowanie niemowlęcia jest w największej części niezależne od jego woli, nawet jeśli krzyczy ono po to, by wyrazić swoje potrzeby – jedzenia, ciepła, snu czy komfortu. Choć być może uda ci się „zaprogramować" dziecko tak, by zachowywało się w preferowany przez ciebie sposób – na przykład spało w nocy – takie czy inne zmiany jego zachowania nie będą wynikiem świadomego uczenia się czy samokontroli.

Rosnące niemowlę będzie miało nieuchronną skłonność do działań niebezpiecznych i niszczycielskich, takich jak pociąganie za kable elektryczne czy firanki. Najlepsze, co możesz zrobić z dzieckiem, to maksymalnie odizolować je od takich pokus i odwrócić jego uwagę zabawą, ulubioną zabawką czy piosenką.

Nieco starsze niemowlę zacznie testować twoje reakcje na jego nowe pomysły, na przykład pociąganie cię za włosy, gryzienie, wpychanie palców do oczu i przeraźliwy, piskliwy krzyk. Jeśli zareagujesz nazbyt żywo, możesz mimowolnie zachęcić dziecko do powtarzania tego rodzaju zachowań – silna reakcja otoczenia jest dla niemowląt podniecająca i odbierana bardziej jako wzmocnienie pozytywne niż jako kara. Jeśli więc dziecko krzyczy ewidentnie po to, by zwrócić twoją uwagę, lepiej zrobisz, ignorując jego wrzaski aż do momentu, gdy się uciszy, a dopiero wtedy w nagrodę przytulając je i całując. Nagradzanie właściwych zachowań jest niezwykle ważnym narzędziem wpajania dyscypliny. Jeśli niemowlę gryzie cię czy szarpie za włosy, zachowaj spokój, wyraźnie zaprotestuj „Nie, to boli" i przerwij jego działania bez gwałtowności, ale i stanowczo, przytrzymując je w ramionach przez kilka chwil. Jeśli upiera się przy swych działaniach, postaw je na ziemi albo wsadź do łóżeczka i wyjaśnij w prostych słowach, dlaczego to robisz.

Tego rodzaju sytuacje możesz również wykorzystać na to, by dać dziecku dobry przykład twojej własnej samokontroli. Jeśli postarasz się zapanować nad złością, dziecko zacznie cię w tym naśladować. Poza tym – a może przede wszystkim – w okresie niemowlęcym kładziesz podwaliny pod przyszłą dyscyplinę głównie poprzez okazywanie dziecku bezmiaru miłości i troski. Nie bój się, że je „zepsujesz" – jest to niemożliwe w tak młodym wieku. W tym jedynym w swoim rodzaju okresie całkowitej zależności dziecka od ciebie daj mu wyraźnie odczuć, że jest kochane i ważne, co zwrotnie nauczy je miłości do ciebie. W drugim i trzecim roku życia chęć podobania się rodzicom i zyskania ich aprobaty jest dla dziecka najważniejszym motorem działania, tym, na czym zależy mu najbardziej.

Drugi rok życia

Gdy twoje dziecko skończy rok, musisz przygotować się na to, że jego zachowanie częściej będzie doprowadzać cię do rozpaczy, niż dawać powody do satysfakcji. Normą dla tego wieku jest właśnie wyszukiwanie wszelkich możliwych niebezpieczeństw i nieodparta pokusa, by robić dokładnie to, czego mu zakazujesz. Musisz uzbroić się w bezmiar cierpliwości, humoru, stanowczości i pomysłowości, by w miarę bezboleśnie przetrwać ten okres aż do czasu, gdy kończąc dwa i pół lub trzy lata, dziecko stanie się bardziej skłonne i zdolne do nauki samokontroli.

W tym czasie, intensywnie odkrywając świat, dziecko będzie potrzebować twojej stałej obecności i czuwania. Najlepszą metodą dyscyplinowania kilkunastomiesięcznego szkraba jest eliminacja pokus. Jest to zarazem jedyny sposób, żeby zapewnić mu bezpieczeństwo. Kasety, płyty, biżuteria, leki, środki czyszczące i cała masa innych rzeczy, które mogą zaszkodzić dziecku lub które chcesz ocalić od zniszczenia, muszą znaleźć się po prostu poza jego zasięgiem (patrz też rozdział 24, „Bezpieczeństwo dziecka").

Niezależnie od całej swej nieznośności dziecko w głębi duszy rozpaczliwie pragnie twojej miłości i aprobaty, zwłaszcza zbliżając się do drugich urodzin. Pomóż mu „być grzecznym", stwarzając mu okazje do zasłużenia na twoje względy i do zadowolenia z siebie. Przykładowo, zamiast kazać dwulatkowi natychmiast posprzątać porozrzucane po podłodze gazety, możesz przekazać tę samą treść w formie „wyzwania" dla niego, mówiąc: „Ciekawe, czy uda ci się pozbierać to wszystko, zanim skończę gotować obiad".

Mimo naszych największych wysiłków dwulatki nadal będą się źle zachowywać – czasami bardzo często i bardzo źle. Gdy zdarzy się taka sytuacja, musisz przede wszystkim powstrzymać się przed wymierzeniem dziecku klapsa czy policzka. Niemowlęta i małe dzieci bardzo rzadko są w stanie powiązać własne zachowanie z fizyczną karą. Jedyne, co odczuwają, to ból uderzenia. Tym bardziej więc, gdy twoje dziecko z uporem sięga po zakazany obiekt do zabawy, powstrzymaj się od jakichkolwiek rękoczynów, powiedz mu spokojnie „nie" i albo usuń je z niebezpiecznej strefy, albo odwróć

Czas na wyciszenie

Gdy dziecko zbliża się do dwóch lat, możesz zacząć stosować metodę krótkich „chwil odosobnienia" (nie dłuższych niż kilka minut), aby nauczyć je, że jego wybryki pociągają za sobą określone następstwa i aby pomóc mu odzyskać samokontrolę w razie napadu frustracji czy histerii. Wybierz odpowiednie „miejsce odosobnienia", wolne od rzeczy rozpraszających uwagę, tak aby dziecko mogło skupić się na własnym zachowaniu i jego konsekwencjach. Pamiętaj, że odesłanie dziecka do jego pokoju może minąć się z celem, jeśli znajduje się tam komputer, telewizor i gry wideo.

Zastanów się nad optymalną długością czasu, potrzebnego twojemu dziecku na wyciszenie. Eksperci twierdzą, że dobrym praktycznym przelicznikiem jest jedna minuta na każdy rok życia; inni zalecają odosobnienie aż do momentu, gdy dziecko się uspokoi (co uczy je samoregulacji). Wybierz sposób, który wydaje ci się najlepszy dla twojego dziecka. Metoda ta okazuje się skuteczna w większości przypadków, jeśli jednak twoje dziecko reaguje na nią skrajnym rozdrażnieniem, porozmawiaj z lekarzem na temat innych sposobów ukazania mu konsekwencji złego zachowania.

jego uwagę w bardziej pożądanym kierunku. W razie potrzeby zmień dziecku środowisko – zabierając je na przykład do drugiego pokoju – tak aby mogło się uspokoić.

Okres ten jest szczególnie trudny i dla rodziców, i dla samego dziecka dlatego, że z jednej strony nie może ono jeszcze wziąć odpowiedzialności za siebie, a z drugiej musi sprzeciwiać się totalnemu kontrolowaniu przez ciebie (jednocześnie bardzo bojąc się tego sprzeciwu) po to, by się rozwijać. Dziecko znajduje się w zawieszeniu – już nie jest niemowlęciem, a jeszcze nie jest „dużym chłopcem" czy „dużą dziewczynką" – czyli w pozycji niewątpliwie nad wyraz niewygodnej.

Trzeci rok życia

W wieku około dwóch lat zachowanie twojego dziecka jest w naturalny sposób egocentryczne. Nie oczekuj, że podejmując jakiekolwiek działania, będzie ono zwracać uwagę na uczucia innych ludzi. Na tym etapie rozwoju intelektualnego dziecko nie potrafi również zrozumieć twoich prób rozsądnego tłumaczenia, dlaczego nie powinno zachowywać się tak czy inaczej. Jednocześnie przygotuj się na napady rozdrażnienia, krzyku i gniewu podczas przywoływania go do porządku, ponieważ nie jest ono jeszcze w stanie kontrolować swoich emocji. Nadal musisz więc wyznaczać mu granice i regularnie przestrzegać zasady, że złe zachowanie pociąga za sobą określone konsekwencje.

Równie ważne jest chwalenie dziecka za dobre zachowanie. Za każdym razem, gdy zgodnie bawi się z kolegą, sprząta swoje zabawki czy samo się ubiera, okaż mu swoją radość i wyraźnie je za to pochwal. Pamiętaj, że dziecko rozpaczliwie pragnie twojej aprobaty, a im wyraźniej dasz mu do zrozumienia, jak na nią zasłużyć, tym bardziej będzie się ono starało powtarzać docenione zachowanie.

Dzieci w tym wieku zaczynają również nawiązywać pierwsze kontakty towarzyskie z rówieśnikami i muszą nauczyć się „dobrych manier" wobec innych dzieci. Wcale niewykluczone, że już na wstępie twoje dziecko spróbuje przetestować zachowania jak najgorsze, takie jak szarpanie za włosy, szczypanie, gryzienie czy drapanie innych, a jeśli z natury jest agresywne, będzie również popychać i bić współużytkowników piaskownicy lub placu zabaw. Tego rodzaju zachowanie może być bardzo irytujące dla ciebie i innych rodziców, ale jednocześnie jak najbardziej mieści się w granicach normy. Najlepiej zareagujesz, szybko wyznaczając granice nie do przekroczenia, zabierając dziecko z pola walki, uspokajając je i tłumacząc, że to, co zrobiło, sprawiło innemu dziecku ból. Jeśli dziecko okazuje nadmierne pobudzenie, musisz je przytrzymać, dopóki się nie uspokoi. Jeśli po chwili zacznie zachowywać się tak samo, zakończ definitywnie pobyt na placu zabaw i wytłumacz mu, że nie może bawić się z innymi dziećmi, skoro się nie kontroluje. Po pewnym czasie zrób ponowną próbę, z mniejszą grupą dzieci.

> ## „Głos doświadczenia"
>
> „Najwspanialszym darem, jaki możemy ofiarować naszym dzieciom, jest dokładnie to, co i one nam ofiarowują – bezgraniczna i bezwarunkowa miłość. Ciągle powtarzam moim dzieciom, że je kocham i jak bardzo jestem z nich dumna. Pocałunki i pochwały są «pokarmem» miłości do dziecka".
> – ZA: KIDSHEALTH PARENT SURVEY

Czwarty i piąty rok życia

Kończąc trzy lata, twoje dziecko jest intelektualnie i emocjonalnie gotowe do rozpoczęcia nauki samokontroli. Zaczyna już rozumieć nie tylko związek między swoimi uczynkami a konsekwencjami, ale także uczucia innych ludzi; potrafi też zapamiętać twoje pouczenia. Obserwacja, jak dziecko uczy się bawić z innymi i jak nawiązuje pierwsze przyjaźnie, jest dla rodziców wspaniałą nagrodą za minione trudne dwa lata. Teraz będziesz miała okazję zauważyć, obok egocentryzmu i agresji, również jego skłonność do dzielenia się zabawą i zabawkami, odczekiwanie na swoją kolej i wrażliwość na

Napady złości

Napady złości należą do normalnych zjawisk rozwojowych, zwłaszcza u dzieci w wieku od jednego roku do trzech lat.

W drugim roku życia w dziecku coraz silniej rozwija się samoświadomość, poczucie własnej odrębności, a co za tym idzie, pragnienie większej kontroli nad otoczeniem. Walka o „wpływy" toczy się pod dwoma głównymi „sztandarami": „Ja sam(-a)" i „Daj mi". Gdy małe dziecko odkrywa bolesną prawdę, że nie potrafi czegoś zrobić samo albo że nie może dostać wszystkiego, czego chce, reakcją może być wybuch złości.

Najlepsze, co można zrobić z takimi napadami, to maksymalnie ich unikać. Zdecydowanie bardziej jest na nie podatne dziecko zmęczone, głodne, sfrustrowane czy pilnie potrzebujące uwagi rodziców. Staraj się przewidywać niepewne sytuacje, na przykład zakupy w kuszącym słodyczami sklepie tuż przed bardzo wskazaną drzemką w środku dnia. Istnieje duże prawdopodobieństwo, że śpiący, zmęczony dwu- czy trzylatek nie wytrzyma stresu zakupów, wybuchnie płaczem czy urządzi awanturę o batonik. Wypad do sklepu po drzemce może tymczasem odbyć się zupełnie bezkonfliktowo.

Możesz też zapobiegać przynajmniej niektórym epizodom złości, powalając dziecku na kontrolę i decyzję w drobnych sprawach. Nic się nie stanie, jeśli zapytasz je, jaką chce jarzynę do obiadu, jakie chce założyć skarpetki albo czy ząbki umyjecie przed czy po przebraniu się w piżamę. Najważniejsze jest stwarzanie dziecku takich możliwości wyboru, które wzmocnią jego niezależność i poczucie mocy, jednocześnie nie umniejszając w niczym twojej roli jako rodzica.

Cóż jednak zrobić, gdy napadu złości nie dało się uniknąć i nagle znajdujesz się w „oku cyklonu"? Po pierwsze i przede wszystkim – zachować zimną krew. Jeśli silnie zareagujesz (lub – co gorsza – złamiesz się i spełnisz żądanie), dziecko może nauczyć się, że wybuchy złości są skutecznym sposobem zwracania na siebie uwagi, choćby negatywnej. Jeśli napad histerii nie stwarza dla nikogo zagrożenia, możesz po prostu go zignorować; jeśli istnieje ryzyko, że dziecko zrobi krzywdę sobie czy komuś innemu, spokojnie usuń je z niebezpiecznej strefy i pozwól mu się uspokoić.

uczucia innych dzieci. (Więcej informacji na temat ważnych przemian na tym etapie rozwoju znajdziesz w rozdziale 17, „Wzrost i rozwój").

Oczywiście dziecko nadal dopiero uczy się współżycia z innymi, bądź więc przygotowana na okresowe scysje czy niekontrolowane wybuchy złości. Na pewno czasami dojdzie również do rękoczynów. Najlepsze, co możesz wtedy zrobić, to szybko zabrać dziecko z pola walki i czekać, aż się uspokoi, w razie potrzeby przytrzymując je mocno w ramionach. Gdy już się uspokoi, spróbuj porozmawiać z nim o tym, co się stało, aby pomóc mu zrozumieć własne uczucia. Ważne jest, by przyjmując do wiadomości jego uczucia (i rozumiejąc, jak źle musi się czuć z powodu swego zachowania), tłumaczyć mu jednocześnie, że uderzenie innego dziecka nie jest dobrym sposobem ekspresji tychże uczuć. Możesz zapytać dziecko, jak czułoby się samo, gdyby uderzył je najlepszy kolega; małe dzieci potrzebują tego rodzaju odniesień, aby rozwijać w sobie zdolność do empatii z innymi ludźmi.

Ponadto, teraz bardziej niż kiedykolwiek, musisz zadbać o ustalenie obowiązujących w domu zasad i o przekazanie ich dziecku w jednoznaczny, zrozumiały dla niego sposób. Zanim ukażesz je za złe zachowanie, musisz wyjaśnić mu dokładnie, czego od niego oczekujesz. Przykładowo, gdy twój trzylatek po raz pierwszy pomaże kredkami ściany w salonie, wytłumacz mu, dlaczego jest to niedozwolone i jakie będą konsekwencje, jeśli zrobi to jeszcze raz. Zapowiedz dziecku, że będzie musiało pomóc przy myciu ściany i że zabierzesz mu kredki na resztę popołudnia. Jeśli sytuacja powtórzy się po kilku dniach, musisz przypomnieć dziecku, że kredki służą wyłącznie do rysowania na papierze, a także wprowadzić w życie zapowiedziane sankcje.

Chociaż wielu rodzicom łatwiej przychodzi ignorowanie złego zachowania dziecka albo rezygnacja z zapowiedzianej kary, jest to postępowanie bardzo ryzykowne z uwagi na ustanawianie „złego precedensu". Skuteczna dyscyplina opiera się w ogromnej mierze na konsekwencji rodziców. To ty musisz decydować o zasadach,

Lekarz radzi

„Karta złości"

Jeśli twoje dziecko jest podatne na wybuchy złości, spróbuj podejść do tego „naukowo", sporządzając coś na kształt wykresu tego zjawiska. Notuj porę i miejsce każdego epizodu, osoby, jakie były przy tym obecne, oraz aktywność dziecka w chwili wystąpienia napadu. Po tygodniu lub dwóch będziesz już zapewne w stanie dostrzec pewną powtarzalność sytuacji – twoje dziecko może na przykład wybuchać złością tylko wtedy, gdy jest głodne albo gdy czuje się opuszczone, bo ty robisz pranie. Identyfikacja „czynnika wywołującego" służy przede wszystkim zapobieganiu napadom złości, a nie próbom opanowania ich już „w toku".

jakich nie wolno naruszać, i musisz (wraz z twoim partnerem) stać konsekwentnie na straży ich przestrzegania.

Jeśli zachowanie twojego dziecka sprawia nieustanne kłopoty, a wszelkie metody dyscypliny nie przynoszą większych efektów, spróbuj jeszcze systemu graficznego. Powieś w widocznym miejscu kalendarz z osobną kratką na każdy dzień tygodnia. Wybierz rodzaj zachowania, nad którym chcesz popracować, na przykład skłonność do bójek, i przedstaw dziecku swoje plany w następujący sposób: „Wiesz, że to brzydko bić inne dzieci. Żeby pomóc ci się tego oduczyć, będę stawiać złote gwiazdki w kalendarzu za każdym razem, gdy przez cały dzień nikogo nie uderzysz. Jeśli zarobisz na złotą gwiazdkę, dostaniesz nagrodę". Miej pod ręką zapas takich drobnych, niedrogich nagród (naklejek, ludzików czy „pokemonów"). Początkowo musisz nagradzać pożądane zachowanie za każdym razem, następnie możesz ustalić poprzeczkę wyżej, na przykład za dwa czy trzy kolejne dni ze „złotymi gwiazdkami", aż do czasu, gdy dany problem okaże się już całkowicie pod kontrolą. Wtedy, w razie potrzeby, możesz przejść do następnego i powtórzyć całą procedurę. Tak jak w podanym przykładzie, musisz dokładnie sprecyzować, o co ci chodzi. Powiedzenie dziecku, że zarobi na nagrodę jeśli „będzie grzeczne" jest zbyt ogólnikowe. Opisana metoda stwarza ci możliwość nagradzania wysiłków dziecka w zwalczaniu szczególnie uporczywych problemów behawioralnych.

Metoda „przerw na wyciszenie" jest również bardzo przydatna u dzieci w tym wieku, ponieważ pomaga im w nauce samokontroli. Wybierz na „odosobnienie" odpowiednie miejsce w domu, pozbawione atrakcji w rodzaju telewizora.

I jeszcze jedna uwaga na zakończenie tych rozważań: Pamiętaj, że twoje dziecko uczy się poprzez naśladowanie ciebie. Obserwacja, że ty sama sprzątasz swoje rzeczy, wywrze na dziecko znacznie większy wpływ niż twoje prośby o sprzątanie zabawek w połączeniu z obrazem bałaganu, jaki sama zostawiasz po sobie w kuchni.

Uwzględnianie temperamentu

Większość dzieci przynosi ze sobą na świat określoną konstrukcję psychiczną, zwaną temperamentem. Są one niejako „zaprogramowane" do przejawiania pewnych skłonności – mogą być z natury grzeczne lub buntownicze, spokojne lub skore do irytacji, nieśmiałe lub odważne i otwarte, przeżywające wszystko powierzchownie lub bardzo intensywnie. Te i podobne cechy z reguły z trudem, o ile w ogóle, poddają się zmianom, tak więc będzie z pożytkiem dla wszystkich, jeśli spróbujesz „współgrać" z naturalnym temperamentem dziecka.

Z powodu różnic temperamentu nawet dzieci w tej samej rodzinie mogą wymagać odmiennych metod wychowawczych, a styl wdrażania dyscypliny musi być dopasowany „na miarę" jedynej w swoim rodzaju osobowości każdego z nich ze szczególną starannością.

Co równie ważne, zrozumienie temperamentu dziecka daje ci szansę na refleksję na tym, jak jego cechy i skłonności mogą wpływać na ciebie i twoją percepcję jego osoby. Przykładowo, jeśli agresywny, fizycznie brutalny ojciec dostrzeże w swoim synu naturalną pasywność, nieśmiałość i łagodność, może uznać te cechy dziecka za żenujący (we własnych oczach) przejaw słabości i próbować zmieniać je na siłę. Tego rodzaju konflikty temperamentu stwarzają nieraz poważne problemy w relacji rodzice--dziecko i mają duży wpływ na praktykowane metody wychowawcze.

A oto kilka ogólnych wzorów zachowań, które pomogą ci dopasować twój styl dyscypliny do temperamentu twojego dziecka:

- Poświęć czas na obserwację temperamentu i sposobu zachowania dziecka. Już w okresie niemowlęcym daje się na przykład zauważyć, czy dziecko dobrze znosi zmiany w codziennej rutynie lub w otoczeniu, czy też reaguje na nie rozdrażnieniem. Zwracaj uwagę na takie cechy jego charakteru, a w wieku około dwóch lat niewątpliwie dostrzeżesz, jak nabierają wyrazistości.

- Gdy już lepiej poznasz zarysy temperamentu dziecka, możesz zacząć modyfikować własne sposoby reakcji na nie same i jego zachowanie. Przykładowo, jeśli twój nieśmiały dwulatek przywiera do ciebie w większej grupie nieznanych mu osób, łatwiej dostrzeżesz w tym zachowaniu oznakę jego potrzeby bezpieczeństwa i bliskości niż tylko upór czy chęć „robienia na złość".

- Fakt, że twoje pierwsze dziecko było od początku uparte i nieustępliwe, nie oznacza, że takie samo będzie również drugie czy trzecie. Stosownie do charakteru dzieci musisz modyfikować swoje metody wychowawcze. Agresywny trzylatek może na przykład wymagać więcej ograniczeń fizycznych, odosobnienia czy poważniejszych konsekwencji, podczas gdy bardzo wrażliwemu dziecku wystarczy czasem jedna uwaga, by zawstydziło się swojego zachowania i próbowało je zmienić.

- Jeśli stwierdzasz, że temperament twojego dziecka wystawia cię na szczególnie ciężkie próby w codziennym współżyciu, nie wahaj się poruszyć tej kwestii z lekarzem i zasięgnąć porady na temat metod wychowawczych, które pomogą wam obojgu lepiej dopasować się do siebie.

- Rozmawiaj o problemach wychowawczych z innymi rodzicami małych dzieci. Wychowywanie niespokojnego czy upartego dziecka może być wyczerpujące, ale świadomość, że nie jesteś sama w swych zmaganiach, na pewno doda ci otuchy.

Postępowanie w różnych rodzajach zachowania

W miarę dorastania twojego dziecka w jego zachowaniu mogą pojawić się elementy niepokojące lub niezrozumiałe. W tej części zajmiemy się kilkoma takimi aspektami, które często stanowią dla rodziców powód do zmartwień.

Rywalizacja między rodzeństwem

Nie ma nic nienormalnego w tym, że dzieci wychowywane w tej samej rodzinie walczą ze sobą, czy nawet okresowo darzą się antypatią – każde z nich jest odrębną jednostką, z własną osobowością, pragnieniami i potrzebami. U małych dzieci, w naturalny sposób skoncentrowanych na sobie, zazdrość o zainteresowanie i uczucia okazywane nowemu niemowlęciu w rodzinie może być niezwykle intensywna. Z czasem problemy te często się nasilają; nie można na przykład wykluczyć, że najmłodsze dziecko nie jest zachwycone donoszeniem rzeczy po starszym bracie czy siostrze, którzy dostają nowe ubranka.

Istotą dziecięcej rywalizacji jest jednak zazdrość, a zazdrość ta nigdy nie dotyczy ubrań czy zabawek, o które dzieci mogą się wręcz bić – w ostatecznym rozrachunku żadnemu z nich nie chodzi o nic innego, jak o potrzebę bycia równie kochanym i ważnym dla rodziców, jak brat czy siostra. Dzieci niejako dosłownie walczą o twoją miłość – i mogą z premedytacją wciągać cię w swoje konflikty, domagając się twojej uwagi i wsparcia.

A oto kilka wskazówek co do postępowania z dziecięcą rywalizacją:

- W okresie, gdy twój przedszkolak przyzwyczaja się do nowego braciszka czy siostrzyczki, pozwól mu czasami być również „niemowlęciem" – jeśli nie zrobisz tego świadomie, dziecko może zadecydować o tym na własną rękę, na przykład rozrzucając jedzenie po stole, czy nawet siusiając w niedozwolonych miejscach. Okaż cierpliwość, gdy kilkulatek domaga się ssania z butelki albo noszenia ze sobą kocyka. Staraj się nie zauważać objawów „regresu" i poświęcaj dziecku jak najwięcej czasu i uwagi. Szuka ono po prostu pociechy i pewności, że kochasz je nie mniej niż nowe niemowlę.
- Zaplanuj cotygodniowo momenty nie zakłóconego sam na sam z każdym dzieckiem. Zrób wszystko, by każde z nich czuło się wtedy najważniejszą osobą na świecie.
- Jeśli twoje starsze dziecko ma trzy lata lub więcej, przeznacz osobne, bezpieczne miejsce na jego własne, ulubione rzeczy. Nie tylko usuniesz w ten sposób jeden z najczęstszych powodów do konfliktów, ale również okażesz kilkulatkowi, że respektujesz jego prawa i potrzeby.
- Staraj się nie reagować zbyt silnie na walki między dziećmi – odczytają twoje zaangażowanie jako zachętę do kontynuacji czy wręcz eskalacji swojego zachowania.
- W miarę możności nie daj się również wciągnąć w konflikty, bo dzieci niechybnie spróbują tobą manipulować i zmusić cię do opowiedzenia się po którejś stronie. Jeśli jednak kłótnia przybiera formę gwałtownych rękoczynów, natychmiast rozdziel dzieci i zamknij każde z nich w osobnych pokojach. Musi być dla nich oczywiste, że nigdy i pod żadnym pozorem nie będziesz tolerować przemocy.
- Powiedz dzieciom, że nie oczekujesz od nich idealnej zgody przez cały czas – bo rozumiesz, że każde z nich jest innym człowiekiem. Oczekujesz natomiast tego, że będą umiały dzielić się ze sobą, szanować nawzajem i załatwiać sporne kwestie drogą dyskusji.

Lekarz radzi

Dobre zachowanie, złe zachowanie

Pracując nad dyscypliną, musisz pamiętać, że pochwały i nagrody za dobre sprawowanie są ważniejsze niż kary za złe. Docenianie wysiłków i osiągnięć dzieci przez rodziców jest fundamentem ich szczęśliwego dzieciństwa i wysokiej samooceny.

- Staraj się w miarę możności tłumaczyć każdemu dziecku – w jak najserdeczniejszy sposób – dlaczego musisz czasem traktować jego brata czy siostrę nieco inaczej niż jego samego: bo każde z nich jest jedyne w swoim rodzaju i ma różne potrzeby, a ty kochasz ich oboje jednakowo mocno, ale „z osobna".
- Nigdy nie porównuj dzieci między sobą ani rób z jednego z nich wzoru do naśladowania dla drugiego. Pozornie niewinne westchnienie „Dlaczego nie możesz być taki grzeczny jak twoja siostra?" – bywa destrukcyjne w skutkach i trudne do zapomnienia.

Lęk przed rozstaniem

W którymś momencie między 12. a 18. miesiącem życia dzieci przyswajają sobie pojęcie trwania rzeczy. Innymi słowy, zaczynają rozumieć, że nawet jeśli czegoś nie widzą, to nie znaczy, że to coś nie istnieje. Zanim jednak dojdzie do odkrycia tej ważnej prawdy, twoje dziecko wcale nie ma pewności, że nie znikłaś na zawsze, wychodząc z jego pokoju. Czyż można się więc dziwić, że rozpaczliwie protestuje, gdy próbujesz je zostawić?! Obawa przed utratą kochanej osoby nosi nazwę lęku przed rozstaniem czy lęku separacyjnego i sprawia, że większość dzieci około dziesiątego miesiąca życia dosłownie nie daje się „odkleić" od rodziców. Dziecko może płakać, krzyczeć, demonstrować napady histerii i odmawiać pójścia spać bez ciebie.

Twoje dziecko musi dopiero nauczyć się, jak żyć w rozłące z tobą. Musi dowiedzieć się, że zostawiasz je – ale wrócisz. Możesz mu w tym pomóc odpowiednimi zabawami. Gdy niemowlę jest dobrze rozbudzone, powiedz „pa-pa!", wyjdź z pokoju na krótką chwilę, po czym wróć, uśmiechnij się i przytul je. Powtarzaj to często przez cały dzień, stopniowo wydłużając czas przebywania poza zasięgiem wzroku dziecka. Jeśli po twoim wyjściu z pokoju dziecko zaczyna natychmiast krzyczeć, staraj się utrzymać z nim kontakt głosowy, mimo że cię nie widzi. Zabawy w „A ku-ku!" i w chowanego również łączą w sobie przyjemne z pożytecznym, rozwijając w dziecku krzepiącą świadomość trwania rzeczy.

Gdy musisz wyjść i zostawić dziecko, pomachaj mu na pożegnanie z uśmiechem i zrób to jak najszybciej (bez zawracania, by obetrzeć łzy i jeszcze raz zapewnić, że wrócisz). Po powrocie wejdź do pokoju dziecka spokojnie i z radosną miną, po czym serdecznie się z nim przywitaj, ale bez łez i okrzyków, jak bardzo za nim tęskniłaś. Zarówno rozdzierające, łzawe pożegnania, jak i przesadnie celebrowane powitania uczą dziecko, że rozstanie z tobą jest sprawą poważną i czymś, czego jednak należy się obawiać.

Wyśmiewanie się/prześladowanie

Istnieje wiele powodów, dla których jedne dzieci zaczynają prześladować inne. Niektóre mają w sobie naturalnie większe pokłady agresji i muszą dopiero nauczyć się, jak kontrolować ten aspekt własnej osobowości. Inne używają prześladowania jako metody radzenia sobie ze stresem czy trudną sytuacją w domu, na przykład rozwodem rodziców. Niektórzy mali prześladowcy sami byli lub są ofiarami przemocy. A co ciekawsze – podobnie jak ich ofiary, znęcające się dzieci często mają niską samoocenę.

> ### „Głos doświadczenia"
>
> *„Nigdy nie zapomnij powiedzieć przepraszam, jeśli nie miałaś racji czy, postąpiłaś niesprawiedliwie. Dzieci mają prawo do traktowania z szacunkiem – i same będą darzyć cię szacunkiem tym większym, im bardziej i ty im go okażesz. Równie ważne jest uczenie dziecka na własnym przykładzie, jak radzić sobie z popełnionymi błędami, a także jak należy odnosić się do innych ludzi".*
> – ZA: KidsHealth Parent Survey

Niezależnie od przyczyny, w wyżywaniu się nad innymi kryje się zwykle potrzeba zapomnienia o własnych problemach, chęć dowartościowania się i wywarcia wrażenia na rówieśnikach.

Prześladowcy często upatrują sobie na ofiarę dziecko, które czymś różni się od pozostałych, i koncentrują się na tym atrybucie inności. Przykładami takich atrybutów mogą być okulary, duże odstające uszy czy poruszanie się na wózku inwalidzkim. Cechy te łatwo rzucają się w oczy i stają się pretekstem do wyśmiewania. Niektóre dzieci przykuwają z kolei uwagę prześladowców cechami psychicznymi – lękliwością, niepewnością w zachowaniu czy odstawaniem od innych inteligencją i wynikami w nauce (w obie strony). Prześladowca musi ponadto wyczuwać, że jest mało prawdopodobne, by jego potencjalna ofiara odwzajemniła mu się tym samym.

Jeśli dowiadujesz się, że twoje dziecko wyśmiewa się czy w jakikolwiek inny sposób prześladuje inne dzieci, postaraj się zachować spokój. Twoją pierwszą reakcją może być niedowierzanie – to niemożliwe, nie moje dziecko! Staraj się nie ulec tej skłonności do negacji bolesnej prawdy ani nie przyjąć postawy obronnej, bo może to tylko pogorszyć i tak dostatecznie złą sytuację. Chociaż trudno oczekiwać, by dziecko przyznało się swoich postępków, musisz zadać mu trzy pytania: (1) „Co dokładnie powiedziałeś (lub zrobiłeś) Jankowi?", (2) „Dlaczego to zrobiłeś?" (3), „Co mamy zrobić, żeby to się na pewno nigdy więcej nie powtórzyło?". Ponieważ prześladowanie innych wyrasta często z własnego poczucia nieszczęścia czy niepewności, postaraj się ustalić, czy jest coś, co gnębi twoje dziecko. Jeśli takie zachowania będą się powtarzać, musisz porozmawiać o tym z lekarzem.

Jeśli podejrzewasz, że twoje dziecko jest ofiarą prześladowania, pamiętaj, że nie zawsze objawia się to w sposób tak ewidentny jak podbite oko. Do sygnałów alarmowych, których nie wolno ci zbagatelizować, należą siniaki na ciele, brakujące (odebrane?) rzeczy i wymyślanie tajemniczych dolegliwości, aby tylko nie wyjść z domu. Często zdarza się, że dziecko nieoczekiwanie zmienia swoje zachowanie, aby uniknąć prześladowania. Wyznanie, że jest ofiarą prześladowcy (-ów) może być dla niego bardzo trudne. Aby ułatwić mu rozmowę na ten bolesny temat, spróbuj zadawać mu odpowiednio dobrane pytania. Możesz na przykład zapytać, co robiło, czy jak się czuło na placu zabaw.

Jeśli z twojego „śledztwa" jednoznacznie wynika, że dziecko jest ofiarą prześladowania, staraj się zareagować spokojnie. Nie masz przecież zamiaru przysporzyć mu dodatkowych cierpień swoimi nerwowymi czy nieprzemyślanymi słowami.

Co możesz zrobić? Po pierwsze, dokładnie je wysłuchaj. Gdy dziecko już się przełamie i zacznie opowiadać, samo twoje zainteresowanie będzie dla niego pomocą i pociechą. Pamiętaj, że cała sprawa może być dla niego bardzo bolesna, więc tym bardziej okaż mu, że jesteś po jego stronie i że je kochasz.

Po drugie, wyjaśnij mu, że złość czy inne gwałtowne reakcje nie rozwiążą problemu; w rzeczywistości będą dokładnie tym, na co liczy prześladowca. Ponadto odpowiedź w postaci fizycznej agresji może narazić dziecko na ryzyko. Z drugiej strony bierne poddawanie się prześladowaniu jest równie złym wyjściem z sytuacji. Twoje dziecko musi odzyskać godność i nadwątlony szacunek do samego siebie.

Po trzecie, upoważnij dziecko do przejęcia inicjatywy. Zachęć je na przykład, by przy najbliższej okazji podeszło do swojego prześladowcy i patrząc mu prosto w oczy powiedziało, że nie chce więcej słyszeć jego uwag i że ma się to natychmiast skończyć. Następnie powinno odejść i ignorować wszelkie inne zaczepki ze strony prześladowcy. Jeśli dziecko boi się konfrontacji fizycznej, powinno poprosić o pomoc nauczyciela albo poszukać wsparcia wśród swoich dobrych kolegów. Ponieważ prześladowcy często upatrują sobie na ofiary dzieci nieśmiałe i dość wyobcowane z grupy, zachęcaj swoje dziecko do nawiązywania dobrych kontaktów i przyjaźni z rówieśnikami, organizując na przykład spotkania towarzyskie w waszym domu czy zapisując dziecko na jakieś grupowe zajęcia.

W większości przypadków prześladowanie wśród małych dzieci ogranicza się do formy słownej (co nie znaczy, że mniej dotkliwej) i nie wymaga twojej bezpośredniej interwencji. Jeśli jednak boisz się, że twoje dziecko może doznać poważnego urazu – fizycznego czy psychicznego – musisz zareagować czynnie. Może to polegać na przykład na pozostawaniu w pokoju, w którym twój przedszkolak bawi się z kolegami, albo na rozmowie z wychowawcą w przedszkolu czy szkole. Dziecko nie zawsze przyjmie taką interwencję z zachwytem, ale jego bezpieczeństwo musi być twoim bezwzględnym priorytetem.

Nieumiejętność dzielenia się z innymi

Gdy dziecko wchodzi w wiek przedszkolny, coraz większego znaczenia nabiera zrozumienie przez niego wartości dzielenia się z innymi. Jest to wręcz jedna z najważniejszych umiejętności społecznych, jakie dziecko w tym wieku powinno opanować. Jeśli twojemu przedszkolakowi przychodzi to opornie, pomyśl o tym, by pozwolić mu wybrać kilka ulubionych zabawek, których nie będzie musiał dzielić z innymi, zachęcając go jednocześnie do dzielenia się pozostałymi. Taki „kompromis" może ułatwić mu akceptację całego procesu. Z reguły pozytywnego wzmocnienia dostarczają w tym przypadku inne dzieci – odwzajemniając się własnymi zabawkami i jakże pożądaną przyjaźnią. Jeśli z kolei dziecko nie pozwala dotknąć swoich zabawek, a inne dzieci nie chcą się z nim bawić, porozmawiaj z nim, jak samo by się czuło, gdyby jego koledzy zachowywali się w podobny sposób.

Wyimaginowani przyjaciele

Dzieci w wieku przedszkolnym (od trzech do pięciu lat) często wymyślają sobie przyjaciół i towarzyszy zabaw. Taka gra wyobraźni jest naturalnym, prawidłowym rozszerzeniem typowej w tym okresie „zabawy na niby". Wymyślanie sobie przyjaciół oznacza dla dziecka eksperymentowanie i może pomóc mu w dojrzewaniu emocjonalnym i społecznym. Czasami wyimaginowany świat staje się zbyt realny i miesza się z rzeczywistością; nie zdziw się, jeśli pewnego dnia dziecko zechce włączyć cię do zabawy z wytworami swej wyobraźni. Daj się na to namówić; baw się z nim spokojnie i pozwól mu prowadzić cię po świecie jego fantazji. Po zabawie pochwal dziecko za „kreatywność" i za to, że tak ładnie bawi się samo. Ważne jest, byś okazała dziecku szacunek i nie pozwoliła rodzeństwu na wyśmiewanie się z jego urojeń.

Ssanie kciuka czy palca

Niemowlę ssie kciuk lub inne palce, dlatego że uspokaja je to i pociesza; jest to zachowanie w pełni normalne i typowe dla większości dzieci. Jeśli nawyk ten rozwinie się u twojego niemowlęcia, nie zwalczaj go. Pozwalając dziecku pocieszyć się ssaniem palca, sprawisz, że oboje będziecie szczęśliwsi i mniej zestresowani. Większość dzieci i tak rezygnuje z tego samoistnie w wieku około dwóch lat.

Czasami jednak ssanie kciuka utrzymuje się do wieku przedszkolnego, co może przyczyniać się do wad zgryzu i innych problemów z jamą ustną już u małych, pięcioletnich dzieci. Dziecko ssące kciuk jest ponadto narażone na drwiny rówieśników. Jeśli cię to niepokoi, porozmawiaj z lekarzem i stomatologiem na temat metod przeciwdziałania. Lekarz postara się najpierw wykluczyć ewentualne problemy emocjonalne lub inne przyczyny, a następnie spróbuje namówić dziecko do współpracy w zwalczaniu nawyku (przypuszczalnie na tym etapie dziecku będzie na tym również zależeć). Powinnaś zacząć od łagodnego zwracania uwagi, aby uświadamiać dziecku jego nawyk. Jeśli to nie pomoże, spróbuj uczynić ssanie kciuka mniej przyjemnym, smarując go na przykład czymś gorzkim albo obwiązując bandażem w charakterze przypomnienia. W ciężkich przypadkach, zagrażających poważnymi wadami zgryzu, stomatolog może nawet założyć dziecku specjalny aparat na podniebienie.

Niektórzy lekarze – i rodzice – uważają powyższe metody za mało skuteczne i radzą, żeby przede wszystkim zająć czymś dziecku ręce, na przykład ugniataniem plasteliny. Tak czy inaczej możesz wypróbować, co najlepiej zadziała u twojego dziecka.

Jeśli używasz nakładek czy innych mechanicznych urządzeń, koniecznie musisz wytłumaczyć dziecku, dlaczego je w ten sposób „dręczysz". Dziecko musi zrozumieć, że robisz to w trosce o jego zęby i buzię i że chcesz mu pomóc pozbyć się złego przyzwyczajenia, wiedząc, jak ciężko zerwać z nim samodzielnie.

Ciekawość seksualna i masturbacja

Gdy dziecko zaczyna uczyć się kontrolowania potrzeb fizjologicznych, musisz oczekiwać, że zainteresuje się swoją anatomią. Zarówno chłopcy, jak i dziewczynki w naturalny sposób odkrywają własne ciała i ich różnorodne otwory. Dziecko może się wtedy masturbować czy nawet próbować wkładać różne przedmioty lub palce do pochwy i odbytu, a mały chłopczyk może zafascynować się swoją przypadkową erekcją. Nie dziw się ani nie martw tymi zachowaniami – należą one do naturalnego poznawania samego siebie i nowych doznań. Nie próbuj ich zakazywać ani piętnować jako nieprzyzwoitych. Choć oczywiście nie powinnaś do nich zachęcać, musisz pozwolić dziecku na swobodę w odkrywaniu własnego ciała na osobności.

Jeśli dziecko zaczyna masturbować się publicznie, może to być oznaką jego zestresowania lub przeciążenia nadmiarem bodźców. Przerwij jego zachowanie w spokojny, łagodny sposób i daj mu do zrozumienia, że może robić to prywatnie, ale inni ludzie nie chcą i nie muszą na to patrzeć. Jeśli skłonność do masturbacji utrzymuje się lub dziecko spędza w ten sposób wiele czasu, tracąc zainteresowanie innymi zajęciami, porozmawiaj o tym z lekarzem. U podłoża może leżeć nadmierny stres z różnych przyczyn lub problem natury medycznej, na przykład infekcja dróg moczowych, wymagająca leczenia.

Złość i agresja

Choć zachowania agresywne u dziecka jak najbardziej mieszczą się w granicach normy, nie ulega wątpliwości, że są one również niezwykle irytujące dla ciebie, innych rodziców i innych dzieci. Najlepszą reakcją będzie szybkie odizolowanie dziecka, uspokojenie go i wyjaśnienie, że to, co zrobiło, sprawiło drugiemu dziecku ból. Jeśli będziesz zabierać dziecko z centrum zabawy za każdym razem, gdy dopuści się agresji, wkrótce nauczy się, że musi „być grzeczne".

Jeśli twoje dziecko często wybucha złością i atakuje innych lub jeśli taka passa utrzymuje się dłużej niż kilka tygodni, skontaktuj się z lekarzem. Jeśli skrajnie agresywne skłonności trwają ponad trzy miesiące, należy potraktować je jak poważny problem, wymagający fachowej pomocy psychologa czy psychiatry dziecięcego. Nierzadko zdarza się, że zaniechanie interwencji na wczesnym etapie prowadzi do utrwalenia się tego rodzaju postawy. Z czasem nie kontrolowana agresja dziecka grozi jemu samemu społeczną izolacją, samotnością i poważnie zaniżoną samooceną.

Gryzienie

Niemal wszystkie dzieci mają w pierwszych latach życia mniejsze czy większe skłonności do gryzienia. Zaczyna się to zwykle przypadkowo w okresie ząbkowania. Niemowlę gryzie co popadnie w poszukiwaniu ulgi dla obolałych dziąseł. Gryzienie jest też dla niego jedną z naturalnych metod badania świata. Niektóre niemowlęta mogą ugryźć pod wpływem podniecenia czy w ferworze zabawy. Również i to jest częścią normalnego rozwoju dziecka – tak zwaną „fazą oralną" (ustną) w terminologii Zygmunta Freuda. O ile jednak gryzienie niemowlęcia nie stanowi powodu do niepokoju, o tyle też warto już wtedy orientować je we właściwym kierunku. Zamiast więc pozwalać dziecku, by gryzło ciebie, daj mu plastikowe kółko lub miękką zabawkę do wkładania do buzi.

Gryzienie jako środek wyrazu złości czy frustracji może utrzymywać się lub nasilać między drugim a trzecim rokiem życia, zwłaszcza u dzieci uczęszczających do żłobka lub innej zbiorowej placówki opiekuńczej. Jeśli zauważysz na ciele swojego dziecka ślady zębów, staraj się zachować spokój, ale i sprawdź, co dyrektor placówki ma zamiar zrobić, by więcej się to nie powtórzyło. Jeśli to twoje dziecko gryzie kolegów, nie musisz reagować gwałtownie, jako że zachowanie to zalicza się do normalnych, niemniej jednak musisz nauczyć dziecko, że jest to niedopuszczalne. A oto kilka etapów odzwyczajania dziecka od gryzienia:

- Wprowadź zasadę, że wszelkie gryzienie jest zakazane. Za każdym razem, gdy się to zdarzy, choćby dla żartów, spójrz dziecku surowo w oczy i nieprzyjaznym tonem powiedz coś w stylu „Nie wolno gryźć" czy „Przestań gryźć, to boli". Unikaj długich wywodów, dlaczego; poświęcanie temu zachowaniu nadmiernej uwagi może w rzeczywistości je wzmocnić i zwiększyć prawdopodobieństwo, że będzie się ono powtarzać.
- Nigdy nie śmiej się, gdy dziecko ugryzie cię, nawet dla żartu. Sama unikaj czułego podgryzania go „z miłości", ponieważ dziecko nie będzie w stanie zrozumieć, dlaczego tobie wolno to robić, a jemu nie.
- Postępuj z gryzieniem dokładnie tak samo jak z każdym innym agresywnym zachowaniem. Szybko odizoluj „gryzącego" od „gryzionego". Powiedz stanowczo „nie wolno gryźć" i natychmiast zrób dziecku krótką „przerwę na wyciszenie". Jeśli to nie pomaga, pozbaw dziecko ulubionej zabawki lub zajęcia. Zadbaj o to, by gryzienie nie było w żaden sposób nagradzane. Nie karz jednak dziecka w inny agresywny sposób, na przykład klapsem. A co najważniejsze, nie gryź go sama „z zemsty", bo tym samym mówisz mu, że można gryźć, gdy jest się dorosłym.
- Gryzienie utrwala się nieraz jako nawyk, ponieważ dziecko osiąga w ten sposób to, czego chce. Zaproponuj dziecku alternatywne środki przekazywania swoich potrzeb. Jeśli chce na przykład pobawić się klockami innego dziecka, naucz je, że należy pokazać rączką, o co chodzi, i grzecznie zapytać, czy można.

Lekarz radzi

Problemy zdrowia psychicznego

Problemy zdrowia psychicznego dotyczą np. co piątego amerykańskiego dziecka, jednak dwie trzecie spośród nich nie otrzymuje z tego powodu żadnej pomocy. Sytuacja ta grozi poważnymi następstwami – niepowodzeniami w nauce, nadużywaniem substancji, zaburzeniami relacji z rodziną i przyjaciółmi. Aby temu przeciwdziałać, w Stanach Zjednoczonych zainicjowano obecnie kampanię pod hasłem „Opieki nad zdrowiem psychicznym każdego dziecka" (Caring for Every Child's Mental Health).

- Zastanów się, czy sama nie zachowujesz się agresywnie w stosunku do męża, dzieci czy kogokolwiek innego. Często zdarza się, że dzieci przejmują agresywne zachowania od swoich rodziców.
- Chwal dziecko za dobre zachowanie, na przykład wtedy, gdy prosi o zabawkę, zamiast rzucać się z zębami na jej posiadacza.

Problem gryzienia dotyczy najczęściej dzieci w wieku od 13 do 30 miesięcy. Jeśli zachowanie to utrzymuje się po ukończeniu trzeciego roku życia, należy potraktować je z całą powagą i szukać fachowej pomocy. Porozmawiaj na ten temat z lekarzem-pediatrą.

Nadaktywność

Wszystkie małe dzieci mają od czasu do czasu trudności ze skupieniem uwagi, dokładnym wypełnianiem poleceń czy spokojnym usiedzeniem w jednym miejscu, jednak średnio u co dwudziestego dziecka problemy te są tak nasilone, że rozpoznaje się u nich tak zwane zaburzenie hiperkinetyczne z deficytem uwagi (AD/HD, z ang. *attention deficit/hiperactivity disorder*). Zachowanie tych dzieci może w znacznym stopniu utrudniać życie im samym, a także ich rodzicom i wychowawcom.

A oto kilka strategii postępowania z dzieckiem nadmiernie aktywnym lub dotkniętym AD/HD:
- Zasięgnij porady lekarza na temat szczególnych metod wychowawczych, które mogłyby pomóc ci w kontroli zachowania dziecka, a także ewentualnej diagnostyki pod kątem AD/HD.
- Będąc najważniejszym i najlepszym rzecznikiem swojego dziecka, musisz dokładnie zapoznać się sytuacją od strony medycznej, prawnej i edukacyjnej, w tym z przysługującymi dziecku prawami. W niektórych krajach dzieci dotknięte AD/HD podlegają szczególnej, ustawowej ochronie, dotyczącej zwłaszcza ich prawa do edukacji.
- Wprowadź system pochwał i nagród, podkreślających osiągnięcia dziecka we wszelkich możliwych dziedzinach i wzmacniających w nim poczucie własnej wartości.
- Dokonaj pewnych modyfikacji w otoczeniu dziecka. Poproś jego nauczycieli o ograniczenie otwartych przestrzeni w szkole, sprzyjających zachowaniom nadaktywnym.
- Wydawaj dziecku proste, jednoznaczne polecenia.
- Pomóż mu kontrolować impulsy. Zmuszaj dziecko do zwolnienia tempa, gdy odpowiada na pytania czy wykonuje różne zadania.
- Rozwijaj w dziecku poczucie własnej wartości. Zachęcaj je do doskonalenia się w dziedzinach stanowiących jego mocną stronę i zapewniaj mu pozytywne wzmocnienie w warunkach domowych. Nie zmuszaj dziecka do wykonywania trudnych zadań przed jakąkolwiek „publicznością".
- Pomóż mu zorganizować się. Jeśli dziecko chodzi na przykład do przedszkola, zawieś mu w pokoju tablicę do rysowania czy zapisywania wszystkich rzeczy, które ma zabrać ze sobą następnego dnia.

Postępowanie z uciążliwymi nawykami

Kręcenie włosów na palcu, dłubanie w nosie, obgryzanie paznokci i ssanie kciuka nazywano od lat nawykami „nerwowymi". Właściwie lepiej pasowałby tu termin „uspokajające", ponieważ takie powtarzane, mechaniczne czynności mogą przynieść dziecku ukojenie. W stanie stresu stają się one do tego stopnia automatyczne, że dziecko często wykonuje je zupełnie bezwiednie.

Choć nawyki te wydają się w większości przypadków nieszkodliwe dla zdrowia, mogą stwarzać problemy natury społecznej, narażając dziecko na kpiny otoczenia, wstyd i zażenowanie. Z tego właśnie względu należy je jak najwcześniej zwalczać.

Zacznij od uświadomienia dziecku tego, co robi, przyczyn, dla których to robi, a także postrzegania takich zwyczajów przez innych. Gdy po raz kolejny zobaczysz je dłubiące w nosie czy obgryzające paznokcie, postaraj się ustalić, czy ma za sobą jakieś świeże stresujące przeżycie. Dziecko może starać się rozładować swój stres, dokładnie tak, jak robisz to ty, idąc na aerobik czy rzucając się w wir sprzątania.

A oto kilka sugestii, jak pomóc dziecku pozbyć się kłopotliwego nawyku:

- Wyjaśnij dziecku, dlaczego nie podoba ci się jego nawyk i jak widzą to inni ludzie. Może to poskutkować już nawet u trzylatków.
- Zapytaj dziecko, co według niego mogłoby robić zamiast, na przykład, obgryzania paznokci. Jeśli dziecko samo wymyśli rozwiązanie, jest większa szansa, że spróbuje skutecznie je zastosować.
- Chwal dziecko za każdym razem, gdy zauważysz, że zastępuje nawyk innymi działaniami w chwilach stresu czy nudy.
- Bądź cierpliwa i zachęcaj dziecko do cierpliwości. Tak jak nawyk nie utrwala się w ciągu jednej nocy, tak też i trudno oczekiwać, że z dnia na dzień zniknie. Odzwyczajanie się trwa czasem kilka tygodni czy nawet dłużej.

Większość nawyków nie zagraża zdrowiu, jeśli jednak nie sposób się ich pozbyć lub z jakiegokolwiek względu wydają ci się niepokojące, porozmawiaj o tym z lekarzem.

Więcej informacji na temat AD/HD znajdziesz w rozdziale 32, „Problemy zdrowotne okresu wczesnego dzieciństwa".

Jeśli potrzebujesz dodatkowych informacji, zasięgnij porady lekarza.

Rozdział 20

Nauka kontrolowania potrzeb fizjologicznych

Poradnik dla rodziców

Tak jak inne rodzicielskie zadania, którym już zdążyłaś stawić czoło, tak i nauka kontrolowania potrzeb fizjologicznych jest procesem wymagającym ogromnej cierpliwości, zrozumienia i miłości – a także pewnego przygotowania. W tym rozdziale chcemy służyć ci radą i pomocą na wszystkich etapach wyrabiania w dziecku tej jakże ważnej umiejętności.

Wybór właściwego momentu

Nauka korzystania z nocnika, a później z toalety, przebiega najłatwiej wtedy, gdy dziecko jest już na tyle dojrzałe, by ją podjąć i zaoferować ci współpracę. Rozpoczęcie tej nauki zbyt wcześnie, u dziecka jeszcze nie przygotowanego, może tylko przysporzyć ci problemów – i odnieść wręcz odwrotny skutek. Incydenty z mokrymi i zabrudzonymi majtkami są najczęściej wynikiem niezdolności dziecka do rozpoznania potrzeby i do kontrolowania zaangażowanych w te procesy mięśni – a nie „próbą sił" czy przejawem nieposłuszeństwa. Dziecko, które nie potrafi sprostać oczekiwaniom rodziców, jest ponadto narażone na niepotrzebną frustrację. Warto wreszcie mieć na uwadze, że wymóg załatwiania się do nocnika, połączony z przedwczesną rezygnacją z pieluch, oznacza z reguły więcej prania i sprzątania kałużek na dywanie, a więc jest bardziej – a nie mniej – czasochłonny. Jak wynika z badań na ten temat, niezależnie od

> ### „Głos doświadczenia"
>
> *„Muszla klozetowa może być niebezpieczna dla ciekawego małego dziecka. Pamiętaj, że dziecko może utopić się nawet w przysłowiowej łyżce wody, więc uczul wszystkich domowników na konieczność zamykania klapy sedesu".*
> – ZA: KIDSHEALTH PARENT SURVEY

momentu rozpoczęcia nauki, większość dzieci osiąga pełną kontrolę nad potrzebami fizjologicznymi w wieku około trzech i pół roku. Wtedy też nabywają one umiejętności poprawnego, samodzielnego korzystania z papieru toaletowego. Wcześniejsze rozpoczęcie nauki nie musi więc oznaczać, że uda się wcześniej ją zakończyć.

Choć perspektywa „wyjścia z pieluch" wydaje się niewątpliwie bardzo kusząca, podstawowa zasada głosi, że należy cierpliwie czekać do momentu, aż samo dziecko będzie na to gotowe.

A jak ten moment rozpoznać? Możesz uznać, że przyszła pora na naukę, jeśli twoje dziecko zdradza następujące oznaki gotowości:

- Umie spełniać proste polecenia.
- Używa słów na określenie moczu i stolca.
- Jest w stanie kontrolować mięśnie zwieracze, regulujące wydalanie moczu i stolca.
- Jest zaciekawione tym, że inni domownicy chodzą do toalety.
- Potrafi mieć suchą pieluchę przez co najmniej dwie godziny.
- Potrafi samo ściągnąć i podciągnąć majteczki i spodnie.
- Łapie się za brzuszek, postękuje czy przerywa zabawę na chwilę przed oddaniem moczu lub wypróżnieniem.
- Czuje, co się dzieje w momencie oddawania moczu i stolca.
- Zaraz po fakcie prosi o zmianę pieluchy.

Jeśli twoje dziecko spełnia większość powyższych warunków, naprawdę czas na nocnik! Większość dzieci osiąga tę gotowość w wieku około 2 lat – niektóre nieco wcześniej, inne później.

Przygotowania

Decydując się na rozpoczęcie nauki, wybierz na to maksymalnie spokojny tydzień, kiedy to oboje z dzieckiem będziecie zawsze w pobliżu domu – bez wizyt u lekarza, podróży, większych zakupów itp. Im więcej czasu możesz spędzić w domu – i w łazience – w tej początkowej fazie, tym większa szansa, że pierwsze doświadczenia dziecka będą pomyślne i zachęcą je do dalszych starań, w przeciwieństwie do „wypadku" na środku ulicy. Powinnaś również zaplanować przyuczanie dziecka do nocnika na okres wolny od innych większych przemian w jego życiu, które mogą wiązać się z dodatkowym stresem – takich jak przejście z dziecięcego łóżeczka na duże łóżko, przeprowadzka do nowego domu czy narodziny braciszka lub siostrzyczki.

Gdy już wybierzesz stosowny moment w rodzinnym kalendarzu, weź do ręki kartkę i długopis – musisz zrobić listę zakupów. Wybierając się do sklepu, nie zapomnij o kilku niezbędnych akcesoriach, takich jak:

- Nocnik (patrz rycina 20.1) lub nakładka na normalną muszlę klozetową dla małego dziecka. (Kup to, co wolisz, ale pamiętaj, że niezależnie od wyboru dziecko musi siedzieć wygodnie, ze stopami opartymi na podłodze lub na specjalnej podpórce).

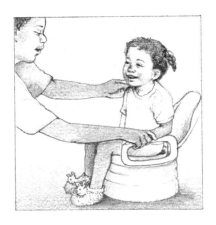

Rycina 20.1.
Nocnik. Wybierz
taki model, na
którym dziecko
może siedzieć ze
stopami opartymi
płasko na podłodze.

- Majteczki „dla dużych dzieci". (Kup na początek tylko kilka par, tak żeby dziecko mogło samo wybrać sobie bieliznę później, już po osiągnięciu pewnego sukcesu).
- Przedłużacz umożliwiający małemu dziecku zapalenie światła w toalecie bez niczyjej pomocy.
- Lampka nocna do pokoju i przedpokoju, na samotne wędrówki do toalety w środku nocy.
- Spodnie i piżamy z gumką w pasie, tak aby dziecko mogło szybko rozebrać się bez pomocy.
- Ewentualnie książka lub kaseta wideo poświęcona temu doniosłemu wydarzeniu.

Nauka załatwiania się do nocnika będzie przebiegać szybciej, jeśli zrezygnujesz z ceratowych majtek „na wszelki wypadek". Nie są one wskazane, bo zatrzymując wilgoć, utrudniają dziecku skojarzenie potrzeby oddania moczu z efektem tej czynności – płynem, który powinien trafić do nocnika – a tym samym pozbawiają je jednego z bodźców do nauki. Gdyby dzieci nie czuły wilgoci i dyskomfortu, cały trud wędrówki do toalety i siadania na nocniku po prostu nie byłby im potrzebny.

Start

Aby oswoić dziecko z myślą o korzystaniu z toalety, możesz pozwolić mu obserwować przy tej czynności ciebie i innych członków rodziny. Wyjaśnij mu, o co chodzi, oczywiście w zrozumiałym dla niego języku. Najlepiej jest używać słów, którymi bez skrępowania posługujecie się na co dzień (raczej „siusiu" i „kupa" niż mocz i stolec). Staraj się jednak unikać określeń o negatywnym wydźwięku, takich jak „fe!" czy „brudna pieluszka", które mogą obudzić w dziecku uczucie wstydu lub obrzydzenia do własnego ciała.

Gdy dziecko ma już pojęcie, na czym rzecz polega, możesz rozpocząć właściwą naukę, korzystając z którejś z podanych metod:

- Przez kilka tygodni pozwól dziecku siedzieć na nocniku w ubraniu, po prostu żeby przyzwyczaiło się do pozycji i wrażenia.

- Sadzaj dziecko na nocniku, jeśli obudzi się suche rano czy po dziennej drzemce – są to okoliczności sprzyjające sukcesowi.
- Jeśli dziecko wypróżni się w pieluchę, pokaż mu, dokąd idzie jej zawartość. Pozwól mu samemu spłukać wodę w toalecie, jeśli ma na to ochotę; jeśli nie, zrób to sama na jego oczach.
- Staraj się przyłapywać dziecko „na gorącym uczynku". Gdy zaczyna postękiwać lub widzisz, że przerywa zabawę, zaproponuj spacer do toalety. Zwracaj uwagę dziecka na związek między takimi sygnałami a potrzebą udania się właśnie w to miejsce.
- Poproś starszego brata lub siostrę albo inne zaprzyjaźnione dziecko, by zademonstrowało korzystanie z nocnika. Widok innego dziecka „w akcji" bywa nieraz skuteczną motywacją.

Nauka korzystania z nocnika powinna przebiegać według jednego, stałego schematu. Wszyscy inni opiekunowie dziecka muszą przestrzegać podobnych pór i używać takich samych słów i bodźców, jak ty. Dotyczy to dziadków, opiekunek dziecka w domu czy w żłobku i każdej innej osoby, która będzie miała okazję pomóc mu w potrzebie. Wszyscy powinni przyswoić sobie ustaloną przez ciebie rutynę. Musisz wtajemniczać w nią każdego, aby nie narażać dziecka na żadne zamieszanie i nieprzewidziane innowacje.

Jak odnieść sukces

- W miarę możności rozpocznij naukę latem. Gdy jest ciepło, dziecko nosi na sobie mniej rzeczy i łatwiej mu opanować sztukę szybkiego rozbierania się.
- Pozwól mu pochodzić czasem bez pieluchy. Nagość od pasa w dół pomaga dziecku dostrzec związek między potrzebą oddania moczu a uczuciem jego spływania po skórze.
- Jeśli dziecku zdarzy się nie wytrzymać w drodze do toalety, postaraj się nie okazać mu swojego rozczarowania. Wręcz przeciwnie, pochwal je za to, że podjęło taką próbę, i jeszcze raz omów, jak w porę rozpoznawać wysyłane przez organizm sygnały.

Lekarz radzi

Uwaga na nieśmiałość

Nawet dzieciom zaawansowanym już w nauce kontrolowania swoich potrzeb zdarzają się „wypadki" w obcych domach czy miejscach po prostu dlatego, że wstydzą się zapytać o toaletę. Aby nie narażać nieśmiałego dziecka na taki stres, każdą wizytę w nie znanym mu domu, nowym przedszkolu, klubie itp. zaczynaj zawsze od pokazania mu, gdzie jest toaleta.

- Na kilka tygodni przed posadzeniem dziecka na nocnik zacznij notować godziny jego wypróżnień. U większości dzieci odbywa się to w dość regularnym rytmie, a znajomość tego rytmu pozwoli ci wyłapać najlepsze momenty na pierwsze próby.
- Od początku ucz dziecko podstawowych zasad higieny – prawidłowego wycierania się papierem toaletowym (dziewczynki muszą zawsze wycierać się od przodu do tyłu, aby uniknąć przenoszenia bakterii z okolicy odbytu w stronę cewki moczowej, co grozi zakażeniem układu moczowego) i dokładnego mycia rąk wodą i mydłem po każdym skorzystaniu z toalety.
- Jeśli dziecku uda się załatwić do nocnika, nie nagradzaj go za to słodyczami czy zabawkami. Choć będziesz oczywiście chciała pochwalić dziecko (i nie szczędź mu słownych pochwał za każdą próbę, niezależnie od efektu), nadmierne celebrowanie jego sukcesu może skłonić je do przypuszczeń, że „wypadek" będzie z kolei oznaczać karę czy co najmniej twoje niezadowolenie. Gdy owocne posiedzenia na nocniku zaczną się regularnie powtarzać, możesz w charakterze nagrody zabrać dziecko do sklepu i pozwolić mu samodzielnie wybrać kilka par majteczek „dla dużych dzieci".
- Postaraj się, by twoje komentarze były pozytywne w treści i spokojne w tonie. Nie złość się, nie wyśmiewaj dziecka ani nie okazuj rozczarowania, jeśli zdarzy mu się „wypadek".
- Nie zapomnij jednak o takiej ewentualności. Wszędzie poza domem miej ze sobą zapasową parę spodenek, majtek, skarpetek i butów – ot tak, gdyby miały się przydać.

Bądź cierpliwa

Nauka kontrolowania potrzeb fizjologicznych z reguły nie jest procesem szybkim. To, ile zajmie czasu, zależy od szeregu czynników, takich jak stopień dojrzałości fizycznej dziecka, umożliwiającej mu kontrolę czynności zwieraczy, jego osobista chęć pozbycia się pieluch, a także twoje podejście pedagogiczne i postawa podczas nauki. Niektórzy rodzice wybierają „kurs intensywny", to znaczy zamykają się z dzieckiem w domu na

Lekarz radzi

Presja nocnika

Według doniesienia opublikowanego w fachowym piśmie medycznym „Pediatrics", większość uczestniczących w badaniu dzieci, którym po pierwszych niepowodzeniach pozwolono wrócić na pewien czas do pieluch, zaczęła regularnie załatwiać się na nocnik w ciągu następnych trzech miesięcy. Zastanów się nad tym rozwiązaniem, jeśli twoje dziecko wydaje się nieszczęśliwe z powodu długich i bezowocnych posiedzeń na nocniku.

> **„Głos doświadczenia"**
>
> *„Zrób zapas kolorowych prześcieradeł. Może wyda ci się to głupie, ale gdy po raz dwudziesty będziesz spierać z nich mocz, kał, wymioty i tym podobne ślady, docenisz moją radę".*
> – ZA: KIDSHEALTH PARENT SURVEY

kilka dni i praktycznie nie robią nic innego poza przyuczaniem go do nocnika. Choć w pewnych przypadkach może to przynieść pożądane skutki, najczęściej potrzeba jednak od kilku tygodni do nawet sześciu miesięcy na pełne opanowanie tej umiejętności. Ostatecznie większość dzieci definitywnie pozbywa się pieluch w wieku około trzech - czterech lat, przy czym incydenty nocne mogą się im zdarzać jeszcze przez kolejnych sześć miesięcy, czy nawet dłużej.

Częste problemy

Droga do toalety nie zawsze przebiega prosto i bezboleśnie. Możesz natknąć się na niej na kilka przeszkód – ale nie takich, których nie dałoby się pokonać cierpliwością i pełną zrozumienia postawą.

„Wypadki"

Wypadki będą się zdarzać niezależnie od stopnia dojrzałości dziecka w chwili rozpoczęcia nauki. Bądź na nie przygotowana i nie okazuj zniecierpliwienia ani rozczarowania – może to tylko pogorszyć sytuację, bo u małego dziecka stres nie sprzyja dobrej kontroli potrzeb fizjologicznych. Co więcej, dziecko będzie się czuło winne z powodu niespełnienia twoich oczekiwań. Pamiętaj, że najczęstszą przyczyną „wypadków" nie jest zła wola dziecka, tylko niedojrzałość mięśni-zwieraczy i słabe wyczucie, ile czasu potrzeba na dojście do toalety.

Biegunka

W razie biegunki pociesz dziecko, że jeśli chce, może na kilka dni wrócić do pieluch. Przyczyną biegunki u dzieci może być zakażenie, nadwrażliwość na pewne pokarmy lub nadmierna konsumpcja soków owocowych. Skontaktuj się z lekarzem, jeśli biegunka trwa dłużej niż kilka dni, jeśli towarzyszą jej inne objawy chorobowe lub jeśli stwierdzasz w stolcu domieszkę krwi.

Zaparcie

Niektóre dzieci wypróżniają się codziennie, inne rzadziej, ale bez trudności. Prawdziwe zaparcie, czyli wydalanie twardego stolca z dużym wysiłkiem i bólem, może jednak zakłócać naukę korzystania z nocnika. Dziecko będzie raczej powstrzymywać się od wypróżnienia, aby uniknąć bólu, co w miarę upływu czasu może jedynie nasilić zaparcie na zasadzie błędnego koła. Mówimy wtedy o tak zwanym zaparciu nawykowym.

Najlepszym sposobem zapobiegania zaparciom jest odpowiednia modyfikacja diety dziecka. Włącz do jego codziennego jadłospisu pokarmy bogate we włókna roślinne, przede wszystkim warzywa (brokuły, szpinak, groszek, fasolę) i otręby (jako dodatek do płatków zbożowych, pieczywa czy ciasteczek). Dopilnuj również, by dziecko wypijało dostateczną ilość płynów, zwłaszcza w upalne dni, i spożywało dużo owoców bogatych i w wodę, i we włókna roślinne (takich jak cytrusy, brzoskwinie, morele, arbuzy, śliwki, winogrona, gruszki). Ogranicz za to pokarmy sprzyjające zaparciom, na przykład ryż, makaron, banany, białe pieczywo i inne produkty o dużej zawartości węglowodanów i ubogich we włókna roślinne. Wyjaśnij dziecku, że wszystkie te zmiany w diecie ułatwią mu korzystanie z nocnika.

Warto również spróbować wyrobić w dziecku nawyk regularnych wypróżnień, o stałej porze dnia. Sadzaj je na nocniku rano po śniadaniu (posiłek często wyzwala potrzebę wypróżnienia) i chwal, jeśli uda mu się „coś zrobić". Jeśli po 15 minutach nie ma żadnych efektów, nie musisz przetrzymywać dziecka dłużej na nocniku, jednak pamiętaj, żeby zawsze zachęcać je do wysiłku w tym kierunku.

Jeśli zaparcie nie ustępuje po wprowadzeniu zmian w diecie i pewnej rutyny w korzystaniu z nocnika, albo też jeśli dziecko skarży się na bóle brzucha i coraz bardziej boi się wypróżnienia, może to oznaczać, że celowo się od niego powstrzymuje. W takiej sytuacji potrzeba zwykle interwencji lekarza, aby przerwać błędne koło i ustalić bardziej regularny rytm wypróżnień. W razie uporczywego zaparcia lekarz może zalecić na początek lewatywę lub czopki przeczyszczające, aby oczyścić jelita dziecka z zalegających, zbitych mas kałowych. Po osiągnięciu tego celu wprowadza się zwykle na dłużej środki zmiękczające kał, aby uniknąć bólu przy defekacji i zapobiec utrwaleniu się nawyku jej odwlekania. Leczenie może potrwać kilka tygodni czy nawet miesięcy, co w połączeniu z dietą bogatą we włókna i przyuczaniem dziecka do rutyny powinno w końcu doprowadzić do wykształcenia rytmu regularnych, niebolesnych wypróżnień.

Popuszczanie (nietrzymanie kału)

Przypadłość ta zdarza się często dzieciom, które czują na sobie presję załatwiania się na nocnik, a fizjologicznie nie są jeszcze do tego gotowe. Nietrzymanie kału (*encopresis*) oznacza mimowolne oddanie stolca w pieluchę lub w majtki. Jeśli dziecku od czasu do czasu przydarzy się taki „wypadek", musisz przede wszystkim pocieszyć je, że to nie jego wina, a w razie potrzeby na pewien czas wrócić do pieluch. Popuszczanie jest często objawem przewlekłego zaparcia (patrz wyżej), w którym może dojść do niekontrolowanego wycieku luźnego stolca wokół przeszkody w postaci twardych, zalegających w jelicie mas kałowych. Jeśli popuszczanie utrzymuje się przez dłuższy czas, skontaktuj się z lekarzem.

Moczenie nocne i dzienne

Nawet po całkowitym opanowaniu kontroli nad potrzebami fizjologicznymi w ciągu dnia często potrzeba jeszcze kilku kolejnych miesięcy (sześciu lub więcej), zanim

„Głos doświadczenia”

„W okresie przyuczania dziecka do nocnika pozwól mu przez kilka pierwszych dni paradować po domu na golasa. Umożliwia to dziecku szybsze znalezienie się we właściwym miejscu i zmniejsza stres związany z próbami rozbierania się w ostatniej chwili. Synkowi pozwól też początkowo siadać na sedesie tyłem, dzięki czemu łatwiej trafi do celu i zostawi mniej śladów na podłodze”.
– ZA: KIDSHEALTH PARENT SURVEY

dziecko zacznie regularnie przesypiać „na sucho” całą noc. Moczenie nocne (enuresis nocturna) nie jest więc powodem do niepokoju u dziecka w wieku dwóch czy trzech lat. Najlepszym wyjściem z sytuacji jest po prostu pozostawienie pieluchy na noc aż do czasu, gdy regularnie każdego ranka będzie ona sucha.

Z nieznanych przyczyn chłopcy wykazują większą skłonność do przedłużonego moczenia łóżka niż dziewczynki. Szacuje się, że 10–15% ogólnie zdrowych pięciolatków moczy się w nocy z częstotliwością kilku razy w tygodniu, a u pewnej niewielkiej liczby dzieci zwyczaj ten utrzymuje się aż do wieku młodzieńczego. Większość wyrasta w końcu z moczenia nocnego, choć niewątpliwie wymaga to od rodziców sporej cierpliwości. Istnieje szereg teorii na temat przyczyn tej przypadłości. W niektórych przypadkach może nią być niedojrzałość wewnętrznego mechanizmu sygnalizacyjnego, przez którą do dziecka nie dociera bodziec nakazujący mu obudzić się i pójść do toalety. Moczenie nocne nie jest celowe ani zawinione, tak więc kary za mokre łóżko nie rozwiążą problemu, a mogą tylko przysporzyć dziecku dodatkowego stresu.

Jeśli twoje dziecko regularnie pozostaje suche w dzień, a za to tylko sporadycznie zdarza mu się nie zmoczyć przez kilka nocy z rzędu, nie przejmuj się tym – najprawdopodobniej wkrótce osiągnie i ten etap. Jeśli jednak dziecko nauczyło się już nie moczyć w nocy, po czym zaczyna robić to ponownie, może to być następstwem stresu lub problemu medycznego w rodzaju zakażenia dróg moczowych czy cukrzycy. Sporadyczne epizody moczenia się w dzień, czyli nietrzymania moczu (incontinentia urinae), zdarzają się dość często nawet dzieciom w wieku szkolnym, jeśli natomiast dziecko przestaje kontrolować oddawanie moczu i w dzień, i w nocy, istnieje duże prawdopodobieństwo schorzenia dróg moczowych. Sytuacja, w której dziecko już po osiągnięciu kontroli nad oddawaniem moczu ponownie traci tę umiejętność całkowicie lub tylko w nocy, wymaga zasięgnięcia porady lekarza.

Jeśli moczenie nocne utrzymuje się po ukończeniu pięciu lat i stanowi problem dla dziecka i całej rodziny, zapytaj lekarza o inne możliwości postępowania. U większości dzieci skutecznym rozwiązaniem są urządzenia alarmowe, budzące dziecko natychmiast, gdy zaczyna oddawać mocz. W niektórych przypadkach pomagają leki, które jednak nie są pozbawione objawów ubocznych ani nie dają gwarancji, że problem nie powróci po ich odstawieniu.

Jeśli potrzebujesz dodatkowych informacji, zasięgnij porady lekarza.

Rozdział 21

Sen

Rytmy, problemy i potrzeby

Sen – lub jego brak – jest prawdopodobnie najbardziej dyskutowanym i budzącym najwięcej emocji aspektem opieki nad niemowlęciem. Świeżo upieczeni rodzice odkrywają jego znaczenie już w pierwszych tygodniach, kiedy to noworodki śpią zwykle na okrągło, z krótkimi okresami czuwania w dowolnym momencie doby. Później jednak, w miarę jak dziecko zaczyna odróżniać dzień od nocy, można bez przesady stwierdzić, że jakość i ilość jego snu przekłada się na jakość życia całej rodziny. Od snu niemowlęcia zależy, czy domownicy będą radośni i pełni energii, czy wręcz przeciwnie – będą słaniać się na nogach, półżywi z wyczerpania.

W tym rozdziale zastanowimy się, jak zapewnić dziecku tyle snu, ile potrzebuje, jak unikać problemów i jak radzić sobie z już zaistniałymi.

Zasypianie i ciągłość

Jest wiele dzieci, które z trudem zasypiają i budzą się kilka razy w ciągu nocy. Nie wynika to z ich złośliwości wobec rodziców, a jedynie z faktu, że dzieci i dorośli mają odmienne rytmy snu, potrzeby i odczucia z nim związane.

Dlaczego niemowlęta tak często się budzą

Sen człowieka dorosłego dzieli się na dwie główne fazy: REM (fazę szybkich ruchów gałek ocznych, *rapid eye movement*) i nie-REM. Ta pierwsza jest fazą marzeń sennych, natomiast druga zapewnia sen głębszy i bardziej regenerujący. Cykl złożony z obu faz u człowieka dorosłego trwa około 90 minut, z czego na fazy REM przypada średnio od 20 do 25 procent łącznej długości snu.

Sen niemowląt również składa się z naprzemiennych faz REM i nie-REM (określanych zwykle jako sen „niespokojny" i „spokojny"), jednak proporcje między nimi przedstawiają się odmiennie niż u dorosłych. Faza REM zajmuje łącznie od 50%

długości snu u noworodków donoszonych do 80% u wcześniaków. Niektórzy sądzą, że sen fazy REM ma największe znaczenie jeszcze przed przyjściem dziecka na świat, być może dlatego, że prawdopodobnie sprzyjał on rozwojowi ośrodków wzrokowych mózgu w ostatnich dwóch lub trzech miesiącach ciąży.

Najważniejszy (z punktu widzenia wielu rodziców) jest fakt, że u niemowląt i małych dzieci cykle złożone z fazy REM i nie-REM zmieniają się częściej niż u dorosłych – średnio co 60 minut. W momentach tych przejść dzieci są podatne na przebudzenie – mogą wtedy wołać rodziców czy przenosić się do ich łóżka. Jeśli z kolei z jakichś powodów dziecko zostanie wyrwane ze snu w fazie nie-REM, zwykle tylko poruszy się, coś zamamrocze i zaśnie ponownie. Innymi słowy, im więcej okresów REM wchodzi w skład snu dziecka, tym większe jest prawdopodobieństwo, że będzie się ono budzić w środku nocy.

Uwaga na temat wcześniaków

Ogólnie ujmując, można oczekiwać, że dziecko przedwcześnie urodzone będzie budziło się częściej, spało płyciej i potrzebowało więcej czasu na osiągnięcie kolejnych etapów stabilizowania się rytmu snu. Omawiając takie rytmy jako typowe dla określonego wieku, przyjmujemy za punkt wyjścia należną datę urodzenia dziecka. Jeśli urodziło się ono o miesiąc za wcześnie, należy siłą rzeczy spodziewać się, że dane „zachowanie senne" rozwinie się u niego z co najmniej miesięcznym opóźnieniem w stosunku do wieku podanego w niniejszym rozdziale.

Nocne pobudki a karmienie

Mniej więcej w połowie pierwszego roku życia większość niemowląt przestaje wymagać karmienia w nocy (a w przypadku dzieci karmionych sztucznie może to nastąpić jeszcze wcześniej, nawet w wieku dwóch lub trzech miesięcy). W razie niepewności co do potrzeb dziecka wskazana jest konsultacja z lekarzem. Część matek karmiących piersią chętnie karmi dzieci w nocy na żądanie. Jeśli nie należysz do zwolenniczek takiego podejścia, możesz próbować stopniowo skracać czas trwania nocnych karmień, a po dojściu do dwóch minut zaprzestać ich zupełnie, oferując dziecku w zamian pieszczotę i ciepłe słowo. (Po zaniechaniu karmień do dziecka powinien wstawać w nocy ojciec, przynajmniej przez pewien czas, ponieważ od matki będzie ono oczekiwać nie tylko pociechy, ale przede wszystkim mleka). Jeśli niemowlę otrzymywało w nocy butelkę, można stopniowo zmniejszać objętość podawanej mieszanki albo coraz bardziej ją rozwadniać aż do momentu, gdy butelkę wypełni czysta woda. Większość dzieci dochodzi wtedy do wniosku, że nie warto budzić się w nocy, by dostać wodę. (Poza tym jednym przypadkiem odzwyczajania niemowlęcia od nocnego karmienia, które nie jest mu już potrzebne, nie należy rozcieńczać mieszanek wodą. Dziecko musi nadal regularnie otrzymywać pełnowartościowe porcje mleka).

Można przyjąć, że dziecko w wieku od dwóch do trzech miesięcy, dobrze ssące w ciągu dnia i ważące co najmniej 6 kg, nie potrzebuje już nocnego dokarmiania. Jeśli jednak twoje dziecko ma mniej niż cztery miesiące, nie zaczynaj odzwyczajać go od tego posiłku bez porozumienia z lekarzem.

Przetwory zbożowe

Niektórzy rodzice uważają – często za sugestią starszych krewnych – że dodanie kaszki lub ryżu do butelki z mieszanką czy mlekiem ściągniętym z piersi pomoże dziecku przespać całą noc. Badania nie potwierdziły zasadności tego przeświadczenia. Jeśli więc przetwory zbożowe „zadziałały" w przypadku twojej mamy czy przyjaciółki, był to najprawdopodobniej czysty zbieg okoliczności. Można przypuszczać, że ich dzieci po prostu dojrzały do przesypiania nocy mniej więcej w tym samym czasie, kiedy zdecydowano się na podanie im pierwszych pokarmów stałych. Większość lekarzy odradza dodawanie tych ostatnich do butelki z mlekiem, i to z kilku przyczyn:

- Ssanie takiej zagęszczonej mieszanki z butelki bywa utrudnione i naraża niemowlę na połykanie większej objętości powietrza.
- Zagęszczony przetworami zbożowymi pokarm jest zbyt kaloryczny w stosunku do potrzeb dziecka, co może prowadzić do nadmiernego przybierania na wadze.
- Pod względem wartości odżywczej mleko matki lub humanizowane przewyższa przetwory zbożowe, w związku z czym nie może być nimi zastąpione.
- Karmienie niemowlęcia poniżej czterech miesięcy czymkolwiek innym niż mlekiem matki lub humanizowanym zwiększa ryzyko rozwoju alergii pokarmowych.

Jeśli twoje dziecko ma ponad sześć miesięcy i podejrzewasz, że płynny pokarm nie zapewnia mu już dostatecznej liczby kalorii, możesz spróbować dodać do jego diety płatki ryżowe, które należy podawać łyżeczką, a nie z butelki, tak jak opisano to w rozdziale 22, „Zdrowe odżywianie". Nie oczekuj jednak, że dodatek przetworów zbożowych znacząco zmieni rytm snu niemowlęcia.

Jak pomóc dziecku ponownie zasnąć

Wszyscy – zarówno dzieci, jak i dorośli – budzą się w nocy, nawet jeśli nie pamiętają o tym na drugi dzień. Możesz jednak zmniejszyć liczbę takich pobudek, zapewniając dziecku pełen komfort podczas snu – sprawdzając, czy nie jest mu za gorąco ani za zimno, czy nie przeszkadza mu jaskrawe światło ani hałas, czy nie jest chore ani zbolałe, czy nie ma mokro ani nie dokucza mu głód.

Nawet przy spełnieniu wszystkich powyższych warunków niemowlęta i małe dzieci i tak będą się budzić w nocy. Niektóre zasypiają ponownie same i bez niczyjej pomocy, natomiast co do pozostałych musisz zadecydować, czy nadal reagować na każdy krzyk, czy też podjąć próbę przyzwyczajania dziecka do samodzielnego uspokajania się i ponownego zasypiania, jeśli ma już ono około sześciu miesięcy lub więcej. Początkowo nie obejdzie się bez płaczu, ale zwykle niemowlę uczy się dość szybko, że wcale nie potrzebuje twojej pomocy, by ponownie zasnąć.

Tak więc, poczynając od szóstego miesiąca życia, większość niemowląt jest w stanie opanować sztukę samodzielnego uspokajania się i ponownego zasypiania w momentach przebudzenia w środku nocy. Można im w tym pomóc, jeśli spróbuje się następujących metod:

- Już od pierwszych tygodni życia staraj się, przynajmniej od czasu do czasu, kłaść dziecko do łóżeczka wtedy, gdy jeszcze nie śpi, tak aby miało okazję przyzwyczajać się do samoistnego zasypiania i kojarzyć z nim moment znalezienia się w łóżku. Istnieje wówczas większe prawdopodobieństwo, że obudziwszy się w środku nocy, ponownie zapadnie w sen. Jeśli natomiast zawsze karmisz je do snu, w dziecku może utrwalić się potrzeba ssania przed zaśnięciem i będzie się tego domagać nawet wtedy, gdy z punktu widzenia jego odżywiania nocne karmienie stanie się już zbyteczne.

- Na zakończenie pożegnania na dobranoc jeszcze raz pocałuj i pogłaszcz dziecko, po czym wyjdź z pokoju. Jeśli reaguje płaczem – albo też płacze obudzone w środku nocy – daj mu kilka minut na wyciszenie się i zaśnięcie. Możesz początkowo próbować przetrzymać je przez 2–3 minuty. Jeśli nadal płacze, sprawdź, czy wszystko jest w porządku. Jeśli wydaje się, że coś mu dolega, wyjmij je oczywiście z łóżeczka, utul i pociesz. Jeśli stwierdzisz w środku nocy, że jest przemoczone, zmień mu pieluszkę najdelikatniej jak potrafisz, najlepiej bez wyjmowania go z łóżeczka. Jeśli ma sucho, pociesz je również bez wyjmowania (powiedz coś cichym głosem, pogłaszcz po plecach), po czym odejdź. Zapal najwyżej małą lampkę i postaraj się, by wasz kontakt był serdeczny, ale krótki. Nie rozpoczynaj zabawy ani czegokolwiek, co uczyniłoby twoją wizytę w pokoju dziecka tak zajmującą, że nie chciałoby się z tobą rozstać. Jeśli dziecko nadal płacze, odczekaj nieco dłużej niż za pierwszym razem, po czym ponownie na chwilę podejdź do łóżeczka. Postępuj w ten sposób konsekwentnie, wydłużając okres zwłoki w twojej reakcji do 10 minut w oczekiwaniu, aż przestanie płakać. Za każdym razem, gdy do niego wracasz, staraj się zrobić mniej niż poprzednio. Sprawdzaj czas na zegarze, bo w subiektywnym odczuciu każde pięć minut płaczu może wydawać ci się wiecznością. Po kilku dniach tej niewątpliwie ciężkiej dla ciebie próby nie będzie już się domagało płaczem każdorazowo twojej interwencji.

- Jeśli twoje dziecko ma już więcej niż rok i trapią je nocne lęki, spróbuj następującego sposobu: po pierwsze, przez kilka wieczorów z rzędu siedź przy jego łóżku dopóki nie zaśnie (lub nie zaśnie ponownie, jeśli jest to głęboka noc). Następnie przez kilka kolejnych dni siadaj stopniowo coraz dalej, aż wreszcie znajdziesz się za drzwiami. W kolejnym etapie siadaj w momencie zasypiania dziecka już poza jego pokojem. Gdy cię zawoła, możesz wsunąć głowę w drzwi i uspokoić je słowami. Zależnie od stopnia nasilenia lęku ten sposób odzwyczajania dziecka od twojej obecności może przedłużyć się nawet do kilku tygodni.

Alternatywnym sposobem uczenia dziecka, jak samoistnie zasypiać, jest oczywiście kontynuacja karmienia, kołysania, noszenia na rękach czy siedzenia przy nim aż do skutku. Mimo że takie podejście może wydawać się serdeczniejsze, to jego skutkiem jest twoje chroniczne niewyspanie, zmęczenie i irytacja w ciągu dnia, co w efekcie będzie odczuwało twoje dziecko. Skądinąd wielu lekarzy uważa, że opanowanie przez dziecko sztuki uspokajania się stanowi ważny krok w kierunku jego niezależności, wzmacnia w nim pewność siebie i poczucie wartości. Jeśli nauka ta przebiega w ścisłym, czułym kontakcie z rodzicami, dziecko nie będzie się czuło opuszczone z uczuciem emocjonalnej krzywdy.

Niezależnie od dokonanego przez ciebie wyboru – czy będziesz zrywać się na każdy płacz, czy też pozwolisz dziecku uspokoić się samemu – każdy z nich jest lepszy od reakcji przypadkowych i pozbawionych konsekwencji. Jeśli więc z reguły odpowiadasz na wołanie dziecka, a raz czy drugi nie zrobisz tego z powodu wyczerpania czy złości, albo odwrotnie – zwykle nie odpowiadasz, czasami ci się to zdarza – w świat twojego dziecka może wkraść się niepewność. Ustal zatem pewien plan i staraj się go realizować konsekwentnie.

Wyrabianie właściwego rytmu snu

Każdy z nas ma swój zegar biologiczny, rządzący cyklicznym rytmem snu i czuwania, który sprawia, że w pewnych porach dnia jesteśmy senni, a w innych ożywieni. Nasz zegar snu i czuwania jest „nakręcany" przez światło i ciemność, a w szczególności przez jasność poranka. U niemowląt zegar ten rozwija się zwykle około trzeciego miesiąca życia – wcześniej mogą one spać i budzić się praktycznie „na okrągło", niezależnie od pory dnia.

Możesz pomóc dziecku w wykształceniu jego wewnętrznego zegara biologicznego i w lepszym dopasowaniu go do twojego własnego, jeśli będziesz po prostu kłaść je do łóżka i budzić codziennie o tej samej godzinie. Szczególnie ważna wydaje się stała pora pobudki. To właśnie w ten sposób ustala się właściwy rytm i prawidłowe zwyczaje związane ze snem.

Układanie do snu

Zasypianie codziennie o tej samej porze staje się w miarę rozwoju dziecka trwałym jego przyzwyczajeniem. Kojący zarówno dla niemowlęcia, jak i dla jego rodziców zwyczaj podpowiada mu bowiem, że przychodzi pora na sen.

„Ceremonia" dobranocki dopuszcza całkowitą dowolność w doborze sposobów towarzyszących układaniu dziecka do snu. Uwzględnia jednak zawsze kąpiel, zakładanie piżamki, mycie zębów i wedle już własnego uznania śpiewanie, kołysanie w ramionach, karmienie, czytanie książeczek, opowiadanie bajek i nastawianie cichej, kojącej muzyki. Możesz włączyć modlitwę, masaż czy techniki relaksacyjne, a także rozmowę z dzieckiem o tym, co wydarzyło się w ciągu minionego dnia i jakie są plany na następny. Czasami określona formuła pożegnania – najprostsze słowa w rodzaju

> ### Niestety, nikt mi wcześniej nie powiedział...
>
> *„... że przez kilka pierwszych miesięcy życia dziecka rodzice powinni starać się dostosować do rytmu jego snu, a nie zmuszać niemowlę, by to ono dostosowało się do ich własnych. Jeśli więc dziecko potrzebuje karmienia o trzeciej nad ranem, trzeba wstać do niego z pozytywnym nastawieniem i dać mu jeść, zamiast narzekać na swój los i marzyć tylko o tym, że być może jutro prześpi wreszcie całą noc. Wiek niemowlęcy dziecka jest okresem wyjątkowym, a przy tym jakże szybko przemijającym, tak więc starajmy się cieszyć każdą jego chwilą – zarówno radosną, jak i nie pozbawioną pewnych uciążliwości”.*

„kolorowych snów” czy „kocham cię” – może być dla dziecka pociechą i ukojeniem, wraz z obietnicą, że zajrzysz do niego za 10 minut (nie zapomnij jej dotrzymać!).

Rodzice powinni układać dziecko do snu na zmianę. Jeśli bowiem zawsze robi to tylko jedno z nich, dziecko może mieć kłopoty z zaśnięciem, gdy w końcu zdarzy się, że akurat nie będzie go w domu. Skądinąd właśnie tuż przed zaśnięciem dziecko wymaga i okazuje najwięcej czułości i najchętniej dzieli się swoimi uczuciami, obawami i myślami. Jest to szczególna pora intymności, której żadne z rodziców nie powinno zawłaszczać wyłącznie dla siebie.

Zasypianie bez łez

Badania wykazały, że od 30 do 40 i więcej procent dzieci w wieku przedszkolnym stawia opór przed pójściem spać, budzi się w nocy, albo jedno i drugie. Poniżej podajemy kilka technik możliwych do zastosowania przez rodziców, które (zwykle) pomagają dzieciom zasypiać bez rozdzierających scen:

- Aby lepiej przygotować dziecko do snu, zadbaj o to, by na jedną lub dwie godziny przed pójściem do łóżka miało tylko spokojne zajęcia. Unikaj w tym czasie szalonych, dynamicznych zabaw, hałasu i wszystkiego, co mogłoby dziecko przestraszyć. Uprzedź je, że za kilka minut położysz je spać.
- W ramach przygotowań do snu regularnie stosuj ustalony, miły dla dziecka rytuał w postaci śpiewania, kołysania czy czytania bajek.
- Zapewnij dziecku zasypianie i sen w bezpiecznym, przyjemnym miejscu. Nie kładź go do łóżka za karę.
- Staraj się o zachowanie maksymalnej konsekwencji co do pory kładzenia się spać oraz zasad postępowania z dzieckiem budzącym się w nocy (począwszy od momentu, kiedy niemowlę zaczyna spać przede wszystkim w nocy, średnio w wieku trzech miesięcy). Twoja stanowczość zmniejsza ryzyko zbędnych dyskusji i kłótni, kiedy przychodzi pora na sen.
- Bądź uparta(-y). Jeśli twoje ponadroczne dziecko wychodzi z łóżeczka z zamiarem włączenia się w późne wieczorne zajęcia domowników, musisz odprowadzać je tam z powrotem, choćby wielokrotnie, dopóki nie zrozumie, że nic nie wskóra. Oznacza to, że możesz wstawać w tym celu nawet 20 razy w ciągu nocy. Jeśli

Sześć powodów, dla których sprawa snu staje się klasycznym problemem wychowawczym

1. Twoje otoczenie (np. dziadkowie, przyjaciele i lekarze) mają zazwyczaj własne niewzruszone poglądy na ten temat, z którymi spieszą się z tobą podzielić.

2. Te poglądy i najlepsze rady są często całkowicie ze sobą sprzeczne. Przykładowo, w naszych badaniach z udziałem rodziców wielu z nich podawało, że najlepsza rada, jaką kiedykolwiek otrzymali, brzmiała: „Nie pozwól dziecku spać w twoim łóżku". Równie liczni przyznawali z kolei, że najlepsza rada, jaką kiedykolwiek otrzymali brzmiała – jak łatwo się domyślić – „Śpij w jednym łóżku z dzieckiem". (Dla pełnego przeglądu opinii patrz akapit „Gdzie dziecko powinno spać?" w dalszej części tego rozdziału).

3. Tylko ty możesz decydować, co jest dobre dla ciebie, twojej rodziny i twojego dziecka. Jedni rodzice będą zwolennikami długich wieczornych zabaw z dzieckiem, gdy po całym dniu pracy wracają do domu. Inni mogą uznać za właściwe kładzenie go spać codziennie o 19.00, bez żadnych wyjątków. Jeśli wszyscy czujecie się szczęśliwi, zdrowi i (racjonalnie) wypoczęci, każde z tych rozwiązań będzie dla was jednakowo dobre. Jeśli tak nie jest, musisz po prostu spróbować czegoś innego.

4. W miarę jak dziecko rośnie, sprawdzone, rutynowe metody mogą nagle przestać być aktualne. Czasem wtedy, gdy wydaje się, że problemy ze snem masz już za sobą, twoje dziecko ponownie zaczyna budzić się w nocy lub mieć koszmarne sny, co zmusza cię do wypróbowania nowego sposobu.

5. Podobnie jak z żadnego standardowego wykresu wzrostu nie jesteś w stanie wyczytać, ile twoje dziecko powinno dokładnie ważyć, tak też i lista przeciętnego czasu snu nie daje informacji, ile dokładnie powinno spać. Wszystkie podane liczby są jedynie wartościami średnimi, wyliczonymi dla określonych grup wiekowych.

6. Nic nie zastąpi twojej znajomości własnego dziecka. Czy jego krzyk w danym momencie jest sygnałem alarmowym, czy tylko zwykłym upustem energii? Czy biega w kółko z nadmiaru witalności, czy też nie może uspokoić się z przemęczenia? Będziesz nieustająco zmuszona(-y) do rozstrzygania tego rodzaju kwestii.

ulegniesz dziecku za dziewiętnastym razem, nauczysz je, że można w końcu przełamać twój opór.

• W razie wątpliwości spróbuj zmienić porę snu. Dzieci mają często trudności z zaśnięciem wtedy, gdy są przemęczone. Przesunięcie pory usypiania na nieco wcześniejszą godzinę może w tym wypadku jedynie pomóc (a przy okazji zmniejszy drażliwość dziecka w ciągu dnia).

Gdzie dziecko powinno spać?

Niemowlęta powinny spać w bezpiecznym miejscu, z którego rodzice mogą je słyszeć (w razie potrzeby nawet z pomocą monitora). Najbezpieczniejszym meblem do spania wydaje się dobrze utrzymane, spełniające standardy specjalne łóżeczko dziecięce (patrz Rozdział 2, „Przygotowanie domu i rodziny"). Przeprowadzone przez nas badanie wykazało, że najmniejsze ryzyko zespołu nagłej śmierci niemowląt (SIDS, *sudden infant death syndrome*) dotyczy dzieci śpiących w pokoju rodziców, ale nie w ich łóżku. Szczególnie przez pierwsze trzy lub cztery miesiące życia, kiedy to niemowlęta często się budzą i są najbardziej narażone na różne niebezpieczeństwa, wielu rodziców woli mieć je w nocy blisko siebie, zwykle w łóżeczku, koszu lub kołysce.

Wybór wspólnej sypialni z dzieckiem zależy w dużej mierze od indywidualnych preferencji. Wyniki badań na ten temat wskazują, że i niemowlęta, i ich matki śpiące w jednym pokoju częściej budzą się w nocy, czyli śpią snem przerywanym. U dzieci karmionych piersią pojawia się wówczas potrzeba do częstszych i obfitszych nocnych karmień, trwających do późniejszego wieku, nie występująca u dzieci śpiących w osobnym pokoju.

W miarę jak niemowlę rośnie, możesz go na stałe umieścić w pokoju dzielonym z rodzeństwem lub w jego własnym. Twoja decyzja będzie zależeć od względów praktycznych, a zwłaszcza od metrażu domu. Przeprowadzka, o ile tylko nie planujesz dalszego dzielenia sypialni z dzieckiem, jest zazwyczaj łatwiejsza do przeprowadzenia w wieku od sześciu do dziewięciu miesięcy. Jeśli zdecydujesz się na nią później, lęk przed rozstaniem z tobą może utrudnić dziecku zasypianie i sen w osobnym pokoju aż do wieku około dwóch lat.

Debata nad rodzinnym łożem

W Stanach Zjednoczonych typowe jest, że starsze niemowlęta i dzieci nie śpią z rodzicami. Większość amerykańskich specjalistów w dziedzinie opieki nad dzieckiem twierdzi, że osobne łóżko zapewnia lepszy sen i rodzicom, i dzieciom, pobudza u tych ostatnich poczucie niezależności i pewności siebie, sprzyja intymności między rodzicami, a także, u dzieci w wieku przedszkolnym, zmniejsza nasilenie typowego w tym okresie kompleksu Edypa (czyli wzmożonej skłonności dziecka do rodzica płci przeciwnej i uczucia rywalizacji o jego względy z rodzicem tej samej płci).

Inni badacze argumentują jednak, że spanie dzieci i rodziców w jednym łóżku jest czymś naturalnym i szeroko praktykowanym w wielu innych częściach świata. Zwolennicy tej opcji twierdzą, że spanie niemowlęcia w łóżku rodziców czy też zapewnienie mu stałego miejsca w tak zwanym „rodzinnym łożu" sprzyja karmieniu piersią, wytwarzaniu wzajemnych więzi i poczuciu bezpieczeństwa dziecka.

Wspólne łóżko a bezpieczeństwo dziecka

Gdy niemowlę śpi w jednym łóżku z rodzicami, istnieje niewielkie, ale jednak realne ryzyko uduszenia. (Ryzyko to zwiększa się w przypadku łóżka na materacu wodnym albo miękkiej kanapy czy sofy, których nigdy nie powinno się używać do spania z dzieckiem). Właśnie z tego powodu odradza się dzielenie łóżka z niemowlęciem.

Stanowisko to opiera się na wynikach jednego z badań, które wykazało związek pomiędzy 64 zgonami niemowląt a dzieleniem łóżka z rodzicami, podczas gdy w grupie dzieci śpiących w osobnych łóżeczkach odnotowano takich zgonów 50 w tym samym okresie jednego roku – przy czym w większości przypadków były to łóżeczka stare i niedostosowane do obecnych standardów. Ponieważ nie wiemy, ile dzieci sypia osobno, a ile w łóżkach rodziców, nie możemy dokładnie porównać stopnia ryzyka. Jeśli jednak założymy, że mniej niemowląt śpi z rodzicami, a więcej we własnych łóżeczkach, ryzyko związane z dzielenia łóżka z rodzicami jest prawdopodobnie większe, niż wynikałoby to z zestawienia powyższych liczb.

Omawiane badanie wykazało, że głównym zagrożeniem dla niemowlęcia śpiącego w łóżku dla dorosłych było zakleszczenie się między ramą łóżka a ścianą, stojącym obok meblem czy materacem. Przypadkowe przyduszenie dziecka przez rodzica zdarzało się również, aczkolwiek rzadziej. Niemal wszystkie zgony dotyczyły niemowląt poniżej 12. miesiąca życia. Z danych tych wynika, że jeśli koniecznie chcesz spać z dzieckiem w jednym łóżku, odczekanie z tym do czasu, aż skończy ono rok, praktycznie eliminuje ryzyko tragicznego wypadku.

Zwolennicy spania z dzieckiem w łóżku argumentują, że powyższe badanie nie uwzględniło takich okoliczności jak picie alkoholu i/lub palenie tytoniu przez dorosłych, czyli czynników podwyższonego ryzyka.

Kompromisowym rozstrzygnięciem tego problemu może być układanie dziecka w łóżeczku ustawionym tuż przy łóżku rodziców, czy wręcz specjalne łóżeczko o trzech ściankach, przymocowane otwartym bokiem do ich łóżka. Właściwie zamontowane ma tę zaletę, że niemowlę jest „pod ręką" do karmienia piersią, a jednocześnie ma zapewnioną bezpieczną przestrzeń tylko dla siebie, wolną od kołder, poduszek i ciężkich ciał śpiących obok rodziców.

Zasady bezpieczeństwa „rodzinnego łoża"

Jeśli chcesz spać w jednym łóżku z dzieckiem, musisz przestrzegać następujących zasad:
- Materac w twoim łóżku musi być twardy i ściśle dopasowany do obramowania, bez żadnych szczelin między nimi, w których mogłaby uwięznąć główka dziecka. W łóżku nie może być dodatkowej pościeli, miękkich powierzchni ani jakichkolwiek niebezpiecznych dla dziecka elementów dekoracyjnych. Łóżko powinno stać odsunięte od ściany czy innych mebli, tak aby wyeliminować możliwość uwięźnięcia dziecka między nimi.
- Nie możesz pić alkoholu ani przyjmować jakichkolwiek leków czy środków, które wprawiłyby cię w głęboki sen i osłabiły czujność. Z tego samego powodu powstrzymaj się od spania razem z dzieckiem gdy jesteś przemęczona(-y). Jeśli planujesz kilka drinków albo masz za sobą nieprzespaną poprzednią noc, tym razem połóż dziecko spać osobno.

- Nie pal papierosów. Badania na temat dzieci śpiących razem z matkami wykaza-ły znacznie wyższe ryzyko SIDS w przypadku matek-palaczek.
- Starsze dzieci i dorośli, którzy nie są rodzicami niemowlęcia nie powinni spać z nim w jednym łóżku.

Spanie na plecach zmniejsza ryzyko SIDS

Według definicji, zespół nagłej śmierci niemowląt (z ang. SIDS) oznacza nagły zgon dziecka poniżej jednego roku życia z przyczyny niemożliwej do ustalenia nawet w to-ku bardzo dokładnych badań. Większość tych tragicznych incydentów dotyczy nie-mowląt między drugim a czwartym miesiącem życia; bardzo rzadko zdarzają się one u dzieci ponadpółrocznych.

SIDS występuje na szczęście stosunkowo rzadko – notuje się średnio 1 przypadek na 1400 niemowląt – i wykazuje tendencję spadkową odkąd zaleca się, aby zdrowe niemowlęta układane były do snu wyłącznie na plecach.

Dlaczego przypisuje się temu aż tak duże znaczenie? Niektórzy badacze przypusz-czają, że kiedy niemowlę śpi na brzuchu, wydychane przez nie powietrze zostaje uwięzione w fałdach pościeli. Ponowny wdech powodowałby zaczerpnięcie właśnie tego powietrza, zawierającego wysoki poziom dwutlenku węgla. Podwyższone stę-żenie dwutlenku węgla powinno budzić dziecko, czego naturalną konsekwencją by-łoby przekręcenie główki w poszukiwaniu świeżego powietrza. Jednak u niektórych niemowląt zawodzi odruchowa reakcja w odpowiedzi na ten bodziec, być może z po-wodu niedojrzałości mózgu lub jakichś zaburzeń w jego funkcjonowaniu.

W celu zmniejszenia ryzyka SIDS zaleca się przestrzeganie następujących zasad:
- Zdrowe noworodki, w tym również większość wcześniaków, powinny być ukła-dane do snu na plecach (patrz ryciny 21.1a–b). Właśnie ta pozycja w najwięk-szym stopniu ogranicza ryzyko SIDS. Spanie na boku jest bezpieczniejsze niż na brzuchu, ale mniej bezpieczne niż na plecach, ponieważ niemowlę może wów-czas samo przekręcić się na brzuch.
- Należy wpoić tę zasadę wszystkim bez wyjątku osobom, jakie od czasu do czasu zaj-mują się dzieckiem, w tym dziadkom, opiekunkom i personelowi żłobka.

Tajemnica SIDS

Badacze zidentyfikowali również inne czynniki, poza spaniem na brzuchu, któ-re wydają się zwiększać ryzyko tego dramatycznego zespołu. Należy do nich spanie na miękkiej powierzchni, przegrzanie, palenie tytoniu przez matkę w cza-sie ciąży, narażenie dziecka na dym papierosowy po urodzeniu, opóźniona opie-ka prenatalna lub jej brak, wcześniactwo lub niska waga urodzeniowa oraz płeć męska niemowlęcia.

- Jest to tym ważniejsze, że szczególnie wysokie ryzyko SIDS dotyczy dzieci stale śpiących na plecach, które raz przypadkowo zostaną położone na brzuchu albo same przekręcą się do tej pozycji.
- Gdy niemowlę nie śpi, powinno ono z kolei spędzać jak najwięcej czasu na brzuchu, co sprzyja kontroli ustawienia główki, unoszeniu się do góry i innym ćwiczeniom siły mięśni i koordynacji ruchów. Taki „czas czuwania na brzuszku" może również zapobiegać trwałemu spłaszczeniu tylnej części czaszki dziecka. (Innym sposobem, aby uniknąć tej deformacji, jest czuwanie nad zmianami ustawienia główki w pozycji na plecach. Jeśli więc twoje dziecko zwykle zwraca główkę w prawą stronę, żeby patrzeć na drzwi czy na ruchomą zabawkę, przełóż je w łóżeczku o 180°, tak aby chcąc obserwować te same obiekty musiało obrócić się w lewo. Możesz też inaczej zawiesić zabawkę).
- Jeśli dziecko potrafi przekręcić się z pleców na brzuch, ale z brzucha nie umie wrócić na plecy, musisz je w tym wyręczyć. Gdy już opanuje tę sztukę, może dowolnie zmieniać pozycję w ciągu nocy po ułożeniu go przez ciebie do snu na plecach.
- Zalecenia dotyczące spania na plecach nie muszą stosować się do niektórych dzieci, dotkniętych określonymi schorzeniami. W razie wątpliwości lekarz opiekujący się twoim dzieckiem powinien doradzić ci, jaka pozycja jest dla niego najlepsza.

Bezpieczne miejsce

Zawczasu obmyśl dla swojego dziecka maksymalnie bezpieczne warunki do snu.
- Kładź je zawsze na dość twardym, spoistym materacyku, nigdy na poduszce, materacu wodnym, tapczanie, kanapie, owczej skórze czy jakiejkolwiek innej miękkiej, zapadającej się powierzchni.

21.1a

21.1b

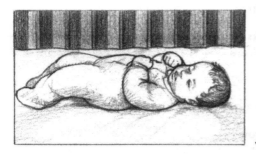
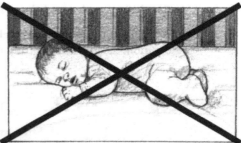

Ryciny 21.1a–b. Ułożenie dziecka do spania: (a) na plecach, (b) na brzuchu. O ile lekarz nie zaleci inaczej, niemowlęta powinno się zawsze układać do snu na plecach, tak jak przedstawia to rycina. Pozycja na brzuchu czy na boku ma związek z większym ryzykiem zespołu nagłej śmierci niemowląt (SIDS).

- Sprawdź, czy łóżeczko twojego dziecka odpowiada krajowym normom bezpieczeństwa (patrz Rozdział 2, „Przygotowanie domu i rodziny"), jest w dobrym stanie i ma dobrze dopasowany wielkością materac. Łóżko starszego dziecka czy dorosłego może nie być aż tak bezpieczne.
- Nie wkładaj dziecku do łóżeczka włochatych koców, pluszowych zabawek ani poduszek. Jeśli używasz kocyka, owiń nim dziecko tak, by dosięgał tylko do jego klatki piersiowej, co zmniejsza ryzyko przypadkowego naciągnięcia go na twarz. Niemowlęta powinno się kłaść ze stopami w nogach łóżka, a następnie podwijać kocyk z trzech stron pod materac. Możesz też zakładać dziecku śpiwór czy kombinezon ze stopami i całkowicie zrezygnować z koca.
- Sprawdzaj zawsze, czy dziecku nie jest za gorąco podczas snu. Utrzymuj temperaturę w jego pokoju na poziomie odpowiednim dla dorosłego w koszuli czy bluzce z krótkimi rękawami. Ubieraj dziecko lekko do snu. Na dotyk nie powinno ono być gorące podczas snu.

Zasady bezpieczeństwa dla zmęczonych rodziców

Organizmu nie da się długo oszukiwać – przychodzi moment, w którym chroniczne niewyspanie rodziców czy innych opiekunów niemowlęcia staje się niebezpieczne, zaczyna grozić wypadkiem, konfliktami małżeńskimi czy nawet złym traktowaniem dziecka.

W zależności od twojej sytuacji możesz potrzebować kogoś, kto wyręczyłby cię w opiece nad dzieckiem od czasu do czasu i umożliwił odespanie zaległości, albo też być może przydałoby ci się kilka dni urlopu w pracy. Jeśli twoje dziecko ma utrwalone problemy ze snem, najprawdopodobniej konieczna będzie profesjonalna porada, jak możesz sobie z nimi poradzić.

W tym czasie musisz przestrzegać paru podstawowych zasad:
- Nie siadaj za kierownicą, gdy ze zmęczenia „zasypiasz na stojąco", na przykład późnym popołudniem.
- Jeśli oczy kleją ci się do snu podczas karmienia czy kołysania niemowlęcia w ramionach, połóż je w bezpiecznym miejscu, żeby przypadkiem nie stoczyło się z twoich kolan.
- Nie zasypiaj przy dziecku na kanapie. Istnieje ryzyko, że przygnieciesz niemowlę swoim ciałem do oparcia czy poduszek kanapy, co może grozić mu nawet uduszeniem.
- Zrezygnuj ze spania z dzieckiem w jednym łóżku, gdy jesteś przemęczona(-y).

Zwłaszcza przez kilka pierwszych wyczerpujących tygodni z nowo narodzonym dzieckiem pamiętaj o podstawowej zasadzie „przetrwania" dla rodziców: kiedy dziecko śpi, śpij i ty.

Rytm snu w różnych okresach życia

W miarę jak dziecko rośnie, zmienia się również rytm jego snu.

Kształt głowy a „czas na brzuszku"

Kampania na rzecz układania dzieci do snu na plecach przyniosła efekty, począwszy od roku 1992, w postaci spadku częstości występowania zespołu nagłej śmierci niemowląt (SIDS). Szereg badań przeprowadzonych od tamtego czasu wskazuje jednak na coraz częstsze przypadki kierowania dzieci do specjalistów z powodu tak zwanego pozycyjnego spłaszczenia czaszki (ang. *positional plagiocephaly*), dotyczącego części potylicznej i najprawdopodobniej związanego z faktem, że większość czasu spędzają one w pozycji leżącej na plecach. U niemowląt tych może również wystąpić asymetria rysów twarzy w postaci jednostronnego spłaszczenia czoła, obniżenia łuku brwiowego i zmian w ustawieniu nosa.

Powyższe zniekształcenia ustępują u większości (około 75%) dzieci w ciągu drugiego roku życia bez żadnych dodatkowych zabiegów poza częstą rotacją główki z jednej strony na drugą. Pomocne może być przekładanie niemowlęcia w łóżeczku (z głową w miejscu nóg i odwrotnie), jeśli widok okna czy jakakolwiek inna ciekawa sceneria skłania je do zwracania głowy w jedną stronę. U mniej więcej jednego dziecka na pięcioro dotkniętych tą przypadłością wskazane bywa stosowanie przez kilka miesięcy specjalnych kasków lub innych przyrządów w celu przeciwdziałania deformacjom. Zabieg chirurgiczny jest konieczny w bardzo rzadkich przypadkach, częściej natomiast zaleca się specjalne zabiegi fizykoterapeutyczne ukierunkowane na mięśnie karku. Jeśli masz jakiekolwiek wątpliwości związane z tą kwestią, zasięgnij porady lekarza.

Jak już wspomniano wcześniej, musisz zapewnić swojemu niemowlęciu jak najwięcej okazji do unoszenia się i oglądania świata z pozycji na brzuchu, kiedy tylko nie śpi. Leżenie na brzuchu, poza zmianą położenia głowy, ma dodatkowo korzystny wpływ na unoszenie jej do góry oraz ćwiczenie siły mięśniowej i koordynacji ruchów całej górnej połowy ciała.

Pierwsze trzy miesiące

Noworodki przesypiają zwykle (lub drzemią) szesnaście godzin na dobę, a nawet więcej, równo podzielonych między dzień i noc. Najdłuższy okres ich nieprzerwanego snu wynosi zazwyczaj od czterech do pięciu godzin, ale niektóre mogą sypiać najwyżej po dwie godziny z rzędu, a za to inne zapadają w kamienny sen na dziesięć godzin. (W pierwszych dniach życia zaleca się budzenie dziecka na karmienie, jeśli śpi nieprzerwanie od czterech czy pięciu godzin). Nie ma reguł rządzących snem noworodka, ponieważ nie zdążyły się w nim jeszcze w pełni wykształcić złożone mechanizmy odpowiedzialne za rytm snu i czuwania.

Niektóre noworodki budzą się początkowo jedynie na karmienie, a dopiero później zaczynają wydłużać okresy czuwania, przypadające często na późne popołudnie. Inne od pierwszych dni życia wyraźnie ożywiają się przed lub po jedzeniu, dając rodzicom okazję do rozmowy lub zabawy. W ciągu pierwszych trzech miesięcy życia niemowlę może łatwo zmęczyć się i niecierpliwić, jeśli czuwa od ponad dwóch godzin bez przerwy.

Staraj się podkreślać różnicę między nocą a dniem, utrzymując mrok w pokoju dziecka w nocy i wykonując wszystkie niezbędne czynności – przewijanie czy karmienie – możliwie jak najszybciej i najciszej. Z kolei w ciągu dnia wpuść do pokoju promyki słońca, nie wyciszaj naturalnych domowych odgłosów, a także baw się i rozmawiaj z dzieckiem, korzystając z każdej chwili jego czuwania. Jeśli tylko twoje dziecko nie jest szczególnie wyczulone na hałas, warto utrzymywać go na normalnym poziomie w ciągu dnia nawet wtedy, gdy niemowlę ucina sobie drzemkę. Pomaga mu to w przyzwyczajaniu się do snu w naturalnych warunkach, bez zrywania się na dźwięk telefonu czy odgłosy rozmowy domowników.

> ### Niestety, nikt mi wcześniej nie powiedział...
>
> *„...że drzemka powinna być dla niemowlęcia przyjemnością. Popełniłam błąd, stosując ją kilka razy w charakterze kary. Fałszywy krok. Moje dziecko nigdy mi tego nie zapomniało”.*

Około szóstego tygodnia życia niemowlęta zaczynają już przejawiać tendencję do najdłuższego spania w nocy, zwykle od trzech do pięciu godzin, która to tendencja nasila się w miarę upływu kolejnych tygodni i miesięcy. Jeśli więc nakarmisz dziecko o 22.00 czy 23.00, istnieje pewna szansa, że uda ci się nieprzerwanie pospać aż do świtu. W wieku trzech miesięcy większość niemowląt karmionych sztucznie nie potrzebuje już posiłku w nocy, mimo że z przyzwyczajenia mogą się go domagać. Niemowlęta karmione piersią zwykle osiągają ten etap nieco później, przypuszczalnie w wieku pięciu–sześciu miesięcy.

Noworodek najczęściej zasypia pod koniec karmienia, szczególnie piersią, co jest dla niego kojącą, naturalną formą przejścia od czuwania do snu. Możesz również w tym czasie kołysać i tulić maleństwo albo zaśpiewać mu piosenkę i kłaść je ponownie do łóżeczka wtedy, gdy zdradza objawy senności, ale jeszcze nie śpi. Przez pierwsze miesiące życia dziecka nie ma możliwości, by je „rozpuścić”, a wręcz przeciwnie – badania wykazują, że niemowlęta noszone na rękach w ciągu dnia mają mniejszą skłonność do marudzenia.

Jeśli twoje dziecko wydaje się nadmiernie rozdrażnione i nie reaguje na różne sposoby uspokajania albo – przeciwnie – ciężko je obudzić i nie zdradza zainteresowania jedzeniem, poinformuj o tym lekarza. Prawdopodobnie nie dzieje się nic złego, jednak warto w takich sytuacjach zasięgnąć fachowej porady.

Od czterech do siedmiu miesięcy

U niektórych niemowląt rytm snu i czuwania ustala się już nawet w wieku sześciu–ośmiu tygodni, jednak w większości przypadków następuje to około trzeciego–czwartego miesiąca życia. Większość niemowląt w tym wieku przesypia średnio

3–5 godzin w ciągu dnia, podzielonych zwykle na dwie lub trzy drzemki, oraz 10–12 godzin w nocy, najczęściej z jedną lub dwiema przerwami na karmienie. O większości dzieci w tym wieku mówi się, że śpią w nocy, jednak często oznacza to nie więcej niż pięć godzin z rzędu, od północy do piątej rano.

W drugim kwartale życia niemowlęta są znacznie aktywniejsze i bardziej zainteresowane otaczającym światem niż w pierwszych miesiącach, w związku z czym okresy ich czuwania mogą wydłużać się aż do krytycznego momentu przemęczenia i rozkapryszenia. Musisz uważnie obserwować dziecko i odpowiednio wcześnie wyłapywać chwile narastającej senności, zanim zacznie się marudzenie. Postaraj się je wtedy jak najszybciej uspokoić kołysaniem albo cichą muzyką i połóż do łóżeczka na drzemkę. Rytmiczne, monotonne ruchy, takie jak kołysanie, noszenie czy przejażdżka samochodem, często pomagają niemowlęciu zasnąć, ale gdy już to nastąpi, sen w normalnych, stacjonarnych warunkach bywa zwykle bardziej regenerujący.

Jeśli przypuszczasz, że popołudniowa drzemka utrudnia dziecku zasypianie wieczorem, możesz spróbować przesunąć ją na nieco wcześniejszą porę. Budź je każdego ranka odrobinę wcześniej niż poprzedniego, a za to również wcześniej układaj je na popołudniową sjestę. Gdy już się z niej obudzi, zapewnij mu aktywne czuwanie aż do wieczora.

W ciągu tych kilku miesięcy twoje dziecko opanuje sztukę obracania się we wszystkie strony i dowolnej zmiany pozycji podczas snu. Pod koniec tego okresu niemowlę potrafi zwykle utrzymać się w stanie czuwania samo z siebie albo pod wpływem bodźców z otoczenia, tak więc jest to dobry moment, by zacząć wyrabiać w nim prawidłowe nawyki co do snu przez codzienną rutynę. Jeśli przynajmniej raz na jakiś czas będziesz układać dziecko wieczorem w łóżeczku wtedy, gdy jeszcze nie będzie spać, może mu to pomóc w nauce zasypiania na własną rękę.

Gdy dziecko ma sześć miesięcy, możesz już przystąpić do modyfikacji twojej odpowiedzi na jego budzenie się i płacz w środku nocy. Zamiast zrywać się natychmiast, zacznij odczekiwać kilka minut, a stopniowo o kolejne kilka minut dłużej.

Oddychanie z przerwami

W ciągu kilku pierwszych miesięcy życia dziecko może oddychać nie w pełni regularnie. Młodsze niemowlęta często robią sobie również kilkusekundowe przerwy w oddychaniu. Zjawisko to, zwane oddychaniem periodycznym, jest w pełni fizjologiczne i z reguły nieszkodliwe, jednak dla nieprzygotowanych na to rodziców może wyglądać przerażająco. Napady bezdechu zdarzają się najczęściej w fazie REM, czyli snu „aktywnego", i zwykle zanikają około szóstego miesiąca życia. Jeśli jednak przerwy w oddychaniu trwają dłużej niż 15 sekund lub też prowadzą do zasinienia lub ściemnienia skóry dziecka, konieczna jest natychmiastowa pomoc lekarza.

Jeśli półroczne niemowlę nadal noc w noc budzi się po pięć lub sześć razy, powiedz o tym opiekującemu się nim lekarzowi.

Od ośmiu do dwunastu miesięcy

Dzieci w tym wieku śpią przeciętnie 13 godzin na dobę, włącznie z dwiema drzemkami w ciągu dnia, jednak zakres „normy" pozostaje tu dosyć szeroki.

Znaczna większość niemowląt nie potrzebuje już karmienia w nocy, a wiele z nich, szczególnie karmionych sztucznie, przesypia bez przerwy siedem lub osiem godzin. W miarę jak twoje dziecko rozwija się emocjonalnie, mogą jednak w tym czasie pojawić się nowe problemy ze snem, związane z jego rosnącą świadomością rozdzielenia z tobą. Typowy dla tego wieku lęk przed rozstaniem wyraża się często łzami i protestami, gdy próbujesz odejść od łóżeczka, a później, w ciągu nocy, budzeniem się dziecka i szukaniem przez nie znaków, że jesteś blisko.

Na pewno nie jest łatwo wypracować odpowiednią postawę wobec nocnych potrzeb dziecka, z zachowaniem właściwych proporcji między troską a stanowczością, jednak musisz pamiętać, że starając się o to właśnie w tym okresie, pracujesz na rzecz przyszłego spokoju i wypoczynku dla całej rodziny. W wielu przypadkach możesz zachować się w trudnym momencie rozstania w ciągu dnia (kiedy na przykład wychodzisz do pracy, zostawiając je z opiekunką) podobnie jak przy układaniu dziecka spać. Przestrzegaj całego wieczornego rytuału, przytul i pocałuj dziecko, daj mu do zrozumienia, że wkrótce znów się zobaczycie, po czym szybko wyjdź z pokoju. Nie odwlekaj też momentu układania dziecka do łóżka w nadziei, że im bardziej będzie zmęczone, tym łatwiej pogodzi się z rozstaniem. Wręcz przeciwnie, przemęczenie może utrudnić zaśnięcie. Jeśli więc często budzi się w nocy, spróbuj kłaść je spać nieco wcześniej.

> ## Najgorsza rada, jakiej mi udzielono...
>
> *„...brzmiała, że wszystkie niemowlęta powinny od pewnego wieku przesypiać całą noc. Spędziłam wiele nerwowych nocy, usiłując zmusić moją córeczkę do snu, i dopiero później dowiedziałam się, że u dzieci karmionych piersią często przychodzi to z opóźnieniem".*

Niemowlę w tym wieku powinno mieć w łóżeczku swoje ulubione zabawki, by dotrzymywały mu w nocy towarzystwa. Taki ukochany przedmiot – pluszowe zwierzątko, specjalny kocyk czy inna „przytulanka" – pomagają mu znieść rozłąkę z rodzicami. Ukojenie może również przynieść nagranie kołysanek śpiewanych przez mamę i tatę. Niektórzy rodzice zostawiają nawet w łóżeczku którąś z własnych rzeczy do ubrania, tak aby za tym pośrednictwem dziecko nie traciło kontaktu z ich zapachem. (Niezależnie od tego, jaki przedmiot czy zabawkę zostawiasz dziecku na pociechę, nie zapomnij o najważniejszym: o bezpieczeństwie. Musisz mieć pewność, że pluszowy miś jest za mały, by grozić dziecku przyduszeniem, i że żadna zabawka nie zawiera elementów, które mogłoby ono połknąć lub okręcić sobie wokół szyi).

Staraj się zostawiać uchylone drzwi, tak aby dziecko słyszało, że jesteś i robisz coś w pobliżu. Jeśli nie przestaje płakać i wołać cię, może wystarczyć kilka słów pociechy z progu sypialni („Mama jest tutaj, ale teraz pora już spać") i ponowne szybkie wyjście. Próbuj wydłużać odstępy między twoimi osobistymi interwencjami aż do czasu zaśnięcia dziecka.

Gdy dziecko budzi się i wzywa cię w środku nocy, spokojnie zapewnij je, że jesteś obok, dając mu jednocześnie do zrozumienia, że musi ponownie zasnąć. Najlepsze, co możesz zrobić, to pogłaskać dziecko po plecach, poprawić mu kocyk i szybko wyjść z pokoju. Jeśli twoje odwiedziny przy łóżeczku będą zbyt interesujące, dziecko może domagać się ich częściej. Jeśli natomiast okażesz mu serdeczność, ale zarazem stanowczość i konsekwencję w kwestii powtórnego zaśnięcia, etap ten powinien szybko minąć.

Zabawa w „A ku-ku" w ciągu dnia może pomóc dziecku w przezwyciężaniu lęku przed rozstaniem. Zakrywając i odsłaniając swoją twarz czy zabawkę uczysz je, że istniejesz – podobnie jak wszystkie inne rzeczy na tym świecie – nawet wtedy, gdy chwilowo nie można cię zobaczyć.

Jeśli twoje dziecko nadal domaga się w nocy twojej obecności, musisz oczywiście upewnić się, że nic mu nie dolega ani że nie ma mokro. W razie konieczności wymiany przemoczonej pieluszki pamiętaj o zachowaniu półmroku w pokoju i o ograniczeniu wszystkich twoich czynności do niezbędnego minimum.

Praca nad opanowaniem tak ważnych nowych umiejętności jak stanie czy chodzenie może pochłaniać niemowlę do tego stopnia, że będzie częściej budzić się w nocy. Jeśli twoje dziecko nauczyło się już samo wstawać w łóżeczku, ale nie potrafi jeszcze samo się położyć, może wzywać cię na pomoc. Pomóż mu, pokazując jak ma to zrobić i ćwicząc razem z nim, ale wybierz na te lekcje dzień, a nie środek nocy.

Czasami wyrwani ze snu rodzice chwytają się wszelkich sposobów, byle tylko uspokoić płaczące niemowlę. Mogą sypiać na materacu w jego pokoju albo przenosić je do swojego łóżka, tak aby ocalić chociaż trochę snu. Nie ma chyba rodziców, którzy nie praktykowaliby takich sposobów przynajmniej sporadycznie. Wystrzegaj się ich jednak na dłuższą metę, bo może to oznaczać wyrobienie w dziecku podobnych nawyków na wiele następnych tygodni.

Od jednego roku do trzech lat

Dziecko w tym wieku oczywiście nie chce iść spać. Trudno mu się dziwić, bo gdy mama, tata i ewentualnie starsze rodzeństwo wcale jeszcze nie kładą się do łóżek, świat wydaje się tym bardziej pasjonujący i pełen niespodzianek. Co więcej, maluch może nadal odczuwać lęk przed rozstaniem, a intensywna nauka chodzenia i biegania tym bardziej pobudza go do walki o własną niezależność. Wszystko razem daje w efekcie osławioną przekorę dziecka – okres, kiedy najchętniej powtarza słowo „nie!" – przez co układanie go do snu staje się prawdziwą, nierzadko dosłowną „próbą sił". Ponieważ dziecko coraz bardziej świadomie odbiera otaczający je świat, zewnętrzne bodźce mogą mocniej oddziaływać na nie również w nocy, a jednocześnie często zaczynają się wtedy marzenia i koszmary senne, które wybijają je ze snu.

Mimo że zakres „normy" pozostaje nadal szeroki, roczne dzieci potrzebują zazwyczaj około trzynastu godzin snu na dobę, wliczając w to dwie drzemki dzienne. Większość dwulatków sypia już tylko jeden raz w ciągu dnia, zwykle od jednej do trzech godzin po południu. Zbliżając się do trzecich urodzin, dzieci śpią typowo od dziesięciu do dwunastu godzin na dobę, z krótką lub sporadyczną popołudniową sjestą. Jeśli nawet nie zasypiają wtedy naprawdę, chwila odpoczynku w łóżeczku albo cichej poobiedniej lektury wydaje się korzystnie wpływać na większość z nich. Jeśli twoje dziecko chętnie układa się do popołudniowej drzemki, natomiast trudno mu zasnąć wieczorem, dobrze jest przyspieszyć porę sjesty, tak aby kończyła się ona około 14.00–14.30. Gdy dziecko w ogóle przestaje spać w ciągu dnia, możesz spróbować wcześniej kłaść je do łóżka na noc, aby zapewnić mu niezbędny odpoczynek.

Gdy rytm snu dziecka zaczyna się zmieniać, okres eksperymentów przed ustaleniem się właściwych dziennych dawek snu i wypoczynku może zająć nawet szereg tygodni. Wieczorem zwracaj uwagę na pierwsze oznaki senności dziecka i staraj się uregulować według nich stałą porę kładania do snu.

Jak radzić sobie z wychodzeniem z łóżeczka

Twój dreptuś będzie na pewno szukać sposobów samodzielnego wydostania się z łóżka. Nie zostawiaj w środku większych zabawek, bo może użyć ich w charakterze schodków. Jeśli spód łóżka można w jakiś sposób obniżyć, zrób to teraz, zanim dziecko nie przetoczy się ponad barierkami.

Jeśli masz do czynienia z aktywnym amatorem wspinaczek, zdeterminowanym, by pokonać ograniczenia, konieczne będzie zapewne przeniesienie go do głębszego łóżka. W tym czasie możesz usunąć spód dotychczasowego i położyć materac w otoczeniu boków na ziemi. Jeśli mimo to boisz się nocnych wędrówek dziecka po domu, postaraj się z góry przewidzieć i wyeliminować potencjalne niebezpieczeństwa. Możesz na przykład ustawić w drzwiach jego sypialni bramkę, zamykać drzwi i zawiesić na nich dzwonek czy nawet specjalny, niedrogi czujnik, reagujący na ich ruch (takich przyrządów używa się często w pokojach hotelowych).

Przenosiny do większego łóżka

Możesz przenieść dziecko do normalnego łóżka w dowolnym momencie, kiedy wydaje się do tego dojrzałe, co zwykle następuje przed ukończeniem trzech i pół roku. Wiele dzieci przyjmuje taką zmianę obojętnie lub radośnie, innym wyraźnie brakuje dziecięcego łóżeczka. Aby uniknąć nadmiaru nostalgii, zorganizuj przeprowadzkę do łóżka „dużej dziewczynki" lub „dużego chłopczyka" jako doniosłe wydarzenie; pozwól dziecku samemu wybrać pościel, przygotuj jakąś miłą niespodziankę czy uroczystość. W pierwszym okresie można otoczyć łóżko barierkami ochronnymi. Oczywiście musisz sprawdzić, czy nie mają one zbyt ostrych brzegów, o które dziecko mogłoby nabić sobie guza. Jeśli podłoga przy łóżku nie jest pokryta wykładziną czy dywanem, możesz rozłożyć na niej koc. Łóżka składane do ściany, typu „tapczanu-półki", nie są wskazane dla dzieci w tym wieku ze względów bezpieczeństwa.

Od trzech do pięciu lat

Przedszkolaki śpią zwykle 10–12 godzin na dobę. W wieku około czterech lat średnio co drugie dziecko zaprzestaje popołudniowej drzemki, a pozostałe jeszcze ją kontynuują, nawet do czasu szóstych urodzin.

Przedszkolaki typowo kładą się spać z oporami i domagają towarzystwa w nocy – jednak najlepsze, co można zrobić dla ich zdrowia i ogólnej dobrej formy, to stanowczo przestrzegać, by się wysypiały i odzwyczaiły od nocnych fanaberii. Musisz wymagać chodzenia spać o ustalonej porze i konsekwentnie zawracać dziecko do łóżka za każdym razem, gdy z niego „ucieka". Jeśli problem stanowią nocne wędrówki, możesz zastosować system pozytywnych bodźców, zachęcających dziecko do wytrzymania w łóżku przez całą noc. Możesz na przykład założyć „kalendarz snu", w którym będziesz zaznaczać wszystkie przespane przez nie w całości noce. Gdy zbierze się ich dziesięć z rzędu, dziecko „zarobi" na jakiś szczególny, wcześniej ustalony przywilej, którym może być chociażby jedna noc w twoim łóżku. Możesz również opracować razem z dzieckiem zasady dotyczące snu i zachowania się w nocy – nawet w formie rymowanej – i zrobić z nich codzienną lekturę na dobranoc.

Zaburzenia snu

Dla niektórych dzieci zdrowy, smaczny sen okazuje się trudniejszy do osiągnięcia niż u innych. Do częstych zaburzeń związanych ze snem należy bezdech senny, koszmarne sny, nocne napady przerażenia i somnambulizm.

Bezdech senny (sleep apnea)

W przeciwieństwie do periodycznego oddychania (omówionego w poprzednim podrozdziale) bezdech senny jest stanem patologicznym, dotyczącym zarówno dzieci, jak i dorosłych, polegającym na dłuższych przerwach w oddychaniu. Napady bezdechu wybijają ze snu – dotknięte nimi osoby krztuszą się, kaszlą, zmieniają pozycję i zasypiają ponownie dopiero po wznowieniu oddychania. Cały proces może powtarzać się wielokrotnie – nawet setki razy! – w ciągu jednej nocy. Dziecko zazwyczaj nie zdaje sobie sprawy z tego, co się z nim dzieje, i nie jest w stanie opowiedzieć o tym rodzicom. Bezdech oznacza dosłownie brak oddychania. Jedna z jego form nosi nazwę obturacyjnego bezdechu sennego, ponieważ przyczyną patologii jest częściowa niedrożność lub blokada dróg oddechowych podczas snu. U dzieci zdarza się to najczęściej w wieku od dwóch do pięciu lat.

Nocne objawy obejmują chrapanie lub głośne oddychanie, krztuszenie się, poty i budzenie się. W ciągu dnia dzieci bywają senne i zdarza im się zasypiać podczas posiłków lub zabawy albo odwrotnie – wydają się pobudzone, napięte, marudne, nie mogą usiedzieć w miejscu czy uspokoić się. Długo trwający bezdech senny odbija się na wzroście i rozwoju dziecka, ma negatywny wpływ na jego wyniki w nauce, a w najpoważniejszych przypadkach może zagrażać powikłaniami ze strony serca.

Rozpoznanie bezdechu sennego ustala się często ze sporym opóźnieniem. Chrapanie u dziecka może przejściowo wystąpić na tle zwykłego przeziębienia, jeśli jednak daje się słyszeć regularnie, należy zasygnalizować to lekarzowi.

Najczęstszą przyczyną bezdechu sennego u dzieci jest powiększenie migdałków lub wyrośli adenoidalnych. Podczas snu, gdy mięśnie gardła są rozluźnione, struktury te mogą częściowo blokować światło gardła. Typowe leczenie polega na chirurgicznym usunięciu przerośniętych migdałów, wyrośli lub jednych i drugich.

Do innych przyczyn lub czynników usposabiających należą nieprawidłowości w obrębie szczęki lub gardła, alergie, częste infekcje dróg oddechowych, otyłość oraz niektóre schorzenia neurologiczne, takie jak mózgowe porażenie dziecięce. Na znaczne ryzyko obturacyjnego bezdechu sennego narażone są również dzieci z zespołem Downa. Jeśli przyczyna wywołująca nie nadaje się do usunięcia lub wyleczenia, lekarze mogą zastosować tzw. metodę CPAP (z ang. *continuous positive airway pressure*), czyli oddychanie przez maskę podłączoną do aparatu utrzymującego stałe dodatnie ciśnienie w drogach oddechowych, co zapobiega ich niedrożności.

Koszmary senne: nocne potwory

Koszmarne sny są równie nieuniknioną przypadłością dzieciństwa, jak poobijane kolana. Nie wiadomo, kiedy pojawiają się po raz pierwszy, jednak faktem jest, że dzieci opowiadają o nich odkąd tylko nauczą się mówić. Uważa się, że u małych dzieci koszmarne sny są odzwierciedleniem problemów i konfliktów psychologicznych stanowiących naturalną składową procesu rozwoju, takich jak lęk przed rozstaniem czy sprzeczne pragnienia niezależności i przypodobania się rodzicom. Przedszkolakom śnią się zwykle potwory i dzikie zwierzęta, co według przypuszczeń ma wyrażać agresywne popędy dziecka.

Na ogół dzieci w tym wieku potrafią już zrozumieć, że koszmarne zjawy senne nie są „prawdziwe" i nie mogą zrobić im krzywdy, co jednak nie zawsze i nie od razu łagodzi w nich uczucie głębokiego przerażenia. Jeśli twoje dziecko zrywa się z wielkim krzykiem w środku nocy, uspokój je mocnym przytuleniem, wytłumacz jeszcze raz, że to był tylko zły sen i że jesteś obok, by je chronić i kochać. Nie bagatelizuj jego lęków, a raczej staraj się, by zrozumiało, że takie przerażające sny zdarzają się od czasu do czasu każdemu. Przypuszczalnie trzeba będzie chwilę posiedzieć przy łóżku dziecku, być może aż do momentu, gdy ponownie zaśnie.

Jeśli koszmarne sny występują u dziecka sporadycznie, nie ma żadnych powodów do obaw. Pomocne może okazać się pozostawienie światła w korytarzu czy nocnej lampki w sypialni, albo też włożenie mu do łóżka latarki „na wszelki wypadek". Rozsądne wydaje się również unikanie przerażających filmów, książek, programów telewizyjnych i gier wideo, zwłaszcza bezpośrednio przed pójściem spać.

Największe nasilenie koszmarów sennych przypada często na okres przedszkolny, równolegle z lękiem przed ciemnością. Niekiedy odzwierciedlają one rzeczywiste stresy, przeżywane przez dziecko w ciągu dnia. Jeśli dziecko wydaje się bardzo zestresowane nauką pewnych nowych umiejętności, na przykład korzystania z toalety, zastanów się nad złagodzeniem wymagań lub odłożeniem ich na pewien czas. Warto również zachęcać dziecko, by dzieliło się z tobą uczuciami, które wzbudzają w nim lęk, zapewniając je zarazem, że zdarzają się one wszystkim, i ucząc odróżniania uczuć od rzeczywistości.

Jeśli nasilenie koszmarów sennych lub dziennych lęków dziecka budzi twój niepokój, zgłoś to lekarzowi, który może skierować cię do specjalisty w dziedzinie psychologii rozwoju. W pewnych przypadkach koszmarne sny lub lęk przed zaśnięciem mogą być objawem fizycznego lub seksualnego molestowania dziecka. Jeśli podejrzewasz coś podobnego, natychmiast powiedz o tym lekarzowi.

Nocne napady przerażenia: zakłócenia między fazami snu

Śpiące dziecko wydaje nagle rozdzierający krzyk. Gdy wbiegasz zobaczyć, co się stało, widzisz, że ma otwarte oczy, nienaturalny grymas na twarzy, mokre od potu włosy. Może siedzieć na łóżku lub na podłodze, albo miotać się na wszystkie strony w tak dziwaczny sposób, że w pierwszym rzędzie myślisz o napadzie padaczkowym. Nawet jeśli dziecko woła cię, może cię nie poznawać. Próby dotknięcia go czy uspokojenia tylko pogarszają sprawę. Co się dzieje?

Jest to napad nocnego przerażenia, jedna z najbardziej dramatycznych – choć z reguły nieszkodliwych – związanych ze snem przypadłości wieku dziecięcego. W przeciwieństwie do koszmarów nocne napady przerażenia nie są snami i nie występują w fazie REM, charakteryzującej się marzeniami sennymi. W tym przypadku do ataku dochodzi w momencie przejścia między głębokim snem nie-REM a następnym etapem, kiedy to dziecko w jakiś dziwny sposób zostaje „zablokowane" między fazami. Ten stan „zawieszenia" – łączący w sobie cechy jawy i snu – bywa nazywany „częściowym przebudzeniem". Również dorosłym zdarza się wtedy chodzić i mówić przez sen. Tendencja do częściowych przebudzeń wydaje się skłonnością rodzinną.

Napady nocnego przerażenia dotyczą najczęściej dzieci w wieku od dwóch do sześciu lat. W tej grupie wiekowej nie są one objawem jakiekolwiek poważniejszego problemu i zwykle z czasem mijają bez śladu. Napad może zdarzyć się jeden jedyny raz w życiu, ale niekiedy powtarzają się one raz na jakiś czas czy nawet znacznie częściej. Trwają od 5 do 30 minut i kończą się zwykle ponownym zapadnięciem w spokojny sen, bez chwilowego wybudzenia. Następnego dnia dzieci z reguły nie są świadome epizodu, aczkolwiek niektóre mogą mgliście pamiętać uczucie przerażenia.

Jak można pomóc dziecku przeżywającemu podobny atak? Paradoksalnie – im mniej zrobisz, tym lepiej. Nie próbuj budzić dziecka ani pytać je o cokolwiek ani w trakcie epizodu, ani później. Jeśli nie wzbrania się, możesz dotknąć je lub cicho przemówić, ale wiele dzieci odrzuca wówczas wszelkiego rodzaju kontakt. Pozostaw przygaszone światło w pokoju i po prostu czuwaj, by dziecko nie zrobiło sobie krzywdy podczas swojej bezładnej szamotaniny. Jeśli napady nocnego przerażenia zdarzają mu się często, tym bardziej zwracaj uwagę, by sypialnia była dla niego miejscem możliwie jak najbezpieczniejszym.

Czy można zapobiec podobnym atakom? Właściwie nie. Ponieważ jednak przemęczenie dziecka wydaje się zwiększać ich prawdopodobieństwo, warto spróbować kłaść je spać nieco wcześniej lub wydłużyć drzemkę w ciągu dnia. W niektórych przypadkach częściowe przebudzenia nasilają się również pod wpływem emocjonalnego stresu.

Somnambulizm

Podobnie jak napady nocnego przerażenia, „lunatykowanie" zdarza się w okresie między głębokim snem a przebudzeniem i u małych dzieci z reguły nie wskazuje na jakiekolwiek podłoże patologiczne. Nie ma potrzeby budzić małego lunatyka – wystarczy zwykle delikatnie skierować go z powrotem do łóżka. Głównym zadaniem rodziców jest zabezpieczenie go przed urazami podczas nocnych wędrówek. Bezpośrednie otoczenie łóżka powinno być gładkie, wolne od przeszkód, na których dziecko mogłoby się potknąć, i od mebli, o które mogłoby się uderzyć. Wskazane może być zamontowanie bramek blokujących wstęp na schody i do kuchni, ewentualnie założenie dzwonka lub alarmu w drzwiach sypialni dziecka, który sygnalizowałby ci momenty jego wędrówek.

Inne problemy związane ze snem

Niektóre dzieci wykonują podczas snu rytmiczne ruchy, takie jak uderzanie czy kołysanie głową bądź całym ciałem. Ruchy te przybierają różne natężenie od niewielkiego do znacznego, przypominającego napad drgawek padaczkowych. Inne rytmiczne zachowania senne obejmują ruchy wahadłowe (kołysanie się w przód i w tył na dłoniach i kolanach) oraz zwijanie się (równoczesne unoszenie kolan i tułowia). Podczas takiej mimowolnej aktywności ruchowej dziecko może wydawać jęki lub pomruki. Ruchy te wydają się występować w okresach przejściowych między budzeniem się a snem albo między poszczególnymi fazami snu. Przyczyny powyższych zaburzeń nie są znane, a tylko w rzadkich przypadkach można doszukać się ich związku z konkretnymi problemami natury medycznej bądź psychologicznej.

Do innych częstych problemów związanych ze snem należy moczenie nocne i zgrzytanie zębami (tzw. bruksizm). Są one omówione odpowiednio w rozdziałach 20, „Nauka kontrolowania potrzeb fizjologicznych", i 29, „Symptomatologia", oraz w rozdziale 23, „Opieka stomatologiczna".

Jeśli potrzebujesz dodatkowych informacji, zasięgnij porady lekarza.

Rozdział 22

Zdrowe odżywianie

Otwórz szeroko buzię!

Jedzenie przede wszystkim dostarcza „paliwa" niezbędnego do fizycznego wzrostu dziecka, ale i stymuluje również inne sfery jego rozwoju. Poprzez pokarmy i czynność jedzenia dziecko poszerza swoją wiedzę o świecie, doskonali sprawność w posługiwaniu się rękami, ustami i zmysłami, uczy się dokonywać wyborów, zaczyna zaznaczać swoją niezależność, a także poznaje nowe zabawy i przyjemności.

Niniejszy rozdział omawia kwestie związane z odżywianiem dziecka, począwszy od karmienia piersią lub butelką do pokarmów stałych; zawiera również proste w zastosowaniu zasady żywieniowe, które pomogą ci w zachowaniu dziecka w dobrym zdrowiu przez kolejne lata jego rozwoju.

Zachowania żywieniowe

W pierwszych miesiącach możesz zamartwiać się, że twoje niemowlę zjada za mało (lub za dużo), następnie czeka cię zapewne kolejny stopień frustracji, kiedy to przygotowane przez ciebie z całym sercem potrawy spotkają się z niechęcią wybrednego malca. Zanim posiłki przeistoczą się w próbę sił, usiądź i zrelaksuj się. Spójrz na jedzenie z właściwej perspektywy – jedzenie jest po prostu jedzeniem, a nie symbolem miłości czy oporu. Dziel się nim i ciesz razem z twoim dzieckiem. Mamy nadzieję, że pomogą ci w tym niżej podane sugestie.

Uczyń z posiłków przyjemne doświadczenie społeczne

Wyłącz telewizor, odłóż gazetę, usiądź i rozmawiaj z dzieckiem. Nie oczekuj jednak zbyt wiele – przyjemności posiłku w towarzystwie małego dziecka są z natury rzeczy dość ograniczone:
- Nie oczekuj, że małe dziecko usiedzi spokojnie przy stole podczas długiego posiłku, szczególnie w restauracji.

- Daj mu możliwość wyboru potraw w granicach rozsądku, ale nie krzycz, nie strofuj go ani nie zmuszaj do jedzenia siłą, przekupstwem, szantażem emocjonalnym czy wzbudzaniem poczucia winy. Efekty takich metod są dokładnie odwrotne od zamierzonych: w ostateczności dzieci jedzą wtedy mniej, a nie więcej. To ty decydujesz, co podasz dziecku do jedzenia, natomiast decyzja, czy i w jakich ilościach skorzysta ono z twojej oferty powinna należeć wyłącznie do niego.
- Jeśli twoje dziecko notorycznie nie zjada przygotowanych dla niego wartościowych pokarmów, oprzyj się pokusie karmienia go słodyczami, lodami itp., słowem czymkolwiek bądź, byle tylko zobaczyć coś do jedzenia w jego buzi. W odniesieniu do wielu dzieci otyłość – uwarunkowana kombinacją czynników genetycznych, złych nawyków żywieniowych i braku aktywności fizycznej – stanowi znacznie większy problem niż ewentualne przejściowe niedobory kalorii czy witamin.

Jeśli masz jakiekolwiek wątpliwości związane z odżywianiem dziecka, w pierwszej kolejności podziel się nimi z lekarzem.

Zdrowe nawyki żywieniowe

Pomóż dziecku w nabraniu zdrowych nawyków żywieniowych, które przydadzą mu się na całe życie:

- Przyzwyczajaj je do urozmaiconej diety, bogatej w pełnoziarniste produkty zbożowe, owoce i warzywa, unikając jednocześnie słodyczy, żywności wysoko przetworzonej, tłustych przekąsek i innych pokarmów pozbawionych wartości odżywczej.
- Naucz dziecko pić wodę zamiast napojów gazowanych i generalnie odżywiać się pokarmami naturalnymi, a nie ich przetworami. Niech więc na przykład zjada jabłka zamiast jabłkowych chipsów czy szarlotki. Przestrzeganie tej zasady może oznaczać sprzeciw wobec modelu ustanowionego przez dziadków czy przyjaciół, a także zmiany w sposobie zakupów i gotowania oraz w jadłospisie dla całej rodziny, co wyjdzie wszystkim na zdrowie.
- Jeśli twoje dziecko spędza dni w żłobku, sprawdź, co tam je, a w razie wątpliwości domagaj się zmian w żłobkowej diecie.
- Jeśli zatrudnisz indywidualną opiekunkę, upewnij się, że rozumie ona wagę problemu i przestrzega twoich zaleceń co do odżywiania dziecka.

Przejście od mleka do pokarmów stałych

W pierwszym półroczu życia większość niemowląt nie potrzebuje niczego poza mlekiem matczynym lub humanizowanym. W niektórych przypadkach – na przykład jeśli w twojej rodzinie panuje skłonność do alergii pokarmowych – pediatra może zalecić karmienie dziecka wyłącznie piersią jeszcze przez kilka kolejnych miesięcy, co ma znaczenie w prewencji rozwoju alergii. Większość dzieci kosztuje jednak pierwszych pokarmów stałych między czwartym a szóstym miesiącem życia, kiedy ich organizm osiąga odpowiedni stopień dojrzałości, umożliwiający taką próbę.

O gotowości do wprowadzenia pierwszych pokarmów stałych świadczy, gdy dziecko:

- posadzone z podparciem nie ma kłopotów ze sztywnym utrzymaniem główki albo potrafi już samo siedzieć;
- sprawnie obraca główkę, gdy chce uniknąć czegoś nieprzyjemnego;
- wykazuje zainteresowanie jedzeniem, sięga do twojego talerza albo bacznie obserwuje, jak niesiesz do ust kolejne kęsy pokarmu;
- utraciło odruch wypychania języka, który w okresie noworodkowym chronił je przed wszelkimi obcymi substancjami wchodzącymi mu do buzi. Przekonasz się o tym bardzo szybko, bo jeśli odruch ten jeszcze nie zanikł, pokarm wkładany do ust będzie natychmiast wypychany na zewnątrz. Nie pozostaje ci wtedy nic innego, jak ponowić próbę po odczekaniu kilku tygodni.

Jeśli uważasz, że twoje dziecko dojrzało do pokarmów stałych, nie wprowadzaj tej doniosłej zmiany w sposób nagły i radykalny. W pierwszym okresie nadal karm dziecko piersią lub butelką, a tylko raz lub dwa razy dziennie podawaj mu posiłek stały. Pamiętaj, że początki wyglądają zazwyczaj bardzo skromnie, bo większość niemowląt ogranicza objętość takiego posiłku do jednej lub dwóch łyżek. Nawet po upływie miesiąca czy dwóch od pierwszych prób dziecko może zjadać zaledwie kilka łyżek pokarmu stałego na jeden raz, nadal pobierając większość energii i składników odżywczych z mleka matki lub humanizowanej mieszanki. Pokarmy stałe mają zapewnić dziecku dodatkowe kalorie, które będą mu potrzebne w miarę wzrostu, natomiast nie mogą zastąpić najwartościowszego dla niego w tym okresie mleka.

W miarę jak dziecko zjada coraz większe porcje i zbliża się do pierwszych urodzin, możesz rozpocząć stopniowe odstawianie go od piersi lub butelki, co powinno zająć kilka tygodni. Więcej informacji na ten temat znajdziesz w rozdziałach 9 i 10, „Karmienie piersią" i „Karmienie butelką".

Początki: pierwsze pokarmy stałe

Lekarze zalecają, by pierwsze pokarmy stałe wprowadzać pojedynczo, to znaczy podawać wyłącznie jeden z nich przez kilka dni i dopiero po odczekaniu próbować następnego, z zachowaniem tej samej zasady. Metoda ta pozwala szybko zidentyfikować i wyeliminować przyczynę ewentualnej biegunki, wysypki czy innych możliwych niepożądanych reakcji pokarmowych. Dopiero po wprowadzeniu z dobrym skutkiem szeregu produktów, można rozpocząć ich podawanie w kombinacjach.

Pierwszym pokarmem stałym dziecka są specjalne, wzbogacone w żelazo przetwory zbożowe dla niemowląt, zazwyczaj płatki ryżowe, a w dalszej kolejności owsianka i kasza jęczmienna. Produkty zbożowe dla niemowląt są wzbogacone w żelazo, ponieważ jego uzupełnianie będzie potrzebne dziecku karmionemu dotąd piersią, począwszy od szóstego miesiąca życia, kiedy to jego wrodzone zapasy tego pierwiastka zaczynają się wyczerpywać. Kaszki dla niemowląt można kupić w porcjach gotowych do spożycia albo w postaci suchych płatków do rozmieszania z mlekiem matczynym lub humanizowanym albo z wodą. Nie mieszaj ich z mlekiem krowim aż do ukończenia przez dziecko pierwszego roku życia. W każdym przypadku podaje się je początkowo w postaci mocno rozrzedzonej – ich konsystencja powinna przypominać raczej zagęszczone mleko niż pokarm w dosłownym znaczeniu „stały".

Po przetworach zbożowych przychodzi zwykle kolej na przeciery owocowe (z wyjątkiem cytrusów) lub warzywne (szczególnie marchew, groszek, dynię, ziemniaki i fasolkę szparagową). Następnie możesz wprowadzić przecierane mięso lub drób.

Podany szyk zboża – owoce – warzywa nie stanowi sztywnej zasady w żywieniu. Niektórzy rodzice zaczynają od owoców, ponieważ dzieci wydają się lubić ich słodki smak. Inni z kolei z tego samego powodu decydują się na warzywa przed owocami, gdyż wolą, by dziecko przyzwyczaiło się najpierw do mniej słodkich smaków.

Niezależnie od tego, co wybierzesz, nigdy nie próbuj zmuszać dziecka do zjedzenia czegokolwiek wbrew jego upodobaniom. Z drugiej strony nie dosładzaj też kaszek ani warzyw, mieszając je z owocami (a już na pewno nie dosładzaj ich cukrem czy miodem).

Żywność dla niemowlęcia: sklepowa czy domowa?

Kwestia, czy powinno się karmić dzieci gotowymi, dostępnymi w handlu produktami dla niemowląt, czy też pokarmami przygotowywanymi sposobem domowym, budzi dyskusje. W tym przypadku prawda nie leży nawet pośrodku, lecz przedstawia się tak, że dzieci równie dobrze rozwijają się na jednym i drugim rodzaju żywności. Możesz więc z czystym sumieniem wybrać sposób odżywiania, który będzie z pożytkiem i dla dziecka, i dla ciebie.

Komercyjne produkty dla niemowląt

Gotowe potrawy dla niemowląt są odpowiednio dobrane i jednorodne pod względem smaku i wartości odżywczych. Są one również bezpieczne z punktu widzenia mikrobiologicznego, ponieważ cały proces produkcji i pakowania odbywa się w warunkach sterylnych. Aż do momentu otwarcia słoiczka czy puszki nie wymagają one przechowywania w lodówce. Podobnie jak inne rodzaje żywności przetworzonej, mają one tendencję do niższej zawartości pestycydów niż niektóre produkty naturalne. W obecnej dobie większość produktów dla najmłodszych dzieci (oznaczonych np. w Ameryce jako pokarmy „Etapu I", a w Polsce z podaniem wieku dziecka) zawiera tylko jednorodne składniki, bez dodatku soli, cukru czy innych środków wypełniających. Pomimo to wiele gotowych potraw dla niemowląt smakuje nawet dorosłym!

Jeśli kupujesz dziecku gotowe słoiczki, przestrzegaj następujących zasad:
- Czytaj etykietki. Produkty dla starszych niemowląt (z określonym wiekiem dziecka) często zawierają cukier lub wypełniacze. Możesz zaoszczędzić pieniądze, kupując słoiczek marchewki i słoiczek groszku, które połączysz według własnego

uznania, zamiast gotowej mieszanki marchewki z groszkiem z dodatkiem wypełniacza.

- Unikaj gotowych słodkich deserów. Twoje dziecko bynajmniej nie potrzebuje nadmiaru cukru ani nawyku oczekiwania na słodycze na zakończenie każdego posiłku. Jeśli od czasu do czasu masz zamiar podać mu deser, przyrządź go z tartych lub zmiksowanych owoców, jednorodnych bądź mieszanych, z dodatkiem odrobiny jogurtu naturalnego.
- Unikaj nadmiaru soków owocowych – większość dzieci wcale nie potrzebuje ich w wielkich ilościach.
- Gdy po raz pierwszy otwierasz słoiczek z potrawą dla dziecka, środek wieczka powinien wyraźnie odskoczyć po przełamaniu hermetycznego zamknięcia. Jeśli tak się nie dzieje, nie podawaj dziecku zawartości słoiczka.

Potrawy dla dziecka przygotowywane w domu

Są one niewątpliwie znacznie tańsze od gotowych i mają ponadto tę zaletę, że od początku przyzwyczajają dziecko do domowej kuchni, z jakiej korzysta cała rodzina.

Jeśli sama przygotowujesz posiłki dla dziecka, przestrzegaj następujących zasad:

- Stosuj się do zaleceń bezpieczeństwa podanych w dalszej części tego rozdziału. Jeśli chcesz przyrządzić coś w ilości większej niż na jeden raz, raczej zamrażaj dodatkowe porcje zamiast robić z nich domowe przetwory w słoikach. (Wykorzystując do mrożenia pojemnik na kostki lodu możesz łatwo wyjąć i rozmrozić porcję na jeden posiłek).
- Starannie wybieraj surowe składniki na posiłek dziecka, dokładnie obieraj je i myj.
- Jeśli planujesz zrobić dziecku purée czy potrawkę z przetworzonego produktu dla dorosłych, przeczytaj najpierw etykietkę na jego opakowaniu, aby upewnić się, że nie zawiera on znacznych ilości soli (sodu), cukru czy innych składników np. konserwantów, które niechętnie widziałabyś w diecie dziecka. Gotowe zupy czy makarony z sosem są zwykle bardzo bogate w sól. Aczkolwiek dziecku nic się nie stanie, jeśli sporadycznie zje coś słonego, musisz pamiętać, że dodatek soli nie jest mu potrzebny i nie powinno się do niej przyzwyczajać.

Szczególne przypadki

Gotowe, przeznaczone dla dzieci przetwory niektórych warzyw – takich jak buraki, szpinak, rzepa czy kapusta – bywają bezpieczniejsze niż ich odpowiedniki ugotowane w domowej kuchni. Warzywa te zawierają niekiedy znaczne ilości azotanów, które u niektórych niemowląt mogą prowadzić do niedokrwistości (spadku liczby krwinek czerwonych). Producenci żywności dla dzieci badają surowce pod kątem stężenia azotanów, czego nie możesz zrobić w domu.

- Używaj miksera, robota kuchennego czy maszynki do mielenia, aby rozdrobnić produkty do konsystencji odpowiedniej dla małego dziecka. Wielu rodziców najchętniej posługuje się tradycyjnym plastikowym sitkiem czy małym mechanicznym młynkiem, poręcznym w każdej sytuacji, również poza domem

Jak karmić dziecko

Na pierwsze próby z pokarmem stałym wybierz moment spokojny, kiedy sama się nie śpieszysz, a dziecko okazuje głód, ale i nie jest nadmiernie wygłodniałe. W wielu przypadkach takim odpowiednim momentem jest pora obiadu.

Twoje dziecko powinno siedzieć, a nie leżeć. Możesz posadzić je sobie na kolanach, ale wysoki dziecięcy fotelik będzie o tyle lepszy, że pozostawi ci wolne obie ręce. Zacznij od chwili karmienia piersią lub butelką, po czym, po zaspokojeniu pierwszego głodu dziecka, przesadź je na fotelik. Postaw przed nim miseczkę czy talerzyk, pozwól mu dotknąć jedzenia, a nawet nieco rozbabrać, jeśli ma na to ochotę. (Oczywiście nie zapomnij założyć dziecku śliniaka i przygotuj się na straszliwy bałagan na stole – jest to nieodłączna część całego procesu). Następnie weź niedużą łyżkę – może to być specjalna, powlekana łyżka z zestawu sztućców dla dzieci, łyżeczka do herbaty czy mała łyżka stołowa – nabierz na nią niedużą porcję i włóż dziecku do buzi nie za głęboko na język, żeby nie wywołać odruchu wymiotnego.

Gdy niemowlę spróbuje pokarmu, może wyssać resztę z łyżki i otworzyć buzię w oczekiwaniu na kolejną porcję. Może również pluć, ale jednocześnie okazywać zaciekawienie. Może też krztusić się, płakać i denerwować. Nierzadko spróbuje samo uchwycić łyżkę. (Pozwól dziecku pobawić się łyżką, a po chwili spróbuj skierować ją do buzi, albo weź do karmienia drugą, a zostaw mu w rączce pierwszą).

Gdy dziecko zje kilka łyżek lub wydaje się zmęczone eksperymentem, zakończ posiłek, podając mu z powrotem pierś czy butelkę. W początkowym okresie niemowlę połyka faktycznie bardzo znikome ilości, jednak celem tego etapu jest sama nauka jedzenia pokarmu stałego, a nie zaspokojenie nim potrzeb odżywczych dziecka.

Pokarmy do unikania u małych dzieci

Niektóre pokarmy z większym prawdopodobieństwem niż inne mogą wywoływać u niemowląt reakcje alergiczne lub inne objawy niepożądane. Do produktów, których powinno się w związku z tym unikać, należy mleko krowie, jaja, soja, orzechy ziemne, pszenica, a także owoce morza, inne gatunki orzechów i kukurydza. Najlepiej nie podawać ich wcale do czasu, aż dziecko skończy rok i przyzwyczai się już do przetworów zbożowych, warzyw i owoców wymienionych wcześniej jako właściwe pokarmy stałe pierwszego rzutu. Jeśli w twojej rodzinie występują przypadki alergii pokarmowych, powiedz o tym lekarzowi przed wprowadzeniem do diety dziecka jakiegokolwiek nowego, potencjalnie alergennego produktu. Zwykle odłożenie takiej próby na nieco późniejszy okres zmniejsza ryzyko rozwoju alergii. A oto kilka wskazówek odnośnie do pewnych problematycznych produktów:

- Mleko krowie nie powinno znaleźć się w diecie dziecka poniżej roku życia, ponieważ w stosunku do jego potrzeb zawiera zbyt dużo białka i soli mineralnych. Nawet po ukończeniu pierwszego roku bardziej wskazane może być podawanie dziecku do picia wzbogaconej w żelazo mieszanki dla niemowląt zamiast mleka krowiego, jeśli nie spożywa ono dostatecznych ilości żelaza w takich produktach jak mięso czy wzbogacone w ten pierwiastek przetwory zbożowe. Porozmawiaj o tym z lekarzem. Jeśli decydujesz się na mleko krowie, gdy twoje dziecko skończy rok, wybierz mleko pełne, nie odtłuszczone czy częściowo odtłuszczone (2% czy 1%). Dopiero u dziecka dwuletniego można zwykle stopniowo przejść na mleko o niższej zawartości tłuszczu. Co jednak najciekawsze, wbrew rozpowszechnionym poglądom mleko krowie w ogóle nie jest niezbędne dla dziecka, o ile tylko otrzymuje ono właściwą dzienną dawkę wapnia i białka z innych pokarmów. Dobrym źródłem obu tych składników odżywczych może być na przykład jogurt. Inne, nienabiałowe źródła wapnia i białek są omówione w dalszej części tego rozdziału.

  W wieku około pięciu lat u niektórych dzieci – zwłaszcza pochodzenia afrykańskiego, azjatyckiego lub indiańskiego – mogą pojawić się pierwsze oznaki zaburzeń w trawieniu laktozy – cukru mlekowego. Nietolerancję laktozy, utrzymującą się często aż do wieku dorosłego, można złagodzić stosowaniem specjalnego mleka i podawaniem leków.

- Orzechy ziemne i masło orzechowe to produkty podwójnie ryzykowne dla dziecka jako potencjalna przyczyna alergii, a także zachłyśnięcia się. (Niemowlęta i małe dzieci mogą zakrztusić się zarówno kleistą masą do smarowania, jak i orzechami jako takimi). Aby uniknąć obu zagrożeń, nie podawaj dziecku masła orzechowego (czy np. „Nutelli") aż do ukończenia trzeciego roku życia, a i później lepiej cienko posmarować nim kromkę chleba czy herbatnik, niż pozwolić na wyjadanie go łyżką ze słoika. Z orzechami bezpieczniej będzie odczekać jeszcze dłużej, do wieku czterech lat.

- Miód i syrop kukurydziany nie powinny być podawane dzieciom poniżej roku. Mogą one zawierać zarodniki bakterii, narażające niemowlęta na poważną chorobę – botulizm, czyli zatrucie jadem kiełbasianym – są natomiast bezpieczne dla starszych dzieci i dorosłych.

Całkowite przejście na pokarmy stałe

Gdy dziecko przyzwyczai się już do różnorodnych, pojedynczych produktów stałych, możesz zacząć łączyć je ze sobą, podając mu na przykład zmiksowane mieszane owoce, mieszane przetwory zbożowe czy mieszane warzywa, nadal dokładnie przetarte. Jeśli dziecko umie już samo siedzieć i dobrze radzi sobie z pokarmami w postaci purée, można stopniowo przystąpić do wprowadzania twardszych konsystencji, a także drobnych przekąsek. Podając te ostatnie, musisz upewnić się, że są dostatecznie miękkie i pokrojone na małe kawałki – bo dziecko albo połknie je w całości, albo będzie czekać, aż rozpuszczą mu się w ustach. Dobrymi przekąskami dla małych dzieci są kawałki gotowanej marchewki, drobno pokrojone ziemniaki, zielony groszek, kawałki pełnego chleba pszennego, krakersy oraz płatki zbożowe typu Cheerios lub podobne.

Podczas nauki jedzenia dzieci często wykazują skłonność do krztuszenia się czy nawet wymiotów. Może się to zdarzyć, gdy dziecko ma za dużo pokarmu w buzi albo gdy zostanie zaskoczone nowym smakiem lub konsystencją, na przykład przypadkową grudką w gładkim budyniu.

Picie z kubka

Mniej więcej w tym samym czasie, kiedy dziecko próbuje pierwszych pokarmów stałych, może ono również rozpocząć naukę samodzielnego picia z kubka. Najpierw zachęć je do zapoznania się i zabawy z tym pożytecznym przedmiotem, pustym lub do połowy wypełnionym wodą. Następnie wlej do kubka odrobinę mleka ściągniętego z piersi, mieszanki lub wody i pokaż mu, jak się z niego napić.

Gdy dziecko poznało już smak owoców, możesz spróbować soku owocowego, ale z umiarem – w gruncie rzeczy dzieci nie muszą pić soków, o ile tylko zjadają owoce (ale nie cytrusowe), a wręcz lepiej jest nauczyć dziecko jeść owoce (które zawierają więcej włókien roślinnych) i pić wodę (która nie zawiera cukru), niż pozwalać mu opijać się sokiem owocowym (który ma w sobie dużo cukru i czasami wywołuje biegunkę). Niektóre dzieci mogą do tego stopnia „uzależnić się" od słodkiego smaku soku, że nie będą miały ochoty na inne pokarmy, o większej wartości odżywczej, które w ten sposób zostaną częściowo wyparte z ich diety. Przykładowo, roczne dziecko nie powinno wypijać więcej niż 100 ml soku dziennie. Choć może to zabrzmieć jak herezja, twoje dziecko z powodzeniem może w ogóle obyć się bez soku, jeśli tylko je owoce.

Aby ułatwić dziecku samodzielne picie, spraw mu kubek z dwoma uszami, otwarty od góry albo jeszcze lepiej z wieczkiem i dziobkiem. Niektóre filiżanki dla niemowląt są nawet wyposażone w specjalną zastawkę, zapobiegającą rozlewaniu płynu i umożliwiającą jego przepływ tylko wtedy, gdy dziecko ssie dziobek. Jest to niewątpliwie duża wygoda, ale musisz pamiętać o dokładnym myciu całego mechanizmu. Nawet dysponując takim kubkiem, zmieniaj go od czasu do czasu na zwyczajny, aby dziecko nauczyło się również pociągać małe łyki płynu, a nie tylko ssać.

Uzupełnianie witamin

Jeśli karmisz niemowlę wyłącznie piersią, w pewnym momencie lekarz może zasugerować podawanie mu kropelek zawierających żelazo oraz witaminy C i D. Na niedobór witaminy D podatne są zwłaszcza dzieci o ciemnej skórze i nie zażywające regularnych kąpieli słonecznych. Z kolei humanizowane mleko dla niemowląt jest zwykle wzbogacone w witaminy, tak więc dzieci karmione sztucznie z reguły nie potrzebują suplementów.

Gdy dzieci stopniowo przechodzą na pokarm stały, ich dieta powinna być na tyle urozmaicona (jak opisano poniżej), żeby można było obyć się bez uzupełniających preparatów witaminowych. Nawet niezbyt wyszukane czy też okresowo mniej obfite odżywianie pokrywa zazwyczaj zapotrzebowanie dziecka na wszystkie składniki niezbędne dla jego wzrostu. Jak jednak wiadomo, dzieci między pierwszym a drugim rokiem życia bywają chronicznymi niejadkami, czym doprowadzają rodziców do rozpaczy. W charakterze „polisy ubezpieczeniowej" wielu lekarzy zaleca więc kropelki multiwitaminy, zawierające witaminy A, D, C i z grupy B, ewentualnie z dodatkiem żelaza i fluoru. Inni lekarze uważają suplementy witaminowe tylko i wyłącznie za wyrzucanie pieniędzy.

Jeśli już decydujesz się na ich stosowanie, nigdy nie przekraczaj zalecanej dawki – przedawkowanie witamin może być szkodliwe dla zdrowia. Jeśli twój przedszkolak dostaje witaminy w postaci tabletek do ssania czy żucia, traktuj je jak leki – przechowuj poza zasięgiem dziecka i nie uważaj za cukierki. Nie myśl również, że suplementy mogą zastąpić dziecku pełnowartościową dietę. Żadne tabletki czy kropelki nie są w stanie zapewnić mu prawidłowej podaży najważniejszych składników odżywczych, takich jak białka, tłuszcze, węglowodany i włókna roślinne.

Bezpieczne odżywianie

Udławienie się jest realnym ryzykiem dla dziecka w okresie nauki jedzenia pokarmów stałych i pozostaje realnym ryzykiem przez kilka pierwszych lat życia, zmniejszając się zwykle dopiero po ukończeniu czterech lat. Dlatego też ze względów bezpieczeństwa – a także towarzyskich – nigdy nie stawiaj przed dzieckiem jedzenia i nie wychodź z pokoju, by zająć się czymś innym.

Jak ustrzec dziecko przed udławieniem się

Nawet gdy dzieci mają już zęby, pewne pokarmy stałe grożą im takim niebezpieczeństwem. Dlatego też przynajmniej do czasu, gdy twoje dziecko ukończy cztery lata (zależnie od jego sprawności w jedzeniu), przestrzegaj następujących środków ostrożności:

- Unikaj małych, twardych produktów, takich jak fasola, twarde cukierki, orzechy, kawałki surowej marchwi, selera czy innych twardych warzyw, popcornu, słonecznika czy innych ziaren do przegryzania. Usuwaj pestki z owoców w rodzaju czereśni czy melona, które dziecko mogłoby połknąć czy wciągnąć do dróg oddechowych.
- Unikaj innych małych, okrągłych produktów – np. winogron, małych pomidorków, oliwek – lub dziel je na połówki czy ćwiartki.
- Podając dziecku parówkę, kiełbaskę czy gotowaną marchew, pokrój je najpierw wzdłuż, a następnie w poprzek. Jeśli pokroisz je tylko w poprzek, wyjdą ci plasterki o średnicy porównywalnej z tchawicą dziecka, co w razie zakrztuszenia grozi jej zablokowaniem.
- Unikaj gęstych, lepkich produktów, takich jak karmel, guma do żucia czy „smarowidła" w rodzaju „Nutelli" lub masła orzechowego.
- Pamiętaj, że przy jedzeniu czy piciu dziecko powinno spokojnie siedzieć, a nie leżeć, chodzić, biegać czy bawić się. Najlepiej byłoby, gdyby od samego początku dziecko przyzwyczaiło się do jedzenia wyłącznie przy stole, a nie w dowolnym miejscu domu. Gdy będzie starsze, nawyk ten pomoże mu uniknąć niekontrolowanego przegryzania przed telewizorem czy przy odrabianiu lekcji.

- Nie pozwalaj dziecku kłaść się lub zasypiać z jedzeniem w buzi. Może się to zdarzyć u niejadka, który nauczy się „chomikować" jedzenie w policzkach. (Dzieci uciekają się nieraz do tego sposobu, gdy mają trudności z połknięciem czegoś twardszego, na przykład kawałka mięsa, albo gdy są zmuszane do jedzenia wbrew swojej woli). Pozwól mu raczej wypluć to, co ma w buzi, albo oczyść ją własnym palcem.

Bezpieczne przyrządzanie posiłków

Przygotowanie posiłku dla małego dziecka wymaga zachowania standardowych zasad higieny i bezpieczeństwa. Główna różnica polega na tym, że należy przestrzegać tych zasad ze szczególną skrupulatnością, ponieważ dzieci są bardziej niż dorośli podatne na zakażenia, do jakich może dojść drogą pokarmową i które ogólnie mają u nich cięższy przebieg.

- Zanim zaczniesz przygotowywać posiłek dla dziecka, umyj ręce wodą i mydłem. (W szczególnych warunkach, na przykład na pikniku, możesz posłużyć się bezwodnym mydłem antybakteryjnym czy chusteczkami odkażającymi). Umyj dziecku ręce przed jedzeniem albo dopilnuj, by zrobiło to samo.
- Utrzymuj w czystości naczynia i przybory kuchenne. Pierz ścierki i obrusy, często wymieniaj gąbki (lub myj je w zmywarce) lub używaj w kuchni papierowych ręczników.
- Nigdy nie podawaj dziecku niepasteryzowanego soku lub mleka, surowych jajek, mięsa czy drobiu. Oznacza to, że dzieci nie powinny jeść ciastek czy kremów zawierających surowe jaja, jak również serów wykonanych z surowego (niepasteryzowanego) mleka.
- Gotuj mięso do wewnętrznej temperatury co najmniej 70°C, a drób do 75°C. (Jeśli nie masz pewności, posłuż się termometrem do mięsa). Mięso powinno być brązowe, a nie różowe, na całym przekroju, a kurczęta białe, a nie różowe, z przejrzystym sokiem.
- Po przygotowaniu jakiejkolwiek potrawy z surowego mięsa, drobiu czy jajek natychmiast umyj wszystkie użyte do tego przybory, noże, własne ręce itp., tak aby wszystko to było czyste przed kontaktem z inną żywnością.
- Nie zostawiaj mleka, jajek, mięsa, sera czy potraw w garnku w temperaturze pokojowej. Wszystkie te produkty muszą być przechowywane w lodówce.
- Nie zjedzone przez dziecko resztki musisz zużyć w ciągu dwóch dni lub wyrzucić, nawet jeśli są przechowywane w lodówce.
- Przed zakupem i przed podaniem dziecku sprawdzaj świeżość i daty przydatności do spożycia takich produktów jak mleko, jaja, jogurty, mieszanki dla niemowląt itp.
- Nie kupuj ani nie używaj pękniętych lub brudnych jajek ani żywności z uszkodzonych, nie domkniętych czy rozhermetyzowanych opakowań.
- Nie karm dziecka bezpośrednio ze słoiczka ani innego większego pojemnika, chyba że masz zamiar zaraz po posiłku wyrzucić niedojedzone resztki. Praktyczniej jest nabrać część porcji czystą łyżką na talerz i dać dziecku to, co jest na talerzu.

Jeśli chcesz dobrać więcej ze słoiczka, użyj do tego innej, czystej łyżki. Łyżka, która znalazła się już w ustach dziecka (lub twoich), nie powinna dotknąć żywności przeznaczonej do przechowania na później.

Alergie pokarmowe i objawy nietolerancji

Jak już wspomnieliśmy wcześniej w tym rozdziale, mleko krowie, soja, białka jaj, orzechy ziemne, pszenica, owoce cytrusowe, ryby i owoce morza należą do produktów, których nie powinno się podawać niemowlętom dopiero próbującym pierwszych pokarmów stałych. Stosunkowo wiele dzieci reaguje na te produkty niepożądanymi objawami – może pojawić się u nich biegunka i wymioty, wysypka i świąd skóry, wodnisty katar lub zapchany nos, głośne oddychanie lub obrzęk twarzy.

Niektóre z wyżej wymienionych objawów wskazują na prawdziwą reakcję alergiczną, czyli odpowiedź ze strony układu immunologicznego dziecka. Najczęściej nie mają one jednak podłoża alergicznego i określa się je mianem nietolerancji.

Większość reakcji pokarmowych, zarówno alergicznych, jak i typu nietolerancji, zanika około czwartego roku życia. Do nielicznych wyjątków należy celiakia (patrz rozdział 32, „Problemy zdrowotne okresu wczesnego dzieciństwa"), czyli nietolerancja glutenu. Niezdolność do trawienia glutenu, białka roślinnego występującego w wielu zbożach, wymaga stosowania przez całe życie specjalnej diety, wolnej od tego związku.

Wprowadzając nowe pokarmy jeden po drugim według wyżej podanych zaleceń, możesz łatwiej ustalić, który z nich wydaje się wywoływać u dziecka biegunkę lub wysypkę. Odstaw ten produkt i skontaktuj się z lekarzem. Być może usłyszysz od niego radę, by wstrzymać się z danym pokarmem przez tydzień lub dwa, a następnie powtórzyć próbę i sprawdzić, czy podejrzenia były uzasadnione. Jeśli za drugim razem stwierdzisz u dziecka podobne reakcje, nie pozostaje nic innego, jak wyeliminować ten produkt z jego diety.

Alergie mogą sprawiać więcej problemów niż nietolerancja. W razie rozpoznania czy silnego podejrzenia alergii należy powziąć specjalne środki ostrożności, by uniknąć narażenia dziecka na tak zwany alergen, czyli substancję wywołującą tego rodzaju reakcję. Alergeny kryją się często w wielu gotowych, pakowanych produktach spożywczych, w związku z czym musisz starannie czytać etykietki i uważać w restauracjach. Wszyscy opiekunowie dziecka, rodzeństwo, bliscy – a także ono samo – muszą wiedzieć, jakiego pokarmu należy unikać.

Jeśli twoje dziecko jest dotknięte astmą oskrzelową i jednocześnie alergią pokarmową, rośnie ryzyko poważnych powikłań. Najgroźniejszym z nich jest tak zwany wstrząs anafilaktyczny: dochodzi wówczas do szybkiego narastania obrzęku jamy ustnej i gardła, zaburzeń oddychania, a nawet utraty przytomności. Jest to stan, który bez szybkiej pomocy lekarskiej może skończyć się nawet śmiercią dziecka. W razie wystąpienia podobnych objawów należy natychmiast wezwać pogotowie. (Aby uzyskać więcej informacji na temat chorób alergicznych, patrz rozdział 32, „Problemy zdrowotne okresu wczesnego dzieciństwa").

Odżywianie w wieku 2–5 lat

Ile twoje dziecko powinno jeść? Najprostsza odpowiedź brzmi: tyle, ile potrzebuje, żeby rosnąć i rozwijać się w prawidłowym rytmie. Wykresy wzrostu dziecka zamieszczone w Załączniku B na końcu tej książki mogą dostarczyć ci pewnych wskazówek, jednak musisz pamiętać, że wiele zdrowych dzieci odbiega od statystycznych danych. Dlatego też w razie wątpliwości najlepiej omówić tę kwestię z lekarzem, który na stałe opiekuje się twoim dzieckiem. Monitorowanie wzrostu i wagi dziecka należy do najważniejszych elementów rutynowych badań okresowych w pierwszych latach życia.

W drugiej połowie pierwszego roku życia dziecko potrzebuje przeciętnie od 700 do 900 kalorii dziennie, uwzględniając łącznie ich podaż z pokarmów stałych i z mleka matczynego lub humanizowanego. Dwulatek powinien otrzymywać 1300–1400 kalorii dziennie, a następnie możesz dodawać po 100 kcal na każdy kolejny rok życia. W wieku pięciu i pół roku dziecko powinno więc spożywać około 1700 kalorii na dobę, czyli mniej więcej tyle, ile potrzeba niewielkiemu wzrostem, niezbyt aktywnemu fizycznie człowiekowi dorosłemu. Zapotrzebowanie energetyczne dzieci podlega jednak znacznym wahaniom zależnie od ich budowy i poziomu aktywności, co oczywiście nie oznacza, że musisz liczyć mu kalorie. Jeśli dziecko w miarę regularnie zjada posiłki i przekąski, jest to w ogromnej większości przypadków zbędne.

Małe dzieci i przedszkolaki zjadają zwykle trzy główne posiłki oraz niewielkie drugie śniadanie i podwieczorek. Przewidywalny rozkład posiłków codziennie o tej samej porze wydaje się korzystnie wpływać na apetyt i jakość odżywiania dziecka. Małemu dziecku dobrze robi niekiedy krótka przerwa podczas obiadu czy kolacji, po której ponownie zaczyna jeść. Dziecko zjadające bardzo małe porcje w ciągu dnia może również potrzebować dodatkowej przekąski przed snem (pod warunkiem, że umyjesz mu później zęby!).

Jak postępować z niejadkiem

Rodzice często zamartwiają się, że ich dziecko za mało je, zwłaszcza w drugim i trzecim roku życia, czyli w okresie fizjologicznego spowolnienia tempa wzrostu i tym samym spadku apetytu. „Ono żyje powietrzem!" – twierdzi wielu rodziców. Jeśli masz podobne zmartwienia, przede wszystkim sprawdź, czy dziecko nie opija się sokiem lub mlekiem. Jeśli tak, spróbuj stopniowo przestawić je na picie wody zamiast soku owocowego albo mleka o niższej zawartości tłuszczu zamiast pełnego. Taka zmiana może chociaż częściowo przywrócić dziecku apetyt na pokarmy stałe.

> **„Głos doświadczenia"**
>
> *„Co tydzień przyrządź na kolację zupełnie nową potrawę. Będzie to sprzyjać wyrobieniu w dziecku otwartości na nowe smaki i doświadczenia kulinarne, a na dłuższą metę przyzwyczai je do różnorodności pokarmów (która jest podstawą zdrowej, racjonalnej diety)".*
> – ZA: KIDSHEALTH PARENT SURVEY

Sprawdź również, czy dziecko nie dożywia się przypadkiem chipsami, cukierkami, ciasteczkami, lodami i innymi tego rodzaju łakociami. Słodycze mają znikomą wartość odżywczą, ale za to obfitują w kalorie, w związku z czym już ich niewielka ilość może na długo odebrać dziecku apetyt. Kilka kubeczków z deserami i tłusty, czekoladowy baton potrafią pokryć połowę dziennego zapotrzebowania energetycznego dziecka. Lody czy ciastko od czasu do czasu nie stanowią problemu, jednak nie powinny wejść na stałe do dziennego jadłospisu. Przynajmniej małe dzieci, u których dopiero wykształcają się nawyki żywieniowe, wcale nie oczekują deseru po każdym posiłku, natomiast zaczną go oczekiwać wtedy, gdy przyzwyczają je do tego dorośli.

Czasami dobrze jest podać coś mniej atrakcyjnego lub nowego w smaku na początku posiłku – w myśl zasady, że głód to najlepszy kucharz. Kto powiedział, że marchewka z groszkiem nie nadaje się na pobudzającą apetyt przystawkę? Trzeba tylko umiejętnie do tego podejść. Zamiast mówić: „Najpierw masz zjeść warzywa, bo nie dostaniesz zapiekanki", powiedz raczej: „Twoja zapiekanka nie jest jeszcze gotowa, ale możesz dostać coś na przekąskę". (Skądinąd ciekawe, dlaczego wszystko od razu lepiej smakuje, gdy zostanie nazwane „przekąską"?).

Pomocne bywają również następujące sposoby:

- Stosuj zasadę „małych kroków". Dawaj dziecku małe porcje, których zjedzenie nie wyda mu się z góry zadaniem ponad siły. Wprowadzając nowe pokarmy, poprzestań na jednej czy dwóch łyżkach.
- Bądź cierpliwa. Niektóre dzieci potrzebują dziesięciu czy piętnastu prób z nowym pokarmem, zanim wreszcie nabiorą na niego ochoty. Tak więc ponawiaj i ponawiaj propozycje, z uporem, ale bez nacisków czy komentarzy. W tym przypadku obeznanie się będzie torować drogę akceptacji.
- Unikaj konfliktów. Jeśli wyprawy do supermarketu nieuchronnie kończą się awanturą o słodycze, staraj się robić zakupy bez dziecka.
- Pozwól dziecku pomagać. Nawet dwulatek potrafi rozdzielić listki sałaty czy umyć owoce. Starsze dzieci mogą i powinny mieszać i nalewać, łuskać groszek, a nawet rozbijać jajka i bełtać je na jajecznicę. W wieku 3–4 lat dzieci wykazują zwykle zainteresowanie gotowaniem i pieczeniem. Już małe dzieci powinny również pomagać przy nakrywaniu do stołu.
- Wykaż się inwencją. Pocięcie warzyw w zabawne kształty albo podkolorowanie ich barwnikiem spożywczym czy sosem może zachęcić oporne dziecko do jedzenia. Więcej wskazówek na ten temat znajdziesz w akapicie „Strategie podawania warzyw" w dalszej części tego rozdziału.

Nigdy nie próbuj zmuszać dziecka do zjedzenia czegokolwiek – czy do jedzenia w ogóle – siłą, przekupstwem czy krzykiem. Nie musisz jednak również przygotowywać dla niego oddzielnych potraw. Staraj się uwzględniać jego upodobania, włączając do każdego posiłku jeden czy dwa zdrowe produkty, które wyraźnie lubi, na przykład chleb czy kompot z jabłek. Jeśli przepada za kanapkami z „Nutellą", posmaruj mu nią pół czy ćwierć kromki i podaj razem z innymi rzeczami. Jeśli twoje dziecko ma niekonwencjonalne upodobania, bądź elastyczna.

Kaprysy przy jedzeniu są powszechne u małych dzieci, więc staraj się nimi zbytnio nie przejmować. Jeśli podajesz dziecku zdrowe produkty, żadna kombinacja, jaką sobie z nich wybierze, nie będzie zła. (Co więcej, badania wykazują, że pozostawienie dzieciom wolnej ręki w wyborze spośród wartościowych produktów sprawia, że ostatecznie same ustalają sobie całkiem racjonalną dietę). Inny argument przeciwko zamartwianiu się: większość np. amerykańskich dzieci zjada nieco mniej warzyw i owoców niż zalecają dietetycy, jednak pomimo to zdecydowana większość otrzymuje codziennie zalecaną dawkę podstawowych składników odżywczych. Najbardziej prawdopodobne są niedobory wapnia i żelaza, a jednocześnie, począwszy od trzeciego roku życia, dzieci często zjadają za dużo tłuszczów. Zwracaj więc głównie uwagę na te kwestie i nie przejmuj się pozostałymi.

Co robić, jeśli dziecko ma nadwagę?

Zdrowe niemowlęta i małe dzieci często, w miarę jak rosną, na zmianę wydają się pucołowate albo chude. Jednak nawet jeśli twoje dziecko rzeczywiście za dużo waży, nie wprowadzaj ograniczeń dietetycznych na własną rękę, bez porozumienia z lekarzem. Lekarz może doradzić ci po prostu kontrolowanie zjadanych przez dziecko porcji, aby zwolnić lub zatrzymać przyrost ciężaru ciała i odczekać, aż jego wzrost dogoni wagę. Podobnie jak dziecko, które wydaje się „żyć powietrzem", również i dziecko z nadwagą może nadużywać soków, mleka i pozbawionych wartości odżywczej, a za to wysokokalorycznych słodyczy. Inna częsta przyczyna: twoje dziecko ma być może za mało aktywności fizycznej. Niedawne badania wykazują, że ważną rolę w tendencji do nadwagi odgrywają czynniki genetyczne. Więcej informacji na temat otyłości u dzieci można znaleźć w rozdziale 32, „Problemy zdrowotne okresu wczesnego dzieciństwa".

Co powinno jeść?

Zbliżając się do drugich urodzin, twoje dziecko powinno czerpać większość składników odżywczych z pokarmów stałych. Podobnie jak osoba dorosła, dziecko musi odżywiać się w sposób urozmaicony, z zachowaniem odpowiednich proporcji między przetworami zbożowymi, warzywami, owocami i produktami wysokobiałkowymi, takimi jak sery, mięso, warzywa strączkowe, orzechy czy tofu.

Nasze wskazówki co do wyboru zdrowej diety dla całej rodziny opierają się na „Piramidzie zdrowia", opracowanej przez amerykański Departament Rolnictwa. Zapamiętanie piramidy może ułatwić ci ustalanie racjonalnego menu, nawet jeśli nie będziesz przestrzegać jej zbyt dokładnie. (Ilustracja Piramidy zdrowia znajduje się w rozdziale 1, „Opieka prenatalna").

Podane poniżej wielkości porcji odnoszą się do dzieci w wieku czterech lat i starszych, jak również do dorosłych. Dla dzieci dwu- lub trzyletnich powinny być one średnio o połowę mniejsze. Jedyny wyjątek stanowi grupa mleka i jego przetworów: jeśli chodzi o te produkty, wszystkie dzieci w wieku od dwóch do sześciu lat powinny otrzymywać pełne porcje ilościowe. (Dla dorosłych należy zwiększyć liczbę porcji przetworów zbożowych, owoców i warzyw). Jeśli tylko twoje dziecko prawidłowo rośnie i wydaje się tryskać zdrowiem, nie musisz martwić się o dokładne ilości.

A oto krótki przegląd warstw Piramidy, poczynając od podstawy:

Przetwory zbożowe

Należą do nich ziarna zbóż, pieczywo, makaron, kasze i ryż. Stanowią one szeroką podstawę Piramidy, co oznacza, że większość spożywanych przez nas kalorii powinna pochodzić właśnie z tych produktów. Są one bogatym źródłem węglowodanów (podstawowych składników odżywczych, z jakich czerpiemy energię), a także włókien roślinnych, żelaza i witamin z grupy B. W ostatnich latach wiele supermarketów i domów wysyłkowych oferuje znacznie szerszy wybór przetworów zbożowych niż za czasów naszego dzieciństwa: od kaszki „kuskus" i prosa po quinoa i orkisz. Gama różnych gatunków ryżu przypomina wszystkie kolory tęczy – od purpurowego ryżu tajskiego do brązowego basmati. Eksperymenty z różnymi egzotycznymi produktami tej grupy mogą wzbogacić i uatrakcyjnić nasze posiłki. Wszędzie, gdzie to możliwe, wybieraj wyroby pełnoziarniste, takie jak niełuskany ryż czy ciemne pieczywo pszenne zamiast białego ryżu i białych bułek.

Zalecane dzienne spożycie produktów tej grupy wynosi 6 porcji dla dzieci od dwóch do sześciu lat i 6–11 porcji dla starszych dzieci i dorosłych. Równoważniki jednej porcji przedstawiają się następująco:
- 1 kromka chleba, najlepiej pełnoziarnistego pszennego, ryżowego lub pumpernikla;
- 1/2 filiżanki makaronu lub gotowanej kaszy jęczmiennej czy kukurydzianej;
- 1/3 filiżanki ryżu;
- 3 krakersy typu graham;
- 5–6 krakersów z pełnoziarnistej mąki;
- 3 filiżanki prażonej kukurydzy (popcorn) (dla dzieci powyżej czterech lat);
- 30 g gotowych płatków śniadaniowych (müsli), bez cukru.

Warzywa

Podobnie jak owoce, warzywa stanowią następny poziom Piramidy, a więc należą również do podstawowych, niezbędnych składników codziennej diety. Są one bogatym źródłem witamin i soli mineralnych, a także włókien roślinnych i węglowodanów. Ludzie spożywający dużo owoców i warzyw okazują się pod wieloma względami zdrowsi od innych, co obejmuje również mniejsze ryzyko różnego rodzaju nowotworów w starszym wieku. Mieszane owoce i warzywa w diecie zapewniają właściwą proporcję składników odżywczych. Przykładowo, w obrębie grupy warzyw twoje dziecko powinno jeść liściaste zielone warzywa, takie jak szpinak, kapusta czy sałata, warzywa żółte i czerwone, jak marchew i pomidory, warzywa o dużej zawartości skrobi, jak groch, ziemniaki i kukurydza, a także warzywa strączkowe, jak zielony groszek i fasolka szparagowa. Jeśli warzywa (z wyjątkiem frytek!) nie należą do największych przysmaków twojego dziecka, skorzystaj z sugestii zawartych w paragrafie „Strategie podawania warzyw" w dalszej części niniejszego rozdziału.

Mimo niezliczonych zalet warzyw musisz jednak zachować czujność przy wprowadzaniu do diety małego dziecka twardych, surowych warzyw w rodzaju marchwi czy selera, które mogą narażać je na ryzyko zadławienia. Jeśli twoje dziecko ma mniej niż cztery lata albo wydaje się z trudem gryźć i połykać twardsze pokarmy, podawaj mu warzywa lekko podgotowane, nawet jeśli mają służyć za przekąskę.

Zalecane dzienne dawki warzyw to 3 porcje dla dzieci w wieku od dwóch do sześciu lat i 3–5 porcji dla starszych. Równoważniki jednej porcji przedstawiają się następująco:

- 1/2 filiżanki gotowanych warzyw zielonych (kapusty, szpinaku, botwinki itp.) lub innych (grochu, zielonego groszku, soczewicy, fasoli itp.);
- 1/2 filiżanki sosu pomidorowego lub sosu spaghetti;
- 2 gotowane brokuły;
- 4 średnie główki brukselki;
- 1 1/2 filiżanki gotowanej marchwi;
- 1 średni gotowany ziemniak;
- 10 frytek;
- 1 filiżanka surowych warzyw liściastych (sałaty, szpinaku czy mieszanej surówki);
- 1/3 średniej wielkości ogórka;
- 1 średni pomidor.

Strategie podawania warzyw

Niestety, wiele dzieci nie przepada za warzywami. A oto kilka pomysłów, jak nakłonić do nich małego niejadka:

- Podawaj dziecku zupy z warzyw gotowanych na parze, a następnie przetartych i doprawionych niesłonym bulionem. Pomocny może być dodatek makaronu w fantazyjnych kształtach. Jeśli dziecko chętnie zjada zupę jarzynową, spróbuj przecierać tylko część warzyw, a resztę dołóż do niej w kawałkach, tak aby musiało ono rozgryźć i rozpoznać określony smak. Zupa jarzynowa będzie również smaczniejsza po dodaniu soczewicy, grochu lub fasoli.
- Spróbuj podawać warzywa w postaci spaghetti. Po ugotowaniu pokrój je na długie włókna niczym spaghetti i podawaj z sosem pomidorowym.
- Krój surowe lub lekko obgotowane warzywa na drobne kawałki i podawaj je jako przekąskę do maczania w sosie pomidorowym, jogurcie czy twarożku.
- Jeśli twoje dziecko uznaje z warzyw jedynie frytki, spróbuj przemycić w podobnej, pieczonej postaci również słodki ziemniak, a nawet marchew czy rzepę. Pokrój je na kawałki lub cienkie plastry, lekko skrop oliwą z oliwek, ułóż na blasze i opiekaj w temperaturze 200°C aż do miękkości. Można podawać w ten sposób również zwykłe ziemniaki, robiąc z nich pseudo frytki, znacznie mniej tłuste od tradycyjnych.

- Staraj się uatrakcyjnić potrawy z warzyw. Wielu niejadków można zainteresować ciekawymi kształtami, na przykład warzywami w miniaturze, takimi jak małe marchewki, małe banany czy kiść pomidorków „cherry" (te ostatnie przekrój na pół przed podaniem). Dziecku może również spodobać się „obrazek" z warzyw na talerzu, na przykład kwiatek z płatkami z marchewki i łodygą z fasolki szparagowej albo groszek ułożony w formie spirali. Spróbuj również zrobić z posiłku przedstawienie z dzieckiem w roli olbrzyma zjadającego drzewa (brokuły) albo parkometru pożerającego monety (okrągłe kawałki cukinii). Chodzi tu o to, by dziecko przyzwyczaiło się i polubiło dany smak, a wtedy będzie już można obejść się bez sztuczek.
- Staraj się podawać warzywa razem z innymi produktami. Tartej cukinii czy marchewki można użyć do wypieków, a groszek czy fasola po roztarciu nadaje się do połączenia z mięsem na hamburgery. Mimo że ta metoda pozwala przemycić niektóre ukryte warzywa, nie pomaga dziecku polubić ich jako takich, dla ich własnego smaku i konsystencji. Uważaj również na przepisy z „ukrytymi warzywami" – ciasteczka z cukinią, zawierające tyle samo cukru co cukinia, nie są najlepszym rozwiązaniem dietetycznym.

Owoce

Owoce razem z warzywami plasują się na spodzie Piramidy zdrowia, co oznacza, że twoje dziecko powinno zjadać ich jak najwięcej. Jest zawsze pożądane, by dzieci w większym stopniu spożywały surowe owoce w całości, niż piły soki owocowe. Dzieci lubią zwykle słodki smak wielu owoców i zjadają je bez problemu. Jeśli w przypadku twojego dziecka jest inaczej, możesz spróbować koktajlu na mleku z dodatkiem zmiksowanych bananów czy truskawek albo połączenia przetartych owoców z jogurtem naturalnym.

Zalecane dzienne dawki owoców to 2 porcje dla dzieci w wieku od dwóch do sześciu lat i 2–4 porcje dla starszych. Równoważniki jednej porcji przedstawiają się następująco:

- 1/2 filiżanki krojonego melona lub owoców świeżych, gotowanych czy z puszki;
- 1/2 filiżanki kompotu z jabłek;
- 3/4 filiżanki soku pomarańczowego;
- 1 nieduża gruszka;
- jabłko, banan, brzoskwinia, nektarynka lub 1 średnia pomarańcza, mandarynka;
- 7 średnich owoców jagodowych (truskawek, malin itp.);
- 1 duże kiwi;
- 1/2 średniej wielkości mango;
- 1/4 średniej wielkości arbuza;
- 1/4 filiżanki owoców suszonych (tylko dla dzieci powyżej czterech lat z powodu ryzyka zadławienia);
- 14 winogron (małym dzieciom należy przekrawać je na pół z powodu jak wyżej).

Mleko i przetwory mleczne

Grupa ta powinna się raczej nazywać „produktami o dużej zawartości wapnia", ponieważ właśnie ten pierwiastek jest najważniejszym składnikiem, jakiego dostarczają. (Nabiał jest również źródłem białka, ale zawierają je również inne produkty, podczas gdy wapń nie występuje równie obficie w żadnej innej grupie). Dzieci, które nie jedzą przetworów mlecznych, mogą wymagać uzupełniania wapnia, który jest im niezbędny do prawidłowej budowy kości zarówno w okresie wzrostu, jak i przez całe życie. W razie potrzeby musisz zasięgnąć porady lekarza. Ponieważ przetwory mleczne zawierają jednocześnie dość znaczne ilości tłuszczów, część dzieci może ich nie tolerować, a z kolei niektórzy wegetarianie unikają ich z innych przyczyn. Dlatego też włączyliśmy do tej grupy również inne, nienabiałowe źródła wapnia.

Jeśli podane przez nas wielkości porcji wydają się zbyt duże dla twojego dziecka, podziel je na części, ale staraj się, by po ukończeniu dwóch lat życia zjadało ono łącznie do czterech porcji dziennie.

Zalecane ilości dzienne obejmują 2 porcje dla dzieci w wieku od dwóch do sześciu lat i 2–3 porcje dla dzieci starszych. Równoważniki jednej porcji przedstawiają się następująco:
- 1 filiżanka odtłuszczonego, częściowo odtłuszczonego lub pełnego mleka;
- 1 filiżanka mleka „smakowego";
- 1 filiżanka jogurtu;
- 60 g sera.

Produkty z tej grupy są dla dziecka bardzo ważne z powodu dużej zawartości wapnia. Do innych poza nabiałem źródeł wapnia należą wzbogacone w ten pierwiastek zbożowe płatki śniadaniowe, tofu, konserwy z łososia wraz z jadalnymi kośćmi i gotowana czerwona kapusta.

Mięso, drób, ryby, rośliny strączkowe, jaja i orzechy

Tak jak „mleko" (i jego pochodne) można uznać za grupę wapnia, tak „mięso" należy traktować jako grupę białka i żelaza. Większość dzieci amerykańskich spożywa białko w ilościach większych niż zalecane minimum, natomiast odpowiednia podaż żelaza przysparza często większych problemów. Źródłem najlepiej przyswajalnego żelaza jest wołowina.

Zalecana dzienna dawka białka równa się dwóm porcjom, co odpowiada mniej więcej 100 g dla dzieci w wieku 2–3 lat oraz 120–160 g dla dzieci 4–6-letnich. Równoważnikiem 30 g białka jest:
- 30 g gotowanego chudego mięsa, mięsa drobiowego lub ryby;
- 2 łyżki stołowe masła orzechowego (tylko dla dzieci powyżej 3 lat);
- 1/2 filiżanki gotowanej soczewicy, grochu, bobu lub fasoli;
- 1 jajko (białko i żółtko);
- 1/4 filiżanki odsączonego łososia lub tuńczyka z puszki;
- 1 1/2 parówki (pokrojonej na kawałki dla dzieci poniżej 4 lat);

- 2 plasterki kiełbasy lub innej wędliny;
- 1/2 filiżanki tofu;
- 1 hamburger sojowy.

Tłuszcze i słodycze

Tę grupę, umiejscowioną na samym szczycie Piramidy, trudno właściwie zaliczyć do kategorii pożywienia. Włączono ją jednak w Piramidę dla przypomnienia, że olej i inne tłuszcze oraz słodycze powinny być konsumowane „oszczędnie" – w małych ilościach i nie za często – ale nie wyeliminowane całkowicie. Grupa ta obejmuje takie produkty jak majonez, większość sosów sałatkowych, a także smażone chipsy i inne prażone na tłuszczu wyroby, cukierki, ciastka i pączki.

Prawda o tłuszczach

Małe dzieci potrzebują tłuszczów do prawidłowego rozwoju. Faktycznie przez pierwsze dwa lata życia połowa dziennego zapotrzebowania kalorycznego dziecka powinna pochodzić z tłuszczów. Nie należy więc ograniczać tłuszczów do czasu, aż dziecko skończy dwa lata, natomiast później można zwykle stopniowo przechodzić na produkty o ich zmniejszonej zawartości, jak mleko 1%, częściowo odtłuszczone sery i chude wędliny drobiowe. Do naturalnie niskotłuszczowych źródeł białka należy tuńczyk w sosie własnym (bez majonezu), wiele gatunków świeżych ryb, soczewica, biała fasola i groch.

Zbliżając się do piątych urodzin, dzieci powinny czerpać z tłuszczów nie więcej niż 30% dziennej dawki kalorii. Aczkolwiek uważa się, że ograniczanie tłuszczów w diecie zmniejsza w odległej perspektywie ryzyko choroby niedokrwiennej serca, nadmiar restrykcji może mieć również szkodliwy wpływ na rozwój dziecka. Dlatego zaleca się,

Ile to jest tłuszczu?

W opinii specjalistów w dziedzinie żywienia u dziecka w wieku dwóch i więcej lat tłuszcze powinny pokrywać od 20 do 30 procent dziennego zapotrzebowania kalorycznego. Co to oznacza w praktyce? Powiedzmy, że twoje dziecko spożywa 1500 kalorii dziennie. Ponieważ każdy gram tłuszczu dostarcza 9 kalorii, 33–55 gramów tłuszczu odpowiada 300–500 kaloriom, czyli właśnie 20–30 procentom dziennego zapotrzebowania dziecka. Jak przełożyć 33–55 g tłuszczu na konkretne produkty? Przykład: jeśli w jadłospisie dziecka znajdzie się jeden hot-dog (13 g tłuszczu), kanapka z masłem orzechowym (17 g), kubeczek niskotłuszczowego jogurtu (4 g), plasterek sera „light" (3 g) i filiżanka odtłuszczonego mleka (2,5 g), da to łącznie niemal 40 g tłuszczu. Sprawdzając etykietki na produktach możesz poznać zawartość tłuszczu w wielu różnych rodzajach żywności, co pozwoli ci utrzymać dietę dziecka na poziomie korzystnym dla jego zdrowia.

by nie redukować dzieciom podaży tłuszczów poniżej 20% łącznego zapotrzebowania kalorycznego. Wczytując się w etykietki na produktach, możesz wyrobić w sobie ogólne pojęcie na temat ilości tłuszczów konsumowanych codziennie przez twoje dziecko.

Nie wszystkie tłuszcze są oczywiście jednakowe z punktu widzenia zdrowotnego. Nienasycone oleje roślinne mają korzystniejsze oddziaływanie na serce niż nasycone tłuszcze zwierzęce, takie jak masło czy słonina. Za najlepszy wybór można uznać oliwę z oliwek (tłuszcz jednonienasycony), a także olej szafranowy, sojowy, kukurydziany i inne oleje wielonienasycone. Niektóre oleje roślinne, na przykład kokosowy i palmowy, są jednak bogate w tłuszcze nasycone, w związku z czym należy ich unikać.

Tłuszcze nasycone powinny stanowić najwyżej jedną trzecią łącznej podaży tłuszczów – czyli nie więcej niż 10% dziennego zapotrzebowania kalorycznego dziecka. Oznacza to, że musisz ograniczać mu tłuszcze pochodzące przede wszystkim z czerwonego mięsa i przetworów mlecznych. Są one w większym stopniu nasycone niż tłuszcze zawarte w mięsie drobiowym, rybach czy maśle orzechowym. Poziom tłuszczów nasyconych jest zwykle również zaznaczony na opakowaniach produktów.

Nigdy nie należy ustawiać dzieci na diecie beztłuszczowej, jaką czasami narzucają sobie odchudzający się dorośli. Nie powinny one również zjadać chipsów ziemniaczanych i innych przekąsek reklamowanych jako „beztłuszczowe”. Takie przemysłowe wyroby są produkowane z użyciem substancji chemicznych, które mogą wywołać u dziecka niestrawność i biegunkę.

Włókna roślinne

Pokarmy bogate we włókna roślinne, takie jak większość owoców, warzywa i pełnoziarniste zboża, wydają się zmniejszać ryzyko chorób serca i niektórych nowotworów w późniejszym okresie życia; sprzyjają również regularnym wypróżnieniom. Ile włókien roślinnych powinno zjadać twoje dziecko? Dodaj do jego wieku liczbę 5 i otrzymasz przybliżoną wielkość dziennej porcji w gramach. Według tej zasady trzylatek powinien więc dostawać 8 g włókien. Jeśli przestrzegasz zaleconych pięciu porcji owoców i warzyw dziennie i podajesz dziecku przede wszystkim ciemne pieczywo, jego spożycie włókien roślinnych jest niemal z całą pewnością wystarczające. Zbyt dużo włókien może z kolei powodować wzdęcia brzucha i wiatry.

Dieta wegetariańska

Wiele dzieci wydaje się naturalnie skłaniać ku wegetarianizmowi, jako że przynajmniej w pierwszych latach życia wyraźnie niechętnie jedzą one mięso. Diety wegetariańskie mają oczywiście wiele odmian, wśród których można wymienić kilka głównych:
- Dieta lakto-owo-wegetariańska – dopuszcza mleko i jego przetwory oraz jaja, wyklucza mięso;
- Dieta lakto-wegetariańska – dopuszcza mleko, wyklucza mięso i jaja;
- Dieta owo-wegetariańska – dopuszcza jaja, wyklucza mięso i nabiał;

Jak mu to wytłumaczyć?

Małe dzieci są z natury przekorne i najchętniej mówią „nie!", jednak w wielu przypadkach twój przedszkolak całym sercem uwierzy w to, co mu powiesz. Powiedz mu zatem prawdę: niektóre rzeczy do jedzenia są dla dzieci lepsze niż inne, a ty mu właśnie takie dajesz, bo bardzo je kochasz. Oczywiście dziecko łatwiej przyjmie to do wiadomości, jeśli jeszcze nie zdążyło przyzwyczaić się do chipsów i słodyczy albo jeśli nie widzi, jak objadają się nimi inni członkowie rodziny. Zamiast dzielić produkty na „dobre" i „złe", lepiej będzie – i trafniej – jeśli wytłumaczysz dziecku, że niektóre warto zjadać w dużych ilościach, a inne w bardzo niewielkich. Musisz jednak i wtedy bardzo uważać na swoje słowa. Pewna matka tak długo przekonywała pięcioletniego synka o szkodliwości słodyczy, że kiedy po pewnym czasie chciała upiec mu tort na urodziny, usłyszała ze zdumieniem, że widocznie go nie kocha, skoro życzy mu śmierci!

- Dieta wegańska – opiera się wyłącznie na produktach pochodzenia roślinnego, wyklucza mięso, jaja i nabiał.

Mimo że w zasadzie wszystkie rodzaje diety wegetariańskiej można stosować u małych dzieci bez szkody dla ich zdrowia, trzeba pamiętać, że im dieta jest bardziej restrykcyjna, z tym większą starannością powinno się planować jej skład pod kątem pokrycia wszystkich potrzeb rosnącego organizmu.

Jeśli na przykład twoje dziecko nie jada produktów mlecznych, problemem może być zapewnienie mu odpowiedniej podaży wapnia. Ścisła dieta wegańska z reguły nie zapewnia również małym dzieciom pełnej dawki innych ważnych składników odżywczych, jak witamina D i B_{12} oraz żelazo i cynk. Aby uzyskać je we właściwej ilości z produktów roślinnych, dziecko musiałoby po prostu zjadać znacznie większą objętość pokarmu niż jest w stanie pomieścić jego mały żołądek. W takich przypadkach niezbędne bywają suplementy witamin i soli mineralnych.

Ponadto, w miarę jak dzieci rosną, rośnie też często ich skłonność do grymaszenia przy stole. Stosując dietę wegańską, naturalnie niskokaloryczną, musisz tym bardziej kontrolować, czy twoje dziecko otrzymuje codziennie dostateczną dawkę tłuszczów i kalorii, niezbędną do rozwoju. Omów tę kwestię z lekarzem. Tak jak dla ogółu dzieci, głównym miernikiem właściwego odżywiania jest i w tym przypadku prawidłowo przebiegający proces wzrostu. A oto kilka dodatkowych wskazówek dla wegetariańskich rodziców:

- Jeśli karmisz niemowlę sztucznie, pamiętaj, że mieszanki na bazie mleka są uznawane za wartościowsze niż mieszanki na bazie soi. Jeśli pomimo to nie chcesz podawać dziecku mleka, stosuj sojowe mieszanki dla niemowląt, a nie zwykłe mleko sojowe. Jednak proporcje składników odżywczych w mleku sojowym nie pozwalają na to, by mogło ono stać się wyłącznym źródłem tych składników dla

Najwartościowsze owoce

Które owoce mają największą wartość odżywczą? „Biuletyn Nutrition Action Healthletter" opracował „ranking" 47 gatunków owoców pod kątem zawartości szeregu ważnych składników: witaminy C, karotenoidów, kwasu foliowego (należącego do witamin grupy B), potasu i włókien roślinnych. W pierwszej dziesiątce znajdują się owoce guava, melony, różowe i czerwone grejpfruty, kiwi, papaja, kantalupa (gatunek melona), suszone morele, pomarańcze, truskawki i świeże morele. Banany, jabłka i gruszki plasują się w środku listy, a zamyka ją ulubiony przez wiele dzieci kompot jabłkowy. Jak jednak słusznie zauważa komentator, „nawet najniżej oceniane owoce i tak biją na głowę wszelkie batoniki czekoladowe, choćby reklamowano je jako beztłuszczowe i bez cukru".

niemowlęcia. Dopiero po ukończeniu przez dziecko pierwszego roku życia, kiedy to jego dieta rozszerza się o coraz to nowe pokarmy stałe, możesz przejść na mleko zwykłe lub sojowe.

• Karm dziecko wzbogaconymi w żelazo płatkami zbożowymi, owocami i warzywami. Podawaj mu również inne produkty zbożowe, jak np. miękki makaron czy pieczywo. Unikaj jednak nadmiaru zbóż o znacznej zawartości włókien roślinnych czy bardzo objętościowych warzyw, które mogą wypełnić żołądek dziecka, nie dostarczając mu zbyt wielu kalorii.

• Gdy dziecko ma 7–8 miesięcy, wprowadź produkty wysokobiałkowe, takie jak jogurt, twaróg wiejski, tofu, a także purée z gotowanych warzyw strączkowych – grochu, fasoli, soczewicy. Gdy skończy 3 lata, możesz podawać masło orzechowe (chyba że podejrzewasz alergię), rozsmarowane cienko na kromkach chleba.

• Jeśli chcesz przyzwyczaić dziecko do diety wegetariańskiej, muszą stosować ją wszyscy inni członkowie rodziny. Jeśli nie masz zbyt wielkiej wiedzy na temat tej diety i zdrowego wegetariańskiego trybu życia albo dopiero od niedawna należysz do jej wyznawców, daj sobie czas na dokładne zapoznanie się z jej zasadami. Musisz nauczyć się nowych sposobów wykorzystania produktów roślinnych i przyrządzania z nich pełnowartościowych posiłków. Trudno uznać za dobry pomysł rezygnację z mięsa po to, by zastąpić je frytkami, ciastkami i powlekanymi cukrem płatkami zbożowymi.

Co warto ograniczać w diecie

Planując zdrowe żywienie dziecka, musisz uważać przede wszystkim na cukier, kofeinę, sól, pestycydy, dodatki do żywności – oraz na telewizję. Są to wszystko stałe składniki naszej codziennej diety, które jednak powinny mieć w niej jak najmniejszy udział.

Cukier

Na początek dobra wiadomość. Wbrew rozpowszechnionym wśród rodziców poglądom cukier nie wydaje się wpływać na charakter i zachowanie dziecka i nie sprawia, że staje się nieznośne, nerwowe czy nadmiernie aktywne. Powtarzane badania na ten temat nie potwierdziły istnienia takiej zależności.

Jest to właściwie wszystko, co możemy powiedzieć dobrego o cukrze. Poza tym ma on same niekorzystne działania. Cukier zawarty w żywności i napojach sprzyja rozwojowi próchnicy zębów i nasyca dzieci do tego stopnia, że tracą one apetyt na wartościowsze pokarmy. Nadmierne przyzwyczajenie do słodkiego smaku często pozbawia dziecko przyjemności jedzenia innych rzeczy, na przykład warzyw czy produktów zbożowych. Cukier często idzie w parze z tłuszczami – w postaci ciastek, kremów czy lodów. Słodycze zawierają zwykle znaczne ilości tłuszczów nasyconych, czyli takich, które przyspieszają rozwój miażdżycy tętnic i zwiększają ryzyko choroby niedokrwiennej serca.

Strategia ograniczenia cukru jest prosta (co nie znaczy, że łatwa do zastosowania, zwłaszcza jeśli sama przepadasz za słodyczami): trzymaj słodycze jak najdalej od twojego domu i buzi twojego dziecka.

Kilka praktycznych porad: po pierwsze, nie czyń z deseru codziennego rytuału, a jeśli już musi być, spróbuj w tym charakterze owoców czy jogurtu naturalnego. Tak długo, jak tylko się uda, strzeż dziecko przed odkryciem napojów gazowanych czy słodkich syropów. Nie używaj słodyczy jako przynęty, nagrody, najwyższej przyjemności, wyrazu uczuć czy groźby („jak nie zjesz marchewki, nie dostaniesz loda"). Na wspólne wieczory z dzieckiem zaplanuj zabawę w berka czy w chowanego, a nie wypad do cukierni. Przygotowując mu śniadanie do szkoły, włóż w charakterze niespodzianki małą zabawkę czy śmieszny obrazek zamiast batonika. Aby wyrazić miłość, daj mu prawdziwy, a nie „słodki" pocałunek.

Dzienny jadłospis dla przedszkolaka

Oto przykład menu zgodnego z zasadą Piramidy zdrowia. Porcje w podanej wielkości odnoszą się do dzieci w wieku 4–5 lat. U dzieci 2–3-letnich można zmniejszyć je o jedną trzecią, z wyjątkiem pokarmów mlecznych.

- Śniadanie: 1/2 banana, 1 pełnoziarnisty pszenny tost z żółtym serem, 30 g wzbogaconych w żelazo płatków zbożowych, 1/2–1 filiżanka mleka.
- Drugie śniadanie: 1/2 filiżanki niskotłuszczowego jogurtu, jabłko.
- Obiad: 1 filiżanka zupy jarzynowej, 90 g kurczaka bez skóry, 1/2 filiżanki brązowego ryżu, 1/2 filiżanki brokułów, 1/2–1 filiżanka mleka.
- Podwieczorek: filiżanka białego sera z owocami, woda.
- Kolacja: 1 sandwicz z szynką (2 łyżeczki masła + 2 kromki pełnoziarnistego pszennego chleba), 1/2 filiżanki gotowanej marchwi, 1 kawałek melona pokrojonego na plasterki, woda.

Kofeina

Jak twierdzą specjaliści w dziedzinie zdrowia, niektóre dzieci spożywają tak dużo kofeiny w napojach gazowanych, czekoladzie czy napojach typu „ice tea", że może ona być przyczyną ich nerwowości i zaburzeń koncentracji. Sugerowano nawet zatrucie kofeiną jako podłoże zespołu zaburzeń zachowania, określanego jako AD/HD (z ang. deficyt uwagi/nadaktywność). Nie tylko coca-cola, ale i wiele innych napojów gazowanych zawiera kofeinę, a tylko niektóre, np. Mountain Dew, mają składniki dobrane pod kątem najmłodszych konsumentów. Z uwagi na niską masę ciała dziecka puszka napoju gazowanego może dostarczać mu proporcjonalnie tyle samo kofeiny, co dorosłemu kilka filiżanek kawy.

Jeśli pozwalasz dziecku pić napoje gazowane, upewnij się, że nie zawierają one kofeiny. Jeśli lubi ono „bąbelki", możesz przyrządzić mu lekki, orzeźwiający napój z soku owocowego zmieszanego z gazowaną wodą mineralną.

Sól

Nie wszystkim wydaje się szkodzić nadmiar soli w diecie, jednak u niektórych wrażliwych osób dorosłych ma ona wpływ na rozwój nadciśnienia tętniczego. Ponieważ nie wiesz, czy twoje dziecko nie będzie w przyszłości należeć do tych osób, lepiej nie rozwijać w nim zamiłowania do soli. Nie dosalaj więc potraw dla dziecka. Unikaj wysoko przetworzonych, słonych przekąsek i konserw mięsnych (które jednocześnie zawierają zwykle wiele tłuszczu). Sprawdzaj etykietki produktów: wiele gotowych potraw obfituje w sól, nawet jeśli nie są specjalnie słone w smaku. Służ dziecku dobrym przykładem, nie stawiając na stole solniczki. Nie oznacza to oczywiście, że musisz całkowicie zrezygnować z soli: jej odrobina dodana podczas gotowania czy później podnosi smak potraw, nie przynosząc zarazem wielkiej szkody. Zanim wsypiesz do garnka łyżkę soli, pomyśl jednak o tym, że nawet bez jakiegokolwiek dosalania zawartość soli w normalnej, codziennej diecie i tak pokrywa z nawiązką potrzeby naszego organizmu.

Pestycydy

Wiele produktów zjadanych przez dzieci, a zwłaszcza różne rodzaje owoców, zawiera często śladowe ilości pestycydów, zwykle tak nieznaczne, że nie naruszające norm w tym zakresie. Prawdę mówiąc, nie wiemy, czy takie śladowe ilości pestycydów, spożywane codziennie przez wiele lat, mogą powodować problemy zdrowotne. Wiemy natomiast bardzo dobrze, że obfita konsumpcja owoców i warzyw jest korzystna dla zdrowia, w związku z czym nie należy jej ograniczać z obawy przed pestycydami.

Jednocześnie rozsądne wydają się starania o maksymalną eliminację pozostałości pestycydów w pokarmach spożywanych przez dzieci. W roku 1992 panel ekspertów z amerykańskiej Państwowej Akademii Nauk zalecił zmiany federalnych norm dotyczących pestycydów pod kątem większej ochrony dzieci. Uczeni podkreślili fakt większego względnego narażenia dzieci na wyższe dawki pestycydów z racji spożywania przez nie większej ilości pokarmów w przeliczeniu na kilogram masy ciała w porównaniu z dorosłymi. Zebrane dotąd dane sugerują, że pewne rodzaje pestycydów „mogą wykazywać dyskretny, ale mierzalny wpływ na funkcje neurologiczne" u dzieci.

Częściowo w następstwie tego raportu przystąpiono do rewizji norm dotyczących pestycydów. Mimo że zakończenie prac przewiduje się dopiero około roku 2006, trudno oczekiwać, by definitywnie zamknęły one debaty na ten temat.

Możesz próbować ograniczać wpływ pestycydów, przestrzegając następujących zasad:

- Tam gdzie to możliwe, obieraj owoce i warzywa ze skórki.
- Staraj się kupować produkty rolne hodowane na nawozach organicznych. Jest większe prawdopodobieństwo, że nie zawierają one pestycydów, niż w przypadku produktów konwencjonalnych.
- Jeśli możesz pozwolić sobie tylko na niektóre produkty organiczne, wybieraj te, których nie da się obrać ze skórki (jak np. truskawki czy zielone warzywa liściaste), albo takie, które produkowane konwencjonalnie mogą zawierać najwięcej pestycydów (jak świeże brzoskwinie).
- Dokładnie myj owoce i warzywa pod bieżącą, najpierw zimną, później ciepłą wodą. Tam, gdzie to możliwe, używaj do mycia szczotki.
- Usuwaj zewnętrzne liście zielonych warzyw, takich jak sałata czy kapusta.
- Usuwaj skórę i wszelkie widoczne skupiska tłuszczu z drobiu, ryb i mięsa. Jeśli produkty te zawierają ślady pestycydów, koncentrują się one przede wszystkim w tłuszczu.

Dodatki do żywności

Żywność zawiera setki dodatkowych związków, z których liczne służą podniesieniu wartości odżywczych albo bezpieczeństwa produktów. Pewne substancje dodawane do żywności mogą jednak budzić obawy:

- Siarczyny, związki chemiczne wydłużające okres przydatności produktów do spożycia, mogą wywołać poważne reakcje alergiczne u niewielkiego odsetka osób wrażliwych, szczególnie spośród chorych na astmę. Siarczynów nie stosuje się już do owoców i warzyw spożywanych na surowo, jednak bywają obecne w owocach suszonych, wstępnie podgotowanych ziemniakach, a także w niektórych wypiekach, dżemach, sokach i gotowych zupach. Powyżej pewnego stężenia wymagana jest informacja o dodatku siarczynów na etykietce produktu.
- Glutaminian sodu (związek aromatyzujący), a także niektóre barwniki spożywcze mogą niekiedy wywoływać bóle głowy lub inne reakcje fizyczne. Część rodziców przypisuje barwnikom i podobnym substancjom dodatkowym negatywny wpływ na zachowanie czy nadmierną aktywność dziecka, jednak badania naukowe nie wykryły żadnej takiej zależności.
- Azotyny i azotany, stosowane dla zabicia bakterii jadu kiełbasianego w wyrobach wędliniarskich, takich jak bekon, szynka czy parówki, mogą ulec w organizmie przekształceniu w rakotwórcze nitrozaminy. Dlatego też jednocześnie dodaje się

do wędlin witaminy hamujące powstawanie nitrozamin. Pomimo to uzasadnione jest ograniczanie konsumpcji wędlin, które zwykle zawierają dużo tłuszczów i soli, albo wybieranie gatunków wolnych od azotynów. (Nitrozaminy powstają również w mięsie pieczonym na ruszcie w wysokich temperaturach. Sporadyczny „grill" nie jest oczywiście szkodliwy dla zdrowia, nie należy jednak odżywiać się w ten sposób na stałe).

- Sztuczne słodziki nie powinny wchodzić w skład diety dziecka poza szczególnymi przypadkami ze wskazań lekarskich. Aspartam jest bezwzględnie przeciwwskazany u wszystkich chorych na fenyloketonurię. W tym genetycznie uwarunkowanym bloku metabolicznym organizm nie rozkłada fenyloalaniny, jednego z aminokwasów wchodzących w skład aspartamu.
- „Olestra" (lub „Olean"), substancja reklamowana jako „tłuszcz bez tłuszczu", wykorzystywana do produkcji „dietetycznych" chipsów ziemniaczanych lub innych przekąsek, konsumowana w większych ilościach może wywoływać biegunkę i niestrawność.

Telewizja

Oczywiście wiemy, że telewizor nie jest produktem spożywczym. Badania wykazują jednak, że prawdopodobieństwo otyłości jest zdecydowanie większe u dzieci wychowywanych na „diecie telewizyjnej". Dlaczego tak się dzieje? Badacze sugerują szereg przyczyn. Dzieci nie przesiadujące godzinami przed telewizorem siłą rzeczy mają na przykład więcej ruchu. Oglądanie telewizji sprzyja również niekontrolowanej konsumpcji chipsów czy innych wysokokalorycznych przekąsek. Co więcej, programom dla dzieci towarzyszą zwykle liczne reklamy takich produktów, na które nie pozostają one obojętne. Ze wszystkich powyższych względów dietę „niskotelewizyjną" czy „beztelewizyjną" można rozpatrywać jako część składową strategii zdrowego odżywiania. Podajemy również kilka wskazówek, jak zmniejszyć ryzyko oglądania telewizji przez dziecko:

> **„Głos doświadczenia"**
>
> *„Staraj się przestrzegać wspólnych posiłków przy rodzinnym stole. Pora kolacji jest doskonałą okazją do rozmowy, której z wielu względów nie powinien zastąpić telewizor".*
> – ZA: KIDSHEALTH PARENT SURVEY

- Możesz puszczać mu ulubione programy nagrane uprzednio na kasetę, z pominięciem wstawek reklamowych.
- Wytłumacz dziecku w prostych słowach, czym są i do czego służą reklamy.
- Nie pozwalaj dziecku jeść przed telewizorem (i nie rób tego sam).

Jeśli potrzebujesz dodatkowych informacji, zasięgnij porady lekarza.

Rozdział 23

Opieka stomatologiczna

Otwórz szerzej buzię!

Na pierwszy rzut oka mogłoby się wydawać, że troska o zęby mleczne dziecka – które przecież i tak wypadną – jest niepotrzebną stratą czasu. Utrzymywanie uzębienia mlecznego w dobrym stanie ma jednak duże znaczenie, i to z wielu ważnych powodów. Należą do nich:

- Odżywianie. Jeśli dziecko ma trudności z gryzieniem i żuciem pokarmów, może to upośledzać przyswajanie przez nie składników odżywczych.
- Mowa. Wady zgryzu utrudniają niekiedy artykulację i mogą opóźniać rozwój mowy, a także wpędzać dziecko w kompleksy.
- Uzębienie stałe. Pierwsze zęby dziecka (mleczne) kształtują przestrzeń dla stałych i kierują te ostatnie na właściwe miejsca. Jest to tak ważne zadanie, że gdy dziecko straci z jakichś powodów ząb mleczny, dentysta musi niekiedy zastąpić go specjalnym aparatem, rezerwującym miejsce dla zęba stałego, który dopiero ma wyrosnąć. Co więcej, nie leczona próchnica zębów mlecznych sprawia, że również zęby stałe stają się podatne na jej rozwój.
- Wygląd. Ładny uśmiech i brak defektów odróżniających od innych zdecydowanie ułatwiają dziecku życie.
- Komfort. Nikt nie może życzyć swojemu dziecku cierpień z powodu bólu zęba czy zabiegów stomatologicznych, których można było uniknąć.

Ząbkowanie

Dzieci przychodzą na świat z kompletem zawiązków zębów mlecznych ukrytych poniżej linii dziąseł, a także z początkami zawiązków zębów stałych, które pojawią się w starszym wieku.

Pierwszy ząbek mleczny wyrzyna się zwykle między czwartym a siódmym miesiącem życia, aczkolwiek czasami to wielkie wydarzenie ma miejsce już u dziecka trzymiesięcznego, albo dopiero u rocznego.

Jako pierwsze pojawiają się zazwyczaj dwa dolne siekacze przyśrodkowe, po których przychodzą – w ciągu kilku miesięcy – cztery siekacze górne (przyśrodkowe i boczne), a następnie dwa dolne siekacze boczne. Po tych pierwszych ośmiu ząbkach następuje zwykle pewna przerwa przed następną falą: w dalszej kolejności wyrzynają się pierwsze (bardziej przyśrodkowe) zęby trzonowe, po nich kły (spiczaste ząbki sąsiadujące z siekaczami) i wreszcie drugie zęby trzonowe, położone najbardziej bocznie. Pełen komplet dwudziestu zębów mlecznych – po 10 na górze i na dole – jest zwykle na miejscu pod koniec trzeciego roku życia (patrz rycina 23.1a–d).

W rzadkich przypadkach opóźnienie ząbkowania może wynikać z problemów zdrowotnych, jednak najczęściej mieści się ono w zakresie fizjologicznych wahań uwarunkowanych skłonnościami rodzinnymi. Równie rzadko zdarza się, że jeden lub dwa ząbki wyrzynają się w pierwszych tygodniach życia, albo nawet jeszcze w okresie płodowym. Jeśli bardzo utrudniają one karmienie albo są tak luźno osadzone w dziąsłach, że mogą wypaść i narazić dziecko na zadławienie, lekarz pediatra może zalecić ich usunięcie.

Objawy ząbkowania

Do głównych oznak zbliżającego się ząbkowania należy wzmożone ślinienie się dziecka i jego nieprzeparta ochota, by pakować do buzi i żuć wszystko, co popadnie. U większości niemowląt ząbkowanie przebiega najprawdopodobniej niemal bezboleśnie, niektóre mogą jednak okazywać przypływy rozdrażnienia, a nieliczne marudzą całymi tygodniami, często płaczą, gorzej śpią i mają mniejszy apetyt. Jeśli daje się zauważyć obrzęk i napięcie dziąseł, może również nieco wzrosnąć temperatura dziecka, jednak z reguły ząbkowanie nie powoduje wysokiej gorączki, biegunki, bólu uszu, kataru ani kaszlu.

Praktyczna zasada: jeśli twoje dziecko sprawia wrażenie chorego, nie tłumacz sobie tego ząbkowaniem. Wręcz przeciwnie, postępuj w taki sam sposób, jakby nie miało ono w ogóle miejsca. (Informacje na temat postępowania w przypadku powyższych objawów znajdziesz w rozdziale 29, „Symptomatologia").

Jak złagodzić dyskomfort ząbkowania

Aby ząbkowanie było dla dziecka mniej nieprzyjemne, spróbuj następujących sposobów:
- Często przecieraj buzię dziecka miękkim, wilgotnym ręcznikiem, aby usunąć zaschniętą ślinę i zapobiec wysypce i podrażnieniu skóry.
- Kładąc dziecko spać, podłóż mu na płasko pod głową miękki ręcznik. Gdy zamoczy go śliną, łatwiej będzie ci zastąpić go suchym niż zmieniać całe prześcieradło.
- Daj dziecku do gryzienia jakiś twardy przedmiot, dostatecznie duży, by nie mogło go połknąć, i dostatecznie solidny, by nie zmiażdżyło go dziąsłami i nie udławiło się odłamkiem. Najlepiej nadaje się do tego twardy, gumowy, jednoczęściowy gryzak.

23.1a

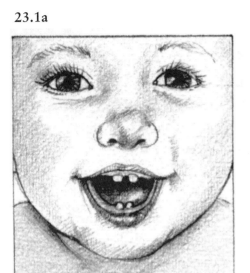

23.1b

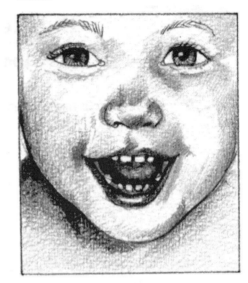

23.1c

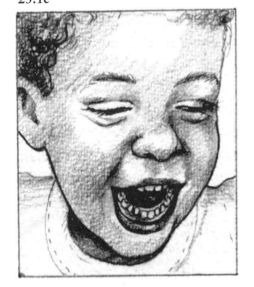

23.1d

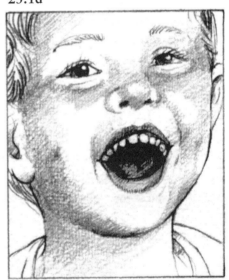

Ryciny 23.1a–d. Wyrzynanie się zębów mlecznych następuje zwykle w wieku od około od sześciu miesięcy do dwóch i pół roku. (a) 6–12 miesięcy, (b) 12–18 miesięcy, (c) 2–2,5 roku – zęby dolne, (d) 2–2,5 roku – zęby górne.

Lekarz radzi

Zachowaj czujność

Nigdy nie obwiązuj gryzaka – ani czegokolwiek innego – wokół szyi niemowlęcia. Tasiemka może zawsze o coś zahaczyć i udusić dziecko.

- Ochładzaj dziąsła dziecka. Wiele niemowląt wydaje się z przyjemnością żuć zimne, ale nie zlodowaciałe przedmioty. Możesz też użyć do tego zimnej łyżki.
- Jeśli dziecko wydaje się bardzo cierpiące, być może dobrze byłoby dać mu paracetamol w kroplach, jednak najpierw skonsultuj to z lekarzem. Żele i maści przeciwbólowe stosowane na dziąsła (jak Orajel czy Anbesol dla dzieci) nie są prawdopodobnie skuteczniejsze niż zwykły masaż. Nigdy nie wcieraj w dziąsła dziecka aspiryny ani alkoholu.

Próchnica zębów

W ciągu ostatnich 25 lat znacznie ograniczono występowanie próchnicy u dzieci, jednak nadal – w mniejszym lub większym stopniu – dotyka ona około 25% spośród nich. Jest to ogromny postęp w porównaniu z czasami przed 25 laty, ale pomimo to, atakując co czwarte dziecko, próchnica pozostaje poważnym problemem.

Jak rozwija się próchnica

Próchnica (*caries*) zaczyna się wtedy, gdy bakterie obecne w jamie ustnej rozkładają cukry spożywane przez nas w pokarmach i przekształcają je w kwasy. Kwasy te wżerają się w twarde szkliwo (emalię) pokrywające zęby i powodują w nim ubytki. Głównym czynnikiem etiologicznym próchnicy są bakterie z gatunku *Streptococcus mutans*. Mimo że substratem dla bakterii mogą być dowolne węglowodany, najwięcej szkód powodują dwucukry i cukry proste, takie jak sacharoza (cukier spożywczy), laktoza (cukier mlekowy) i fruktoza (obecna w owocach).

Największe znaczenie ma czas pozostawania cukrów w jamie ustnej. Butelka mleka sączona stopniowo w ciągu godziny spowoduje produkcję znacznie większej ilości kwasów niż ta sama butelka opróżniona w ciągu 10 minut. Nawet mniej słodkie pokarmy przegryzane na okrągło przez cały dzień przyniosą więcej szkody niż jeden bardzo słodki batonik, szybko zjedzony i popity wodą. Dlatego też dzieci przyzwyczajone do podjadania i popijania między posiłkami są narażone na większe ryzyko próchnicy niż te, które jedzą tylko posiłki o ustalonych porach. Jak opisujemy to poniżej, największe ryzyko dotyczy dzieci zasypiających z butelką mleka czy soku w buzi.

Do innych ważnych czynników rozwoju próchnicy zębów należą:
- Zjadliwość (wirulencja) bakterii. Jeśli w twojej rodzinie występują liczne przypadki próchnicy, może to oznaczać, że „wyhodowaliście" sobie szczególnie szkodliwy szczep bakteryjny. Ponieważ istnieje duże prawdopodobieństwo, że bakterie te trafią również do jamy ustnej dziecka, i ono jest w dużym stopniu narażone na zachorowanie. Dlatego też w razie próchnicy w rodzinie musisz zwracać szczególną uwagę na mycie zębów i wizyty kontrolne u dentysty.
- Ogólny stan uzębienia. Odpowiednia podaż fluoru wzmacnia zęby i zwiększa ich oporność na działanie kwasów. W niektórych przypadkach dzieci rodzą się z defektami szkliwa, co zwiększa ich podatność na ubytki. Dotyczy to szczególnie wcześniaków i dzieci, których matki miały problemy ze zdrowiem czy odżywianiem w okresie ciąży.

Jak zapobiegać próchnicy

Już od momentu, kiedy pierwsze ząbki ujawnią się w buzi niemowlęcia jako małe białe plamki na dziąsłach, możesz zacząć starania o ich siłę i zdrowie.

Uwaga na butelkę

Aby uchronić dziecko przed wczesną próchnicą, przestrzegaj następujących zasad:
- Nigdy nie dawaj dziecku na noc do łóżka butelki z mieszanką, mlekiem, sokiem czy czymkolwiek oprócz wody. Płyny te, zalegając godzinami w buzi dziecka, narażają jego przednie zęby (szczególnie górne) na szkodliwe oddziaływanie cukrów. Efekt może być tak dramatyczny, że zaatakowane próchnicą siekacze trzeba będzie usunąć, co niekiedy wymaga nawet znieczulenia ogólnego. Stomatolodzy wręcz wyróżniają ten rodzaj próchnicy, określając ją jako „niemowlęcą" lub „butelkową".

Lekarz radzi

Matczyne pocałunki a próchnica zębów

Czy można zapobiec zakażeniu dziecka przez odpowiedzialne za próchnicę bakterie *Streptococcus mutans*? Teoretycznie jest to możliwe. Dzieci zarażają się nimi zwykle od członków rodziny – najczęściej od matek – lub opiekunów. Aby uniemożliwić tę transmisję, część stomatologów zaleca, by nie dzielić z dzieckiem sztućców czy szczotki do zębów oraz by nie całować ich w usta. Inni uważają jednak, że w praktyce zakażenie jest i tak nieuniknione. Świadczyłyby o tym wyniki badań wykazujących, że bez mała wszyscy Amerykanie powyżej siódmego roku życia są nosicielami *Str. mutans*. Przeciwnicy prewencji twierdzą, że skuteczna może być tylko szczepionka przeciwko tym bakteriom, nad którą zresztą aktualnie pracują uczeni.

- Z tego samego powodu nie używaj butelki jako środka uspokajającego, nie zostawiaj jej dziecku w łóżeczku i nie pozwalaj mu pociągać z niej przez cały dzień. Zarezerwuj butelkę wyłącznie do karmienia, a następnie zabierz ją z zasięgu dziecka.
- Gdy dziecko nauczy się już trzymać kubek, stopniowo wycofuj się z butelki, używaj jej tylko na wodę albo odstaw całkowicie.

Próchnica a karmienie piersią

Niektórzy badacze sądzą, że również karmienie piersią może odgrywać pewną rolę w rozwoju próchnicy zębów, jednak kwestia ta nie została ostatecznie rozstrzygnięta. Rzeczywiście istnieją doniesienia, że przedłużone karmienie piersią, zwłaszcza w nocy, zwiększa podatność dziecka na próchnicę. Uwzględniając to ryzyko, zaleca matkom, by nie pozwalały dzieciom zasypiać z sutkiem w buzi, nie przedłużały czasu nocnych karmień i rezygnowały z nich po ukończeniu przez dziecko pierwszego roku życia. Inni twierdzą jednak, że nawet szeroko zakrojone badania epidemiologiczne nie potwierdziły związku między próchnicą a karmieniem piersią. Szwedzkie badanie na temat dzieci karmionych piersią dłużej niż przez 18 miesięcy wykazało co prawda ich większą podatność na próchnicę, ale też okazało się zarazem, że dzieci te zjadały więcej produktów usposabiających do próchnicy w porównaniu z dziećmi odżywianymi wyłącznie pokarmem stałym.

Cóż więc powinnaś zrobić? Karmienie piersią ma wiele ewidentnych zalet, natomiast związane z nim ryzyko próchnicy nadal pozostaje jedynie podejrzeniem. Dlatego też nie wahaj się przed karmieniem piersią z obawy przed jego hipotetycznym wpływem na próchnicę. Jeśli jednak karmisz dziecko na noc albo decydujesz się na kontynuację karmienia po ukończeniu przez nie 12 miesięcy, zwracaj tym większą uwagę na higienę jego uzębienia: unikaj słodyczy, dokładnie myj mu zęby szczotką i nie zapominaj o kontrolnych wizytach u dentysty już począwszy od pierwszego ząbka lub pierwszych urodzin.

Dobrze jeść, dobrze pić i unikać próchnicy

Gdy dziecko zaczyna przechodzić na pokarm stały, zapewnij mu racjonalną, urozmaiconą dietę według wskazówek podanych w rozdziale 22, „Zdrowe odżywianie". Od samego początku wybieraj wartościowe pokarmy, aby wyrobić w dziecku prawidłowe nawyki i zamiłowania: jeśli dziecko nie zasmakuje w słodyczach w pierwszych latach, jest mniejsze prawdopodobieństwo, że będzie musiało walczyć z tą pokusą przez całe życie. W aspekcie zdrowego uzębienia szczególne znaczenie ma kilka zasad racjonalnego odżywiania:

- Nie przyzwyczajaj dziecka do podjadania na okrągło przez cały dzień. Wręcz przeciwnie, ucz je jeść wyłącznie podczas posiłków spożywanych o określonych porach i w krótkim czasie.
- Cukierki, ciastka, chipsy i krakersy zawierają wiele cukrów prostych, które w największym stopniu wpływają na rozwój próchnicy. Dawaj je dziecku sporadycz-

nie i nie trzymaj w domu w zasięgu jego ręki. Na podwieczorek czy jako przekąskę możesz dać mu kawałek sera, owoc lub jogurt naturalny, a gdy będzie już trochę starsze – pokrojoną marchewkę, ogórek, kalarepę czy inne surowe warzywa. Czytaj etykietki, bo wiele gotowych, wysoko przetworzonych produktów – od płatków śniadaniowych po masło orzechowe – zawiera często więcej cukru, niż mogłoby się wydawać.

> ### Niestety, nikt mi wcześniej nie powiedział...
>
> *„...jak ważna jest dbałość o zęby dziecka. Zrozumiałam to dopiero wtedy, gdy mojemu synkowi trzeba było usunąć dwa przednie ząbki z powodu zniszczenia szkliwa”.*

- Słodycze i produkty o kleistej konsystencji (włącznie z rodzynkami i innymi suszonymi owocami) są mniej szkodliwe dla zębów, jeśli wchodzą w skład większego posiłku, a nie są zjadane osobno.
- Nie przesadzaj z sokami owocowymi. Nawet naturalny, 100% sok sprawia, że zęby dziecka pławią się w cukrze. Wypijanie nadmiaru soków przyzwyczaja dziecko do słodkiego smaku, co później, gdy trochę podrośnie, skłania je nieuchronnie ku coca-coli i innym napojom gazowanym. Soki mogą ponadto wyprzeć z diety dziecka mleko, które jest mu bardziej potrzebne jako źródło wapnia dla prawidłowego rozwoju kości i zębów. Wszystkie powyższe powody uzasadniają ograniczenia w konsumpcji soków do objętości jednej szklanki dziennie lub mniejszej.

Fluor a zwalczanie próchnicy

Fluor jest minerałem, który w odpowiednich dawkach pomaga w zapobieganiu ubytkom próchniczym. W większości dużych miast amerykańskich jest on dodawany do wody wodociągowej, a w niektórych innych rejonach występuje w wodzie w sposób naturalny. Niemowlęta z takich okolic otrzymują dostatecznie dużo fluoru w mleku matki lub mieszance przyrządzonej na przegotowanej wodzie z kranu. (Również gotowe mieszanki humanizowane zawierają zwykle odpowiednią dawkę tego pierwiastka). Miejscowy pediatra, lekarz rodzinny czy stomatolog powinien dysponować informacjami na temat stężenia fluoru w twoim ujęciu wody (powinno ono wynosić co najmniej 0,3 jednostki na milion). Jeśli woda w twojej okolicy nie zawiera fluoru, lekarz może zapisać dziecku krople fluorowe lub preparat witamin z dodatkiem fluoru. Nie zaleca się ich stosowania u niemowląt poniżej szóstego miesiąca życia.

Jeśli twój lekarz lub dentysta nie zna zawartości fluoru w miejscowej wodzie, informacje takie powinien posiadać wydział zdrowia lub gospodarki wodnej urzędu gminy. Używając wody ze studni lub innego prywatnego źródła, powinnaś przebadać ją w laboratorium pod kątem zawartości fluoru. Pierwiastka tego brakuje w większości dostępnych w handlu wód butelkowanych, jednak w działach dziecięcych supermarketów można nieraz znaleźć marki wzbogacane we fluor, sprzedawane pod szyldem „wody dla niemowląt”.

Niestety, nikt mi wcześniej nie powiedział...

„...że woda nie wszędzie ma jednakowy skład. Używamy wody ze studni i kiedyś zapytałam pielęgniarkę z naszego ośrodka, czy to ma jakieś znaczenie przy karmieniu dziecka butelką. Odpowiedziała mi: „Woda to woda". Obecnie mój syn ma kłopoty z zębami z powodu braku fluoru w wodzie".

– ZA: KidsHealth Parent Survey

Znajomość stężenia fluoru w wodzie pitnej jest ważna również dlatego, że nie należy przesadzać z podawanymi dziecku ilościami. Jeśli woda w twoim domu zawiera fluor, a dziecko dodatkowo otrzymuje jego suplement, taka kombinacja może doprowadzić do przebarwień lub pocętkowania zębów stałych. Zjawisko to, określane mianem fluorozy, samo w sobie nieszkodliwe poza aspektem estetycznym, obserwuje się w ostatnich latach coraz częściej.

Fluor stosowany miejscowo (bez połykania) w postaci pasty do zębów lub roztworu do wykonywanej u dentysty fluoryzacji, nie ma wpływu na rozwój fluorozy, a zarazem wydaje się odgrywać szczególnie ważną rolę w zapobieganiu próchnicy.

Mycie zębów dziecku

Jeszcze zanim pojawi się pierwszy ząbek, należy codziennie czyścić dziąsła dziecka wilgotną ściereczką albo przecierać je delikatnie miękką, dziecięcą szczoteczką do zębów i wodą. Gdy tylko ząbki wynurzą się z dziąseł, myj je szczoteczką i wodą. Te wczesne zabiegi higieniczne nie tylko pomagają w prewencji próchnicy, ale też przyzwyczajają dziecko do tego, że mycie zębów jest nieodłącznym elementem codziennej toalety.

Pastę do zębów możesz wprowadzić wtedy, gdy dziecko jest już na tyle duże, że potrafi ją wypluć – czyli zwykle w wieku około trzech lat. Używaj pasty z dodatkiem fluoru, który wchłania się w szkliwo. Wyciskaj na szczoteczkę objętość nie większą niż ziarnko groszku i naucz dziecko, jak ją wypluwać. Jeśli twoje dziecko należy do tych, które wydają się traktować pastę do zębów jak słodki krem, musisz trzymać ją zdecydowanie poza jego zasięgiem, by uniknąć niekontrolowanej konsumpcji.

W okresie, gdy dziecku wyrasta komplet zębów mlecznych, należy myć je co najmniej dwa razy dziennie – po śniadaniu i przed snem. Wykonując ten zabieg, zwracaj jednocześnie uwagę na ewentualne brązowe czy białe plamki na zębach, które mogą wskazywać na próchnicę.

Dobrym pomysłem jest również wczesne przyzwyczajanie dziecka do nici dentystycznej. Jeśli masz trudności w operowaniu nią w małej buzi, poproś stomatologa o wskazówki. Nieco później możesz dać dziecku kawałek pachnącej nici i pokazać mu na własnym przykładzie, jak się nią posługiwać. Nawet jeśli pominie któryś ząb, przyzwyczai się do tego zabiegu. Upewnij się, że żaden strzępek nici nie został mu w buzi.

Badania wykazują, że większość dzieci poniżej ośmiu lat nie ma jeszcze na tyle skoordynowanych ruchów, by myć zęby we właściwy sposób, czyli każdy z osobna i z każdej strony – od zewnątrz, od wewnątrz, w szczelinach i na brzegach. Dlatego też lepiej, by robili to dorośli, a przynajmniej asystowali przy tym wieczorem. Jeśli pomimo to twoje dziecko bardzo chce samodzielności albo stawia opór, gdy ty robisz to dokładnie, spróbuj nieco uprzyjemnić mu ten zabieg:

- Sama myj zęby razem z nim.
- Pozwól mu samodzielnie wybrać szczoteczkę w ulubionym kolorze czy odpowiednio ozdobioną.

> ## „Głos doświadczenia"
>
> *„Od najmłodszych lat przyzwyczajaj dziecko do takich rzeczy, jak kask do jazdy na rowerze, pasy w samochodzie czy nić dentystyczna. Ich używanie stanie się jego drugą naturą i nigdy nie będzie kwestionowane. Jeśli natomiast zechcesz nauczyć dziesięciolatka, by posługiwał się nicią dentystyczną, będzie to dla niego przeżycie na miarę wyrywania zęba (skojarzenie zamierzone!)".*
> – ZA: KidsHealth Parent Survey

- Śpiewaj podczas mycia dziecku zębów. Postaraj się wyszukać jakąś znaną melodię i dopasować do niej odpowiednie słowa (np. myjemy każdy ząbek/ do czysta, porządnie/ z góry na dół/ z dołu w górę/ z boku na bok/ z przodu z tyłu/ żeby wszystkie zdrowe były).
- Poproś dentystę lub lekarza, by porozmawiał z dzieckiem o myciu zębów. Niektóre dzieci mogą sprzeciwiać się rodzicom, ale często posłuchają tego, co powie im autorytet z zewnątrz.
- Używaj zegarka lub stopera, aby nauczyć dziecko dokładnego mycia zębów (na przykład przez dwie minuty).
- Jeśli twoje dziecko lubi gadżety, spraw mu elektryczną szczoteczkę do zębów we właściwym rozmiarze. (Pewne dowody wskazują, że elektryczne szczoteczki są skuteczniejsze w usuwaniu płytek nazębnych niż ręczne, aczkolwiek badania dotyczyły tylko dzieci, które samodzielnie myły sobie zęby).
- Poproś dziecko, by trzymało w buzi punktową lampkę podczas gdy myjesz mu zęby. Pochłonięte tą odpowiedzialną pracą, może spokojniej siedzieć i lepiej znieść twoje zabiegi. I dodatkowa korzyść: światło pozwoli ci dokładnie obejrzeć wnętrze jego buzi.
- Pójdź na kompromis. Pozwól dziecku samodzielnie myć zęby rano, pod warunkiem, że ty zrobisz to wieczorem, która to pora jest skądinąd najważniejsza. Albo niech myje zęby samo, ale pozwoli ci na kontrolę.

Wizyty u dentysty

Jeszcze do niedawna pierwsza wizyta dziecka u dentysty odbywała się standardowo w wieku trzech lat albo po wyrośnięciu wszystkich 20 zębów mlecznych. Do tego czasu lekarz-pediatra powinien sprawdzać stan jamy ustnej podczas regularnych wizyt kontrolnych, wyłapywać ewentualne problemy i w tylko w razie potrzeby kierować dziecko do stomatologa.

Zaleca się jednak obecnie, by dzieci po raz pierwszy siadały na fotelu dentystycznym w wieku około roku, kiedy mają zwykle 6–8 zębów. Dentyści twierdzą, że u tak małych dzieci jakiekolwiek nieprawidłowości w uzębieniu bywają trudne do wykrycia. Dentysta doświadczony w leczeniu dzieci może ponadto udzielić rodzicom cennych wskazówek, jak zapobiegać późniejszym problemom.

W rzeczywistości nie ma jednoznacznych dowodów, po czyjej stronie leży racja. Wybór opcji należy zatem do ciebie, na podstawie twoich odczuć i twojej oceny stanu uzębienia dziecka.

Stomatolodzy dziecięcy przechodzą specjalistyczne szkolenia na temat postępowania z dziećmi; wielu ogólnych, rodzinnych dentystów ma również duże doświadczenie w tym zakresie. W gabinetach przyjmujących dzieci są interesujące zabawki i książeczki w poczekalni, higienistki, które łatwo nawiązują kontakt z małymi pacjentami, a także wiele ekscytujących przyrządów, na przykład zabawne ciemne okulary (dla ochrony oczu dziecka przez intensywnym światłem) czy szczoteczki do zębów do zabrania ze sobą do domu.

Pierwsza wizyta dziecka u dentysty ma wyłącznie charakter kontrolny. Może to być dla dziecka zupełnie przyjemne doświadczenie, bez strachu i bez bólu, co powinno pomóc mu uniknąć „dentystofobii" na przyszłość.

Również i ty staraj się działać w tym kierunku, rozwiej obawy dziecka, uprzedzając je, co się wydarzy i czemu to służy. Wyjaśnij mu, że pan czy pani dentysta(-ka) zaświeci mu lampką do buzi, obejrzy ząbki za pomocą specjalnego lusterka, policzy je i być może użyje maszyny podobnej do dużej elektrycznej szczotki do zębów, żeby były czyściutkie i błyszczące. Rozmawiaj z dzieckiem w ten sposób przed każdą planowaną wizytą – wiedząc, co je czeka, będzie miało poczucie kontroli nad wydarzeniem i będzie bardziej skłonne do współpracy. Jeśli nie jesteś pewna, co dentysta ma zamiar zrobić, postaraj się dowiedzieć tego wcześniej, tak aby twoje wyjaśnienia były jak najbliższe prawdy.

Ssanie kciuka i smoczek

Informacje na temat ssania kciuka są podane w rozdziale 19, „Temperament, zachowanie i dyscyplina".

Wymiana zębów mlecznych na stałe

Zęby stałe zaczynają się zwykle pojawiać w wieku około sześciu lat, aczkolwiek czasami dochodzi do tego wcześniej – już w wieku czterech i pół roku – albo później, dopiero u ośmiolatka. Jako pierwsze wypadają z reguły górne przyśrodkowe siekacze, chociaż wcale nierzadko zdarza się, że stałe siekacze dolne ujawniają się jeszcze przed wypadnięciem ich mlecznych odpowiedników. Od pierwszych oznak poluzowania w dziąśle do wypadnięcia zębów mlecznych upływa przeciętnie kilka miesięcy, podczas których stopniowo zanika korzeń zęba. U zdrowego dziecka nie ma zwykle potrzeby przyspieszania tego procesu. Jeśli masz jakiekolwiek wątpliwości co do tego, czy ząbek rusza się w sposób naturalny, czy też z powodu ewentualnego urazu, zasięgnij porady stomatologa.

Zgrzytanie zębami

Czy zdarzyło ci się już usłyszeć straszliwe zgrzyty i trzaski dobiegające z łóżeczka twojego uśpionego aniołka? Mogą to być odgłosy zgrzytania zębami, jakie dziecko wydaje podczas snu. Przypadłość ta, określana mianem bruksizmu lub bruksomanii, występuje zwłaszcza w fazie głębokiej snu albo wtedy, gdy dziecko przeżywa stresy. Szacuje się, że dotyczy ona średnio trojga dzieci na dziesięcioro, najczęściej w wieku poniżej 5 lat.

Bruksizm może mieć wiele przyczyn, włącznie z wadami zgryzu (ustawienia zębów górnych względem dolnych), bólem w przebiegu chorób uszu czy ząbkowania, napięciem nerwowym lub stanami lękowymi. Często przyczyna pozostaje niejasna. Zjawisko to nie jest zwykle szkodliwe i ustępuje samoistnie w miarę wyrzynania się zębów stałych. W niektórych przypadkach zgrzytanie bywa jednak tak nasilone, że grozi uszkodzeniem zębów i dysfunkcją szczęk. Stomatolog może wówczas zalecić specjalny przyrząd ochronny na usta, do zakładania na noc.

Jeśli podejrzewasz dziecko o zgrzytanie zębami, zaprowadź je do dentysty, który sprawdzi ewentualne uszkodzenia i postara się ustalić, czy bruksizm ma podłoże fizyczne, jak na przykład nieprawidłowy zgryz, czy raczej emocjonalne, takie jak stres. Niezależnie od przyczyny poprawę może przynieść zrelaksowanie dziecka przed snem za pomocą ciepłej kąpieli, słuchania kojącej muzyki czy przeczytania ulubionej książeczki. Wybierz jakieś przyjemne i odprężające dla dziecka zajęcie i wprowadź je na stałe do wieczornego rytuału.

Jeśli potrzebujesz dodatkowych informacji, zasięgnij porady lekarza.

Rozdział 24

Bezpieczeństwo dziecka

Praca, która nigdy nie ma końca

„Czego chcesz się dowiedzieć, a czego nikt nie powiedział ci wcześniej, na temat za-
pewnienia niemowlęciu i małemu dziecku zdrowego, bezpiecznego dzieciństwa?"

Zadając rodzicom to pytanie, usłyszeliśmy już w odpowiedzi niezliczone opowieści o atletycznych wyczynach maluchów i przedszkolaków – jak szybko się poruszają, jak wysoko wspinają i jakie są niestrudzone w wyszukiwaniu tej jednej jedynej rzeczy, o której nigdy by nie pomyśleli, że ją znajdą. A oto kilka mrożących krew
w żyłach przykładów:
- Półtoraroczne dziecko poukładało na krześle grube książki, wspięło się na wysokość dużej lodówki, znalazło na niej buteleczkę syropu od kaszlu, otworzyło
  specjalną, teoretycznie zabezpieczającą przed dziećmi nakrętkę, i wypiło połowę
  zawartości.
- Niemowlę przekoziołkowało razem ze swoim wysokim fotelikiem ponad stołem
  w kuchni.
- Małe dziecko niczym akrobata uwiesiło się ustami na sznurkach od żaluzji i tak
  zabezpieczone zeskoczyło ze stołu, tracąc przy okazji kilka zębów.
- Niemowlę stawiające dopiero pierwsze kroki przy meblach skorzystało z chwili
  nieobecności matki w pokoju, by otworzyć przesuwane drzwi szafki, znaleźć na
  półce pudełko z kulkami naftaliny i zjeść kilka z nich.

Rodzice kończą zwykle takie i podobne opowieści słowami „Nigdy nie przyszłoby mi
do głowy, że będzie zdolne coś takiego zrobić!" – z mnóstwem wykrzykników. Matka czy ojciec byli zaskoczeni! zszokowani!! osłupiali!!! na widok wyczynu dziecka.

We wszystkich tych wykrzyknikach zgroza wydaje się mieszać z nutą podziwu i dumy.
W końcu dzieci często narażają się na niebezpieczeństwa z powodów, którymi można
się tylko cieszyć – bo są silne, szybkie, ciekawe, pomysłowe, nieustraszone, z dnia na

dzień coraz bardziej niezależne. Masz jednak wiele możliwości, by zmniejszyć podejmowane przez dziecko ryzyko, nie odbierając mu jednocześnie radości odkrywania świata i zabawy. Mimo niewątpliwych trudności w znalezieniu złotego środka jest to możliwe, jeśli wiemy i potrafimy przewidzieć, w jaki sposób dzieci robią sobie najczęściej krzywdę, a także jakie są skuteczne metody zapobiegania wielu spośród tych urazów. Prewencja przynosi efekty – w ciągu ostatnich dziesięciu lat zmniejszyła się liczba zgonów dzieci z powodu nieszczęśliwych wypadków dzięki fotelikom samochodowym, specjalnie zamykanym opakowaniom, lepszemu wyposażeniu placów zabaw, kampaniom edukacyjnym i innym postępom w dziedzinie bezpieczeństwa.

Co mówią liczby

Gdy dzieci przejdą już przez niebezpieczeństwa związane z porodem i ewentualnymi wadami wrodzonymi, podstawowe zagrożenie stanowią dla nich urazy. Wśród tych ostatnich zdecydowaną przewagę liczbową mają wypadki samochodowe i maltretowanie dziecka, z rodzicami – zaniedbującymi lub sadystycznymi – jako głównymi sprawcami śmierci. Podłożem wielu takich tragedii bywa alkohol i narkotyki. Jedną z najważniejszych rzeczy, jaką możesz zrobić dla bezpieczeństwa twojego dziecka, jest

> ### „Głos doświadczenia"
> *„Nigdy nie jesteś w stanie do końca przewidzieć, gdzie twoje dziecko może wetknąć nos".*
> – ZA: KIDSHEALTH PARENT SURVEY

więc uzyskanie skutecznej pomocy w przypadku, gdy ty czy ktokolwiek z domowników nadużywa alkoholu, bierze narkotyki lub nie radzi sobie ze stresem i frustracją w czasie opieki nad małym dzieckiem.

Inne główne przyczyny śmiertelnych urazów zestawiono w ramce na stronie 388. Podane liczby, znikome jeśli weźmie się pod uwagę, że w Stanach Zjednoczonych żyje aktualnie niemal 19 milionów dzieci w wieku poniżej pięciu lat, wykazują, że większość rodzajów tragicznych w skutkach wypadków zdarza się wyjątkowo rzadko.

Mniej poważne urazy, takie jak upadek z huśtawki, są za to na porządku dziennym. Szacuje się, że każdego roku co czwarte lub co piąte dziecko ulega urazowi, który kończy się w szpitalnej izbie przyjęć. Na pierwszym miejscu zdecydowanie plasują się upadki. W 97% przypadków dziecko jest odsyłane do domu bez konieczności hospitalizacji, co nie zmienia faktu, że nawet bez groźnych, długotrwałych następstw urazy te mogą być dla dziecka bolesnym i przerażającym przeżyciem.

Ogólne zasady zapewnienia bezpieczeństwa

Eksperci zgodnie stwierdzają, że aby zapobiec urazom wieku dziecięcego, małe dzieci muszą zawsze pozostawać pod czujnym nadzorem dorosłych. W naszym badaniu rodzice ujmowali to jeszcze dosadniej: nawet na chwilę nie można spuścić dziecka z oka. Dwie kolejne zasady, o których zawsze musisz pamiętać, brzmią następująco:

Główne przyczyny śmiertelnych urazów u dzieci amerykańskich w wieku 0–4 lata, 1998

Lista zawiera liczby przypadków zgonów dzieci od urodzenia do czterech lat, jakie miały miejsce w Stanach Zjednoczonych z powodu różnego rodzaju urazów. Są to przyczyny następujące:

- Wypadki samochodowe – 785 (w tym 8 z udziałem roweru na dwóch lub trzech kółkach)
- Zabójstwa (maltretowanie dziecka) – 721
- Utonięcia – 559
- Uduszenia – 528
- Pożary i poparzenia – 307
- Inne wypadki piesze – 108
- Upadki – 65
- Klęski żywiołowe – 47
- Zatrucia – 36
- Inne wypadki komunikacyjne – 34
- Uderzenia przez lub o coś – 31
- Wypadki z bronią palną (przypadkowe) – 19

(Źródło: National Center for Health Statistics, *National Vital Statistics Reports*, Vol. 48, Nr 11, 24 lipca 2000)

- Nie możesz nie doceniać zdolności fizycznych dziecka. Nawet najuważniejsi rodzice bywają zaskakiwani, gdy nagle ujawnia ono fantastyczną, nową umiejętność – na przykład turlania się (niewykluczone, że ze stołu do przewijania) czy wspinania (na blat kuchenny...). Aby podjęte przez ciebie środki ostrożności były skuteczne, zawsze muszą one wyprzedzać o kilka etapów rozwój ruchowy dziecka, jaki obserwujesz w danym momencie.
- Nie możesz przeceniać zdolności umysłowych dziecka. Uczenie go bezpiecznych zachowań jest oczywiście bardzo ważne, ale niewystarczające dla zapewnienia mu bezpieczeństwa. Dziecko może nie zrozumieć twoich nauk, nie zapamiętać ich albo nie kontrolować się tak, jakbyś sobie tego życzyła. Polecenie „Nie oddalaj się od mamy" nie przyniesie efektu, jeśli nie bardzo wiadomo, co oznacza słowo „nie oddalać się".

Podzieliliśmy ten rozdział na trzy części: „Bezpieczna droga", omawiającą bezpieczeństwo dziecka w samochodzie i używanie fotelika; „Bezpieczny dom", poświęconą sposobom ustrzeżenia dziecka przed upadkiem, oparzeniem, zadławieniem i zatruciem; oraz „Bezpieczna zabawa", poruszającą kwestie kontaktów z wodą, ochrony przez słońcem, zwierząt domowych, trój- i dwukołowych rowerków i innych obiektów do zabawy.

Bezpieczna droga

Wśród wszystkich przyczyn przypadkowych urazów samochody zajmują zdecydowanie pierwsze miejsce na liście zagrożeń dla dzieci niezależnie od tego, czy są one pasażerami, czy pieszymi. Zdając sobie z tego sprawę, musisz zachować szczególną czujność i ostrożność we wszelkich kwestiach związanych z dzieckiem jako uczestnikiem ruchu drogowego.

Bezpieczeństwo w samochodzie zaczyna się od przestrzegania podstawowych zasad ostrożnej i rozsądnej jazdy. Oznacza to oczywiście bezwzględny zakaz siadania za kierownicą po wypiciu alkoholu, ale nie tylko. Nie powinno się również prowadzić samochodu, będąc przemęczonym i niewyspanym, co często zdarza się świeżo upieczonym rodzicom. Oglądanie się czy sięganie do tyłu, żeby wytrzeć dziecku buzię albo podnieść upuszczoną zabawkę, może również niebezpiecznie odwrócić twoją uwagę od sytuacji na drodze, w związku z czym musisz absolutnie wykluczyć takie manewry. Dekoncentruje również rozmowa przez telefon komórkowy albo ruchy przewożonego „luzem" na tylnym siedzeniu psa lub kota. Niezmiernie ważna jest pewność, że i inne osoby, z którymi zdarza się podróżować twojemu dziecku, są dobrymi i odpowiedzialnymi kierowcami.

Zabezpieczenie małych pasażerów

Musisz mieć w samochodzie fotelik odpowiedni do wieku i wagi dziecka, prawidłowo zamocowany na tylnym siedzeniu i używany bezwzględnie za każdym razem. Szczegółowe wskazówki na temat wyboru i montażu fotelika znajdziesz w rozdziale 2, „Przygotowanie domu i rodziny". Wielu rodziców prosi o pomoc kogoś doświadczonego, kto potrafi ocenić, czy fotelik spełnia wszelkie wymogi bezpieczeństwa.

Przed każdą podróżą z dzieckiem sprawdzaj, czy fotelik jest dobrze zamocowany. Po wielu jazdach jego uchwyty stopniowo się poluzowują albo przypadkiem może je odczepić pasażer tylnego siedzenia, zapinając swoje pasy.

Lekarz radzi

Uwaga na poduszki powietrzne

Jeśli twój samochód ma poduszkę powietrzną od strony pasażera, tym bardziej nie wolno ci wozić dziecka na przednim siedzeniu. Siła otwierającej się poduszki jest dla dziecka śmiertelnym zagrożeniem, nierzadko większym niż przyczyna jej uruchomienia, niezależnie od tego, czy siedzi ono w foteliku ustawionym twarzą do tyłu, do przodu, w stronę boczną, czy też jest tylko przypięte pasami. Jazda na przednim siedzeniu jest w każdym przypadku niebezpieczna dla dziecka poniżej 12. roku życia.

Jazda w pasach

Używanie fotelika samochodowego podczas każdej jazdy nie zawsze jest tak proste, jak mogłoby się wydawać. Niektóre niemowlęta za każdym razem gwałtownie przeciwko niemu protestują, a starsze maluchy często znajdują sposób, by wyzwolić się z więzów natychmiast po wyruszeniu w drogę. Co w takich sytuacjach robić? Po pierwsze, musisz twardo postanowić, że niezależnie od trudności twoje dziecko nigdy nie będzie podróżować inaczej jak w foteliku. Po drugie, daj mu dobry przykład, zapinając za każdym razem twoje własne pasy. I wreszcie wypróbuj kilka podanych niżej sugestii, aby zminimalizować dziecku niewygody podróży.

W przypadku niemowlęcia:
- Staraj się w miarę możności jak najrzadziej wozić je samochodem.
- Jak najczęściej zabieraj na tylne siedzenie obok dziecka kogoś dorosłego, kto zabawiałby je i dodawał mu otuchy podczas jazdy.
- Upewnij się, że dziecku nie dokucza rażące światło.
- Wypróbuj ustawienia fotelika pod różnym kątem (w dopuszczalnych granicach).
- Staraj się jechać o takiej porze, kiedy niemowlę zwykle ucina sobie drzemkę.

W przypadku dziecka powyżej pierwszego roku życia:
- Zapewnij mu rozrywkę podczas jazdy. Prowadząc, możesz śpiewać czy rozmawiać z nim albo włączyć mu kasetę z ulubioną bajką. Dziecko powinno też mieć pod ręką miękkie zabawki i książeczki (twarde przedmioty mogą zrobić mu krzywdę w razie wypadku czy nawet ostrzejszego hamowania).
- Zachęcaj dziecko, by wyobrażało sobie, że fotelik samochodowy jest rakietą kosmiczną, kabiną pilota, siodłem, łodzią czy czymkolwiek, co mogłoby sprawić mu przyjemność.
- Raz i drugi zabierz fotelik do domu i pozwól dziecku pobawić się w wożenie w nim lalki czy misia. Poproś je, by wytłumaczyło swojemu „dziecku", dlaczego musi jeździć w foteliku.
- Jeśli twoje dziecko chodzi do żłobka czy przedszkola, zaproponuj, by w jego grupie przeprowadzono zajęcia na temat fotelików samochodowych z użyciem takich akcesoriów, jak książeczki do kolorowania, lalki, kalkomanie itp.
- Jeśli twoje dziecko odpina sobie pasy w czasie jazdy, zatrzymaj się i przypnij je ponownie przed wyruszeniem w dalszą drogę. Powtarzaj to konsekwentnie za każdym razem, choćby miało to znacznie wydłużyć podróż. Jeśli jej celem jest jakaś atrakcja dla dziecka, na przykład basen czy przyjęcie urodzinowe, może w końcu zrozumieć, że spóźnicie się przez jego zachowanie.
- Naciągnięcie na zapięcia pasów miękkich „pokrowców" – na przykład obciętych rękawów starego swetra – może utrudnić dziecku niepożądane manipulacje, a także zapobiec przypadkowemu odpięciu fotelika przez innych pasażerów z tylnego siedzenia.

Trzymanie za rączkę

Małe dziecko musi być zawsze trzymane za rękę przez dorosłego na parkingach, przy przechodzeniu przez ulicę czy inną drogę samochodową. Należy uczyć je, by nigdy nie wysiadało z samochodu, zanim nie wysiądzie z niego osoba dorosła. Jeśli stwarza to trudności, z pomocą przychodzą powszechne obecnie centralne zamki w samochodach, które po zablokowaniu uniemożliwiają dziecku otwarcie tylnych drzwi od środka.

Naucz dziecko zasady „rączka na samochodzie", polegającej na tym, że podczas ostatnich przygotowań do wyjazdu musi ono stać przy samochodzie, dotykając go jedną ręką aż do chwili zajęcia miejsca w środku. Małe dzieci łatwiej przyswajają sobie tak sformułowane polecenie niż mniej konkretną zasadę, w rodzaju „stój blisko".

Bezpieczeństwo w garażu

W garażach często znajdują się niebezpieczne dla dziecka przedmioty, włącznie z najniebezpieczniejszym, czyli samochodem. Nawet przy zachowaniu wszelkich środków ostrożności, takich jak przechowywanie narzędzi i pojemników z chemikaliami poza zasięgiem dziecka, garaż nigdy nie stanie się miejscem na tyle bezpiecznym, by można się było w nim bawić. Lepiej więc trzymać dzieci z daleka od garażu, poza kontrolowanymi momentami wejścia i wyjścia do i z samochodu.

Aby zapobiec wypadkom, elektryczne drzwi garażu powinny automatycznie zmieniać kierunek ruchu w razie zetknięcia się czy tuż przed zetknięciem z jakąkolwiek przeszkodą. W co najmniej jednym z przeprowadzonych testów okazało się, że wiele drzwi garażowych nie spełnia tego warunku bezpieczeństwa. Eksperci zalecają, by samemu sprawdzać stan drzwi z użyciem rolki papierowego ręcznika. Jeśli opuszczające się drzwi dotkną takiej rolki i nie zaczną iść do góry, oznacza to, że wymagają reperacji lub wymiany.

Jeśli masz w garażu stare drzwi, pozbawione systemu zabezpieczeń, ich wymiana będzie mądrą inwestycją. Gdy twoje dziecko i jego koledzy podrosną na tyle, by wchodzić do garażu i wychodzić z niego pod mniej ścisłym nadzorem, nadal jednak będą

Lekarz radzi

Gdzie jest dziecko?

Jeśli wyjeżdżasz samochodem, nie zabierając ze sobą dziecka, za każdym razem, zanim wsiądziesz do samochodu i wyprowadzisz go z garażu czy podwórka, upewnij się, czy wiesz, gdzie ono jest w tym momencie. Będąc już w środku, możesz nie zauważyć dziecka, które wyszło za tobą z domu i znalazło się tuż przy samochodzie.

zbyt mali, by zapomnieć o ryzyku poważnych obrażeń w razie przytrzaśnięcia niesprawnymi drzwiami.

Jazda w sklepowym wózku

Urazy spowodowane wózkami w supermarketach odsyłają na pogotowie i szpitalne izby przyjęć całkiem sporo dzieci. W dużej części są to urazy głowy na skutek upadku. Niezależnie od tego, czy sadzasz dziecko w foteliku wbudowanym w wózek, czy nakładany nań, zawsze przypnij je pasami. Jeśli nie znajdujesz wózka ze sprawnymi pasami zabezpieczającymi, nie rób z dzieckiem zakupów w tym sklepie – i złóż skargę do jego dyrekcji. Ponieważ pasy w wózkach są często zepsute, wielu rodziców zabiera ze sobą własne szelki, aby przytroczyć nimi dziecko w wózku.

Dzieci nie powinny jechać w szerokiej części wózka, jechać na stojąco ani samodzielnie go popychać. Nie wolno ci pozostawić dziecka samego w wózku – nawet jeśli jest zabezpieczone pasami czy szelkami – by choćby na chwilę wrócić po jakiś zapomniany produkt. Zawsze musisz robić to z wózkiem (a w każdym razie z dzieckiem). Inne techniki: popychając wózek, miej niemowlę na sobie, w nosidełkach czy specjalnym plecaku. Spróbuj znaleźć inną matkę małego dziecka i zaproponuj jej współpracę, tak aby każda z was mogła robić zakupy bez dziecka, pozostawiwszy je pod opieką drugiej. Zakupy całą rodziną mają z kolei tę zaletę, że jedno z rodziców może pchać wózek z dzieckiem, a drugie wózek z zakupami. Jeśli jesteś zdana tylko na siebie, weź dziecko do sklepu w spacerówce, a zakupy nieś w koszyku, nawet gdyby oznaczało to znaczne ograniczenie ich ilości.

Bezpieczny dom

Wiele nieszczęśliwych wypadków, jakim ulegają małe dzieci, zdarza się, niestety, w zaciszu domu, pod nosem czy wręcz na oczach kochających rodziców. Jedynym sposobem, by im zapobiec, jest eliminacja wszelkich potencjalnych zagrożeń i ścisły nadzór nad dzieckiem.

Ogólne zabezpieczenia

W rozdziale 2, „Przygotowanie domu i rodziny", wypunktowaliśmy główne zasady zabezpieczenia domu, w którym ma zamieszkać małe dziecko. Należy do nich usuwanie i przechowywanie pod kluczem wszelkich rzeczy, które mogą na nie spaść, zadławić je po wzięciu do buzi, zatruć, skaleczyć czy oparzyć, a także zablokowanie okien i schodów. Jednak nawet jeśli wprowadzone przez ciebie zabezpieczenia doskonale sprawdzają się w okresie niemowlęcym, musisz regularnie oglądać swój dom pod kątem nowych zagrożeń, jakie pojawiają się w miarę jak dziecko rośnie, nabiera sił i usprawnia się ruchowo. Tak więc na przykład o trwałym zamknięciu niektórych drzwi – na klucz czy wysoko umocowany haczyk – musisz pomyśleć jeszcze zanim dziecko dosięgnie do klamki.

Zapobieganie upadkom w domu

Upadki są główną przyczyną zgłaszania się z dziećmi do szpitalnych izb przyjęć, nawet jeśli większość z nich nie prowadzi do poważnych urazów. Dzieci są szczególnie podatne na spadanie ze schodów, ze stołów do przewijania, a także na wypadanie ze swoich łóżeczek. Wprowadzenie kilku podstawowych środków ostrożności może zapobiec tego rodzaju incydentom:

- Nigdy, nawet na chwilę, nie zostawiaj dziecka bez opieki w miejscu, z którego może spaść. Jeśli właśnie je przewijasz, a rozlegnie się dzwonek do drzwi, pójdź otworzyć z dzieckiem na rękach. Jeśli musisz je zostawić, włóż je do łóżeczka czy kojca. Przez pierwsze kilka miesięcy życia bezpiecznym miejscem jest również podłoga.
- Zanim położysz dziecko na stole do przewijania, sprawdź, czy masz w zasięgu ręki wszystko, co będzie ci potrzebne. Jeśli w trakcie przewijania stwierdzisz, że zapomniałaś czegoś z łazienki, pójdź po to razem z dzieckiem. Przestrzegaj „zasady jednej ręki" – jeśli musisz po coś sięgnąć, zrób to tak, by twoja druga ręka nie traciła kontaktu z dzieckiem.
- Ustaw siatkę w łóżeczku na poziomie wysokim, a materac na najniższym. Gdy pewnego dnia twoje dziecko zainteresuje się możliwościami wyjścia z łóżeczka, będzie to dla niego najlepszym zabezpieczeniem. W drzwiach jego pokoju możesz na noc wstawiać bramki lub parawan.
- Gdy dziecko siedzi czy stoi na jakimkolwiek podwyższeniu, w rodzaju wysokiego fotelika, wózka, huśtawki czy stołu do przewijania, przypinaj je szelkami lub pasami. Najbezpieczniejsze są pasy z rzemykiem między nogami. Nie uważaj pulpitu fotelika za wystarczające zabezpieczenie, bo dzieci często ześlizgują się pod nim albo opierają na nim do wstawania, przez co mogą spaść z większej wysokości.
- Wyjmuj i zdejmuj dziecko, nie czekając, aż samo uwolni się w sposób niekontrolowany. Jeśli twoje dziecko ciągle wyrywa się z fotelika czy ze stołu do przewijania, dobrze będzie wprowadzić pewne innowacje. Zorganizuj mu na przykład piknik na rozłożonym na podłodze ręczniku albo pozwól jeść na krzesełku przy niskim stole. Możesz również przez pewien czas przewijać je na podłodze, a nie na stole.
- Z zasady trzymaj dziecko jak najniżej. Nie sadzaj go, bezpośrednio czy razem z fotelikiem, na stole, płocie, dachu samochodu i wszelkich podobnych podwyższeniach. Dziecko wydaje się nieraz w pełni unieruchomione, ale wystarczy, że zmieni środek ciężkości i może pojechać w dół. Nie sadzaj go również na pralce, suszarce czy innym wibrującym urządzeniu.
- Nie wieszaj toreb czy siatek na poręczy wózka, zwłaszcza spacerowego. Gdy puścisz poręcz, ciężar pakunków może przeważyć wózek do tyłu albo też dziecko może zaplątać się w rączki siatek, czy nawet udusić.
- Zablokuj schody w domu na górze i na dole drzwiczkami lub wmontowanymi na stałe bramkami. Bramki zamykane tylko na magnes czy siłą ciężkości nie są wystarczającym zabezpieczeniem schodów, bo zbyt łatwo się wywracają. Osoba dorosła musi i tak czuwać nad dzieckiem usiłującym przekroczyć barierkę, ale przynajmniej jest ona na tyle poważnym utrudnieniem, że można w porę je złapać.

- Nie kupuj dziecku chodzika. Tego rodzaju siedzenie na kółkach bardzo sprzyja upadkom, ponieważ daje małemu dziecku możliwości przemieszczania się przekraczające jego sprawność ruchową. Łatwo może ono podjechać pod schody i zwalić się z nich razem z chodzikiem. Bezpieczniejsze są urządzenia „treningowe", które umożliwiają dziecku ćwiczenie kroków w miejscu.
- Zabezpiecz okna, najlepiej kratami. (W niektórych miastach, między innymi w Nowym Jorku, właściciele budynków mają obowiązek instalować kraty w mieszkaniach wynajmowanych lokatorom z małymi dziećmi). Jeśli nie masz krat, otwieraj okna wyłącznie od góry i blokuj klamki, gdy są zamknięte. Nie polegaj na żaluzjach jako zabezpieczeniu okien przed dzieckiem. Nie stawiaj łóżeczka dziecka w pobliżu okna i nie pozwalaj mu wspinać się na parapet po krześle, stołku, pudełkach czy jakimkolwiek innym przedmiocie użytym w charakterze schodka.

Zabezpieczenie domowej pracowni czy biura

Jeśli masz w domu biuro czy gabinet do pracy, nie zapomnij i o nim podczas prac zabezpieczających. To właśnie w tym pomieszczeniu pełno jest zwykle ostrych kantów, kabli elektrycznych i przeróżnych drobnych, atrakcyjnych przedmiotów, które obowiązkowo muszą znaleźć się poza zasięgiem dziecka.

- Sprawdź, czy jakikolwiek przewód pod napięciem nie zwisa na dostępnej dla dziecka wysokości.
- Osłoń wszystkie gniazdka elektryczne nakrywkami i używaj topliwych bezpieczników w urządzeniach, które są do nich włączone.
- Przechowuj biurowe akcesoria – nożyczki, zszywacze, dziurkacze, markery itp. – w zamkniętych szufladach czy wysoko, poza zasięgiem dziecka.
- Umocuj wszystkie małe klucze od szuflad czy segregatorów na kółku i zawieszaj je wysoko, aby wyeliminować ryzyko, że dziecko przypadkiem je połknie.
- Zamykaj szafki i szuflady do przechowywania dokumentów. Są one zwykle mocno obciążone i mogą się przewrócić czy spaść na dziecko, jeśli pociągnie ono za górną szufladę.
- W okresach, kiedy z niego nie korzystasz, staraj się zamykać gabinet na klucz.

Usuwanie sznurków i linek

Każdy przedmiot zawierający długie, cienkie elementy stanowi dla dziecka potencjalne zagrożenie uduszeniem.

- Ze względów bezpieczeństwa większość ubranek dziecięcych projektuje się obecnie bez troczków do wiązania pod brodą czy wokół szyi. Jeśli masz jednak koszulki czy kaftaniki z tasiemkami, po prostu je odetnij.
- Nie zakładaj dziecku rękawiczek na sznurku.
- W czasie zabawy czy snu dziecko nie powinno mieć na sobie łańcuszków na szyi, szalików, opasek na głowę, wiązanych pod brodą czepków czy jakichkolwiek zabawek – np. gwizdka – zawieszonych na szyi na tasiemce, sznurku, wstążce itp.

- Nigdy nie wiąż dziecku smoczka wokół szyi czy na rączce ani nie przyczepiaj go na tasiemce do ubrania.
- Sznurki od rolet czy zasłon podwiązuj wysoko, tak aby były poza zasięgiem dziecka. Przetnij je tak, żeby nie tworzyły na dole pętli, a następnie przypnij zaszczepkami lub specjalnymi klipsami.
- Wszelkiego rodzaju tasiemki przy pościeli czy materacu w łóżeczku nie powinny być dłuższe niż 15 cm.
- Jeśli chcesz przywiązać zabawkę do fotelika samochodowego czy do wózka, pamiętaj, że długość wstążki czy sznurka również nie powinna przekraczać 15 cm.

Zapobieganie zatruciom

Na początek dobra wiadomość: większość przypadkowych rzeczy, jakie mogą połknąć małe dzieci, nie przynosi im większych szkód. W ostatnich latach liczba śmiertelnych zatruć u dzieci poniżej pięciu lat znacząco spadła. W opinii ekspertów jest to zasługa opakowań zabezpieczonych przed otwarciem przez dziecko, ograniczeń w dawkowaniu leków, a także rosnącej świadomości rodziców i ich wiedzy na temat zasad bezpieczeństwa w rodzaju tych, jakie podajemy poniżej.

Substancje, które *nie są* truciznami

Nie są to oczywiście składniki zdrowej diety, jednak jeśli twoje dziecko zje coś z tego zestawu, nie ma powodu do paniki. Substancje te nie stanowią większego zagrożenia, chyba że przedostaną się do organizmu w znacznych ilościach.

1. Płyny i olejki do kąpieli;
2. Roztwór kalaminy;
3. Kreda, ołówki, markery i tusz z wkładów do długopisów;
4. Szminka, podkład do makijażu, krem do rąk i większość innych kosmetyków (z wyjątkiem farby do włosów i zmywacza do paznokci);
5. Grafit w ołówkach;
6. Wazelina;
7. Mydło i szampon;
8. Olejek do opalania.

10 popularnych substancji, które są truciznami

W razie podejrzenia, że twoje dziecko zjadło czy wypiło którąś z poniższych substancji, natychmiast skontaktuj się z twoim lekarzem-pediatrą czy z lokalnym ośrodkiem leczenia zatruć. Ich numery telefonów powinnaś mieć przyklejone na stałe w pobliżu aparatu.

1. Alkohol – zarówno do użytku zewnętrznego, jak i w postaci napojów. (Objętość kilku kieliszków wysokoprocentowego likieru może okazać się śmiertelną dawką dla dwuletniego dziecka).

Niestety, nikt mi wcześniej nie powiedział...

„...że łańcuch w drzwiach wejściowych należy instalować wysoko, bo małe dziecko w zupełnie nieoczekiwanym momencie, na przykład w środku nocy, może spróbować je otworzyć, z zamiarem pojechania z wizytą do babci na trójkołowym rowerku".

2. Aspiryna, acetaminofen (paracetamol), ibuprofen, leki przeciwdepresyjne, plastry z nikotyną i większość innych leków, zarówno na receptę, jak i dostępnych w wolnej sprzedaży.
3. Detergenty używane w automatycznych zmywarkach do naczyń.
4. Płyn do spryskiwaczy i do chłodnicy, dodatki do paliwa i wszelkie inne substancje zawierające metanol lub glikol etylenowy.
5. Środki do udrażniania rur kanalizacyjnych, do usuwania rdzy z armatury łazienkowej i inne substancje żrące.
6. Benzyna, nafta, benzen, oleje mineralne i inne węglowodory (w tym niektóre rodzaje politury meblowej).
7. Farba do włosów i zmywacz do paznokci.
8. Suplementy żelaza i preparaty witaminowe z dodatkiem żelaza.
9. Ołów (zawarty głównie w starych, złuszczających się warstwach farb ściennych).
10. Pestycydy, środki owadobójcze i naftalina.

Lekarstwa

Przechowuj wszystkie leki – zarówno zapisane przez lekarza, jak i dostępne bez recepty – w zamkniętej na klucz apteczce poza zasięgiem dziecka. Zamknięcia pojemników utrudniające dziecku dostęp nie są dla niego przeszkodą nie do sforsowania. Nie polegaj wyłącznie na opakowaniach, żeby ochronić dziecko przed zatruciem. A oto kilka innych ważnych wskazówek:

- Zachowaj szczególną ostrożność wobec preparatów żelaza czy multiwitaminy zawierającej żelazo – jego przedawkowanie, nawet poniżej dawki śmiertelnej, może trwale uszkodzić układ pokarmowy dziecka. Choć może się to wydawać zaskakujące, właśnie suplementy żelaza są nieraz główną przyczyną śmiertelnych zatruć u małych dzieci.

Lekarz radzi

Jak uniknąć pomyłki przy podawaniu dziecku leków

Jeśli musisz podać dziecku lekarstwo w środku nocy, nie rób tego w ciemności, bo bardzo łatwo wtedy o pomyłkę. Zapal światło do odmierzenia dawki leku i nie zapomnij o okularach, jeśli nosisz je na co dzień. Niezależnie od pory dnia zawsze przeczytaj etykietkę na opakowaniu, zanim wyjmiesz z niego porcję leku, aby mieć pewność, że sięgnęłaś po właściwy flakonik.

- Nigdy nie zostawiaj buteleczek czy listków z witaminami, aspiryną i innymi lekami w przypadkowym miejscu, w którym dziecko może się na nie natknąć.
- Jeśli w twoim domu nocują goście, sprawdź, czy również należące do nich lekarstwa znajdują się daleko poza zasięgiem dziecka, najlepiej zamknięte w ich bagażach. Wstaw walizki i torby gości w niedostępne dla niego miejsce.
- Leki, środki czystości i inne chemikalia przechowuj zawsze w oryginalnych opakowaniach z nienaruszonymi etykietkami, tak aby w razie nieszczęśliwego wypadku wiadomo było przynajmniej, co dziecko połknęło.
- Nigdy nie mów dziecku, że lekarstwo czy witamina jest cukierkiem.

Domowe środki czystości

Zajmując się dzieckiem i prowadząc dom, jesteś niewątpliwie obficie zaopatrzona w środki czystości i inne przydatne chemikalia. Przygotowując dom pod kątem bezpieczeństwa dziecka, musisz zawsze sprawdzać, czy są one bezwzględnie poza jego zasięgiem.

Przechowuj środki czystości i aerozole w wysoko zawieszonych, a najlepiej dodatkowo zamkniętych szafkach. Nigdy nie trzymaj ich – włącznie z proszkiem czy tabletkami do zmywarki – nisko pod zlewem ani nie pozostawiaj ich w przypadkowych miejscach podczas sprzątania. Nie rozsypuj na podłodze mieszkania środków owadobójczych ani trutki na szczury. Unikaj chemicznych insektycydów, herbicydów i innych toksycznych związków do pielęgnacji ogrodu czy trawnika. Staraj się zastąpić je środkami nietoksycznymi.

Domowe rośliny

Wbrew powszechnemu przekonaniu poinsecja, czerwonolistna „gwiazda betlejemska", nie ma trujących właściwości. Niektóre inne rośliny związane z tradycją Bożego Narodzenia są jednak toksyczne. Należy do nich amarylis, dekoracyjna bylina hodowana tak, by czas jej kwitnienia przypadł właśnie na święta, cis rosnący w doniczkach oraz owoce jemioły. Skonsumowanie tych roślin prowadzi do wymiotów, rozstroju żołądka i biegunki.

Również i inne popularne rośliny doniczkowe i ogrodowe są uważane za toksyczne w razie zjedzenia, aczkolwiek ciężkie zatrucia u dzieci zdarzają się na szczęście rzadko. Trujące rośliny, jakie mogą rosnąć wokół twego domu, to między innymi filodendrony, narcyzy, liście pomidorów czy bieluń dziędzierzawa. Powinnaś znać nazwy hodowanych przez ciebie roślin, tak aby w razie zjedzenia ich przez dziecko lekarz pierwszej pomocy czy lokalny ośrodek toksykologiczny mógł szybko ustalić stopień zagrożenia i podjąć stosowne kroki.

Udławienie się

Co łączy ze sobą hot-dogi, prażoną kukurydzę i balony? Są one rzeczami atrakcyjnymi dla dzieci, ale niestety bywają również dość częstymi przyczynami zadławienia.

Lekarz radzi
Rodzinne uroczystości

Domowe przyjęcia z udziałem najmłodszych wymagają specjalnych środków ostrożności. Musisz przede wszystkim zabezpieczyć dziecko przed jakąkolwiek możliwością przypadkowego napicia się alkoholu – goście często nie zwracają uwagi na miejsce, w które odstawiają swoje kieliszki. Uważaj również na obce torebki położone w zasięgu dziecka – mogą one zawierać niebezpieczne przedmioty, w tym lekarstwa. Ponieważ ty jako gospodyni będziesz z pewnością bardzo zajęta, dobrze byłoby powierzyć innej dorosłej osobie misję czuwania nad najmłodszymi uczestnikami przyjęcia. Gdy dobiegnie ono końca, musisz mimo zmęczenia szybko posprzątać, bo pozostawione na stole resztki – nie dopite napoje w szklankach, niedopałki papierosów, orzeszki czy inne przystawki – bywają niebezpieczne dla dziecka, które nazajutrz może obudzić się jeszcze przed tobą i zająć się całym bałaganem na własną rękę.

Wszystkie przedmioty tak małe, że przechodzą przez środek rolki papieru toaletowego (czyli o średnicy poniżej 3 cm), mogą być niebezpieczne dla dziecka młodszego niż trzy- lub czteroletnie. Lista takich przedmiotów jest nieskończenie długa – znajdują się na niej między innymi monety, drobne części zabawek, kamyki, naparstki, guziki, gwoździe i wiele, wiele innych. Aby wyeliminować ryzyko, że któryś z nich dostanie się do dróg oddechowych dziecka, musisz skrupulatnie przestrzegać kilku zasad:

- **Nigdy** nie dawaj dziecku drobnych, twardych lub okrągłych rzeczy do jedzenia, które mogą przypadkiem przedostać się do tchawicy dziecka w wieku poniżej czterech lat i zablokować drogi oddechowe. Zakaż starszemu rodzeństwu częstowania niemowlęcia czy małego dziecka takimi przysmakami. Trudne do połknięcia, a tym samym niebezpieczne są dla niego ziarna prażonej kukurydzy, winogrona, rodzynki, karmelki, czereśnie i inne owoce z pestkami czy nasionami, małe pomidorki, oliwki, orzechy, twarde cukierki, guma do żucia, a także twarde warzywa, jak surowa marchew czy kalarepa. Parówki, kiełbaski czy gotowana marchew po pokrojeniu na okrągłe plasterki mają akurat taką wielkość, że mogą utkwić w drogach oddechowych małego dziecka. Krój je więc raczej na krótkie pasma albo podziel plasterki na ćwiartki. Dla bezpieczeństwa można również przekrawać winogrona. Niektóre dzieci łatwo krztuszą się również pokarmem lepkim, na przykład łyżeczką masła orzechowego.

Niestety, nikt mi wcześniej nie powiedział...

„...żeby uważać na nisko zamocowane ograniczniki otwierania drzwi. Mają one drobne gumowe nakładki, które łatwo mogą się znaleźć w rękach (lub buzi) małego dziecka".

- Przyuczaj dziecko do jedzenia na siedząco przy stole, a nie w pozycji leżącej, podczas zabawy czy w ruchu, zwłaszcza gdy dziecko je coś nadzianego na patyk (np. loda). Jeśli dziecko robi się senne przy kolacji, obudź je na tyle skutecznie, by na pewno bezpiecznie połknęło wszystko, co ma w buzi.
- Jeśli masz hobby wymagające posługiwania się drobnymi przedmiotami, jak np. krawiectwo czy obróbka drewna, trzymaj swój warsztat poza zasięgiem dziecka. Po zakończeniu pracy usuń wszystkie akcesoria i rozejrzyj się dokładnie, czy nic nie spadło na podłogę.
- Usuwaj zużyte baterie, a zapasowe przechowuj poza zasięgiem dziecka. Są one nie tylko niebezpieczne z uwagi na ryzyko zadławienia się, ale także ich trującą zawartość.
- Jeśli według informacji na etykietce jakakolwiek zabawka jest przeznaczona dla wieku powyżej 3 lat, nie dawaj jej dziecku młodszemu, nawet jeśli uważasz je za nad wiek rozwinięte. Adnotacja producenta oznacza, że zabawka zawiera drobne elementy, które grożą małemu dziecku zadławieniem. W rzeczywistości wiele dzieci powyżej trzech lat ma nadal skłonność do wkładania do buzi małych przedmiotów, w związku z czym nie powinny się nimi bawić. Niezależnie od oznaczeń musisz zawsze sama zadecydować, czy dana zabawka nie naraża twojego dziecka na żadne niebezpieczeństwo.

Abstrahując od powtarzanych w nieskończoność ostrzeżeń przed możliwością udławienia się dziecka drobnymi częściami zabawek, warto pocieszyć się danymi, które wskazują na bardzo znikome prawdopodobieństwo przypadkowej śmierci dziecka z tego powodu. Przykładowo, w roku 1998 Komisja ds. Bezpieczeństwa Produktów Konsumpcyjnych odnotowała 14 takich wypadków, co oznacza ryzyko mniejsze niż jeden na milion. Pierwsze miejsce wśród specyficznych przyczyn tych zgonów zajęły gumowe baloniki, którymi w omawianym roku zadławiło się śmiertelnie czworo dzieci. Z tego też powodu wiele szpitali dziecięcych skreśliło baloniki z listy zabawek dostępnych w ich murach. Aby zapobiec takim tragediom, przechowuj nienadmuchane baloniki poza zasięgiem dziecka, przekłuwaj je i wyrzucaj zanim całkowicie ucieknie z nich powietrze i nie zostawiaj nadmuchanych na noc w pokoju dziecka. Jeśli koniecznie chcesz dać dziecku balonik, poszukaj bezpieczniejszej alternatywy niż dmuchane.

Lekarz radzi

Tylko dla niemowląt

Nie podawaj niemowlęciu kropli paracetamolu przeznaczonych dla starszych dzieci. Preparaty przeznaczone specjalnie dla niemowląt mają stężenie odpowiadające zalecanym dla nich, niższym dawkom. W niektórych przypadkach niemowlęce wersje leków są z kolei silniejsze niż postaci dla starszych dzieci. Zamiast prób samodzielnego wyliczania właściwej dawki dla starszego brata lub siostry, lepiej jest zatem posłużyć się gotowym lekiem przeznaczonym dla dzieci starszych.

Niebezpieczne rodzeństwo

Największym zagrożeniem dla mojej rocznej córeczki są jej starsi bracia „N (w wieku sześciu, siedmiu i ośmiu lat) – powiedziała nam jedna z matek. – Wszędzie rozrzucają klocki Lego, monety, ołówki, które ona z zapałem pcha do buzi". Jest to problem częsty i bynajmniej niełatwy do rozwiązania. Możesz przyuczać starsze dzieci, by razem z tobą dbały o bezpieczeństwo malucha, możesz wydzielić w domu „czysty pokój" lub mniejszą powierzchniowo „strefę bezpieczeństwa", na przykład kojec niemowlęcia – gdzie nie wolno rozrzucać klocków i innych drobnych przedmiotów, możesz stanowczo egzekwować od starszych dzieci sprzątanie po zabawie. Jednak w ostateczności nie pozostanie ci pewnie nic innego, jak samej zachować wzmożoną czujność.

Uwaga na jedzenie dla zwierząt

Musisz za każdym razem sprawdzać, czy twoje małe dziecko nie ma dostępu do karmy dla domowego zwierzęcia, ustawionej w miseczce na podłodze (albo usuwać miseczkę, gdy pies lub kot już się posili). Wilgotny pokarm, pozostawiony w cieple na długie godziny, jest znakomitą pożywką dla bakterii, natomiast sucha karma w postaci drobnych twardych kulek grozi dziecku zadławieniem. Na pewno nie życzysz sobie również, by twoje dziecko walczyło z Reksiem czy Azorkiem o miskę Pedigree Pal.

Zapobieganie oparzeniom

Ogień jest żywiołem niebezpiecznym dla ludzi w każdym wieku. W populacji dzieci poniżej pięciu lat stanowi on główną przyczynę tragicznej śmierci w domu. W rozdziale 2, „Przygotowanie domu i rodziny", omówiliśmy podstawowe zasady bezpieczeństwa przeciwpożarowego w miejscu zamieszkania małego dziecka, doradzając wyposażenie w alarmy przeciwogniowe, gaśnice i drabiny ewakuacyjne jako niezbędną część takich przygotowań. Musisz ponadto zadbać o dodatkowe środki ostrożności, które mają na celu uchronić twoje dziecko przed poparzeniem:
- Nigdy nie zostawiaj w zasięgu dziecka zapałek ani zapalniczek (jeśli masz je na przykład w torebce, trzymaj torebkę z dala od dziecka).
- Jeśli w twoim domu palą się świece, ustaw je tak, by dziecko nie mogło dosięgnąć płomyka.
- Do snu zakładaj dziecku ubranka z tkanin oznaczonych na metce jako trudnopalne (jak np. poliester czy specjalnie traktowana bawełna). Bawełniane koszulki i śpioszki nie przeznaczone do spania nie są zwykle uszyte z materiałów trudnopalnych.
- Ucz dziecko takich pojęć, jak „gorące" i „parzy". Pokaż mu, jak cofasz rękę z okrzykiem „parzy!". Możesz dla przykładu dotknąć jego rączką czegoś gorącego (byle nie za bardzo), na przykład zewnętrznej strony kubka z kawą.

- Posługując się tymi pojęciami, naucz dziecko trzymać się z daleka od pieca, płytki kuchennej, ekspresu do kawy, elektrycznego czajnika i wszelkich innych nagrzewających się domowych urządzeń. Zachowaj szczególną czujność, gdy twoje dziecko znajdzie się w ich pobliżu.
- W piekarniku ustawiaj naczynia rączkami do wewnątrz, tak aby dziecko nie mogło ich chwycić, na wypadek gdyby przypadkiem otworzyło piec.
- Nastaw regulator temperatury wody na maksimum 48–50°C.
- Sprawdzaj temperaturę kąpieli czy mleka dla dziecka wewnętrzną stroną nadgarstka.
- Gdy napuszczasz wodę do wanny lub zlewu, zawsze odkręcaj jako pierwszy i zakręcaj jako ostatni kran z zimną wodą.
- Nigdy nie podgrzewaj butelki z pokarmem dla niemowlęcia w kuchence mikrofalowej. Nawet jeśli wyjęta z niej butelka nie wydaje się zbyt rozgrzana od zewnątrz, jej zawartość może być za gorąca dla dziecka.
- Nie przenoś nad głową dziecka naczyń z kawą, herbatą czy innymi gorącymi napojami.

Ćwiczenia przeciwpożarowe

Nawet przedszkolaki są w stanie opanować proste zasady zachowania się na wypadek pożaru. Dobrze jest od czasu do czasu powtarzać te ćwiczenia z udziałem dziecka.

Zacznij od opracowania planu ewakuacji. Przejdź się z dzieckiem po całym domu czy mieszkaniu i pokaż mu możliwe drogi wyjścia z każdego pomieszczenia – drzwi, okna, balkony, ganki itp. W bloku mieszkalnym zaprowadź je do najbliższych schodów oznaczonych jako wyjście ewakuacyjne. Podkreśl, że w razie pożaru można opuszczać budynek wyłącznie po schodach, a w żadnym wypadku windą. Następnie wybierz bezpieczne miejsce poza domem, w którym członkowie rodziny spotkają się po ewakuacji. Przećwicz z dzieckiem kilka elementarnych zasad zachowania. I tak musi ono:

- Zniżyć się do ziemi. Wyjaśnij dziecku, że dym z pożaru bywa często jeszcze groźniejszy od płomienia. Aby uniknąć dymu, dziecko musi poruszać się na czworakach („jak piesek i kotek na czterech łapach") aż do najbliższego wyjścia.
- Sprawdzić drzwi, zanim spróbuje je otworzyć. Jeśli dziecko jest w pomieszczeniu z zamkniętymi drzwiami, musi najpierw zobaczyć, co dzieje się wokół nich. Jeśli widzi dym, musi oddalić się od zamkniętych drzwi, podejść do okna i tam czekać na pomoc. Jeśli nie widzi dymu, powinno dotknąć klamki drzwi. Jeśli jest ona gorąca, nie wolno otwierać drzwi, trzeba się od nich oddalić i czekać na pomoc w oknie. Jeśli klamka jest chłodna, dziecko może powoli otworzyć drzwi.
- Nigdy nie chować się. Mimo że ogień jest przerażający, dziecko musi pokonać strach i nie wchodzić pod łóżko czy do szafy, czyli w miejsce, w którym ratownik może go nie zauważyć.
- Nie wracać do płonącego budynku. Musisz podkreślić, że nie wolno wracać po cokolwiek czy kogokolwiek, włącznie z zabawkami, zwierzętami czy rodzicami.

• Zatrzymać się, upaść na ziemię i tarzać się. Wyjaśnij dziecku, że jeśli zapali się na nim ubranie, nie wolno biec, bo to tylko podsyca ogień. Zamiast tego musi rzucić się na ziemię i tarzać, co ugasi płomień.

Jeśli twoje dziecko ma cztery lub pięć lat, powtarzaj z nim ćwiczenia przeciwpożarowe dwa razy do roku, najlepiej z zaskoczenia. Dyskretnie uruchom detektor dymu, tak aby wszyscy domownicy zastygli na swoich miejscach. Następnie każdy z nich powinien opowiedzieć, jak wydostanie się z pomieszczenia, w którym zastał go alarm. Możesz zapytać dziecko, jak poradzi sobie z różnymi przeszkodami – co zrobi na przykład, jeśli przez drzwi buchają kłęby dymu. Na zakończenie „szkolenia" cała rodzina powinna spotkać się w wyznaczonym miejscu zbiórki.

Broń palna

Niedawno jeden z programów informacyjnych amerykańskiej telewizji przestawił mrożący krew w żyłach eksperyment. Zebrano otóż w sali zabaw kilkoro małych dzieci, które po stanowczych zakazach i ostrzeżeniach ze strony dorosłych solennie przyrzekły, że nigdy nie dotkną broni palnej. Niedługo potem dorośli opuścili pomieszczenie, a dzieci znalazły schowaną tam celowo, nie naładowaną strzelbę, co zarejestrowała ukryta kamera. Wiele z nich nie zawahało się nawet przez chwilę przed wyciągnięciem po nią ręki – niektóre mierzyły nawet do kolegów i pociągały za cyngiel. Ich rodzice przeżyli szok na ten widok. Jeszcze inni zszokowali się w chwilę później, kiedy to wiele starszych dzieci przyznało, że znają „sekretne" miejsca w domu, w których rodzice przechowują broń.

Broń palna zabija co roku niemal 100 amerykańskich dzieci w wieku poniżej pięciu lat. Większość tych zgonów to zabójstwa, jednak do około dwudziestu rocznie dochodzi w następstwie nieszczęśliwego wypadku, czasami wtedy, kiedy podczas zabawy jedno dziecko przypadkowo postrzeli drugie. Już trzylatki bywają dostatecznie silne, by wypalić z ręcznego rewolweru. Uwzględniając powyższe fakty, specjaliści od bezpieczeństwa dzieci zalecają, by rodzice definitywnie pozbyli się broni z domu czy z samochodu. Jeśli pomimo to nie chcesz rozstać się z rewolwerem czy sztucerem myśliwskim, musisz przechowywać go pod kluczem, rozładowany, z amunicją schowaną w osobnym miejscu. Pozostawienie broni w kuchennej szufladzie, szafce nocnej czy nawet gdzieś wysoko pod sufitem jest zawsze ryzykowne w domu, w którym mieszka małe dziecko.

Jeśli z kolei nie masz broni w domu, twoje dziecko i tak może się z nią zetknąć u sąsiada czy u kolegi. Musisz poruszać tę kwestię z rodzicami przyjaciół twojego dziecka i upewnić się, że nie jest ono narażone na niebezpieczeństwo postrzału w domach, w których bywa.

Bezpieczna zabawa

Tak naprawdę rozliczne niebezpieczeństwa czyhają na nas na każdym kroku, przy każdym przejściu przez jezdnię, co oczywiście nie oznacza, że mamy trzymać nasze dzieci zamknięte pod kluczem. Musisz pozwolić dziecku odkrywać świat i cieszyć się życiem – wdrożywszy uprzednio kilka środków ostrożności.

Bezpieczeństwo w wodzie

Jeśli mieszkasz w okolicy obfitującej w jeziora czy przydomowe sadzawki, zapewne każdego lata słyszysz dramatyczne opowieści o wypadkach w wodzie. W przypadku małych dzieci nie trzeba jednak rzeki czy jeziora, bo mogą one utonąć nawet w kilkucentymetrowej warstwie wody w wannie czy wiadrze. Ponieważ czasami potrzeba na to tylko około czterech minut (a do uszkodzenia mózgu z powodu braku tlenu może dojść nawet jeszcze szybciej), musisz wykazać się w tym zakresie maksymalną czujnością. A oto kilka podstawowych zasad:

- Nigdy ani na moment nie zostawiaj małego dziecka samego – albo pod opieką nieco starszego dziecka – w wodzie czy w pobliżu wody. Nie chodzi tu tylko o morze czy jezioro, ale również o wannę, wiadro z wodą, dmuchany basenik dziecięcy czy głęboką kałużę. W takich okolicznościach zawsze konieczna jest czujna opieka osoby dorosłej.
- Pilnując dziecka w wodzie czy nad wodą, nie możesz robić niczego innego – na przykład czytać czy podrzemywać. Cała twoja uwaga musi być skierowana na dziecko.
- Gdy jesteście z dzieckiem nad wodą, w łódce czy na statku, nie wolno ci pić alkoholu. Wiele wypadków w tych okolicznościach zdarza się z udziałem alkoholu.
- Nawet jeśli dziecko ma na sobie kółko, kapok czy ochronne „skrzydełka” na ramionach, nadal obowiązuje zasada, że nawet na chwilę nie wolno spuścić go z oka nad wodą czy w wodzie. Powyższy ekwipunek nie daje pewności, że dziecko utrzyma głowę ponad wodą, zwłaszcza jeśli wpadnie do niej znienacka i bokiem.
- Ze względów bezpieczeństwa, a także dla przyjemności warto nauczyć dziecko pływać, co zwykle jest możliwe w wieku od czterech do sześciu lat. Ale nawet gdy dziecko umie już pływać, nadal wymaga nieustannej obserwacji w wodzie. Wbrew hasłom lansowanym niekiedy przez szkółki pływackie nie istnieje coś takiego, jak „uodpornienie” dziecka na ryzyko utonięcia.
- Zawsze pilnuj własnego dziecka na publicznych basenach, na plaży czy w innym kąpielisku. Nie polegaj na ratownikach, że zwolnią cię z tego obowiązku. Jednocześnie wolno ci jednak zabrać dziecko do wody, szczególnie morskiej, wyłącznie wtedy, gdy na brzegu jest ratownik, a i wówczas możecie pływać tylko w wyznaczonym obszarze.
- Nie możesz tolerować takich zabaw, jak przytrzymywanie kogokolwiek siłą pod wodą, popychanie lub wrzucanie do basenu czy jeziora, biegi wokół basenu, jak również jedzenia w wodzie.

Właściwie zabezpieczony basen

Basen wpuszczony w ziemię musi być otoczony siatką wysokości 1,5 m z automatyczną furtką (przed jej zainstalowaniem sprawdź miejscowe przepisy budowlane), zamkniętą nawet poza sezonem, kiedy nie ma wody, a konstrukcję pokrywa ochronne sklepienie. Jeśli chodzi o baseny wznoszące się ponad ziemią, należy usuwać drabinki i schodki dostępu, kiedy nie korzysta się z basenu. W obu przypadkach musisz oczyścić otoczenie basenu ze skałek czy drzew, po których twoje dziecko mogłoby się do niego dostać.

Miej pod ręką atestowane koła ratunkowe (twarde białe, a nie nadmuchiwane). Przed użyciem basen musi być w pełni odsłonięty. Nie pozwalaj dziecku chodzić po jego pokryciu, nawet jeśli wydaje się sztywne i solidne.

Po kąpieli usuń wszystkie zabawki z basenu i jego ogrodzonego otoczenia, tak aby dziecku nie przyszło do głowy wrócić i sięgać po nie na własną rękę.

Na pokładzie

Płynąc łódką czy statkiem, twoje dziecko musi mieć na sobie kamizelkę ratunkową spełniającą odpowiednie wymogi, w odpowiednim dla siebie rozmiarze. Kamizelki te są tak skonstruowane, by utrzymać głowę rozbitka ponad powierzchnią wody. Nie zapewniają tego natomiast dmuchane kółka-zabawki, „rękawki" czy „skrzydełka", zwłaszcza wtedy, gdy dziecko wpadnie do wody znienacka lub straci przytomność.

Liczy się każda sekunda

Gdy dziecko znajdzie się pod wodą, każda chwila decyduje o jego życiu lub śmierci, o zdrowiu lub trwałym uszkodzeniu mózgu. Oto trzy zasady postępowania, które może ocalić mu życie:

1. Przejdź szkolenie w zakresie resuscytacji krążeniowo-oddechowej i żądaj tego samego od kogokolwiek, kto regularnie zajmuje się twoim dzieckiem. Powtarzaj ćwiczenia raz do roku na wiosnę, przed rozpoczęciem sezonu kąpielowego. Bez systematycznej praktyki zapomnisz, co należy zrobić w razie wypadku.
2. Jeśli nie możesz znaleźć dziecka, sprawdź w pierwszej kolejności basen, nawet jeśli jest to tylko płytki dmuchany basenik albo basen przykryty na zimę.
3. W pobliżu basenu miej zawsze telefon pod ręką, by w razie potrzeby natychmiast wezwać pomoc.

Basen a kwestie sanitarne

Rodzice często śmieją się z podejrzanie ciepłej wody w publicznych dziecięcych brodzikach. Mocz jest jednak generalnie sterylny i nie rozprzestrzenia chorób, niepokoić można się natomiast o stolec. Nawet w chlorowanych basenach dzieci w pieluszkach bywają źródłem infekcji, szczególnie jeśli mają biegunkę. Dlatego też zastanów się dwa razy, zanim pozwolisz twojemu dziecku zamoczyć się w kałuży wypełnionej malcami w pampersach. Jeśli nosi je również twoje dziecko, postaraj się trzymać je z dala od basenów używanych przez innych ludzi. Z całą pewnością nie powinno ono wchodzić do basenu z biegunką, wkrótce po jej przebyciu albo w porze, o której zwykle się załatwia. Nie wierz również reklamom dziecięcych strojów kąpielowych, które mają jakoby „zatrzymywać" przypadkowe zanieczyszczenia.

Ochrona przed słońcem

Każdy z nas, niezależnie od wieku, potrzebuje ochrony przed słonecznymi promieniami ultrafioletowymi. Dzieci potrzebują jej jednak szczególnie, częściowo dlatego, że ich skóra i oczy są wrażliwsze na szkodliwe działanie promieni słonecznych. Ponadto dzieci otrzymują ich więcej – obliczono, że 50–80% życiowej dawki nasłonecznienia ma miejsce mniej więcej do osiemnastego roku życia. Poważne poparzenia słoneczne w okresie dzieciństwa zwiększają ryzyko zachorowania w późniejszym wieku na czerniaka złośliwego, który jest groźnym, często śmiertelnym nowotworem skóry. Jednak nawet zwykłe, wieloletnie oddziaływanie słońca może prowadzić do zmarszczek i stwardnień skóry i sprzyjać innym, mniej złośliwym odmianom raka skóry. Nadmiar słońca ma również szkodliwy wpływ na wzrok, przyspiesza rozwój zaćmy, a także, co potwierdzają coraz liczniejsze dowody, hamuje czynność układu immunologicznego. Nie ma czegoś takiego, jak „zdrowa opalenizna" – każda opalenizna świadczy o uszkodzeniu skóry.

Zapadalność na raka skóry wykazuje w ostatnich latach tendencję wzrostową. Dzieci o jasnej skórze i oczach, ze znamionami i obciążonym wywiadem rodzinnym należą do grupy podwyższonego ryzyka i wymagają szczególnie starannej ochrony przed słońcem, co oczywiście nie znaczy, że rak skóry nie dotyczy ludzi o ciemnej karnacji. Chronione muszą być wszystkie dzieci. Postępujące uszkodzenie warstwy ozonowej, która hamuje dopływ promieni UV na Ziemię, może nasilać zagrożenie na przestrzeni czasu, jaki dzieli twoje dziecko od dorosłości. Zasady wpojone w dzieciństwie pomogą mu natomiast bezpiecznie cieszyć się słońcem przez całe życie.

Słońce w pierwszym półroczu życia niemowlęcia

Dzieci poniżej sześciu miesięcy muszą być w całości chronione przed bezpośrednim nasłonecznieniem. Trzymaj dziecko w cieniu drzewa, parasola lub daszka wózka. Niemowlęta są podatne na oparzenia i udar cieplny, a jedno i drugie może być dla nich niebezpieczne. Przez wiele lat nie zalecano stosowania filtrów ochronnych na skórę dzieci poniżej sześciu miesięcy z uwagi na nie do końca sprawdzone wchłanianie tych substancji przez ich skórę. W roku 1999 zmieniono jednak stanowisko, stwierdzając, że w razie niemożności osłonięcia dziecka ubraniem i cieniem „uzasadnione byłoby zastosowanie filtru przeciwsłonecznego na niewielkich powierzchniach ciała, takich jak twarz i grzbiet dłoni". Pomimo to nadal najlepszym sposobem ochrony niemowlęcia pozostaje unikanie oddziaływania słońca.

Cztery podstawowe zasady ochrony przed słońcem

1. Twoje dziecko nie powinno długo przebywać na słońcu w godzinach, kiedy jest ono najsilniejsze (na półkuli północnej od 10.00 do 16.00). Nawet w pochmurne dni promienie ultrafioletowe słońca mogą wyrządzać szkody, zwłaszcza jeśli odbijają się od piasku, wody, śniegu czy jakiegokolwiek stałego obiektu. Promienie UV są najsilniejsze w pobliżu równika oraz na dużych wysokościach. Aby się przed nimi uchronić, nie trzeba siedzieć w pomieszczeniu, ale powinno się szukać cienia, wychodząc na dwór.

2. Osłaniaj skórę dziecka. Ochronę przed słońcem mogą zapewnić długie spodenki i koszulki z długimi rękawami z przewiewnej bawełny. Tkanina musi być dostatecznie gęsta, tak aby nie prześwitywała przez nią twoja ręka. Ubranie przemoczone, na przykład potem, przestaje chronić przed promieniami UV. „Ochronne" letnie bluzki, wdzianka i spodnie ze specjalnych tkanin bywają dostępne z katalogów odzieży dziecięcej. Niektóre z nich zawierają według zapewnień producentów czynnik ochronny 30 i więcej, czyli na poziomie porównywalnym z większością kosmetyków przeciwsłonecznych.

3. Chroń oczy dziecka. Pomagają w tym kapelusze i czepki z szerokim rondem lub daszkiem, jednak zaleca się dodatkowo stosowanie u wszystkich dzieci, włącznie z niemowlętami, blokujących promienie UV okularów słonecznych. Etykietka powinna zawierać informację, że absorbują one „99% promieni UV" lub więcej, że mają zdolność „absorpcji UV do 400 nm". Ochronę przed promieniami UV zapewnia niewidoczny związek chemiczny w soczewkach, a nie samo przyciemnienie szkieł.

4. Jeśli dziecko ma przebywać na słońcu dłużej niż 30 minut, zaleca się stosowanie kremów z filtrami ochronnymi. Większość osób o jasnej karnacji powinno używać filtrów z czynnikiem ochronnym 15. Mimo że ludzie ciemnoskórzy opalają się trudniej i w mniej widoczny sposób, również i oni potrzebują ochrony przed słońcem. Dzieciom o bardzo ciemnej skórze należy aplikować czynnik ochronny o wartości co najmniej 8.

Lekarz radzi

Pięć lubianych przez dzieci gadżetów ochronnych

1. Zmieniające kolor filtry ochronne (wyjściowo purpurowe lub zielone, przechodzące w bezbarwne)
2. Jaskrawe kaski rowerowe (albo jednobarwne, ozdobione kalkomanią)
3. Wszystko, co świeci w ciemnościach (odblaskowe opaski, kamizelki itp.)
4. Latarki punktowe (zwłaszcza dodatkowo wyposażone w kompas czy alarm)
5. Światełka przyścienne (lampki na baterie przyklejane do ściany lub parapetu i zapalające się po naciśnięciu; łatwo dostępne źródło światła dla dziecka, które jeszcze nie dosięga do wyłącznika)

Właściwe stosowanie filtrów przeciwsłonecznych

Liczba podana na kosmetyku z filtrem ochronnym określa, ile razy dłużej jego użytkownik może pozostać na słońcu bez oparzenia skóry. Przykładowo, jeśli twoje dziecko spiekłoby się na słońcu po 20 minutach, zastosowanie filtru 15 zapobiegnie oparzeniom na czas 15×20 minut, czyli na 5 godzin.

Aby filtry mogły w pełni rozwinąć swoje działanie ochronne, należy obficie pokrywać nimi skórę na 30 minut przed wyjściem na słońce. Za właściwą dawkę dla osoby dorosłej uważa się około 3 g. Rozsmaruj preparat na wszystkich eksponowanych powierzchniach ciała, w tym na twarzy, nosie, uszach, dłoniach i stopach dziecka. Używaj roztworów czy kremów wodoodpornych i powtarzaj ich zastosowanie co 3–4 godziny, jeśli dziecko poci się, albo co 2 godziny, jeśli w tym czasie wchodzi do wody.

> **„Głos doświadczenia”**
>
> *„Smarując dziecko filtrem ochronnym, pozwól mu jednocześnie wcierać go w twoją skórę. Będzie zadowolone, «zajmując się» tobą, i jednocześnie samo spokojniej zniesie zabieg”.*
> – ZA: KIDSHEALTH PARENT SURVEY

Numer filtra nie jest jedynym parametrem, na jaki powinnaś zwracać uwagę przy wyborze kosmetyku ochronnego. Numer ten jest miernikiem ochrony skóry przed jedną z form promieni ultrafioletowych – tzw. UVB. (Filtr 15 blokuje około 92% promieniowania UVB). Od dawna znane było szkodliwe i zwiększające ryzyko raka działanie UVB na skórę. Obecnie uważa się jednak, że równie niekorzystny wpływ ma inna składowa światła nadfioletowego – promienie UVA. Nadal brakuje klasyfikacji filtrów pod kątem UVA, szukaj jednak takich, które według informacji producenta zapewniają „szerokie spektrum” ochrony albo mają w swym składzie czynnik anty-UVA.

Dwutlenek tytanu i tlenek cynku fizycznie blokują zarówno UVA, jak i UVB. Związki te wchodziły od dawna w skład białego kremu, często zauważalnego na nosach ratowników na plażach i kąpieliskach. Obecnie dostępne są również wersje mikronizowane, w postaci przezroczystych roztworów. Promienie UVA są ponadto absorbowane przez szereg innych substancji chemicznych, wśród których do najpopularniejszych należy benzofenon i awofenon (Parsol 1789).

Większość filtrów ochronnych ma działanie chemiczne. Jeśli któryś z nich wywoła podrażnienie skóry dziecka, spróbuj zastąpić go innym, różniącym się składem, albo też środkiem typu blokady fizycznej, w rodzaju tlenku cynku.

Bezpieczny plac zabaw

Aby zapobiec upadkom i innym urazom podczas zabawy na placu dla dzieci, przestrzegaj następujących zasad:

- Dzieci, zwłaszcza poniżej trzech lat, powinny korzystać tylko z tych urządzeń na placu zabaw, które są przeznaczone dla ich wieku. Tymczasem często zdarza się, że sami rodzice, dumni z niezwykłego tempa rozwoju swoich pociech, zachęcają ich do przedwczesnych eksperymentów z huśtawką czy zjeżdżalnią „dla dużych dzieci", zapominając, że już same te „duże dzieci" są dla najmłodszych poważnym zagrożeniem. Małe dziecko w gronie rozbrykanych przedszkolaków może być łatwo popchnięte czy uderzone, nawet zupełnie przypadkowo i bezwiednie.

• Zarówno w publicznych parkach, jak i na osiedlowym podwórku place zabaw muszą mieć miękką, w miarę bezpieczną powierzchnię w postaci gumowych mat, drobnego piasku czy wiórków drzewnych – zamiast asfaltu, bruku, ubitej ziemi, trawy itp.

• Naucz dziecko kilku najprostszych zasad bezpieczeństwa, w rodzaju „najpierw nóżki" (na zjeżdżalni czy drabince) czy „trzymamy się" (na zjeżdżalni czy huśtawce). Dziecko musi też pamiętać, by nigdy nie zbliżać się do huśtawki w ruchu.

• Podczas letnich upałów zjeżdżalnia może być rozgrzana i oparzyć dziecko, w związku z czym należy wcześniej sprawdzić jej stan.

• Na placu zabaw z zasady nie powinno być jedzenia ani picia. Przysłowiowa skórka od banana może stać się przyczyną groźnego urazu. Równie niebezpieczna jest zabawa, biegi i skoki z lodem czy watą cukrową na patyku w ręku.

Rowerki na trzech i dwóch kółkach

Większość dzieci rozpoczyna jazdę na trójkołowym rowerku w wieku 2,5–3 lat, a na dwukołowy (początkowo często z asekuracyjnymi bocznymi kółeczkami) przesiada się około piątego–szóstego roku życia. Dzieci mogą poruszać się wyłącznie po chodnikach i ścieżkach rowerowych, nigdy po jezdniach i innych drogach, którymi jeżdżą samochody. Ponieważ rower na dwóch kółkach jest zabawką najniebezpieczniejszą ze wszystkich, jakie twoje dziecko do tej pory miało, nie próbuj zbyt usilnie przyspieszyć przesiadki na niego z dziecięcej trójkołówki. Dziecko musi dojrzeć do „dorosłego" roweru nie tylko fizycznie, by móc utrzymać równowagę i pedałować, ale również emocjonalnie, by dostosować się do podstawowych zasad bezpieczeństwa i umieć właściwie oceniać różne sytuacje.

Rycina 24.1. Kask ochronny. Właściwie dopasowany kask rowerowy jest podstawowym, niezbędnym zabezpieczeniem przed urazami głowy. Dobrze jest przyzwyczajać dziecko do jazdy w kasku od samego początku jego kolarskiej przygody, czyli już w okresie rowerka na trzech kółkach.

Lekarz radzi
Niedozwolone trampoliny

Ponieważ skoki na trampolinie powodują częste urazy, w tym wiele złamań kończyn, zaleca się, by wyeliminować je całkowicie z publicznych czy przydomowych placów zabaw dla dzieci. Nawet w szkolnych salach gimnastycznych ich zastosowanie powinno być ograniczone wyłącznie do treningów lekkoatletycznych pod ścisłym nadzorem.

Wybór rowerka na trzech kółkach

- Szukaj modelu jak najmniej wywrotnego: o niedużej wysokości i z szeroko rozstawionymi tylnymi kołami.
- Sprawdź, czy dziecko swobodnie dosięga pedałów w ich najniższym położeniu. Jeśli tak nie jest, możesz kupić bloczki, które po umocowaniu na pedałach podwyższają je. Sposób ten nie zawsze jednak zdaje egzamin, co może być dla dziecka denerwujące.
- Sprawdź, czy rowerek ma dzwonek oraz wmontowany z tyłu pojemnik lub koszyk, w którym dziecko może wozić swoje zabawki i jednocześnie trzymać kierownicę obiema wolnymi rękami.

Wybór rowerka dwukołowego

- Zawsze wybieraj dziecku rower „na teraz", a nie „na wyrost". Siedząc na siodełku, powinno ono na płasko dosięgać stopami do ziemi, a wysokość kierownicy nie może przekraczać linii ramion. Większość dzieci zaczyna swoje jazdy od rowerka o wysokości (na poziomie siodełka) 30–40 cm.
- Lepszy jest rower hamowany pedałami (z wolnym biegiem) niż z hamulcami ręcznymi.
- Rower musi być dobrze utrzymany, z ciasno umocowanymi szprychami, nie uszkodzonymi płytkami hamulcowymi, wolnym od rdzy i naoliwionym łańcuchem i zalecanym ciśnieniem w oponach.

Wybór i używanie kasku rowerowego

Zapamiętaj podstawową zasadę bezpiecznej jazdy na rowerze: twoje dziecko musi zawsze zakładać kask ochronny. Jest to obowiązkowe w 17 stanach amerykańskich i dodatkowo w szeregu miast, jednak niezależnie od przepisów gorąco zalecamy powszechne stosowanie się do tej zasady. Urazy głowy stanowią główne zagrożenie dla rowerzystów, a jednocześnie szacuje się, że jazda w kasku ochronnym zmniejsza ich ryzyko o 85%.

Najważniejszą rolą rodziców jest sprawić, by zasada ta była niewzruszona i bezwzględnie egzekwowana. Jedno z badań na ten temat wykazało, że jeśli rodzice konsekwentnie tak postępują, 88% dzieci stosuje się do ich wymagań. Jeśli natomiast rodzice nie kładą na to zbytniego nacisku, w kasku jeździ na stałe tylko 19% dzieci. (Oczywiście jadący na rowerze rodzice powinni również zakładać kask i dla ich własnego bezpieczeństwa, i w charakterze dobrego przykładu dla dzieci).

Nawet jeśli rowerek na trzech kółkach jest bezpieczniejszy od dwukołowego, również małe dziecko, które dopiero uczy się jeździć, powinno zakładać kask. Pomijając ewidentną ochronę przed możliwymi urazami, jest to bardzo dobry sposób, aby od samego początku przyzwyczaić dziecko, że pedałuje się jedynie w kasku ochronnym. Trwałe wyrobienie tego nawyku zaprocentuje zwłaszcza w przyszłości, gdy stabilny dziecięcy rowerek zostanie zastąpiony dwukołowym.

Przy wyborze kasku rowerowego kieruj się następującymi kryteriami:
- Kask powinien ciasno przylegać do szczytu głowy, bez przesuwania się w płaszczyźnie przednio-tylnej i na boki. Powinien też zakrywać czoło jako okolicę najbardziej narażoną na urazy.
- Pasek musi ciasno przylegać do uszu, tak aby między nim a policzkiem dziecka dało się wsunąć tylko jeden palec.
- W trakcie poważniejszej kolizji kask może ulec uszkodzeniu i stracić zdolność amortyzowania wstrząsów. Dlatego też musisz go dokładnie obejrzeć pod kątem trwałych „obrażeń", a najlepiej wymienić na nowy.
- Dla wygody dziecka kask powinien być lekki i przewiewny. Im mniej dokuczliwości, tym łatwiej skłonić dziecko do akceptacji jazdy w kasku.

Dziecko jako pasażer

Jeśli bezpieczeństwo jest twoim bezwzględnym priorytetem, lepiej unikać wożenia dziecka na rowerze, szczególnie po ruchliwych lub wyboistych drogach oraz nie będąc zbyt doświadczonym ani silnym rowerzystą. Dodatkowy ciężar może wtedy destabilizować twoją równowagę i panowanie nad rowerem. Jeśli nie jeździłaś przez dłuższy okres, najpierw odśwież swoje umiejętności.

Jeśli jednak decydujesz się na przejażdżki rowerowe z dzieckiem jako pasażerem, przestrzegaj przy tym następujących zasad bezpieczeństwa:
- Dziecko wiezione na rowerze musi mieć co najmniej rok. Dla niemowlęcia podskoki i wibracje głowy podczas jazdy mogą okazać się zbyt brutalne.
- Dziecko musi mieć zawsze kask na głowie.
- Dziecko musi mieć własne stabilne siedzenie – albo umocowane na ramie powyżej tylnego koła, albo w rodzaju niskiej przyczepki na dwóch kółkach, ciągniętej przez twój rower. W obu przypadkach dziecko przypina się do siedzenia szelkami wokół ud i ramion, których bezwzględnie należy używać za każdym razem.
- Siedzenie ponad tylnym kołem musi mieć oparcie podtrzymujące szyję dziecka oraz osłony zapobiegające dotykaniu koła stopami.
- Przyczepka musi być solidnej konstrukcji, która zapewniałaby dziecku maksimum ochrony w razie wypadku. Musi mieć czerwone odblaskowe światło ostrzegawcze z tyłu i giętkie połączenie z twoim rowerem, tak aby nie wywracała się razem

Psy i koty

Najgroźniejszym urazem wieku dziecięcego spowodowanym przez zwierzęta jest pogryzienie przez psa. Psy zabijają niestety co najmniej kilkoro dzieci rocznie. Prawdopodobieństwo pogryzienia dotyczy w większym stopniu dzieci niż dorosłych, a w dodatku częściej są to pogryzienia twarzy i głowy, znajdujących się na wysokości psiego pyska. Koty z reguły ignorują dzieci – lub uciekają przed nimi – jednak podczas zabawy mogą również przypadkowo ugryźć je lub zadrapać.

z nim. (Przyczepka wydaje się bezpieczniejsza w razie wypadku, jest natomiast szersza od roweru, w związku z czym musisz tym bardziej uważać, by jej kółka nie zjechały z drogi ani nie zahaczyły o przeszkodę).

• Zanim zabierzesz dziecko na rower, przejedź tę samą drogę i o tej samej porze dnia bez niego, aby dokładniej zapoznać się z warunkami jazdy.

Skutery

Być może myślisz, że odzyskujący popularność skuter jest pojazdem wyłącznie dla starszych dzieci (i okazyjnie dla dorosłych!). Skutery są jednak dostępne we wszelkich kształtach i rozmiarach, w związku z czym pędzą na nich – i to nierzadko na złamanie karku – nawet cztero- i pięciolatki. Jazda skuterkiem wymaga oczywiście kasku i przestrzegania zasad bezpieczeństwa ruchu. Ostatnio obserwujemy wzrost liczby urazów skuterowych, w tym złamań rąk i nadgarstków oraz często poważnych urazów głowy.

Bezpieczeństwo w kontaktach ze zwierzętami

Jeśli w momencie przyjścia na świat dziecka w twoim domu mieszka już pies lub kot, postaraj się przygotować go na powitanie nowego przybysza według wskazówek podanych w rozdziale 2, „Przygotowanie domu i rodziny", i zachowaj szczególną czujność w pierwszych tygodniach ich koegzystencji pod jednym dachem. Jednak nawet później, gdy zwierzę i niemowlę przyzwyczają się wzajemnie do siebie, nie powinno się zostawiać małego dziecka samego z jakimkolwiek nie zamkniętym w klatce zwierzęciem. W nocy nawet najłagodniejszy „kanapowy" pies nie powinien mieć dostępu do łóżeczka czy kołyski dziecka. Nadzoru w kontaktach ze zwierzętami wymagają również przedszkolaki.

Jeśli twój pies ugryzł już kogoś w przeszłości, jest bardzo agresywny czy zdecydowanie obronny, najmądrzejszym rozwiązaniem byłoby znalezienie mu zastępczego domu bez małych dzieci. Rozstanie z ulubieńcem może być bolesne, jednak ból ten blednie w zestawieniu z ryzykiem okaleczenia czy wręcz zagryzienia dziecka przez groźne zwierzę.

Wybór bezpiecznego zwierzęcia

Jeśli nie masz psa ani kota, najlepiej będzie poczekać z uzupełnieniem tego braku do czasu, aż dzieci będą starsze – co najmniej pięcio–sześcioletnie. W tym wieku dziecko jest już w stanie zrozumieć, że pies czy kot w domu to ogromna radość, ale również obowiązki i odpowiedzialność. Do tego czasu możesz spróbować stworzeń mniejszych i mniej wymagających, na przykład rybek czy ptaszków.

- Unikaj gadów, takich jak wąż, jaszczurka, iguana czy żółw, które mogą być źródłem zakażenia salmonellą – potencjalnie niebezpieczną bakterią. (Więcej informacji na ten temat znajdziesz w rozdziale 2, „Przygotowanie domu i rodziny").
- Unikaj dzikich zwierząt, w rodzaju wydry, jeża czy małpki, nawet jeśli urodziły się one i wychowały w niewoli.
- Udomowione króliki, świnki morskie, chomiki, rybki czy ptaki są względnie bezpiecznymi zwierzętami dla dziecka pod warunkiem utrzymywania ich w czystości.
- Jeśli mimo wszystko koniecznie chcesz mieć psa lub kota, pomyśl o zwierzęciu dorosłym, które już wcześniej przyzwyczaiło się do dzieci. Szczenięta i kociaki są bardziej skłonne do agresywnej zabawy, podczas której łatwo o przykry wypadek.
- Twój pies musi przejść odpowiednie szkolenie, aby był bezpieczniejszy dla małego dziecka.
- Unikaj psów o wadze powyżej 25 kg, czyli wielkości wilczura, dalmatyńczyka czy labradora. Pogryzienie przez dużego psa jest zawsze poważniejsze w skutkach niż pogryzienie przez małego.
- Unikaj psów ras obronnych, z natury bardziej agresywnych i często szkolonych w tym kierunku, lub też takich, których hodowcy nie zalecają osobom kupującym psa po raz pierwszy. Należą do nich rottweilery, dobermany, pitbulle i staffordy.
- Nie polegaj na rasie jako gwarancji bezpieczeństwa. Jeśli twoja rodzina zawsze miała – i kochała – golden retrievery czy jamniki, nie oznacza to, że każdy pies tej rasy będzie łagodny jak baranek wobec dziecka. Tylko szkolenie i ścisłe pilnowanie – zarówno psa, jak i dziecka – może zwiększyć bezpieczeństwo ich wzajemnego obcowania.

Uczenie dziecka zasad postępowania ze zwierzętami

Dzieci muszą wiedzieć, że w kontaktach ze zwierzętami mają poruszać się spokojnie, mówić cicho i delikatnie ich dotykać. Nie powinny zaczepiać ani drażnić zwierząt, które właśnie jedzą, śpią czy opiekują się swoim potomstwem. Nie mogą gwałtownie wyciągać rąk do psa czy kota, ciągnąć go za uszy lub ogon, rzucać zwierzęciem, przewracać się na nie, wrzeszczeć, bić i w jakikolwiek sposób dręczyć. Dziecko powinno głaskać zwierzę raczej od głowy do ogona, a nie „pod włos", a po zabawie musi umyć ręce wodą i mydłem. Mimo że dobrze jest powtarzać powyższe przykazania jak najczęściej, nie można założyć, że małe dziecko będzie przestrzegać ich za każdym razem, w związku z czym niezależnie od nauk konieczny jest nadzór osoby dorosłej.

Ucz również dziecko, jak powinno się zachować wobec obcego psa:

- Nie wolno zbliżać się do psa bez zgody właściciela i jego zapewnienia, że pies jest łagodny. Początkowo dziecko powinno stać nieruchomo i czekać, aż pies je obwącha, następnie wyciągnąć rękę do powąchania, a dopiero na końcu delikatnie pogłaskać zwierzę.
- Nie wolno uciekać przed obcym psem, nawet jeśli ten ostatni szczeka czy okazuje złe zamiary. Wręcz przeciwnie, dziecko musi wtedy stanąć nieruchomo, „twarzą w twarz", ale bez nawiązywania kontaktu wzrokowego, po czym powoli się wycofywać. Dziecko nigdy nie powinno znaleźć się samo w obejściu, w którym może zostać zaatakowane przez psa.
- Nie wolno zbliżać się do dzikich zwierząt, nawet tak małych jak wiewiórki, szopy czy dzikie gęsi.

Jeśli potrzebujesz dodatkowych informacji, zasięgnij porady lekarza.

Rozdział 25

Wybór opiekunki lub placówki opieki

Czy mogę prosić o referencje?

Powierzenie opieki nad dzieckiem komuś innemu jest dla pracujących rodziców jedyną możliwością pogodzenia obowiązków zawodowych i rodzinnych. Nie oznacza to oczywiście, że pozostawiając małe dziecko w domu, w żłobku czy w przedszkolu, rodzice przestają się o nie martwić.

Wybór opiekunki

Sama myśl o pozostawieniu dziecka z kimś innym – a zwłaszcza z zupełnie obcą (początkowo) osobą – wydaje ci się zapewne zaprzeczeniem twoich wyobrażeń o dobrym macierzyństwie. Jeśli jednak poświęcisz dość czasu, by wybrać właściwe miejsce i właściwą osobę, może się to okazać bardzo pozytywnym doświadczeniem zarówno dla twojego dziecka, jak i dla ciebie.

Formy opieki nad dzieckiem

Istnieje obecnie wiele możliwości opieki nad dzieckiem, począwszy od pomocy członków rodziny przez różnego rodzaju żłobki publiczne, przyzakładowe i prywatne do indywidualnych opiekunek i grup samopomocowych rodziców. Niektórzy rodzice korzystają z form mieszanych, angażując na przykład jedną z babć na kilka dni w tygodniu, a w pozostałych prowadząc dziecko do żłobka.

Opieka nad dzieckiem w domu

Polega ona na tym, że pod twoją nieobecność członek rodziny, niania lub młoda dziewczyna zaangażowana na warunkach „au pair" zajmuje się dzieckiem w waszym domu.

Rozwiązanie to ma licznych zwolenników. Dziecko pozostaje w znajomym, wygodnym i przyjaznym otoczeniu, z własnymi zabawkami, własnym łóżkiem i jedzeniem, do jakiego jest przyzwyczajone. Daje ci to również więcej swobody w pracy: w razie potrzeby możesz wziąć godziny nadliczbowe czy zostać na długim wieczornym zebraniu, wiedząc, że opiekunka (czy opiekun) będzie czekać aż do chwili twojego powrotu, co zwykle daje jej od 40 do 60 godzin pracy tygodniowo. Również w razie choroby dziecka nie jesteś zmuszona do przerwania pracy, bo pod okiem zaufanej osoby spokojnie powróci ono do zdrowia we własnym domu. (Większość zbiorowych placówek opiekuńczych nie przyjmuje chorych dzieci, co oznacza dla matki lub ojca konieczność wzięcia zwolnienia lekarskiego). Skądinąd – co jest niewątpliwie jednym z głównych argumentów przemawiających za opieką w domu – twoje dziecko będzie na pewno chorować rzadziej, niż gdyby chodziło do żłobka i było stale narażone na drobnoustroje przenoszone przez inne dzieci.

Jakie są z kolei minusy tego rozwiązania? Jest to zazwyczaj najkosztowniejsza forma opieki nad dzieckiem – chyba że jesteś w tak szczęśliwym położeniu, że podejmie się jej ktoś z najbliższej rodziny. Problemy pojawiają się również wtedy, kiedy opiekunka zachoruje i nie jest w stanie zajmować się dzieckiem. Ponadto wiele dzieci w wieku „żłobkowym" i przedszkolnym lubi towarzystwo rówieśników (i nabywa dzięki niemu ważnych umiejętności społecznych), którego pozbawia ich opieka indywidualna. I wreszcie, jeśli wybierasz wariant z nianią na stałe czy dziewczyną „au pair", musisz starannie rozważyć dwa związane z tym problemy. Po pierwsze, ty i twoja rodzina stracicie niewątpliwie sporą część waszej prywatności, mając przez 24 godziny na dobę obcą osobę w domu. Po drugie, musisz obdarzyć tę osobę pełnym zaufaniem, otwierając przed nią swój dom ze wszystkimi cennymi rzeczami, a przede wszystkim powierzając jej swoje dziecko – bo przecież nikt nie będzie w stanie nadzorować jej przez całą dobę (jest to zresztą jeden z powodów, dla których od niedawna wyraźnie rośnie popyt na ukryte kamery).

Rodzinne lub domowe ośrodki opiekuńcze

W tym wariancie opieka nad dzieckiem odbywa się w domu opiekunki i polega zwykle na tym, że jedna osoba dorosła zajmuje się jednocześnie kilkoma maluchami. Do korzyści tego rozwiązania należy mała liczebność grupy i warunki zbliżone do domowych. Jest to ponadto z reguły mniej kosztowne; co więcej, wielu rodziców organizuje taki miniżłobek we współpracy z przyjaciółmi i znajomymi, z których każdy na zmianę opiekuje się grupką dzieci, podczas gdy pozostali idą do pracy.

Jakie są wady tego wariantu? Miniżłobki i miniprzedszkola nie podlegają zazwyczaj tak ścisłym regulacjom jak publiczne, a same warunki rozpoczęcia i prowadzenia tego rodzaju działalności są wysoce zmienne. W wielu przypadkach odgórny nadzór nad tymi placówkami jest znikomy czy wręcz żaden. Opiekunkom brakuje często profesjonalnego wykształcenia, aczkolwiek wiele z nich ma również małe dzieci. I w tym przypadku dużym problemem jest choroba opiekunki, pozostawiająca rodziców bez zaplecza, jakie zapewnia większa placówka opiekuńcza.

Lekarz radzi

Wyciszenie po dniu w żłobku lub przedszkolu

Aby zapewnić dziecku spokojne przejście między żłobkiem lub przedszkolem a światem zewnętrznym, nie odbieraj go pod koniec dnia w napięciu i pośpiechu. Przymus raptownej zmiany scenerii i wymagań, wraz ze zmęczeniem po całym dniu w grupie, może wprawić dziecko w rozdrażnienie, w związku z czym dobrze jest dać mu na to kilka dodatkowych chwil. Usiądź i zainteresuj się tym, co aktualnie robi, a po paru minutach napomknij, że pora wracać do domu, nie zapominając o pożegnaniu z „panią" i kolegami.

Większe placówki opiekuńcze

Instytucjonalne żłobki i przedszkola – publiczne czy przyzakładowe – mają również swoje zalety. Są niewątpliwie prowadzone zgodnie z przepisami regulującymi takie kwestie jak kwalifikacje zawodowe personelu i jego liczebność w stosunku do liczby dzieci, wielkość grup, higiena i bezpieczeństwo pomieszczeń. Placówki opieki dziennej przyjmują zwykle dzieci w szerokim przedziale wiekowym – od niemowląt aż do rozpoczęcia nauki w szkole. Opiekunki mają zazwyczaj odpowiednie wykształcenie w zakresie fizjologii i psychologii rozwojowej, a choroba jednej z nich nie pozbawia cię możliwości zapewnienia dziecku fachowej opieki.

Do ujemnych stron dużych, licencjonowanych placówek opiekuńczych należy ich ograniczona liczba, a więc i przedłużony czas oczekiwania na miejsce, bardziej rygorystyczna niż w domu organizacja trybu życia i otoczenia, częsta rotacja personelu, a także sztywne zazwyczaj godziny przyprowadzania i odbierania dziecka.

Rodzaj opieki a wiek dziecka

Wybór optymalnego rozwiązania zależy w dużym stopniu od wieku dziecka. W przypadku niemowlęcia najważniejsze jest zapewnienie mu stałej obecności osoby odpowiedzialnej, troskliwej, serdecznej i kompetentnej, która zaspokajałaby wszelkie jego potrzeby. Znalezienie takiej idealnej, ze wszech miar godnej zaufania opiekunki ma tym większe znaczenie, że niemowlę nie potrafi przecież poskarżyć się słowami na złe traktowanie czy zaniedbywanie.

Jeśli chodzi o dzieci od 1 roku do 3 lat, ważniejsze jest zapewnienie im bezpieczeństwa i ścisłego nadzoru. Dzieci w tym wieku intensywnie odkrywają świat i oczywiście należy im to umożliwić. Zarazem jednak trzeba nad nimi nieustannie czuwać, jako że są bardzo podane na zagrożenia i urazy. Dziecko powinno mieć wokół siebie wiele zabawek i uczyć się nimi dzielić z innymi. Należy też cierpliwie z nim rozmawiać i stymulować tym samym rozwój jego mowy.

Dzieci w wieku przedszkolnym zaczynają nawiązywać przyjaźnie, w związku z czym warto poszukać dla nich takiej formy opieki, która zapewni im przebywanie w gronie rówieśników. Przedszkolaki powinny mieć dostęp do książek oraz możliwość poznawania różnorodnych kolorów, kształtów, liczb i pojęć.

Pomyśl najpierw o bezpieczeństwie

Niezależnie od formy opieki nad dzieckiem najważniejszym czynnikiem do uwzględnienia jest jego bezpieczeństwo. Szukając osoby lub placówki, której powierzysz swoje dziecko, musisz rozważyć następujące kwestie:

- Jak wygląda nadzór nad dziećmi na placu zabaw? W jakim wieku i stanie są urządzenia na tym placu i kiedy po raz ostatni przeprowadzono ich kontrolę? Czy teren wokół nich jest wysypany miękkim piaskiem lub wiórkami albo wyłożony gumowymi matami?
- Czy dzieci są podzielone na grupy wiekowe? Jeśli tak nie jest, młodsze dzieci mogą doznać urazów ze strony starszych.
- Czy plac zabaw i cały teren placówki jest ogrodzony i bezpieczny?
- Czy liczebność personelu w stosunku do liczby dzieci spełnia lub przewyższa zalecane normy?
- Czy niemowlęta są zawsze karmione w pozycji wyprostowanej, a nie na leżąco w łóżeczkach?
- Czy dzieci zawsze są układane do snu na plecach?
- Czy placówka posiada licencję lub jest zarejestrowana w miejscowych organach władzy? Poproś np. o wgląd w dokumenty z ostatniej inspekcji. Czy jest ona ponadto członkiem krajowych stowarzyszeń grupujących podobnego typu ośrodki.
- Czy personel placówki bądź indywidualna opiekunka, jaką zamierzasz zaangażować, są przeszkoleni w pierwszej pomocy i resuscytacji krążeniowo-oddechowej? Czy wiedzą, jak zareagować w razie udławienia się dziecka? Czy znają i stosują podstawowe zasady higieny, włącznie z częstym myciem rąk i używaniem do zmiany pieluch jednorazowych rękawiczek dla zapobiegania szerzeniu się możliwych infekcji?
- Czy placówka przeprowadza co miesiąc ćwiczenia ewakuacyjne i przeciwpożarowe?

Żłobek czy przedszkole muszą być dla twojego dziecka równie bezpieczne jak rodzinny dom. Jeśli zauważasz lub wyczuwasz zagrożenia w postaci niezabezpieczonych schodów, ciężkich, zatrzaskujących się drzwi, odkrytych gniazdek elektrycznych czy nieosłoniętych, rozgrzanych kaloryferów, poszukaj innej placówki. Jeśli wszystko wydaje się w porządku, ale dla spokoju ducha chciałabyś dodatkowych informacji, zgłoś się do miejscowego wydziału zdrowia. Możesz tam sprawdzić, czy nie zgłaszano żadnych skarg na działalność tego ośrodka, i zasięgnąć opinii na jego temat.

Przeprowadzanie wywiadu

Zwiedzając większy czy mniejszy żłobek lub przedszkole, spędź w nim na tyle dużo czasu, by móc poobserwować dzieci i personel. Postaraj się również uzyskać odpowiedzi na następujące pytania:

- Czy prowadzą „system otwartych drzwi" wobec rodziców?
- Jakie mają zasady postępowania w stosunku do chorych dzieci?
- Jak podchodzą do kwestii utrzymywania dyscypliny?
- Czy nauczycielki i opiekunki mają przygotowanie pedagogiczne? Jaką prezentują wiedzę teoretyczną i praktyczną na temat procesów rozwojowych dziecka?
- Czy ośrodek zbiera i udostępnia referencje na swój temat i wyniki przeprowadzanych kontroli?
- Czy ośrodek jest w stanie zaspokoić ewentualne szczególne potrzeby twojego dziecka?

Jeśli jesteś za zaangażowaniem indywidualnej opiekunki, musisz wcześniej odbyć z nią przynajmniej dwie rozmowy. Zapytaj o jej sposoby wychowywania dziecka, utrzymania dyscypliny i wcześniejsze doświadczenia. Przedstaw konkretne sytuacje i zapytaj, jak by w nich postąpiła. Jeśli w swoich poszukiwaniach korzystasz z pośrednictwa agencji, zapytaj w niej, czy i jak sprawdzają przeszłość (w tym niekaralność) kandydatek(-ów). Poproś również o referencje i skrupulatnie zweryfikuj każdą z nich. Jeśli opiekunka będzie wozić twoje dziecko samochodem, ważny jest wgląd w jej kartotekę jako kierowcy.

Oprócz informacji na temat przebytych szkoleń w dziedzinie rozwoju dziecka, powinnaś również uzyskać od potencjalnej niani odpowiedzi na następujące pytania:

- Dlaczego interesuje ją praca z małymi dziećmi?
- Dlaczego opuściła swoje poprzednie miejsce pracy? (Sprawdź jej referencje: zapytaj rodzinę, u której wcześniej była, o przyczyny rozstania, a także o to, czy poleciliby tę osobę jako opiekunkę do dziecka).
- Jak wyobraża sobie wychowywanie twojego dziecka i egzekwowanie od niego posłuszeństwa? (Przedstaw jej kilka scenariuszy, aby uzyskać odpowiedzi na temat

Lekarz radzi

Przygotowanie opiekunki na nagłe sytuacje

Bezpieczeństwo wymaga przezorności – cóż więc powinnaś zrobić? Przede wszystkim musisz zostawić opiekunce twojego dziecka wszelkie namiary, pod jakimi może cię zastać – numery telefonów do twojej pracy, twojego telefonu komórkowego, adresy e-mail itp. Upewnij się, że opiekunka wie, jak zachować się w nagłych sytuacjach i gdzie znajdują się środki pierwszej pomocy. Podaj jej również numery telefonów do twoich przyjaciół, rodziny i lekarza dziecka. Sprawdź, czy opiekunka zajmująca się dzieckiem u ciebie w domu zna numer telefonu i dokładny adres twojego domu i umie wytłumaczyć, jak do niego trafić. Przyklej w widocznym miejscu numer telefonu do lokalnego ośrodka leczenia zatruć. Opiekunka musi mieć wreszcie komplet kluczy do domu, by w razie potrzeby niezwłocznie zabrać dziecko do lekarza czy do szpitala.

konkretnych sytuacji, jakie mogą się zdarzyć. Przykładowo, jak zareaguje na wybuch złości z powodu zabawki, którą bawi się w piaskownicy inne dziecko?).

- W jaki sposób zamierza pobudzać rozwój umysłowy i fizyczny dziecka? Jakie może mu stworzyć okazje do praktykowania na przykład sztuk plastycznych, muzyki, zabaw grupowych i indywidualnych, zabaw w domu i na dworze?
- Jakimi metodami będzie uczyć dziecko kontroli potrzeb fizjologicznych?
- Jak zamierza opanować u dziecka lęk przed rozstaniem z rodzicami?

W rozmowie z kandydatką na indywidualną opiekunkę staraj się poruszyć wszystkie szczegóły, bez żadnych niedomówień. Przedstaw jej zakres obowiązków, twoje oczekiwania, godziny pracy, wynagrodzenie, kwestie płatnego urlopu i ubezpieczenia. Mów również o twoich zobowiązaniach wobec niej. Jeśli osoba ta ma zamieszkać u was na stałe, przedyskutuj z nią wszelkie możliwe warunki zakwaterowania, czasu wolnego, przyjmowania gości, wakacyjnych planów itp.

Poznanie nowego miejsca lub osoby

Gdy już dokonałaś wyboru formy opieki, pozwól zapoznać się z nią dziecku możliwie w jak najłagodniejszy sposób. Odwiedźcie razem żłobek, przedszkole lub domowy punkt opieki jeszcze zanim dziecko pozostanie tam samo. Zaproś nianię lub dziewczynę „au pair" na obiad, stwórz jej przez kilka dni okazję do zajmowania się dzieckiem jeszcze podczas twojej obecności w domu. Spraw, aby dziecko zauważyło, że lubisz tę osobę i darzysz ją zaufaniem.

Daj dziecku i opiekunce nieco czasu na dopasowanie się do siebie, powstrzymując się przez pewien czas od jakichkolwiek sądów. W tych pierwszych dniach twoje dziecko może nie raz powiedzieć, że nie lubi niani albo że nie chce więcej iść do przedszkola. Nie lekceważ rzecz jasna jego odczuć, ale też podejdź do nich spokojnie. Porozmawiaj z opiekunką czy przedszkolanką; postarajcie się wspólnie zweryfikować program wychowawczy, aby ustalić przyczynę trudności adaptacyjnych dziecka. Jeśli dojdziesz do wniosku, że nie dzieje się nic złego, najprawdopodobniej twoje dziecko po prostu źle reaguje na rozłąkę z tobą, co jest niekiedy nazywane lękiem przed rozstaniem.

Lęk przed rozstaniem nie stanowi zwykle problemu u niemowląt poniżej siedmiu miesięcy, natomiast starsze na widok opuszczających je rodziców mogą okazywać wyraźny niepokój. Dzieci od 1 roku do trzech lat reagują niekiedy płaczem lub wybuchami złości, a przedszkolaki – pewnym regresem w rozwoju, powrotem do zachowań typowych dla młodszych dzieci. Jeśli poza tym twoje dziecko zachowuje pogodne usposobienie, takie reakcje mogą świadczyć właśnie o typowym dla jego wieku lęku przed rozstaniem. (Więcej informacji na ten temat znajdziesz w rozdziale 19, „Temperament, zachowanie i dyscyplina").

Jeśli jednak po upływie kilku tygodni twoje dziecko nadal reaguje na twoje wyjście niepokojem i przygnębieniem, może to wskazywać na poważniejszy problem. Musisz dociec, co się dzieje, rozmawiając z dzieckiem, z jego lekarzem, a także z opiekunką lub personelem żłobka czy przedszkola.

Jak zapobiegać chorobom dziecka uczęszczającego do żłobka lub przedszkola

Nie da się oczywiście całkowicie tego uniknąć. Nie raz i nie dwa twoje dziecko będzie chore, a w dodatku należy oczekiwać, że chodząc do żłobka lub przedszkola, będzie chorować częściej. Wszelkiego rodzaju zbiorowe placówki opiekuńcze oznaczają bliskie kontakty z innymi dziećmi, a tym samym narażenie na więcej drobnoustrojów niż w czterech ścianach rodzinnego domu.

Najczęstsze infekcje w żłobku lub przedszkolu

Dzieci w żłobkach i przedszkolach są bardziej podatne na zapalenia ucha. Jeśli twoje dziecko manifestuje takie objawy jak pocieranie główki, rozdrażnienie czy gorączka, skontaktuj się z lekarzem.

Inną popularną chorobą jest zapalenie spojówek, czyli najbardziej zewnętrznych błon wyściełających powieki i otaczających oko. Infekcja, objawiająca się przede wszystkim zaczerwienieniem oczu, łatwo szerzy się w grupach małych dzieci, które często dotykają się wzajemnie i bawią wspólnymi zabawkami. I w tym przypadku, jeśli zauważysz zaczerwienienie lub wydzielinę z oczu dziecka, zgłoś się z nim do lekarza.

Równie szybko rozprzestrzeniają się w zbiorowych placówkach opiekuńczych wysypkowe choroby zakaźne wieku dziecięcego. Najczęściej mają one etiologię wirusową, tak jak w przypadku ospy wietrznej. Ponieważ obecnie coraz częściej stosuje się szczepienia przeciwko tej chorobie, stopniowo staje się ona mniejszym problemem dla dzieci i ich rodziców. Jeśli jednak twoje dziecko nie było szczepione i zachoruje na ospę wietrzną, musisz przygotować się na około 10-dniową nieobecność w pracy i opiekowanie się nim w domu aż do czasu przyschnięcia wszystkich pęcherzy na skórze i błonach śluzowych.

Więcej informacji na temat wyżej wymienionych i innych rozpowszechnionych infekcji u dzieci uczęszczających do żłobka i przedszkola, takich jak wszawica, zakażenie owsikami, świerzb i grzybice, znajdziesz w rozdziale 30, „Choroby zakaźne wieku dziecięcego”.

Poważniejsze problemy zdrowotne

W zbiorowych placówkach opieki nad dziećmi mogą rozprzestrzeniać się również i inne choroby, cięższe od wyżej wspomnianych. Dochodzi do nich szczególnie w razie zaniedbań w przestrzeganiu zasad higieny, takich jak skrupulatne mycie rąk czy całkowite oddzielenie od siebie strefy zmiany pieluszek i strefy przygotowania posiłków. I jedna, i druga strefa wymaga czyszczenia po każdorazowym użyciu. Właściwe obchodzenie się z brudnymi pieluchami i nieczystościami ma zasadnicze znaczenie w prewencji szerzenia się takich chorób zakaźnych, jak wirusowe zapalenie wątroby czy lamblioza, objawiające się biegunką zakażenie pasożytnicze przewodu pokarmowego.

Personel żłobków i przedszkoli musi przestrzegać pisemnych instrukcji odnośnie do postępowania z krwawiącymi nosami, brudnymi pieluchami i w innych sytuacjach sprzyjających szerzeniu się zakażeń. Wirusowe zapalenie wątroby typu A oraz wiele chorób bakteryjnych może rozprzestrzeniać się na pośrednictwem kału. Zakażenie wirusem HIV szerzy się poprzez krew, aczkolwiek nosicielstwo wirusa jest wśród amerykańskich dzieci wyjątkowo rzadkie. Drogą krwi dochodzi również do zakażenia wirusowym zapaleniem wątroby typu B, jednak rutynowe szczepienia dzieci w pierwszym roku życia zapewniają im skuteczną ochronę przed tą groźną chorobą.

Perspektywa, że dziecko będzie źle traktowane czy wręcz maltretowane przez opiekunów, spędza sen z powiek wszystkim rodzicom.

Mają oni obowiązek czuwania nad tym, w jaki sposób przebiega opieka nad ich dzieckiem w żłobku, przedszkolu czy w domu pod okiem obcej osoby. Zwracaj uwagę na ewentualne ślady ugryzień, nietypowe siniaki, skaleczenia czy oparzenia, podejrzanie dużą liczbę urazów czy wypadków oraz urazy twarzy. Więcej informacji na temat objawów maltretowania dziecka i wskazówek, co powinnaś zrobić w razie podejrzenia, że twoje dziecko padło ofiarą maltretowania, znajdziesz w rozdziale 32, „Problemy zdrowotne okresu wczesnego dzieciństwa".

Jeśli opiekunka i dziecko podają sprzeczne wersje wydarzeń, w jakich doszło do urazu, lub też jeśli dziecko wydaje się bać opiekunki, pokaż ślady na jego ciele lekarzowi. Jeśli masz uzasadnione podejrzenie, że doszło do maltretowania, natychmiast przerwij kontakt dziecka z daną osobą czy placówką. Jeśli dziecko mówi ci, że było bite czy w inny sposób maltretowane, okaż mu jak najwyraźniej, że poinformowanie cię o tym fakcie jest najlepszą rzeczą, jaką mogło zrobić. Nie zapomnij również o zgłoszeniu swojego podejrzenia na policję.

Jeśli potrzebujesz dodatkowych informacji, zasięgnij porady lekarza.

Rozdział 26

Medyczne aspekty adopcji
Im więcej wiesz, tym lepszym będziesz rodzicem

Wszyscy rodzice martwią się o zdrowie swoich dzieci – a rodzice adopcyjni mają szczególne powody do takich zmartwień. Niniejszego rozdziału nie napisaliśmy jednak bynajmniej po to, by ich straszyć – wręcz przeciwnie. Im więcej wiesz, tym lepiej będziesz przygotowana(-y) i pewna(-y) siebie w tej roli.

Zebranie informacji przed adopcją

Jeśli adoptujesz dziecko w tak zwanym systemie otwartym lub półotwartym – to znaczy spotykając się z jego matką biologiczną, a czasem również i z ojcem – masz możliwość zdobycia wielu informacji o stanie zdrowia dziecka. Możesz nawet uczestniczyć w opiece prenatalnej, towarzyszyć matce biologicznej podczas wizyt u lekarza i asystować przy porodzie. Możesz również poprosić o dokumentację zdrowotną dziecka w agencji lub kancelarii adwokackiej pośredniczącej w załatwieniu adopcji.

W przypadku starszego dziecka z twojego kraju masz zwykle okazję zorientować się w stanie jego zdrowia, spotykając się z nim wielokrotnie w ciągu tygodni lub miesięcy, czy nawet odgrywając rolę zastępczego opiekuna, zanim zdecydujesz się na adopcję.

Jeśli chodzi o adopcje międzynarodowe, najprawdopodobniej otrzymasz zdjęcie dziecka czy nawet krótki film wideo, jednak informacje na temat jego zdrowia i rodziny mogą być skąpe lub niepewne. Jeśli możesz sobie na to pozwolić, warto byłoby odbyć podróż i spotkać się z dzieckiem jeszcze przed decyzją o adopcji, szczególnie jeśli ma ono już kilka lat.

Szereg informacji wchodzi zwykle w skład standardowej dokumentacji medycznej dziecka i dotyczy kwestii, o które lekarz zapytałby przy pierwszej wizycie z każdym dzieckiem, adoptowanym lub nie. Mamy tu na myśli następujące dane:

- Wiek, narodowość, wykształcenie, zawód, wzrost, waga i stan zdrowia rodziców biologicznych dziecka (aczkolwiek o ojcu często wiadomo niewiele);
- Choroby i stany występujące w rodzinie biologicznej, od alergii i krótkowzroczności do nowotworów i chorób psychicznych;
- Czy matka biologiczna ma inne dzieci, a jeśli tak, jaki jest stan ich zdrowia;
- Czy matka biologiczna piła w czasie ciąży alkohol, paliła papierosy lub brała narkotyki, a jeśli tak, jakie i w jakich ilościach. (Potencjalny wpływ alkoholizmu matki na zdrowie dziecka jest omówiony w dalszej części tego rozdziału);
- Czy matka biologiczna zażywała w czasie ciąży jakiekolwiek leki, zarówno zalecone przez lekarza, jak i dostępne bez recepty, a jeśli tak, jakie i w jakich dawkach;
- Czy matka biologiczna prowadziła tryb życia zwiększający ryzyko chorób wenerycznych;
- Czy matka biologiczna pozostawała pod opieką lekarską w okresie ciąży;
- Wszelkiego rodzaju powikłania ciąży i/lub porodu;
- Waga, długość i obwód głowy dziecka od momentu narodzin (dokumentacja jego rozwoju fizycznego);
- Wszelkie problemy zdrowotne i przebyte choroby od urodzenia do dnia dzisiejszego;
- Wyniki wszelkich badań laboratoryjnych i przesiewowych pod kątem wirusowego zapalenia wątroby typu B, zakażenia HIV, kiły, gruźlicy itp.;
- Przebieg rozwoju dziecka pod względem zdobywania standardowych dla jego wieku umiejętności, takich jak siadanie, chodzenie, mowa czy zakres ruchów precyzyjnych;
- Opis osobowości dziecka (śmiałe, pełne rezerwy, bojaźliwe, pewne siebie itp.) i typu jego relacji z innymi ludźmi;
- Jak najwięcej danych na temat sytuacji życiowej dziecka;
- Czy dziecko doświadczyło maltretowania fizycznego lub emocjonalnego bądź też było wykorzystywane seksualnie.

Interpretowanie informacji

Gdy już zbierzesz wszelkie dostępne informacje, musisz jeszcze jak najdokładniej je zrozumieć. Jeśli korzystasz z pośrednictwa agencji, najlepiej byłoby, gdyby to ona pomogła ci w rzetelnej ocenie stanu zdrowia dziecka, nie przemilczając żadnych potencjalnych problemów. Warto również zwrócić się do lekarza z prośbą o pomoc w zinterpretowaniu dokumentacji medycznej. Fachowa interpretacja niekoniecznie musi okazać się pesymistyczna. Przykładowo występowanie danej choroby w rodzinie w wielu przypadkach nie oznacza ani nieuchronności, ani nawet dużego prawdopodobieństwa jej wystąpienia u dziecka.

Czasami warto również skorzystać z porady pediatry, który ma doświadczenie z adoptowanymi dziećmi pochodzącymi z podobnych środowisk i grup etnicznych. Jest to szczególnie wskazane w przypadku adopcji zagranicznych. Przykładowo rosyjska dokumentacja medyczna zawiera zwykle wiele terminów nie znanych większości amerykańskich lekarzy, ale znanych tym spośród nich, którzy często mają do czynienia z pacjentami z tego kraju. Z kolei zdrowe dzieci z Ameryki Środkowej są zwykle lżejsze i mniejsze niż ich rówieśnicy z innych części świata.

Gdy już podejmiesz decyzję, zdobądź dodatkowe informacje

Gdy już zdecydujesz się na adopcję konkretnego dziecka lub na ustanowienie dla niego rodziny zastępczej, postaraj się dowiedzieć o nim jak najwięcej, a zwłaszcza o jego trybie życia, zdolnościach, upodobaniach i awersjach.

Pomyśl o uzyskaniu odpowiedzi na dotyczące dziecka, następujące pytania:
- Co lubi, a czego nie lubi jeść? Do jakiego sposobu odżywiania jest przyzwyczajone? Czy jest uczulone na jakikolwiek produkt spożywczy? Jak jest karmione lub jak karmi się samo?
- Jaki jest rytm jego snu? Jak długo i w jakich godzinach śpi w nocy i w dzień? Czy ma określone zwyczaje związane z kładzeniem się spać? W jakiego rodzaju łóżku dotąd spało?
- Czy i jakie nosi pieluchy?
- Czy ma swoje ulubione piosenki? (Postaraj się o ich nagranie).
- W co jest zwykle ubierane? Czym się bawi? Czy ma jakąś ulubioną zabawkę czy inną „przytulankę" (np. kocyk)?
- W jaki sposób najłatwiej je pocieszyć?
- Jak zachowuje się wobec innych dzieci? A wobec dorosłych? (Niektóre dzieci z domów dziecka, przyzwyczajone wyłącznie do personelu żeńskiego, mogą przez pewien czas bać się mężczyzn, włącznie z adopcyjnym ojcem).
- Czy możesz dostać na własność zdjęcia dotychczasowego miejsca pobytu dziecka, jego kolegów i opiekunów? Czy istnieje możliwość podtrzymywania tych kontaktów?

Brak gwarancji

Decydując się na dziecko, zarówno własne, jak i adoptowane, musisz mieć świadomość, że niezależnie od liczby zdobytych informacji czy podjętych planowych działań nie masz nigdy stuprocentowej gwarancji jego zdrowia i rozwoju zgodnego z twoimi oczekiwaniami. Rodzice adopcyjni nie znają często pełnej historii genetycznej dziecka – wszystkich chorób i obciążeń występujących w jego rodzinie biologicznej – jednak to samo odnosi się również do większości rodziców naturalnych. Dzieje się tak dlatego, że poszczególne gałęzie rodziny mogą stracić ze sobą kontakt, nie wszystkie schorzenia genetyczne są zdiagnozowane, a niektóre bywają również zatajane (szczególnie przez przedstawicieli starszych pokoleń).

- Czy możesz dostać nazwiska, adresy i numery telefonów osób, które wcześniej znały twoje dziecko (np. sąsiada, pracownika domu dziecka, lekarza) na wypadek, gdyby były kiedyś potrzebne dodatkowe informacje?
- Jakie szczepienia wykonano u dziecka i kiedy?
- Czy możesz dostać kserokopie dokumentacji medycznej dziecka?
- Jeśli nie ma kontaktu z matką biologiczną dziecka, czy istnieje możliwość nawiązania go z ważnych przyczyn zdrowotnych?

Opieka zdrowotna po przybyciu dziecka do domu

Wkrótce po zamieszkaniu adoptowanego dziecka w twoim domu musi ono przejść dokładne badanie lekarskie. Jeśli wcześniej zwracałaś się do lekarza wyspecjalizowanego w adopcjach, możesz życzyć sobie, by to właśnie on przeprowadził to wstępne badanie. Możesz też od razu zdecydować się na lekarza, który zajmie się dzieckiem na stałe. Agencja pośrednicząca w adopcji powinna wskazać ci adres ośrodka lub lekarza, który wcześniej opiekował się dzieckiem, tak abyś mogła albo nadal korzystać z jego usług, albo poprosić go o przesłanie dokumentacji dziecka wybranemu przez ciebie lekarzowi.

Jeśli adoptowane dziecko jest niemowlęciem, badanie będzie polegać głównie na zebraniu wywiadu od ciebie i ocenie stanu fizycznego dziecka.

Jeśli twoje dziecko urodziło się w innym kraju i istnieją jakiekolwiek wątpliwości co do przebytych przez nie szczepień, prawdopodobnie trzeba będzie zaszczepić je ponownie. Jeśli dziecko wyszło już z wieku niemowlęcego, lekarz może zlecić dodatkowe konsultacje specjalistów, takich jak okulista, laryngolog, neurolog, psycholog, logopeda i stomatolog. Wizyty te powinny być rozłożone w czasie – kilku tygodni lub miesięcy – aby uniknąć przytłoczenia dziecka zmasowanymi (i nie zawsze przyjemnymi) doświadczeniami medycznymi. Jak uważają eksperci, należy jednak wykonać wszystkie możliwe badania, ponieważ często stanowią one wstęp do dalszej specjalistycznej opieki nad dzieckiem z powodu możliwych problemów psychologicznych lub opóźnień rozwojowych.

Mówić czy nie mówić?

Mówić. Mimo że adoptowane dzieci są najczęściej za małe, by zrozumieć, co to oznacza, rodzice powinni poruszyć ten temat już w wieku przedszkolnym, a na pewno po ukończeniu przez dziecko siedmiu lat. Badania wykazują, że im więcej adoptowane dzieci wiedzą na temat swoich biologicznych rodziców, tym łatwiej przebrnąć im przez kryzys tożsamości w okresie dojrzewania.

Badania przesiewowe

Często zaleca się, by dzieci adoptowane z innych krajów zostały poddane odpowiednim dla ich wieku badaniom przesiewowym pod kątem niżej wymienionych chorób. W przypadku dzieci urodzonych w twoim kraju lekarzom może również zależeć na wykluczeniu przynajmniej niektórych z nich, w zależności od występujących w konkretnym przypadku czynników ryzyka i danych z dokumentacji medycznej. Są to następujące choroby i zaburzenia:

- Niedokrwistość,
- Zaburzenia mowy i inne opóźnienia rozwojowe,
- Wirusowe zapalenie wątroby typu B i C (W razie ujemnego wyniku pierwszego badania pod kątem wirusowego zapalenia wątroby typu B, należy powtórzyć je po sześciu miesiącach),
- Nosicielstwo HIV,
- Niedosłuch,
- Zaburzenia widzenia,
- Pasożytnicze zakażenia jelitowe,
- Zatrucie ołowiem,
- Choroby metaboliczne (np. fenyloketonuria),
- Problemy psychologiczne,
- Krzywica,
- Kiła,
- Choroby tarczycy,
- Gruźlica.

Problemy specjalnej troski

Część adoptowanych dzieci wymaga długoterminowej opieki medycznej z powodu różnorodnych, poważnych zaburzeń. Lekarz musi przede wszystkim ustalić, czy dziecko nie jest dotknięte wirusowym zapaleniem wątroby typu B, płodowym zespołem alkoholowym (FAS) oraz problemami w wytwarzaniu więzi z opiekunami. (Informacje na temat wirusowego zapalenia typu B znajdziesz w rozdziale 32, „Problemy zdrowotne okresu wczesnego dzieciństwa").

Płodowy zespół alkoholowy i problemy pochodne

W skali całego świata nadużywanie alkoholu w okresie ciąży jest główną znaną przyczyną niedorozwoju umysłowego u dzieci. Stopień zaawansowania alkoholizmu matki koreluje ze wzrostem ryzyka dla dziecka. Nawet umiarkowane picie alkoholu może jednak poczynić szkody, zwłaszcza w początkowym okresie ciąży, kiedy to wiele kobiet nie orientuje się jeszcze w swoim stanie. Dlatego też rodzice adopcyjni często zastanawiają się i martwią, czy przypadkiem matka biologiczna nie nadużywała alkoholu i tym samym nie naznaczyła ich dziecka poważnymi defektami fizycznymi i umysłowymi. Ewentualność ta jest jednym z głównych rodzajów ryzyka związanego z adopcją.

Niemowlęta dotknięte płodowym zespołem alkoholowym (FAS, *fetal alcohol syndrom*) są ogólnie mniejsze od innych, a ponadto charakteryzują się często mniejszym obwodem głowy, opóźnieniami w rozwoju, specyficznymi wadami wrodzonymi, słabym rozwojem ruchowym, upośledzeniem zdolności zapamiętywania i rozumienia mowy, niezdolnością do pojmowania pojęć abstrakcyjnych, jak na przykład czas i pieniądze, a także szeregiem zaburzeń zachowania, takich jak impulsywność i stany lękowe.

Dzieci z FAS prezentują często charakterystyczny zespół anomalii w obrębie twarzy: mają małe szpary powiekowe, płaskie kości policzkowe, cienką wargę górną i spłaszczoną rynienkę podnosową (zagłębienie między nosem a wargą górną). W niektórych przypadkach lekarz może ustalić pewne rozpoznanie FAS już w wieku niemowlęcym. Najczęściej jest to jednak utrudnione: rysy twarzy uwidoczniają się nieraz dopiero później, a inne wczesne objawy dają się wytłumaczyć niedożywieniem czy ogólnym zaniedbaniem w opiece nad dzieckiem, co jest odwracalne. Aby ułatwić diagnostykę, ważne jest zdobycie maksimum wiarygodnych informacji na temat nawyków matki biologicznej dziecka co do picia alkoholu.

W razie jakichkolwiek wątpliwości co do obciążenia dziecka płodowym zespołem alkoholowym wskazana jest konsultacja u specjalisty. Jeśli zdecydujesz się na adopcję lub wzięcie pod opiekę dziecka z FAS, musisz podjąć to wyzwanie z pełną świadomością.

Znacznie więcej dzieci przejawia bardziej ograniczone, ale nadal poważne problemy spowodowane nadużywaniem alkoholu przez matkę w okresie ciąży. Takie lżejsze postaci określa się w piśmiennictwie anglojęzycznym mianem płodowych efektów alkoholu (FAE, *fetal alcohol effects*) oraz związanych z alkoholem zaburzeń neurorozwojowych (ARND, *alcohol-related neurodevelopmental disorder*). Dzieci dotknięte FAE mają objawy podobne do FAS, tyle że w mniejszym nasileniu i bez ewidentnych defektów fizycznych. U dzieci z ARND występują podobne do wyżej opisanych zaburzenia emocjonalne i behawioralne, jednak bez opóźnienia w rozwoju i upośledzenia umysłowego. FAE i ARND pozostają często nierozpoznane przez cały okres dorastania. Problemy szkolne i wychowawcze bywają często błędnie tłumaczone uporem czy agresywnością dziecka, albo też – w przypadku dzieci adoptowanych – samym faktem adopcji. Wchodząc w wiek młodzieńczy, dzieci te popadają nieraz w konflikty z prawem. Mogą również przejawiać szereg zaburzeń natury fizycznej, w tym wady serca oraz uszkodzenie wzroku lub słuchu.

Mimo że wpływ alkoholu na życie płodowe jest nieodwracalny, wczesna interwencja może pomóc tym dzieciom w jak najpełniejszym wykorzystaniu ich potencjału rozwojowego i zdobyciu bardziej satysfakcjonujących perspektyw życiowych. Często zdarza się również, że rodzice znacznie lepiej radzą sobie z rozlicznymi trudnościami wychowawczymi, wiedząc, że mają one podłoże chorobowe, a nie wynikają jedynie ze złej woli dziecka.

Problemy wytwarzania więzi

Dzieci maltretowane czy zaniedbywane w niemowlęctwie lub takie, które często zmieniały prowizoryczne miejsca pobytu i opiekunów, mogą mieć trudności w przywiązywaniu się do rodziców adopcyjnych (czy jakiejkolwiek osoby dorosłej). Skala tych problemów bywa zróżnicowana. Nie wszystkie dzieci ciężko doświadczone w najmłodszym wieku muszą wykazywać poważne zaburzenia tego typu, szczególnie jeśli po rozstaniu z patologicznym środowiskiem szybko trafiły na troskliwych i czułych opiekunów.

Dzieci z poważnymi trudnościami w nawiązywaniu więzi mogą na pierwszy rzut oka wydawać się czarujące i serdeczne w stosunku do obcych. Wobec rodziców adopcyjnych bywają przylepne i płaczliwe, jednak opierają się przed przytulaniem i pieszczotami i nie nawiązują kontaktu wzrokowego. Często odrzucają próby pomocy w codziennych czynnościach, na przykład w ubieraniu się, czy wręcz wchodzą w nieustanne konflikty z opiekunami w kwestii kontroli ich poczynań. Mogą również postępować w sposób bolesny dla innych albo posługiwać się ewidentnymi kłamstwami.

Problemy tego rodzaju bywają trudne do zdiagnozowania. Gdy dziecko pojawia się w swoim nowym domu, jego trudności przystosowawcze mogą być błędnie przypisywane dotychczasowym zaniedbaniom lub depresji. Po ustaleniu właściwego rozpoznania cała rodzina wymaga najczęściej specjalistycznej terapii, aby móc rozpocząć budowanie wzajemnej więzi i zaufania. Wychowywanie takiego dziecka jest często wielkim wyzwaniem, jednak problemy w nawiązywaniu więzi można często pokonać dzięki wytężonej pracy, cierpliwości i fachowej pomocy.

Jeśli potrzebujesz dodatkowych informacji, zasięgnij porady lekarza.

CZĘŚĆ IV

Korzystanie z systemu opieki zdrowotnej

Rozdział 27

System opieki zdrowotnej nad dziećmi

Ludzie, miejsca i koszty

Być może, jeśli należysz do wyjątkowych szczęściarzy, twoje dziecko nigdy nie otrzyma skierowania do specjalisty, nie będzie wymagać zabiegu chirurgicznego, wizyty na pogotowiu ani hospitalizacji, a twoje standardowe ubezpieczenie zdrowotne pokryje praktycznie wszystkie koszty niezbędnej mu opieki lekarskiej. Nieprzewidziane sytuacje zdarzają się jednak tak często, że wedle wszelkiego prawdopodobieństwa któregoś dnia twoje dziecko będzie musiało zetknąć się ze służbą zdrowia na poziomie wyższym niż gabinet waszego lekarza pierwszego kontaktu. W tym rozdziale omówimy niektóre kwestie ubezpieczeniowe i finansowe związane z opieką zdrowotną nad dzieckiem, przedstawimy podstawowe informacje na temat specjalistów leczących dzieci, a także przyjrzymy się pracy oddziału pomocy doraźnej i szpitala z perspektywy dziecka w roli pacjenta.

Ubezpieczenie zdrowotne: czy twoje dziecko jest nim objęte?

Nie ulega wątpliwości, że objęcie dzieci ubezpieczeniem zdrowotnym jest niezbędnym warunkiem spokoju ducha rodziców. Pojedyncze lub złożone przewlekłe (a więc i kosztowne) problemy zdrowotne – zarówno wrodzone, jak i nabyte w wieku późniejszym – dotykają średnio jednego dziecka na sześcioro. I chociaż u większości okres dzieciństwa przebiega bez poważniejszych incydentów zdrowotnych, poza typowymi, niegroźnymi chorobami i urazami, nawet koszty zalecanej rutynowej opieki medycznej w pierwszych latach życia (w tym częste wizyty kontrolne, szczepienia, badania przesiewowe) mogą stanowić duże obciążenie finansowe dla wielu rodzin, gdyby miały być pokrywane z własnej kieszeni.

Typy ubezpieczenia zdrowotnego

W Polsce od 1 I 1999 r. Zakład Ubezpieczeń Społecznych wykonuje zadania związane z obsługą ubezpieczenia zdrowotnego, m.in. prowadzi ewidencję osób podlegających temu ubezpieczeniu. Zgodnie z ustawą (Dz.U. z 6 II 1997 r. nr 28, poz 153 i Dz.U. z 1998, nr 162, poz. 1116) obowiązkowemu ubezpieczeniu podlegają wszyscy pracownicy i osoby podlegające ubezpieczeniu emerytalnemu i rentowemu. (Por. E. Łozinski, *Nowy system ubezpieczeń społecznych*, Warszawa 1999, J. Szamiowski, *Poradnik Prawny. Składki pobierane przez ZUS*, Warszawa 2000).

Do ubezpieczenia zdrowotnego powinni być zgłoszeni również członkowie rodziny osoby podlegającej ubezpieczeniu zdrowotnemu, którzy z tytułu jej ubezpieczenia mają prawo do świadczeń zdrowotnych. Zgodnie z ustawą do świadczeń zdrowotnych mają prawo następujący członkowie rodziny, pozostający na wyłącznym utrzymaniu osoby podlegającej ubezpieczeniu zdrowotnemu:

– dzieci własne, dzieci drugiego małżonka, dzieci przysposobione, wnuki oraz dzieci obce przyjęte na wychowanie, również w ramach rodziny zastępczej, do ukończenia 18 lat, a jeżeli uczą się dalej – do ukończenia 26 lat, natomiast jeśli są niepełnosprawne w znacznym stopniu – bez ograniczenia wieku,
– małżonek,
– krewni i wstępni, pozostający z osobą podlegającą ubezpieczeniu zdrowotnemu we wspólnym gospodarstwie domowym i nie objęci obowiązkiem ubezpieczenia zdrowotnego.

Opieka specjalistyczna

Podstawową rolę w opiece nad twoim dzieckiem odgrywa lekarz-pediatra pierwszego kontaktu. To on leczy je, gdy zachoruje, a także czuwa nad jego wzrostem i rozwojem. Czasami jednak mogą pojawić się problemy zdrowotne, z którymi lekarz pierwszego kontaktu nie jest w stanie poradzić sobie w pojedynkę. W takiej sytuacji kieruje on dziecko do specjalisty celem wyjaśnienia wątpliwości diagnostycznych lub leczenia. Specjalista jest lekarzem o pogłębionej wiedzy i doświadczeniu w zakresie określonego układu narządowego organizmu (np. kardiolog, nefrolog), określonej grupy wiekowej pacjentów (np. gerontolog, neonatolog) lub specyficznej techniki diagnostycznej bądź leczniczej (np. rentgenolog, patomorfolog). Specjaliści przechodzą odrębne cykle kształcenia, a w praktyce

Lekarz radzi

Informacje o ubezpieczeniu

Zostawiając opiekunce dziecka wszelkie niezbędne namiary, takie jak telefony do lekarza, do ośrodka leczenia zatruć itp., nie zapomnij również zapisać jej informacji na temat waszej rodzinnej polisy ubezpieczeniowej, danych dotyczących płatnika składek pracodawcy jednego z rodziców. Gdyby opiekunka musiała niezwłocznie zawieźć dziecko do szpitala, dane te przyspieszą i ułatwią procedurę hospitalizacji.

Lekarz radzi

Planowanie podróży

Wyjeżdżając z dzieckiem na wakacje, musisz liczyć się z ryzykiem wypadku czy nagłej choroby, tym bardziej że będziecie zatrzymywać się w obcych domach czy hotelach, nie zawsze odpowiednio przygotowanych pod kątem bezpieczeństwa. Pobyt w każdym nowym miejscu zaczynaj od pytań o telefony na pogotowie i do ośrodka leczenia zatruć. Miej zawsze dokumenty czy dane waszej rodzinnej polisy ubezpieczeniowej, a jeszcze przed wyjazdem, zwłaszcza za granicę, sprawdź, w jakim stopniu pokrywa ona koszty nagłej pomocy lekarskiej.

mają do czynienia z węższymi, wyselekcjonowanymi grupami pacjentów i właściwą dla swojej dziedziny, niekiedy bardzo skomplikowaną aparaturą. Wszystko to sprawia, że w porównaniu z lekarzem pierwszego kontaktu mają oni znacznie większe możliwości diagnozowania i leczenia bardziej złożonych i rzadszych chorób. (Więcej szczegółowych informacji na temat takich chorób u dzieci znajdziesz w rozdziale 32, „Problemy zdrowotne okresu wczesnego dzieciństwa").

Istnieje wiele nieporozumień co do terminu „specjalista". W zasadzie niemal każdy praktykujący lekarz jest obecnie specjalistą, ponieważ po ukończeniu studiów medycznych odbywa trwający trzy lata lub dłużej staż kliniczny w wybranej dziedzinie medycyny. Dotyczy to również lekarzy pierwszego kontaktu, takich jak pediatrzy, interniści czy lekarze rodzinni, którzy również przeszli tego rodzaju szkolenie podyplomowe i są uważani za specjalistów w swojej dziedzinie. Nieścisłość odnosi się głównie do lekarzy, którzy oprócz „ogólnej" specjalizacji w danej dziedzinie medycyny ukończyli dodatkowe, węższe kursy specjalistyczne. Powinno się właściwie nazywać ich „podspecjalistami", jednak zarówno lekarze jak i pacjenci posługują się powszechnie terminem „specjalista". Również i w naszej książce słowo „specjalista" jest używane w tym drugim, węższym znaczeniu.

Specjaliści pediatryczni w porównaniu ze specjalistami „dla dorosłych"

Z punktu widzenia medycyny dzieci nie są jedynie „małymi dorosłymi". Wręcz przeciwnie, mają one swoje odrębne, specyficzne i złożone problemy i potrzeby zdrowotne. Dlatego też należy dokonać wyraźnego rozdzielenia między specjalistami zajmującymi się dziećmi a specjalistami zajmującymi się dorosłymi. Tylko niektórzy leczą i dzieci, i dorosłych, aczkolwiek zwykle w wysoce nierównych proporcjach. Specjaliści pediatryczni zajmują się wyłącznie dziećmi i młodzieżą (a czasem również młodymi dorosłymi). Wyróżnia ich spośród innych przede wszystkim to, że szkoląc się w swojej dziedzinie, spędzili dodatkowe lata stażu w klinikach pediatrycznych i poświęcili najwięcej czasu na zajmowanie się dziećmi. Ogólnie ujmując, jeśli twoje dziecko wymaga specjalistycznej opieki medycznej, najlepiej jest wybrać specjalistę pediatrycznego z racji jego większego doświadczenia w chorobach dziecięcych, a także nawyku i umiejętności pracy z dziećmi.

Po czym poznać specjalistę

Wybierając się z dzieckiem do specjalisty, warto dowiedzieć się czegoś więcej o jego kompetencjach i doświadczeniu. Masz pełne prawo zapytać o to lekarza pierwszego kontaktu, który wystawia skierowanie do specjalisty. Mimo że w niektórych dziedzinach procedury szkoleń i egzaminów specjalizacyjnych nie zostały jeszcze w pełni ustalone, w większości przypadków specjaliści legitymują się odpowiednim dyplomem, poświadczającym spełnienie przez nich specyficznych standardów i wymogów. Należy do nich zwykle odbycie przewidzianych programem praktyk klinicznych i zdanie egzaminu, a niekiedy również odpowiedni staż pracy w danej dziedzinie, uprawniający do otwarcia specjalizacji.

Jak uzyskać od specjalisty niezbędne informacje

Wizyta u specjalisty jest dla ciebie okazją, by dowiedzieć się jak najwięcej o chorobie dziecka, o perspektywach na przyszłość i o wszystkim, co możesz zrobić, by mu pomóc. Powinnaś przygotować się zawczasu do takiej wizyty, gromadząc między innymi całą potrzebną dokumentację medyczną lub prosząc lekarza kierującego o jej przesłanie. Im więcej informacji będziesz w stanie udzielić specjaliście, tym większy będzie pożytek z konsultacji. Przygotuj również listę pytań, na jakie chciałabyś uzyskać odpowiedź. Zrób to najlepiej na piśmie, bo już w trakcie wizyty, choćby z powodu stresu, łatwo zapomnieć o wielu ważnych sprawach. Jak jest to w zwyczaju wielu lekarzy, specjalista może używać ściśle medycznego słownictwa i nie zawsze zrozumiałych dla laików terminów. Pamiętaj, że masz pełne prawo prosić go o wyjaśnienie czegoś, co nie do końca rozumiesz. To ty jesteś głównym rzecznikiem twojego dziecka, ty się nim opiekujesz i odpowiadasz za jego zdrowie. To ty musisz więc w pierwszym rzędzie orientować się we wszystkim, co go dotyczy, chociażby po to, by w razie potrzeby móc udzielić stosownych informacji innym lekarzom.

Im bardziej złożone są problemy i potrzeby zdrowotne twojego dziecka, tym ważniejsza jest koordynacja opieki medycznej, jaką otrzymuje. Dopilnuj, by każdy konsultowany specjalista przesłał wyniki swego badania lekarzowi pierwszego kontaktu, który zajmuje się dzieckiem na co dzień i powinien na bieżąco prowadzić całą jego dokumentację. Jeśli dziecko jest leczone przez kilku lekarzy naraz, kwestia koordynacji ich poczynań i przepływu informacji nabiera większego znaczenia. Różnorodność zabiegów i metod leczniczych aplikowanych twojemu dziecku bezwzględnie wymaga, by jedna kompetentna osoba – najczęściej właśnie lekarz pierwszego kontaktu – czuwała całościowo nad jego zdrowiem.

Ośrodki wielospecjalistycznej opieki nad dzieckiem

Wiele szpitali dziecięcych i niektóre oddziały pediatryczne w szpitalach ogólnych mają wydzielone przychodnie przeznaczone dla dzieci wymagających stałej opieki nie jednego, lecz całego zespołu specjalistów. W większości przypadków dzieci te przechodzą złożone badania kontrolne w ustalonych odstępach czasu – raz na kilka miesięcy lub co roku. Ośrodki wielospecjalistyczne oznaczają dużą wygodę, a także oszczędność czasu i pieniędzy dla dzieci i ich rodzin, ponieważ umożliwiają przeprowadzenie jednorazowo i w tym samym miejscu szeregu niezbędnych konsultacji i badań dodatkowych. Do chorób wymagających zwykle opieki poradni wielospecjalistycznych należy między innymi mózgowe porażenie dziecięce, mukowiscydoza, hemofilia, rozszczep podniebienia i zapalenie stawów. Pacjentami takich ośrodków są również zwykle niemowlęta i małe dzieci leczone i pozostające pod kontrolą z powodu następstw wcześniactwa.

Ośrodki wielospecjalistyczne są tworzone przez zespoły specjalistów, którzy dzięki wspólnym wysiłkom mogą zapewnić chorym dzieciom optymalną opiekę, zgodną z najnowszymi postępami w różnych dziedzinach medycyny. Przykładowo zespół opiekujący się pacjentami z mózgowym porażeniem dziecięcym może obejmować specjalistów w dziedzinie ortopedii, pediatrii, neurologii, żywienia, rehabilitacji, terapii zajęciowej i innych. Członkowie zespołu zwykle ściśle ze sobą współpracują, co ułatwia obieg informacji i koordynację opieki nad chorym.

Szpital

Mimo największych starań rodziców i lekarzy wiele dzieci może w którymś momencie życia wymagać leczenia szpitalnego. Dobrze jest przygotować się psychicznie na taką ewentualność, czy to pod kątem przypadków nagłych, czy też np. planowego zabiegu chirurgicznego. W tym rozdziale przyjrzymy się więc bliżej szpitalom dziecięcym, a także szpitalowi jako takiemu, by ułatwić ci poruszanie się wśród jego struktur, personelu, zdobyczy techniki i procedur na wypadek, gdybyście ty i twoje dziecko musieli kiedyś zetknąć się z nimi osobiście.

Wybór szpitala dla dziecka

Wybór najwłaściwszego szpitala, w jakim powinno się znaleźć twoje dziecko, zależy przede wszystkim od rodzaju i stopnia złożoności trapiącej je choroby, a także od dostępnej na twoim terenie sieci placówek służby zdrowia oraz – oczywiście – od twojego ubezpieczenia zdrowotnego.

Szpitale dziecięce i duże oddziały pediatryczne w porównaniu ze szpitalami ogólnymi

Nie wszystkie szpitale są równorzędne z punktu widzenia poziomu opieki pediatrycznej. Istnieje szereg ważnych różnic między placówkami wyspecjalizowanymi w leczeniu dzieci a takimi, w których wyodrębniony jest tylko mały oddział dziecięcy lub też nie ma go wcale. Lekarze pracujący w szpitalach lub na dużych oddziałach dziecięcych są w ogromnej większości specjalistami w różnych dziedzinach pediatrii, a więc przeszli odrębny, specyficzny tok kształcenia w zakresie diagnostyki i leczenia różnorodnych problemów zdrowotnych wieku dziecięcego. Również wiele pielęgniarek i innych fachowych pracowników ma za sobą dodatkowe szkolenia i praktyczne doświadczenie, dzięki którym opanowali szczególne umiejętności w pracy z dziećmi. Szpitale i duże oddziały pediatryczne dysponują ponadto odpowiednią aparaturą i wyposażeniem, dostosowanymi do potrzeb dzieci w różnym wieku i rozmiarach.

Wiele szpitali i dużych oddziałów dziecięcych pełni jednocześnie funkcję placówek dydaktycznych, kształcących przyszłych pediatrów i specjalistów pediatrycznych. Oznacza to, że codzienną opiekę nad chorymi sprawują w dużej części lekarze-stażyści, którzy dopiero zdobywają kwalifikacje w swoich dziedzinach. Stażyści pozostają zwykle w bliskim kontakcie z rodzicami, udzielają im informacji i odpowiadają na wszelkie pytania związane ze stanem dziecka. Jeśli chcesz jednak porozmawiać z lekarzem prowadzącym (odpowiedzialnym za twoje dziecko), nie wahaj się o to poprosić. W godzinach rannych na oddziale odbywa się zwykle obchód, polegający na badaniu pacjentów i zespołowej dyskusji nad poszczególnymi przypadkami. Jeśli więc nawet nie uda ci się spotkać z lekarzem prowadzącym podczas obchodu, możesz być pewna, że jest on na bieżąco informowany przez zespół asystentów o stanie twojego dziecka i czuwa nad całym procesem jego leczenia.

Szpitale ogólne bez odrębnych oddziałów pediatrycznych nie zatrudniają zwykle pełnego zespołu specjalistów dziecięcych, nie kształcą stażystów i nie zawsze dysponują sprzętem dostosowanym do potrzeb małych pacjentów. Pomimo to dobry szpital rejonowy jest zwykle w stanie skutecznie leczyć wiele chorób dziecięcych (w tym również chirurgicznych), szczególnie tych najczęstszych i stosunkowo nieskomplikowanych.

Jak przygotować dziecko do hospitalizacji

Najlepszym sposobem przygotowania dziecka na pobyt w szpitalu jest opanowanie jego lęku przed nieznanym. Wiele szpitali stwarza obecnie możliwość, by dziecko zwiedziło oddział jeszcze przed przyjęciem (w USA włącznie z salą operacyjną, jeśli czeka je planowy zabieg chirurgiczny). Podczas takich wizyt dzieci mają okazję zobaczyć wyposażenie i charakterystyczny ubiór jej personelu. Musisz zrobić wszystko, by twoje dziecko (zależnie od jego wieku i stopnia rozwoju) jak najlepiej rozumiało, dlaczego musi iść do szpitala i miało głębokie przekonanie, że jest to wyłącznie dla jego dobra i zdrowia.

Lekarz radzi

Co robić w przypadkach nagłych

W razie wypadku czy innego nagłego incydentu najważniejszy, decydujący często o życiu i zdrowiu dziecka, jest zawsze czas uzyskania pomocy medycznej. Wybór szpitala ogranicza się zatem do jednego kryterium – ma to być szpital najbliższy. Po przyjęciu i wstępnym opanowaniu sytuacji dalsze postępowanie zależy od oceny stanu dziecka. W razie potrzeby większość szpitali rejonowych czy ogólnych zorganizuje jego przeniesienie do odpowiedniego szpitala dziecięcego.

Lekarz radzi

Nowa zabawka na czas poza domem

Aby nieco złagodzić dziecku lęk i stres pobytu w szpitalu, kup jakąś miłą, nie-dużą zabawkę, opakuj ją starannie i nie zapomnij zabrać ze sobą przy wy-jeździe z domu. Daj ją dziecku zaraz, gdy dotrzecie na miejsce: radość z rozpa-kowywania i znalezienia prezentu odwróci jego uwagę na czas rejestracji na izbie przyjęć i oczekiwania na lekarza.

Może najbardziej dzieci boją się pozostawienia w samotności w obcym i dziwnym szpi-talnym otoczeniu. Dowiedz się, czy szpital pozwoli ci poczekać na zabieg razem z dziec-kiem lub gdzieś w pobliżu. Pokaż dziecku to miejsce i zapewnij je, że będziesz przy nim jeszcze zanim się obudzi.

W ostatnich latach zaznacza się tendencja, by prostsze zabiegi operacyjne wykonywać ambulatoryjnie lub w oddziałach „chirurgii dziennej", bez konieczności pozostania na noc w szpitalu. Zapytaj lekarza o taką możliwość, dzięki której dziecko mogłoby wcześniej wrócić do domu i powracać do zdrowia w swoim naturalnym, znajomym otoczeniu.

Oddając dziecko do szpitala, nie zapomnij o kilku rzeczach, które mogą przypominać mu dom i pocieszać. Dobrze byłoby, żeby dziecko mogło mieć swoją własną, a nie szpi-talną koszulę nocną czy piżamę. Najlepsza byłaby z krótkimi rękawami, których nie trze-ba podwijać do mierzenia ciśnienia, pobierania krwi czy kroplówek. Niekiedy zaraz po zabiegu dziecko musi mieć na sobie szpitalną koszulkę, ułatwiającą lekarzom częste ba-dania i oględziny rany pooperacyjnej, jednak powieszony gdzieś obok własny szlafrok da-je mu wrażenie czegoś ciepłego i domowego. Młodsze dzieci powinny mieć ze sobą lalkę albo pluszową zabawkę, najlepiej misia „z rękami i nogami". Gdy ktoś z personelu przy-chodzi zbadać dziecku tętno czy ciśnienie, może najpierw pokazać to na misiu, tak aby dziecko wiedziało, czego się spodziewać. (Psychologowie zalecają, żeby „pacjent" nie był

Lekarz radzi

Coś do picia przed operacją

Jeszcze do niedawna oczekiwanie na planowy zabieg chirurgiczny oznaczało zakaz jedzenia i picia na osiem godzin wcześniej – czyli bardzo długo jak dla zestresowanego i głodnego dziecka. Obecnie nie ma przeciwwskazań, by po-dać dziecku coś do picia jeszcze na dwie godziny przed znieczuleniem. Nadal należy powstrzymać się od pokarmów stałych, jednak dozwolony i bezpieczny może być klarowny sok, woda czy nawet lód na patyku. Na dzień przed pla-nowaną operacją poproś lekarza prowadzącego lub anestezjologa o dokładne instrukcje na ten temat.

ukochaną zabawką dziecka, ponieważ w razie zbyt silnej identyfikacji, może ono dodatkowo obawiać się, że misiowi stanie się krzywda podczas „badań" albo że będzie musiało zostawić go samego na czas zabiegów). Dziecko powinno mieć również szczoteczkę i pastę do zębów, własną szczotkę do włosów i inne przybory toaletowe. Na niektórych oddziałach dziecięcych jest również wideo, więc możesz pomyśleć o zabraniu kasety z ulubionym filmem dziecka.

Regulamin szpitala

Każdy szpital ma własny regulamin ustalający godziny odwiedzin, kwestie nocnego pobytu rodziców przy dziecku i ogólne zasady porządkowe. Regulamin jest najczęściej wywieszony w widocznym miejscu lub wręczany rodzicom na osobnej kartce, co pomaga ci odpowiednio zaplanować czas. Wiele szpitali dysponuje pomieszczeniami typu hotelowego, gdzie rodzice, a nawet rodzeństwo chorego dziecka mogą zatrzymać się na noc. Jeśli hospitalizacja twojego dziecka zapowiada się na dłużej, zapytaj o bezpłatne lub tanie możliwości noclegowe w odpowiednich placówkach przyszpitalnych.

Kontakty z zespołem leczącym: jak zdobyć informacje

Jak możesz zorientować się, kogo i o co zapytać? Na każdym oddziale jest zwykle jeden lekarz „dyżurny". Gdy dziecko zostaje przyjęte na konkretny oddział, trafia zwykle na salę, czyli pod opiekę jednego lekarza „prowadzącego", który koordynuje pracę całego zajmującego się nim zespołu. Musisz więc dowiedzieć się, który lekarz ma właśnie dyżur, kto będzie lekarzem prowadzącym i jak się z nim skontaktować, a także jacy inni lekarze będą badać twoje dziecko zaraz po przyjęciu. Zapisz wszystkie te nazwiska w notesie – na ogół w stresie i zamieszaniu przyjęcia rodzice zdumiewająco szybko zapominają, kto jest kim. Jeśli widzisz nowego lekarza, badającego dziecko lub wezwanego na konsultację, zapisz również jego nazwisko i specjalność i dowiedz się, jaką rolę odgrywa on w całym zespole. Pomoże ci to w ustaleniu, kto jest najwłaściwszą osobą do udzielenia ci odpowiedzi na poszczególne pytania.

Źródłem cennych informacji mogą być również pielęgniarki. Mają one z reguły pełen dostęp do dokumentacji medycznej i zwykle uczestniczą w obchodach lekarskich. Pielęgniarka może nakreślić ci jasny obraz stanu dziecka i pośredniczyć w wymianie informacji między tobą a zespołem lekarskim. Jest również najlepszą osobą, do jakiej możesz zwrócić się z prośbą o bezpośredni kontakt z lekarzem. Obecnie dzięki telefonom komór-

> ### „Głos doświadczenia"
>
> „Gdy moje dziecko było w szpitalu, opiekowało się nim tylu lekarzy naraz, że początkowo kompletnie się w tym pogubiłam i nie bardzo wiedziałam, kogo i o co mogę zapytać. W końcu zaczęłam nosić w torebce osobny notesik, w którym zapisywałam nazwiska, tytuły, krótkie informacje o ich specjalizacji i roli w opiece nad moim dzieckiem (było to zawsze jedno z moich pierwszych pytań w rozmowie z nowym lekarzem) oraz inne uwagi o jego leczeniu".
> – ZA: KIDSHEALTH PARENT SURVEY

kowym szybkie porozumienie z lekarzem nie przedstawia zwykle większych trudności, chyba że chodzi o chirurga, który jest aktualnie na sali operacyjnej. Jeśli personel medyczny wyraża się w rozmowie z tobą zbyt fachowo i niezrozumiale, nie wahaj się prosić o wyjaśnienia. Jak już wspomnieliśmy wcześniej, to ty jesteś głównym i najlepszym rzecznikiem twojego dziecka i musisz mieć jasny obraz stanu jego zdrowia i wszelkiego rodzaju potrzeb.

Co robić, gdy dziecko cierpi ból lub dyskomfort

Sam fakt pobytu dziecka w szpitalu jest już wystarczającym stresem, jeśli natomiast widzisz je cierpiące, niewątpliwie sama cierpisz razem z nim. Nawet niewielkie zabiegi w rodzaju pobierania krwi czy podłączania kroplówki bywają dla dziecka bolesne i przerażające. Jeśli coś ma zaboleć, uprzedź je o tym; jeśli powiesz, że nie będzie bolało, a w rzeczywistości boli, dziecko może przestać ci wierzyć. Zamiast więc pocieszać je kłamstwem, mów mu raczej, jak długo będzie bolało (3 sekundy, 10 sekund) i licz razem z nim. Zazwyczaj dziecko najlepiej znosi ból, wiedząc, że wkrótce minie. Zapytaj osobę wykonującą zabieg, jak długo będzie on trwać, i staraj się poinformować o tym dziecko rzetelnie, bez zaniżania czasu.

Powodem do niepokoju jest często ból po zabiegu operacyjnym. Jeśli podejrzewasz, że dziecko cierpi, wezwij pielęgniarkę. Istnieje bogata gama leków przeciwbólowych o zróżnicowanych właściwościach i sile działania, a niektóre z nich mogą okazać się u twojego dziecka skuteczniejsze niż inne. Poza tym pomagaj mu znosić ból samą swoją obecnością: staraj się ze wszystkich sił pocieszyć je i rozerwać ulubioną zabawką, grą, książką, zajęciem czy programem telewizyjnym. Gdy dziecko skarży ci się na ból, potraktuj to poważnie i daj mu do zrozumienia, że ty i cały zespół oddziału zrobicie wszystko, by mu jak najszybciej pomóc.

Inne rodzaje wsparcia dla ciebie i twojego dziecka

Twoje przygnębienie podczas pobytu dziecka w szpitalu jest reakcją naturalną i w pełni zrozumiałą. Niełatwo ci znieść rozstanie i świadomość, że oddałaś najdroższą ci istotę „na pastwę" obcych ludzi. Nic dziwnego, że hospitalizacja dziecka bywa wręcz gorszym przeżyciem dla rodziców niż dla niego samego. Personel szpitala zdaje sobie sprawę, że pacjenci i ich rodziny potrzebują niekiedy nie tylko wsparcia ze strony krewnych i przyjaciół, ale również dodatkowej, fachowej pomocy. Dlatego też w murach szpitala pracuje wielu profesjonalistów, którzy mogą udzielić ci takiej pomocy. Należą do nich pracownicy administracyjni i socjalni szpitala, rzecznicy praw pacjenta, doradcy i specjaliści w zakresie poszczególnych chorób. W szpitalach dziecięcych i na dużych oddziałach pediatrycznych pracują zwykle pedagodzy i terapeuci dziecięcy, organizujący małym pacjentom cenne zajęcia i zabawy grupowe. Terapia przez zabawę stwarza dziecku znakomitą okazję do wyrażenia jego uczuć i rozładowania napięć. Możesz wziąć również udział w takich seansach, by lepiej poznać, jak twoje dziecko radzi sobie z zaistniałą sytuacją.

„Głos doświadczenia"

„Podczas pobytu dziecka w szpitalu zadawaj jak najwięcej pytań, staraj się w pełni zrozumieć, jak jest leczone i dlaczego, i dokładnie informuj lekarzy i pielęgniarki o jego potrzebach. Musisz być wytrwałym rzecznikiem swojego dziecka i zrobić wszystko, by zajęto się nim w najlepszy z możliwych sposób".

– ZA: KIDSHEALTH PARENT SURVEY

Gdy czujesz się wyczerpana i przytłoczona szpitalną atmosferą, pamiętaj, że masz pełne prawo zrobić sobie krótką przerwę i „zaczerpnąć oddechu". Rodzice często czują się winni, wychodząc ze szpitala i zajmując czymkolwiek innym, podczas gdy ich dziecko leży chore. Nie jest to dobra postawa. Naprawdę nic się nie stanie, jeśli dziecko przez dwie godziny odpocznie w samotności czy posiedzi przy nim ktoś inny, a ty przynajmniej przejdziesz się po sklepach, czy może nawet obejrzysz nowy film w kinie. Musisz znaleźć sposoby, by poprawić sobie nastrój i nabrać sił, nie tylko dla ciebie samej, ale również dla dziecka. Minimum troski o siebie samą nie jest egoizmem; jest koniecznością.

Opieka nad dzieckiem leżącym w szpitalu jest bez wątpienia jedną z najcięższych prób dla rodziców. Pamiętaj, że odgrywasz ogromną rolę w jego walce z chorobą i powrocie do zdrowia dzięki nieustannej trosce i informowaniu się na bieżąco o jego stanie, a przede wszystkim dzięki czułej i kojącej obecności przy jego łóżku. Szpital jest zwykle miejscem wzbudzającym lęk i bolesnym doświadczeniem, jednak pobyt w nim może również wzmocnić więź między dzieckiem a rodzicami i rodziną przez ich wspólną pracę nad wyzdrowieniem.

Pomoc doraźna

Po czym poznać, że z dzieckiem dzieje się coś złego, że jego choroba wymaga pilnej interwencji? Mówiąc najprościej, tak zwany „przypadek nagły" lub „doraźny" oznacza stan, który bez natychmiastowego leczenia może zagrażać życiu chorego – a nawet jeśli nie bezpośrednio, to w każdym razie może prowadzić do poważnych powikłań, znacznego pogorszenia i większych cierpień. Odnosi się to oczywiście do wielu bardzo różnych chorób. Czasami rozpoznanie stanu nagłego jest oczywiste już na pierwszy rzut oka, często jednak wymaga to od rodziców czujności, rozsądku i elementarnej wiedzy. W tym rozdziale omówimy zasady pracy oddziału pomocy doraźnej i postaramy się pomóc ci w decyzji, czy twoje dziecko wymaga pilnej wizyty na takim oddziale.

Czym jest oddział pomocy doraźnej?

Oddział pomocy doraźnej jest wyodrębnioną częścią szpitala (lub stacji pogotowia ratunkowego), przeznaczoną do leczenia stanów nagłych i zagrażających życiu. Jego angielska nazwa emergency room – czyli dosłownie „sala" przypadków nagłych, nie oznacza oczywiście, że jest to jedno pomieszczenie. Wręcz przeciwnie, na oddział pomocy doraźnej składa się z reguły wiele sal, wieloosobowy personel, a także bogate i skomplikowane wyposażenie.

Kiedy dziecko kwalifikuje się na oddział pomocy doraźnej?

Poniżej podajemy listę stanów i objawów, które wskazują na konieczność pilnej interwencji. (Więcej szczegółów na temat tych stanów znajdziesz w rozdziale 28, „Pierwsza pomoc i leczenie ze wskazań nagłych").

• Zaburzenia oddychania. Wysiłek przy oddychaniu, zasinienie, trudności w złapaniu oddechu lub ból przy oddychaniu mogą pojawić się z wielu przyczyn, takich jak astma, zapalenie płuc, odma opłucnowa, nie wyrównana cukrzyca, złamanie żeber czy inne choroby wymagające pilnej diagnostyki i leczenia.

• Oparzenia w postaci pęcherzy lub zwęglenia (drugiego i trzeciego stopnia). Ich przyczyną mogą być wrzące ciecze, bezpośrednia ekspozycja na płomień, a także kontakt z substancjami chemicznymi lub rozpaloną powierzchnią.

• Zaburzenia świadomości lub przytomności, letarg. Oprócz urazów głowy zaburzenia świadomości bywają następstwem wielu stanów, takich jak infekcje, odwodnienie, udar cieplny, zatrucia, zaburzenia rytmu serca, upojenie alkoholem, narkotykami lub lekami, migrena, krwawienie do mózgu i szereg innych. Niezależnie od przyczyny każda zmiana stopnia świadomości dziecka wymaga natychmiastowej diagnostyki i leczenia.

• Odwodnienie (znaczna utrata płynów organizmu). Dzieci są bardziej podatne na odwodnienie niż dorośli: u niemowląt rozwija się ono w szybkim tempie w razie biegunki i/lub wymiotów, u starszych dzieci przyczyną może być przegrzanie pod wpływem intensywnego treningu sportowego, a także gorączka w połączeniu z niedostateczną podażą płynów. Odwodnienie objawia się suchością warg i języka, zapadniętymi oczami, brakiem łez, zmniejszonym oddawaniem moczu, a także zaburzeniami świadomości.

• Ugryzienie przez psa (bądź inne zwierzę lub człowieka). Rana po ugryzieniu musi być szybko oczyszczona, być może również zszyta, a ponadto dziecko może wymagać podania surowicy przeciwtężcowej, antybiotyków lub szczepionki przeciwko wściekliźnie.

• Gorączka w połączeniu z rozdrażnieniem. Gorączka (temperatura mierzona w odbytnicy powyżej 38°C) u niemowlęcia w pierwszych trzech miesiącach życia wymaga zawsze szybkiego obniżenia. U starszych niemowląt i dzieci gorączka sama w sobie nie musi oznaczać większego zagrożenia, szczególnie jeśli dziecko jest w pełni przytomne i w dobrym stanie ogólnym. Jeśli jednak gorączkujące dziecko robi wrażenie bardzo chorego, przyczyną może być poważna infekcja – na przykład zapalenie opon mózgowych – wymagająca szybkiej diagnostyki i leczenia.

• Uraz głowy z utratą (lub zaburzeniami) przytomności lub jakikolwiek uraz głowy, po którym kilkakrotnie pojawiają się wymioty. Ponieważ dzieci uderzają się w głowę bardzo często, musisz w tym przypadku wykazać się pewną dozą rozsądku, podejmując decyzję o wezwaniu pogotowia czy odwiezieniu dziecka na oddział pomocy doraźnej. Nawracające wymioty po urazie głowy są jednak objawem poważnym, nasuwającym podejrzenie wstrząsu mózgu lub wzrostu ciśnienia śródczaszkowego. Jeśli po uderzeniu w głowę dziecko kilka razy wymiotuje, skarży się na silne bóle głowy lub też dziwnie chodzi czy mówi, wymaga ono niezwłocznej pomocy lekarskiej.

- Rozcięcie skóry (skaleczenie). Wszystkie dzieci kaleczą się od czasu do czasu, a większość takich niewielkich ranek goi się samoistnie i bez śladu. Większe rozcięcie skóry, a zwłaszcza wyglądające na „poszarpane" i z silnym krwawieniem, może wymagać założenia kilku szwów.
- Zatrucie (przypadkowe połknięcie jakiejś substancji). Zabierz ze sobą opakowanie, tak aby lekarze od razu wiedzieli, jaki związek chemiczny lub lek wywołał zatrucie.
- Drgawki (konwulsje). Konieczność pilnej interwencji dotyczy zwłaszcza drgawek pojawiających się po raz pierwszy w życiu, a także drgawek z nieznanej przyczyny bez gorączki oraz przedłużających się napadów drgawkowych.
- Nasilone reakcje alergiczne (pokrzywka szybko rozprzestrzeniająca się po całym ciele, obrzęk twarzy), szczególnie w połączeniu z zaburzeniami oddychania.
- Sztywność karku i drażliwość. U dziecka, które nie może przygiąć głowy do klatki piersiowej i jest bardzo rozdrażnione, trzeba podejrzewać poważną chorobę zakaźną, jaką jest zapalenie opon mózgowo-rdzeniowych, wymagające natychmiastowej oceny i leczenia.
- Podejrzenie złamania kości. Nawet lekarz nie zawsze jest w stanie odróżnić złamania od lżejszego urazu, na przykład skręcenia, w związku z czym nie pozostaje ci nic innego, jak zawieźć dziecko na oddział pomocy doraźnej.

Czy najpierw dzwonić do lekarza, czy od razu jechać do szpitala?

Decyzja, czy najpierw zawiadomić lekarza dziecka, czy natychmiast jechać do szpitala, zależy od tego, za jak poważny uznasz stan dziecka. Jeśli nie jesteś pewna i uważasz, że masz chwilę czasu, zawsze warto skontaktować się z lekarzem i poprosić go o radę. Lekarz pomoże ci ocenić, czy rzeczywiście powinnaś zawieźć dziecko do szpitala, podpowie ci, jaki oddział pomocy doraźnej wybrać w zależności od twojego miejsca zamieszkania, rodzaju zaburzeń, a także, w pewnych przypadkach, możliwości włączenia lekarza pierwszego kontaktu w skład zespołu leczącego. Z drugiej strony, jeśli stan dziecka wydaje ci się zagrażający jego życiu, nie trać czasu na rozmowy i dzwoń od razu na pogotowie. Gdy karetka będzie już w drodze, ty lub ktoś z rodziny będzie mógł zawiadomić lekarza pierwszego kontaktu.

Jeśli porozumiesz się z lekarzem przed wyjazdem do szpitala, może on zadzwonić na oddział pomocy doraźnej, uprzedzić, że jesteś w drodze i udzielić cennych informacji o twoim dziecku. Zawsze dobrze jest pamiętać o zabraniu ze sobą dokumentacji medycznej dziecka, takiej jak np. karty wypisowe ze szpitala, wyniki testów uczuleniowych i innych badań oraz spis przyjmowanych przez nie leków.

Oddział pomocy doraźnej: najbliższy czy pediatryczny?

Masz do wyboru dwa rodzaje oddziałów pomocy doraźnej: ogólny, wchodzący w skład niemal wszystkich szpitali, oraz pediatryczny, specjalnie przystosowany do leczenia dzieci.

Personel tego ostatniego stanowią lekarze i pielęgniarki specjalnie wyszkoleni w doraźnym leczeniu niemowląt, dzieci i młodzieży. Lekarze są najczęściej pediatrami z dodatkową specjalizacją w intensywnej terapii krytycznie chorych i rannych dzieci.

Którą ewentualność powinnaś wybrać? Jeśli w twojej okolicy znajdują się oba rodzaje szpitali, tyle że dziecięcy jest bardziej oddalony, musisz zastanowić się, czy ogólny oddział pomocy doraźnej jest w stanie odpowiednio zająć się twoim dzieckiem. Czy pracują tam lekarze przeszkoleni w pediatrii, czy mają pod ręką przyrządy dostosowane do rozmiarów dziecka? (Niektóre na pewno tak, ale nie wszystkie). Musisz jednak wziąć pod uwagę, że nawet w razie powyższych trudności lekarz z ogólnym doświadczeniem w stanach nagłych udzieli twojemu dziecku pierwszej pomocy i zabezpieczy je na czas transportu do bardziej wyspecjalizowanego ośrodka.

W przypadku bezpośredniego zagrożenia życia (na przykład zadławienia), dziecko musi oczywiście znaleźć się w szpitalu najbliższym z możliwych. Wtedy liczy się każda minuta i nie wolno stracić jej na dłuższą drogę. Zależnie od stanu dziecka ratownicy i lekarze pogotowia ocenią, czy można podjąć ryzyko jazdy do szpitala dziecięcego. Niektóre karetki pogotowia są zobowiązane odwozić pacjentów do najbliższego oddziału pomocy doraźnej, co oczywiście przesądza sprawę.

Czekać na karetkę, czy jechać własnym samochodem?

Czy stan dziecka jest na tyle poważny, by wzywać pogotowie? Może się wydawać, że najszybciej odwieziesz dziecko do szpitala własnym samochodem. Rzeczywiście prawdopodobnie (ale niekoniecznie) znajdziesz się tam szybciej, niż gdybyś czekała na karetkę – pod warunkiem że będziesz w stanie skupić się na jeździe, a nie na twoim ciężko chorym dziecku. Jest jednak wiele ważnych powodów, by raczej wezwać pogotowie, niż siadać samej za kierownicą, z chorym dzieckiem na tylnym siedzeniu. Jego stan może pogorszyć się podczas jazdy, zwłaszcza w razie zaburzeń oddychania. Może płakać, niepokoić się lub nie nadawać do przypięcia pasami.

Karetka jest z reguły najlepszym rozwiązaniem, ponieważ jej fachowy personel i odpowiednie wyposażenie umożliwia ustabilizowanie stanu dziecka na czas transportu. W karetce można podać mu tlen czy udrożnić drogi oddechowe, zapewniając w miarę prawidłowe dotlenienie organizmu. Można wkłuć się do żyły, podłączyć kroplówkę, czy podać szereg ratujących życie leków. Karetką kieruje ponadto doświadczony kierowca, w pełni skoncentrowany na szybkim i bezpiecznym dotarciu do szpitala, podczas gdy inni członkowie zespołu zajmują się wyłącznie pacjentem.

Co dzieje się na oddziale pomocy doraźnej?

Po przybyciu na oddział pomocy doraźnej chore lub ranne dziecko przechodzi najpierw procedurę selekcji. Oznacza to wstępną ocenę jego stanu przez lekarza dyżurnego pod kątem powagi sytuacji. Służy to ustaleniu kolejności udzielania pomocy: najpierw otrzymują ją najciężej chorzy, w związku z czym pozostali muszą oczywiście dłużej czekać.

W tym czasie zakłada się dziecku kartę, rejestruje jego dane i informacje o ubezpieczeniu. Będziesz proszona o podpis wyrażający zgodę na leczenie dziecka w oddziale pomocy doraźnej. Następnie pozostaje już tylko czekać na wezwanie na izbę przyjęć.

Jeśli stan dziecka jest bardzo ciężki, trafi ono bezpośrednio na izbę przyjęć, gdzie natychmiast zjawi się lekarz. Lekarz oceni sytuację, zbierze od ciebie wywiad i zbada dziecko. Nie zapomnij powiedzieć mu o ewentualnych alergiach i innych problemach zdrowotnych dziecka ani o przyjmowanych przez nie lekach. Lekarz, który bada nowych pacjentów jako pierwszy, może być stażystą, jeśli oddział wchodzi w skład szpitala akademickiego. Następnie referuje on każdy przypadek starszemu lekarzowi (prowadzącemu), który zwykle ponownie bada dziecko. Czasami zdarza się, że na oddziale pomocy doraźnej dzieckiem opiekuje się jego stały lekarz-pediatra lub ktoś, kto go zastępuje. Lekarze oddziałowi mogą również kontaktować się z nim sami w celu uzyskania dodatkowych informacji o dziecku i przedstawienia mu swoich opinii i planów terapeutycznych. Wyjaśnią oni również tobie, jakie ustalili rozpoznanie i jak zamierzają je leczyć.

W najcięższych stanach zagrożenia życia wszystko to odbywa się bardzo szybko, a wstępne wywiady mogą ograniczać się do kilku słów. Niemal jednocześnie dziecku pobiera się krew do badania, wykonuje rentgen lub inne czynności diagnostyczne i podaje stosowne leki. Zależnie od sytuacji dziecko zostanie przyjęte do szpitala celem dalszej diagnostyki i leczenia, albo też będzie odesłane do domu. W tym ostatnim przypadku otrzymasz odpowiednie zalecenia wypisowe. Przez kilka dni dziecko pozostanie niewątpliwie pod ścisłą obserwacją swojego lekarza pierwszego kontaktu. W razie przyjęcia do szpitala lekarz dziecka zostanie o tym powiadomiony.

Czy możesz zostać z dzieckiem na oddziale pomocy doraźnej?

Niemal zawsze będzie ci wolno zostać z dzieckiem na oddziale, chyba że wymaga ono intensywnej terapii lub szczególnie skomplikowanych zabiegów. Możesz asystować przy badaniu, a jeśli dziecko będzie zatrzymane w szpitalu, możesz również pozostać na oddziale nawet na całą noc.

W wielu przypadkach zabiegi przeprowadza się łatwiej i szybciej, gdy rodzice opuszczą salę. Jeśli jednak bardzo chcesz pozostać obok, z reguły daje się to załatwić. Każdy oddział pomocy doraźnej ma własne zasady co do obecności rodziców podczas inwazyjnych badań czy zabiegów resuscytacji dziecka. Być może sama zechcesz wyjść, jeśli jesteś u kresu wytrzymałości psychicznej i boisz się, że dziecko wyczuje twoją rozpacz. Jeśli decydujesz się nie opuścić go nawet na krok, musisz skupić się na tym, by dodać mu otuchy, a unikać wszystkiego, co mogłoby pogłębić jego stres i przerażenie.

Kim są ci wszyscy ludzie?

Na oddziale pomocy doraźnej jest zwykle bardzo tłoczno. Możesz zobaczyć tam wielu lekarzy, pielęgniarki, sanitariuszy, ochotników, terapeutów, policjantów, duchownych i oczywiście rodziny pacjentów. W szpitalu akademickim dodatkowo będzie zapewne kręcić się wielu studentów i stażystów. Zależnie od pory dnia i stopnia wypełnienia oddziału pa-

Lekarz radzi

Halo, pogotowie?

Już kilkuletnie dziecko powinno nauczyć się numeru pogotowia ratunkowego, a także wiedzieć, jak posłużyć się telefonem w razie pilnej potrzeby.

cjentami bywa tam naprawdę ciasno. Widok tej masy zaaferowanych ludzi może działać stresująco, ale pamiętaj, że większość z nich jest tam po to, by w razie potrzeby ratować życie i zdrowie twojego dziecka.

Cóż to za dziwne rzeczy?

Oddział pomocy doraźnej jest wypełniony skomplikowaną aparaturą, przyrządami i materiałami, które muszą być pod ręką przy leczeniu pacjentów. Rzeczy te mogą onieśmielać i przerażać rodziców ciężko chorego dziecka. Należą do nich głośno pracujące monitory, pompy i zestawy infuzyjne, przyłóżkowe aparaty rentgenowskie, materiały chirurgiczne i opatrunkowe, fotele na kółkach, zestawy do reanimacji i całe mnóstwo innych narzędzi, płynów dożylnych i leków.

Badania wykonywane na oddziale pomocy doraźnej

Zlecone badania dodatkowe zależą od rodzaju choroby oraz wyników badania podmiotowego (wywiadu) i przedmiotowego dziecka. W szpitalach wykonuje się szeroką gamę badań laboratoryjnych: krwi (np. dla wykrycia zakażenia lub zaburzeń poziomu różnorodnych substancji biochemicznych), moczu, płynu mózgowo-rdzeniowego itp., a także posiewy mikrobiologiczne, zdjęcia rentgenowskie, tomografię komputerową, scyntygrafię, USG, rezonans magnetyczny i wiele innych. Rentgenogramy kości są zwykle zlecane w przypadku urazów, na przykład w następstwie upadku z wysokości. Tomografię komputerową wykonuje się często w przypadku urazów głowy. Jednak mimo ogromnych postępów w technikach diagnostycznych największą rolę ogrywa nadal dokładnie zebrany wywiad i dokładne badanie fizykalne. Badania dodatkowe (np. laboratoryjne) mają znaczenie pomocnicze i wykonuje się je głównie dla potwierdzenia lub wykluczenia wstępnego rozpoznania.

Co dzieje się w razie zatrzymania dziecka w szpitalu?

Decyzję o przyjęciu do szpitala podejmuje lekarz dyżurny oddziału pomocy doraźnej, jeśli uznaje to za konieczne. Następnie informuje on o hospitalizacji stałego lekarza dziecka. Lekarze ustalają między sobą, kto będzie opiekował się dzieckiem w czasie pobytu w szpitalu – może się zdarzyć, że będzie to właśnie lekarz pierwszego kontaktu, we współpracy z personelem oddziału.

Opieka nad dzieckiem po wyjściu ze szpitala

Kontrola poszpitalna zależy od okoliczności. W momencie wypisu musisz otrzymać odpowiednie zalecenia i wyjaśnienia od lekarzy opiekujących się dzieckiem na oddziale pomocy doraźnej. Zazwyczaj wskazany jest kontakt telefoniczny z lekarzem pierwszego kontaktu lub wizyta w jego gabinecie w ciągu pierwszych dwóch dni po wypisie.

Najlepsze, co możesz zrobić, to oczywiście dbać o zdrowie dziecka i unikać wizyt w oddziale pomocy doraźnej z powodów, którym daje się zapobiec, takim jak większość wypadków i urazów. Miej oczy szeroko otwarte i zawsze myśl przede wszystkim o bezpieczeństwie dziecka. (Więcej informacji na ten temat znajdziesz w rozdziale 2, „Przygotowanie domu i rodziny", oraz w rozdziale 24, „Bezpieczeństwo dziecka").

Jeśli potrzebujesz dodatkowych informacji, zasięgnij porady lekarza.

CZĘŚĆ V

Urazy i choroby dziecka

Rozdział 28

Pierwsza pomoc i postępowanie w stanach nagłych

Bądź gotowa(-y)

Spis treści rozdziału

Przygotowanie na nagłą sytuację – zanim się wydarzy, 450

Zabiegi ratujące życie, 452

Resuscytacja krążeniowo-oddechowa, 452

Zadławienie, 455

Częste urazy i stany nagłe, 460

Bóle brzucha, 460

Reakcje alergiczne i anafilaksja, 460

Ugryzienia i użądlenia, 461

Krwawienia zewnętrzne (skaleczenia i otarcia naskórka), 464

Krwawienia (krwotoki) wewnętrzne, 466

Zaburzenia oddychania, 466

Złamania kostne, zwichnięcia i skręcenia stawów, 468

Oparzenia, 470

Utonięcia, 471

Urazy ucha, 472

Porażenie prądem, 472

Urazy oka, 473

Omdlenie, 475

Urazy palców dłoni i stóp, 476

Odmrożenia, 477

Urazy głowy i szyi, 478

Przegrzanie (kurcze mięśniowe, wyczerpanie, udar cieplny), 479

Urazy jamy ustnej i zębów, 481

Urazy nosa, 482

Zatrucia, 483

Drgawki, 484

Uwięźnięcie drzazgi, 485

Połknięcie ciała obcego, 485

Utrata przytomności, 486

Jesteś z dzieckiem z wizytą u rodziny – w domu, gdzie nikt nie grzeszy nadmiarem dokładności i zamiłowaniem do porządku. Wychodzisz na chwilę po czystą pieluszkę i wracasz dokładnie w momencie, gdy twój 15-miesięczny, ciekawy świata synek wypada bez tchu z łazienki z otwartą buteleczką w ręce. Właśnie połknął nakrętkę, zaczyna się dławić i błyskawicznie sinieje.

Twoja córeczka uwielbia akrobacje. Patrzysz z przerażeniem, jak wisząc nogami na górnej poręczy trzepaka przymierza się do efektownego salta. Jej ręka ześlizguje się jednak z dolnej poręczy. Efekt: niekontrolowane lądowanie buzią na ziemi, z rozciętym nosem i wargą. Krew leje się dookoła.

Wychodzisz z kuchni, bo ktoś dzwoni do drzwi i słyszysz za sobą rozdzierający krzyk. Gdy wbiegasz z powrotem do kuchni, widzisz swojego czterolatka przy prodiżu, a na jego dłoni właśnie rośnie wielki bąbel oparzeniowy.

Mimo wszelkich naszych starań i uwagi wypadki zdarzają się i będą zdarzać. Corocznie dochodzi do ponad pięciu milionów urazów i zatruć u dzieci poniżej 12. roku życia. W rzeczywistości te nieszczęśliwe wypadki stanowią u dzieci główną przyczynę zgonów. A ponad jedna czwarta wszystkich zgłoszonych przypadków zatruć dotyczy dzieci w wieku nie przekraczającym sześciu lat.

Z całą pewnością nie ma lepszego sposobu na zachowanie dziecka w dobrym zdrowiu niż zapobieganie wypadkom jeszcze zanim się wydarzą. Masz wiele możliwości, by zredukować do minimum potencjalne zagrożenia, od przestrzegania jazdy dziecka samochodem we właściwie zapiętych pasach do zabezpieczeń w mieszkaniu i nauki rozróżniania, co jest bezpieczne, a co nie. (Więcej ogólnych informacji na temat bezpieczeństwa znajdziesz w rozdziale 24, „Bezpieczeństwo dziecka", a dodatkowo na temat fotelików samochodowych w rozdziale 2, „Przygotowanie domu i rodziny").

Ten rozdział ma na celu pomóc ci w przygotowaniach „na wszelki wypadek", jeszcze zanim wydarzy się coś złego, a także dostarczyć wskazówek na temat postępowania – krok po kroku – przy udzielaniu pierwszej pomocy w razie stanów nagłych i najczęstszych urazów, jakie mogą przytrafić się twojemu dziecku.

Przygotowanie na nagłą sytuację – zanim się wydarzy

Czy pamiętasz dewizę skautów „Bądź gotowy"? Nigdy nie pasuje ona do twojej sytuacji tak idealnie jak wtedy, gdy w twoim życiu pojawia się małe dziecko. A oto lista rzeczy, które powinnaś zawsze mieć pod ręką:

1. Apteczka pierwszej pomocy: jedna w domu, druga w samochodzie, i nie zapominaj o zabieraniu jej w jakąkolwiek podróż. Regularnie sprawdzaj jej zawartość i wymieniaj przeterminowane leki. W apteczce powinny znaleźć się następujące rzeczy:
   - Podręcznik pierwszej pomocy,
   - Rolka jałowego bandażu i jałowe gaziki,
   - Jałowe rękawiczki,
   - Przylepiec,

- Plastry samoprzylepne z opatrunkiem,
- Bandaż elastyczny,
- Temblak,
- Opakowanie waty,
- Nożyczki,
- Kleszczyki,
- Termometr,
- Jednorazowe zimne zawijanie,
- Chusteczki antyseptyczne,
- Maść z antybiotykiem,
- Mydło,
- Acetaminofen (paracetamol) w wersji dla niemowląt lub dzieci na wypadek gorączki i bólu (nie należy używać w tym celu preparatów dla dorosłych),
- Tabletki i roztwór difenhydraminy (Benadryl) dla dzieci (na wypadek reakcji alergicznych),
- Koc,
- Ipekakuana lub inny emetyk (dla wywołania wymiotów).

2. Numery telefonów ratunkowych. Ich pełna lista powinna wisieć przy każdym aparacie telefonicznym w domu. Najważniejsze powinnaś również wprowadzić do pamięci twojego telefonu komórkowego i jako „numery szybkiego wybierania" w głównym domowym aparacie. Chodzi tu o takie instytucje i kontakty, jak:
- Pogotowie ratunkowe: 999 lub numer lokalnej stacji,
- Straż pożarna,
- Policja,
- Karetki,
- Lekarze,
- Ośrodek leczenia zatruć,
- Oddział pomocy doraźnej najbliższego szpitala,
- Zakład pracy rodziców, włącznie z telefonami komórkowymi, pagerami itp.,
- Opiekunka dziecka,
- Apteka najbliższa i całodobowa,
- Sąsiedzi,
- Lokalny wydział zdrowia publicznego.

Najwcześniej, jak tylko będzie to możliwe, naucz dziecko następujących rzeczy:
- Jak wybrać numer 999 i czemu to służy,
- Jego własnego imienia i nazwiska oraz numeru telefonu (z czasem powinno również nauczyć się na pamięć swojego adresu),
- Nazwiska rodziców lub opiekunów,
- Numeru telefonu do kogoś z rodziny lub sąsiada, w razie gdyby nie było cię w domu.

3. Dokumentacja medyczna. Przygotuj kartotekę dziecka (jak i każdego członka rodziny), a w niej informacje o jego chorobach przewlekłych, takich jak np. astma, o przyjmowanych na stałe lekach, ewentualnych alergiach na leki czy pokarmy, kartę szczepień ochronnych, dane lekarza pierwszego kontaktu i opiekujących się dzieckiem specjalistów, karty z poprzednich pobytów w szpitalu, informację o przebytych zabiegach chirurgicznych i ważniejszych urazach. Pamiętaj o bieżącym aktualizowaniu tej dokumentacji.

4. Karta czy książeczka ubezpieczenia rodzinnego oraz – jeśli nimi dysponujesz – osobna karta lub książeczka ubezpieczeniowa dziecka. Przechowuj je w domu w dostępnym miejscu i zabieraj ze sobą w każdą podróż. Każdy system ubezpieczeniowy ma własne wymagania co do czasu zgłoszenia np. wizyty w oddziale pomocy doraźnej, które musisz pamiętać i uwzględniać. (Więcej informacji na ten temat znajdziesz w rozdziale 27, „System opieki zdrowotnej nad dziećmi").

5. Informacje dla opiekunki. Niezależnie od tego, czy wychodzisz na cały dzień do pracy, czy wieczorem w gości, osoba opiekująca się w tym czasie twoim dzieckiem musi wiedzieć, jak natychmiast się z tobą skontaktować. Powinna również umieć znaleźć apteczkę pierwszej pomocy, dokumentację medyczną dziecka i numery, pod które ma zadzwonić w nagłej sytuacji.

Zabiegi ratujące życie

Resuscytacja krążeniowo-oddechowa

Resuscytacja krążeniowo-oddechowa (oznaczana w anglojęzycznym piśmiennictwie skrótem CPR [*cardiopulmonary resuscitation*]), zwana również – nieściśle – „reanimacją" lub „sztucznym oddychaniem", jest postępowaniem w przypadku zatrzymania oddechu i/lub akcji serca. Natychmiastowe wykonanie zabiegu może uratować ludzkie życie i znajduje zastosowanie we wszystkich krytycznych sytuacjach, takich jak utonięcie, zatrucie, uduszenie, uraz głowy, zadławienie, stany nieprzytomności oraz wszelkich innych, zagrażających ustaniem czynności życiowych serca i płuc.

Niżej podane zasady resuscytacji opierają się na wytycznych Amerykańskiego Towarzystwa Kardiologicznego (AHA, *American Heart Association*), przytaczanych na elementarnych kursach ratowniczych. Kursy obejmują szkolenia zarówno w resuscytacji, jak i postępowanie w razie zadławienia (patrz dalej w tym rozdziale). Trzeba jednak pamiętać, że poznanie tych sposobów za pośrednictwem naszej książki czy jakiejkolwiek innej nie może w żadnym wypadku zastąpić potwierdzonego dyplomem uczestnictwa w kursie. Podajemy zasady postępowania w stanach bezpośredniego zagrożenia życia po to, by osoby nie przeszkolone mogły sobie wyrobić pewien pogląd na ich temat i aby zachęcić je do praktycznej nauki, a już przeszkolonych do odświeżenia tych umiejętności.

Podkreśla się, że rodzice i wszyscy ludzie zajmujący się dziećmi powinni ukończyć kursy ratownicze. Jest to szczególnie ważne dla posiadaczy basenów i mieszkańców terenów położonych nad wodą. Aby dowiedzieć się o najbliższym – w znaczeniu czasowym i miejscowym – kursie, skontaktuj się z oddziałem Czerwonego Krzyża lub dowolnym szpitalem w twojej okolicy.

Jeśli twoje dziecko przestało oddychać, a w pobliżu jest jeszcze druga osoba, to ona powinna zadzwonić po pomoc, podczas gdy ty będziesz oceniać potrzebę resuscytacji. Jeśli jesteś zupełnie sama, krzyknij najgłośniej jak potrafisz „Na pomoc!" i niezwłocznie przystąp do oceny, czy dziecko wymaga resuscytacji.

A oto kolejne etapy postępowania:

Etap 1: Ocena sytuacji. Musisz jak najszybciej ocenić stan dziecka. Po pierwsze, określ stopień przytomności, wołając je głośno po imieniu, klepiąc po ramieniu czy potrząsając. Uznaj dziecko za nieprzytomne, jeśli nie odpowiada na trzy kolejne, szybkie próby wybudzenia. Następnie sprawdź jego oddech metodą „patrz, słuchaj i czuj": szukaj wzrokiem ruchów klatki piersiowej, po czym przyłóż ucho bezpośrednio do ust dziecka i staraj się usłyszeć lub wyczuć jego oddech. Jeśli dziecko oddycha, upewnij się, że pomoc jest w drodze. Jeśli dziecko jest nieprzytomne i nie oddycha, rozpocznij resuscytację, przechodząc do etapu 2. Jeśli w tym czasie nikt nie zjawił się na twój krzyk, prowadź resuscytację przez jedną minutę, następnie przerwij ją, by zadzwonić pod 999, po czym natychmiast wróć i wznów zabiegi.

Etap 2: Ułożenie. Jeśli dziecko nie oddycha, ułóż je na plecach na twardej, płaskiej powierzchni. W razie podejrzenia urazu głowy lub szyi zrób to szczególnie ostrożnie, bez przyginania karku dziecka (patrz „Urazy głowy i szyi" w dalszej części tego rozdziału). Delikatnie ułóż je na plecach, podtrzymując jego głowę i szyję tak, by stanowiły jedną nieruchomą całość. Uklęknij twarzą na wprost dziecka z boku, na poziomie jego klatki piersiowej.

Etap 3: Udrożnienie dróg oddechowych. Jeśli nie widzisz niczego, co wskazywałoby na uraz głowy lub szyi, udrożnij drogi oddechowe dziecka, odchylając jego głowę lekko do tyłu, tak aby nos uniósł się do góry i do tyłu (jak przy wąchaniu). Jeśli podejrzewasz uraz szyi, udrożnij drogi oddechowe, delikatnie wysuwając dolną szczękę dziecka do przodu, bez odginania ani poruszania głowy. W niektórych przypadkach samo udrożnienie dróg oddechowych umożliwia dziecku samodzielne złapanie oddechu. Ponownie posłuż się wzrokiem, słuchem i czuciem, aby ocenić, czy tak się nie stało. Jeśli dziecko nadal nie oddycha, zajrzyj mu głęboko do gardła w poszukiwaniu ewentualnej przyczyny niedrożności, na przykład kęsa pokarmu czy przedmiotu blokującego drogi oddechowe. Jeśli dostrzeżesz coś podobnego, postępuj według wskazówek podanych niżej w podrozdziale „Zadławienie".

Etap 4: Oddychanie. Jeśli dziecko nadal nie oddycha, mimo że drogi oddechowe wydają się drożne, rozpocznij oddychanie usta-usta. Najpierw zaczerpnij głęboko tchu. W przypadku niemowlęcia obejmij ustami jego nos i usta, możliwie jak najszczelniej i jak najciaśniej (rycina 28.1a). W przypadku dziecka rocznego lub starszego zaciśnij jego nos kciukiem i palcem wskazującym ręki położonej na jego czole (rycina 28.2a). Przyłóż usta do otwartych ust dziecka, tak aby objąć je ciasnym

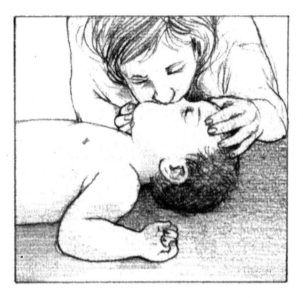

28.1a. Sztuczne oddychanie. Lekko odchyl głowę dziecka do tyłu i ciasno obejmij wargami jego nos i usta. Wykonaj dwa powolne, spokojne wydechy, unoszące klatkę piersiową dziecka. Uważaj, by nie dmuchać w jego usta ze zbyt dużą siłą.

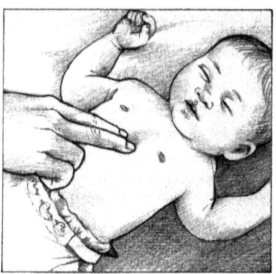

28.1b. Masaż serca. Połóż drugi i trzeci palec na mostku dziecka, na wysokości tuż poniżej linii sutków. Uciskaj mostek na głębokość od 1,25 do 2,5 cm w rytmie około 80–100 razy na minutę, uważając, by nie robić tego zbyt silnie.

Ryciny 28.1a-b. Resuscytacja niemowlęcia.

pierścieniem. Daj mu dwa „życiodajne oddechy" – powolne, głębokie, unoszące klatkę piersiową. Między jednym a drugim oddechem pozwól jego płucom całkowicie opróżnić się z powietrza. Robiąc sztuczne oddychanie niemowlęciu, staraj się nie wydychać powietrza do jego ust zbyt silnie, bo może to być niebezpieczne. Jeśli powietrze wydaje się nie docierać do klatki piersiowej dziecka (brak ruchów), oznacza to, że jego drogi oddechowe są nadal zablokowane i musisz powtórzyć etap 3.

Lekarz radzi

Nie zapomnij „abecadła"

Pożytecznym sposobem zapamiętania etapów resuscytacji jest ułożenie ich w ciąg alfabetyczny – wychodząc od pierwszych liter oznaczających te etapy słów. Reguła ABC (i dalszych liter, ale te dotyczą już działań fachowego zespołu reanimacyjnego) została opracowana w języku angielskim, ale używa się jej na całym świecie. I tak, istota resuscytacji sprowadza się do sprawdzenia – i w razie potrzeby zapewnienia – A: drożności górnych dróg oddechowych (Airway), B: oddychania (Breathing) i C: krążenia krwi (Circulation). Rozpocznij resuscytację, jeśli dziecko nie oddycha.

Etap 5: Krążenie. Po wykonaniu dwóch pierwszych oddechów sprawdź oznaki krążenia krwi, do których należy oddychanie, kaszel lub ruch w odpowiedzi na bodziec. Jeśli nie stwierdzasz żadnego z tych objawów, przystąp do masażu serca (etap 6).

Etap 6: Masaż serca. Musisz przyjąć, że serce przestało pracować i rozpocząć masaż serca – w postaci ucisku klatki piersiowej – aby podtrzymać dopływ krwi do najważniejszych dla życia narządów. Masaż serca u niemowlęcia wykonuje się dwoma palcami, ułożonymi na mostku o jedną szerokość palca poniżej linii łączącej brodawki sutkowe (rycina 28.1b). Uciskaj mostek na głębokość 1,25–2,5 cm w tempie około 100 razy na minutę. Staraj się nie wywierać zbyt dużej siły na klatkę piersiową niemowlęcia. U dziecka starszego masaż wykonuje się jedną dłonią, opartą podstawą na jednej trzeciej dolnej mostka (rycina 28.2b). Siła ucisku powinna przesuwać mostek o 2,5–3,75 cm w głąb w tempie 80–100 razy na minutę. Po każdych pięciu uciskach wykonuj jeden oddech zastępczy, w sposób opisany przy etapie 4. Kontynuuj postępowanie aż do pojawienia się pierwszych oznak powrotu samoistnego krążenia krwi (patrz etap 5) lub nadejścia fachowej pomocy.

Zadławienie

Zadławienie jest zagrażającym życiu stanem nagłym, do którego dochodzi wtedy, gdy jakieś ciało obce – często kawałek pokarmu – zablokuje drogi oddechowe, uniemożliwiając dopływ powietrza do płuc. Dławiące się dziecko nie jest w stanie oddychać, mówić ani wydawać normalnych dźwięków, a jego twarz z różowej szybko przybiera barwę siną.

Zadławienie wymaga natychmiastowej interwencji. W krytycznej sytuacji ktoś z otoczenia musi zadzwonić pod 999, podczas gdy ty (lub inna przeszkolona w pierwszej pomocy osoba) będziesz wykonywać niżej opisane zabiegi.

Dziecko dławi się i kaszle, ale może oddychać i mówić. Taki obraz sytuacji wskazuje, że górne drogi oddechowe nie są całkowicie zablokowane i najprawdopodobniej dziecku uda się oczyścić je własnymi siłami. Naturalnym odruchem usuwającym ciało obce z dróg

28.2a. Sztuczne oddychanie. Lekko odchyl głowę dziecka do tyłu i ciasno obejmij wargami jego usta, zatykając palcami nos. Wykonaj dwa powolne, spokojne wydechy, unoszące klatkę piersiową dziecka.

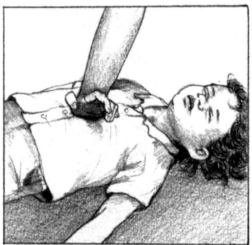

28.2b. Masaż serca. Połóż nasadę jednej dłoni na dolnej jednej trzeciej mostka dziecka i uciskaj go na głębokość 2,5–3,75 cm w rytmie około 80–100 razy na minutę.

Ryciny 28.2a–b. Resuscytacja małego dziecka.

oddechowych jest właśnie kaszel. Dlatego też pozwól dziecku wykasłać się aż do skutku, nie próbując zabiegów, które mogłyby wręcz pogorszyć sytuację. Nie podejmuj zwłaszcza prób usuwania ciała obcego palcami, co grozi wepchnięciem go głębiej do gardła i całkowitym zablokowaniem dróg oddechowych.

Dziecko (poniżej roku) jest przytomne, ale nie może złapać tchu i zaczyna sinieć. Ta sytuacja wymaga zastosowania zmodyfikowanego chwytu Heimlicha, którego celem jest usunięcie ciała obcego blokującego drogi oddechowe niemowlęcia (rycina 28.3). Ponieważ narządy tak małego dziecka są delikatne, musisz postępować ostrożnie. Nie używaj chwytu Heimlicha zalecanego u starszych dzieci i dorosłych (opisanego poniżej), postępuj za to według wytycznych co do oklepywania pleców i ucisku klatki piersiowej. Kolejne etapy postępowania wyglądają następująco:

Etap 1: Ułożenie. Połóż sobie dziecko na przedramieniu, z głową i twarzą do dołu i ustabilizowaną szyją. Podtrzymuj przedramię mocno całym ciałem. W przypadku większego i cięższego niemowlęcia możesz położyć je i mocno trzymać na twoim udzie, z głową opuszczoną poniżej tułowia.

Etap 2: Oklepywanie pleców. Czterokrotnie klepnij dziecko nasadą dłoni między łopatkami (patrz rycina 28.3), dostosowując siłę uderzenia do jego wieku i wielkości.

Etap 3: Uciskanie klatki piersiowej. Jeśli niemowlę nadal nie może odetchnąć, przekręć je na plecy na twardym podłożu i cztery razy z rzędu szybko uciśnij jego mostek dwoma palcami. Dostosuj siłę ucisku do wielkości dziecka.

Etap 4: Usuwanie ciała obcego. Jeśli dziecko nadal nie oddycha, spróbuj udrożnić jego drogi oddechowe ruchami przechylania głowy/unoszenia żuchwy. Połóż jedną rękę na czole dziecka, a jeden lub dwa palce (ale nie kciuk) drugiej ręki pod jego żuchwą. Delikatnie odchyl główkę do tyłu do pozycji pośredniej, wywierając ucisk obiema rękami – na czoło i pod brodą. W tej pozycji otwórz usta dziecka jak najszerzej i zajrzyj mu głęboko do gardła. **Nie** próbuj usunąć ciała obcego, którego nie widzisz. Dopiero jeśli je dostrzeżesz, włóż palec do gardła dziecka i staraj się raczej „wymieść" czy „wydłubać" przeszkodę, niż próbować ją uchwycić.

Etap 5: Resuscytacja usta-usta (oddech zastępczy). Jeśli niemowlę nadal nie podejmuje samodzielnego oddychania, może to świadczyć albo o utrzymującej się niedrożności dróg oddechowych, albo o potrzebie sztucznego dotlenienia. W ułożeniu dziecka jak w etapie 4 wykonaj następujące czynności:

A. Weź głęboki oddech.

B. Obejmij ustami nos i usta dziecka najciaśniej jak potrafisz.

C. Wdychaj powietrze do jego ust możliwie spokojnie i powoli i obserwuj, czy powoduje to uniesienie się jego klatki piersiowej.

D. Jeśli klatka piersiowa dziecka *nie unosi się*, ułóż głowę dziecka ponownie jak w etapie 4 i spróbuj powtórzyć „oddech zastępczy".

E. Jeśli i to nie pomoże, natychmiast powtórz etapy od 1 do 4.

F. Jeśli powietrze *wchodzi* do dróg oddechowych dziecka i widzisz ruch jego klatki piersiowej, unieś głowę między oddechami i sprawdź wzrokiem i słuchem, czy następuje wydech. Kontynuuj sztuczne oddychanie aż do nadejścia pomocy.

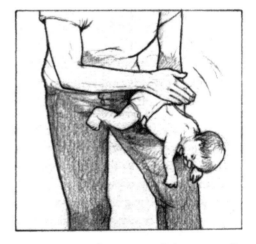

Rycina 28.3. Chwyt Heimlicha w wersji dla niemowląt. Połóż dziecko twarzą do dołu na swoim przedramieniu, podtrzymując dłonią jego głowę. Nasadą drugiej dłoni cztery razy pod rząd uderz je w plecy między łopatkami.

Dziecko (ponadroczne) dławi się, nie może złapać tchu ani mówić i sinieje na twarzy. Ta sytuacja wymaga zastosowania chwytu Heimlicha przeznaczonego dla starszych dzieci i dorosłych (ryciny 28.4a–b).

Etap 1: Ułożenie. Małe dziecko należy położyć na plecach. Uklęknij, jeśli leży na podłodze, albo stań, jeśli leży na stole, u jego stóp. U starszego, większego dziecka można wykonać chwyt Heimlicha w pozycji stojącej, siedzącej lub leżącej.

Etap 2: Punkty orientacyjne. Połóż nasadę dłoni w linii pośrodkowej ciała dziecka, w połowie wysokości między pępkiem a łukami żebrowymi klatki piersiowej. Drugą rękę ułóż na pierwszej.

28.4a. Chwyt Heimlicha – dziecko w pozycji pionowej. Stań lub uklęknij za dzieckiem i od tyłu obejmij je w pasie. Ułóż dłoń od strony kciuka pośrodku brzucha dziecka, tuż powyżej pępka, a drugą rękę zaciśnij na pierwszej. Wykonaj cztery szybkie, zdecydowane uciski brzucha w kierunku ku górze.

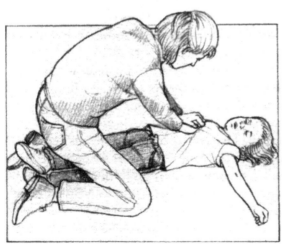

28.4b. Chwyt Heimlicha – dziecko leżące na plecach. Uklęknij przy dziecku i ułóż nasadę jednej dłoni w linii pośrodkowej jego ciała, powyżej pępka i poniżej łuków żebrowych. Drugą dłonią przykryj pierwszą. Wykonaj cztery szybkie, zdecydowane uciski brzucha skierowane ku górze.

Ryciny 28.4a–b. Chwyt Heimlicha.

Etap 3: Uciskanie brzucha. Cztery razy z rzędu szybko uciśnij brzuch dziecka w kierunku w głąb i do góry. Im mniejsze dziecko, tym bardziej uważaj na siłę ucisku.

Etap 4: Usuwanie ciała obcego. Jeśli uciski brzucha nie powodują wyrzucenia ciała obcego z dróg oddechowych dziecka, spróbuj udrożnić je – w pozycji leżącej – ruchami przechylania głowy/unoszenia żuchwy. Połóż jedną rękę na czole dziecka, a jeden lub dwa palce (ale nie kciuk) drugiej ręki pod jego żuchwą. Delikatnie odchyl główkę do tyłu do pozycji pośredniej, wywierając ucisk obiema rękami – na czoło i pod brodą. W tej pozycji otwórz usta dziecka jak najszerzej i zajrzyj mu głęboko do gardła w poszukiwaniu ciała obcego. Jeśli je dostrzeżesz, włóż palec do gardła dziecka i staraj się „wydłubać" przeszkodę na zewnątrz. (Jeśli nie widzisz ciała obcego, manipulacje palcem na ślepo mogą wepchnąć je głębiej). Nie staraj się uchwycić i wyciągnąć ciała obcego.

Etap 5: Resuscytacja usta-usta (oddech zastępczy). Jeśli dziecko nadal nie zaczyna samo oddychać, może to świadczyć albo o utrzymującej się niedrożności dróg oddechowych, albo o potrzebie sztucznego dotlenienia. W ułożeniu dziecka jak w etapie 4 wykonaj następujące czynności:

A. Weź głęboki oddech.

B. Obejmij ustami nos i usta dziecka najciaśniej jak potrafisz.

C. Wdychaj powietrze do jego ust możliwie spokojnie i powoli i obserwuj, czy powoduje to uniesienie jego klatki piersiowej.

D. Jeśli klatka piersiowa dziecka *nie unosi się* (nie wchodzi do niej powietrze), ułóż głowę dziecka ponownie jak w etapie 4 i spróbuj powtórzyć oddech zastępczy.

E. Jeśli i to nie pomoże, natychmiast powtórz etapy od 1 do 4.

F. Jeśli powietrze *wchodzi* do dróg oddechowych dziecka i widzisz ruch jego klatki piersiowej, unieś głowę między oddechami i sprawdź wzrokiem i słuchem, czy następuje wydech. Kontynuuj sztuczne oddychanie aż do nadejścia pomocy.

Dziecko po udławieniu się traci przytomność i nie oddycha. W tej sytuacji musisz natychmiast rozpocząć resuscytację krążeniowo-oddechową (patrz odpowiedni akapit w tym rozdziale), nie próbując – czy nie ponawiając prób – zastosowania wyżej opisanego chwytu Heimlicha. Zgodnie z niedawnymi zmianami w zaleceniach Amerykańskiego Towarzystwa Kardiologicznego na temat podstawowych zabiegów ratujących życie ucisk klatki piersiowej podczas masażu serca powinien być na tyle silny, by mógł jednocześnie spowodować „wyciśnięcie" ciała obcego z dróg oddechowych. W przerwach między wykonywanymi przez ciebie sztucznymi oddechami usta dziecka powinny być szeroko otwarte, tak abyś mogła zaglądać do gardła w poszukiwaniu ciała obcego i ewentualnie próbować usunąć je palcem (ruchem „wymiatania" i tylko wtedy, gdy jest widoczne).

Jeśli po epizodzie zachłyśnięcia u dziecka utrzymuje się kaszel, nadmierne ślinienie, odruchy wymiotne, świszczący oddech lub trudności w połykaniu czy oddychaniu, może to świadczyć o utrzymującej się częściowej blokadzie dróg oddechowych. W każdym przypadku poważniejszego zadławienia, wymagającego wyżej opisanych manewrów, niezwłocznie zawieź dziecko na oddział pomocy doraźnej czy wezwij pogotowie.

Częste urazy i stany nagłe

Dzieciństwo stanowi okres, w którym prawdopodobieństwo urazów i wystąpienie stanów nagłych jest szczególnie wysokie. Ta część książki jest poświęcona najczęstszym i najpoważniejszym sytuacjom, w jakich może znaleźć się twoje dziecko, wraz z zasadami postępowania w każdej z nich. Musisz oczywiście pamiętać, że są to tylko podstawowe wskazówki, które w żadnym wypadku nie mogą zastąpić pilnej pomocy lekarskiej.

Bóle brzucha

Bóle brzucha należą do najczęstszych skarg zgłaszanych przez dzieci i z reguły nie wskazują na poważną chorobę. Ich najbardziej typową przyczyną jest wirusowe zapalenie żołądkowo-jelitowe (zwane „rozstrojem", „nieżytem" lub „katarem" żołądka). Czasami jednak bóle brzucha są objawem groźnych chorób, wymagających ścisłej obserwacji czy wręcz interwencji chirurgicznej. Rozróżnienie między „łagodnym" a „poważnym" bólem brzucha bywa trudne (więcej informacji na ten temat znajdziesz w rozdziale 29, „Dolegliwości i objawy"). Pomocna może być ogólna zasada: jeśli ból trwa krócej niż godzinę i nie jest bardzo nasilony, z reguły nie kryje się za nim nic poważnego. Jeśli natomiast ból pojawia się łącznie z którymś z podanych niżej objawów lub okoliczności, powinnaś szybko skontaktować się z lekarzem lub zawieźć dziecko na oddział pomocy doraźnej. A oto przykłady:

- Niemowlę zdradza objawy nawracających epizodów silnego bólu brzucha, wyrażających się niepokojem i podciąganiem kolan do klatki piersiowej, z podsypianiem między napadami. Oddaje jednocześnie czerwono podbarwiony, galaretowaty stolec lub też stolec nie pojawia się od dłuższego czasu. (Taki zespół objawów przemawia za wgłobieniem jelit, stanem wymagającym natychmiastowej interwencji chirurgicznej i zdarzającym się najczęściej w wieku od 8 do 18 miesięcy).
- Ból umiejscowiony początkowo w okolicy pępka przemieszcza się do prawego dołu biodrowego, towarzyszy mu brak apetytu, wymioty i ewentualnie niewielki wzrost temperatury. (Taki obraz nasuwa podejrzenie zapalenia wyrostka robaczkowego, występującego najczęściej u dzieci od 6 do 14 lat, aczkolwiek możliwy jest w każdym wieku, włącznie z niemowlęcym).
- Bólom brzucha towarzyszą wymioty treścią zielonkawobrązową (z domieszką żółci), krwistą lub przypominającą „fusy od kawy".
- Dziecko przebyło niedawno operację brzuszną lub zabieg endoskopii.
- Brzuch wydaje się obrzmiały i jest twardy lub bardzo tkliwy na dotyk.
- Wyczuwasz twardy guz czy guzek w pachwinie lub w dole brzucha.
- Bólom brzucha towarzyszą trudności w oddychaniu lub ból czy pieczenie przy oddawaniu moczu, albo też istnieje podejrzenie urazu brzucha, np. po upadku z roweru, nadzianiu się na jego kierownicę czy w następstwie wypadku samochodowego (zwłaszcza jeśli widać sińce czy wybroczyny na skórze).

Reakcje alergiczne i anafilaksja

Reakcje alergiczne są wynikiem nasilonej odpowiedzi układu immunologicznego na alergeny – substancje, którymi mogą być jady niektórych owadów (os, pszczół), produkty spożywcze (np. orzechy, owoce morza, jaja) lub związki chemiczne (w tym leki – antybiotyki, np. penicylina, czy sulfonamidy).

W większości przypadków reakcje alergiczne u dzieci przebiegają łagodnie i nie zagrażają życiu, jednak z kilkoma ważnymi wyjątkami. I tak, niebezpieczne są reakcje prowadzące do obrzęku górnych dróg oddechowych, co może utrudnić lub uniemożliwić oddychanie, a także masywne, szybko narastające reakcje całego organizmu, określane jako anafilaksja, które bez natychmiastowej interwencji mogą zakończyć się wstrząsem, czyli stanem bezpośredniego zagrożenia życia dziecka.

Co robić

Szybko dzwoń po pogotowie, jeśli zauważysz szybkie nasilanie się oznak anafilaksji lub ciężkiej reakcji alergicznej, czyli następujące objawy:
- Trudności w połykaniu (często zaczynające się uczuciem „drapania w gardle"),
- Obrzęk języka,
- Trudności w oddychaniu, głośny, świszczący oddech lub tzw. stridor (wysoki, piskliwy dźwięk przy każdym wdechu);
- Zmieniony głos lub afonię (niezdolność do wydania głosu),
- Zawroty głowy, omdlenie, utratę przytomności,
- Intensywny świąd, pokrzywkę lub narastające obrzęki na całym ciele,
- Kurczowe bóle brzucha, nudności, wymioty;
- Niepokój czy wręcz oznaki śmiertelnego przerażenia dziecka.

W oczekiwaniu na fachową pomoc, wykonaj następujące czynności:
- Sprawdź wcześniej omówione „ABC": drożność dróg oddechowych (*Airway*), oddychanie (*Breathing*) i krążenie (*Circulation*). W razie potrzeby natychmiast podejmij resuscytację (patrz wyżej w tym rozdziale).
- Jeśli twoje dziecko z racji wcześniejszych reakcji alergicznych ma przepisane odpowiednie leki pierwszej pomocy

(np. adrenalinę czy hydrokortyzon do wstrzyknięć), podaj je natychmiast.
- Jeśli to możliwe, przerwij działanie alergenu na dziecko. Jeśli jest nim jakakolwiek substancja wziewna, przenieś dziecko na świeże powietrze lub w miejsce dobrze wywietrzone.
- Zapewnij dziecku wygodną pozycję. Jeśli z powodu obrzęku górnych dróg oddechowych woli siedzieć pochylone do przodu i z uniesioną głową (jak przy wąchaniu), pozwól mu na to i **nie** zmuszaj do zmiany pozycji (np. na leżącą).

Ugryzienia i użądlenia
Ugryzienia przez zwierzęta (lub człowieka)

Ugryzienia zwierząt, najczęściej psów i kotów, prowadzą do skaleczenia (przecięcia naskórka) i krwawienia (patrz dalej, „Krwawienie zewnętrzne") i mogą wymagać pomocy medycznej. Niosą one również ryzyko poważnych infekcji, do jakich należy zapalenie skóry i tkanki podskórnej wokół rany (*cellulitis*), wścieklizna (do większości przypadków dochodzi przez ugryzienia dzikich zwierząt – nietoperzy, szopów, skunksów i lisów) oraz tężec. Zakażenie jest jeszcze bardziej prawdopodobne, jeśli sprawcą ugryzienia jest człowiek, w związku z czym jeśli tylko dojdzie wówczas do przerwania ciągłości skóry, należy niezwłocznie zgłosić się do lekarza.

Co robić

- Jeśli krwawienie nie jest duże, przede wszystkim oczyść ranę. Przemyj ją mydłem i wodą bieżącą przez 5–10 minut. **Nie** stosuj środków antyseptycznych ani jakichkolwiek maści czy kremów.
- Opanuj krwawienie przez bezpośredni ucisk czystym kawałkiem materiału czy lepiej jałowym gazikiem przez 5 minut. Unieś zranioną część ciała *powyżej* poziomu serca

(patrz akapit „Krwawienie zewnętrzne"
w dalszej części tego rozdziału).
• Wezwij lekarza lub zgłoś się na pogotowie.
Dziecko może wymagać dokładniejszego
oczyszczenia rany, a niewykluczone, że
i założenia szwów (zwłaszcza w przypadku
rany twarzy), podania surowicy
przeciwtężcowej, antybiotyków lub
ewentualnie postępowania zapobiegającego
wściekliźnie. Jeśli rana znajduje się na dłoni
lub szyi albo jeśli doszło do ugryzienia
przez człowieka, ryzyko zakażenia jest
szczególnie duże.
• Jeśli podejrzewasz, że zwierzę mogło być
wściekłe, zawiadom miejscowy wydział
zdrowia i policję. Zwierzę wymaga
schwytania i obserwacji. Zawsze staraj się
odszukać właściciela psa czy kota, nawet
jeśli ryzyko wścieklizny wydaje się znikome.
• Sprawdź, kiedy dziecko było po raz ostatni
szczepione przeciwko tężcowi, a najlepiej
zabierz ze sobą na pogotowie całą aktualną
kartę szczepień.

Użądlenia przez owady

Użądlenia owadów (najczęściej takich jak pszczo-
ły, osy, szerszenie i mrówki) są zwykle bardziej
bolesne i stresujące dla dziecka niż rzeczywiście
niebezpieczne. Mogą one jednak stać się groźnym dla życia stanem nagłym w razie masywnej
reakcji alergicznej, a zwłaszcza jej najpoważ-
niejszej, uogólnionej postaci, jaką jest anafilaksja (patrz wyżej).

Niektóre owady (na przykład komary) mogą
przenosić zakażenia. Użądlenie przez komara objawia się niewielkim czerwonym bąblem, często z ja-
śniejszym lub białawym punktem centralnym. Nie
jest ono groźne, ale może powodować nieznośny
świąd. Ulgę przynosi wówczas zimny okład, choćby ze zmoczonej chusteczki. Dbaj, by dziecko miało krótko obcięte, czyste paznokcie i staraj się powstrzymać je od drapania, ponieważ rozdrapana
ranka po użądleniu może ulec zakażeniu.

Co robić

Jeśli reakcja dziecka na użądlenie wydaje ci się
poważna, nie zwlekaj z wezwaniem pogotowia.
Obserwuj, czy nie pojawiają się objawy anafilaksji lub nasilonej reakcji alergicznej, takie jak:
• Trudności w połykaniu (często zaczynające
się uczuciem „drapania w gardle");
• Obrzęk języka;
• Trudności w oddychaniu, głośny, świszczący
oddech lub tzw. stridor (wysoki, piskliwy
dźwięk przy każdym wdechu);
• Zmieniony głos lub afonia
(niezdolność do wydania głosu);
• Zawroty głowy, omdlenie, utrata
przytomności;
• Intensywny świąd, pokrzywka lub
narastające obrzęki na całym ciele;
• Kurczowe bóle brzucha, nudności lub
wymioty;
• Niepokój czy wręcz oznaki śmiertelnego
przerażenia dziecka.

W oczekiwaniu na fachową pomoc wykonaj
następujące czynności:
• Sprawdź wcześniej omówione „ABC":
drożność dróg oddechowych (*Airway*),
oddychanie (*Breathing*) i krążenie
(*Circulation*). W razie potrzeby natychmiast
podejmij resuscytację (patrz wyżej w tym
rozdziale).
• Jeśli twoje dziecko z racji wcześniejszych
reakcji alergicznych ma przepisane
odpowiednie leki pierwszej pomocy
(np. adrenalinę czy hydrokortyzon do
wstrzyknięć), podaj je natychmiast.
• Zapewnij dziecku wygodną pozycję. Jeśli
z powodu obrzęku górnych dróg
oddechowych woli siedzieć pochylone do
przodu i z uniesioną głową (jak przy
wąchaniu), pozwól mu na to i **nie** zmuszaj
do zmiany pozycji (np. na leżącą). Staraj się
za wszelką cenę zachować spokój i dodać
dziecku otuchy.

Jeśli reakcja na użądlenie nie wydaje się aż tak dramatyczna, zrób rzeczy następujące:

- Wezwij lekarza lub zawieź dziecko na pogotowie, jeśli dziecko przebyło wcześniej epizody alergii na użądlenia owadów.
- Dokładnie obejrzyj miejsce użądlenia. Jeśli żądło tkwi nadal w skórze, usuń je ostrożnie i bez uciskania (bo możesz wówczas wycisnąć w skórę pozostałą w nim porcję jadu). Staraj się wydrapać je paznokciem, tępą stroną noża czy plastikową kartą. **Nie** odkładaj tej „operacji", gdyż dawka jadu, jaka przedostanie się do organizmu dziecka zależy od czasu przebywania żądła w skórze.
- Obmyj miejsce użądlenia wodą i mydłem.
- Zrób dziecku okład z kawałka lodu owiniętego czystą chusteczką.
- W razie opuchlizny w miejscu użądlenia podaj dziecku doustnie lek przeciwhistaminowy (np. difenhydraminę z twojej apteczki pierwszej pomocy). Jeśli dziecko nie ma jeszcze roku, zasięgnij wcześniej porady lekarza.
- Nie stosuj „domowych" sposobów walki z opuchlizną, w rodzaju smarowania masłem czy błotem, które mogą przynieść więcej szkody niż pożytku.

Ukąszenia pająków

W Ameryce Północnej żyją dwa gatunki pająków – czarna wdowa i samotnica – których ukąszenie może wywołać u człowieka groźne dla życia reakcje. Samica czarnej wdowy wydziela potencjalnie śmiertelny jad, niebezpieczny zwłaszcza dla małych dzieci. Wkrótce po ukąszeniu pod działaniem jadu nagle pojawiają się następujące objawy: silny ból miejscowy, nudności, wymioty, dreszcze, kurcze mięśniowe w różnych okolicach ciała, bóle głowy, mrowienie i drętwienie oraz trudności w oddychaniu. Istnieje antidotum na jad czarnej wdowy, w związku z czym najważniejsze, co można zrobić w razie podejrzenia kontaktu z tym złośli-

wrogim pająkiem, to jak najszybciej uzyskać fachową pomoc.

Jad samotnicy może spowodować ciężkie uszkodzenie tkanek (martwicę) w miejscu ukąszenia, rozwijające się zwykle w ciągu kilku godzin – od początkowego zaczerwienienia przez obrzęk, pęcherze i owrzodzenia skóry. Jeszcze groźniejsze jest ogólnoustrojowe działanie jadu, a zwłaszcza ryzyko uszkodzenia nerek (z krwiomoczem), które może ujawnić się w ciągu kilku dni.

Co robić

Jeśli podejrzewasz, że dziecko zostało ugryzione przez czarną wdowę lub samotnicę, natychmiast szukaj pomocy lekarskiej: dzwoń po pogotowie lub zawieź dziecko do najbliższego szpitala.

W oczekiwaniu na fachową pomoc wykonaj następujące czynności:

- Sprawdź wcześniej omówione „ABC": drożność dróg oddechowych (*Airway*), oddychanie (*Breathing*) i krążenie (*Circulation*). W razie potrzeby natychmiast podejmij resuscytację (patrz wyżej w tym rozdziale).
- Zapewnij dziecku taką pozycję, by miejsce ukąszenia znajdowało się poniżej poziomu serca.
- Dopiero po uzyskaniu telefonicznych instrukcji od lekarza czy pielęgniarki załóż opaskę uciskową kilka centymetrów powyżej miejsca ukąszenia, aby opóźnić przedostanie się jadu do krwiobiegu. Opaska nie może przylegać zbyt ściśle, musi być na tyle luźna, aby dało się wsunąć pod nią dwa palce.
- Zrób dziecku okład z kawałka lodu owiniętego czystą chusteczką.
- **Nie** nacinaj miejsca ukąszenia w nadziei, że uda ci się tym sposobem wycisnąć jad ze skóry.
- Jeśli udało ci się złapać pająka – żywego lub martwego – zabierz go ze sobą na oddział pomocy doraźnej.

Ukąszenia kleszczy

Niektóre gatunki kleszczy mogą przenosić choroby zakaźne, takie jak choroba z Lyme (borelioza) czy gorączka Gór Skalistych. W przypadku znalezienia kleszcza w skórze dziecka staraj się natychmiast go usunąć, ponieważ ryzyko zarażenia się przenoszoną przezeń chorobą rośnie wraz z czasem jego kontaktu ze skórą.

Co robić

- Usuń kleszcza jak najszybciej, ale ostrożnie. Nie próbuj go wydusić. Użyj za to pęsetki lub kleszczyków, aby uchwycić go za głowę jak najbliżej skóry i wyciągnąć w linii prostej powolnym, jednostajnym ruchem. Staraj się wyciągnąć kleszcza w całości, bo po rozkawałkowaniu może to być znacznie trudniejsze.
- Włóż kleszcza do słoika i zalej spirytusem salicylowym dla późniejszej identyfikacji.
- Przemyj miejsce ukąszenia środkiem antyseptycznym, alkoholem do nacierania lub wodą i mydłem.
- Skontaktuj się telefonicznie z lekarzem, aby omówić kwestię ewentualnych badań dodatkowych czy leczenia dziecka. Jeśli to możliwe, pokaż mu upolowanego kleszcza. Lekarz może zalecić badania krwi pod kątem ewentualnej boreliozy lub innej choroby przenoszonej przez kleszcze. (Badania te wykonuje się często w jakiś czas po ugryzieniu, ponieważ bezpośrednio po nim wyniki są zwykle ujemne). Nie zapomnij zapytać o objawy, na jakie w musisz zwracać uwagę. (Patrz też „Choroba z Lyme" w rozdziale 30, „Choroby zakaźne wieku dziecięcego").
- Natychmiast zgłoś się do lekarza, jeśli w ciągu następnych kilku dni lub tygodni po ugryzieniu przez kleszcza u dziecka pojawią się objawy wskazujące na gorączkę Gór Skalistych (chorobę niebezpieczną,

a nawet zagrażającą życiu), takie jak wysoka gorączka z bólami głowy, nudności i wymioty, wysypka rozpoczynająca się od czerwonawych plamek w okolicach nadgarstków i kostek, przechodząca na dłonie i podeszwy, a następnie na resztę ciała, a także obrzęki dłoni, stóp i okolicy oczu.

Krwawienia zewnętrzne (skaleczenia i otarcia naskórka)

Wiele mniejszych i większych urazów przebiega z krwawieniem wskutek przecięcia skóry (skaleczenia) lub otarcia naskórka (zadrapania). Niewielkie krwawienie można zatrzymać, stosując wyżej opisaną technikę bezpośredniego ucisku. Obfitsze i poważniejsze krwawienie jest następstwem uszkodzenia tętnicy lub głębokiej rany. W razie podejrzenia krwawienia z tętnicy (z tryskającą, jasnoczerwoną krwią) lub też ogólnie ciężkiego urazu, ktoś z otoczenia musi zająć się dzwonieniem pod 999, podczas gdy nie możesz odstąpić dziecka, próbując opanować krwawienie bezpośrednim uciskiem lub uciskiem punktów tętniczych (opisanych poniżej).

Co robić najpierw

- Sprawdź wcześniej omówione „ABC": drożność dróg oddechowych (*Airway*), oddychanie (*Breathing*) i krążenie (*Circulation*). W razie potrzeby natychmiast podejmij resuscytację (patrz wyżej w tym rozdziale).
- Zastosuj ucisk bezpośredni lub ucisk punktów tętniczych (w razie masywnego krwawienia) według niżej podanych wskazówek.
- Zwracaj uwagę na oznaki rozwijającego się wstrząsu (słabe, szybkie tętno; lepka, zimna skóra; utrudnione oddychanie; podsypianie; osłabienie reakcji na bodźce). Jeśli zauważysz te objawy, unieś nogi dziecka

na 20–30 cm do góry i staraj się zapewnić mu ciepło i maksymalny komfort.

Jak tamować krwawienie bezpośrednim uciskiem

1. Umyj ręce wodą i mydłem, a jeśli to możliwe, załóż sterylne rękawiczki.
2. Przyłóż gruby kompres z jałowej gazy lub czystego kawałka materiału i mocno uciśnij go dłonią. Jeśli to możliwe, unieś krwawiącą część ciała powyżej poziomu serca. **Nie** zakładaj opaski uciskowej.
3. Utrzymuj niezmienną siłę ucisku dłonią przez 5 minut. W tym czasie **nie** odrywaj dłoni od rany dla sprawdzenia, jak wygląda. Jeśli krew przesiąka przez kompres, **nie** usuwaj go i nie zastępuj nowym. Dodaj więcej gazy na wierzch, ani na chwilę nie przerywając ucisku.
4. Jeśli po pięciu minutach udało ci się opanować krwawienie, umocuj opatrunek, owijając go elastycznym bandażem czy innym rozciągliwym materiałem (w ostateczności pończochą czy krawatem). Nie zapomnij sprawdzić tętna powyżej miejsca opatrunku, aby upewnić się, że krążenie krwi nie zostało zachowane.
5. Zadzwoń na pogotowie lub zawieź dziecko na oddział pomocy doraźnej, jeśli zachodzi któraś z poniższych okoliczności:
   - Dziecko zdradza objawy wstrząsu (bladość; zimna, lepka skóra; słabe, szybkie tętno; trudności w oddychaniu; podsypianie, „przelewanie się przez ręce").
   - Podejrzewasz krwawienie z tętnicy (krew nadal przesącza się przez opatrunek).
   - Nie jesteś w stanie opanować krwawienia po pięciu minutach bezpośredniego ucisku.

Pomocy lekarskiej należy poszukiwać również wtedy, gdy:
- Rana jest w jakikolwiek sposób zanieczyszczona.
- Przypuszczasz, że dziecko może wymagać surowicy przeciwtężcowej.
- W ranie tkwi ciało obce.
- Skaleczenie dotyczy twarzy, głowy lub szyi.
- Rana jest głęboka, ziejąca i najprawdopodobniej wymaga założenia szwów.

W każdym przypadku rany skóry musisz obserwować ją przez kilka kolejnych dni, by nie przegapić oznak zakażenia, takich jak zaczerwienienie, obrzęk, ropienie, bolesność czy gorączka. Jeśli zauważysz takie objawy, zgłoś się z dzieckiem do lekarza.

Jak stosować ucisk punktów tętniczych

W razie masywnego krwawienia (którego nie dało się zatrzymać uciskiem bezpośrednim) po ułożeniu zranionej części ciała powyżej poziomu serca musisz najpierw wezwać pomoc. Następnie, czekając aż nadejdzie, spróbuj opanować krwawienie przez lokalizację i ucisk tak zwanych punktów ciśnienia tętniczego (przez cały czas kontynuując ucisk bezpośredni i pozycję rany powyżej serca). Technika ta służy zwolnieniu dopływu krwi do rany dzięki dociśnięciu najbliższej większej tętnicy do podłoża kostnego.

- Jeśli zranione jest ramię, odpowiedni punkt uciskowy znajduje się w połowie odległości między pachą a łokciem, po wewnętrznej stronie ramienia (spróbuj w tym momencie zlokalizować go na sobie – powinnaś wyczuć pulsowanie tętnicy ramiennej).
- Jeśli rana dotyczy kończyny dolnej, punkt uciskowy znajduje się w pachwinie (wymacaj na sobie silne tętno na obu tętnicach udowych).
- W przypadku rany twarzy, głowy lub tułowia pozostaje ci tylko jej ucisk bezpośredni.

Zwracaj uwagę na oznaki rozwijającego się wstrząsu (słabe, szybkie tętno; lepka, zimna skóra; utrudnione oddychanie). Jeśli zauważysz te objawy, unieś nogi dziecka na 20–30 cm do góry i staraj się zapewnić mu ciepło i maksymalny komfort. Wezwij natychmiastową pomoc.

Krwawienia (krwotoki) wewnętrzne

Krwawienie wewnętrzne nie jest zwykle tak oczywiste jak zewnętrzne, niemniej jednak stanowi poważny nagły stan. Dzieci mogą stracić znaczną ilość krwi w następstwie urazu dotyczącego szczególnie trzech okolic ciała: klatki piersiowej, brzucha lub uda. Należy zwracać baczną uwagę na ewentualne oznaki urazu lub krwotoku wewnętrznego w każdym przypadku poważnego uderzenia – np. ciosu w brzuch, wypadku samochodowego lub rowerowego czy przygniecenia ciała.

Musisz podejrzewać krwawienie wewnętrzne, jeśli zauważysz oznaki szybkiej utraty krwi (takie jak bladość, szybkie i słabe tętno, zimna, lepka skóra, zawroty głowy, osłabienie), krwawienia do jamy brzusznej (brzuch wzdęty lub napięty, krwiste lub „fusowate” wymioty, czarny stolec, krwiomocz), do płuc (trudności w oddychaniu, odkrztuszanie krwi) lub do tkanek uda (zasinienie i obrzęk, zwłaszcza w okolicy położonej najbliżej ziemi).

Co robić

- Natychmiast wezwij pogotowie lub zawieź dziecko do szpitala, jeśli doznało ono poważnego urazu i stwierdzasz którykolwiek z wyżej wymienionych objawów krwawienia wewnętrznego.
- Sprawdź wcześniej omówione „ABC”: drożność dróg oddechowych (Airway), oddychanie (Breathing) i krążenie (Circulation). W razie potrzeby natychmiast podejmij resuscytację (patrz wyżej w tym rozdziale).
- Jeśli zauważysz objawy szybkiej utraty krwi, połóż dziecko z nogami uniesionym na 20–30 cm do góry i staraj się zapewnić mu ciepło i maksymalny komfort w oczekiwaniu na pomoc.
- **Nie** podawaj dziecku niczego do jedzenia ani do picia.

Zaburzenia oddychania

Zaburzenia oddychania u dzieci zdarzają się stosunkowo często i zwykle nie mają poważnego podłoża chorobowego. Istnieje jednak szereg stanów prowadzących do ostrej niewydolności oddechowej, która wymaga pilnej pomocy lekarskiej. Stany te są opisane poniżej lub w innych rozdziałach tej książki. Należy do nich astma oskrzelowa, reakcje alergiczne, zadławienie, krup, zapalenie oskrzelików (bronchiolitis), zapalenie płuc oraz zaburzenia oddychania w następstwie zagrażających życiu urazów, takich jak krwawienia (patrz wyżej) lub zatrucia (patrz odpowiedni akapit w tym rozdziale).

Jak rozpoznać poważne zaburzenia oddychania

Niezależnie od przyczyny – znanej lub nieznanej – musisz natychmiast wezwać pogotowie lub zawieźć dziecko do szpitala, jeśli stwierdzisz u niego następujące objawy ciężkich zaburzeń oddechowych:

- Oddech rzężący lub chrapliwy albo rozszerzanie się skrzydełek nosa przy każdym wdechu;
- Sine zabarwienie warg i paznokci;
- Szybki rytm oddychania;
- Zaciąganie klatki piersiowej przy każdym oddechu (świadczące o uruchomieniu pomocniczych mięśni oddechowych – obserwuj, czy nie ma „zasysania” powyżej obojczyków i w przestrzeniach międzyżebrowych albo czy dziecko (a zwłaszcza niemowlę) nie „oddycha brzuchem” z wybrzuszeniem przestrzeni tuż poniżej łuków żebrowych);
- Senność (letarg, osłabienie reakcji na bodźce);
- Splątanie lub pobudzenie.

Bezdech

Bezdech (*apnea*) oznacza zatrzymanie oddechu na 15 sekund lub dłużej. Największe ryzyko tych zaburzeń dotyczy niemowląt, a zwłaszcza noworodków, w tym przedwcześnie urodzonych. Epizody bezdechu są najbardziej prawdopodobne podczas infekcji dróg oddechowych (jak np. zapalenie oskrzelików), przy współistniejącym refluksie żołądkowo-przełykowym (zarzucaniu treści pokarmowej z żołądka do przełyku), a także w przebiegu zatruć, urazów układu nerwowego lub niektórych innych chorób. Czasami przyczyny nie udaje się jednoznacznie ustalić.

Co robić

- Jeśli u dziecka wystąpił bezdech, ale aktualnie normalnie oddycha, natychmiast dzwoń po pogotowie albo zabierz je do szpitala. **Nie** czekaj na kolejny bezdech.
- Sprawdź wcześniej omówione „ABC": drożność dróg oddechowych (*Airway*), oddychanie (*Breathing*) i krążenie (*Circulation*). W razie potrzeby natychmiast podejmij resuscytację (patrz wyżej w tym rozdziale).

Krup

Krupowe zapalenie krtani, nazywane powszechnie krupem, charakteryzuje się szczególnie brzmiącym kaszlem, który przypomina szczekanie psa (lub foki). Najczęstszą przyczyną jest zakażenie wirusowe górnych dróg oddechowych, aczkolwiek możliwe jest również podłoże alergiczne lub infekcja bakteryjna. Choroba dotyczy głównie dzieci poniżej trzech lat, występuje zwykle w porze jesienno-zimowej, a do pogorszenia stanu dochodzi typowo wieczorem, kiedy dziecko kładzie się spać.

Co robić

- Dzwoń po pogotowie lub zawieź dziecko do szpitala, jeśli zauważysz objawy poważnych zaburzeń oddychania

(patrz str. 513) lub niedrożności górnych dróg oddechowych w postaci ślinienia się i stridoru (charakterystycznego, wysokiego dźwięku przy każdym wdechu).

- Zapewnij dziecku oddychanie dobrze nawilżonym powietrzem z nawilżacza albo zabierz je do łazienki i posadź nad wanną, do której będziesz la, strumieniem gorącą wodę, aby wytworzyć dużo pary. Możesz również owinąć dziecko i wynieść je na balkon lub przed dom na zimne powietrze.
- Staraj się uspokoić i pocieszyć przerażone dziecko.
- Jeśli trudności w oddychaniu utrzymują się dłużej niż 15 minut lub nasilają się, wezwij pilnie lekarza lub zawieź dziecko do szpitala.

Choroby dolnych dróg oddechowych: astma, zapalenie oskrzelików i zapalenie płuc

Astma, zapalenie oskrzelików (*bronchiolitis*) i zapalenie płuc (*pneumonia*) to trzy przykłady chorób dolnego odcinka układu oddechowego – czyli drzewa oskrzelowego poniżej tchawicy oraz miąższu płucnego. Zapalenia oskrzelików i oskrzeli występują najczęściej z przyczyn infekcyjnych.

Astma oskrzelowa jest częstą chorobą przewlekłą, dotyczącą dzieci w różnym wieku i charakteryzującą się nadmierną pobudliwością oskrzeli. W przypadku narażenia dziecka na czynnik wywołujący, na przykład dym papierosowy, alergen, zimne powietrze, bądź też pod wpływem wcześniejszego przeziębienia czy innej infekcji układu oddechowego, może dojść do napadu astmatycznego, podczas którego następuje skurcz i zwężenie oskrzeli (tzw. bronchospazm). Objawia się to głośnymi świstami przy wydechu i zaburzeniami oddychania, które mogą nawet zagrażać życiu. Więcej informacji na temat astmy znajdziesz w rozdziale 32, „Problemy zdrowotne okresu wczesnego dzieciństwa".

Zapalenie oskrzelików występuje najczęściej u niemowląt i małych dzieci w miesiącach zimowych. Głównym czynnikiem etiologicznym są wirusy, zwłaszcza tzw. syncytialny wirus oddechowy (RSV – *respiratory syncytial virus*). Choroba zaczyna się od typowych objawów przeziębienia (jak niewielka gorączka, katar, zatkany nos), po czym obejmuje oskrzeliki (drobne gałązki drzewa oskrzelowego w obrębie płuc). Zwężenie zmienionych zapalnie oskrzelików i ich zaczopowanie wydzieliną prowadzi do charakterystycznych świstów i pisków podczas wydechu, słyszalnych nawet gołym uchem, oraz do zaburzeń oddychania.

Zapalenie płuc dotyczy samej tkanki płucnej i jest najczęściej wywołane przez wirusy lub bakterie. Chore dzieci mają również zaburzenia oddychania, z towarzyszącą gorączką, kaszlem i niekiedy bólami brzucha. Jeśli podejrzewasz zapalenie płuc, dziecko musi być pilnie zbadane przez lekarza.

Co robić

- Jeśli zauważysz objawy poważnych zaburzeń oddychania (patrz str. 513), zawieź dziecko do szpitala lub wezwij pogotowie.
- Jeśli dziecko ma niewielkie trudności w oddychaniu albo jeśli podejrzewasz zapalenie płuc czy oskrzelików, wezwij lekarza lub zawieź dziecko na oddział pomocy doraźnej.
- Jeśli dziecko cierpi na astmę i podejrzewasz zaczynający się napad, natychmiast podaj leki zalecone w takich sytuacjach przez lekarza. W razie braku poprawy zadzwoń do lekarza po dalsze instrukcje albo zawieź dziecko do szpitala.

Złamania kostne, zwichnięcia i skręcenia stawów

Każde złamanie kości wymaga opieki lekarskiej. Musisz je podejrzewać, jeśli podczas urazu słyszalny był trzask, jeśli dziecko nie może stanąć na nodze albo poruszyć daną okolicą bez widocznego bólu, jeśli miejsce urazu wydaje się zniekształcone albo jest opuchnięte i bardzo bolesne na dotyk. Czasami można przeoczyć mniejsze złamanie i zwrócić na nie uwagę dopiero po kilku dniach, jeśli dziecko skarży się na ciągły ból określonej okolicy ciała, która wcześniej doznała urazu.

Zwichnięcie nie oznacza uszkodzenia samej kości, a za to jej przemieszczenie – zmianę typowego ustawienia w stawie. Zwichnięcia bywają następstwem silnego naciągnięcia czy wybicia główki jednej kości poza panewkę drugiej. U dzieci poniżej sześciu lat bardzo często zdarzają się urazy podobnego typu, zwane nadwichnięciami lub podwichnięciami. Dochodzi do nich głównie w stawie łokciowym w wyniku silnego szarpania dziecka za rękę. Dzieci z tak zwanym „łokciem niańki" wydają się nie odczuwać bólu w spoczynku, jednak wyraźnie oszczędzają chorą rękę i trzymają ją blisko przy tułowiu. Nadwichnięcie nie wymaga założenia szyny i może być leczone w pogotowiu czy w gabinecie lekarza pierwszego kontaktu.

Skręcenie w danym stawie oznacza naciągnięcie lub naderwanie więzadeł, utrzymujących kości w stałym położeniu względem siebie. Uraz tego rodzaju wywołuje zwykle ból i obrzęk, a nieraz również zasinienie wokół stawu.

Co robić

W razie podejrzenia złamania kości wykonaj następujące czynności:

- Jeśli dziecko doznało urazu szyi lub pleców, **nie** zmieniaj mu pozycji z wyjątkiem sytuacji bezpośredniego zagrożenia. Każdy ruch może spowodować dramatyczne w skutkach uszkodzenie rdzenia kręgowego. Natychmiast wezwij karetkę. Jeśli musisz dziecko przenieść, zacznij od całkowitego unieruchomienia jego szyi i pleców. Poruszaj głową i szyją wyłącznie tak, jakby stanowiły jedną nieruchomą całość i utrzymuj je w linii kręgosłupa.
- Jeśli doszło do złamania otwartego, to znaczy z przebiciem kości przez skórę,

i rana silnie krwawi, uciśnij miejsce krwawienia, przykrywszy je uprzednio kompresem z gazy albo czystym kawałkiem materiału. **Nie** obmywaj rany ani nie staraj się wepchnąć pod skórę sterczącej kości czy jej fragmentu. Jeśli musisz przenieść dziecko z powodu bezpośredniego zagrożenia, obłóż zranioną kończynę szynami, aby zapobiec dalszym uszkodzeniom. Pozostaw ją w pozycji, w jakiej znalazła się po urazie. Szyny (czy inne usztywnienie) muszą być założone właśnie w tym ustawieniu.

- **Nie** podawaj dziecku czegokolwiek do jedzenia lub do picia, ponieważ tego rodzaju urazy wymagają często zabiegów czy wręcz operacji w znieczuleniu ogólnym. Na kilka godzin przedtem dziecko musi mieć zatem pusty żołądek.

Prowizoryczną „szynę" można wykonać z różnych dostępnych pod ręką rzeczy – kawałka drewna, trzonka szczotki, pliku gazet zwiniętego w kształcie litery „U" czy czegokolwiek, co jest twarde i sztywne i nadaje się do wyłożenia czymś miękkim (poduszką, częścią ubrania itp.). Szyna musi być dostatecznie długa, by przekraczać granice stawów powyżej i poniżej złamania. Ułóż na ranie zimny okład albo woreczek z lodem owinięty kawałkiem materiału. Zamiast kostek lodu możesz z powodzeniem użyć do tego torebki mrożonych warzyw z zamrażalnika. Trzymaj dziecko w pozycji leżącej aż do nadejścia fachowej pomocy.

Jeśli podejrzewasz skręcenie kończyny, wykonaj następujące czynności:

- Jeśli dziecko doznało urazu szyi lub pleców, **nie** zmieniaj mu pozycji z wyjątkiem sytuacji bezpośredniego zagrożenia. Każdy ruch może spowodować dramatyczne w skutkach uszkodzenie rdzenia kręgowego. Natychmiast wezwij karetkę. Jeśli musisz dziecko przenieść, zacznij od całkowitego unieruchomienia

jego szyi i pleców. Poruszaj głową i szyją wyłącznie tak, jakby stanowiły jedną nieruchomą całość i utrzymuj je w linii kręgosłupa.

- Często trudno jest (nawet lekarzowi) rozstrzygnąć, czy doszło do skręcenia, czy do złamania. W razie jakichkolwiek wątpliwości zgłoś się do najbliższego szpitala lub na pogotowie, gdzie zostaną wykonane zdjęcia rentgenowskie.

- Zasady pierwszej pomocy w przypadku skręcenia w stawie układają się w angielski akronim RICE i polegają na zapewnieniu dziecku odpoczynku (*rest*), okładu z lodu (*ice*), opatrunku uciskowego (*compression*) i pozycji z uniesioną kończyną (*elevation*):
  - Odpoczynek. **Nie** należy wykonywać ruchów w uszkodzonym stawie.
  - Lód. Przez pierwsze dwa dni co kilka godzin przykładaj w miejscu skręcenia woreczek z lodem czy zimny okład na 10–15 minut dla ograniczenia obrzęku.
  - Ucisk. Przez pierwsze dwa dni dziecko powinno nosić elastyczny bandaż wokół stawu, zapobiegający obrzękowi.
  - Uniesienie. Utrzymuj uszkodzony staw powyżej poziomu serca, również w celu ograniczenia obrzęku.

- Przez co najmniej 24 pierwsze godziny nie eksponuj skręconego stawu na ciepło w jakiejkolwiek formie. Rozgrzanie nasila ból i obrzęk. Lekarz może zalecić podawanie dziecku środków przeciwbólowych, takich jak dostępny bez recepty paracetamol czy ibuprofen.

- Natychmiast skontaktuj się z lekarzem, jeśli zauważysz zdrętwienie, zblednięcie czy zasinienie obszaru poniżej miejsca urazu albo jeśli środki przeciwbólowe nie przynoszą dziecku wyraźnej ulgi.

Oparzenia

Niemowlęta i małe dzieci oparzają się najczęściej gorącymi płynami, przede wszystkim rozlanym pokarmem czy zbyt gorącą wodą w kąpieli. Dzieci ulegają oparzeniom łatwiej niż dorośli, ponieważ ich skóra jest „cienka" i delikatna. Do innych częstych rodzajów oparzeń u dzieci należą oparzenia słoneczne, chemiczne, termiczne, oparzenia od zajmującego się ogniem ubrania albo w następstwie bezpośredniego kontaktu z rozgrzanym przedmiotem (piecykiem, płytą kuchenną itp.). Ponieważ oparzenia zdarzają się bardzo często, a właściwie udzielona pierwsza pomoc może zminimalizować ich następstwa, tym ważniejsza jest dokładna znajomość zasad postępowania w poszczególnych typach oparzeń. W razie rozległego oparzenia pierwszego stopnia i w **każdym** przypadku oparzenia drugiego lub trzeciego stopnia dziecko wymaga natychmiastowego badania i pomocy w oddziale pomocy doraźnej.

Oparzenia klasyfikuje się w trzystopniowej skali, zależnie od głębokości uszkodzenia tkanek:

- Oparzenia pierwszego stopnia ograniczają się do powierzchownej warstwy naskórka. Powodują one zaczerwienienie i ból, ale nie prowadzą do powstawania pęcherzy. W tej kategorii mieści się większość oparzeń słonecznych, niedużych oparzeń wodą lub parą lub oparzeń pod wpływem krótkiego kontaktu z gorącym przedmiotem.
- Oparzenia drugiego stopnia są poważniejsze, ponieważ obejmują również warstwę skóry właściwej pod naskórkiem. W miejscu oparzenia pojawiają się pęcherze, silny ból i zaczerwienienie. Do częstych przyczyn oparzeń drugiego stopnia należy przedłużone działanie silnego słońca, oblanie wrzątkiem oraz kontakt z rozpalonym przedmiotem lub płomieniem.
- Oparzenia trzeciego stopnia oznaczają uszkodzenie wszystkich warstw skóry i położonych pod nią tkanek. Oparzona powierzchnia sprawia wrażenia pokrytej woskiem, jest stwardniała lub sczerniała i niebolesna z powodu zniszczenia zakończeń nerwowych. Do oparzenia trzeciego stopnia dochodzi w wyniku ciężkiego porażenia prądem, bezpośredniej ekspozycji na ogień lub przedłużonego kontaktu z wrzącymi lub żrącymi substancjami.

Niezależnie od rodzaju i stopnia oparzenia pierwsza pomoc polega na natychmiastowym usunięciu jego przyczyny (takiej jak prąd elektryczny, środek chemiczny, płonące czy tlące się ubranie) i jak najszybszym ochłodzeniu skóry dla zminimalizowania jej uszkodzenia.

Oparzenia termiczne pierwszego stopnia
Co robić

- Usuń ubranie pokrywające miejsce oparzenia.
- Natychmiast włóż oparzoną część ciała pod chłodną (ale nie zimną) wodę bieżącą, zanurz w chłodnej wodzie lub przyłóż zimny okład aż do czasu ustąpienia bólu. **Nie** używaj lodu.
- Ostrożnie przemyj miejsce oparzenia wodą i mydłem i okryj czystym opatrunkiem.
- **Nie** pokrywaj oparzeliny masłem czy jakimkolwiek tłuszczem, ponieważ zwiększa to ryzyko infekcji.
- **Nie** stosuj żadnych leków ani domowych sposobów bez wcześniejszego porozumienia się z lekarzem dziecka.
- Skontaktuj się telefonicznie z lekarzem, aby pomógł ci zadecydować, czy dziecko wymaga wizyty w oddziale pomocy doraźnej.
- Zgłoś się z dzieckiem do lekarza w razie pojawienia się oznak zakażenia: gorączki, wydzieliny ropnej, narastającego bólu,

zaczerwienia czy obrzęku miejsca oparzenia.

Oparzenia termiczne drugiego stopnia
Co robić

- Usuń ubranie pokrywające miejsce oparzenia, chyba że przykleiło się do skóry.
- Natychmiast ochłodź oparzoną skórę, zanurzając ją w chłodnej (ale nie zimnej) wodzie. **Nie** używaj lodu.
- Ostrożnie przemyj miejsce oparzenia wodą i mydłem i okryj czystym, suchym opatrunkiem.
- **Nie** pokrywaj oparzeliny masłem, tłuszczem, ani jakąkolwiek maścią, sprayem czy środkiem odkażającym.
- Pozostaw pęcherze w stanie nienaruszonym.
- Unieś oparzoną rękę lub nogę.
- Zawieź dziecko do szpitala lub wezwij pogotowie.

Oparzenia termiczne trzeciego stopnia
Co robić

- Natychmiast ugaś ewentualny płomień, owijając dziecko kocem czy płaszczem i stosując zasadę „zatrzymać się, upaść, tarzać się".
- Poleć komukolwiek z otoczenia wezwanie pomocy, a sama sprawdź wcześniej omówione „ABC": drożność dróg oddechowych *(Airway)*, oddychanie *(Breathing)* i krążenie *(Circulation)*. Jeśli dziecko nie oddycha, natychmiast podejmij resuscytację (patrz wyżej w tym rozdziale).
- Polej oparzelinę chłodną wodą lub przyłóż zimny kompres. Następnie pokryj ją jałowym opatrunkiem lub kawałkiem czystej tkaniny. **Nie** używaj lodu.
- Unieś oparzone kończyny.

W oczekiwaniu na pomoc pilnie obserwuj, czy dziecko nie ma zaburzeń oddychania ani oznak obrzęku górnych dróg oddechowych (patrz „Za-

burzenia oddychania" w tym rozdziale), zwłaszcza jeśli poparzenie dotyczy twarzy. Zwracaj uwagę na ewentualne objawy wstrząsu (słabe, szybkie tętno; utrudnione oddychanie). Jeśli dziecko znajduje się w stanie wstrząsu, ułóż je z nogami uniesionymi na 20–30 cm, okryj je kocem i uspokajaj dopóki nie nadjedzie pomoc.

Oparzenia chemiczne
Co robić

- Jak najszybciej zacznij przemywać miejsce oparzenia obfitym strumieniem chłodnej (ale nie zimnej) wody bieżącej. Kontynuuj polewanie przez co najmniej 5 minut lub dłużej. Użyj węża ogrodowego, prysznica lub pompy wodociągowej pod dużym ciśnieniem.
- Podczas polewania wodą usuń z oparzonego miejsca ubranie.
- Zabezpiecz siebie i otoczenie przed ekspozycją na środek chemiczny.
- Uważaj, by nie dopuścić do kontaktu tego środka z oczami dziecka (lub twoimi).
- W razie oparzenia oczu dokładnie przemyj je wodą (według wskazówek podanych dalej w akapicie „Urazy oka") i zawieź dziecko do szpitala.
- Przykryj oparzelinę czystym kawałkiem materiału lub jałowym opatrunkiem.
- Zadzwoń po pogotowie lub zawieź dziecko na oddział pomocy doraźnej.

Oparzenia elektryczne

Patrz akapit „Porażenie prądem" w tym rozdziale.

Utonięcia

Rodzice powinni nie tylko maksymalnie zabezpieczać dziecko przed utonięciem, ale również wiedzieć, jak postąpić w razie nieszczęśliwego wypadku i uratować dziecku życie. (Informacji na temat bezpieczeństwa w wodzie i zabezpieczenia basenów szukaj w rozdziale 24, „Bezpieczeństwo dziecka").

Co robić

- Ratuj dziecko, starając się nie narazić siebie na ryzyko. Aby uniknąć wciągnięcia pod wodę przez śmiertelnie przerażone starsze dziecko czy nastolatka, połóż się na brzuchu nad samym brzegiem wody lub na pomoście i wyciągnij do dziecka rękę, nogę, deskę, kij czy linkę. Następnie wyciągnij je w bezpieczne miejsce. Jeśli musisz wejść po nie do wody, weź ze sobą kółko ratunkowe czy linkę, aby miało się czego chwycić i nie ciągnęło cię pod wodę.
- Jeśli dziecko nie oddycha, zacznij od wykonania dwóch sztucznych oddechów (patrz akapit o resuscytacji w tym rozdziale).
- Krzyknij, by ktoś wezwał pomoc.
- Sprawdź wcześniej omówione „ABC", z zachowaniem szczególnej ostrożności, jeśli doszło do urazu szyi (patrz „Urazy głowy i szyi w tym rozdziale): drożność dróg oddechowych (*Airway*), oddychanie (*Breathing*) i krążenie (*Circulation*). Jeśli dziecko nadal nie oddycha, kontynuuj resuscytację (patrz wyżej w tym rozdziale) w oczekiwaniu na pomoc.
- Jeśli dziecko oddycha, ale jest nieprzytomne lub choćby przez chwilę było nieprzytomne czy bez oddechu, zawieź je do szpitala.

Urazy ucha

Z powodu ryzyka utraty słuchu każdy uraz ucha uznaje się za poważny i wymagający pomocy lekarskiej. Przyczyną urazu może być bezpośrednie uderzenie, ogłuszający hałas, upadek czy ciało obce tkwiące w przewodzie słuchowym.

Cios w ucho
Co robić

- Zacznij od dokładnego obejrzenia dziecka w poszukiwaniu śladów urazu głowy lub szyi (patrz dalej w tym rozdziale).

- Jeśli krew cieknie jedynie ze skaleczenia na zewnątrz ucha, potraktuj je jak każde inne skaleczenie, stosując bezpośredni ucisk przez gazę lub czysty ręcznik, po czym zawieź dziecko do lekarza (patrz „Krwawienia zewnętrzne" w tym rozdziale).
- Jeśli krew wycieka z przewodu słuchowego, luźno przykryj ucho gazą, tak by nie blokować wypływu krwi, i połóż dziecko na boku po stronie krwawiącego ucha. Nie zatykaj przewodu słuchowego. Wezwij pogotowie lub zawieź dziecko do szpitala.

Ciało obce w przewodzie słuchowym
Co robić

- **Nie** próbuj usunąć ciała obcego patyczkiem czy pęsetką; próby takie kończą się najczęściej wepchnięciem go jeszcze głębiej.
- **Nie** próbuj wypłukać ciała obcego jakimkolwiek płynem, ponieważ pewne przedmioty mogą wtedy napęcznieć, co utrudni ich wydobycie. Jedyną sytuacją, kiedy należy wprowadzić ciecz do przewodu słuchowego, jest uwięźnięcie w nim żywego owada.
- Jeśli do ucha dostał się żywy owad, jego szamotanie się i bzyczenie może być szczególnie bolesne i przerażające dla dziecka. Zabij (uduś) owada, zapuszczając do przewodu słuchowego kilka kropli oleju mineralnego lub spożywczego o temperaturze pokojowej.
- Wezwij lekarza lub zawieź dziecko do szpitala. Każde ciało obce w uchu wymaga usunięcia pod kontrolą lekarza.

Porażenie prądem

Zależnie od napięcia i czasu kontakt z prądem elektrycznym może mieć bardzo różne następstwa – od chwilowego dyskomfortu do ciężkiego poparzenia i zatrzymania akcji serca i oddechu (patrz wyżej, „Resuscytacja"). Chwilowe „kopnięcia" z domowego gniazdka w ścianie są z reguły niegroźne i rzadko tylko prowadzą do większych urazów. Zdarzają się jednak przypadki ciężkiego porażenia dziecka prądem, jeśli na przykład weźmie ono do buzi przewód elektryczny albo dotknie źródła prądu pod wysokim napięciem. Obie te sytuacje mogą być zagrożeniem dla życia dziecka. Ponieważ głębiej położone tkanki są zwykle bardziej uszkodzone niż skóra (czego nie można zobaczyć), każde oparzenie prądem wymaga oceny i pomocy lekarskiej.

Jeśli dziecko nadal styka się ze źródłem prądu
Co robić

- Podstawowym zadaniem jest przerwać działanie prądu na dziecko w sposób jak najbezpieczniejszy, bez narażania siebie samej (samego) na ryzyko porażenia. Nigdy nie dotykaj przewodu pod napięciem ani nie dotykaj dziecka, zanim przepływ prądu nie zostanie przerwany.
- Jeśli to możliwe, natychmiast wyłącz prąd w pomieszczeniu, znając lokalizację domowej rozdzielni czy głównych bezpieczników. Jeśli wypadek wydarzył się na dworze, wezwij (przez osobę trzecią) ekipę pogotowia elektrycznego, by odcięła dopływ prądu.
- Jeśli nie można przerwać dopływu prądu, musisz spróbować – z zachowaniem najwyższej ostrożności – usunąć dziecko z miejsca kontaktu z jego źródłem. Stojąc na suchym podłożu odepchnij dziecko od przewodów jakimś długim, drewnianym przedmiotem – deską, kijem, trzonkiem szczotki itp. Nigdy nie używaj do tego przedmiotu metalowego, ponieważ metal przewiedzie prąd do ciebie. Innym sposobem może być pociągnięcie dziecka za ramię czy nogę przy pomocy „lassa"

z suchego skórzanego paska czy tkaniny. W miarę możności wykonuj te czynności w izolujących lub skórzanych rękawiczkach.
- Po udanym odsunięciu od źródła prądu możesz już bezpiecznie dotykać dziecka. Postępuj dalej według niżej podanych zasad.

Jeśli dziecko nie styka się już ze źródłem prądu
Co robić

- Sprawdź wcześniej omówione „ABC": drożność dróg oddechowych (*Airway*), oddychanie (*Breathing*) i krążenie (*Circulation*). Jeśli dziecko nie oddycha, krzyknij, by ktoś wezwał pogotowie, a sama natychmiast podejmij resuscytację (patrz wyżej w tym rozdziale).
- W razie poważnego urazu (na przykład poparzenia skóry) dziecko musi znaleźć się na oddziale pomocy doraźnej dla dokładnego zbadania i leczenia. Doraźnie postępuj tak, jak w przypadku oparzeń termicznych, według wyżej podanych zasad (patrz „Oparzenia" w tym rozdziale).
- Jeśli uraz nie wydaje się poważny (nie widać oparzenia), skontaktuj się telefonicznie z lekarzem i zasięgnij jego porady.

Urazy oka

Mniejsze podrażnienia czy niewielkie drobiny na powierzchni oka można usuwać w domu, przepłukując oko wodą. Niektóre urazy oka bywają jednak poważne i w razie zaniechania szybkiej, fachowej pomocy grożą trwałymi uszkodzeniami, a nawet utratą wzroku.

Piasek, pył i inne ciała obce na powierzchni oka
Co robić

- Zanim dotkniesz oka dziecka, umyj ręce wodą i mydłem.
- Nie dotykaj, nie uciskaj ani nie trzyj oka i zrób wszystko, aby

powstrzymać przed tym dziecko. Niemowlę i małe dziecko można w tym celu owinąć kocem lub ręcznikiem, z rączkami przy tułowiu.

- **Nie** próbuj żadnych manipulacji dla usunięcia ciała obcego (z wyjątkiem przemywania wodą).

Przemywanie oka

- Przechyl głowę dziecka nad miską czy wanną, z urażonym okiem do dołu, i ostrożnie pociągnij dolną powiekę, tłumacząc dziecku, żeby starało się mieć oczy jak najszerzej otwarte. W przypadku niemowlęcia dobrze jest mieć kogoś do pomocy, kto rozszerzałby jego powieki podczas przepłukiwania.
- Ostrożnie polewaj oko strumieniem wody o temperaturze pokojowej z dzbanka lub butelki. Nadaje się do tego również sterylny roztwór soli fizjologicznej albo płyn do soczewek kontaktowych.
- Kontynuuj przemywanie przez 15 minut, sprawdzając co 5 minut, czy ciało obce nie zostało wypłukane na zewnątrz. Jeśli dziecko nadal skarży się na ból albo nadal widzisz w oku ciało obce, szukaj pomocy lekarskiej.

Ponieważ ciało obce w oku grozi uszkodzeniem rogówki lub zakażeniem (które, nie leczone, może mieć poważne następstwa), po udanym zabiegu musisz pilnie obserwować, czy nie pojawiają się takie objawy jak narastające zaczerwienienie, obrzęk, zaburzenia widzenia lub ból. Jeśli stwierdzisz którykolwiek z tych objawów, dziecko powinien zbadać okulista.

Uraz gałki ocznej (zranienie ciałem obcym)
Co robić

- Powstrzymaj dziecko od pocierania i dotykania oka. Niemowlę lub małe dziecko zawiń w kocyk razem z rączkami.

- **Nie** próbuj usunąć ciała obcego na własną rękę, bo może to tylko dodatkowo uszkodzić zranioną gałkę oczną.
- Delikatnie zakryj oczy dziecka, aby zapobiec ich ruchom i pocieraniu. Zakryte musi być również zdrowe oko, ponieważ ruchy jednego oka automatycznie wywołują ruchy drugiego. Jeśli obecne w oku ciało obce jest nieduże, połóż jeden jałowy opatrunek na obu oczach. W przypadku większego przedmiotu osłoń zranione oko małą (plastikową) filiżanką, umocowaną wokół głowy, a zdrowe przykryj opatrunkiem. Unikaj jakiegokolwiek ucisku na chore oko.
- Natychmiast zawieź dziecko do lekarza, najlepiej okulisty, albo na najbliższy oddział pomocy doraźnej. Jeśli znajduje się on daleko, wezwij karetkę. Urazy gałki ocznej wymagają jak najpilniejszej interwencji.

Skaleczenie gałki ocznej lub powieki
Co robić

- **Nie** przemywaj ani nie przepłukuj oka. Jeśli dziecko nosi soczewki kontaktowe, nie próbuj samodzielnie ich usunąć.
- **Nie** uciskaj oka ani nie pozwól dziecku go pocierać.
- Zakryj oko miseczką z papieru lub podobną osłoną bez wywierania jakiegokolwiek ucisku. Umocuj opatrunek plastrem.
- **Nie** podawaj dziecku niczego do jedzenia ani do picia. (Dzieci z urazami oka mają skłonność do wymiotów, a ponadto należy liczyć się z ewentualnością zabiegu operacyjnego w znieczuleniu, co wymaga „pustego żołądka”).
- Natychmiast zawieź dziecko do lekarza, najlepiej okulisty, albo na najbliższy oddział pomocy doraźnej. W razie potrzeby wezwij pogotowie.

Narażenie oczu na działanie środków chemicznych

Kontakt oczu z substancjami chemicznymi może być bardzo niebezpieczny. Najważniejsze, co należy zrobić, to jak najszybciej przerwać oddziaływanie substancji, by zapobiec nieodwracalnym uszkodzeniom, a nawet utracie wzroku.

Co robić

- Jeszcze przed skontaktowaniem się z lekarzem przemyj dziecku oczy (patrz „Piasek, pył i inne ciała obce na powierzchni oka" w tym rozdziale) wodą o temperaturze pokojowej przez 15–30 minut. Jeśli uraz dotyczy obu oczu, najlepiej będzie wsadzić dziecko pod prysznic.
- Przykryj oczy jałowym opatrunkiem lub w ostateczności kawałkiem czystego materiału.
- Zadzwoń do ośrodka leczenia zatruć po dalsze wskazówki. Postaraj się przekazać rozmówcy maksimum informacji na temat substancji chemicznej i samego incydentu.
- Zawieź dziecko jak najszybciej na oddział pomocy doraźnej. W razie potrzeby wezwij pogotowie. Jeśli to możliwe, zabierz ze sobą pojemnik z podejrzaną substancją.
- Nie uciskaj uszkodzonego oka ani nie pozwól dziecku go dotykać.

Podbite oko (w następstwie bezpośredniego uderzenia)

- Nawet jeśli siniak pod okiem wydaje się urazem stosunkowo niegroźnym, w każdym przypadku wylewu krwi w pobliżu gałki ocznej należy zasięgnąć porady lekarza. Krwawienie wewnętrzne czy inne uszkodzenia oka nie zawsze ujawniają się od razu. Konieczna może być więc wizyta

u lekarza w celu identyfikacji ewentualnego urazu oka, zwłaszcza jeśli przyczyna sińca nie jest znana.

Co robić

- Zastosuj zimny okład na oko w sposób przerywany: na 5–10 minut, a następnie ponownie po 10–15 minutach przerwy. Jeśli używasz do tego lodu, owiń go dokładnie kawałkiem materiału, by ochronić delikatną skórę powiek.
- Jak najszybciej zawieź dziecko do lekarza, najlepiej okulisty, albo na najbliższy oddział pomocy doraźnej.
- W ciągu pierwszych 24–48 godzin po urazie stosuj zimne okłady 3–4 razy dziennie, a następnie przejdź na ciepłe, przykładane również w sposób przerywany.
- W razie bólu podaj dziecku paracetamol, ale nie aspirynę czy ibuprofen, które mogą nasilić krwawienie.
- Daj dziecku dodatkową poduszkę do spania i zachęcaj je, by nie kładło się na boku po stronie urazu.
- Natychmiast skontaktuj się z lekarzem, jeśli pojawi się któryś z następujących objawów: nasilające się zaczerwienienie oka, wydzielina, utrzymujący się ból, zamazane widzenie czy jakakolwiek widoczna nieprawidłowość.

Omdlenie

Omdleniem nazywamy krótką, przejściową utratę przytomności spowodowaną niedostatecznym dopływem tlenu lub glukozy do mózgu. Do omdlenia może dojść z wielu różnorodnych przyczyn, jak np. nagła zmiana pozycji z leżącej na siedzącą czy stojącą, długie, nieruchome stanie, hiperwentylacja (nadmiernie szybkie oddychanie), silne emocje, ból, odwodnienie lub inne stany chorobowe.

Co robić

- Przy pierwszych oznakach zbliżającego się omdlenia (takich jak zawroty głowy, bladość, zaburzenia równowagi) staraj się zabezpieczyć dziecko przed upadkiem.
- Pomóż mu położyć się lub usiąść z głową między kolanami (poniżej poziomu serca).
- Rozluźnij ubranie dziecka i szeroko otwórz okno.
- Przetrzyj buzię dziecka ręcznikiem zmoczonym w zimnej wodzie.
- Nie pozwól mu wstawać ani chodzić, dopóki całkowicie nie „wróci do siebie".

Jeśli dziecko już zemdlało

- Sprawdź wcześniej omówione „ABC": drożność dróg oddechowych *(Airway)*, oddychanie *(Breathing)* i krążenie *(Circulation)*. Jeśli dziecko nie oddycha, natychmiast podejmij resuscytację (patrz wyżej w tym rozdziale).
- Ułóż dziecko z nogami uniesionymi na wysokość 20–30 cm.
- Jeśli wymiotuje, przekręć jego głowę na bok lub ułóż je całe na boku, aby zapewnić drożność dróg oddechowych i zapobiec zachłyśnięciu.
- Jeśli dziecko jest nieprzytomne, ale oddycha, **nie** staraj się dawać mu czegokolwiek do picia.
- **Nie** próbuj cucić dziecka klepaniem po policzku, potrząsaniem czy pryskaniem wody na twarz.
- Rozluźnij ubranie wokół szyi i zapewnij dopływ świeżego powietrza.
- Przemyj dziecku buzię zimną wodą.
- Jeśli dziecko upadło podczas omdlenia, sprawdź, czy nie spowodowało to urazu głowy lub jakiegokolwiek innego urazu (patrz „Urazy głowy i szyi" w tym rozdziale).
- **Nie** pozwól mu wstawać ani chodzić, dopóki całkowicie nie „wróci do siebie".

- Jeśli dziecko nie odzyskuje pełnej przytomności w ciągu pięciu minut albo po oprzytomnieniu coś mu dolega, natychmiast wezwij lekarza.

Urazy palców dłoni i stóp

Urazy palców dłoni i stóp – w następstwie przytrzaśnięcia drzwiami, upuszczenia ciężkiego przedmiotu czy przypadkowego uderzenia młotkiem – są częste i bardzo bolesne. Miejsce urazu z reguły sinieje i puchnie, może również dojść do skaleczenia okolicy paznokcia i krwawienia. Uszkodzenie jest często wielowarstwowe i dotyczy skóry, tkanki podskórnej, łożyska paznokci, a nawet kości. W razie krwawienia pod paznokciem staje się on sinoczarny, a ciśnienie wynaczynionej krwi sprawia zwykle nieznośny ból.

Co robić

- Jeśli palec krwawi, przemyj go wodą i mydłem i przykryj miękkim jałowym opatrunkiem. Zastosuj ucisk bezpośredni dla opanowania krwawienia (patrz „Krwawienia zewnętrzne" w tym rozdziale).
- Jeśli palec jest tylko zasiniały, przyłóż owinięty chusteczką kawałek lodu albo okład z zimnej wody.
- W razie głębokiego skaleczenia, znacznego obrzęku, gromadzenia się krwi pod paznokciem, oddzielenia się paznokcia albo podejrzenia złamania kości (paliczka), wezwij lekarza albo zawieź dziecko do szpitala. Nie próbuj naprostować zdeformowanego palca ręki lub stopy.
- W ciągu pierwszych 24–72 godzin po urazie zwracaj baczną uwagę na takie objawy jak narastający ból, obrzęk, rozgrzanie, zaczerwienienie lub wydzielina ze zranionego miejsca, które mogą wskazywać na zakażenie.
- Gromadzenie się krwi pod paznokciem może być bardzo bolesne dla dziecka.

Zadzwoń do lekarza lub zawieź dziecko na oddział pomocy doraźnej. Narastające ciśnienie pod płytką paznokciową może wymagać drobnego zabiegu chirurgicznego w postaci nacięcia paznokcia i wytworzenia ujścia dla krwi. Przynosi to natychmiastową ulgę w bólu i zapobiega dodatkowemu uszkodzeniu tkanek na szczycie palca.

• Jeśli w wyniku urazu doszło do oddzielenia (amputacji) fragmentu palca, koniecznie zabierz tę oddzieloną część do szpitala (czasami możliwe jest jej przyszycie). Owiń strzępek papierowym ręcznikiem namoczonym w zimnej wodzie, włóż do plastikowego woreczka, a ten z kolei do większej plastikowej torebki, wypełnionej mieszaniną tłuczonego lodu i wody.

Odmrożenia

Odmrożenie oznacza uszkodzenie tkanek pod wpływem zimna, co dotyczy najczęściej palców dłoni i stóp oraz nosa, i w pewnych przypadkach wymaga natychmiastowej pomocy lekarskiej dla zapobieżenia trwałym zmianom martwiczym. Dzieci są narażone na większe ryzyko odmrożeń niż dorośli, ponieważ szybciej tracą ciepło przez „cienką" skórę.

Odmrożenia dzieli się na cztery kategorie, na podobnej zasadzie co oparzenia (patrz „Oparzenia" w tym rozdziale).

• Odmrożenia pierwszego stopnia są bolesne i dają uczucie kłucia i pieczenia. Zmieniona okolica może być początkowo blada, a w miarę ogrzania staje się zaczerwieniona i obrzmiała.

• Odmrożenia drugiego stopnia powodują początkowo silne uczucie „kłucia szpilkami", a następnie drętwienie wskutek postępującego uszkodzenia zakończeń nerwowych przez zimno. Zmieniona okolica wydaje się pocętkowana (z powodu przebarwień i zblednięcia), a czasami jest również pokryta pęcherzami.

• W odmrożeniach trzeciego stopnia uszkodzona okolica jest zdrętwiała i przybiera wygląd „nawoskowany" albo białą, siną lub szarą barwę, z wyraźnymi pęcherzami.

• Odmrożenia czwartego stopnia objawiają się stwardnieniem i zdrętwieniem uszkodzonej okolicy, która pokrywa się pęcherzami i owrzodzeniami.

Co robić niezależnie od stopnia odmrożenia

• Natychmiast zanurz odmrożoną część ciała dziecka w ciepłej (ale nie gorącej) wodzie (o temperaturze 38–40°C). Musisz sama sprawdzać ciepłotę wody, bo odmrożenie może pozbawić dziecko czucia i tym samym reakcji na zbyt gorącą wodę. Można też przyłożyć ciepły okład na 30 minut. Jeśli nie masz dostępu do ciepłej wody, owiń miejsce odmrożenia ciepłym kocem lub ogrzej ciepłem skóry (na przykład pod pachą).

• **Nie** przybliżaj odmrożonej okolicy bezpośrednio do źródła ciepła, takiego jak płomień, termofor, piec czy kaloryfer.

• **Nie** rozcieraj ani nie nacieraj śniegiem odmrożonej skóry.

• **Nie** przekłuwaj pęcherzy.

• Rozgrzewanie miejsca odmrożenia daje często uczucie pieczenia i palenia. Skóra może pokrywać się pęcherzami, obrzmiewać i zmieniać barwę na czerwonawą, siną lub purpurową. Zaróżowienie skóry i powrót czucia oznacza, że odmrożona część ciała „odtajała" i możesz zaprzestać technik rozgrzewających.

• Przykryj miejsce odmrożenia jałowym opatrunkiem, umocowując go między palcami, jeśli to one doznały urazu. Staraj się nie dotykać pęcherzy.

• Ciepło owiń rozgrzane miejsca, aby zapobiec ponownemu zmarznięciu, i postaraj się, by dziecko trzymało je możliwie nieruchomo.

Co robić w przypadku odmrożenia trzeciego lub czwartego stopnia

- Natychmiast wezwij pogotowie. Odmrożenie trzeciego lub czwartego stopnia jest poważnym stanem nagłym, wymagającym pilnej interwencji.
- Załóż dziecku suche, ciepłe ubranie lub otul kocem i zawieź je do szpitala. Jeśli odmrożone są stopy, musisz dziecko nieść.
- Jeśli nie możesz natychmiast jechać do szpitala albo czekasz na karetkę, daj dziecku coś ciepłego do picia, spraw, by zrobiło mu się ciepło i rozpocznij zabiegi opisane powyżej.

Urazy głowy i szyi

Urazy głowy u dzieci są najczęściej następstwem upadków z wysokości, wypadków komunikacyjnych i bezpośrednich uderzeń. Mimo że zdarzają się one powszechnie, zawsze należy traktować je poważnie z powodu ryzyka uszkodzenia mózgu i rdzenia kręgowego.

Urazy głowy

Urazy głowy są główną przyczyną powypadkowej umieralności i inwalidztwa u dzieci. Każdy uraz z utratą przytomności lub innymi, niżej opisanymi niepokojącymi objawami jest urazem poważnym i wymaga natychmiastowej pomocy lekarskiej. Zdarza się również, że incydent początkowo wydaje się niegroźny, a objawy urazu mózgu pojawiają się dopiero po wielu godzinach. Dlatego też niezwykle ważna jest dokładna obserwacja dziecka pod kątem tych objawów co najmniej przez pierwszą dobę po urazie głowy.

Wiele dzieci po niewielkim urazie głowy będzie okazywać pewną senność, może się też zdarzyć, że raz czy dwa razy zwymiotują. Objawy te same w sobie nie muszą być powodem do niepokoju.

Musisz jednak wiedzieć, czym objawia się potencjalnie groźny uraz głowy.

Objawy potencjalnie groźnego urazu głowy

- Utrata przytomności lub brak reakcji na bodźce;
- Nierówność źrenic;
- Krwisty lub przejrzysty wyciek z ucha lub nosa;
- Drgawki;
- Zasinienie wokół oczu lub za uszami;
- Widoczne zagłębienie lub „zapadnięcie się" części czaszki;
- Zmiana rytmu oddychania lub czynności serca;
- Letarg, splątanie lub nadmierna senność;
- Utrzymujące się lub późne (po kilku godzinach od urazu) wymioty;
- Silne bóle głowy.

Co robić

- Jeśli zauważysz którykolwiek z wyżej wymienionych objawów, poproś drugą osobę o wezwanie pogotowia, a sama natychmiast oceń stan dziecka.
- Sprawdź wcześniej omówione „ABC", z zachowaniem szczególnej ostrożności, jeśli doszło do urazu szyi (patrz dalej): drożność dróg oddechowych (Airway), oddychanie (Breathing) i krążenie (Circulation). Jeśli dziecko nie oddycha, natychmiast podejmij resuscytację (patrz wyżej w tym rozdziale).
- Jeśli dziecko krwawi, opanuj krwawienie metodą bezpośredniego ucisku przez czysty ręcznik lub kompres z gazy (patrz „Krwawienia zewnętrzne" w tym rozdziale).

Ważne jest, by dziecko pozostało pod ścisłą obserwacją przez kilka dni po urazie. Zastosuj się do instrukcji otrzymanych na oddziale pomocy doraźnej lub od lekarza pierwszego kontaktu.

Urazy szyi

Urazy szyi, często towarzyszące urazom głowy, mogą być równie niebezpieczne i wymagają od rodziców ogromnej czujności. Jeśli dziecko jest nieprzytomne, musisz przyjąć, że mogło dojść do urazu szyi. Poruszanie głową lub szyją dziecka ze złamanym kręgiem szyjnym grozi skrajnie niebezpiecznym uszkodzeniem rdzenia kręgowego, prowadzącym do paraliżu wszystkich czterech kończyn, a nawet do śmierci. Dlatego też w razie podejrzenia urazu szyi najważniejszą zasadą jest nie ruszać dziecka bez fachowej pomocy medycznej, z wyjątkiem sytuacji bezpośredniego zagrożenia życia.

Objawy poważnego urazu szyi

- Sztywność lub ból karku;
- Niemożność poruszania dowolną częścią ciała;
- Uczucie mrowienia czy drętwienia stóp i/lub dłoni.

Co robić

- Natychmiast wezwij pogotowie i nie zmieniaj pozycji dziecka przed nadejściem fachowej pomocy.
- **Nie** ruszaj głową ani szyją dziecka z wyjątkiem sytuacji bezpośredniego zagrożenia jego życia. W razie konieczności przeniesienia dziecka musisz najpierw unieruchomić jego szyję. Najlepiej zrobić to przy pomocy drugiej osoby, która będzie zabezpieczać nieruchomość głowy i szyi podczas twoich czynności. Ostrożnie wsuń pod szyję dziecka zwinięty ręcznik lub gazetę i umocuj je od przodu tak, aby nie przeszkadzały w oddychaniu. Podłóż pod głowę, szyję i plecy dziecka deskę dochodzącą co najmniej do pośladków i w miarę możliwości dodatkowo obwiąż je lub oklej od przodu na wysokości czoła i klatki piersiowej. Przesuń dziecko delikatnie jako jedną całość, bez jakichkolwiek skrętów ciała. Obłóż jego szyję ręcznikami lub ubraniem po obu stronach, aby zapobiec wszelkim ruchom.
- Sprawdź „ABC": drożność dróg oddechowych *(Airway)*, oddychanie *(Breathing)* i krążenie *(Circulation)*. Jeśli dziecko ma zaburzenia oddychania, spróbuj najpierw udrożnić drogi oddechowe, pociągając żuchwę ku górze. Jeśli to nie pomaga, możesz lekko odchylić głowę do tyłu (bez odginania jej czy skręcania). Jeśli dziecko nie oddycha, natychmiast podejmij resuscytację krążeniowo-oddechową (patrz wyżej w tym rozdziale).

Przegrzanie (kurcze mięśniowe, wyczerpanie, udar cieplny)

W bardzo wysokich temperaturach, przy dużej wilgotności powietrza albo podczas intensywnego wysiłku na słońcu może zawieść naturalny system chłodzenia organizmu, co prowadzi do niebezpiecznego wzrostu wewnętrznej ciepłoty ciała. Nadmierny wpływ ciepła daje różnorodne objawy, od łagodnych do zagrażających życiu. Aby uniknąć najpoważniejszych powikłań, wystarczy przestrzeganie zwykłych zasad zdrowego rozsądku, takich na przykład: lekkie ubieranie niemowlęcia w ciepłe dni, niezostawianie dzieci bez opieki w samochodzie, zwłaszcza zaparkowanym na słońcu, dbanie o odpowiednią podaż płynów, a także rozpoznawanie i leczenie pierwszych oznak przegrzania.

Kurcze mięśniowe

Kurcze mięśniowe są łagodnym objawem przegrzania. Są to krótkotrwałe, ale dość silne napady, dotyczące głównie kończyn dolnych i górnych lub brzucha, pojawiające się podczas intensywnego wysiłku fizycznego w wysokiej temperaturze zewnętrznej lub też wkrótce po nim. Kurcze są bolesne, ale nie mają szkodliwych następstw. Dzieci są na nie szczególnie podatne wtedy, gdy nie wypijają dostatecznej ilości płynów.

Co robić

- Kurcze mięśniowe z przegrzania nie wymagają zazwyczaj specjalnego postępowania. Dziecko powinno odpocząć w chłodnym, najlepiej klimatyzowanym pomieszczeniu i uzupełnić niedobór płynów. Unikaj bardzo zimnych napojów, które mogą nasilić bóle brzucha, a także napojów zawierających kofeinę, jak „ice tea" czy większość napojów gazowanych.
- Poluzuj lub zdejmij dziecku ubranie.
- Rozmasuj zbolałe mięśnie.

Wyczerpanie cieplne

Jest to poważniejsza forma przegrzania, która może wystąpić w wyniku niedopojenia dziecka w wyjątkowo wysokiej temperaturze otoczenia. Bez szybkiej interwencji proces ten może nasilać się aż do potencjalnie zagrażającego życiu udaru cieplnego.

Objawy wyczerpania cieplnego są jednocześnie objawami odwodnienia, takimi jak silne pragnienie, zmęczenie, lepka skóra, zawroty głowy, zwłaszcza w pozycji stojącej, suchość warg, zapadnięte oczy i przyspieszenie czynności serca. Możliwe są również bóle głowy, nudności i/lub wymioty, szybkie oddychanie lub rozdrażnienie.

Co robić

- Jeśli zauważysz powyższe objawy u niemowlęcia, wezwij pogotowie lub zawieź je do szpitala.
- Kilkuletnim i z lżejszymi objawami zabezpiecz cień lub chłodniejsze pomieszczenie.
- Poluzuj lub zdejmij ubranie.
- Daj mu do picia dużo zimnych płynów. Unikaj napojów z kofeiną czy gazowanych lub typu „ice tea".
- Przetrzyj gąbką lub ochlap zimną wodą całe ciało dziecka.
- Zadzwoń do lekarza po poradę, zwłaszcza jeśli objawy utrzymują się dłużej niż przez

jedną godzinę. Jeśli dziecko jest zbyt wyczerpane, by pić, albo jeśli wymiotuje, konieczne może być podanie płynów dożylnie.

Udar cieplny

Udar cieplny jest zagrażającym życiu stanem nagłym, spowodowanym załamaniem się systemu termoregulacji organizmu pod wpływem nadmiernego oddziaływania ciepła. Do czynników zwiększających prawdopodobieństwo udaru należy zbyt grube ubranie, znaczny wysiłek fizyczny i niedobór płynów w środowisku o wysokiej temperaturze.

Objawy udaru to gorąca, sucha skóra; ciepłota ciała rzędu 40,5°C lub więcej; bóle głowy; zawroty głowy i osłabienie; spowolnienie i wyczerpanie; pobudzenie lub splątanie, a ostatecznie utrata przytomności.

Co robić

- Sprawdź „ABC": drożność dróg oddechowych (*Airway*), oddychanie (*Breathing*) i krążenie (*Circulation*). Jeśli dziecko nie oddycha, natychmiast podejmij resuscytację krążeniowo-oddechową (patrz wyżej w tym rozdziale).
- Natychmiast wezwij pogotowie.
- W oczekiwaniu na pomoc wykonaj zabiegi jak przy wyczerpaniu cieplnym (patrz wyżej) albo schłodź dziecko, owijając je mokrymi ręcznikami czy prześcieradłem, polewając skórę zimną wodą, kładąc je przy klimatyzatorze czy wentylatorze albo robiąc mu zimne okłady na kark, pachy i pachwiny aż do czasu, gdy ciepłota ciała spadnie do 38,5°C.
- Gdy temperatura (mierzona najlepiej w odbytnicy) spadnie do 38,5°C, wytrzyj dziecko do sucha.
- Powtórz zabiegi ochładzające w razie ponownego wzrostu temperatury.

Urazy jamy ustnej i zębów

Urazy jamy ustnej i zębów wymagają szybkiej interwencji medycznej lub stomatologicznej w kilku szczególnych sytuacjach. Przykładowo, wybity ząb stały można niekiedy reimplantować, o ile tylko uda się uzyskać szybką i fachową pomoc, a rozcięta warga może wymagać założenia szwów. Trzeba też pamiętać, że przy wszelkich urazach twarzy istnieje zawsze prawdopodobieństwo współistnienia poważniejszych obrażeń głowy czy szyi.

Zranienia jamy ustnej i zębów
Co robić

- Musisz zacząć od sprawdzenia, czy nie doszło do urazu głowy lub szyi (patrz wyżej, „Urazy głowy i szyi").
- Umyj ręce wodą i mydłem, a jeśli to możliwe, załóż sterylne rękawiczki.
- Pochyl dziecko lekko do przodu, aby uniknąć połykania znacznej ilości krwi.
- Jeśli dziecko ma rozciętą wargę lub krwawi z wnętrza jamy ustnej, postępuj według wskazówek podanych w następnym punkcie.
- Usuń z buzi dziecka wszelkie ciała obce, włącznie z wybitymi zębami. Jeśli doszło do wybicia zęba lub zębów, postępuj według wskazówek podanych w dalszej części tego podrozdziału.

Rozcięcia warg i urazy wewnątrz jamy ustnej
Co robić

- Dokładnie umyj ręce, a jeśli to możliwe, załóż sterylne rękawiczki.
- Sprawdź, czy dziecko nie ma poważniejszych obrażeń głowy lub szyi.
- Oczyść wnętrze jamy ustnej z wybitych zębów. Jeśli wybite zostały zęby stałe, owiń je zimną, zmoczoną ściereczką i zabierz ze sobą, wioząc dziecko jak najszybciej do lekarza lub dentysty. Czasami udaje się wstawić je ponownie.

- Pochyl dziecko lekko do przodu, tak aby nie musiało połykać krwi.
- Opanuj krwawienie, uciskając ranę z obu stron przez jałowy gazik lub czysty kawałek materiału, o ile tylko nie będzie to prowadzić do krztuszenia się dziecka.
- Jeśli skaleczenie wargi lub śluzówki jamy ustnej jest głębokie, przechodzące od zewnątrz do środka, jeśli przekracza granicę między skórą a czerwienią wargową lub też jeśli nie możesz opanować krwawienia, niezwłocznie zawieź dziecko do lekarza lub na oddział pomocy doraźnej.
- Jeśli skaleczenie wydaje się niegroźne, krwawienie ustaje pod wpływem bezpośredniego ucisku i nie widać oznak urazu głowy, szyi ani zębów, możesz poprzestać na domowych zabiegach. Daj dziecku paracetamol lub ibuprofen w razie bólu i stosuj zimne okłady na wypadek obrzęku zranionej okolicy.
- Przez najbliższy tydzień zwracaj baczną uwagę na objawy ewentualnego zakażenia, takie jak gorączka, obrzęk, wydzielina ropna lub ból w miejscu rany. Jeśli stwierdzisz któryś z tych objawów, zgłoś się z dzieckiem do lekarza.

Wybicie zęba(-ów)

Wybity ząb mleczny nie nadaje się do reimplantacji. Jego korzeń jest z natury niedojrzały, a ponadto i tak zostanie wkrótce zastąpiony przez ząb stały. Jeśli jednak uraz dotyczy zęba stałego, trzeba jak najszybciej zgłosić się do stomatologa lub na oddział pomocy doraźnej, ponieważ właściwe zabezpieczenie takiego zęba i natychmiastowa fachowa pomoc umożliwiają niekiedy jego reimplantację. Im dłużej ząb przebywa poza jamą ustną, tym mniejsze są szanse na sukces interwencji.

Co robić

- Oczyść jamę ustną dziecka ze wszelkich ukruszonych czy wybitych zębów.

- Szybko opłucz wybity ząb pod wodą z kranu. Nie myj go szczotką do zębów. Jeśli twoje dziecko jest na tyle duże, że może współpracować, włóż ząb z powrotem do zębodołu i każ dziecku przytrzymywać go przez gazik podczas podróży do gabinetu lekarza lub dentysty. Upewnij się, że ząb został ustawiony we właściwym kierunku i że jest we właściwym zębodole.
- Jeśli zęba nie da się umieścić w odpowiednim zębodole, umieść go na czas transportu w pełnym lub częściowo odtłuszczonym (ale nie zbieranym) mleku lub w jałowym roztworze do soczewek kontaktowych (mleko krowie jest dobrym środowiskiem dla podtrzymania żywotności tkanek zęba do czasu reimplantacji). Jeśli mleko ani roztwór do soczewek kontaktowych nie są dostępne, możesz poprosić dziecko (o ile jest na tyle duże), by „przechowało" wybity ząb między dziąsłami a błoną śluzową policzka. Jeśli dziecko jest na to za małe, musisz przewieźć jego wybity ząbek we własnych ustach.
- W razie krwawienia z zębodołu zmocz gazik w zimnej wodzie i zastosuj ucisk bezpośredni.
- Skontaktuj się z dentystą dziecka lub zawieź je jak najszybciej na oddział pomocy doraźnej.

Urazy nosa

Mimo że krwawienia z nosa wyglądają nierzadko przerażająco, większość z nich jest banalnym, niegroźnym następstwem dłubania w nosie. Krwawienie, do którego dochodzi w wyniku bezpośredniego uderzenia w nos, albo ciało obce w nosie wymagają jednak pomocy lekarskiej.

Krwawienie z nosa
Co robić

- Umyj ręce wodą i mydłem, a jeśli to możliwe, załóż sterylne rękawiczki.
- Posadź dziecko w fotelu lub na kolanach twarzą w twarz i lekko przechyl jego głowę do przodu. Przez chusteczkę lub czystą szmatkę mocno zaciśnij palcami jego nos tuż poniżej części kostnej. Trzymaj nos dziecka zaciśnięty przez około 5–10 minut, przykładając jednocześnie zimny kompres.
- Jeśli krwawienie nie ustaje, powtórz powyższy etap jeszcze raz.
- Postaraj się, by przez kilka godzin po krwawieniu dziecko za bardzo się nie ruszało i powstrzymaj je od dotykania, pocierania czy dłubania w nosie.
- Skontaktuj się z lekarzem albo zawieź dziecko do szpitala, jeśli krwawienie z nosa jest następstwem uderzenia w głowę lub upadku (patrz „Urazy głowy i szyi" w tym rozdziale) lub jeśli nie możesz go opanować. Jeśli krwawienia z nosa często się powtarzają, zwróć na to uwagę lekarzowi.

Ciało obce w nosie

Moment, kiedy małe dziecko wkłada sobie coś do nosa, uchodzi zwykle uwadze rodziców. Do objawów tego dość częstego incydentu należy przykry zapach i wydzielina z jednej dziurki oraz trudności w oddychaniu tą stroną nosa.

Co robić

- Spróbuj pomóc dziecku w wydaleniu ciała obcego własnymi siłami. Przy zatkanym wolnym nozdrzu każ mu zrobić głęboki wdech ustami i wydech przez nos. Powtórz próbę kilka razy.
- Możesz próbować wyciągnąć ciało obce tylko wtedy, gdy daje się ono uchwycić palcami.
- **Nie** próbuj wydobyć ciała obcego jakimkolwiek wprowadzonym do nosa narzędziem; takie usiłowania kończą się zwykle wepchnięciem go jeszcze głębiej.

• Jeśli nie udaje ci się usunąć ciała obcego, zgłoś się do lekarza lub na oddział pomocy doraźnej.

Uderzenie w nos

Następstwem ciosu w nos może być złamanie jego szkieletu kostnego, a także gromadzenie się krwi w części chrzęstnej. Oba te stany wymagają pomocy medycznej i mogą być trudne do wykrycia z powodu krwawienia i obrzęku.

Co robić

• Tak jak w przypadku każdego urazu twarzy, zacznij od sprawdzenia, czy nie doszło do poważniejszych obrażeń głowy i szyi (patrz „Urazy głowy i szyi" w tym rozdziale) ani do urazu jamy ustnej i zębów (patrz odpowiedni akapit w tym rozdziale).
• Opanuj krwawienie (patrz wyżej).
• Delikatnie przyłóż na nos zimny okład z gazików.
• **Nie** próbuj naprostować zdeformowanego nosa dziecka.
• Zawieź dziecko do lekarza lub na oddział pomocy doraźnej.
• Ponieważ złamanie nosa może uwidocznić się dopiero po kilku dniach od urazu, po ustąpieniu obrzęku, zgłoś się z dzieckiem do lekarza, jeśli jego nos wydaje ci się zakrzywiony lub zniekształcony.

Zatrucia

Jeśli podejrzewasz, że dziecko połknęło trującą substancję (w tym leki czy któryś z domowych środków czyszczących), najważniejsze jest, żebyś skontaktowała się z najbliższym ośrodkiem leczenia zatruć, oddziałem pomocy doraźnej lub pogotowiem, jeszcze *zanim* podejmiesz próby ratowania dziecka (np. prowokując wymioty czy dając mu wodę do picia). Twoje zabiegi mogą przynieść więcej szkody niż pożytku, jeśli będziesz wykonywać je bez fachowych wskazówek.

Jeszcze zanim pojawią się objawy zatrucia, powinnaś je podejrzewać, jeśli na przykład dziecko mówi ci, że coś połknęło albo przychodzi do ciebie z pustą buteleczką po lekach w ręku. **Nie** czekaj na dalszy rozwój wydarzeń, wręcz przeciwnie, natychmiast postaraj się zebrać maksimum informacji i zadzwoń do ośrodka leczenia zatruć.

A oto niektóre objawy nasuwające podejrzenie, że dziecko połknęło trującą substancję:
• Nagła zmiana stopnia świadomości lub zachowania, na przykład niezwykła senność, rozdrażnienie, splątanie lub pobudzenie;
• Nagła zmiana rytmu oddychania lub czynności serca;
• Podejrzane plamy na ubraniu;
• Oparzenia na wargach lub w jamie ustnej;
• Dziwny zapach oddechu;
• Nagły atak nudności, wymiotów lub kurczowych bólów brzucha;
• Nagłe zaburzenia chodu, niezborność ruchów;
• Drgawki;
• Utrata przytomności.

Co robić

• Natychmiast zadzwoń do najbliższego ośrodka leczenia zatruć. Jeśli nie masz numeru (choć powinnaś mieć), zadzwoń na pogotowie lub do szpitala. Raz jeszcze trzeba podkreślić, że **nie wolno** ci podejmować na własną rękę, bez instrukcji lekarza, jakichkolwiek prób leczenia dziecka.
• Wzywając telefonicznie pomoc, musisz przygotować się na wiele pytań, na które powinnaś jak najdokładniej odpowiedzieć. A oto najważniejsze:
  • Kto: Podaj wiek i wagę dziecka.
  • Co: Jeśli jest to możliwe, podaj nazwę połkniętej substancji (postaraj się znaleźć opakowanie).
  • Kiedy: Oceń, ile czasu mogło upłynąć od momentu zatrucia.

- Ile: Oceń ilość połkniętej przez dziecko substancji.
- Jak: Opisz, co aktualnie dzieje się z dzieckiem.
- Personel ośrodka leczenia zatruć lub oddziału pomocy doraźnej może poinstruować cię co do dalszych kroków, polecając na przykład sprowokowanie dziecka do wymiotów, rozcieńczenie trucizny poprzez podanie mu wody lub mleka do picia, natychmiastowy wyjazd do szpitala czy oczekiwanie na karetkę.
- Jeśli według wskazówek z ośrodka masz zawieźć dziecko do najbliższego szpitala, postaraj się zabrać ze sobą:
  - Puste opakowanie po podejrzanej substancji lub leku;
  - Wymiociny (zbierz je do słoika czy plastikowego pojemnika).
- W oczekiwaniu na karetkę sprawdź „ABC": drożność dróg oddechowych (Airway), oddychanie (Breathing) i krążenie (Circulation). Jeśli dziecko nie oddycha, natychmiast podejmij resuscytację krążeniowo-oddechową (patrz wyżej w tym rozdziale).
- W oczekiwaniu na pomoc ułóż dziecko na boku (chyba że doszło jednocześnie do urazu głowy lub szyi), aby zapobiec jego zachłyśnięciu się w razie wymiotów.

Drgawki

Przyczyną napadu drgawkowego jest chwilowe przerwanie lub zakłócenie normalnej aktywności elektrycznej mózgu. Drgawki obejmują typowo kończyny górne i dolne i przebiegają z utratą przytomności. Częstość występowania drgawek jest wysoka – szacuje się, że 4–6% dzieci ma co najmniej jeden atak w życiu – i zazwyczaj są one bardziej spektakularne i przerażające niż rzeczywiście niebezpieczne. U dzieci poniżej pięciu lat dość często zdarzają się drgawki na tle wysokiej gorączki (drgawki gorączkowe).

Nie są one zwykle groźne same w sobie, pod warunkiem że dziecko padając nie dozna urazu głowy (patrz „Urazy głowy i szyi" w tym rozdziale) oraz że okres ograniczonego dotlenienia mózgu nie będzie trwać zbyt długo. Drgawki występują ponadto w wielu stanach chorobowych, w tym nagłych, wymagających pilnej pomocy. (Więcej informacji na ten temat znajdziesz w rozdziale 29, „Dolegliwości i objawy", oraz w części poświęconej padaczce w rozdziale 32, „Problemy zdrowotne okresu wczesnego dzieciństwa").

Co robić

- Podczas napadu drgawkowego staraj się zabezpieczyć dziecko przed upadkiem; delikatnie połóż je na boku.
- Usuń z otoczenia twarde lub ostre przedmioty, o które dziecko mogłoby się potłuc lub pokaleczyć. Poluzuj ubranie wokół jego szyi.
- Sprawdź „ABC": drożność dróg oddechowych (Airway), oddychanie (Breathing) i krążenie (Circulation). Jeśli dziecko nie oddycha, natychmiast podejmij resuscytację krążeniowo-oddechową (patrz wyżej w tym rozdziale).
- Jeśli dziecko wymiotuje, przekręć jego głowę na bok, aby zapobiec zachłyśnięciu.
- **Nie** wlewaj dziecku do ust żadnego płynu podczas napadu.
- **Nie** wkładaj mu niczego między zęby. (Dziecko w ataku drgawek nie udławi się językiem).
- **Nie** próbuj pohamować ruchów dziecka, pozwól na ujawnienie się pełnego napadu drgawkowego.
- Jeśli dziecko ma gorączkę lub wydaje się rozpalone, możesz zastosować zimne okłady.
- Jeśli napad nie przechodzi po pięciu minutach albo jeśli dziecko ma ich wiele pod rząd, wezwij pogotowie (przez kogoś z otoczenia).

- Po ustąpieniu drgawek sprawdź, czy dziecko leży na boku, na wypadek wymiotów.
- Jeśli drgawki występują bez ustalonego podłoża chorobowego (jakim jest np. rozpoznana padaczka), natychmiast zgłoś się do lekarza.

Uwięźnięcie drzazgi

W większości przypadków drzazgi dają się usunąć w domu, o ile tylko jesteś do tego dobrze przygotowana. „Operacja" wydobycia ze skóry kawałka drewna, szkła czy innego odłamka może napełniać małe dziecko lękiem, w związku z czym tym ważniejsze jest jej właściwe przygotowanie. Ponieważ będziesz używać ostrych narzędzi (a dzieci mają również ostre ząbki i paznokcie), zapewnij sobie pomoc drugiej osoby, która przytrzyma dziecko podczas zabiegu, ewentualnie pomyśl o owinięciu go kocem bądź ręcznikiem.

Co robić

Skontaktuj się z lekarzem lub zawieź dziecko do szpitala, jeśli drzazga tkwi pod paznokciem dłoni lub stopy, jest wbita bardzo głęboko lub niemożliwa do usunięcia albo jeśli boisz się reakcji dziecka podczas zabiegu. W gabinecie lekarskim czy na pogotowiu da się miejscowo znieczulić skórę przed przystąpieniem do zabiegu.

Jeśli próbujesz usunąć drzazgę w domu, wykonaj następujące czynności:

- Delikatnie przemyj skórę wokół drzazgi wodą i mydłem.
- Wysterylizuj kleszczyki i igłę krawiecką, wkładając je na 5 minut do wrzącej wody albo opalając bezpośrednio nad płomieniem. Sprawdź, czy dostatecznie wystygły przed przyłożeniem ich do skóry dziecka.
- Jeśli drzazga wystaje ze skóry, postaraj się ostrożnie wyciągnąć ją kleszczykami pod kątem, pod jakim utkwiła w skórze.

- Jeśli drzazga jest w całości zagłębiona w skórze, spróbuj delikatnie rozszerzyć miejsce jej wlotu igłą, tak aby wydobyć koniec możliwy do uchwycenia. Następnie użyj kleszczyków do jej wyciągnięcia, pod kątem, pod jakim utkwiła w skórze.
- Po usunięciu drzazgi przemyj pole zabiegu wodą i mydłem, a następnie owiń bandażem.
- Zgłoś się do lekarza lub do szpitala, jeśli nie jesteś w stanie usunąć drzazgi ani jakiegokolwiek jej fragmentu albo jeśli drzazga łamie się lub kruszy podczas prób jej uchwycenia.
- Sprawdź z lekarzem pierwszego kontaktu, kiedy dziecko otrzymało ostatnie szczepienie przeciwtężcowe.
- W ciągu kilku następnych dni zwracaj uwagę na ewentualne objawy zakażenia, takie jak gorączka, zaczerwienienie, ból lub wydzielina ropna w miejscu rany. Jeśli zauważysz któryś z tych objawów, zgłoś się do lekarza lub na oddział pomocy doraźnej.

Połknięcie ciała obcego

Połknięcie gładkiego przedmiotu o średnicy monety 50-groszowej lub mniejszej z reguły nie przynosi większych szkód i kończy się jego wydaleniem ze stolcem. Niektóre połknięte ciała obce mogą być jednak bardzo niebezpieczne i wymagają pilnego usunięcia. I tak na przykład ostre lub wydłużone przedmioty mogą łatwo uwięznąć w przewodzie pokarmowym i doprowadzić do przebicia jego ściany (perforacji), baterie alkaliczne (i kwarcowe, używane na przykład w zegarkach lub aparatach słuchowych) mogą wywołać poparzenia przełyku, a przedmioty zawierające ołów lub rtęć mogą stać się przyczyną zatrucia.

Co robić

- W razie podejrzenia, że dziecko połknęło ciało obce, natychmiast skontaktuj się z lekarzem lub zawieź dziecko do szpitala. Dziecko może przyznać ci się do połknięcia albo też skarżyć się na ból w górnej części klatki piersiowej, ślinić się lub mieć trudności w połykaniu.

- Jeśli lekarze nie podejmą decyzji o natychmiastowej operacji, a raczej będą optować za odczekaniem, aż ciało obce zostanie samoistnie wydalone, musisz bardzo uważnie obserwować dziecko pod kątem takich objawów jak bóle brzucha, wzdęty, napięty brzuch, wymioty, gorączka i krew w stolcu. Objawy te mogą wskazywać na tak zwany „ostry brzuch", czyli stan wymagający pilnej interwencji chirurgicznej (na przykład perforację jelit). W razie pojawienia się któregokolwiek z nich natychmiast zawieź dziecko do szpitala.

Utrata przytomności

Stan nieprzytomności charakteryzuje się głębokim uśpieniem i brakiem reakcji na bodźce. Nieprzytomne dziecko nie da się obudzić potrząsaniem i nie odpowie na swoje głośno wypowiadane imię. Trzeba podkreślić, że stan nieprzytomności nie musi oznaczać zatrzymania oddechu. Musisz dokładnie ocenić czynność oddechową dziecka i w razie jej braku natychmiast rozpocząć resuscytację krążeniowo-oddechową (patrz wyżej w tym rozdziale).

Przyczyny utraty przytomności są bardzo liczne; wiele z nich opisaliśmy już w innych miejscach tego rozdziału (np. urazy głowy, masywne krwawienie, napad drgawkowy, wstrząs anafilaktyczny, zatrucie, udar cieplny itp.). Inne przyczyny obejmują powikłania cukrzycy (patrz rozdział 32, „Problemy zdrowotne okresu wczesnego dzieciństwa"), obniżenie poziomu cukru we krwi (hipoglikemię), a także szereg innych chorób w skrajnie ciężkiej, zagrażającej życiu postaci. Niezależnie od przyczyny nieprzytomne dziecko zawsze wymaga natychmiastowej pomocy medycznej.

Co robić

- Jeśli podejrzewasz, że dziecko jest nieprzytomne, spróbuj obudzić je, głośno wołając je po imieniu, klepiąc po ramieniu lub delikatnie potrząsając. W razie braku reakcji poproś kogokolwiek z otoczenia o pilne wezwanie pogotowia.
- Jeśli dziecko jest nieprzytomne, oceń wzrokiem, słuchem i czuciem, czy oddycha (według zasad podanych przy omawianiu resuscytacji). W razie zatrzymania oddechu natychmiast podejmij resuscytację krążeniowo-oddechową (patrz wyżej w tym rozdziale). Jeśli jesteś sama, krzyknij głośno „Na pomoc!", prowadź resuscytację przez jedną minutę, po czym przerwij na chwilę, by zadzwonić pod 999. Wróć i kontynuuj resuscytację aż do nadejścia pomocy.

Co robić, gdy dziecko jest nieprzytomne, ale samo oddycha

- Delikatnie poluzuj ubranie wokół jego szyi i zapewnij mu maksymalny dostęp świeżego powietrza.
- **Nie** próbuj podawać nieprzytomnemu dziecku czegokolwiek do picia lub jedzenia.
- Jeśli przyczyna utraty przytomności nie jest znana, zawsze myśl w pierwszym rzędzie o urazie głowy lub szyi i **nie** ruszaj dziecka. Jedyny dozwolony ruch to udrożnienie górnych dróg oddechowych, bez żadnych manipulacji przy szyi dziecka (patrz „Urazy głowy i szyi" w tym rozdziale).
- Jeśli wiadomo, że dziecko *nie doznało* urazu głowy lub szyi, przekręć je na bok, aby zapobiec zachłyśnięciu podczas możliwych wymiotów.
- Sprawdź oznaki krwawienia (patrz „Krwawienie zewnętrzne" i „Krwawienie wewnętrzne" w tym rozdziale), możliwość zatrucia (patrz „Zatrucia") lub udaru cieplnego (patrz „Przegrzanie"). Ratując

obce dziecko sprawdź, czy nie ma na ręku bransoletki informującej o jego specyficznej chorobie.

- Co pewien czas sprawdzaj „ABC": drożność dróg oddechowych (*Airway*), oddychanie (*Breathing*) i krążenie (*Circulation*). W razie zatrzymania oddechu natychmiast podejmij resuscytację krążeniowo-oddechową (patrz wyżej w tym rozdziale).

Jeśli potrzebujesz dodatkowych informacji, zasięgnij porady lekarza.

Rozdział 29

Dolegliwości i objawy

Co oznaczają i kiedy wzywać lekarza

Spis treści rozdziału

Krzyk/kolka, 490

Ból/wydzielina z ucha, 492

Zaczerwienienie/wydzielina z oka, 538

Gorączka

U niemowląt poniżej 3 miesięcy, 498

U niemowląt i dzieci powyżej
3 miesięcy, 506

Ból/obrzęki kończyn i stawów, 507

Ból/nieprawidłowości w obrębie jamy
ustnej, 511

Dolegliwości i objawy ze strony układu
oddechowego

Zaburzenia oddychania, 556

Katar/zatkany nos, 558

Kaszel, 561

Drgawki, 521

Dolegliwości i objawy skórne

Odparzenia od pieluch, 524

Żółtaczka, 525

Wysypka, 527

Ból gardła, 530

Dolegliwości i objawy ze strony przewodu
pokarmowego

Bóle brzucha, 532

Biegunka, 536

Wymioty, 539

Dolegliwości i objawy ze strony układu
moczowego/narządów płciowych, 542

Jak korzystać z tego rozdziału

Można niemal ze stuprocentową pewnością założyć, że nie było, nie ma i nie będzie na świecie dziecka, któremu nigdy nie zdarzyłoby się zachorować. Poszczególne choroby charakteryzują się określonym zespołem dolegliwości i objawów, które pozwalają rodzicom i lekarzowi zorientować się, o co chodzi i na czym polega istota problemu. W terminologii medycznej dolegliwości i skargi zgłaszane przez pacjenta określa się mianem *objawów podmiotowych*, czyli takich, których on sam subiektywnie doświadcza. Należy do nich na przykład ból, zawroty głowy czy osłabienie. Tak zwane *objawy przedmiotowe* oznaczają z kolei odchylenia od stanu prawidłowego możliwe do wykrycia i zmierzenia przez lekarza, takie jak gorączka czy szmery stwierdzane przy osłuchiwaniu serca. Niemowlęta i małe dzieci nie są zwykle w stanie wyrazić swoich dolegliwości werbalnie. W naszej książce, podobnie jak w wielu innych poświęconych zdrowiu dzieci, posługujemy się ogólnym terminem „objawy" w odniesieniu do obu kategorii.

Ten rozdział stanowi pobieżny przegląd szeregu problemów zdrowotnych, zgrupowanych według najczęstszych czy najważniejszych charakteryzujących je objawów. Wiele z nich, na przykład kaszel, występuje oczywiście w bardzo licznych i odmiennych stanach chorobowych. Trzeba też pamiętać, że chociaż większość najczęstszych chorób przebiega z typowym zespołem objawów, nie wszystkie spośród nich muszą wystąpić w konkretnym, indywidualnym przypadku. Przykładowo, mimo że ospa wietrzna rozpoczyna się u większości dzieci niewielką gorączką, niektóre z nich mogą mieć zupełnie prawidłową ciepłotę ciała.

Charakter i nasilenie objawów u dzieci zależą od wielu czynników: wieku, ewentualnych innych chorób współistniejących, indywidualnej reakcji organizmu, szczepu bakterii lub wirusów wywołujących infekcję i szeregu innych okoliczności, nie zawsze w pełni poznanych i zrozumiałych. Pomimo to właśnie objawy podmiotowe i przedmiotowe, stwierdzane przez lekarza podczas badania podmiotowego (wywiadu) i przedmiotowego (fizykalnego) – niekiedy w połączeniu z wynikami badań dodatkowych – mają kluczowe znaczenie w diagnostyce chorób dziecięcych.

Każda część niniejszego rozdziału opisuje określony, często występujący objaw oraz niektóre z jego przyczyn. Opis ten jest uzupełniony o listę sugestii na temat tego, co możesz samodzielnie zrobić w domu, wskazówek, kiedy należy zasięgnąć porady lekarza, oraz szczególnych sytuacji, wskazujących na konieczność natychmiastowej interwencji. Na przykład w części poświęconej bólom brzucha omawiamy kilka chorób dziecięcych, w których bóle brzucha mogą być objawem dominującym. Mimo znacznej liczby podawanych przez nas informacji musisz traktować je jedynie jako „wierzchołek góry lodowej". Nie chodzi nam bynajmniej o to, by zachęcać rodziców do ustalania rozpoznania choroby na własną rękę. Żadna książka (ani strona internetowa) nie może zastąpić pod tym względem wiedzy lekarza, który ogarnia problemy zdrowotne w całej ich złożoności i jako jedyny może właściwie zdiagnozować i leczyć chore dziecko.

Mimo naszych starań, by dokładnie omówić sytuacje, w których zdecydowanie musisz skontaktować się z lekarzem czy wręcz traktować je jak stany nagłe, decyzje tego rodzaju muszą w ogromnym stopniu opierać się na twoim własnym zdrowym rozsądku i wyczuciu. Jeśli jesteś przekonana (-y), że twoje dziecko jest poważnie chore, i potrzebujesz porady co do dalszego postępowania albo jeśli po prostu martwisz się jego stanem, zadzwoń do lekarza nawet wtedy, gdy dany objaw nie figuruje pod nagłówkiem „Kiedy dzwonić do lekarza". Lekarz pierwszego kontaktu, opiekujący się na stałe twoim dzieckiem, ma obowiązek odpowiedzieć na pytania rodziców i jest w pełni przygotowany na twój telefon w razie jakichkolwiek problemów.

Co z kolei oznacza w tym rozdziale zalecenie „Szukaj pilnej pomocy medycznej"? Każdy rozpoczęty tymi słowami akapit zawiera listę objawów i sytuacji wymagających wezwania pogotowia lub zawiezienia dziecka do szpitala, jednak i w tych przypadkach musisz kierować się własnym osądem. Praktyczna zasada: jeśli uważasz, że masz czas, by zadzwonić do lekarza po dodatkową poradę, zrób to. Jeśli jednak nie możesz połączyć się z nim natychmiast, nie czekaj, aż oddzwoni, ani nie ponawiaj prób przez pół godziny. Jeśli uważasz, że stan dziecka stanowi zagrożenie dla jego życia lub że każda zwłoka może narażać je na poważne powikłania, natychmiast wezwij pogotowie. Jeśli stan dziecka jest naprawdę niestabilny i najprawdopodobniej wymaga ono pilnego leczenia i obserwacji już w drodze do szpitala, lepiej jest zwykle poczekać na karetkę z wykwalifikowaną ekipą ratowniczą. Czasami jednak możesz zdecydować się na odwiezienie dziecka do szpitala własnym samochodem, jeśli sądzisz, że nic nie wydarzy się podczas podróży albo jeśli czekanie na karetkę oznaczałoby dalszą zwłokę.

Więcej informacji na temat postępowania w takich sytuacjach możesz znaleźć w rozdziale 28, „Pierwsza pomoc i postępowanie w stanach nagłych".

Krzyk/kolka

Objawy ostrzegawcze/niepokojące

Szukaj pilnej pomocy medycznej, jeśli dziecko zdradza któryś z następujących objawów:

- Nieprzerwany krzyk od ponad dwóch godzin;
- Gorączka i wybrzuszone ciemiączko (jeśli miękki obszar na czaszce niemowlęcia wygląda lub na dotyk sprawia wrażenie, jakby był stale uwypuklony, a nie unosi się i nie zapada rytmicznie podczas krzyku);
- Trudny do wytłumaczenia, długotrwały krzyk u starszego niemowlęcia lub dziecka powyżej roku;
- Rozdrażnienie i bóle głowy lub sztywność karku u starszego dziecka.

Szukaj pomocy również wtedy, gdy boisz się, że nie zniesiesz dłużej krzyku dziecka i możesz potraktować je brutalnie.

Kiedy dzwonić do lekarza

Skontaktuj się z lekarzem pierwszego kontaktu, jeśli dziecko wykazuje którykolwiek z następujących objawów:

- Krzyk dłuższy niż wydawałoby ci się to normalne po upadku lub innym urazie;
- Krzyk brzmiący jak wyraz bólu, a nie zwykłe marudzenie;
- Oznaki możliwego zapalenia ucha (skargi na ból, pocieranie ucha u niemowląt i małych dzieci);
- Ogólne wrażenie choroby (dziecko krzyczy i nie daje się pocieszyć, z trudem się budzi, ciężko oddycha, traci zainteresowanie zabawkami i ulubionymi rzeczami, nie chce jeść lub pić itp.);
- Oznaki możliwej alergii lub nietolerancji pokarmowej;
- Ślady po upadku lub urazie.

Niemowlęta i małe dzieci krzyczą często i z wielu powodów. Mają one ograniczone możliwości wyrażenia swoich potrzeb, a przez pierwsze kilka miesięcy życia krzyk jest siłą rzeczy ich głównym środkiem komunikacji z otoczeniem. Niemowlę oznajmia krzykiem szereg różnorodnych elementarnych potrzeb i uczuć. Większość rodziców zdumiewająco szybko uczy się rozpoznawać poszczególne rodzaje krzyku i właściwie odpowiadać na wyrażone w ten sposób potrzeby i pragnienia dziecka.

Niemowlęta krzyczą również i wtedy, gdy chcą okazać, że coś je boli albo że źle się czują. W miarę upływu czasu coraz częściej mogą krzyczeć z powodu rozstania z rodzicami, z poczucia osamotnienia lub ze strachu. Dzieci powyżej roku zaczynają nieraz płakać z frustracji, że z braku słów nie potrafią wyrazić tego, co czują albo czego chcą. Nie zawsze łatwo jest ustalić przyczynę krzyku. A oto zestaw kilku z nich, najbardziej typowych i prawdopodobnych:

Uzewnętrznienie podstawowych potrzeb lub emocji. Zdolność do porozumiewania się z otoczeniem nie jest, niestety, najmocniejszą stroną niemowlęcia. Przez kilka pierwszych miesięcy życia potrafi ono jedynie krzykiem zwrócić uwagę na swoją osobę i zakomunikować, że czegoś potrzebuje. Niemowlę może krzyczeć, bo jest głodne, spragnione, przemoczone, zmęczone, bo jest mu za gorąco lub za zimno. Oprócz tych podstawowych potrzeb niemowlę może również wyrażać krzykiem znudzenie, zmęczenie, przytłoczenie nadmiarem bodźców czy po prostu frustrację bez powodu. Chociaż jedną z częstszych przyczyn krzyku jest głód, musisz oprzeć się pokusie karmienia dziecka za każdym razem, gdy krzyczy. Noworodek potrzebuje zwykle jedzenia w odstępach od dwóch do czterech godzin. Krzyk przed upływem dwóch godzin od ostatniego karmienia nie musi więc oznaczać głodu, a jedynie wyrażać znudzenie czy potrzebę przytulenia. Na szczęście większość rodziców szybko uczy się znaczenia krzyku niemowlęcia w różnych sytuacjach i kontekstach.

Kolka. Dokładna przyczyna kolki u niemowląt nie jest znana. Z reguły pojawia się ona u mniej więcej dwutygodniowego noworodka i trwa do około trzeciego–czwartego miesiąca życia. Niemowlę w ataku kolki krzyczy i przykurcza nóżki, tak jak robi się to z bólu. Dzieci dotknięte kolką mogą płakać od trzech do pięciu godzin na dobę (podczas gdy u dzieci bez kolki średnia ta wynosi od jednej do trzech godzin). Niemowlę ma tendencję do krzyku o ustalonych porach dnia, często wieczorem. Więcej informacji na temat kolki znajdziesz w odpowiedniej części rozdziału 11, „Podstawowa opieka nad niemowlęciem".

Nietolerancja pokarmu matczynego lub sztucznego. Niektóre dzieci, które wydają się cierpieć na kolkę, mogą w rzeczywistości nie tolerować otrzymywanego pokarmu, zwłaszcza sztucznych mieszanek. Jeśli dziecko jest bardzo płaczliwe, powinnaś zatem zasięgnąć porady lekarza co do ewentualnej zmiany produktu. Nie wprowadzaj jednak zmian na własną rękę. Jeśli karmisz dziecko piersią, może się zdarzyć, że reaguje ono objawami podobnymi do kolki na któryś ze składników twojej diety. Do mleka matki przechodzi na przykład kofeina i niektóre leki, co może działać na niemowlę drażniąco i pobudzająco. Również i w tym przypadku powinnaś więc porozumieć się z lekarzem i ustalić z nim swój sposób odżywiania czy leczenia na czas karmienia piersią. W razie rozpoznania nietolerancji pokarmowej unikaj wywołujących ją produktów (i ustal z lekarzem, czy i kiedy możesz spróbować wprowadzić je ponownie).

Gorączka lub choroba. Choroba pogarsza samopoczucie każdego z nas, a niemowlęta i małe dzieci nie stanowią pod tym względem żadnego wyjątku. Przeziębione dziecko będzie najprawdopodobniej częściej płakać, a ty, nie mając niestety do dyspozycji zbyt wielu środków zaradczych, musisz po prostu okazać mu zdwojoną czułość i cierpliwość. Zapalenie ucha lub dróg moczowych przebiega często z bólem, któremu dziecko daje wyraz krzykiem i płaczem. Zwykłe przeziębienie nie wymaga wizyty u lekarza, ale jeśli niepokoisz się, czy nie kryje się za nim coś poważniejszego, nie wahaj się zadzwonić po poradę. (Więcej informacji na temat znaczenia gorączki i związanych z nią powodach do niepokoju znajdziesz w odpowiedniej części tego rozdziału).

Ból. Ból może być oczywiście powodem krzyku. Niemowlęta nie potrafią powiedzieć nam, co i od kiedy im dolega, tak więc ustalenie przyczyny bólu bywa dla rodziców trudną zagadką. Również starsze dzieci określają to często bardzo nieprecyzyjnie. Cóż zatem powinnaś zrobić, upewniwszy się, że dziecko jest najedzone i nie ma mokro? Zrób krótki przegląd wszystkich możliwych zewnętrznych przyczyn dyskomfortu. Sprawdź gumki i ściągacze wokół rączek i nóżek, które zwykle w zawrotnym tempie stają się za ciasne. Sprawdź też guziki, haftki i inne ostre wykończenia, które mogą wbijać się w ciało dziecka. Rozejrzyj się, czy żadna zabawka nie wślizgnęła się przypadkiem w niepowołane miejsce i nie uwiera. Czasami wokół paluszka dziecka może owinąć się włos czy nitka i nawet przerwać krążenie krwi. Jeśli wyłapiesz to natychmiast, możesz sama usunąć blokadę, jednak gdy dojdzie już do obrzęku, wskazana jest pomoc lekarza. Zawsze pomyśl też o możliwości upadku lub urazu, którego mogłaś nie zauważyć (małe dzieci przemieszczają się tak szybko, że nie sposób nieustannie mieć je na oku).

Wgłobienie. Wgłobienie jelita jest rzadką, ale poważną przyczyną bólu i krzyku dziecka. Więcej informacji na ten temat znajdziesz w części poświęconej bólom brzucha w tym rozdziale.

Co możesz zrobić w domu

- Upewnij się, że dziecko niedawno jadło i nie jest głodne.
- Sprawdź, czy nie ma mokrej lub zabrudzonej pieluszki.
- Sprawdź temperaturę w pokoju. Czy dziecku może być za gorąco lub za zimno? (Praktyczna zasada: dla pełnego komfortu niemowlę potrzebuje mieć na sobie o jedną warstwę ubrania więcej niż ty).
- Sprawdź ubranko dziecka, czy nie ma za ciasnych ściągaczy lub gumek ani guzików, haftek i innych uwierających części.
- Ustaw dziecko tak, by miało przed sobą nowy widok albo daj mu nową zabawkę. Niemowlęta nudzą się podobnie jak my – spraw, by otoczenie wokół dziecka było stale ciekawe, ale nie przytłaczające.

- Pamiętaj, że nie można „rozpuścić" niemowlęcia w pierwszych miesiącach życia zbyt częstym przytulaniem i noszeniem na rękach. Jeśli twoje dziecko domaga się tego od ciebie, a i ty chcesz je tulić i nosić, nie zwracaj uwagi na bezpodstawne przesądy.
- Spróbuj huśtawki lub bujanego leżaczka dla niemowląt.
- Przejdź się po domu z dzieckiem na rękach. Jeśli do tego coś mu zanucisz czy zaśpiewasz, efekt może być jeszcze lepszy. (Praktycznym rozwiązaniem są nosidełka dla niemowląt – umożliwiają ci stały, fizyczny kontakt z dzieckiem, a jednocześnie zostawiają wolne ręce).
- Zrób dziecku delikatny masaż pleców.
- Zabierz je na przejażdżkę samochodem. Ruch i wibracje silnika często skutecznie usypiają niemowlęta. (Pamiętaj, by zawsze używać fotelika i nie siadać za kierownicą, gdy jesteś przemęczona i śpiąca).
- Jeśli wszystkie te metody zawiodą i czujesz się u kresu wytrzymałości, zrób sobie chwilę przerwy. Jeśli to możliwe, poproś kogoś z rodziny czy przyjaciół, by na chwilę zastąpił cię przy dziecku. Jeśli jesteś sama i nikt fizycznie nie przyjdzie ci na pomoc, udziel sama sobie pozwolenia na moment oddechu. Zostaw dziecko w bezpiecznym miejscu (najlepiej w jego łóżeczku), poszukaj w domu cichego kąta i postaraj się zrelaksować, dopóki nie poczujesz się gotowa do dalszych zabiegów wokół nieznośnego niemowlęcia.

Ból/wydzielina z ucha

Objawy ostrzegawcze/niepokojące

Szukaj pilnej pomocy medycznej, jeśli u twojego dziecka wystąpi następujący objaw:
- Krwisty lub przejrzysty wyciek z ucha po upadku.

Kiedy dzwonić do lekarza

Skontaktuj się z lekarzem pierwszego kontaktu, jeśli u dziecka występuje którykolwiek z następujących objawów:

- Oznaki sugerujące uwięźnięcie w uchu ciała obcego.
- Gorączka trwająca dłużej niż trzy dni lub nawracająca po 1–2 dniach po przebytym przeziębieniu.
- Ból lub swędzenie w uchu albo nieustanne dotykanie i pocieranie ucha przez niemowlę i małe dziecko.
- Jakakolwiek płynna, ropna lub krwista wydzielina z ucha. (Nie musisz dzwonić do lekarza, jeśli masz pewność, że jest to tylko i wyłącznie woskowina, która może wydzielać się samoistnie w niewielkich ilościach i ma barwę jasno- lub ciemnobrązową lub brązowo-pomarańczową).
- Ból, zaczerwienienie lub obrzęk na poziomie kości za uchem.
- Ból przy połykaniu.
- Pogorszenie słuchu.
- Gorączka lub inne objawy chorobowe podczas ząbkowania. (Ząbkowanie może sprawiać, że niemowlę będzie bardziej marudne niż zwykle, ale nie powinno się tłumaczyć nim nadmiernej senności ani nieutulonego krzyku).
- Brak oznak poprawy po trzech dniach leczenia antybiotykami u dziecka z rozpoznanym zapaleniem ucha.

Twoje dziewięciomiesięczne niemowlę spędziło dzisiaj kilka godzin na wkładaniu palca do lewego ucha i pociąganiu za płatek. Jak to rozumieć? Czy coś je boli? Czy może mieć zapalenie ucha? Czy to dlatego, że ząbkuje? Czy może po prostu odkryło, że ucho jest bardzo ciekawym obiektem do zabawy?

Gdyby niemowlę umiało mówić, nie musiałabyś zadawać sobie podobnych pytań. Niestety, jak sama nazwa wskazuje, nie umie i pozostawia rodzicom emocje zgadywania, co kieruje jego zachowaniem. Pociąganie za ucho może więc równie dobrze oznaczać infekcję, jak i ząbkowanie czy naturalny proces odkrywania własnego ciała. Musisz zatem zwracać uwagę na inne sygnały i na ich podstawie próbować ustalić konkretną przyczynę. Pociąganie za ucho i niepokój dziecka, który nasila się przy zmianie pozycji na leżącą, to dwie główne oznaki możliwej infekcji. A oto kilka najczęstszych przyczyn bólu i wydzieliny z ucha:

Zapalenie ucha środkowego (otitis media). Mówiąc o infekcji ucha, w większości przypadków mamy na myśli właśnie zapalenie ucha środkowego, czyli przedziału położonego za błoną bębenkową. Choroba objawia się zwykle bólem, a nierzadko również gorączką. Często zdarza się, że dziecko jest najpierw przeziębione, po czym po jednym–dwóch dniach bez gorączki dochodzi ponownie do jej wzrostu. U niektórych dzieci zapalenie ucha środkowego przebiega z gęstą, żółtawą wydzieliną, która nie jest niczym innym jak ropą sączącą się przez niewielką perforację w błonie bębenkowej. (Nie ma powodu do paniki – jest to pierwszy krok w kierunku wyzdrowienia. Drenaż ucha środkowego przynosi dziecku ulgę w bólu, a otworek w błonie bębenkowej niemal zawsze goi się i zarasta samoistnie. Aby przyspieszyć ten proces, lekarze zlecają zwykle antybiotyki). Niektóre dzieci mają skłonność do nawracających zapaleń ucha środkowego. Podatności na tę chorobę sprzyja dym papierosowy. (Jest to jeszcze jeden argument za rzuceniem palenia. Jeśli chcesz pozbyć się nałogu, przestrzegaj zasady, by wychodzić na papierosa poza dom, a już na pewno nie palić przy dziecku). Więcej informacji na temat zapalenia ucha znajdziesz w rozdziale 30, „Choroby zakaźne wieku dziecięcego".

Zapalenie ucha zewnętrznego (otitis externa, „ucho pływaka"). Informacje na temat tej infekcji są podane w rozdziale 30, „Choroby zakaźne wieku dziecięcego".

Uraz/podrażnienie przewodu słuchowego zewnętrznego. Każde podrażnienie przewodu słuchowego powoduje, że dziecko zaczyna odczuwać swoje ucho, i to w dodatku jako coś dziwnego czy obcego. Zależnie od wieku twoje dziecko będzie albo łapać za ucho i pocierać nim, albo wprost powie, że je boli. Pamiętaj, że waciki kosmetyczne są dobre do czyszczenia zakamarków małżowiny, ale nie powinno się wprowadzać ich do przewodu, bowiem każde ciało obce, nawet tak delikatne jak wacik, może wywołać podrażnienie. Ponadto efektem takiego czyszczenia jest często wepchnięcie woskowiny jeszcze głębiej. Z uwagi na możliwość nie tylko podrażnień i zadrapań, ale i poważniejszego uszkodzenia błony bębenkowej musisz zakazać dziecku manipulowania w uchu wszelkimi innymi przedmiotami, jak spinki czy ołówki.

Ząbkowanie lub ból gardła. Chociaż może się to wydawać dziwne, wyrzynanie się zębów czy każdy inny dyskomfort w tylnej części jamy ustnej bywa często odbierany przez dzieci jako ból uszu. Dzieje się tak dlatego, że bodźce bólowe z tej okolicy przebiegają w drodze do mózgu dokładnie za uszami i tym samym dezorientują dziecko co do umiejscowienia bólu. Miejscowe leki znieczulające, wcierane w dziąsła, są z reguły mniej skuteczne niż Mortin/Advil. Skontaktuj się jednak z lekarzem, zwłaszcza gdy dziecko ma gorączkę lub sprawia wrażenie, jakby odczuwało ból przy połykaniu.

Woskowina (cerumen). Każdy z nas ma w uszach woskowinę. Ta żółtawobrązowa, dość gęsta wydzielina jest produkowana przez ucho w celu ochrony przewodu słuchowego. Woskowina nie zalega zwykle w uchu na tyle, by stwarzać jakiekolwiek problemy (poza ewentualnym utrudnianiem lekarzowi badania ucha), jeśli jednak staje się zbyt gęsta i sucha, albo też zostanie głęboko wepchnięta (wacikiem!), może niekiedy wywoływać dyskomfort lub pogorszenie słuchu. Czasami z kolei woskowina bywa do tego stopnia rozrzedzona, że swobodnie wypływa z ucha i daje brązową skorupkę na brzegu małżowiny albo na poduszce. Obfitsza i jasnożółta wydzielina z ucha nasuwa jednak podejrzenie infekcji. Jeśli zobaczysz w zakamarkach małżowiny dziecka woskowinę, wyczyść ją zmoczonym w ciepłej wodzie ręcznikiem albo wacikiem. Nigdy nie próbuj dostać się do wnętrza przewodu słuchowego, nawet za pomocą pozornie nieszkodliwego wacika na patyczku, bo może to prowadzić do podrażnienia, a przy tym do zaklinowania woskowiny jeszcze głębiej.

Ciało obce. Niektóre małe dzieci z upodobaniem wpychają wszystko, co wpadnie im w ręce, do buzi, nosa i uszu. Możesz nie zauważyć, że znikło ci jedno winogrono, ale musisz zwracać uwagę, czy dziecko nie pociąga za ucho, w którym ukryło zdobycz. Pomysłowość dzieci w tym względzie jest doprawdy nieograniczona – w uchu może znaleźć się karma dla chomika, skrawki papieru, kamyki, grudki błota... Dziecko z ciałem obcym w uchu nie wygląda na chore, nie ma objawów przeziębienia ani gorączki. Nawet jeśli widzisz ciało obce, nie staraj się wyciągnąć go na własną rękę, bo możesz wepchnąć je głębiej albo zranić przewód słuchowy. Lekarz dysponuje specjalnymi narzędziami, które zdecydowanie ułatwiają tego rodzaju zabieg.

Co możesz zrobić w domu

W razie zapalenia ucha:
- Dopilnuj, aby dziecko wzięło pełną dawkę zapisanych przez lekarza antybiotyków, nawet jeśli po paru dniach nie zdradza już żadnych oznak choroby.
- Skontaktuj się z lekarzem, jeśli nie widzisz poprawy po trzech dniach leczenia antybiotykami.

W razie nadmiaru woskowiny:

- Zanim zaczniesz czegokolwiek używać, poradź się lekarza, czy woskowina w uszach dziecka rzeczywiście stanowi problem. Nigdy nie wkładaj niczego (poza lekarstwami zleconymi przez lekarza) do wnętrza przewodu słuchowego, zwłaszcza w razie podejrzenia perforacji błony bębenkowej.
- Pamiętaj, że woskowina jest wydzieliną w pełni naturalną, najczęściej wydobywającą się samoistnie i rzadko tylko wymagającą usuwania.
- Przecieraj małżowiny dziecka ręcznikiem zmoczonym w ciepłej wodzie. Nawilżenie powietrza tuż przy uchu często rozrzedza wydzielinę i ułatwia jej usunięcie.
- Możesz również czyścić zakamarki małżowiny wacikiem, ale bez zagłębiania go do przewodu słuchowego. Jak już wspomniano, może to spowodować podrażnienie oraz wepchnąć woskowinę głębiej.
- **Nigdy** nie wprowadzaj do ucha dziecka jakichkolwiek przedmiotów czy instrumentów dla usunięcia woskowiny.

W razie ząbkowania spróbuj następujących sposobów:

- Daj dziecku plastikowe czy gumowe kółko-gryzak przechowywane przez godzinę w zamrażalniku. Gładki, zimny, twardy przedmiot do gryzienia działa często kojąco na obolałe dziąsła. (Unikaj gryzaków wypełnionych żelem, bo zawsze istnieje ryzyko, że przez jakiś otwór czy nieszczelność przedostanie się on do buzi dziecka).
- Nigdy nie obwiązuj gryzaka (ani jakiegokolwiek innego przedmiotu) wokół szyi dziecka z powodu ryzyka uduszenia.
- Pamiętaj, że ząbkujące niemowlę może ślinić się i marudzić bardziej niż zwykle,

ale nie powinno gorączkować ani zdradzać innych objawów chorobowych.

Zaczerwienienie/wydzielina z oka

Objawy ostrzegawcze/niepokojące

Szukaj pilnej pomocy medycznej w razie zaistnienia następujących sytuacji:

- Jeśli do oka dziecka przedostanie się jakiś środek chemiczny czy czyszczący (ale najpierw obficie przepłucz oko wodą);
- Jeśli w oku utkwi patyk lub inny podobny przedmiot;
- Jeśli ciało obce w oku nie daje się usunąć poprzez łzawienie ani płukanie wodą;
- Jeśli zaczerwienieniu i podrażnieniu oczu towarzyszy zamazane widzenie;
- Jeśli wystąpi zaczerwienienie i obrzęk oczodołu lub powieki, utrudniające otwieranie oka.

Kiedy dzwonić do lekarza

Skontaktuj się z lekarzem pierwszego kontaktu, jeśli u dziecka występuje którykolwiek z następujących objawów:

- Zaczerwienione i podrażnione oczy;
- Oczy „zaklejone" rano, z wodnistą lub żółtawą wydzieliną w ciągu dnia;
- Zaczerwienienie, obrzęk lub bolesność okolicy wokół oka lub powieki;
- Czerwona, bolesna grudka na powiece;
- Ból oka lub wyraźna nadwrażliwość na światło;
- Zaczerwienione, zaropiałe oczy u niemowlęcia w wieku poniżej trzech miesięcy.

Swędzenie, zaczerwienie lub wydzielina z oczu pojawiają się z wielu różnorodnych przyczyn. Świąd oczu jednocześnie z zatkanym nosem może być na przykład objawem alergicznym. Wirusowe lub bakteryjne zapalenie spojówek powoduje przekrwienie gałek ocznych i wydzielinę.

Większy pyłek kurzu lub uwięźnięta pod powieką rzęsa wywołują podrażnienie oka, ze łzawieniem i zaczerwienieniem. W rzadkich przypadkach objawy zapalne ze strony oczu pojawiają się w przebiegu przewlekłych chorób ogólnoustrojowych, takich jak zapalenie jelit czy młodzieńcze reumatoidalne zapalenie stawów. Inne problemy związane z oczami mogą również niepokoić. Poniżej omawiamy pokrótce najczęstsze spośród nich.

Niedrożność kanału łzowego. Blokadę kanału łzowego można podejrzewać u noworodka w razie utrzymywania się wodnistej lub żółtawej wydzieliny z jednego oka. Nasze oczy nieustannie produkują łzy, dzięki którym powieki gładko i bez tarcia przesuwają się po gałkach ocznych. Niewielki przewód, rozpoczynający się w przyśrodkowym kąciku oka, odprowadza nadmiar łez do nosa. W razie niedrożności tego przewodu łzy cofają się na powierzchnię oka i gromadzą na niej jako wodnista wydzielina. Kanał łzowy udrażnia się zwykle samoistnie między szóstym a dwunastym miesiącem życia dziecka. Dobrze jest przecierać oko czystą, wilgotną chusteczką, a także delikatnie masować okolicę między nasadą nosa a wewnętrznym kącikiem oka.

(Poproś lekarza, żeby zademonstrował ci udrażniający masaż kanału łzowego. Musisz robić to oczywiście czystymi rękami, aby nie zainfekować oczu dziecka).

Zapalenie spojówek (conjunctivitis). Infekcję tę, wywołaną przez wirusy lub bakterie, można podejrzewać w razie zaczerwienionych, wypełnionych lepką wydzieliną oczu dziecka. Więcej informacji na ten temat znajdziesz w rozdziale 30, „Choroby zakaźne wieku dziecięcego”.

Sezonowe i środowiskowe alergie lub czynniki drażniące. Zaczerwienione, swędzące i załzawione oczy mogą być oznaką alergii. Również czynniki środowiskowe, na przykład dym papierosowy, powodują podrażnienie oczu dziecka. Więcej informacji na ten temat podajemy w akapicie dotyczącym kaszlu w tym samym rozdziale.

Ciało obce. Oko jest narządem bardzo wrażliwym i łatwo ulega podrażnieniom nawet pod wpływem bardzo drobnych ciał obcych, takich jak uwięźnięte pod powieką cząstki kurzu czy pyłu. Tego rodzaju zanieczyszczenia powodują

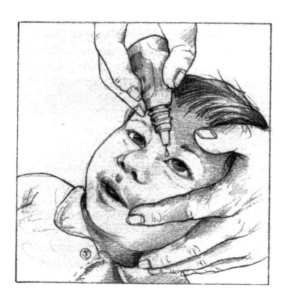

Rycina 29.1. Zapuszczanie kropli do oczu. Aby podać krople niemowlęciu lub małemu dziecku, zastosuj następującą technikę: połóż dziecko płasko na plecach, unieruchamiając ręką jego głowę w sposób przedstawiony na rysunku. Wpuść zaleconą liczbę kropli do kącika oka (w pobliżu nosa). Nawet jeśli dziecko broni się zaciskaniem powiek, krople zbiorą się w skórze w tym zagłębieniu i dostaną się do oka w momencie jego otwarcia. Czasami potrzebna może być pomoc drugiej osoby, aby przytrzymać wyrywające się dziecko.

zaczerwienienie spojówek, ale zwykle nie uszkadzają rogówki ani innych struktur oka. Mimo łagodnego charakteru bywają jednak uciążliwe. Pierwszym – ze wszech miar pożytecznym – odruchem obronnym jest wzmożone wydzielanie łez, co najczęściej wystarcza do usunięcia z powierzchni gałki ocznej tego rodzaju ciała obcego. Jeśli jednak zaczerwienienie utrzymuje się dłużej niż przez godzinę, należy skontaktować się z lekarzem. Drobne cząstki pyłu łatwo zaklinowują się pod powieką. Jeśli z kolei do oka dostanie się coś większego (na przykład odłamek patyka), nie próbuj usuwać go na własną rękę, bo może to przynieść więcej szkody niż pożytku. W takim przypadku, albo w razie utrzymującego się podrażnienia oka, zaprowadź dziecko do lekarza.

Jęczmień. Jęczmień jest stanem zapalnym brzegu powieki, a ściślej zakażeniem gruczołów potowych lub łojowych towarzyszących mieszkom włosowym rzęs. Objawia się ono bolesnością, zaczerwienieniem i obrzękiem powieki, często w postaci pojawiającego się znienacka guzka, który powiększa się w ciągu kilku dni. Jęczmień niemal zawsze sprawia dziecku ból, ale nie zakłóca widzenia i nie wywołuje ogólnych objawów chorobowych. Ciepłe okłady przyspieszają zwykle drenaż wydzieliny i cofanie się stanu zapalnego, jednak czasami konieczne mogą okazać się antybiotyki.

Otarcie rogówki (abrazja). Rogówka jest zewnętrzną warstwą (błoną), pokrywającą gałkę oczną. Uraz lub ciało obce – nawet niewielkie cząstki pyłu lub kurzu – mogą spowodować otarcie (abrazję) rogówki, czyli przerwanie jej ciągłości. Objawia się to z reguły bólem (typu pieczenia lub kłucia), zaczerwienieniem oka, łzawieniem i nadwrażliwością na światło. Właściwie leczone otarcia rogówki goją się zwykle całkowicie i nie mają długoterminowych szkodliwych następstw dla wzroku.

Urazy chemiczne. Wypadki z udziałem domowych środków czystości zdarzają się, niestety, mimo najbardziej usilnych starań, by trzymać je z dala od dzieci. Płyn do czyszczenia może na przykład prysnąć na dziecko, które nieoczekiwanie znajdzie się tuż przy tobie podczas sprzątania. Jeśli jakikolwiek środek chemiczny dostanie się dziecku do oczu, musisz natychmiast przemyć je obficie czystą, letnią wodą. Kontynuuj przepłukiwanie przez co najmniej 10–15 minut (patrz rozdział 28, „Pierwsza pomoc i postępowanie w stanach nagłych", w którym podajemy bardziej szczegółowe informacje na ten temat). Ponieważ niektóre środki chemiczne mogą uszkodzić rogówkę, lekarz musi wiedzieć, o jaki produkt chodzi w danym przypadku. Czasami samo płukanie oka okazuje się wystarczające, jednak nieraz ochrona narządu wzroku dziecka wymaga bardziej specyficznego leczenia.

Co możesz zrobić w domu

W przypadku zapalenia spojówek:

- Usuwaj lepką lub zaschniętą wydzielinę, co przyniesie dziecku ulgę. Przecieraj zewnętrzną stronę oka wacikiem (jednorazowo) zmoczonym w letniej wodzie. Nie nadużywaj jednak tych zabiegów, bo i tak nie wyczyścisz oczu całkowicie. Wykonuj je kilka razy dziennie, gdy zbierze się szczególnie dużo gęstej wydzieliny.
- Pamiętaj, że zapalenie spojówek jest zaraźliwe, w związku z czym wszyscy domownicy muszą tym bardziej przestrzegać mycia rąk. Postaraj się, by dziecko unikało dotykania buzi i pocierania oczu. Sama myj ręce, zanim dotkniesz jego twarzy. Zlikwiduj wspólny dla wszystkich domowników ręcznik do rąk, poprzez który może szerzyć się infekcja.

W przypadku alergii:

- Jeśli podejrzewasz u dziecka alergię, postaraj się zapisywać jej objawy. Załóż specjalny dzienniczek, w którym będziesz notować porę, miejsce i okoliczności ich występowania, co może wybitnie pomóc w ustaleniu przyczyny wywołującej. Lekarz z całą pewnością poprosi cię o tego rodzaju informacje.

W przypadku ciała obcego:
- Przepłukuj oko czystą wodą (dokładne wskazówki na ten temat znajdziesz w rozdziale 28, „Pierwsza pomoc i postępowanie w stanach nagłych"). Jeśli w oku utkwiło coś większego, na przykład odłamek gałązki, nie staraj się usunąć tego na własną rękę, tylko niezwłocznie szukaj pilnej pomocy lekarskiej.

Gorączka
Gorączka u niemowlęcia poniżej trzeciego miesiąca życia
Objawy ostrzegawcze/niepokojące

Szukaj pilnej pomocy medycznej w razie wystąpienia u niemowlęcia któregoś z takich objawów, jak:
- Gorączka (według niżej podanych definicji);
- Letarg i trudności w budzeniu się;
- Nieutulony krzyk przez kilka godzin;
- Wyraźna odmowa jedzenia;
- Obniżona temperatura ciała (poniżej 36°C) mimo odpowiednio ciepłego okrycia;
- Zimna i lepka skóra;
- Zasinienie warg, języka i paznokci;
- Osłabienie, apatia, „przelewanie się przez ręce" w porównaniu z normalną aktywnością i napięciem mięśniowym dziecka;
- Napięte, wybrzuszone ciemiączko, nie pulsujące podczas krzyku.

W przypadku starszego dziecka wystarczy często sama ocena poziomu jego aktywności, by odróżnić poważniejszą chorobę od zwykłego przeziębienia. U niemowląt tego rodzaju rozróżnienie jest, niestety, znacznie trudniejsze. Lekarze muszą nieraz zlecić dodatkowe badania, by wykluczyć ciężką infekcję jako przyczynę gorączki. Konieczne może być badanie krwi, moczu, a nawet płynu mózgowo-rdzeniowego. Czasami ustalenie rozpoznania wymaga zatrzymania dziecka w szpitalu na kilkudniowej obserwacji. Jeśli wyniki badań okażą się negatywne, stosuje się wtedy zwykle próbne leczenie antybiotykami. Mimo że najczęstszą przyczyną gorączki u młodszych niemowląt są banalne, niegroźne infekcje wirusowe, lekarze wolą „dmuchać na zimne" i zwalczać gorączkę w tym wieku bardziej agresywnie niż u dzieci starszych.

U niemowląt i u starszych dzieci gorączkę wywołują najczęściej te same czynniki (głównie wirusy lub bakterie). Czasami przyczyną nie jest zakażenie, lecz środowisko niemowlęcia. Poniżej omawiamy najważniejsze przyczyny gorączki u niemowląt w pierwszych trzech miesiącach życia.

Definicja gorączki

- Temperatura mierzona w odbytnicy powyżej 38°C
- Temperatura mierzona w jamie ustnej powyżej 37,5°C
- Temperatura mierzona pod pachą powyżej 37,2°C
- Temperatura mierzona w uchu (sposobem jak w odbytnicy) powyżej 38°C
- Temperatura mierzona w uchu (sposobem jak w jamie ustnej) powyżej 37,5°C

Pomiar temperatury u dziecka

Muśnięcie ustami lub przyłożenie ręki do czoła dziecka pozwala często zorientować się, czy może ono mieć gorączkę, czy też nie. Metoda ta, zwana dotykową, zależy jednak w dużym stopniu od indywidualnej wrażliwości badającego i nie może tym samym zastąpić obiektywnego i dokładnego pomiaru termometrem.

Wybór termometru

Dawniej wszystko było o wiele prostsze – rodzice mieli do dyspozycji albo własne ręce, albo tradycyjny termometr szklany. Czasy się jednak zmieniły i obecnie, z powodu obaw związanych z reakcją organizmu na toksyczną rtęć, zaleca się rezygnację z używania szklanych termometrów rtęciowych u dzieci. Do bezpiecznych, a i precyzyjnych, należą domowe termometry cyfrowe (którymi można mierzyć temperaturę w jamie ustnej, w odbytnicy lub pod pachą), a także termometry uszne.

Termometry przykładane do czoła (w postaci plastikowych pasków) są szybkie i proste w użyciu, ale za to niedokładne. W praktyce nie dostarczają one więcej informacji niż zwykły dotyk wprawną ręką. Można skorzystać z takiego pomiaru w charakterze orientacyjnym, ale nie zastąpi on odczytu w stopniach. Nie zawsze dokładne są również termometry w postaci smoczka. Mimo że wydają się one idealnym rozwiązaniem dla najmłodszych, nie powinny być stosowane u niemowląt poniżej trzech miesięcy życia. Cyfrowe termometry uszne są dostatecznie dokładne pod warunkiem prawidłowego użycia (co wymaga pewnej wprawy), ale niestety dość dużo kosztują. Inne termometry cyfrowe występują na rynku w wielu kształtach i rozmiarach i najczęściej podają wiarygodne wartości. Niezależnie od typu, jaki wybierzesz, musisz nauczyć się nim właściwie posługiwać i odczytywać wyniki.

Gdzie mierzyć temperaturę?

Trzy podstawowe możliwości pomiaru temperatury (chyba że masz termometr uszny) obejmują metodę odbytniczą, ustną i pachową. Wybór miejsca zależy głównie od wieku dziecka i jego zdolności do współpracy. Do czasu, aż dziecko nauczy się trzymać termometr w zamkniętej buzi, najlepiej jest przeprowadzać pomiar w odbytnicy. Mimo że jest to metoda bezpieczna i wiarygodna, niektórzy rodzice wzdragają się na samą myśl o jej wykonaniu i zdecydowanie wolą inne miejsca. Jeśli tak jest w twoim przypadku, możesz wybrać pomiar pod pachą. Jest on szczególnie przydatny u starszych dzieci w razie zatkanego nosa, co utrudnia utrzymanie termometru w zamkniętych ustach.

Pomiar temperatury u dziecka termometrem cyfrowym

Uwaga: Używając termometru usznego, stosuj się do załączonych wskazówek producenta.

Metoda odbytnicza

- Dokładnie przeczytaj instrukcję producenta, tak abyś na pewno wiedziała, który sygnał bądź seria sygnałów oznacza zakończenie odczytu. Sprawdź czystość ekranu przed pomiarem.
- Jeśli do termometru dołączone są jednorazowe plastikowe mankiety, załóż czysty przed użyciem.
- Pokryj czubek termometru rozpuszczalnym w wodzie żelem nawilżającym – a nie żelem na bazie nafty (jak wazelina).
- Połóż sobie dziecko na kolanach, z pośladkami do góry i rozluźnionymi nóżkami. Pamiętaj o podtrzymywaniu jego głowy. Starsze albo bardzo niespokojne dziecko lepiej jest położyć na twardej, płaskiej powierzchni, na przykład na stole do przewijania lub na kocyku na podłodze.
- Przytrzymaj dziecko nieruchomo jedną ręką ułożoną w dolnej części jego pleców.
- Drugą ręką delikatnie wprowadź pokryty żelem termometr do odbytu dziecka na głębokość 1,25–2,5 cm. Zatrzymaj się w razie natrafienia na jakikolwiek opór.
- Przytrzymaj termometr między drugim a trzecim palcem ręki ułożonej na pośladkach dziecka. Staraj się uspokoić je na czas pomiaru czułymi słowami.
- Odczekaj do usłyszenia sygnału(-ów) oznajmiającego zakończenie pomiaru i delikatnie wysuń termometr spomiędzy pośladków.
- Odczytaj i zanotuj wynik wyświetlony na ekranie.
- Jeśli używasz jednorazowego plastikowego mankietu, zdejmij go i wyrzuć.
- Wyczyść termometr i włóż do jego opakowania.

Metoda ustna

- Jeśli dziecko dopiero skończyło jeść lub pić, musisz odczekać 20–30 minut.
- Dokładnie przeczytaj instrukcję producenta, tak abyś na pewno wiedziała, który sygnał bądź seria sygnałów oznacza zakończenie odczytu. Sprawdź czystość ekranu przed pomiarem.
- Jeśli do termometru dołączone są jednorazowe plastikowe mankiety, załóż czysty przed użyciem.

- Sprawdź, czy dziecko nie ma w buzi cukierka, gumy do żucia lub resztek jedzenia.
- Umieść termometr pod językiem dziecka i poproś je o potrzymanie go z zamkniętą buzią. Przypomnij mu, że nie wolno gryźć termometru ani mówić podczas pomiaru. Każ dziecku zrelaksować się i normalnie oddychać przez nos.
- Odczekaj do usłyszenia sygnału(-ów) oznajmiającego zakończenie pomiaru i wyjmij termometr z ust dziecka.
- Odczytaj i zanotuj wynik wyświetlony na ekranie.
- Jeśli używasz jednorazowego plastikowego mankietu, zdejmij go i wyrzuć.
- Wyczyść termometr i włóż do jego opakowania.

Metoda pachowa

- Dokładnie przeczytaj instrukcję producenta, tak abyś na pewno wiedziała, który sygnał bądź seria sygnałów oznacza zakończenie odczytu. Sprawdź czystość ekranu przed pomiarem.
- Jeśli do termometru dołączone są jednorazowe plastikowe mankiety, załóż czysty przed użyciem.
- Wsuń termometr pod pachę dziecka. Należy do tego zdjąć mu ubranie, tak aby termometr przylegał bezpośrednio do skóry. Przygnij ramię dziecka do klatki piersiowej, żeby utrzymać termometr nieruchomo na miejscu.
- Odczekaj do usłyszenia sygnału(-ów) oznajmiającego zakończenie pomiaru i wyjmij termometr z ust dziecka.
- Odczytaj i zanotuj wynik wyświetlony na ekranie.
- Jeśli używasz jednorazowego plastikowego mankietu, zdejmij go i wyrzuć.
- Wyczyść termometr i włóż do jego opakowania.

Przeziębienie i inne zakażenia wirusowe. Są to najczęstsze przyczyny gorączki u dzieci w każdym wieku. Ponieważ jednak gorączka u niemowlęcia wymaga większej czujności, a ustalenie rozpoznania jest trudniejsze, lekarz może zlecić dodatkowe badania dla wykluczenia choroby poważniejszej niż banalna infekcja.

Czynniki środowiskowe. Niemowlęta, a zwłaszcza noworodki, nie potrafią regulować ciepłoty ciała równie sprawnie jak starsze dzieci, w związku z czym opatulone w kilka warstw ubrania czy kocyków dość łatwo ulegają przegrzaniu. Jednocześnie są też bardziej podatne na wyziębienie, ponieważ tracą ciepło przez stosunkowo dużą powierzchnię skóry. Jeśli więc niemowlę nie jest dostatecznie ciepło ubrane, temperatura jego ciała może obniżyć się w niskiej temperaturze otoczenia. Zapamiętaj praktyczną zasadę: dziecko przez kilka pierwszych tygodni życia potrzebuje dla pełnego komfortu mieć na sobie o dwie warstwy ubrania więcej niż ty, a w wieku kilku miesięcy – o jedną więcej. Jeśli wydaje ci się, że twoje niemowlę gorączkuje, przed zmierzeniem mu temperatury rozwiń je z kocyka i pozostaw na 10–15 minut lekko ubrane.

Szczepienia. W wieku dwóch miesięcy niemowlęta otrzymują zazwyczaj pierwszą dawkę szczepionki DiTePer – przeciwko błonicy, tężcowi i krztuścowi. Szczepionka ta, podobnie jak niektóre inne, może wywołać gorączkę (zwykle w pierwszej dobie po podaniu). Gorączka jest reakcją na szczepionkę i nie oznacza tym samym konieczności badania dziecka pod kątem infekcji. Jeśli masz jakiekolwiek wątpliwości, czy gorączka u twojego dziecka jest rzeczywiście następstwem szczepienia, skontaktuj się z lekarzem.

Infekcje układu moczowego. Przyczyną gorączki u niemowląt może być zakażenie pęcherza lub nerek. Dziecko nie umie powiedzieć, że boli je przy oddawaniu moczu, dlatego też infekcje te bywają trudne do wykrycia. Badanie moczu należy zwykle do rutynowych elementów postępowania diagnostycznego w razie niejasnej gorączki u niemowląt.

Zapalenie opon mózgowo-rdzeniowych (meningitis). Zapalenie to dotyczy błon pokrywających mózg (bardziej szczegółowo omawiamy je w rozdziale 30, „Choroby zakaźne wieku dziecięcego"). Zwłaszcza w przypadkach o etiologii bakteryjnej jest to poważne zakażenie, wymagające zwykle leczenia antybiotykami. Niemowlę dotknięte zaleniem opon mózgowo-rdzeniowych może być albo bardzo senne, albo rozdrażnione. Często płacze bez przerwy i nie daje się uspokoić ani pocieszyć. Niektóre dzieci stają się apatyczne, nie chcą jeść, słabo ssą. Ciemiączko na głowie dziecka może uwypuklać się na zewnątrz i nie pulsować rytmicznie podczas krzyku. W tej sytuacji lekarze decydują się na zabieg diagnostyczny zwany punkcją lędźwiową, która polega na wkłuciu się do kanału kręgowego i pobraniu płynu otaczającego rdzeń kręgowy do badania ogólnego – pod kątem cech zapalenia, a także do badania mikrobiologicznego dla identyfikacji bakterii lub wirusów odpowiedzialnych za zakażenie.

Posocznica (sepsa). Stan ten oznacza „obecność bakterii w krwioobiegu". Punktem wyjścia zakażenia może być albo sama krew, albo – częściej – ognisko o dowolnej lokalizacji, z którego baterie wysiewają się do krwi. U części niemowląt choroba przebiega niemal bezobjawowo, poza gorączką lub jej przeciwieństwem – tendencją do obniżonej temperatury ciała mimo odpowiednio ciepłego ubrania. U innych mogą wystąpić takie objawy, jak rozdrażnienie, brak apetytu, zaburzenia oddychania, a także osłabienie, wiotkość i ogólne wrażenie ciężkiej choroby.

Co możesz zrobić w domu
Wprowadź „regulamin" dla gości:
- Staraj się ograniczyć do minimum liczbę osób składających wizyty noworodkowi. Pierwsze dwa lub trzy miesiące życia nie są również odpowiednią porą na wyprawy do supermarketu czy w inne miejsca pełne ludzi, a tym samym i drobnoustrojów.
- Nie pozwól zbliżać się do dziecka osobom chorym czy choćby tylko przeziębionym.
- Wymagaj mycia rąk od każdego, kto chce wziąć twoje dziecko na ręce. Zadbaj o właściwą temperaturę w otoczeniu dziecka, unikając zarówno chłodów, jak i upałów.

Gorączka u dziecka w wieku powyżej 3 miesięcy
Objawy ostrzegawcze/niepokojące
Szukaj pilnej pomocy medycznej w razie wystąpienia u dziecka któregoś z takich objawów, jak:
- Letarg i trudności w budzeniu się;
- Wiotkość i niechęć do poruszania się;
- Skrajne rozdrażnieni;e
- Czerwone/purpurowe plamy na skórze, podobne do siniaków (których nie było przed zachorowaniem);
- Nieutulony krzyk przez kilka godzin;
- Sztywność karku;

- Silne bóle głowy;
- Trudności w oddychaniu, nie ustępujące po wyczyszczeniu nosa;
- Pochylanie się do przodu i ślinotok;
- Drgawki;
- Zasinienie warg, języka i paznokci;
- Napięte ciemiączko, które wydaje się wybrzuszone ponad poziom głowy.

Kiedy dzwonić do lekarza

Skontaktuj się z lekarzem pierwszego kontaktu, jeśli u dziecka występuje którykolwiek z następujących objawów:

- Rozdrażnienie mimo obniżenia gorączki;
- Utrata zainteresowania ulubionymi zabawkami czy zabawami;
- Niechęć do picia przez szereg godzin;
- Gorączka utrzymująca się przez ponad trzy dni;
- Gorączka nawracająca po jednym–dwóch dniach przerwy;
- Częste stany gorączkowe bez objawów przeziębienia czy innej uchwytnej przyczyny.

Twoje dziecko budzi się rano z pałającymi policzkami i szklistymi oczami. Jeszcze zanim przyłożysz dłoń do jego czoła, domyślasz się, że ma gorączkę. Jeśli uważnie obserwujesz jego zachowanie podczas gorączki, z reguły potrafisz rozpoznać, czy chodzi o niewielką infekcję, z którą poradzisz sobie sama, czy też o chorobę wymagającą pomocy lekarza.

Zakres prawidłowych wartości ciepłoty ciała jest zaskakująco szeroki. Normalne jest również to, że zmieniają się one w ciągu dnia. (Definicję gorączki znajdziesz w ramce na stronie 498). Podwyższenie temperatury ciała może wystąpić z wielu przyczyn. Niemowlęta w pierwszych miesiącach życia nie mają jeszcze w pełni wykształconej termoregulacji, w związku z czym zdarza im się reagować wzrostem ciepłoty ciała na przegrzanie. Może to również wystąpić, aczkolwiek rzadziej, u starszych dzieci. Pozostawienie dziecka w do-

wolnym wieku w szczelnie zamkniętym, zaparkowanym samochodzie w upalny dzień naraża je na ryzyko niebezpiecznego – czy wręcz tragicznego skutkach – udaru cieplnego.

Najczęściej jednak gorączka wskazuje na zakażenie. Niemal wszystkie zakażenia wymienione w rozdziale 30, „Choroby zakaźne wieku dziecięcego", mogą przebiegać z gorączką. Wysokość gorączki nie jest dobrym miernikiem ciężkości choroby. Zwykłe przeziębienie lub banalna infekcja wirusowa objawia się nieraz dość znacznym wzrostem temperatury (rzędu 38,9–40°C), co jednak nie świadczy o powadze sytuacji, podczas gdy ciężkie choroby zakaźne mogą przebiegać bez gorączki, a nawet z obniżoną ciepłotą ciała, szczególnie u niemowląt.

Infekcja jest najczęstszą, ale nie jedyną możliwą przyczyną gorączki. Samoistne, przemijające zwyżki temperatury zdarzają się w przewlekłych chorobach układowych, takich jak młodzieńcze reumatoidalne zapalenie stawów czy toczeń. Nie należy bagatelizować skłonności dziecka do częstych rzutów gorączki, choćby trwały one tylko kilka godzin każdej nocy.

U starszych niemowląt i dzieci (ale niekoniecznie w pierwszych trzech miesiącach życia) ważniejszy od wskazań termometru jest sposób zachowania dziecka. Każdy, kto ma gorączkę, czuje się z reguły gorzej niż zwykle, tak więc nasilone marudzenie dziecka w tym czasie jest w pełni zrozumiałe i wręcz oczekiwane. Choroba najprawdopodobniej nie jest poważna, jeśli twoje dziecko mimo gorączki nadal ma ochotę na zabawę, dobrze je i pije, normalnie reaguje, uśmiecha się do ciebie, ma prawidłowo zabarwioną skórę, a po obniżeniu gorączki wygląda na zdrowe. (Nie przejmuj się zbytnio gorszym apetytem gorączkującego dziecka. Zdarza się to bardzo często w przebiegu infekcji, które są przyczyną gorączki).

Skontaktuj się natomiast z lekarzem, jeśli zauważysz u dziecka któryś z wcześniej wymienionych objawów albo jeśli cokolwiek w jego zachowaniu czy wyglądzie budzi twój niepokój.

DAWKOWANIE LEKÓW PRZECIWGORĄCZKOWYCH I PRZECIWBÓLOWYCH U NIEMOWLĄT I MAŁYCH DZIECI
Zalecane dawki acetaminofenu (paracetamolu)

Wiek	Waga	Pojedyncza dawka	Preparaty
0–3 miesięcy	2,7–5,0 kg	40 mg	Krople dla niemowląt (Apap)
4–11 miesięcy	5,4–7,7 kg	80 mg	Krople dla niemowląt (Apap) Preparaty dla dzieci w syropie lub płynie (Apap, Panadol) Preparaty dla dzieci w czopkach (Efferalpan)
12–23 miesiące	8,2–10,4 kg	120 mg	Krople dla niemowląt (Apap) Preparaty dla dzieci w syropie lub płynie (Apap, Panadol) Preparaty dla dzieci w czopkach (Paracetamol, Codipar, Efferalpan)

UWAGA: Powyższe dawki można powtarzać co 4–6 godzin, ale nie częściej niż 5 razy na dobę.

DAWKOWANIE LEKÓW PRZECIWGORĄCZKOWYCH I PRZECIWBÓLOWYCH U NIEMOWLĄT I MAŁYCH DZIECI

Zalecane dawki acetaminofenu (paracetamolu)

Wiek	Waga	Pojedyncza dawka	Preparaty
2-3 lata	10,9–15,9 kg	160 mg	Krople dla niemowląt (Apap) Preparaty dla dzieci w syropie lub płynie (Apap, Panadol, Paracetamol) Preparaty w czopkach (Codipar, Paracetamol)
4–5 lat	16,3–21,3 kg	240 mg	Preparaty dla dzieci w syropie lub płynie (Apap, Panadol, Paracetamol) Preparaty w czopkach (Codipar, Paracetamol)

Źródło: Biuletyn *Proper Use of Pediatric OTC Analgesics/Antipyretics*. Czerwiec 2000. Amerykańskie Stowarzyszenie Lekarzy (AMA).

UWAGA: Powyższe dawki można powtarzać co 4–6 godzin, ale nie częściej niż 5 razy na dobę.

DAWKOWANIE LEKÓW PRZECIWGORĄCZKOWYCH I PRZECIWBÓLOWYCH U NIEMOWLĄT I MAŁYCH DZIECI

Zalecane dawki ibuprofenu

Wiek	Waga	Pojedyncza dawka	Preparaty	Sposób podawania pojedynczej dawki leku
6–11 miesięcy	5,4–7,7 kg	50 mg	Krople dla niemowląt (Motrin, PediaCare Fever)	1 zakraplacz (1,25 ml)
			Preparaty dla dzieci w zawiesinie (Motrin, Advil, PediaCare Fever)	½ łyżeczki do herbaty (2,5 ml)
12–23 miesiące	8,2–10,4 kg	75 mg	Krople dla niemowląt (Motrin, PediaCare Fever)	1½ zakraplacza (1,875 ml)
			Preparaty dla dzieci w zawiesinie (Motrin, Advil, PediaCare Fever))	¾ łyżeczki do herbaty (3,75 ml)
2–3 lata	10,9–15,9 kg	100 mg	Preparaty dla dzieci w zawiesinie (Motrin, Advil, PediaCare Fever)	1 łyżeczka do herbaty
4–5 lat	16,3–21,3 kg	150 mg	Preparaty dla dzieci w zawiesinie (Motrin, Advil, PediaCare Fever)	1½ łyżeczki do herbaty
			Preparaty dla dzieci w tabletkach do rozgryzania (Motrin, Advil)	3 tabletki

Źródło: Biuletyn *Proper Use of Pediatric OTC Analgesics/Antipyretics.* Czerwiec 2000. Amerykańskie Stowarzyszenie Lekarzy (AMA).

UWAGA: Powyższe dawki można powtarzać co 4–6 godzin, ale nie częściej niż 5 razy na dobę.

Co możesz zrobić domu

- Ubieraj dziecko w lekkie rzeczy i przykrywaj je w łóżku jedynie cienkim kocykiem czy prześcieradłem. Kilka warstw ubrania i koców utrudnia w rzeczywistości oddawanie ciepła na zewnątrz i może powodować wzrost temperatury ciała.

- Gorączka nie zawsze wymaga leczenia, jeśli jednak twoje dziecko ma związane z nią objawy (takie jak ogólne złe samopoczucie, marudzenie, brak apetytu), możesz podać mu któryś ze środków przeciwgorączkowych (patrz tabele „Dawkowanie leków przeciwgorączkowych i przeciwbólowych u niemowląt i małych dzieci", str. 504–506). Acetaminofen, czyli paracetamol (Panadol/Tylenol) nadaje się do stosowania u niemowląt, pamiętaj jednak, że jeśli twoje dziecko ma mniej niż trzy miesiące, musisz konsultować się z jego lekarzem w każdym przypadku gorączki i **nie** podawać żadnych leków przeciwgorączkowych na własną rękę. Ibuprofen (Motrin/Advil) można stosować u dzieci co najmniej półrocznych i starszych. **Nie** podawaj dziecku aspiryny inaczej niż na zlecenie lekarza. Aspiryna ma związek z wystąpieniem zespołu Reye'a, niebezpiecznej choroby atakującej wątrobę i mózg, która może nawet skończyć się śmiercią.

- Dbaj, by dziecko jak najwięcej piło. Pod wpływem gorączki dzieci są szczególnie podatne na odwodnienie. Chłodne napoje poprawiają im samopoczucie i zapobiegają odwodnieniu.

- **Nie** zmuszaj dziecka do jedzenia. Stara zasada, że należy „odżywiać przeziębienie i głodzić gorączkę", jest fałszywa, jednak wiele dzieci z gorączką najzwyczajniej nie chce jeść. Jeśli natomiast twoje dziecko ma apetyt, odżywiaj je normalnie. W razie niechęci do pokarmów stałych podawaj mu jak najwięcej płynów. Większość zdrowych dzieci ma dość rezerw, by przez dzień czy dwa obyć się bez jedzenia, natomiast bezwzględnie muszą one codziennie wypijać odpowiednią porcję płynów.

- Zapewnij dziecku oszczędzający tryb życia i dużo odpoczynku.

- Spędzaj z nim czas na spokojnych zajęciach, takich jak czytanie, gry planszowe czy oglądanie jego ulubionych filmów wideo.

Porady co do postępowania w określonych sytuacjach, którym często towarzyszy gorączka, znajdziesz w takich podpunktach tego rozdziału, jak Katar/zatkany nos, Kaszel, Biegunka oraz Wymioty.

Ból/obrzęki kończyn i stawów

Objawy ostrzegawcze/niepokojące

Szukaj pilnej pomocy medycznej, jeśli u twojego dziecka wystąpi któryś z następujących objawów:

- Wygięcie lub deformacja kończyny wskutek urazu;
- Utrzymywanie kończyny w nietypowej pozycji;
- Odmowa stąpnięcia którąś nogą;
- Odmowa poruszenia dłonią lub ręką;
- Płacz znacznie dłuższy niż można by oczekiwać w następstwie danego urazu;
- Silny ból;
- Liczne obrażenia po upadku lub wypadku;
- Drętwienie lub mrowienie palców dłoni lub stóp po urazie;
- Wyraźna zmiana ucieplenia lub zabarwienia skóry kończyny po urazie.

Kiedy dzwonić do lekarza

Skontaktuj się z lekarzem, jeśli zauważysz u dziecka któryś z następujących objawów:

- Jakiekolwiek dolegliwości bólowe utrzymujące się przez dwa tygodnie od urazu;
- Obrzęk lub ból nie zmniejszający się bądź nasilający w ciągu 24–48 godzin po urazie;

Mity i fakty na temat gorączki

Mit: *Gorączka jest zawsze szkodliwa dla dziecka.*
Fakt: Gorączka jako taka nie przynosi dziecku szkody, a wręcz pomaga „zmobilizować" system odpornościowy organizmu do walki z zakażeniem.

Mit: *Gorączka powoduje uszkodzenie mózgu.*
Fakt: W większości przypadków gorączka nie ma wpływu na układ nerwowy ani nie pozostawia żadnych trwałych następstw. Poniżej poziomu około 39°C nie wywołuje też zwykle sama z siebie żadnych objawów. W przebiegu gorączki u małych dzieci mogą pojawić się drgawki (więcej informacji na ich temat znajdziesz w rozdziale 32, „Problemy zdrowotne okresu wczesnego dzieciństwa"), jednak nie oznaczają one żadnego dodatkowego zagrożenia.

Mit: *Im wyższa gorączka, tym poważniejsza jest choroba.*
Fakt: Wysokość gorączki odczytana na termometrze jest mniej istotna niż sposób zachowania dziecka i inne wykazywane przez nie objawy (patrz akapity „Objawy ostrzegawcze/niepokojące" oraz „Kiedy dzwonić do lekarza" w części dotyczącej gorączki). U niektórych dzieci wysoką gorączkę wywołują zwykłe infekcje wirusowe, nie wymagające specyficznego leczenia.

Mit: *Każdą gorączkę należy leczyć.*
Fakt: W większości przypadków gorączka wymaga obniżenia jedynie wówczas, gdy powoduje ewidentnie złe samopoczucie. Leki przeciwgorączkowe obniżają ją na pewien czas, jednak nie mają wpływu na jej przyczynę. Jeśli dziecko sprawia wrażenie ciężko chorego,

a przy tym gorączkuje, powinno zostać zbadane przez lekarza w celu ustalenia przyczyny i oceny, czy wymaga ona specyficznego leczenia.

Mit: *Pod wpływem leków przeciwgorączkowych gorączka powinna spaść do poziomu prawidłowego.*
Fakt: Leki przeciwgorączkowe obniżają temperaturę o jeden lub dwa stopnie, co jednak nie oznacza, że musi ona wrócić do normy. Efektem działania tych środków jest zwykle taki spadek gorączki, że dziecko może poczuć się lepiej. Jeśli pod wpływem paracetamolu czy ibuprofenu temperatura nie normalizuje się całkowicie, nie musi to wskazywać na poważniejszą infekcję.

Mit: *W leczeniu gorączki można wykorzystać takie sposoby, jak okłady z lodu, zimne kąpiele czy nacieranie spirytusem.*
Fakt: Alkohol do użytku zewnętrznego może wchłaniać się przez skórę i wywołać u dziecka zatrucie. Zimne okłady lub kąpiele często powodują napady dreszczy, które faktycznie mogą prowadzić do dodatkowego wzrostu temperatury (i pogorszenia samopoczucia dziecka).

Mit: *Ząbkowanie wywołuje gorączkę.*
Fakt: Ząbkowanie jest naturalnym procesem, który może przebiegać z pewnym dyskomfortem, ale nie ze znaczną gorączką. Temperatura ciała dziecka może lekko wzrosnąć, jednak zwykle nie przekracza 37,8°C. Jeśli twoje ząbkujące niemowlę wysoko gorączkuje, musisz wspólnie z lekarzem zastanowić się nad inną przyczyną, przede wszystkim infekcyjną.

- Widoczny obrzęk stawu utrzymujący się ponad dobę;
- Bóle stawów lub kończyn budzące dziecko w nocy;
- Utykanie niepoprawiające się po jednym–dwóch dniach od urazu;
- Bóle brzucha w połączeniu z bólami stawowymi.

Najczęstszą przyczyną dolegliwości ze strony stawów i kończyn są u małych dzieci urazy i upadki. Kolana i łydki większości zdrowych dwu- i trzylatków są często poobijane i podrapane. Bóle kończyn i utykanie mogą wynikać z tych niewielkich urazów tkankowych, czy nawet ze zwykłego skręcenia bądź naciągnięcia mięśni i ścięgien wskutek nagłego zwrotu lub upadku. Dziecko może też utykać z powodu obtarć lub pęcherzy na stopach, przy czym większość podobnych incydentów mija bez śladu i nie stanowi poważniejszego problemu.

Czasami jednak dolegliwości kostno-stawowe nie są następstwem urazu, lecz zakażeń i innych chorób. Niespecyficzne bóle mięśni i stawów należą do typowych objawów gorączki, zwłaszcza w przebiegu grypy i innych infekcji wirusowych. Zakażenia w rodzaju boreliozy (choroby z Lyme) czy rumienia zakaźnego („choroby piątej") mogą dawać bóle stawowe w połączeniu z innymi objawami (więcej informacji na ten temat znajdziesz w rozdziale 30, „Choroby zakaźne wieku dziecięcego"). Nie leczone paciorkowcowe zapalenie gardła (angina) prowadzi niekiedy do gorączki reumatycznej, z obrzękiem i bólami stawów. Rozgrzanie, zaczerwienienie i obrzęk stawów są zawsze objawem nieprawidłowym. Ból utrzymujący się dłużej niż jeden–dwa dni może wynikać z powolnego gojenia się urazu, ale może też wskazywać na poważniejszy problem zdrowotny. Poniżej podajemy najczęstsze lub szczególnie ważne przyczyny dolegliwości w obrębie kończyn i stawów.

Naciągnięcie lub skręcenie. Mięśnie przyczepiają się do kości za pośrednictwem ścięgien. Jeśli dziecko wykona nagły obrót lub upadnie, mięśnie lub ścięgna mogą ulec naciągnięciu bądź częściowemu naderwaniu. Urazy tego rodzaju są częstym następstwem dynamicznych zabaw ruchowych wieku dziecięcego. Z reguły powodują one natychmiastowy ból i szybkie narastanie obrzęku. Jeśli podejrzewasz, że doszło do tego u twojego dziecka, jak najszybciej unieś kończynę do góry i przyłóż okład z lodu. Niewielkie naciągnięcia goją się zwykle samoistnie pod wpływem zimna i odpoczynku. Ból i obrzęk osiągają szczytowe nasilenie po około 48 godzinach od urazu, po czym stopniowo ustępują. Jeśli po upływie dwóch dni twoje dziecko nadal odczuwa silne bóle albo nie widzisz poprawy, musisz podejrzewać poważniejszy uraz i porozumieć się z lekarzem.

Zwichnięcia. Do zwichnięcia dochodzi wtedy, gdy kość zostaje wybita ze swojego normalnego położenia w stawie. Urazy tego rodzaju dotyczą często barku, rzepki i stawów kciuka i występują głównie pod wpływem sił „naciągających" kości w stawach. W przypadku zwichnięcia dziecko wzbrania się i powstrzymuje przed ruchami uszkodzonej części ciała. Przykładem łagodnego zwichnięcia jest tak zwany „łokieć niańki". Dotyczy on najczęściej dzieci w wieku od dwóch do siedmiu lat z uwagi na typową dla tego wieku budowę kości. Do „łokcia niańki" dochodzi zwykle wtedy, gdy osoba opiekująca się dzieckiem („niańka") gwałtownie pociągnie je za ramię, na przykład ratując przed upadkiem czy zatrzymując przed wybiegnięciem na ulicę, albo też dla zabawy huśta dziecko trzymane za rączki (wydaje się to zabawne, ale nie jest dobrym pomysłem). Ruchy pociągania powodują, że kość promieniowa (jedna z dwóch kości przedramienia) przemieszcza się w stawie łokciowym. Należy pamiętać o tej możliwości, gdy dziecko uparcie trzyma rękę opuszczoną wzdłuż tułowia, z dłonią zwróconą w stronę pleców, i unika posługiwania się nią całą czy samą dłonią.

Złamanie kości. Nawet lekarze nie zawsze potrafią rozpoznać złamanie kostne na podstawie samego oglądania urażonej okolicy. Najczęściej konieczne jest do tego zdjęcie rentgenowskie. Prawdopodobieństwo złamania wzrasta w przypadku urazu z udziałem dużych sił, a jest mniejsze w razie spadku z niewielkiej wysokości czy zwykłej wywrotki, aczkolwiek i wtedy nie można go z góry wykluczyć. Ponieważ dzieci mają bardziej giętkie kości w porównaniu z dorosłymi, zwykle szybko i bez śladu wracają do zdrowia po urazach, które byłyby znacznie poważniejsze u osób starszych. Giętkie kości dzieci zachowują się nieraz podczas urazu niczym młoda, zielona gałązka, chwilowo się odkształcając. Złamania typu „zielonej gałązki" charakteryzują się tym, że kość zgięta pod działaniem silnego urazu nie łamie się na dwie części, a za to odpryskują od niej drobne fragmenty. Jeśli kończyna dziecka wydaje się zdeformowana lub ustawiona pod nietypowym kątem, prawdopodobnie doszło do złamania. Znaczne zasinienie skóry danej okolicy i silny, uniemożliwiający pełen zakres ruchów ból są również objawami wskazującymi na złamanie. W razie złamania obojczyka dziecko może nie unosić jednego ramienia do góry. (Zasady pierwszej pomocy w przypadku tego rodzaju urazów znajdziesz w rozdziale 28, „Pierwsza pomoc i postępowanie w stanach nagłych").

Zapalenie stawów (arthritis). Łacińska nazwa *arthritis*, a zwłaszcza jej spolszczenie na „artretyzm", kojarzy się wielu ludziom ze starym, przygarbionym dziadkiem, któremu „strzyka" w stawach, jednak w rzeczywistości zapalenie stawów, z towarzyszącym bólem i obrzękiem, dość często dotyka również dzieci. Choroba ma wiele przyczyn i może zająć praktycznie niemal każdy staw. Czasami odczyn stawowy pojawia się po infekcji wirusowej. Zapalenie stawu prowadzi zwykle do jego wzmożonego ucieplenia, zaczerwienienia, obrzęku i bólu, a także do gorączki. Niektóre zakażenia, np. choroba z Lyme czy rumień zakaźny, mogą powodować obrzęk stawu równolegle z innymi objawami (patrz rozdzia 30, „Choroby zakaźne wieku dziecięcego"). Choroby stawów bez podłoża infekcyjnego, takie jak młodzieńcze reumatoidalne zapalenie stawów, omówiono w rozdział 32, „Problemy zdrowotne okresu wczesnego dzieciństwa".

Infekcja. Zakażenie drobnoustrojami może dotyczyć stawów, kości, a niekiedy również mięśni. Zakażenie bakteryjne stawu nosi nazwę septycznego zapalenia stawu (gdzie słowo „septyczny" oznacza właśnie „zakażony"). Może do niego dojść podczas otwartego złamania, kiedy to bakterie bezpośrednio penetrują do stawu przez uszkodzoną skórę i leżące pod nią tkanki. Czasami zakażenie stawu następuje również „od wewnątrz", poprzez zakażoną krew. Zakażone stawy są najczęściej rozgrzane, zaczerwienione i bolesne, czemu towarzyszy gorączka. I podobnie zarówno po urazie, jak i drogą krwiopochodną może dojść do zakażenia kości (*osteomyelitis*), objawiającego się gorączką i bólem umiejscowionym w pewnej części kończyny. Dziecko nie zawsze umie dokładnie wskazać, gdzie je boli, ale może utykać lub nie posługiwać się w zwykły sposób jedną ręką.

Co możesz zrobić w domu

• W ciągu pierwszych 24–48 godzin po urazie zastosuj metodę, opisaną już wcześniej jako RICE:
  – R: (rest = odpoczynek): Spraw, aby urażona kończyna pozostała w spoczynku. Staraj się powstrzymać dziecko od chodzenia, biegania i wszelkich aktywności ruchowych obciążających chorą kończynę. Zachęć je do spokojnych czynności, w rodzaju lektury czy oglądania filmów.
  – I: (ice = lód): Obłóż chore miejsce woreczkami z lodem owiniętymi ręcznikiem w celu złagodzenia bólu i obrzęku. Nie kładź lodu bezpośrednio na

skórę, aby nie dopuścić do odmrożenia. Pozostaw okład na około 15 minut, po czym zrób co najmniej 15-minutową przerwę, aby nie ochłodzić skóry zbyt mocno.

– C: (compression = ucisk): Uciśnij miejsce urazu bandażem elastycznym, co zmniejsza obrzęk i mechanicznie podtrzymuje chory staw, a jednocześnie przez pewien czas przypomina dziecku, że nie powinno nim poruszać.

– E: (elevation = uniesienie): Unieś zranioną kończynę do góry, co również ograniczy jej obrzęk.

• Jeśli podejrzewasz złamanie kości, postępuj według wskazówek zawartych w rozdziale 28, „Pierwsza pomoc i postępowanie w stanach nagłych", na temat sposobu unieruchomienia kończyny na czas podróży do lekarza lub szpitala.

Ból/nieprawidłowości w obrębie jamy ustnej
Objawy ostrzegawcze/niepokojące

Szukaj pilnej pomocy medycznej w razie wystąpienia u dziecka któregoś z następujących objawów:

• Niemożność utrzymania pozycji pionowej z przechylaniem się do przodu;
• Ślinotok;
• Trudności w oddychaniu.

Kiedy dzwonić do lekarza

Skontaktuj się z lekarzem, jeśli zauważysz u dziecka któryś z następujących objawów:

• Jasnobrązowe przebarwienia na zębach, nie schodzące podczas mycia;
• Utrzymująca się niechęć do jedzenia lub picia mimo wielu prób;
• Objawy odwodnienia (patrz ramka na str. 537);
• Białe, mleczne naloty na błonie śluzowej policzków, niedające się łatwo usunąć

• Gorączka utrzymująca się przez ponad trzy dni;
• Wysoka gorączka lub niezwykłe rozdrażnienie dziecka podczas ząbkowania;
• Temperatura w odbytnicy powyżej 38°C u niemowlęcia w pierwszych trzech miesiącach życia.

Poniżej podajemy kilka najczęstszych przyczyn dolegliwości w obrębie jamy ustnej:

Ząbkowanie. Omówienie tego tematu znajdziesz w rozdziale 23, „Opieka stomatologiczna".

Pleśniawki. Białe plamki na wewnętrznej stronie policzków i na języku mogą być wynikiem zakażenia pewnym rodzajem grzybów, zwanych drożdżakami (*Candida*) (patrz rozdział 30, „Choroby zakaźne wieku dziecięcego"). Drożdżycę jamy ustnej nazywa się powszechnie pleśniawkami. Pleśniawki zdarzają się dość często u noworodków i niemowląt, mogą powodować pewien dyskomfort w jamie ustnej i utrudniać dziecku ssanie. U niektórych niemowląt zakażenie drożdżakami rozwija się również w obrębie tak zwanego rumienia pieluszkowego. Niezależnie od lokalizacji infekcję tę leczy się odpowiednimi środkami miejscowymi. Jeśli podejrzewasz ją u twojego dziecka, skontaktuj się z lekarzem.

Choroba rąk, stóp i jamy ustnej (zakażenie wirusem Coxsackie). Zakażenia tym patogenem są częste u małych dzieci (patrz rozdział 30, „Choroby zakaźne wieku dziecięcego"). Pewne szczepy wirusa *Coxsackie* wywołują niewielkie, bolesne owrzodzenia błony śluzowej języka, gardła i jamy ustnej, czemu niekiedy towarzyszą pęcherze lub czerwone grudki na dłoniach i podeszwach (stąd nazwa choroby). Najbardziej dokuczliwy ból w obrębie jamy ustnej ustępuje zwykle po trzech–czterech dniach, a owrzodzenia potrzebują mniej więcej tygodnia na wygojenie. Chore dziecko może wzbraniać się przed jedzeniem, gdyż pokarm dodatkowo podrażnia miejsca owrzodzeń. Zakażenie jako takie nie stanowi na dłuższą metę jakiegokolwiek problemu zdrowotnego, trzeba natomiast pamiętać o ryzyku odwodnienia u dziecka, które przez kilka dni odmawia jedzenia i picia. Jeśli obawiasz się odwodnienia lub też dziecko gorączkuje dłużej niż przez trzy dni, skontaktuj się z lekarzem.

Afty (owrzodzenia aftowe). Są to niewielkie, płytkie szarawo–białe owrzodzenia, umiejscowione zwykle na wewnętrznej stronie warg, często bolesne i utrzymujące się przez okres jednego–dwóch tygodni. Dzieci mają tendencję do kilku owrzodzeń jednocześnie. Czasami pojawiają się one po urazie błony śluzowej (np. przygryzieniu wewnętrznej powierzchni warg), jednak najczęściej przyczyny nie daje się ustalić. Zmianie lub zmianom w jamie ustnej nie towarzyszy gorączka ani jakiekolwiek inne objawy. Skontaktuj się z lekarzem, jeśli twoje dziecko oprócz owrzodzenia(-ń) ma gorączkę lub ogólnie sprawia wrażenie chorego.

Opryszczka zwykła (zakażenie wirusem Herpes simplex). Pęcherzykowe wykwity w jamie ustnej i wokół warg wskazują na zakażenie wirusem opryszczki zwykłej typu 1 (HSV-1). Zakażenie tym wirusem może mieć zróżnicowaną lokalizację, aczkolwiek u dzieci występuje najczęściej pod postacią zapalenia dziąseł i jamy ustnej. Więcej informacji na ten temat znajdziesz w rozdziale 30, „Choroby zakaźne wieku dziecięcego”.

Próchnica „butelkowa” (ubytki w szkliwie zębów). Próchnica może atakować niemowlęta i małe dzieci podobnie jak dorosłych. Szczególnie podatne na próchnicę przednich zębów są małe dzieci zasypiające z butelką w buzi, ponieważ krople mleka lub soku zalegające przed dłuższy czas na powierzchni zębów są doskonałą pożywką dla bakterii odpowiedzialnych za tę chorobę. Ubytki wyglądają jak małe brązowe plamki, nie dające się usunąć szczoteczką podczas mycia. Więcej informacji na ten temat znajdziesz w rozdziale 23, „Opieka stomatologiczna”.

Co możesz zrobić w domu

W przypadku ząbkowania:
- Dawaj dziecku z obolałymi dziąsłami gładkie, twarde i zimne przedmioty do gryzienia. Kontakt z takimi przedmiotami zwykle przynosi dziecku ulgę. Spróbuj plastikowego kółka-gryzaka.
- Unikaj podawania dziecku twardych, nie nasiąkających śliną pokarmów, które narażają je na ryzyko zachłyśnięcia.
- Nigdy nie obwiązuj gryzaka (ani jakiegokolwiek innego przedmiotu) wokół szyi dziecka z powodu ryzyka uduszenia.
- Pamiętaj, że ząbkujące niemowlę może marudzić bardziej niż zwykle, ale nie powinno gorączkować ani zdradzać innych objawów chorobowych.

Aby zapobiec nawrotom pleśniawek:
- Dbaj o higienę piersi, myj i odkażaj wrzątkiem smoczki, które dziecko ma wziąć do buzi.
- Podczas karmienia zakażenie może szerzyć się z jamy ustnej dziecka na twoje piersi. Jeśli dokucza ci zaczerwienienie i bolesność sutków, a dziecko ma nawracające pleśniawki, skontaktuj się z lekarzem, bo prawdopodobnie wymagasz leczenia. Będzie ono jednocześnie profilaktyką nawrotów drożdżycy u dziecka.

W razie dolegliwości w obrębie jamy ustnej lub gardła w następstwie infekcji/owrzodzeń:
- Spróbuj dawać dziecku napoje i pokarmy o różnych temperaturach. U wielu dzieci zimne napoje gazowane (ale nie dla niemowląt!) działają znieczulająco na

podrażnione błony śluzowe, natomiast inne dzieci wolą wtedy wypić coś łagodnego i ciepłego, na przykład bulion.

- Unikaj pokarmów ostrych, słonych lub kwaskowatych (jak pomidory czy owoce cytrusowe – pomarańcze i grejpfruty), ponieważ dodatkowo podrażniają one miejsca owrzodzeń.

Aby zapobiec próchnicy:

- Nigdy nie kładź dziecka do łóżka z butelką mleka lub soku do popijania przed zaśnięciem.
- Po karmieniu czyść dziąsła i pierwsze ząbki niemowlęcia wilgotną ściereczką lub miękką szczoteczką do zębów.
- Jak najwcześniej zacznij przyzwyczajać dziecko do codziennego mycia zębów. Pozwól mu aktywnie uczestniczyć w tym zabiegu, mimo że nieraz potrzebne będą poprawki wykonane twoją ręką. Kładź na szczoteczkę nie więcej niż odrobinę pasty, ponieważ małe dziecko prędzej ją połknie, niż dokładnie rozprowadzi po zębach.

Dolegliwości i objawy ze strony układu oddechowego

Zaburzenia oddychania

Objawy ostrzegawcze/niepokojące

Szukaj pilnej pomocy medycznej w razie wystąpienia u dziecka któregoś z następujących objawów:

- Sine zabarwienie warg, języka, paznokci czy skóry;
- Znaczne przyspieszenie oddechu (w spoczynku) lub widoczny wysiłek przy oddychaniu;
- „Łapanie" powietrza z udziałem pomocniczych mięśni oddechowych (z zaciąganiem skóry między żebrami lub powyżej mostka);
- Niezdolność do mówienia lub krzyku z powodu trudności w oddychaniu;
- Utrudnione oddychanie, któremu towarzyszy tak zwany stridor (wysoki, świszczący dźwięk podczas wdechu) lub pochylanie się do przodu i ślinotok;
- Utrudnione oddychanie i oznaki wyczerpania;
- Zaburzenia oddychania ze splątaniem lub pobudzeniem psychoruchowym.

Kiedy dzwonić do lekarza

Skontaktuj się z lekarzem, jeśli zauważysz u dziecka któryś z następujących objawów:

- Oddychanie bardziej „hałaśliwe", niż wynikałoby to tylko z zatkanego nosa;
- Gorączka trwająca dłużej niż trzy dni lub nawracająca po jedno–dwudniowej przerwie;
- Kaszel, który nie poprawia się w ciągu pierwszych pięciu dni choroby lub trwa dłużej niż dziesięć dni;
- Stridor (wysoki, piskliwy dźwięk podczas wdechu), nie cofający się pod wpływem nawilżonego lub świeżego nocnego powietrza (patrz akapit na temat krupu w podrozdziale „Kaszel" tego rozdziału).

Pomoc lekarza konieczna jest również wtedy, gdy u twojego dziecka dotkniętego astmą oskrzelową (patrz rozdział 32, „Problemy zdrowotne okresu wczesnego dzieciństwa") wystąpi któraś z następujących sytuacji:

- Ciężki napad astmy, nie odpowiadający lub słabo odpowiadający na rutynowe leki, jakie masz w domu;
- Napad przebiegający inaczej niż zwykle;
- Częste ataki astmy, nierzadko kończące się na pogotowiu czy w szpitalu.

Zaburzenia oddychania mogą być objawem wielu różnorodnych problemów, bardziej i mniej poważnych. Czasami coś, co wydaje się nieprawidłowe, jest jedynie odmiennością w granicach normy. U niemowląt zdarza się na przykład tak zwane oddychanie periodyczne, polegające na kilkunastosekundowych (do 15 sekund) przerwach między kolejnymi wdechami. Może to wprawiać w panikę niedoświadczonych rodziców, ale w rzeczywistości jest zjawiskiem fizjologicznym i nieszkodliwym. U wszystkich dzieci oddech przyspiesza się podczas biegania czy innych intensywnych zajęć ruchowych, jednak po kilku minutach odpoczynku powraca do normalnego rytmu. Niepokoić mogą natomiast sytuacje, kiedy dziecko zatrzymuje się w środku zabawy dla złapania oddechu, albo też długo sapie i dmucha po jej zakończeniu. U większości dzieci rytm oddychania przyspiesza się również podczas gorączki, a uspokaja wraz z jej spadkiem. Bardzo szybkie oddychanie w połączeniu z gorączką może wskazywać na zapalenie płuc czy inną chorobę wymagającą leczenia.

Niewielkiego stopnia zaburzenia oddychania występują często u dzieci z katarem i niedrożnym nosem. Dotyczy to zwłaszcza niemowląt, u których drogi przepływu powietrza przez nos są bardzo wąskie i łatwo się zatykają. Dlatego też tak ważne jest u nich oczyszczanie noska, przede wszystkim przed karmieniem oraz w razie widocznych trudności w oddychaniu (patrz następny podrozdział Katar/zatkany nos).

Poważniejsze zaburzenia oddychania obserwuje się u dzieci z astmą oskrzelową, zapaleniem płuc lub zapaleniem oskrzelików. W chorobach tych mogą wystąpić świsty (podczas wydechu), kaszel (patrz niżej) oraz przyspieszenie oddychania. Napady kaszlu podczas lub wkrótce po wysiłku bywają również objawem astmy. Nagłe wystąpienie zaburzeń oddychania u zdrowego dziecka może wskazywać na reakcję alergiczną lub zachłyśnięcie. Nawracające zapalenia płuc i związane z nimi zaburzenia oddychania zdarzają się też często w niektórych chorobach przewlekłych, takich jak zespoły braku odporności czy mukowiscydoza (patrz rozdział 32, „Problemy zdrowotne okresu wczesnego dzieciństwa").

Szybkie lub utrudnione oddychanie występuje niekiedy u dzieci, u których zasadniczy problem nie dotyczy płuc i dróg oddechowych jako takich. Przyczyną tych zaburzeń, często z towarzyszącą sinicą warg, języka i paznokci, mogą być na przykład wrodzone wady serca (patrz rozdział 32, „Problemy zdrowotne okresu wczesnego dzieciństwa") lub inne choroby układu krążenia. U niemowląt i małych dzieci przyspieszenie oddechu zdarza się nieraz w przebiegu ciężkiego zakażenia krwi (posocznicy, sepsy). W przypadku niewyrównanej cukrzycy głębokie, przyspieszone oddychanie może wskazywać na rozwijającą się kwasicę i zagrożenie śpiączką cukrzycową.

Katar/zatkany nos

Uwaga: Jeśli razem z katarem twoje dziecko ma dokuczliwy kaszel, przeczytaj w pierwszej kolejności akapit na temat kaszlu w tym rozdziale.

Objawy ostrzegawcze/niepokojące

Szukaj pilnej pomocy medycznej w razie wystąpienia u dziecka któregoś z następujących objawów:

• Sine zabarwienie warg, języka, paznokci i/lub skóry;
• Znaczne przyspieszenie oddechu (w spoczynku) lub widoczny wysiłek przy oddychaniu;
• „Łapanie" powietrza z udziałem pomocniczych mięśni oddechowych (z zaciąganiem skóry między żebrami lub powyżej mostka);
• Niezdolność do mówienia lub krzyku z powodu trudności w oddychaniu;
• Utrudnione oddychanie, któremu towarzyszy tak zwany stridor (wysoki, świszczący dźwięk podczas wdechu), lub pochylanie się do przodu i ślinotok;
• Utrudnione oddychanie i oznaki wyczerpania;
• Zaburzenia oddychania ze splątaniem lub pobudzeniem psychoruchowym.

Kiedy dzwonić do lekarza

Skontaktuj się z lekarzem, jeśli zauważysz u dziecka któryś z następujących objawów:

- Gorączka trwająca dłużej niż trzy dni,
- Gorączka nawracająca po jedno–
  –dwudniowym okresie bezgorączkowym,
- Katar, który nie zaczyna ustępować po pierwszych trzech–pięciu dniach przeziębienia,
- Żółta, gęsta wydzielina śluzowa wydobywająca się tylko z jednego nozdrza;
- Gęsta, żółta lub zielonkawa wydzielina z nosa utrzymująca się dłużej niż 10 dni;
- Kaszel utrzymujący się przez ponad dwa tygodnie;
- Stridor (wysoki, piskliwy dźwięk podczas wdechu), nie ustępujący szybko (w ciągu 10–15 minut) pod wpływem nawilżonego lub świeżego nocnego powietrza (patrz akapit na temat krupu w podrozdziale „Kaszel" tego rozdziału).

Jeśli rozejrzysz się zimą po sali żłobka lub przedszkola, zauważysz niewątpliwie, że większość obecnych tam dzieci ma katar. W tym wieku zdarza się on wyjątkowo często i jest główną przyczyną zatkanego nosa. Tak się przy tym nieszczęśliwie składa, że dzieci „wymieniają między sobą" wirusy i bakterie, jeszcze zanim nauczą się wymieniać zabawkami. Ale mamy dla ciebie również dobrą wiadomość: katar jest najczęściej przypadłością banalną i niegroźną. Musisz po prostu uzbroić się w cierpliwość i poczekać, aż dziecko samo wyrośnie z wieku, kiedy – jak nieraz słusznie ci się wydaje – „łapie co tydzień nowy katar". A oto krótki przegląd przyczyn zatkanego i cieknącego nosa:

Przeziębienie. Termin „przeziębienie" oznacza niewielką infekcję wirusową, wywoływaną przez wiele różnorodnych typów i rodzajów drobnoustrojów (patrz rozdział 30, „Choroby zakaźne wieku dziecięcego"). Mimo że przeziębienia są dla dziecka nieprzyjemne, z reguły nie stanowią poważnego problemu i mijają bez śladu. Głównym objawem przeziębienia jest wodnista lub gęstsza, żółtawa, śluzowa wydzielina z nosa. Często wydaje się ona bardziej żółta z samego rana, ponieważ przez noc podsycha i zagęszcza się. Przez pierwsze dwa–trzy dni przeziębienia dziecko może również gorączkować. Bardziej niepokojąca jest gorączka, która pojawia się dopiero po kilku czy kilkunastu dniach od początku choroby, jako że często wskazuje na powikłania przeziębienia w postaci zapalenia ucha lub zapalenia płuc. W większości przypadków przeziębienie trwa od jednego do dwóch tygodni, przy czym najgorsze są zwykle pierwsze 3–5 dni. Po 10–14 dniach katar i inne objawy infekcji powinny już ustąpić całkowicie. Niestety, nikt – ani rodzice, ani lekarze – nie mają praktycznie nic do zrobienia, by szybciej uwolnić dziecko od przeziębienia. Antybiotyki nie leczą przyczyny i nie łagodzą objawów infekcji wirusowej. Rozliczne leki, dostępne w wolnej sprzedaży (i szeroko reklamowane) w rzeczywistości również nie przyspieszają powrotu do zdrowia. Przeziębienia są szczególnie kłopotliwe u niemowląt, które oddychają niemal wyłącznie przez nos, a przy tym nie potrafią wydzieliny wydmuchać. Jeśli nosek jest zatkany, w pierwszym rzędzie uniemożliwia to dziecku spokojne ssanie piersi lub butelki. Dlatego też dobrze jest pomóc mu, oczyszczając nos specjalną strzykawką zakończoną gumową gruszką, dzięki której wydzielina daje się zassać i wydobyć na zewnątrz. Zabieg ten jest wskazany zwłaszcza przed karmieniem oraz w razie wyraźnych trudności w oddychaniu.

Alergie sezonowe i środowiskowe oraz działanie środków drażniących. Utrzymujący się katar u dziecka, które poza tym wydaje się zupełnie zdrowe, może świadczyć o alergii lub jego wrażliwości na substancje drażniące, na przykład dym papierosowy. Więcej informacji na ten temat znajdziesz w odpowiednim akapicie podrozdziału „Kaszel".

Powiększenie migdałów i wyrośli adenoidalnych. Przyczyną „mówienia przez nos" lub jego utrzymującej się niedrożności może być przerost migdałków i/lub wyrośli adenoidalnych. I jedne, i drugie są skupiskami tkanki chłonnej (podobnie jak węzły chłonne), przy czym migdałki leżą w tylnej części gardła, a wyrośla ponad nimi, za jamą nosową. Przerośnięte wyrośla mogą częściowo blokować odpływ wydzieliny z nosa do gardła, czego następstwem będzie obrzęk błony śluzowej, zatkany nos i oddychanie przez usta. Dzieci z powiększonymi migdałkami często głośno pochrząkują i bywają bardziej niż inne podatne na ból gardła i zapalenia ucha. Dawniej powiększone migdałki i/lub wyrośla niemal rutynowo usuwano chirurgicznie, obecnie zabieg ten wykonuje się znacznie rzadziej, ale w niektórych sytuacjach bywa on jednak nadal wskazany i pożyteczny. (Więcej informacji na ten temat znajdziesz w rozdziale 32, „Problemy zdrowotne okresu wczesnego dzieciństwa").

Zapalenie zatok przynosowych (sinusitis). Zatoki przynosowe są wysłanymi błoną śluzową powietrznymi przestrzeniami w kościach czaszki, położonymi na poziomie policzków, nosa i czoła. Zapalenie zatok wskutek infekcji wirusowej lub bakteryjnej objawia się katarem, częstym posapywaniem przez nos, obrzękiem twarzy, kaszlem, a niekiedy również gorączką, bólami głowy lub nieprzyjemną wonią oddechu. Choroba ujawnia się zwykle po przeziębieniu (czasami może również zwiastować wystąpienie alergii), a jej przyczyną jest rozwój bakterii zatrzymanych w zatokach z powodu niedrożności przewodów wyprowadzających (patrz również rozdział 30, „Choroby zakaźne wieku dziecięcego").

Ciało obce. Jak już wspomnieliśmy, małe dzieci mają skłonność do pakowania przeróżnych przedmiotów do buzi, nosa i uszu. Uwięźnięte w nosie ciało obce (na przykład klocek Lego czy koralik) jest niezwykle drażniącym bodźcem dla błony śluzowej, która reaguje wzmożoną produkcją gęstej, żółtej lub zielonkawej wydzieliny. Wydobywa się ona zwykle tylko z jednego nozdrza (po stronie, gdzie utknęło ciało obce) i ma z reguły bardzo nieprzyjemną, cuchnącą woń. Jeśli podejrzewasz ciało obce w nosie dziecka, jak najszybciej zgłoś się z nim do lekarza, który ma odpowiednie przyrządy, by zajrzeć do nosa i wydobyć przyczynę „nieszczęścia". (Nie próbuj usunąć ciała obcego na własną rękę, bo może to przynieść więcej szkody niż pożytku).

Co możesz zrobić w domu

- Zadbaj, by dziecko wypijało jak największe ilości klarownych płynów (takich, przez które można coś zobaczyć, jak woda, bulion, sok jabłkowy). Właściwe nawodnienie rozrzedza śluz i ułatwia jego ewakuację.
- Dawaj dziecku do picia ciepłe płyny, przynoszące ulgę zbolałemu gardłu.
- Dawaj dziecku zimne napoje gazowane – będą dla niego atrakcyjnym „lekarstwem", a przy okazji zapewnią dodatkowe nawodnienie.
- W celu rozrzedzenia śluzu i nawilżenia dróg oddechowych możesz użyć nawilżacza na zimną wodę. (Nawilżacze na ciepłą lub gorącą wodę nie są zalecane, bo mogą oparzyć dziecko, a ponadto ciepło bardziej niż zimno sprzyja rozwojowi bakterii). Nie zapomnij o dokładnym, codziennym czyszczeniu urządzenia, żeby nie dopuścić do zakażenia go bakteriami i pleśniami. Nie dodawaj do wody żadnych leków – mogą one spowodować dodatkowe podrażnienie dróg oddechowych dziecka i nasilić kaszel. Uwaga: Nadmierna wilgotność powietrza w otoczeniu dziecka może zaostrzać objawy alergii (włącznie z astmą oskrzelową), ponieważ pleśnie i roztocza kurzu domowego (czyli jedne

Rycina 29.2. Strzykawka z gruszką, pomocna w usuwaniu śluzowej wydzieliny z nosa niemowlęcia.

z najczęstszych alergenów) lepiej rozwijają się w wilgotnym środowisku. W takiej sytuacji stosowanie nawilżacza nie jest wskazane.

• Dbaj, by dziecko miało czysty, wydmuchany nos.

U niemowlęcia i małego dziecka, które nie potrafi wydmuchać nosa:

• Użyj ciepłej wody lub kropli do nosa z soli fizjologicznej. Wprowadź trzy lub cztery krople do jednej dziurki, odczekaj około minuty i delikatnie wprowadź w to nozdrze strzykawkę z gumową gruszką (ryc. 29.2). Zatkaj palcem drugą dziurkę i zassij wydzielinę z pierwszej (pamiętaj, że musisz ucisnąć gruszkę jeszcze przed wprowadzeniem strzykawki do nosa dziecka), zwalniając ucisk gruszki. Uważaj, by nie wprowadzić instrumentu zbyt głęboko. Zatrzymaj się natychmiast, jeśli poczujesz jakikolwiek opór. Możesz powtarzać całą procedurę kilkakrotnie, aż do oczyszczenia obu nozdrzy. Same krople do nosa, bez zabiegu zasysającego, nie są u małego dziecka skutecznym środkiem ewakuacji wydzieliny. Nie zapomnij o dokładnym umyciu strzykawki i gruszki gorącą wodą i mydłem przed każdym użyciem.

U dziecka, które umie już samo wydmuchać nos:

• Przypominaj dziecku o czyszczeniu nosa i sprawdzaj jego efekty. W razie gęstej, zaschniętej wydzieliny możesz użyć kropli w wyżej opisany sposób. Połóż dziecko płasko z głową odchyloną poza brzeg łóżka. Wprowadź po trzy lub cztery krople do każdego nozdrza i odczekaj, aż zadziałają rozrzedzająco na śluz. Po mniej więcej jednej minucie poleć dziecku dokładnie wydmuchać nos.

Unikaj podawania dziecku leków dostępnych w wolnej sprzedaży, chyba że poradzi ci to lekarz. Leki „na katar" dają w najlepszym razie niewielkie złagodzenie objawów, a jednocześnie mają często własne, poważne działania niepożądane (np. nadmierną senność lub wręcz przeciwnie, nadmierne pobudzenie), których wystąpienie może zwłaszcza u niemowląt nasuwać podejrzenie poważnej choroby. Lepiej unikać zarówno podobnych stresów, jak i leków o wątpliwej skuteczności. Mimo że popularne powiedzenia często mijają się z prawdą, to, które głosi, że katar nie leczony trwa tydzień, a leczony siedem dni, jest akurat wyjątkowo trafne. Jeśli chodzi z kolei o leki działające (według zapewnień producenta) jednocześnie i na katar, i na kaszel, często zawierają one w sobie dodatkowe składniki aktywne, a tym samym mogą mieć dodatkowe objawy uboczne. Trzeba więc dokładnie studiować ulotki informacyjne, by uniknąć przypadkowego przedawkowania któregoś ze składników leków złożonych. Niektóre aerozole donosowe, które według reklam mają hamować katar, mogą mieć w rzeczywistości zupełnie odwrotny efekt. Leki przeciwkaszlowe bywają pożyteczne na noc, w przypadku suchego kaszlu wyrywającego dziecko ze snu, jednak przed podaniem któregoś z nich również powinnaś zasięgnąć porady lekarza.

Kaszel

Objawy ostrzegawcze/niepokojące

Szukaj pilnej pomocy medycznej w razie wystąpienia u dziecka któregoś z następujących objawów:

- Sine zabarwienie warg, języka, paznokci i/lub skóry;
- Znaczne przyspieszenie oddechu (w spoczynku) lub widoczny wysiłek przy oddychaniu;
- „Łapanie" powietrza z udziałem pomocniczych mięśni oddechowych (z zaciąganiem skóry między żebrami lub powyżej mostka);
- Niezdolność do mówienia lub krzyku z powodu trudności w oddychaniu;
- Utrudnione oddychanie, któremu towarzyszy tak zwany stridor (wysoki, świszczący dźwięk podczas wdechu) lub pochylanie się do przodu i ślinotok;
- Utrudnione oddychanie i oznaki wyczerpania;
- Zaburzenia oddychania ze splątaniem lub pobudzeniem psychoruchowym;

Kiedy dzwonić do lekarza

Skontaktuj się z lekarzem, jeśli zauważysz u dziecka któryś z następujących objawów:

- Gorączka trwająca u dzieci starszych dłużej niż trzy dni;
- Gorączka nawracająca po jedno–dwudniowym okresie bezgorączkowym;
- Brak poprawy pod względem kaszlu po upływie trzech–pięciu dni;
- Każdy kaszel utrzymujący się przez ponad dwa tygodnie;

- Stridor (wysoki, piskliwy dźwięk podczas wdechu), nie ustępujący szybko (w ciągu 10–15 minut) pod wpływem nawilżonego lub świeżego nocnego powietrza.

Wezwij lekarza również wtedy, gdy u twojego dziecka dotkniętego astmą wystąpi któraś z następujących sytuacji:

- Ciężki atak kaszlu;
- Ciężki napad nie odpowiadający na leki stosowane dotąd;
- Napad przebiegający inaczej niż zwykle.

Jest godzina 3.00 w nocy. Budzisz się przerażona, słysząc z pokoju twojego dwulatka dźwięki, jakich nie powstydziłoby się całe stado fok. Kaszel wyrywający ze snu dziecko i pozostałych członków rodziny to jeden z częstszych powodów nocnych telefonów do lekarza. Dzieci (podobnie jak dorośli) kaszlą tymczasem z wielu różnych przyczyn. Kaszel jest prawidłową odpowiedzią na podrażnienie dróg oddechowych. Jest mechanizmem obronnym, wytwarzającym silny strumień powietrza, który oczyszcza drogi oddechowe z obcych cząstek, bakterii, śluzu itp. i tym samym chroni płuca przed uszkodzeniem i zakażeniem. Dźwięki wydawane podczas kaszlu wahają się w bardzo szerokiej skali, od szarpanych, suchych, podobnych do szczekania, do niskich, wilgotnych, przytłumionych. Wrażenia akustyczne zależą od przyczyny wywołującej kaszel u dziecka i od jej umiejscowienia w drogach oddechowych. Do najczęstszych spośród tych przyczyn należą:

Przeziębienia i inne infekcje górnych dróg oddechowych. Przeziębienie jest nie tylko głównym sprawcą zakatarzonych nosów u dzieci, ale również i kaszlu. Więcej informacji na temat tej najpowszechniejszej dziecięcej przypadłości znajdziesz wyżej w części „Katar/zatkany nos", a także w rozdziale 30, „Choroby zakaźne wieku dziecięcego".

Zapalenie zatok. Wydzielina ściekająca do gardła ze zmienionych zapalnie zatok obocznych nosa podrażnia je i wywołuje kaszel, który może mieć charakter przewlekły. (Patrz też akapit na ten temat w części „Katar/zatkany nos" niniejszego rozdziału).

Zapalenie oskrzelików (bronchiolitis). Kaszel i inne objawy przeziębienia mogą niekiedy wynikać z zapalenia oskrzelików. Jest to infekcja drobnych rozgałęzień drzewa oskrzelowego w obrębie płuc, wywołana najczęściej przez syncytialne wirusy oddechowe, określane angielskim skrótem RSV (*respiratory syncytial virus*). (Więcej informacji na ten temat znajdziesz w rozdziale 30, „Choroby zakaźne wieku dziecięcego").

Krup. Dziecko, które budzi cię w nocy przerażającym atakiem kaszlu podobnym do szczekania foki, ma przypuszczalnie krup. Jest to infekcja umiejscowiona wokół strun głosowych, co tłumaczy wydawane przez dziecko dźwięki tak charakterystyczne, że mówi się wręcz o kaszlu „krupowym". Więcej informacji na temat tego zakażenia i jego przyczyn znajdziesz w rozdziale 30, „Choroby zakaźne wieku dziecięcego".

Alergie sezonowe i środowiskowe oraz działanie środków drażniących. Sezonowe lub środowiskowe alergeny – czynniki uczulające, np. pyłki roślin – często wywołują kaszel u wrażliwych na nie dzieci, które ogólnie wyglądają i zachowują się jak zdrowe. W określonych okolicznościach u dziecka może pojawić się permanentny katar z wodnistą, jasną wydzieliną i częstym kichaniem oraz kaszel w ciągu dnia, bez gorączki. Czasami dzieci skarżą się na swędzenie oczu lub nosa (w przypadku małego dziecka możesz zauważyć, że często trze oczy lub nos). Najważniejsza jest w tym przypadku obserwacja objawy te występują z pewną regularnością i w szczególnych sytuacjach – np. tylko w porze kwitnienia pewnych roślin czy podczas wizyty u znajomych, którzy mają w domu kota lub inne zwierzę futerkowe. Kaszel mogą również wywołać wziewne czynniki drażniące, takie jak spaliny lub – zwłaszcza – dym papierosowy. Aby uniknąć narażenia dziecka na ten ostatni, musisz bezwzględnie przestrzegać zasady niepalenia papierosów w pomieszczeniu, a jeszcze lepiej w całym mieszkaniu, w którym przebywa dziecko (co przy okazji będzie również z korzyścią dla ciebie). Jeśli objawy alergii lub podrażnienia dróg oddechowych są dokuczliwe dla dziecka, postaraj się ustalić razem z lekarzem, co może je wywoływać i jak temu zaradzić. Pamiętaj, że alergiczny kaszel u dziecka może również oznaczać astmę.

Astma oskrzelowa. Astma należy do częstych przyczyn kaszlu u dzieci, szczególnie kaszlu przewlekłego. Informacje na temat tej choroby znajdziesz w rozdziale 32, „Problemy zdrowotne okresu wczesnego dzieciństwa".

Zakrztuszenie się. Dziecko krztusi się wtedy, gdy kęs pokarmu, fragment zabawki lub inne ciało obce dostanie się przypadkowo do dróg oddechowych i utrudnia czy blokuje przepływ powietrza. Zdarza się to szczególnie często u małych dzieci, które nie potrafią jeszcze dokładnie przeżuwać pokarmu stałego, a jednocześnie z upodobaniem pakują wszystko do buzi, co jest naturalnym etapem ich rozwoju poznawczego. Kaszel wywołany krztuszeniem się zaczyna się zwykle nagle u dziecka w pełni zdrowia, często podczas posiłku lub zabawy. Te potencjalnie groźne incydenty omawiamy dokładnie w rozdziale 28, „Pierwsza pomoc i postępowanie w stanach nagłych", a także w rozdziale 24, „Bezpieczeństwo dziecka", gdzie znajdziesz wskazówki, jak ich unikać.

Zapalenie płuc. Zapalenie płuc należy podejrzewać u dziecka, które uporczywie kaszle i gorączkuje od ponad trzech dni (lub też gorączka pojawia się u niego ponownie po jedno- lub dwudniowej przerwie), ma zaburzenia i przyspieszony rytm oddychania, lub też u którego kaszel w przebiegu banalnej infekcji nasila się i pogarsza w ciągu kilku dni. Omówienie zapalenia płuc znajdziesz w rozdziale 30, „Choroby zakaźne wieku dziecięcego".

Koklusz (krztusiec). Koklusz należy obecnie do rzadkości, ponieważ większość dzieci otrzymuje szczepionkę chroniącą je przed tą ciężką chorobą (człon *P* lub *Per* w szczepionce nazywanej DTP lub DiTePer oznacza właśnie składową przeciwko krztuścowi, od jego łacińskiej nazwy *pertussis*). Więcej informacji na ten temat podajemy w rozdziale 30, „Choroby zakaźne wieku dziecięcego".

Co możesz zrobić w domu

W każdym przypadku:

- Zadbaj, by dziecko wypijało jak największe ilości klarownych płynów (takich, przez które można coś zobaczyć, jak woda, bulion, sok jabłkowy). Właściwe nawodnienie rozrzedza śluzową wydzielinę dróg oddechowych i ułatwia jej wydalenie.
- Dawaj dziecku do picia ciepłe płyny, przynoszące ulgę zbolałemu gardłu i pomocne w przerywaniu ataków kaszlu z powodu rozkurczania dróg oddechowych i rozrzedzania gęstej, śluzowej wydzieliny.
- W celu rozrzedzenia śluzu i nawilżenia dróg oddechowych możesz użyć nawilżacza na zimną wodę. (Nawilżacze na ciepłą lub gorącą wodę nie są zalecane, bo mogą oparzyć dziecko, a ponadto ciepło bardziej niż zimno sprzyja rozwojowi bakterii). Nie zapomnij o dokładnym, codziennym czyszczeniu urządzenia, żeby nie dopuścić do zakażenia go bakteriami i pleśniami. **Nie dodawaj do wody żadnych leków** – mogą one spowodować dodatkowe podrażnienie dróg oddechowych dziecka i nasilić kaszel.

Uwaga: Nadmierna wilgotność powietrza w otoczeniu dziecka może zaostrzać objawy alergii (włącznie z astmą oskrzelową), ponieważ pleśnie i roztocza kurzu domowego (czyli bardzo popularne alergeny) lepiej rozwijają się w wilgotnym środowisku. W takiej sytuacji stosowanie nawilżacza nie jest wskazane.

- Unikaj podawania dziecku leków przeciwkaszlowych dostępnych w wolnej sprzedaży, chyba że poradzi ci to lekarz. Kaszel jest pożytecznym mechanizmem obronnym, wspomagającym oczyszczanie dróg oddechowych z nadmiaru wydzieliny i drobnoustrojów, tak więc nie zawsze należy go tłumić. Uwaga: Leki bez recepty mają własne działania niepożądane, które mogą stwarzać poważne problemy, zwłaszcza u niemowląt w pierwszym półroczu życia. Leki działające (według zapewnień producenta) jednocześnie i na katar, i na kaszel często zawierają w sobie dodatkowe składniki aktywne, a tym samym mogą mieć dodatkowe objawy uboczne. Trzeba więc dokładnie czytać ulotki informacyjne, by uniknąć przypadkowego przedawkowania któregoś ze składników leków złożonych. Leki przeciwkaszlowe bywają pożyteczne na noc w przypadku suchego kaszlu wyrywającego dziecko ze snu, jednak przed podaniem któregoś z nich również powinnaś zasięgnąć porady lekarza.

W przypadku krupu:

- Szczególne ważne jest w tej chorobie właściwe nawilżenie powietrza, łagodzące objawy podrażnienia, obrzęk i skurcz górnych dróg oddechowych, włącznie ze strunami głosowymi. Jeśli nie masz nawilżacza, możesz zwiększyć wilgotność powietrza na wiele innych sposobów. Najprostszy z nich to zamknąć się w łazience i odkręcić krany z gorącą wodą. Po kilku minutach, gdy łazienka wypełni się parą, zanieś tam dziecko i posiedź z nim w ciepłej, kojącej mgle (ale nie stawiaj go bezpośrednio pod prysznicem).

- Możesz spróbować wyjść z dzieckiem na zewnątrz, na mały spacer w chłodnym nocnym powietrzu, albo przynajmniej stanąć z nim w szeroko otwartym oknie. Również i to pomaga przerwać atak krupu. Chłodne powietrze działa przeciwobrzękowo na błonę śluzową dróg oddechowych.
- Staraj się sama zachować spokój i uspokoić dziecko. Jego przerażenie i płacz prowadzą często do nasilenia objawów. Spróbuj odwrócić jego uwagę jakąś przyjemną, spokojną rozrywką, na przykład czytaniem czy układaniem puzzli.

W przypadku astmy:

- Przestrzegaj zasad leczenia ustalonych przez lekarza. Nie podawaj dziecku leków tłumiących kaszel, które są w astmie przeciwwskazane, ponieważ mogą wchodzić w interakcje z lekami stosowanymi na stałe z jej powodu.
- Staraj się ograniczyć do minimum narażenie dziecka na czynniki wywołujące napady astmy, szczególnie na kurz i sierść zwierząt. Nie wpuszczaj do jego pokoju psa ani kota, usuń nadmiar pluszowych zabawek, w których łatwo gromadzi się kurz. Z tego samego względu bardziej wskazany jest drewniany parkiet lub terakota na podłodze niż dywan. Chroń dziecko przed dymem papierosowym i innymi substancjami drażniącymi (jak kadzidełka, perfumy czy domowe środki czystości w aerozolu).
- Musisz być przygotowana na możliwość napadu astmy. Miej zawsze pod ręką niezbędne leki, tak aby podać je natychmiast nawet w środku nocy. Uzupełnij ich zapas przed wyjazdem na wakacje czy w jakąkolwiek inną podróżą, zwłaszcza w nieznane, licząc się również z tym, że inhalator można zgubić w lesie lub na plaży.

Drgawki

Objawy ostrzegawcze/niepokojące

Szukaj pilnej pomocy medycznej w razie wystąpienia któregoś z następujących objawów lub sytuacji:

- Sine zabarwienie warg, języka, paznokci i/lub skóry;
- Pierwszy w życiu napad drgawkowy;
- Każdy napad drgawkowy trwający dłużej niż 5 minut;
- Drgawki występujące wkrótce po upadku lub urazie głowy;
- Podejrzenie, że dziecko mogło zatruć się alkoholem, lekami, domowym środkiem czyszczącym lub inną, nieznaną substancją toksyczną.

Kiedy dzwonić do lekarza

Skontaktuj się z lekarzem, jeśli zauważysz u dziecka któryś z następujących objawów:

- Nietypowe lub nawracające częściej niż zwykle napady drgawkowe u dziecka z rozpoznaną padaczką.
- Uwaga: Nawet w przypadku ustalonego rozpoznania padaczki lub drgawek w przebiegu gorączki (patrz niżej), zdarzających się nie po raz pierwszy, musisz poinformować o tym lekarza. Być może uzna on, że nie ma w tym momencie potrzeby badania dziecka, ale mimo wszystko powinien na bieżąco wiedzieć, co się z nim dzieje.

Mimo dość przerażającego wrażenia, drgawki u dzieci nie oznaczają w większości przypadków poważnej choroby. Dziecko może znienacka upaść na ziemię i zesztywnieć lub wykonywać rytmiczne ruchy trzepania kończynami. Może również uderzać głową na boki, a także oddać mocz lub stolec podczas napadu. Najważniejsze, co masz wtedy do zrobienia, to zachować spokój, pozostałe wskazówki znajdziesz w rozdziale 28, „Pierwsza pomoc i postępowanie w stanach nagłych".

Przyczyną drgawek jest rodzaj „krótkiego spięcia" w obrębie mózgu. Mózg wysyła wówczas nieprawidłowe sygnały do nerwów i mięśni ciała, których następstwem są właśnie dziwne ruchy i zachowania obserwowane podczas napadu. Dziecko nie kontroluje drgawek i zwykle nie ma nawet świadomości tego, co się z nim dzieje. Po ustąpieniu napadu ogarnia je najczęściej wielkie wyczerpanie, a ostatecznie może w ogóle go nie pamiętać. U części dzieci występują napady innego typu, podczas których tracą one świadomość i kontakt z otoczeniem, ale nie wykonują żadnych dziwnych ruchów. U większości dzieci napad drgawek mija bez śladu, nie pozostawiając po sobie żadnych następstw neurologicznych ani psychologicznych. A oto kilka możliwych przyczyn drgawek:

Gorączka. Najczęstsza postać drgawek u dzieci to drgawki gorączkowe, występujące głównie poniżej szóstego roku życia. Ocenia się, że około 5% dzieci przechodzi w tym okresie co najmniej jeden taki napad. Do wystąpienia drgawek może dojść zwłaszcza podczas szybkiego wzrostu temperatury. Szybkość narastania gorączki wydaje się w tym przypadku ważniejsza od jej wartości, tym bardziej że u większości dzieci nawet gorączka do 40,5°C przebiega zwykle bez drgawek. Napad polega na zesztywnieniu i rytmicznych, szarpanych ruchach kończyn górnych i dolnych, trwających od kilku sekund do kilku minut. Po ustąpieniu napadu i spadku gorączki dziecko powraca do zdrowia bez żadnych późniejszych następstw. U mniej więcej połowy dzieci po przebytym napadzie drgawek w przebiegu gorączki można spodziewać się, że w przyszłości w podobnych okolicznościach dojdzie do nie-

go ponownie, jednak nawet i w tych przypadkach nie musi to oznaczać padaczki ani innej poważnej choroby.

Padaczka. Padaczka dotyka około 1% dzieci i ogólnie oznacza nawracające napady drgawek bez podłoża gorączkowego. Jest to choroba neurologiczna, uwarunkowana licznymi przyczynami i występująca w co najmniej kilku postaciach. Aby dowiedzieć się o niej więcej, patrz rozdział 32, „Problemy zdrowotne okresu wczesnego dzieciństwa".

Infekcje. Przyczyną drgawek może być niekiedy proces zapalny przebiegający w obrębie lub wokół mózgu. Może on dotyczyć błon ochronnych otaczających mózg i rdzeń kręgowy, i wtedy mówimy o zapaleniu opon mózgowo-rdzeniowych (*meningitis*), lub samego mózgu (zapalenie mózgu, *encephalitis*) (patrz rozdział 30, „Choroby zakaźne wieku dziecięcego"). Dziecko dotknięte tym zakażeniem robi najczęściej wrażenie ciężko chorego, ma zwykle gorączkę, silne bóle głowy, sztywność karku i inne tzw. objawy oponowe. Jeśli tak właśnie wygląda twoje dziecko, natychmiast wzywaj lekarza. Musisz też pamiętać, że u małych dzieci choroba nie musi dawać sztywności karku. Lekarz zleci najprawdopodobniej punkcję lędźwiową, czyli nakłucie kanału kręgowego cienką igłą, i pobranie płynu mózgowo-rdzeniowego do badania pod kątem zakażenia. Jeśli potwierdzi się to rozpoznanie, dziecko wymaga obserwacji i leczenia w szpitalu. Infekcje o innym umiejscowieniu mogą również wywołać napad drgawkowy, jednak z reguły jego bezpośrednią przyczyną jest wtedy gorączka.

Urazy głowy. Większość dzieci, odkąd tylko nauczą się chodzić, doznaje podczas swoich wędrówek i poznawania świata licznych drobnych urazów głowy. Są to najczęściej niegroźne zderzenia z przeszkodą, kończące się siniakiem i wielkim płaczem. Czasami jednak uraz może być na tyle poważny, że wywołuje napad drgawek. Drgawki występujące bezpośrednio po urazie mogą być następstwem „wstrząśnienia" mózgu wewnątrz czaszki. Nie musi to oznaczać groźnego uszkodzenia, jednak dziecko wymaga wtedy niezwłocznego zbadania przez lekarza i ewentualnie innych zleconych przez niego badań. W rzadkich przypadkach drgawki pojawiają się w kilka dni po wypadku i mogą oznaczać krwawienie do mózgu lub inny poważny uraz. Jest to sytuacja wymagająca pilnej interwencji lekarskiej (patrz ustęp na temat urazów głowy w rozdziale 28, „Pierwsza pomoc i postępowanie w stanach nagłych").

Zatrucia. Przypadkowe zatrucia stwarzają wiele problemów u niemowląt i dzieci – a napad drgawek może być tylko jednym z nich. Jeśli twoje dziecko ma drgawki i podejrzewasz, że mogło połknąć alkohol, leki, toksyczną roślinę, środek czyszczący czy jakąkolwiek inną podejrzaną substancję, natychmiast szukaj fachowej pomocy. Więcej informacji na ten temat znajdziesz w rozdziale 28, „Pierwsza pomoc i postępowanie w stanach nagłych".

Guzy mózgu. W rzeczywistości guzy mózgu są bardzo rzadką przyczyną drgawek u dzieci, ponieważ rzadko występują – średnio u jednego dziecka na 10 000. Mimo że guzy mogą wywoływać drgawki, z reguły w pierwszej kolejności pojawiają się inne objawy. Należy do nich na przykład pogorszenie koordynacji ruchowej, przez co dziecko staje się niezgrabne i niezręczne (oczywiście u zdrowych małych dzieci pełna koordynacja ruchów rozwija się stopniowo i powoli, tak więc nie wpadaj w panikę, jeśli twój dwu- lub trzylatek często się potyka i przewraca!). Dziecko z guzem mózgu może skarżyć się na bóle głowy, wymiotować bez konkretnej przyczyny ani innych objawów chorobowych i zdradzać szereg innych objawów. Jeśli niepokoją cię wyżej wymienione czy podobne objawy u twojego dziecka, skontaktuj się z lekarzem, który dokładnie je zbada i w większości przypadków rozwieje twoje obawy.

Co możesz zrobić w domu

- Po pierwsze, zachowaj spokój: twoja panika w żaden sposób nie pomoże dziecku.
- Bądź przy nim podczas napadu, a jeszcze lepiej wezwij kogoś do pomocy. Większość napadów ustępuje samoistnie w ciągu kilku minut, bez potrzeby leczenia. **Nie** próbuj tłumić ani powstrzymywać drgawek siłą.
- Największym zagrożeniem podczas napadu drgawek jest uraz w postaci upadku czy zderzenia się z twardym przedmiotem. Ogranicz to ryzyko do minimum w następujący sposób:
  - Delikatnie ułóż dziecko na podłodze czy innej płaskiej powierzchni (żeby nie spadło z łóżka czy tapczanu).
  - Odsuń ostre, kanciaste przedmioty, na przykład szafkę nocną, żeby dziecko nie uderzyło w nie głową.
  - **Nie** próbuj wkładać czegokolwiek do jego ust – obawy, że dziecko „udusi się własnym językiem" są bezzasadne.
  - Jeśli podczas napadu drgawek pojawią się zaburzenia oddychania, delikatnie odchyl głowę dziecka (tak aby podbródek znalazł się daleko od klatki piersiowej) i postaraj się wysunąć do przodu jego żuchwę. Manewr ten wystarcza zwykle do udrożnienia dróg oddechowych. **Nie** wkładaj dziecku niczego do ust – nie pomoże mu to w oddychaniu, a za to grozi udławieniem lub wymiotami.

Jeśli twoje dziecko ma padaczkę:
- Przestrzegaj ustalonych przez lekarza zasad postępowania w razie napadu drgawek.
- Regularnie podawaj dziecku wszystkie zalecone przez lekarza leki. Napad drgawkowy może wystąpić wtedy, gdy

stężenie leku przeciwpadaczkowego we krwi spadnie poniżej poziomu, do jakiego przyzwyczaił się organizm dziecka.

W okresach intensywnego wzrostu dzieci mogą mieć więcej napadów, ponieważ szybko „wyrastają" z ustalonych dawek leków. (Zanim jednak wprowadzisz jakąkolwiek zmianę w dawkowaniu, zawsze skonsultuj to z lekarzem).

- Uzupełnij zapasy leków przed wyjazdem na wakacje czy jakąkolwiek inną podróżą. Musisz mieć je w wystarczającej ilości na całą drogę lub pobyt w odludnym miejscu (z pewną rezerwą na wypadek zgubienia kilku tabletek). Zapisuj daty, kiedy zrealizowałaś receptę i kiedy powinnaś zrobić to ponownie, aby uniknąć sytuacji, że lek kończy się w niedzielę wieczorem, kiedy apteki w okolicy są zamknięte.

Dolegliwości i objawy skórne
Odparzenia od pieluch (wyprzenia)
Kiedy dzwonić do lekarza

Skontaktuj się z lekarzem, jeśli zauważysz u dziecka któryś z następujących objawów:

- Zaczerwienienie skóry, które nie poprawia się po trzech dniach mimo częstego przewijania i stosowania ochronnej maści z tlenkiem cynku;
- Krostki, pęcherze lub otwarte ranki na skórze w obszarze pieluchy;
- Wysypkę sprawiającą wrażenie zakażonej lub wyraźne strupki na skórze;
- Białawy nalot w jamie ustnej równolegle ze zmianami na pośladkach.

Niewielu dzieciom udaje się przejść przez okres niemowlęcy bez żadnego epizodu odparzenia skóry pod pieluchą. Można tylko pocieszać się, że w większości przypadków jest to przypadłość łagodna, a wysypka i podrażnienie skóry goją się zwykle szybko i bez śladu. Zmiany tego rodzaju dzieli się na dwa główne typy:

Wysypka z podrażnienia. Odparzenie jest najczęściej wynikiem przedłużonego kontaktu skóry z moczem, kałem lub potem. Ceratki czy warstwa sztucznego tworzywa w „pampersach", tak skutecznie chroniące przed przeciekiem moczu na zewnątrz, są niestety również barierą, która utrudnia prawidłowy obieg powietrza pod pieluchą. W okolicy pośladków wytwarza się w ten sposób zamknięte, ciepłe i wilgotne środowisko, sprzyjające podrażnieniom skóry.

Wyprzenie drożdżycowe. Wysypka pod pieluchą jest niekiedy czymś więcej niż objawem zwykłego podrażnienia. Drożdżaki (*Candida*) zaliczają się do grzybów i wywołują charakterystyczne zmiany skórne w postaci twardej czerwonej plamy otoczonej mniejszymi, punktowymi „satelitami". Wysypka jest zwykle wilgotna i zajmuje przednią stronę ciała dziecka, ze szczególną skłonnością do pachwin. (Te same grzyby *Candida* są odpowiedzialne za białe naloty w jamie ustnej, zwane pleśniawkami. U niemowlęcia z pleśniawkami jest większe prawdopodobieństwo wystąpienia zmian skórnych pod pieluchą). Wyprzenie bierze często początek w fałdach skórnych (pachwinach), skąd rozszerza się na odkrytą skórę. Czasami zmiany cofają się samoistnie, jednak częściej wymagają leczenia miejscowymi środkami grzybobójczymi.

Co możesz zrobić w domu

- Najważniejsze, co możesz zrobić, by zapobiec odparzeniom, to dbać, by skóra dziecka była maksymalnie sucha, czysta i wolna od czynników drażniących. Przewijaj niemowlę jak najczęściej, nie dopuść, by jego pośladki godzinami macerowały się w moczu i kale. Jest to szczególnie ważne wtedy, gdy dziecko ma biegunkę.
- Staraj się, by dziecko spędzało możliwie najwięcej czasu bez pieluchy. Jeśli bardzo boisz się o stan dywanu czy mebli,

przynajmniej rozwiń pieluchę od przodu dla przewietrzenia okolicy pośladków.

- Przy każdej zmianie pieluszki dokładnie myj skórę samą ciepłą wodą. Mydło i inne środki higieniczne mogą być dla niektórych dzieci dodatkowym czynnikiem drażniącym.
- Jeśli dziecko ma skłonność do odparzeń, przy każdym przewijaniu stosuj ochronną maść z tlenkiem cynku. Skuteczne są również żele na bazie nafty (jak wazelina).
- Regularnie używaj maści, gdy dziecko ma biegunkę, ponieważ stolec biegunkowy ma większy stopień kwasowości i działa szczególnie drażniąco na skórę.

Żółtaczka

Objawy ostrzegawcze/niepokojące

Szukaj pilnej pomocy medycznej, jeśli u noworodka z żółtaczką wystąpi któryś z następujących objawów:

- Letarg, niechęć do ssania lub inne oznaki choroby;
- Gorączka (w odbycie) powyżej 38°C.

Szukaj pilnej pomocy medycznej, jeśli u dziecka z żółtaczką wystąpi:

- Splątanie bądź nadmierna senność;
- Nietypowe siniaki na skórze lub krwawienia;

Kiedy dzwonić do lekarza

Skontaktuj się z lekarzem, jeśli u twojego noworodka wystąpi któryś z takich objawów, jak:

- Żółtaczka rozwijająca się w ciągu pierwszych 24 godzin życia;
- Żółtaczka pogłębiająca się po ukończeniu pierwszego tygodnia życia;
- Żółtaczka trwająca ponad 10 dni;
- Żółtaczka widoczna również na skórze kończyn;
- Żółtaczka pojawiająca się po raz pierwszy po dziesiątym dniu życia;
- Powtarzające się stolce barwy białej lub gliniastej.

Przyczyną żółtaczki widocznej na skórze, a zwłaszcza na spojówkach oka, jest podwyższone stężenie we krwi dziecka barwnika zwanego bilirubiną. W warunkach prawidłowych bilirubina jest usuwana z krwi przez wątrobę i wydalana ze stolcem (odpowiada ona również częściowo za kolor stolca). U wielu zdrowych noworodków niewielka żółtaczka pojawia się w drugim lub trzecim dniu życia, co mieści się w granicach normy (stąd i nazwa: żółtaczka fizjologiczna). U starszych niemowląt, dzieci i dorosłych żółtaczka może być objawem zakażenia, szczególnie w postaci wirusowego zapalenia wątroby (zwanego popularnie żółtaczką zakaźną), które sprawia, że wątroba nie funkcjonuje prawidłowo i nie oczyszcza krwi z bilirubiny. Inną częstą przyczyną żółtaczki jest niedrożność dróg żółciowych (systemu drenującego żółć z wątroby do pęcherzyka żółciowego i dalej do przewodu pokarmowego) – tę postać określa się mianem żółtaczki mechanicznej. W rzadkich przypadkach żółtaczka rozwija się z powodu defektu genetycznego, może być również objawem ubocznym niektórych leków.

Nie wszystkie niemowlęta i małe dzieci z żółtawym odcieniem skóry rzeczywiście mają żółtaczkę. Takie zabarwienie może pojawić się wskutek spożycia dużej ilości marchwi (lub soku z marchwi) bądź innych żółtych warzyw. Jak już wspomniano, żółtaczka w pierwszym tygodniu życia nie ma zwykle żadnego podłoża patologicznego i nie powinna cię niepokoić, jeśli jednak pojawi się po raz pierwszy już po powrocie do domu z noworodkiem, najlepiej będzie zgłosić to lekarzowi. A oto zestawienie kilku częstych, możliwych przyczyn żółtaczki u dzieci:

Żółtaczka noworodków (fizjologiczna). Jej omówienie znajdziesz w rozdziale 5, „Częste objawy i choroby u noworodków”.

Karotenemia. Żółtawe zabarwienie skóry pod wpływem marchwi, pomarańczy lub innych żółtych warzyw i owoców nosi nazwę karotenemii.

Karoten, barwnik roślinny nadający warzywom i owocom kolor żółty, pomarańczowy lub czerwony, może analogicznie podbarwiać skórę dziecka, jeśli zgromadzi się w niej w większych ilościach. Co charakterystyczne, przy zażółconej skórze dziecko ma jednocześnie prawidłowy, zwykły kolor białek oczu i spojówek. Jest to drobne, niegroźne zaburzenie, z którego dziecko wyrasta samoistnie i które bynajmniej nie oznacza, że musisz ograniczyć mu warzywa w diecie.

Leki. Większość leków przechodzi przez wątrobę, ulega w niej przemianom metabolicznym i jednocześnie może ją uszkadzać. Jeśli podejrzewasz, że żółtaczka u dziecka ma związek z zastosowaniem jakiegoś nowego leku, powiedz o tym lekarzowi.

Zapalenie wątroby (hepatitis). Przyczyną zapalenia wątroby jest najczęściej zakażenie wirusowe. Chorobę tę może wywołać co najmniej kilka rodzajów wirusów (patrz rozdział 30, „Choroby zakaźne wieku dziecięcego"). Obecnie coraz powszechniej szczepi się niemowlęta przeciwko wirusowemu zapaleniu wątroby typu B (wzw B). Wirusy zapalenia wątroby typu A są obecne w zakażonej wodzie (oraz w owocach morza lub innych produktach mytych zakażoną wodą). Wzw A u dzieci objawia się nudnościami, wymiotami, biegunką i żółtaczką. Jest już dostępna szczepionka przeciwko wzw A, jednak stosuje się ją zwykle tylko u dzieci z grup podwyższonego ryzyka zakażenia (np. z regionów o dużej zapadalności lub w razie planowanej podróży w takie okolice).

Co możesz zrobić w domu

- Karm dziecko jak najczęściej. Noworodek pozbywa się nadmiaru bilirubiny ze stolcem. Przez pierwsze dni po porodzie możesz mieć jeszcze mało pokarmu, co czasem przyczynia się do nasilenia żółtaczki. Nie oznacza to oczywiście, że masz zaprzestać karmienia piersią, jednak lekarz może zalecić w tym okresie dokarmianie dziecka mieszanką bezpośrednio po odstawieniu go od piersi, ponieważ więcej pokarmu pomaga w pozbyciu się bilirubiny przez przewód pokarmowy. Pamiętaj, że ssanie piersi przez dziecko jest najlepszym bodźcem pobudzającym laktację. Przystawiaj je więc do piersi za każdym razem, tym bardziej że i ten pierwszy, mało treściwy pokarm zwany siarą jest dla niego wysoce wartościowy. W miarę jak pokarmu zacznie przybywać, będziesz mogła zrezygnować ze sztucznego dokarmiania.
- Ustaw łóżeczko dziecka w jasnym, nasłonecznionym pokoju. Światło słoneczne sprzyja cofaniu się żółtaczki. Pamiętaj jednak o zachowaniu ostrożności przy wystawieniu dziecka na słońce, żeby uniknąć przegrzania czy podrażnienia skóry.

Wysypka
(patrz też Odparzenie od pieluch)
Objawy ostrzegawcze/niepokojące

Szukaj pilnej pomocy medycznej, jeśli zauważysz u dziecka któryś z następujących objawów:

- Wysypka wyglądająca jak liczne siniaki lub drobne, punktowe wybroczyny podskórne, mimo że nie doszło do żadnego urazu, którym można by je tłumaczyć;
- Nadmierna senność, splątanie lub letarg
- Zaburzenia oddychania;
- Świszczący oddech, a zwłaszcza świsty przy wydechu;
- Wysypka w połączeniu z bólami głowy, sztywnością karku i gorączką;
- Trudności w połykaniu lub niewyraźna, zmieniona mowa;
- Gorączka u niemowlęcia poniżej trzech miesięcy (38°C lub więcej).

Kiedy dzwonić do lekarza

Skontaktuj się z lekarzem, jeśli u dziecka wystąpi któryś z takich objawów, jak:

- Wysypka typu kontaktowego (np. pod wpływem kontaktu z pewnymi roślinami) obejmująca znaczną powierzchnię ciała, okolicę oczu i/lub narządów płciowych, sprawiająca wrażenie zakażonej i nie ustępująca pod wpływem środków dostępnych w wolnej sprzedaży;
- Wysypka po użądleniu przez owada z narastającym zaczerwienieniem, obrzękiem lub bólem; ropna, żółtawa wydzielina z miejsca użądlenia lub inne oznaki zakażenia;
- Wysypka po zażyciu nowego leku;
- Wysypka o wyglądzie tarczy strzelniczej (czerwona obwódka wokół jasnego środka);
- Gorączka, wysypka, bóle stawów lub głowy występujące w ciągu trzech tygodni od ukąszenia przez kleszcza;
- Ospa wietrzna z ponownym wzrostem gorączki po jednym lub dwóch dniach jej spadku do wartości prawidłowych;
- Grzybica skóry nie reagująca na domowe leczenie lub zajmująca skórę owłosioną głowy;
- Wysuszenie i podrażnienie skóry nasilające się mimo domowego leczenia;
- Świąd skóry lub ból zakłócający dziecku sen.

Przyczyną wysypki może być podrażnienie skóry, zakażenie lub reakcja alergiczna. Niektóre dzieci mają skórę z natury suchą i szczególnie skłonną do podrażnień. Inne sprawiają wrażenie, jakby jakiś wewnętrzny „radar" kierował je w stronę drażniących roślin, na przykład pewnych gatunków bluszczu. Wysypka jest też często następstwem użądlenia przez owady. Należy ona ponadto do obrazu klinicznego wielu typowych wirusowych chorób zakaźnych wieku dziecięcego. Przebiegają one najczęściej z czerwoną, plamistą wysypką i niewielką gorączką. Borelioza (choroba z Lyme) wywołuje charakterystyczne zmiany o wyglądzie „tarczy strzelniczej", z czerwonym okrągłym pierścieniem i jasnym środkiem. Okrągłe, czerwone plamy bez centralnego przejaśnienia mogą wskazywać na grzybicę skóry. Skórne reakcje alergiczne na użądlenia owadów mają różne nasilenie, od niewielkiego zaczerwienienia do masywnej pokrzywki. Najczęstsze przyczyny wysypki u dzieci przedstawiają się następująco:

Wyprysk kontaktowy. Termin ten oznacza ogólnie zmiany wynikające z podrażnienia skóry wskutek kontaktu z pewnymi czynnikami środowiskowymi. Niektóre dzieci mają tak wrażliwą skórę, że reagują wysypką na pewne rodzaje mydła albo dotknięcie metalowego przedmiotu. Częstą przyczyną wyprysku są rośliny, na przykład sumak jadowity. Wysypka jest w tym przypadku reakcją skóry na oleiste substancje zawarte w liściach rośliny. Dokładne umycie rąk zapobiega rozprzestrzenianiu się zmian, które najczęściej rozpoczynają się w miejscu największego kontaktu z czynnikiem drażniącym, a jeśli zostanie on rozprowadzony na skórze, mogą się one rozszerzać. Nie oznacza to jednak zakażenia, a jedynie miejscowe działanie mniejszych ilości toksyny. Zmiany wypryskowe składają się zwykle z drobnych pęcherzyków na szerokiej, zaczerwienionej podstawie albo układających się w cienkie prążki. Najczęściej towarzyszy im dość znaczny świąd. Skontaktuj się z lekarzem, jeśli wysypka zajmuje rozległy obszar, okolicę oczu lub narządów płciowych, jeśli zmiany wyglądają na zakażone albo są bardzo dokuczliwe dla dziecka i nie ustępują po środkach dostępnych bez recepty.

Egzema (wyprysk atopowy). Dzieci z wypryskiem atopowym mają bardzo wrażliwą skórę, reagującą na takie czynniki środowiskowe jak zimno, środki kosmetyczne (mydło) czy pewne produkty spożywcze. Więcej informacji znajdziesz pod tym samym tytułem w rozdziale 32, „Problemy zdrowotne okresu wczesnego dzieciństwa".

Wysypka wirusowa. Najczęstszym typem wysypki wirusowej są płaskie, plamiste lub grudkowe drobne wykwity barwy różowej lub czerwonej, umiejscowione przeważnie na skórze klatki piersiowej i brzucha. Niektóre infekcje wirusowe mogą dodatkowo objawiać się niezbyt nasilonymi objawami przeziębienia i gorączką. (Istnieją też choroby wirusowe z charakterystyczną wysypką, na przykład w ospie wietrznej zamiast drobnych plamek i grudek występują pęcherzyki, przysychające następnie do krostek i strupków). W większości przypadków zmiany nie są swędzące (poza ospą wietrzną) i nie mają żadnych szkodliwych następstw. Do typowych chorób wirusowych z wysypką należy różyczka i rumień zakaźny (patrz rozdział 30, „Choroby zakaźne wieku dziecięcego"), inne z kolei, wcześniej częste (np. odra), występują obecnie coraz rzadziej, przynajmniej w krajach wysoko rozwiniętych, z racji wprowadzonych programów skutecznych szczepień ochronnych. U niektórych dzieci w ciągu jednego–dwóch tygodni po podaniu szczepionki MMR (przeciwko odrze, śwince i różyczce) może pojawić się niewielka przemijająca różowa wysypka z gorączką lub bez gorączki. Nie wymaga ona żadnego leczenia, podobnie jak większość zmian o etiologii wirusowej; jeśli jednak coś cię niepokoi, skontaktuj się z lekarzem.

Pokrzywka i inne reakcje alergiczne. Pokrzywka, podobna do pogryzienia przez komary, polega na swędzących, różowych lub czerwonych bąblach uniesionych ponad podłoże, z charakterystycznym przejaśnieniem w środku. Jest to najczęściej reakcja alergiczna na pokarm, leki, jad owadów, albo też niektóre substancje w kontakcie ze skórą. Czasami podobne wykwity wywołuje również infekcja wirusowa lub inne choroby. Pokrzywka może ograniczać się do jednej okolicy skóry dziecka lub też rozlewać po całym ciele. Reakcje alergiczne na żywność ujawniają się zwykle szybko, ale w pewnych przypadkach również dopiero w kilka godzin po zjedzeniu uczulającego produktu. Czasami pokrzywce towarzyszy obrzęk błony śluzowej jamy ustnej i gardła, co może powodować trudności w oddychaniu i świsty przy wydechu, a także wymioty, kaszel czy nawet zaburzenia świadomości. Objawy te wskazują na masywną i groźną reakcję alergiczną – konieczna jest wtedy natychmiastowa pomoc lekarska (patrz informacje na temat alergii i anafilaksji w rozdziale 28, „Pierwsza pomoc i postępowanie w stanach nagłych").

Reakcje polekowe. Leki mogą wywoływać różnorodne rodzaje wykwitów skórnych. Najczęstszą przyczyną takich reakcji u dzieci są antybiotyki (np. amoksycylina). Wysypka polekowa składa się zwykle z drobnych, różowych lub czerwonych, płaskich plamek, ale może też przypominać uogólnioną pokrzywkę. Jeśli podczas przyjmowania leku u dziecka pojawi się wysypka, zgłoś to lekarzowi.

Brodawki. Patrz rozdział 30, „Choroby zakaźne wieku dziecięcego".

Liszajec zakaźny. Patrz rozdział 30, „Choroby zakaźne wieku dziecięcego".

Grzybica skóry. Patrz rozdział 30, „Choroby zakaźne wieku dziecięcego".

Borelioza (choroba z Lyme). Patrz rozdział 30, „Choroby zakaźne wieku dziecięcego".

Co możesz zrobić w domu

W razie swędzącej wysypki:

- Zapewnij dziecku pokojową temperaturę otoczenia. Jeśli w domu jest zbyt gorąco, może to pogorszyć niektóre rodzaje wysypki i nasilić świąd.
- Ubieraj dziecko w przewiewne, bawełniane rzeczy.
- Wykąp dziecko w dość chłodnej wodzie z dodatkiem płatków owsianych: jest to

dobry sposób na złagodzenie świądu, zwłaszcza w przypadku ospy wietrznej.

- Aby zmniejszyć świąd, możesz stosować krem lub maść z zawartością 1% hydrokortyzonu, jednak nie w przypadku ospy wietrznej, grzybicy ani liszajca.
- Zrób dziecku okład z ręcznika zmoczonego w chłodnej wodzie na najbardziej swędzące miejsca.
- W razie nasilonych, dokuczliwych zmian poradź się lekarza, czy można podać dziecku doustnie difenhydraminę (Benadryl). U większości dzieci lek ten ma również działanie nasenne, tak więc podany wieczorem łagodzi świąd, a jednocześnie pomaga zasnąć.
- Jeśli nie pomaga difenhydramina, zapytaj lekarza o hydroksyzynę (lek na receptę), która może okazać się skuteczniejsza. Od decyzji lekarza zależy też zastosowanie kremów lub maści ze steroidami, których nie ma w wolnej sprzedaży.
- Postaraj się przekonać dziecko, żeby się nie drapało. Podrapane do krwi obszary wykwitów skórnych łatwo ulegają zakażeniu. (A już na pewno możesz krótko obciąć dziecku paznokcie i jak najczęściej myć ręce, aby ograniczyć to ryzyko).

Aby zapobiec wypryskowi kontaktowemu:
- Pokaż dziecku, które rośliny są trujące, i naucz, że nie należy ich dotykać.
- Ubieraj dziecko w długie spodnie i górę z długimi rękawami w sytuacjach, w których kontakt z takimi roślinami jest prawdopodobny.
- Jeśli dziecko dotknęło podejrzanej rośliny, umyj mu dokładnie ręce wodą i mydłem. Im krócej trwa kontakt z drażniącymi substancjami roślinnymi, tym łagodniejsza będzie wysypka. Musisz wyprać czy wyczyścić wszystkie ubrania, buty, koce itp.,

a także futro zwierząt domowych, jeśli miały one styczność z tymi roślinami. Wysypka jako taka nie jest zaraźliwa, natomiast rozprzestrzenienie się toksycznego olejku roślinnego może narażać na wyprysk kontaktowy innych domowników.

W razie wysuszenia skóry i egzemy:
- Używaj łagodnych mydeł bez dodatków zapachowych, które mogą wysuszać delikatną skórę dziecka.
- Z tego samego powodu unikaj długich, gorących lub bardzo częstych kąpieli dziecka.
- Kąp dziecko stosunkowo krótko, w letniej lub ciepłej wodzie z dodatkiem kilku nakrętek olejku mineralnego lub olejku dla dzieci. Pozwalają one uniknąć wysuszenia skóry kąpielą.
- Osuszaj dziecko po wyjściu z wody, ale bez energicznego nacierania ręcznikiem.
- Po kąpieli obficie posmaruj dziecko odpowiednim dla jego wieku balsamem nawilżającym.
- Z zasady unikaj nadmiernie perfumowanych kosmetyków dla dziecka. Dodatki te mogą działać uczulająco lub drażniąco na jego wrażliwą skórę.

W razie reakcji alergicznych:
- Uprzedź o alergii dziecka wszystkich jego opiekunów i nauczycieli. Jest to szczególnie ważne w przypadku alergii pokarmowych, ponieważ dzieci mają często zwyczaj dzielić się z kolegami kanapkami na drugie śniadanie albo próbować z cudzego talerza obiadów w stołówkach.
- Łagodne reakcje alergiczne można zwykle skutecznie leczyć difenhydraminą (Benadrylem).
- Jeśli twoje dziecko ma skłonność do burzliwych, niebezpiecznych reakcji

alergicznych, powinnaś mieć zawsze
w domu i przy sobie odpowiednie, zlecone
przez lekarza leki w postaci gotowej do
wstrzyknięcia, aby w razie potrzeby
natychmiast je podać.

W razie brodawek:
- Brodawki u dzieci reagują zwykle dobrze,
choć z opóźnieniem, na preparaty
zawierające kwas salicylowy i mlekowy,
dostępne w wolnej sprzedaży, często
w postaci gotowych opatrunków. Nie możesz
oczekiwać, że zmiany ustąpią po jednym
czy dwóch tygodniach leczenia. Jeśli
zauważysz zaczerwienienie otaczającej je
skóry, przerwij stosowanie preparatu na kilka
dni i ochronnie smaruj te miejsca wazeliną.

W razie grzybicy:
- I w tym przypadku zacznij od środków
dostępnych bez recepty, jak np. Dactarin
w kremie, smarując zmiany kilka razy
dziennie. Zmiany grzybicze (poza skórą
owłosioną głowy) reagują zwykle dobrze na
tego rodzaju leki, aczkolwiek może minąć
nawet kilka tygodni, zanim ustąpią
całkowicie. Stosuj preparat dwa razy dziennie
jeszcze przez tydzień po zniknięciu zmian,
aby upewnić się, że wyleczenie jest całkowite.
- W grzybicy skóry owłosionej głowy musisz
stosować leki doustne i specjalne szampony
zlecone przez lekarza.

Ból gardła

(Uwaga: Jeśli dziecko skarży się na ból gardła jedynie podczas kaszlu i w związku z nim, przeczytaj najpierw ustęp na temat kaszlu. Patrz również odpowiednie części rozdziału 30, „Choroby zakaźne wieku dziecięcego").

Objawy ostrzegawcze/niepokojące

Szukaj pilnej pomocy medycznej, jeśli zauważysz u dziecka któryś z następujących objawów:

- Pochylanie się do przodu, ślinotok
i trudności w oddychaniu;
- Niemożność picia czy przełykania śliny.

Kiedy dzwonić do lekarza

Skontaktuj się z lekarzem, jeśli u dziecka wystąpi któryś z takich objawów, jak:
- Ból gardła utrzymujący się dłużej niż przez
jeden dzień, bo być może konieczne będzie
badanie pod kątem zakażenia paciorkowcem;
- Picie utrudnione do tego stopnia, że
obawiasz się odwodnienia (patrz ramka na
temat odwodnienia na str. 573);
- Tak silny ból gardła, że dziecko nie jest
w stanie szeroko otworzyć buzi;
- „Kluchowata" mowa, tak jakby dziecko
mówiło z buzią pełną jedzenia.

Bóle gardła należą do częstych dolegliwości
małych dzieci. Niemowlęta i dwu- lub trzylatki,
które nie potrafią jeszcze opisać, co im dokucza,
objawiają to wzmożonym marudzeniem i niechęcią do jedzenia nawet swoich ulubionych potraw.
Mogą też ślinić się bardziej niż zwykle z powodu
bólu przy połykaniu.

Bóle gardła występują z wielu przyczyn. Suche
powietrze w domu czy oddychanie we śnie przez
usta z powodu zatkanego nosa prowadzi często do
podrażnienia błony śluzowej gardła i porannego
bólu, który ustępuje w ciągu dnia. Ból gardła jest
też dość typowym objawem przeziębienia i innych
infekcji wirusowych, między innymi z powodu kataru spływającego przez nozdrza tylne i drażniącego gardło. W większości przypadków głównym
celem leczenia bólu gardła jest tylko poprawa samopoczucia dziecka i zapobieganie odwodnieniu,
czasami jednak konieczne są również antybiotyki.
A oto kilka najczęstszych lub ważnych przyczyn
bólu gardła:

Wirusowe zapalenie gardła (pharyngitis). Zapalenie błony śluzowej gardła jest najczęściej, choć
nie zawsze, wywołane przez wirusy. Bólom gar-

dła w przebiegu takiej infekcji towarzyszy zwykle gorączka, katar i inne objawy przeziębienia. Na ogół ustępują one samoistnie w ciągu trzech––czterech dni. Ponieważ antybiotyki nie działają przeciwko wirusom, dziecko wymaga co najwyżej leczenia objawowego, poprawiającego jego samopoczucie.

Paciorkowcowe zapalenie gardła (angina paciorkowcowa). Omawiamy ją w rozdziale 30, „Choroby zakaźne wieku dziecięcego".

Choroba rąk, stóp i jamy ustnej (zakażenie wirusem Coxackie). Patrz wyżej, „Ból/nieprawidłowości w obrębie jamy ustnej" w tym rozdziale.

Katar i zapalenie zatok przynosowych. Jak już wspomniano, do wywołania bólu gardła wystarczy sam katar. Śluzowa wydzielina, spływając przez nozdrza tylne po tylnej ścianie gardła, może działać na nią drażniąco. Leczenie kataru zależy od przyczyny. W większości przypadków jest nią banalna infekcja wirusowa w postaci przeziębienia, która wraz z bólem gardła ustępuje samoistnie w ciągu kilku dni. Czasami w gęstym śluzie, zatykającym przewody między nosem a zatokami, mogą pojawić się bakterie (które znajdują w nim znakomite warunki do rozwoju), wywołując bakteryjne zapalenie zatok. Dziecko z zajętymi zatokami ma zwykle chroniczny katar, trwający co najmniej dwa tygodnie, często z gęstą, zielonkawą lub żółtą wydzieliną, któremu może towarzyszyć niewielka gorączka. Zakażony śluz spływający do gardła ma jeszcze większe działanie drażniące niż w przypadku kataru wirusowego. Zapalenie zatok wymaga zwykle leczenia antybiotykami. Inną przyczyną kataru może być uczulenie na pyłki roślin, kurz domowy, sierść zwierząt lub pleśnie (patrz ustęp na temat alergii w rozdziale 32, „Problemy zdrowotne okresu wczesnego dzieciństwa"). Katar alergiczny jest zwykle wodnisty, może towarzyszyć mu łzawienie i drapanie w gardle. Jeśli podejrzewasz u dziecka zapalenie zatok lub alergię albo w razie jakichkolwiek dokuczliwych, przedłużających się objawów, skontaktuj się z lekarzem.

Krup. Omawiany już przy okazji kaszlu krup jest zwykle infekcją wirusową, zajmującą gardło, krtań i tchawicę. Ból gardła w przebiegu krupu nasila się podczas połykania i utrudnia je. (Więcej informacji na ten temat znajdziesz wyżej w części „Dolegliwości i objawy ze strony układu oddechowego" w tym rozdziale, a także w rozdziale 30, „Choroby zakaźne wieku dziecięcego").

Suchość w gardle. Niektóre dzieci regularnie budzą się rano z bólem gardła, ustępującym po kilku łykach czegoś do picia. Poranny ból gardła wynika zwykle z wysuszenia błony śluzowej z powodu oddychania przez usta w czasie snu. (Dzieje się tak dlatego, że powietrze wdychane ustami nie ulega po drodze dostatecznemu nawilżeniu, jakie ma miejsce w jamie nosowej). Wszystkie dzieci oddychają od czasu do czasu przez usta, zwłaszcza jeśli mają katar. Dodatkowy problem stwarza zimą centralne ogrzewanie, wysuszające powietrze w domu. Aby temu zapobiec, dobrze jest utrzymywać temperaturę na umiarkowanym poziomie, a także używać nawilżaczy. Jeśli twoje dziecko stale śpi z otwartą buzią, może to wynikać z przerostu wyrośli adenoidalnych (skupisk tkanki chłonnej na pograniczu nosa i gardła), zapalenia zatok lub alergii. Jeśli cię to niepokoi, skontaktuj się z lekarzem.

Zapalenie nagłośni (epiglottitis). Patrz rozdział 30, „Choroby zakaźne wieku dziecięcego".

Co możesz zrobić w domu

• Dawaj dziecku chłodne napoje i pokarmy (na przykład lody!), które działają

łagodząco na podrażnioną błonę śluzową jamy ustnej i gardła.
- Dawaj mu do jedzenia pokarmy o miękkiej konsystencji, łatwe do przełknięcia i nie drażniące.
- Unikaj produktów ostrych, słonych lub kwaśnych (jak np. owoce cytrusowe). Dają one szczególnie nieprzyjemne wrażenie w kontakcie z obolałą, podrażnioną czy zranioną błoną śluzową jamy ustnej.

Dolegliwości i objawy ze strony przewodu pokarmowego

Bóle brzucha
Objawy ostrzegawcze/niepokojące

Szukaj pilnej pomocy medycznej, jeśli zauważysz u dziecka któryś z następujących objawów:
- Bóle brzucha trwające nieprzerwanie od ponad jednej czy dwóch godzin;
- Niemożność poruszania się lub trudności w chodzeniu z powodu bólu;
- Bardzo twardy, napięty brzuch (zwłaszcza jeśli dziecko wzbrania się przed twoim dotykiem);
- Krwiste lub galaretowate stolce;
- Wymioty krwią lub treścią zielonkawo–żółtą (żółcią) albo podobną do fusów od kawy;
- Letarg lub niezwykła senność dziecka;
- Bóle brzucha w niedługi czas po przebytej operacji, urazie lub poważnym upadku;
- Obrzęk i zaczerwienienie pachwiny lub okolicy moszny u chłopców;
- Oznaki wskazujące na możliwość połknięcia przez dziecko ciała obcego, leków, domowego środka czystości czy jakiejkolwiek innej substancji chemicznej;
- Powtarzane, nagłe podkurczanie kolan do brzucha;
- Przedłużony krzyk małego dziecka, nasilający się podczas prób wzięcia go na ręce czy kołysania;
- Jakiekolwiek objawy odwodnienia (patrz ramka na str. 537).

Kiedy dzwonić do lekarza
Skontaktuj się z lekarzem, jeśli u dziecka wystąpi któryś z takich objawów, jak:
- Przedłużająca się odmowa jedzenia lub picia;
- Wymioty nie ustępujące od ponad dwóch godzin (u niemowlęcia poniżej 6 miesięcy);
- Wymioty nawracające nieprzerwanie od ponad 12 godzin (u dziecka powyżej 6 miesięcy życia);
- Nietypowa senność lub rozdrażnienie;
- Krzyk, który wydaje ci się nietypowy jak na „zwykłą" kolkę;
- Często nawracające bóle brzucha w okresie kilku tygodni;
- Brak przybierania na wadze lub jej spadek w okresie kilku tygodni;

Bóle brzucha zdarzają się dzieciom często, ale w większości przypadków nie oznaczają niczego poważnego i ustępują samoistnie. Nie jest, niestety, łatwo ustalić ich dokładną przyczynę, ponieważ jama brzuszna jest bardzo złożoną okolicą ciała, zawierającą wiele blisko sąsiadujących ze sobą narządów. Przykładowo bóle żołądka mogą wynikać zarówno z przyczyn dość oczywistych, jak przejedzenie się słodyczami, jak i z pozornie zupełnie nie związanych z przewodem pokarmowym i brzuchem, jak stres czy angina paciorkowcowa. Ból o określonym umiejscowieniu oznacza zwykle większy powód do niepokoju niż niesprecyzowany, rozlany po całym brzuchu. A oto kilka przyczyn, o jakich trzeba pamiętać:

Ostry nieżyt żołądkowo-jelitowy (gastroentero-colitis). Stan ten oznacza zwykle infekcję lub zatrucie pokarmowe o różnym stopniu ciężkości i objawia się bólami brzucha, niepokojem dziecka i rozdrażnieniem podczas kąpieli (nie wspominając o innych okolicznościach). Dzieci mają też zwykle nudności, wymioty i biegunkę, aczkolwiek nie zawsze i niekoniecznie wszystko naraz (patrz niżej). Przyczyną takiego zespołu objawów mogą być bardzo liczne i zróżnicowane infekcje (patrz rozdział 30, „Choroby zakaźne wieku dziecięcego"). Bóle brzucha lub ogólne złe samopoczucie wyprzedzają często atak wymiotów czy biegunki. Ból ma zwykle charakter kurczowy i rozlany (bez konkretnego umiejscowienia, które można wskazać palcem) i często zmniejsza się po wymiotach lub wypróżnieniu, po czym może nawracać w okresie od 30 minut do kilku godzin, zwykle z ponownym atakiem wymiotów i/lub biegunki. Wymioty nie trwają na ogół dłużej niż jeden dzień, natomiast biegunka może utrzymywać się przez 2–3 dni lub jeszcze dłużej. Najważniejsze jest w tym okresie pilnowanie, czy dziecku nie grozi odwodnienie. Niemowlęta i małe dzieci są najbardziej podatne zarówno na odwodnienie, jak i na inne komplikacje ostrego nieżytu żołądkowo-jelitowego.

Zaparcie. Zaparcie może prowadzić do trudności w wypróżnieniu i bólu przy oddawaniu stolca. Bolesny skurcz jelit wokół zalegających twardych mas kałowych może sprawić, że dziecko będzie odruchowo unikać wypróżnienia, przez co zaburzenia pogłębiają się na zasadzie błędnego koła. Na szczęście tak poważne problemy z zaparciem zdarzają się u dzieci rzadko. Z reguły pomaga wprowadzenie kilku prostych zmian w diecie i nawykach (więcej informacji na temat zaparć znajdziesz w rozdziale 20, „Nauka kontrolowania potrzeb fizjologicznych").

Kolka. Kolka ma skłonność do pojawiania się już u dwutygodniowych noworodków i trwa zwykle przez 3–4 miesiące. Omawiamy ją dokładnie w rozdziale 11, „Podstawowe zasady opieki nad niemowlęciem".

Nietolerancja pokarmowa. Każdy z nas mógłby wymienić kilka produktów spożywczych, które wyraźnie mu „nie pasują". Dotyczy to również dzieci. Nietolerancja pokarmowa u dziecka może objawiać się bólami brzucha, wzdęciem, biegunką lub wysypką po spożyciu danego produktu. Niemowlęta nie tolerują czasami pewnych rodzajów mieszanek na bazie mleka lub soi i reagują na nie zaburzeniami żołądkowo-jelitowymi. Przyczyną nietolerancji może być zmniejszona produkcja jednego z enzymów (związków uczestniczących w przemianach biochemicznych organizmu), niezbędnego do trawienia laktozy (cukru obecnego w mleku krowim). Po spożyciu mleka w jelitach zbiera się wtedy nadmiar gazów, mogą wystąpić kurczowe bóle brzucha, wzdęcia lub biegunka. U dzieci z nietolerancją laktozy objawy te ustępują zwykle po wprowadzeniu specjalnych mieszanek lub tabletek Lactaidu (zawierających enzym, którego brakuje w organizmie, i usprawniających tym samym trawienie laktozy). U części niemowląt objawy przypisywane kolce mogą w rzeczywistości wynikać z nietolerancji pokarmu sztucznego, jakim są karmione, czy też alergii na ten pokarm. Jeśli więc dziecko jest bardzo niespokojne, lekarz sugeruje często zmianę tego pokarmu na inny. (Przed wprowadzeniem jej na własną rękę lepiej jednak zasięgnąć porady lekarza). Jeśli z kolei karmisz dziecko piersią, może ono reagować w ten sposób na pewne składniki twojej diety. Kofeina i niektóre leki przechodzą do mleka matki i mogą działać pobudzająco czy drażniąco na układ nerwowy niemowlęcia. Podczas karmienia piersią powinnaś więc unikać przyjmowania leków, a przynajmniej zasięgać porady pediatry w razie takiej konieczności. Jeśli podejrzewasz u dziecka nietolerancję lub alergię pokarmową, powiedz o tym lekarzowi.

Stres i problemy emocjonalne. Dzieci reagują na stres w różnym stopniu i na różne sposoby. Niektóre mają z natury pogodne usposobienie i sprawiają wrażenie, jakby nic nie było w stanie wytrącić ich z równowagi. Inne z kolei wydają się bardziej wrażliwe i mocno przeżywają wszelkie zmiany trybu życia czy drobne codzienne problemy. Tendencja do reagowania bólami brzucha na stres zaznacza się zwykle u dzieci poważnych, wrażliwych, „myślących". Bóle te są zwykle niesprecyzowane i bez konkretnego umiejscowienia, nie towarzyszy im też gorączka, wymioty, biegunka czy jakiekolwiek inne objawy choroby przewodu pokarmowego. Dolegliwości tego rodzaju pojawiają się często w różnych szczególnych, traumatycznych dla dziecka sytuacjach, takich jak przeprowadzka do nowego miejsca zamieszkania, zmiana szkoły czy rozwód rodziców. Jeśli podejrzewasz u twojego dziecka takie podłoże bólów brzucha, przede wszystkim porozmawiaj z nim na spokojnie w miejscu, gdzie nikt nie będzie wam przeszkadzać. Poświęć na tę rozmowę dużo czasu i uważnie wysłuchaj, co ma ci do powiedzenia. Postaraj się wyłuskać istotę problemu i zrób wszystko, by dodać dziecku otuchy. Jeśli bardzo się niepokoisz jego dolegliwościami lub potrzebujesz wskazówek, jak pomóc dziecku w przezwyciężeniu stresu, porozmawiaj o tym również z jego lekarzem.

Paciorkowcowe zapalenie gardła (angina). To bakteryjne zakażenie gardła, wywołane przez paciorkowce (*streptokoki*), często objawia się również bólami brzucha i głowy. Więcej informacji na ten temat znajdziesz w rozdziale 30, „Choroby zakaźne wieku dziecięcego".

Zakażenia dróg moczowych. Są to przede wszystkim bakteryjne zakażenia pęcherza moczowego, wydrążonego narządu, w którym gromadzi się mocz wyprodukowany przez nerki. Więcej informacji na ten temat znajdziesz w rozdziale 30, „Choroby zakaźne wieku dziecięcego", oraz w rozdziale 32, „Problemy zdrowotne okresu wczesnego dzieciństwa".

Zapalenie płuc. Omawiamy je dokładnie w rozdziale 30, „Choroby zakaźne wieku dziecięcego". Zapalenie płuc, czyli zakażenie miąższu płucnego przez wirusy, bakterie lub inne drobnoustroje, przebiega zwykle z gorączką i wywołuje przede wszystkim objawy ze strony układu oddechowego, takie jak kaszel i duszność. Niektóre dzieci mogą jednak skarżyć się na bóle brzucha, umiejscowione przeważnie w jego górnej części.

Zapalenie wyrostka robaczkowego (appendicitis). Nie jest to zbyt częsta przyczyna bólów brzucha, jednak to właśnie to podejrzenie najbardziej niepokoi zwykle rodziców – i słusznie, bo jeśli rozpoznanie się potwierdzi, choroba wymaga pilnej interwencji, z reguły chirurgicznej. Wczesny okres zapalenia wyrostka robaczkowego objawia się w sposób podobny do nieżytu żołądkowo-jelitowego. Ból początkowo lokalizuje się w środkowej części brzucha, wokół pępka, po czym, w miarę narastania zapalenia, przemieszcza się zwykle do dolnej prawej części brzucha i zmienia charakter z przerywanego (kolkowego) na ciągły. Bólom towarzyszą często nudności, wymioty i gorączka. Dziecko z reguły odmawia jedzenia, traci zainteresowanie zabawkami (i wszystkim innym dookoła) i ogólnie sprawia wrażenie chorego. Unika też poruszania się, ponieważ każdy ruch wyraźnie nasila ból, i broni się, gdy chcesz dotknąć czy ucisnąć jego brzuch. Rozpoznanie ostrego zapalenia wyrostka może być utrudnione u niemowląt i małych dzieci, które nie potrafią powiedzieć, co i gdzie im dolega. Jeśli podejrzewasz tę chorobę, nie podawaj dziecku niczego do jedzenia ani do picia i jak najszybciej wezwij lekarza. Więcej informacji na temat zapalenia wyrostka robaczkowego podajemy w części dotyczącej chorób chirurgicznych i zabiegów rozdziału 32, „Problemy zdrowotne okresu wczesnego dzieciństwa".

Wgłobienie. Wgłobienie jest stosunkowo rzadką przyczyną bólu brzucha, dotyczącą głównie małych dzieci między 6. a 24. miesiącem życia. Cały problem polega na tym, że jeden odcinek jelita wpukla się w drugi, bezpośrednio z nim sąsiadujący, dokładnie na tej samej zasadzie, na jakiej wchodzą w siebie części składanej lunety. Wgłobienie prowadzi do przejściowego przerwania dopływu krwi do zasuniętych na siebie odcinków, co wywołuje ból. Ból ma najczęściej charakter kolkowy (na przemian nasila się i ustępuje). Dziecko krzyczy, pojękuje, przygina rączki i nóżki do klatki piersiowej, po czym je rozprostowuje. Między atakami bólu może natomiast sprawiać wrażenie zupełnie zdrowego i zachowywać się tak, jakby nic mu nie dolegało. Po dłuższym okresie takich cyklów bólowych (od kilku godzin do doby) często pojawia się krwisty stolec o charakterystycznym, galaretowatym wyglądzie. Jeśli zauważysz podobne objawy u niemowlęcia lub dwulatka, natychmiast dzwoń do lekarza albo zgłoś się z dzieckiem na oddział pomocy doraźnej.

Skręt szypuły jądra i uwięźnięcie przepukliny. Skręt szypuły jądra powoduje ucisk zaopatrującej je tętnicy i przerywa dopływ krwi. Powoduje to silny ból, obrzęk i zaczerwienienie jednej połowy moszny (worka skórnego, w którym znajdują się jądra). Do skrętu może dojść w następstwie urazu, ale czasem również bez uchwytnej przyczyny. Podobne objawy wywołuje również uwięźnięcie przepukliny, czyli stan, w którym część jelita wychodzi poza jamę brzuszną przez tak zwane miejsca zmniejszonego oporu w ścianie mięśniowej brzucha, po czym z powodu zakleszczenia nie może wrócić na miejsce. Przepukliny mogą występować w różnych miejscach, jednak najczęściej dotyczą kanału pachwinowego (przepuklina pachwinowa). U chłopców jelito może dotrzeć aż do worka mosznowego i powodować jego uwypuklenie po jednej stronie. W normalnych warunkach jelito porusza się swobodnie w tę i z powrotem przez „furtkę" w ścianie brzucha, co nie wywołuje żadnych dolegliwości, natomiast jego uwięźnięcie jest powikłaniem bardzo bolesnym i nie-

bezpiecznym. Zarówno skręt szypuły jądra, jak i uwięźnięcie przepukliny wymagają natychmiastowej pomocy lekarskiej.

Niedrożność jelit. Niedrożność jelit jest rzadką, ale groźną przyczyną bólów brzucha. Omawiamy ją dokładnie w części dotyczącej wymiotów w tym rozdziale.

Co możesz zrobić w domu

- Pamiętaj, że bóle brzucha u dzieci występują najczęściej z błahej przyczyny i ustępują samoistnie.
- Jeśli twoje dziecko kontroluje już potrzeby fizjologiczne, zachęć je, by postarało się wypróżnić. Pozwoli to ustalić, czy przyczyną bólu nie jest niewielkiego stopnia zaparcie.
- Każ dziecku położyć się w łóżku czy na kanapie, odpocząć i zrelaksować się.
- Daj mu coś klarownego do picia, do powolnego sączenia.
- Unikaj stosowania lewatyw, parafiny, czopków przeczyszczających i wszelkiego rodzaju leków bez porozumienia z lekarzem.
- Pamiętaj, że leki przeciwbiegunkowe nie są wskazane u dzieci. Zwykle rzeczywiście zmniejszają one liczbę wypróżnień, ale jednocześnie może to opóźnić wydalenie z jelit czynnika przyczynowego biegunki (wirusów, bakterii czy pasożytów) i doprowadzić do poważnych powikłań.
- Pamiętaj, że ibuprofen jest lekiem drażniącym żołądek, a jego podanie nie likwiduje, lecz wręcz nasila bóle brzucha.
- Jeśli dziecko wymiotuje, patrz str. 539.
- Jeśli dziecko ma biegunkę, patrz niżej.
- Jeśli dziecko ma zaparcie, patrz str. 533.

Biegunka

Objawy ostrzegawcze/niepokojące

Szukaj pilnej pomocy medycznej, jeśli zauważysz u dziecka któryś z następujących objawów:

- Oznaki odwodnienia (patrz ramka na str. 537);
- Towarzyszące biegunce wymioty o takim nasileniu, że trzy kolejne próby wypicia klarownego płynu kończą się niepowodzeniem. (Co do podawania płynów wymiotującemu dziecku, patrz ustęp na temat wymiotów w tym rozdziale);
- Skrajna senność lub zawroty głowy;
- Silne bóle brzucha o charakterze ciągłym, utrzymujące się od ponad 1–2 godzin, lub bóle typu kurczowego od kilku godzin, nie zmniejszające się nawet przejściowo po oddaniu stolca.

Kiedy dzwonić do lekarza

Skontaktuj się z lekarzem, jeśli u dziecka wystąpi któryś z takich objawów, jak:
- Obecność krwi lub śluzu w stolcu;
- Gorączka utrzymująca się dłużej niż 2–3 dni;
- Ponad pięć płynnych stolców w ciągu jednego dnia (u niemowlęcia w pierwszych 6 miesiącach życia);
- Dziesięć lub więcej płynnych stolców w ciągu doby (u dziecka w wieku powyżej 6 miesięcy);
- Biegunka bez żadnych oznak poprawy po jednym–dwóch dniach ograniczeń dietetycznych;
- Biegunka występująca po podaniu dziecku nowego leku;
- Brak normalizacji stolców po 5–6 dniach;
- Przewlekle utrzymujące się stolce obfite, cuchnące lub sprawiające wrażenie tłustych;
- Brak przybierania na wadze lub spadek ciężaru ciała w okresie kilku tygodni.

Podobnie jak u dorosłych, u niemowląt i dzieci prawidłowy rytm wypróżnień podlega dość znacznym wahaniom, które należy mieć na uwadze przy wszelkich próbach zdefiniowania biegunki. W pierwszych tygodniach życia niemowlęta karmione piersią mogą oddawać stolec przy każdym karmieniu, po czym w miarę upływu czasu zaznacza się zwykle tendencja do mniejszej częstotliwości. W okresie karmienia piersią stolce są typowo nieduże objętościowo i dość luźne. Wszystko to mieści się jak najbardziej w granicach normy i nie powinno niepokoić. Niemowlęta karmione sztucznie oddają zwykle od jednego do trzech papkowatych lub grudkowatych stolców dziennie. O biegunce powinnaś więc myśleć wtedy, kiedy stolce niemowlęcia stają się częstsze lub bardziej płynne w konsystencji w porównaniu z jego własnym, typowym rytmem wypróżnień.

Biegunka nie jest sama w sobie chorobą, lecz objawem, który może wystąpić z bardzo licznych i zróżnicowanych przyczyn – od banalnych, jak nadmierna konsumpcja soków owocowych, poprzez zakażenia wirusowe do ciężkich zatruć pokarmowych. Biegunka jako taka nie jest zwykle szkodliwa dla dziecka, niebezpieczne są za to jej następstwa w postaci odwodnienia, do którego może dojść wskutek utraty wody i soli mineralnych z kałem. Jako zasadę należy przyjąć, że im młodsze i mniejsze jest dziecko, tym większe ryzyko odwodnienia. (Wskazówki co do nawadniania dziecka w okresie biegunki znajdziesz na str. 538, pod nagłówkiem „Co możesz zrobić w domu"). Poniżej wymieniamy kilka popularnych przyczyn biegunki.

Ostry nieżyt żołądkowo-jelitowy. Niezależnie od wieku jest to jedna z najczęstszych przyczyn biegunki, której często towarzyszą nudności, wymioty i bóle brzucha, aczkolwiek nie zawsze muszą wystąpić wszystkie te objawy (patrz wyżej, część poświęcona bólom brzucha w tym rozdziale).

Biegunka „dreptusia" (toddler's diarrhea). Nie jest to odrębna jednostka chorobowa, ale lekarze wyróżniają ją dla celów praktycznych z uwagi na częstość występowania i dość charakterystyczny zespół objawów. Jak sama nazwa wskazuje, dotyczy ona małych dzieci, które wy-

Objawy odwodnienia

- Sucha, kleista błona śluzowa jamy ustnej
- Brak lub mało łez podczas płaczu
- Zapadnięte gałki oczne
- Zapadnięte ciemiączko u niemowlęcia
- Brak oddawania moczu lub sucha pieluszka przez 6–8 godzin u niemowlęcia (lub tylko śladowe ilości ciemnożółtego moczu)
- Brak oddawania moczu przez 12 godzin u starszego dziecka (lub tylko śladowe ilości ciemnożółtego moczu)
- Sucha i/lub zimna skóra
- Nadmierna senność lub drażliwość

rosły z wieku niemowlęcego. Biegunka tego rodzaju zaczyna się zwykle około pierwszych urodzin, może trwać do ukończenia trzech lub czterech lat i wreszcie samoistnie ustępuje. Dzieci z tym zespołem oddają często prawidłowy stolec rano, po czym mają od trzech do sześciu luźnych wypróżnień w ciągu dnia. Z reguły nie sprawiają one wrażenia chorych, nie skarżą się na bóle brzucha, rosną i rozwijają się prawidłowo. Biegunkę mogą zaostrzać (a być może również wywoływać) soki owocowe. Soki te zawierają dużo cukru, który na zasadzie osmotycznej przyciąga wodę do światła jelit i powoduje rozluźnienie stolca. Mając to na względzie, staraj się ograniczyć objętość soku wypijaną przez dziecko w ciągu dnia, do 1/2–3/4 szklanki dziennie (albo dwóch niepełnych szklanek, ale za to pół na pół z wodą). Wbrew powszechnemu przekonaniu (oraz reklamom telewizyjnym!) opijanie się sokami owocowymi bynajmniej nie jest dziecku potrzebne dla zdrowia, szczęścia i sprawności. Pragnienie można zawsze ugasić wodą, a owoce spożywać w postaci naturalnej. Czynnikiem usposabiającym do biegunki „dreptusia" może być również znaczne ograniczenie tłuszczów w diecie.

Leki. Biegunka bywa objawem ubocznym licznych leków, w tym często stosowanych u dzieci antybiotyków (np. amoksycyliny). Biegunka związana z przyjmowaniem antybiotyków jest zwykle niezbyt nasilona i przemijająca.

Zespół złego wchłaniania. W przypadku zespołu złego wchłaniania jelita dziecka nie są w stanie prawidłowo trawić i absorbować do krwi pewnych składników pokarmowych, przede wszystkim tłuszczów. W następstwie tego zaburzenia nie strawione tłuszcze przechodzą w nadmiarze do jelita grubego i są wydalane ze stolcem. Stolce tłuszczowe są zwykle obfite, połyskliwe i cuchnące. (Nowe „dietetyczne" produkty „tłuszczopodobne", takie jak Olestra, są skomponowane właśnie w ten sposób, by organizm nie mógł ich wchłaniać – a zatem mogą wywoływać objawy bardzo podobne do rzeczywistego zespołu złego wchłaniania). Zespół jest rzadką, ale poważną przyczyną biegunki. Jego obecność może wskazywać na zaburzenia czynności jelit w przebiegu chorób uwarunkowanych genetycznie, takich jak mukowiscydoza (patrz rozdział 32, „Problemy zdrowotne okresu wczesnego dzieciństwa"). Jeśli twoje dziecko przewlekle oddaje stolce odpowiadające powyższemu opisowi, zgłoś to lekarzowi.

Nietolerancja laktozy. Niektórym dzieciom brakuje enzymu niezbędnego do trawienia laktozy (cukru mlekowego), w związku z czym po spożyciu mleka mogą u nich wystąpić bóle brzucha, wzdęcia z dużą ilością gazów oraz biegunka. Nietolerancję laktozy omawiamy dokładniej w części poświęconej bólom brzucha w tym rozdziale.

Celiakia (choroba trzewna). Jest to stosunkowo rzadka przyczyna przewlekłych lub nawracających biegunek u dzieci. Informacje na temat tej choroby znajdziesz w rozdziale 32, „Problemy zdrowotne okresu wczesnego dzieciństwa".

Choroby zapalne jelit. Termin ten obejmuje kilka przewlekłych chorób jelit, w tym przede wszystkim chorobę Leśniowskiego-Crohna oraz wrzodziejące zapalenie jelita grubego, które u małych dzieci należą raczej do rzadkości. Objawy obejmują bóle brzucha, biegunkę – często z domieszką krwi lub śluzu – oraz zaburzenia wzrostu. Te ostatnie mogą zaznaczyć się u dzieci na wiele miesięcy przed wystąpieniem pozostałych. Jeśli martwisz się słabym tempem wzrostu dziecka albo też ma ono biegunkę od ponad tygodnia, zasięgnij porady lekarza.

Co możesz zrobić w domu

- Jeśli dziecko wymiotuje, postępuj według wskazówek podanych niżej, w części dotyczącej wymiotów.
- Aby uchronić innych domowników przed biegunką, zwracaj tym większą uwagę, czy wszyscy często i dokładnie myją ręce, szczególnie przed jedzeniem.
- Lecząc biegunkę, pamiętaj, że twoim głównym celem jest ochrona dziecka przed odwodnieniem.
- Jeśli karmisz dziecko piersią, rób to nadal w zwykłym rytmie, tyle że przed każdym karmieniem podawaj mu pediatryczny płyn wieloelektrolitowy w celu uzupełnienia strat wody i związków mineralnych.

- Jeśli karmisz dziecko sztucznie, podawaj mu nieco mniejsze porcje (o 30–90 ml) mieszanki, zastępując tę objętość roztworem wieloelektrolitowym do picia. U starszego dziecka można spróbować tych roztworów w postaci zimnych wód mineralnych. Roztwory pediatryczne do stosowania doustnego zawierają w swym składzie odpowiednią ilość glukozy, soli i wody, by uzupełnić ich straty z powodu biegunki.
- W miarę ustępowania biegunki przywróć niemowlęciu karmionemu sztucznie pełne porcje mieszanki. W przypadku starszego dziecka, które zjada już pokarmy stałe, podawaj mu początkowo głównie ryż, pieczywo, makaron, ziemniaki, bezowocowe jogurty i mięso drobiowe. Są to produkty lekkostrawne i nie pobudzające perystaltyki jelit, w związku z czym stosowanie takiej diety już od początku choroby sprzyja szybszemu ustąpieniu biegunki. Unikaj pokarmów tłustych i smażonych.
- Wyłącznie płyn pediatryczny czy inne klarowne napoje możesz podawać nie dłużej niż przez 24 godziny, ponieważ nie zapewniają one dziecku dostatecznej porcji kalorii. Jeśli nie stwierdzasz po tym czasie żadnej poprawy, skontaktuj się z lekarzem.
- **Nie** podawaj dziecku śmietany zebranej z gotowanego mleka ani żadnego mleka zagęszczanego. Duża zawartość soli w tych produktach może być niebezpieczna.
- **Nie** dawaj dziecku z biegunką zwykłej wody do picia, ponieważ nie zawiera ona soli mineralnych ani kalorii niezbędnych do uzupełnienia straty płynów. Obfite pojenie czystą wodą niemowlęcia z biegunką może z kolei doprowadzić do groźnych zaburzeń elektrolitowych w jego krwi.

• **Nie** podawaj dziecku leków przeciwbiegunkowych. Z reguły hamują one nadmiar stolców, ale jednocześnie zatrzymują w jelitach potencjalne czynniki patogenne (wirusy, bakterie lub pasożyty), co może prowadzić do poważnych powikłań.

Wymioty

Objawy ostrzegawcze/niepokojące

Szukaj pilnej pomocy medycznej w razie wystąpienia u dziecka któregoś z następujących objawów lub okoliczności:

• Oznaki odwodnienia (patrz ramka na str. 537);
• Wymioty krwią lub treścią przypominającą fusy kawowe;
• Wymioty treścią zielonkawo–żółtą;
• Silne bóle brzucha o charakterze ciągłym, utrzymujące się od ponad 1–2 godzin;
• Skargi na silny ból przy ucisku brzucha (albo zdecydowana obrona przed jego dotknięciem), bądź też twarde, napięte powłoki przy obmacywaniu;
• Zawroty głowy podczas wstawania lub w pozycji stojącej;
• Nadmierna senność;
• Skrajne rozdrażnienie lub rozdrażnienie nasilające się przy braniu dziecka na ręce czy kołysaniu;
• Dezorientacja lub splątanie;
• Sztywność karku;
• Niedawno przebyty uraz głowy;
• Podejrzenie, że dziecko mogło połknąć ciało obce, leki, domowy środek czystości czy jakąkolwiek nieznaną substancję;
• Niemożność poruszania się lub trudności w chodzeniu z powodu bólu;
• Krwiste lub galaretowate stolce;
• Stan po niedawno przebytej operacji, urazie brzucha lub poważnym upadku;
• Obrzęk, zaczerwienienie lub ból w pachwinie lub w mosznie;
• Wymioty w połączeniu z pokrzywką lub zaburzeniami oddychania.

Kiedy dzwonić do lekarza

Skontaktuj się z lekarzem, jeśli u dziecka wystąpi któryś z takich objawów, jak:

• Wymioty wodnistą treścią po każdej z trzech prób wypicia niewielkiej ilości płynu;
• Wymioty „chlustające" (pod ciśnieniem) u noworodka w pierwszym tygodniu życia;
• Wymioty trwające od ponad dwóch godzin u starszego niemowlęcia;
• Wymioty trwające od ponad 12 godzin u dziecka powyżej roku;
• Biegunka od ponad 6 godzin jednocześnie z wymiotami;
• Ból przy oddawaniu moczu, częstsze oddawanie moczu lub obecność krwi w moczu.

Ulewanie i „mokre odbijania" zdarzają się niemowlętom bardzo często i z reguły nie dają żadnych podstaw do niepokoju. U małych dzieci mogą również wystąpić – choć rzadziej – epizody wymiotów bardziej gwałtownych i wtedy zwykle wskazują one na infekcję, głównie w postaci wirusowego nieżytu żołądkowo-jelitowego. Wymioty w przebiegu tej dość powszechnej przypadłości nie trwają zwykle dłużej niż jeden dzień i tylko sporadycznie, w połączeniu z nasiloną biegunką, mogą doprowadzić do odwodnienia dziecka. Trzeba jednak brać pod uwagę to ryzyko, tym większe, im młodsze jest dziecko. W stosunkowo rzadkich przypadkach wymioty są objawem poważnej choroby, na przykład zapalenia opon mózgowo--rdzeniowych czy niedrożności jelit. A oto przykłady kilku możliwości:

Ulewanie. Jest to zjawisko niezwykle częste u niemowląt. W mniejszym czy większym nasileniu dotyczy ono praktycznie każdego z nich.

Starszym dzieciom ulewanie może zdarzyć się w wyniku stanu zwanego refluksem żołądkowo-przełykowym, który polega na zarzucaniu kwaśnej treści żołądka z powrotem do przełyku (więcej informacji na ten temat znajdziesz w rozdziale 32, „Problemy zdrowotne okresu wczesnego dzieciństwa"). Jeśli nawet częste ulewanie nie przeszkadza twojemu niemowlęciu w prawidłowym rozwoju i dobrym samopoczuciu, cały problem sprowadza się właściwie do nadmiernego zużycia środków piorących, natomiast ze zdrowotnego punktu widzenia nie ma żadnych powodów do obaw. Większość niemowląt wyrasta z ulewania w okresie między szóstym a dziewiątym miesiącem życia. Jeśli jednak dziecko źle przybiera na wadze albo ulewaniu towarzyszy kaszel, krztuszenie się, płacz i rozdrażnienie, skontaktuj się z lekarzem.

Ostry nieżyt żołądkowo-jelitowy. Przyczyną tej częstej choroby bywa zwykle zakażenie przewodu pokarmowego, szczególnie wirusowe. Objawy obejmują wymioty, biegunkę i bóle brzucha (patrz akapit na temat bólów brzucha w tym rozdziale).

Zatrucie pokarmowe. Zatrucie pokarmowe wywołuje objawy podobne do nieżytu żołądkowo-jelitowego, z wymiotami i biegunką na czele. Źródłem zatrucia są najczęściej takie produkty, jak sosy, ciastka z kremem i rozmrożone mięso. Musisz uważać na prowiant zabrany na piknik, który szybko psuje się w promieniach słońca. Wymioty z powodu zatrucia pokarmowego leczy się w podobny sposób jak wymioty w przebiegu nieżytu. Skontaktuj się z lekarzem, jeśli niepokoi cię stan nawodnienia dziecka (patrz ramka na str. 537).

Wgłobienie. Jest to stosunkowo rzadka, ale poważna przyczyna bólu brzucha i wymiotów u dziecka. Omawiamy je wyżej, w części tego rozdziału poświęconej bólom brzucha.

Przypadkowe zatrucie. Małe dzieci są z natury ciekawe świata, a przy tym mają dużą skłonność do poznawania go ustami i językiem. Wszystko może przykuć ich uwagę, zarówno kłębek kurzu na dywanie, jak i interesujący kamyk w piaskownicy. I jeden, i drugi nieuchronnie powędrują do buzi. Dlatego też dzieci tak łatwo ulegają przypadkowym zatruciom – lekami, częściami roślin, domowymi środkami czystości – słowem, całym mnóstwem rzeczy, które najzwyczajniej nigdy nie powinny znaleźć się w zasięgu ich ręki. Wymioty należą często do pierwszych objawów takiego incydentu. W razie podejrzenia, że dziecko połknęło niebezpieczną czy nieznaną substancję, musisz natychmiast dzwonić do lekarza czy najbliższego ośrodka leczenia zatruć, bo liczy się wtedy każda minuta (patrz rozdział 28, „Pierwsza pomoc i postępowanie w stanach nagłych").

Stres lub stany lękowe. Zaburzenia żołądkowo-jelitowe z powodu niepokoju czy stresu nie są zastrzeżone wyłącznie dla dorosłych. Dzieci również mogą reagować wymiotami lub bólem brzucha na różne trudne sytuacje, z którymi nie potrafią sobie poradzić. Jeśli podejrzewasz, że może tak być w przypadku twojego dziecka, albo potrzebujesz wskazówek na temat postępowania, skontaktuj się z lekarzem.

Urazy głowy. Jeden lub dwa epizody wymiotów bezpośrednio po oberwaniu piłką w głowę nie należą do rzadkości i nie są jeszcze wielkim powodem do niepokoju. Jeśli jednak wymioty nie ustają albo też pojawiają się po kilku godzinach czy nawet dniach od urazu, mogą wskazywać na poważniejszy problem i wymagają pilnej pomocy lekarskiej. (Więcej informacji na temat urazów głowy znajdziesz w rozdziale 28, „Pierwsza pomoc i postępowanie w stanach nagłych").

Zakażenia dróg moczowych. Dotyczą one najczęściej pęcherza moczowego i/lub nerek i mogą niekiedy objawiać się również wymiotami. Więcej informacji na temat chorób układu moczowego znajdziesz w rozdziale 30, „Choroby zakaźne wieku dziecięcego", oraz w rozdziale 32, „Problemy zdrowotne okresu wczesnego dzieciństwa".

Zapalenie wyrostka robaczkowego. Nie jest to częsta przyczyna wymiotów, ale za to jedna z tych, które wymagają pilnej pomocy medycznej. Zapalenie wyrostka robaczkowego omawiamy dokładniej przy okazji bólów brzucha w tym rozdziale.

Zwężenie odźwiernika. Odźwiernik jest końcową częścią anatomiczną żołądka, mięśniowym kanałem, przez który i pod kontrolą którego treść pokarmowa w odpowiednim tempie przechodzi dalej do jelit. U niektórych noworodków i niemowląt zdarza się, że zbyt wąski, „szczelny" odźwiernik stanowi mechaniczną blokadę, utrudniającą czy uniemożliwiającą to przejście miazdze pokarmowej. Objawy zwężenia odźwiernika pojawiają się zwykle między drugim tygodniem a drugim miesiącem życia. Wypijany przez niemowlę pokarm matczyny czy sztuczny zalega w żołądku (bo nie może przejść dalej przez ciasny odźwiernik) i pobudza dziecko do wymiotów. Dochodzi do nich po każdym karmieniu, często pod dużym ciśnieniem (tak zwane wymioty chlustające, które mogą wytrysnąć na znaczną odległość), często również wtedy, kiedy można by sądzić, że żołądek dziecka jest już od dawna pusty. Kolejna próba karmienia powoduje nawrót wymiotów. Wadę tę leczy się operacyjnie, nacinając warstwę mięśniową ściany odźwiernika. Już wkrótce po zabiegu większość niemowląt zaczyna normalnie jeść. Jeśli u twojego dziecka występują gwałtowne wymioty, skontaktuj się z lekarzem.

Zapalenie opon mózgowo-rdzeniowych. Zakażenie i zapalenie powłok otaczających mózg po-woduje zwykle bóle głowy i wymioty. Więcej informacji na temat tej poważnej i wymagającej specyficznego leczenia choroby znajdziesz w części poświęconej gorączce u niemowląt poniżej trzech miesięcy w tym rozdziale oraz w rozdziale 30, „Choroby zakaźne wieku dziecięcego".

Niedrożność jelit. Jest to rzadka, lecz poważna przyczyna wymiotów. Do blokady któregoś z odcinków jelita może prowadzić wiele przyczyn, ale wszystkie one dają ostatecznie podobne objawy. Dziecko z niedrożnością jelit odczuwa silne bóle brzucha i z reguły wymiotuje zielonkawo żółtawą treścią. Brzuch jest zwykle powiększony i napięty (z powodu gromadzących się gazów) oraz bolesny na ucisk. Jeśli zauważysz u dziecka podobne objawy, szukaj szybkiej pomocy lekarskiej.

Inne przyczyny. Podrażnienie żołądka i w konsekwencji wymioty mogą wywoływać liczne leki, na przykład często stosowana u dzieci erytromycyna. Wymioty występują często na tle bólów głowy (np. w migrenie); może je również sprowokować silny atak kaszlu, na przykład podczas napadu astmy czy w zapaleniu zatok z podrażnieniem tylnej ściany gardła przez ściekającą przez nozdrza tylne obfitą wydzielinę. Dzieci, podobnie jak dorośli, a nawet częściej, cierpią też na chorobę lokomocyjną, która typowo objawia się nudnościami i wymiotami podczas podróży samochodem czy statkiem. Poradź się lekarza, jak postępować w razie wymiotów z powyższych przyczyn.

Co możesz zrobić w domu

- Jak najczęściej podawaj dziecku małe objętości klarownych płynów. Możesz zacząć od kilku łyżeczek co 5–10 minut. Jest większa szansa, że dziecko nie zwróci małej objętości płynu niż dużej. A oto co możesz mu podać:

- Roztwór elektrolitów (do nabycia w aptece) – jest to optymalne rozwiązanie u niemowląt;
- Napoje chłodzące;
- Bulion lub klarowne, przecierane zupy jarzynowe;
- Chłodne herbatki np. z mięty, rumianku
- Napoje chłodzące;

- Jeśli dziecko wymiotuje po takiej małej porcji płynu, odczekaj 20–30 minut przed ponowną próbą.
- Jeśli dziecko nie wymiotowało od 3–4 godzin, możesz stopniowo zwiększać objętość napoju.
- Dziecko może być spragnione, ale nie pozwól mu chciwie wypić całej butelki czy szklanki. Ponowny atak wymiotów jest bardziej prawdopodobny po dużej jednorazowej porcji płynu niż po małej.
- Jeśli dziecko nie wymiotowało od ośmiu godzin, możesz stopniowo wprowadzać pokarmy stałe (lub mieszankę mleczną u niemowlęcia). Zacznij od łagodnych, lekkostrawnych produktów, takich jak ryż, ziemniaki, makaron, sucharki i jogurt (bez owoców). Jest to jednocześnie dobry początkowy zestaw w przypadku biegunki, która często towarzyszy wymiotom w przebiegu ostrego wirusowego nieżytu żołądkowo-jelitowego.
- Jeśli karmisz dziecko piersią, również przestrzegaj zasady małych, częstych porcji. Ogranicz czas karmienia do pięciu minut z jednej piersi i zrób przerwę. Jeśli dziecko nie wymiotuje i chce ssać dalej, przystaw je na kolejne 5 minut do drugiej piersi. Stopniowo wydłużaj czas karmienia, w miarę jak dziecko wraca do zdrowia.
- Nie przetrzymuj niemowlęcia ani małego dziecka na diecie złożonej z samych klarownych płynów dłużej niż przez 24 godziny.
- **Nie** podawaj dziecku zwykłej przegotowanej wody w celu zahamowania wymiotów. Nie zawiera ona składników mineralnych, utraconych z wymiotami i wymagających uzupełnienia.
- **Nie** dodawaj soli do płynu, którym poisz wymiotujące dziecko.

Dolegliwości i objawy ze strony układu moczowego/narządów płciowych

Objawy ostrzegawcze/niepokojące

Szukaj szybkiej pomocy medycznej w razie wystąpienia u dziecka któregoś z następujących objawów:

- Krwisty lub czerwony mocz po upadku lub innym urazie;
- Niemożność oddania moczu w ogóle lub w objętości większej niż kilka kropli;
- Sucha pielucha przez 6–8 godzin u krzyczącego, niespokojnego niemowlęcia.

Kiedy dzwonić do lekarza

Skontaktuj się z lekarzem, jeśli u dziecka wystąpi któryś z takich objawów, jak:

- Skargi na ból lub pieczenie podczas oddawania moczu powtarzające się dwa lub więcej razy tego samego dnia;
- Płacz podczas oddawania moczu; u niemowlęcia lub małego dziecka, które nie potrafi jeszcze wyrazić swoich dolegliwości w inny sposób;
- Bardzo częste oddawanie moczu
- Częste moczenie się u dziecka, które już wcześniej nauczyło się korzystać z nocnika czy toalety;
- Gorączka bez innych ewidentnych objawów, które mogłyby ją tłumaczyć (np. kataru czy kaszlu);
- Oddawanie mętnego lub cuchnącego moczu;

- Wydzielina z pochwy, cuchnąca albo z jednoczesnym bólem lub świądem;
- Brak silnego strumienia moczu u noworodka płci męskiej.

Zapamiętaj prostą, ogólną zasadę: jedna skarga dziecka na ból przy oddawaniu moczu nie musi oznaczać problemu medycznego, natomiast jeśli usłyszysz ją po raz drugi i trzeci, zadzwoń do lekarza. A oto kilka takich problemów i ich przyczyn:

Podrażnienie cewki moczowej. Podrażnienie okolicy ujścia cewki moczowej (przez które mocz wydobywa się na zewnątrz) jest częstą przyczyną bólu i pieczenia, zwłaszcza u dziewczynek. Tkanki wokół i wewnątrz ujścia cewki moczowej są niezwykle wrażliwe. Odrobina mydła, szamponu czy płynu do kąpieli może dostać się do środka i wywołać pieczenie lub dyskomfort podczas oddawania moczu. Tarcie wywierane przez wilgotną lub ciasną bieliznę czy mokry kostium kąpielowy może sprawiać ból nieustępujący nawet po usunięciu przyczyny. Do podrażnienia dochodzi często, dlatego że dziecko nie umie się właściwie podetrzeć – czyli tylko od przodu do tyłu, a nie w odwrotnym kierunku. (Dzieci zwykle szybciej uczą się korzystać z nocnika niż porządnie wycierać). Jeśli skrawek papieru toaletowego przyklei się i pozostanie w okolicy cewki moczowej, to również może być przyczyną podrażnienia i bólu. Prostym, domowym sposobem łagodzenia takich dolegliwości są „nasiadówki" – zanurzanie dziecka w ciepłej wodzie, bez mydła ani płynu do kąpieli, na 5–10 minut trzy razy dziennie przez kilka dni.

Zakażenia dróg moczowych. Ich przyczyną są najczęściej bakterie, które mogą przedostać się do układu moczowego tak zwaną drogą wstępującą – czyli ze świata zewnętrznego przez cewkę moczową do pęcherza, a nieraz również do nerek. Infekcje te zdarzają się częściej u dziewczynek, w dużej części dlatego, że ich cewka moczowa jest znacznie krótsza niż u chłopców i ma prosty przebieg – co ułatwia drobnoustrojom dotarcie do pęcherza. Dziecko z zakażeniem układu moczowego może skarżyć się na ból lub pieczenie przy oddawaniu moczu, może też znacznie częściej odczuwać taką potrzebę, siadać na nocnik czy biegać do toalety po to, by z trudem wydalić tylko kilka kropli. Dziecko, które już od dłuższego czasu wołało „siusiu", zaczyna nieraz moczyć się ponownie. Często zdarzają się też skargi na bóle brzucha. Jeśli zakażenie obejmie również nerki, zwykle pojawia się gorączka, niekiedy wymioty i bóle w okolicy lędźwiowej. Mocz może wydawać się mętny lub mieć przykrą woń. Niemowlęta i małe dzieci nie potrafią oczywiście opisać swoich dolegliwości i wyrażają je jedynie rozdrażnieniem. Jeśli dziecko marudzi zdecydowanie bardziej niż zwykle, a przy tym ma gorączkę bez uchwytnej innej przyczyny, pamiętaj o możliwości zakażenia dróg moczowych i skontaktuj się z lekarzem. (Dodatkowe informacje na ten temat znajdziesz w rozdziale 30, „Choroby zakaźne wieku dziecięcego", oraz w rozdziale 32, „Problemy zdrowotne okresu wczesnego dzieciństwa").

Moczenie nocne. Omawiamy je w rozdziale 20, „Nauka kontrolowania potrzeb fizjologicznych".

Podrażnienie pochwy/upławy. Ujścia pochwy i cewki moczowej blisko ze sobą sąsiadują, w związku z czym każde podrażnienie okolicy narządów płciowych może dawać u dziewczynek ból lub pieczenie przy oddawaniu moczu. U małych dzieci przyczyną takiego podrażnienia bywają środki higieniczne – mydło, szampon, płyn do kąpieli, a także obtarcia wywołane przez mokrą bieliznę lub kostium kąpielowy oraz nieprawidłowy sposób wycierania się po wypróżnieniu. Naucz dziecko, by robiło to zawsze od przodu do tyłu, a nie odwrotnie, co zapobiega zanieczyszczeniu okolicy moczowo-płciowej przez cząstki kału. Zwracaj uwagę, by dziecko podcierało się delikatnie i dokładnie i żeby żaden skrawek papieru toaletowego nie pozostał niezauważony w obrębie przedsionka pochwy, bo może to wywołać świąd i upławy (podobnie jak inne ciała obce). Inną możliwą przyczyną świądu tej okolicy jest zakażenie owsikami. Owsiki, drobne, ruchliwe pasożyty, często wydostają się z odbytu i drażnią okoliczną skórę, ale potrafią również przemieścić się dalej w kierunku przedsionka pochwy, wywołując uogólnione podrażnienie i objawy ze strony układu moczowego. Jeśli zauważysz wydzielinę z pochwy, szczególnie o przykrym zapachu, w połączeniu ze świądem, skontaktuj się z lekarzem.

Mimo że podrażnienie pochwy u małych dziewczynek wynika najczęściej z wyżej wymienionych przyczyn natury higienicznej, trzeba, niestety, liczyć się i z tym, że ból, upławy czy krwawienie mogą wskazywać na molestowanie seksualne dziecka. Jeśli masz choćby cień takiego podejrzenia, natychmiast skontaktuj się z lekarzem. Informacje na temat molestowania seksualnego znajdziesz w rozdziale 32, „Problemy zdrowotne okresu wczesnego dzieciństwa".

Zrośnięte wargi sromowe. U niektórych dziewczynek dwa wewnętrzne fałdy przedsionka pochwy – wargi sromowe mniejsze – mogą zrastać się ze sobą w poprzek ujścia pochwy. Ta drobna wada ujawnia się zwykle w pierwszych miesiącach życia, rzadziej dopiero u starszego dziecka. Częściowe zrośnięcie warg sromowych nie wywołuje z reguły żadnych dolegliwości, jeśli jednak blokuje ono całkowicie ujście pochwy, wydzielina i mocz mogą zbierać się w fałdach tkanek powyżej miejsca zwężenia, a wtedy łatwo o podrażnienie pochwy, kłopoty związane z oddawaniem moczu lub wręcz zakażenia układu moczowego. Jeśli podejrzewasz ten problem u twojego dziecka, zwróć na to uwagę lekarzowi.

Cukrzyca. Nie rozpoznana czy nie leczona cukrzyca objawia się między innymi obfitym i częstym wydalaniem moczu. Więcej informacji na temat tej choroby znajdziesz w rozdziale 32, „Problemy zdrowotne okresu wczesnego dzieciństwa".

Zastawki tylne cewki moczowej. Ta rzadka wada dotycząca noworodków płci męskiej polega na obecności w cewce moczowej drobnych płatków błony śluzowej, które częściowo blokują strumień moczu. Jeśli nie skoryguje się tego chirurgicznie u małego dziecka, nadmierne ciśnienie moczu powyżej przeszkody może wstecznie uszkodzić nerki. Zdrowi chłopcy oddają mocz po łuku, co oznacza, że po rozwinięciu pieluchy możesz mieć zmoczoną podłogę wokół stołu do przewijania, a nawet twarz i włosy. U niemowląt z zastawkami cewki moczowej strumień moczu nie ma prawidłowej siły, ponieważ z powodu przeszkody do ujścia zewnętrznego cewki dociera go bardzo niewiele i wycieka kroplami z przepełnionego pęcherza. Jeśli zauważysz ten stan u twojego noworodka, jak najszybciej skontaktuj się z lekarzem.

Co możesz zrobić w domu

- Do mycia okolicy narządów płciowych dziecka używaj wyłącznie ciepłej wody, ponieważ cząstki mydła wnikające w ujście zewnętrzne cewki moczowej mogą działać drażniąco i wywoływać pieczenie podczas oddawania moczu. Nie dodawaj do kąpieli dziecka żadnych pianek ani płynów zapachowych.
- U dziecka, które świeżo opanowało sztukę kontroli potrzeb fizjologicznych, zwracaj uwagę na sposób posługiwania się papierem toaletowym. Ucz je, by robiło to delikatnie, zawsze w kierunku od przodu do tyłu, co zapobiega przechodzeniu bakterii z kału i okolicy odbytu w pobliże cewki moczowej. Dziewczynki muszą dodatkowo uważać na to, by nie

pozostawić w okolicy pochwy żadnego skrawka papieru.

• Jak najszybciej zmieniaj dziecku mokry strój kąpielowy, ponieważ wilgoć sprzyja podrażnieniom.

• W razie infekcji układu moczowego podawaj dziecku duże ilości płynów, co pomaga w wypłukaniu drobnoustrojów z pęcherza moczowego. Szczególnie korzystnie działa sok żurawinowy, który zawiera substancje hamujące wzrost bakterii w drogach moczowych. Płyny i sok nie wystarczą jednak do zwalczenia infekcji – potrzebne są do tego antybiotyki. Jeśli podejrzewasz u dziecka zakażenie układu moczowego, nie czekaj, aż przejdzie samo, tylko szybko skontaktuj się z lekarzem.

Jeśli potrzebujesz dodatkowych informacji, zasięgnij porady lekarza.

Rozdział 30

Choroby zakaźne wieku dziecięcego

Co warto wiedzieć o różyczce, grzybicy,
gorączce reumatycznej i innych

Spis treści rozdziału

Botulizm (zatrucie jadem
  kiełbasianym), 549
Zapalenie oskrzelików, 550
Choroba kociego pazura, 551
Cellulitis (zapalenie tkanki
  podskórnej), 552
Ospa wietrzna, 553
Przeziębienie, 554
Zapalenie spojówek, 555
Krup, 556
Biegunka, 557
Zapalenie ucha zewnętrznego
  („ucho pływaka"), 559
Zapalenie ucha środkowego, 560
Zapalenie mózgu, 562
Zapalenie nagłośni, 564
Rumień zakaźny
  (choroba piąta), 565
Choroba rąk, stóp i jamy ustnej, 565
Wirusowe zapalenie wątroby, 566
Herpangina, 568

Zakażenia wirusem opryszczki
  zwykłej, 568
Zakażenie HIV/AIDS, 569
Liszajec zakaźny, 569
Grypa, 570
Choroba Kawasakiego, 571
Wszawica, 573
Borelioza (choroba z Lyme), 574
Odra, 575
Zapalenie opon mózgowo-
  -rdzeniowych, 576
Mięczak zakaźny, 577
Mononukleoza zakaźna, 578
Świnka, 579
Osteomyelitis (zapalenie kości
  i szpiku kostnego), 580
Owsica, 581
Zapalenie płuc, 582
Wścieklizna, 584
Zespół Reye'a, 585
Gorączka reumatyczna, 586

Grzybica, 587
Gorączka trzydniowa, 589
Różyczka, 589
Świerzb, 590
Szkarlatyna (płonica), 591
Zapalenie zatok przynosowych, 592
Gronkowcowe zakażenia skóry, 593
Zapalenie gardła/angina
  paciorkowcowa, 595
Limfadenopatia (powiększenie węzłów
  chłonnych), 596

Tężec, 597
Toksoplazmoza, 598
Gruźlica, 599
Zakażenia dróg moczowych, 600
Brodawki, 602
Koklusz (krztusiec), 603
Zakażenia drożdżakowe (pleśniawki,
  rumień pośladków), 604

Jak korzystać z tego rozdziału

Każde dziecko prędzej czy później zetknie się z jakąś infekcją, a większość w okresie wzrostu „złapie" ich kilka na rok. Dotyczy to zwłaszcza pierwszych lat życia, kiedy dzieci stykają się z nowymi bakteriami i wirusami. Głaskanie gorączkującego malucha po główce, pojenie i niezliczone zabiegi, by zechciał połknąć niesmaczne lekarstwo, stanowią nieodłączny element rodzicielstwa. Objawy większości infekcji trwają na ogół nie dłużej niż kilka dni, niezależnie od tego, czy choroby te wymagają szczególnego leczenia, czy też przechodzą samoistnie. Niektóre z nich są jednak niebezpieczne, mogą prowadzić do poważnych, długotrwałych następstw, a nawet zagrażać życiu dziecka. Są infekcje tak pospolite, że należy spodziewać się ich u bez mała każdego dziecka, są zaś i takie, które zdarzają się wyjątkowo rzadko.

Szczepionki, należące niewątpliwie do najważniejszych zdobyczy medycyny, pozwoliły opanować czy wręcz wyeliminować liczne plagi minionych wieków, które kosztowały życie milionów ludzi. Ciągle trwają badania i prace nad nowymi szczepionkami (koniecznie przeczytaj rozdział 16, „Szczepienia ochronne"). Nadal jednak wielu chorobom zakaźnym wieku dziecięcego, by nie rzec większości, nie można zapobiec szczepieniami.

Niniejszy rozdział zawiera informacje na temat szerokiej gamy infekcji typowych dla wieku dziecięcego. Dla ułatwienia każdą z tych chorób omawiamy według jednego i tego samego schematu: podajemy jej nazwę lub nazwy (czasami również z odpowiednikami łacińskimi, o ile należą one do często używanych w żargonie lekarskim), przyczynę, najczęstsze objawy, sposób szerzenia się, okres wylęgania, orientacyjny czas trwania objawów, okoliczności, które wymagają zasięgnięcia porady lekarskiej, przesłanki, na jakich opiera się rozpoznanie, leczenie (zarówno zlecone przez lekarza, jak i domowe sposoby, jakie możesz wykorzystać dla poprawy samopoczucia dziecka), metody zapobiegania (o ile istnieją), długość okresu zakaźności i wreszcie ewentualne powikłania. Po-

dobnie jak w całym tym poradniku, tak i tutaj największy nacisk kładziemy na praktyczne informacje, szczególnie przydatne dla rodziców i opiekunów dziecka.

Kilku słów wyjaśnienia wymagają pojęcia okresu wylęgania i okresu zakaźności choroby. Okresem wylęgania (inkubacji) nazywamy czas, jaki upływa od momentu zetknięcia się z czynnikiem chorobotwórczym do wystąpienia pierwszych objawów infekcji. Jest to okres, w którym drobnoustroje mnożą się w organizmie zarażonego człowieka. Osoba odgrywająca wobec bakterii czy wirusów rolę „inkubatora" z reguły nie spodziewa się nadciągającej choroby. W zależności od przyczyny danej infekcji okres wylęgania może być bardzo zmienny – od bardzo krótkiego (niekiedy nawet kilkugodzinnego) do długiego, trwającego kilka tygodni czy nawet dłużej.

Cóż z kolei oznacza okres zakaźności? Czyż nie jest on równoznaczny z okresem złego samopoczucia zainfekowanej osoby? Niezupełnie tak. W przypadku wielu infekcji osoba ta może zarażać innych jeszcze przed wystąpieniem jakichkolwiek objawów, najczęściej zupełnie nieświadomie. W innych chorobach dzieje się z kolei tak, że pacjent przestaje „rozsiewać" zarazki na innych, mimo że sam nie czuje się jeszcze w pełni zdrowy. Są też i takie infekcje, w których jeszcze długo po całkowitym wyzdrowieniu dana osoba pozostaje „niebezpieczna dla otoczenia".

Zdajemy sobie sprawę, że nasz poradnik – tak jak wszystkie poradniki na temat zdrowia – może stwarzać dla rodziców pokusę diagnozowania choroby dziecka na własną rękę. Gorąco namawiamy do oparcia się tej pokusie. Liczne, zróżnicowane choroby zakaźne wywołują bardzo podobne dolegliwości i objawy. Wiele chorób niezakaźnych naśladuje i maskuje zakaźne i odwrotnie. Nie sposób zorientować się w tych niuansach bez odpowiedniej wiedzy i doświadczenia, a tylko na podstawie kilku wyczytanych informacji. Dlatego tak ważne jest, by konsultować się z lekarzem w razie jakiegokolwiek podejrzenia poważnej choroby u dziecka. Pamiętaj również, że choć pisząc ten rozdział staraliśmy się przekazać ci wiedzę jak najbardziej aktuaną, to jednak postęp w medycynie trwa nieustannie i niemal z dnia na dzień pojawiają się nowe metody diagnostyki i nowe leki. Tylko lekarz jest w stanie – a wręcz ma obowiązek – śledzić je na bieżąco i stosować z największym pożytkiem dla twojego dziecka.

Botulizm
(zatrucie jadem kiełbasianym)

Przyczyna Botulizm jest wywołany przez bakterię – laseczkę jadu kiełbasianego (*Clostridium botulinum*). Do botulizmu u niemowląt w pierwszych sześciu miesiącach życia dochodzi wtedy, kiedy zarodniki bakterii dostaną się do przewodu pokarmowego dziecka, dojrzewają w jelitach i wydzielają toksynę blokującą przewodnictwo bodźców między nerwami a mięśniami, co prowadzi do niedowładów. U starszych dzieci i dorosłych botulizm jest najczęściej następstwem spożycia samej toksyny z takich źródeł jak konserwy warzywne i mięsne, szczególnie domowej produkcji.

Objawy Do objawów zatrucia laseczką jadu kiełbasianego u niemowląt należy zaparcie, słabe ssanie, wzmożony ślinotok, senność, cichy, pozbawiony energii krzyk oraz osłabienie napięcia i siły mięśni. Zatrucie samą toksyną objawia się podwójnym i zamazanym widzeniem, opadaniem powiek, niewyraźną mową, trudnościami w połykaniu, suchością w jamie ustnej i osłabieniem mięśniowym.

Sposób rozprzestrzeniania się Laseczki jadu kiełbasianego żyją w ziemi i kurzu i mogą również zakażać żywność, w tym miód (rzadko). Zakażenie nie przenosi się z człowieka na człowieka i występuje wyłącznie wtedy, kiedy doszło do spożycia zarodników bakterii lub produkowanej przez nie toksyny.

Okres wylęgania W przypadku botulizmu u niemowląt wynosi on od 3 do 30 dni. Po spożyciu zakażonej toksyną żywności objawy ujawniają się zwykle po 18–36 godzinach, jednak możliwe jest również ich wystąpienie w znacznie szerszym przedziale czasu, od 2 godzin do nawet 8 dni.

Czas trwania objawów Chorzy wymagają średnio miesięcznego pobytu w szpitalu.

Kiedy dzwonić do lekarza Nie leczone zatrucie jadem kiełbasianym może skończyć się śmiercią. Natychmiast wzywaj lekarza, jeśli zauważysz u niemowlęcia zaburzenia oddychania, niespotykany wcześniej ślinotok lub trudności w połykaniu. Nie zwlekaj z wizytą u lekarza również wtedy, kiedy dziecko słabo ssie i krzyczy, ma trudności z dźwiganiem główki, obniżone napięcie mięśniowe lub uporczywe zaparcie. Mimo że zwykle nie świadczy to o niczym poważnym, zadzwoń do lekarza, jeśli niemowlę od trzech dni nie oddało stolca. Natychmiast wezwij lekarza w razie wystąpienia u starszego dziecka zaburzeń wzroku, mowy lub połykania albo tak znacznego osłabienia, że nie jest ono w stanie normalnie się poruszać.

Ustalenie rozpoznania Zatrucie jadem kiełbasianym rozpoznaje się na podstawie wykrycia toksyny w kale i we krwi lub też stwierdzenia obecności bakterii w kale.

Leczenie Leczenie polega na podtrzymywaniu głównych czynności życiowych, zwykle na oddziale intensywnej terapii. W razie wczesnego rozpoznania możliwe jest podanie antytoksyny blokującej działanie toksyny krążącej we krwi. Lekarze mogą również próbować usunąć zakażony pokarm z przewodu pokarmowego dziecka, wywołując wymioty lub stosując lewatywy. Aktualnie w leczeniu botulizmu u niemowląt nie stosuje się antytoksyny.

Zapobieganie W większości przypadków zatrucia jadem kiełbasianym u niemowląt nie ma skutecznych metod zapobiegania, na pewno jednak nie należy podawać im miodu. Jeśli chodzi o zatrucie toksyną obecną w produktach spożywczych, jedynym sposobem jest ścisłe przestrzeganie higieny podczas przygotowywania domowych przetworów. Ponieważ bakterie te giną w wysokich temperaturach, pamiętaj o gotowaniu słoików z takimi przetworami przez 10 minut we wrzącej wodzie. Oleje wzbogacone smakowo czosnkiem czy ziołami muszą być przechowywane w lodówce. Ziemniaki pieczone w folii należy podawać na gorąco i przechowywać w lodówce.

Powikłania Wśród pacjentów hospitalizowanych np. w amerykańskich szpitalach zgony z powodu zatrucia jadem kiełbasianym należą raczej do rzadkości. U niektórych dzieci mogą jednak wystąpić powikłania w postaci zaburzeń oddychania, zapalenia płuc czy posocznicy (zakażenia krwi). Po wyzdrowieniu dzieci wydają się bardziej skłonne do rozwoju zeza.´

Zapalenie oskrzelików (*bronchiolitis*)

Przyczyna Zapalenie oskrzelików, końcowych, najdrobniejszych odgałęzień dróg oddechowych, jest zwykle następstwem zakażenia wirusowego. Najczęstszą przyczyną, zwłaszcza w okresie jesienno-zimowych epidemii, jest tak zwany syncytialny wirus oddechowy (RSV). Do innych czynników chorobotwórczych należą mikoplazmy, wirusy paragrypy i grypy oraz niektóre adenowirusy.

Objawy W początkowym okresie choroba objawia się katarem i obrzękiem nosa oraz niewielkim kaszlem. Po 1–2 dniach do powyższych objawów zwykłego przeziębienia dołączają się coraz większe zaburzenia oddychania w postaci świstów, duszności (szybkich, płytkich oddechów w rytmie do 60–80 na minutę), zaciągania skóry u podstawy szyi i w przestrzeniach międzyżebrowych klatki piersiowej przy każdym wdechu, co świadczy o uruchomieniu pomocniczych mięśni oddechowych, oraz kaszlu. Objawom tym może towarzyszyć gorączka. Biegunka i wymio-

ty występują rzadko, aczkolwiek do tych ostatnich dochodzi nieraz wskutek ataku kaszlu.

Sposób rozprzestrzeniania się RSV i inne wirusy szerzą się bardzo łatwo wśród członków rodziny oraz we wszystkich skupiskach dzieci w żłobkach, przedszkolach i szkołach, szczególnie w chłodnych porach roku. Zakażenie przenosi się drogą kropelkową, to znaczy poprzez kontakt z obecnymi w powietrzu cząstkami wydzieliny z nosa i gardła już zakażonych osób.

Okres wylęgania Choroba rozwija się w okresie od kilku dni do tygodnia, zależnie od rodzaju wirusa.

Czas trwania objawów W większości przypadków objawy utrzymują się około tygodnia, ale w razie masywnego zakażenia dziecko może kasłać jeszcze przez kilka tygodni po ustąpieniu ostrego okresu, nawet jeśli poza tym wydaje się już zupełnie zdrowe.

Kiedy dzwonić do lekarza Natychmiast wzywaj lekarza w razie wystąpienia u dziecka trudności w oddychaniu.

Ustalenie rozpoznania Zapalenie oskrzelików rozpoznaje się zwykle empirycznie, to znaczy na podstawie osłuchiwania płuc i obserwacji oddychania dziecka. Dostępny jest również szybki test na RSV, potwierdzający zakażenie tymi wirusami.

Leczenie Zapalenie oskrzelików przebiega najczęściej na tyle łagodnie, że dziecko może być leczone w domu. Hospitalizacji w celu podawania tlenu, płynów dożylnych i innych leków oraz monitorowania wymagają jednak czasami bardzo małe niemowlęta lub dzieci dodatkowo obciążone wcześniactwem czy przewlekłymi chorobami serca lub płuc. Antybiotyki nie są skuteczne w zwalczaniu infekcji wirusowej, chyba że – jak często się zdarza – dołącza się do niej wtórna infekcja bakteryjna.

Leczenie domowe Pamiętaj o nawilżaniu powietrza w okresie zimowym, kiedy działa centralne ogrzewanie. (Czyść nawilżacz codziennie, żeby zapobiec rozwojowi pleśni). Zwracaj przede wszystkim uwagę na to, by chore dziecko wypijało jak najwięcej płynów.

Zapobieganie Ucz dziecko jak najczęściej myć ręce i staraj się unikać jego kontaktu z chorymi. Zapalenie oskrzelików dotyczy najczęściej niemowląt-chłopców w wieku od trzech do sześciu miesięcy, nie karmionych piersią. Dzieci narażone na wdychanie dymu papierosowego są bardziej podatne na wszelkie infekcje układu oddechowego i cięższe objawy w ich przebiegu. Czasami zakażenie RSV ma tak ciężki przebieg, że dziecko wymaga hospitalizacji. Dotyczy to zwłaszcza niemowląt przedwcześnie urodzonych oraz dzieci obciążonych innymi chorobami płuc lub serca. U takich dzieci stosuje się nieraz profilaktycznie specjalne leki przeciwko RSV, jak np. synagis (palivizumab), które podaje się w iniekcjach raz w miesiącu przez okres epidemii.

Okres zakaźności Większość niemowląt zakażonych RSV rozsiewa infekcję w okresie 5–12 dni od momentu wystąpienia objawów. Zapalenie oskrzelików, szczególnie wywołane przez RSV, szerzy się bardzo łatwo, ponieważ wydzielina nosa i ślina zawierają żywe wirusy, które godzinami pozostają żywe już po wydaleniu ich z organizmu. Jeśli więc dziecko znajdzie się w „zasięgu" kichnięcia zakażonej osoby lub dotknie powierzchni pokrytej drobinami wydzieliny, kontakt z wirusami jest praktycznie nieunikniony. Dlatego też tak wielkie znaczenie w zapobieganiu epidemiom RSV w zbiorowiskach dzieci – w placówkach opiekuńczych, szkołach i szpitalach – mają najprostsze środki higieniczne: zasłanianie się przy kichaniu i kaszlu i jak najczęstsze mycie rąk.

Powikłania Do powikłań zapalenia oskrzelików należą zapalenia ucha oraz, rzadziej, wtórne bakteryjne zapalenie płuc. Dzieci dotknięte innymi chorobami płuc i serca lub przedwcześnie urodzone wymagają często hospitalizacji w celu podania tlenu i terapii oddechowej. U blisko 30% dzieci po przebytym zapaleniu oskrzelików może rozwinąć się astma oskrzelowa, zwłaszcza jeśli przypadki astmy występują w ich rodzinach.

Choroba kociego pazura

Przyczyna Za zakażenie odpowiada bakteria o nazwie *Bartonella henselae*, przenoszona najczęściej drogą zadrapania przez kota.

Objawy W 50–75% przypadków dzieci, u których rozpoznaje się tę chorobę, mają na ciele oznaki zadrapania przez kota. W okresie 3–10 dni od zadrapania w jego miejscu pojawia się pęcherz lub niewielki guzek, po czym, zwykle w ciągu dwóch tygodni, powiększają się okoliczne węzły chłonne. Mogą one być bolesne i otoczone szerszym rąbkiem obrzękniętej, zaczerwienionej skóry. Średnio u jednej trzeciej chorych dzieci występują objawy ogólne, takie jak gorączka, osłabienie, utrata apetytu i bóle głowy. W części przypadków zmiana chorobowa ma postać niewielkiego owrzodzenia na spojówce oka (błonie okrywającej od zewnątrz gałkę oczną), a powiększeniu ulegają węzły chłonne umiejscowione wokół uszu.

Sposób rozprzestrzeniania się Jak sama nazwa wskazuje, choroba szerzy się drogą zadrapania przez zakażone zwierzę, najczęściej kota. Zakażenie nie przenosi się z człowieka na człowieka.

Okres wylęgania Guzek pojawia się zwykle w 3–10 dni po zadrapaniu. Powiększenie okolicznych węzłów chłonnych zaczyna się najczęściej w 2 tygodnie od zadrapania, ale możliwy przedział czasowy wynosi od 7 do 60 dni.

Czas trwania objawów Węzły chłonne pozostają powiększone średnio przez 1–2 miesiące, ale niekiedy znacznie dłużej.

Kiedy dzwonić do lekarza Skontaktuj się z lekarzem, jeśli u dziecka podrapanego wcześniej przez kota wystąpi gorączka i powiększenie węzłów chłonnych.

Ustalenie rozpoznania Podstawą rozpoznania jest fakt zadrapania przez kota. Lekarz może również zlecić badanie krwi pod kątem tego zakażenia, podobnie jak inne badania krwi lub testy skórne w celu wykluczenia innych przyczyn powiększenia węzłów chłonnych.

Leczenie Zastosowanie antybiotyków nie jest obowiązkowe i zależy od decyzji lekarza. Zmiany ustępują stopniowo nawet bez antybiotykoterapii.

Leczenie domowe Dziecko nie wymaga izolacji od innych domowników. Należy unikać urazu okolicy powiększonych węzłów chłonnych. Okłady ze słonej wody mogą przynieść ulgę w razie bolesności węzłów chłonnych.

Zapobieganie Ucz dziecko, by nie spoufalało się zbytnio z nieznanymi kotami. W razie zadrapania przez kota czy inne zwierzę dokładnie umyj miejsce urazu wodą i mydłem.

Okres zakaźności Z nieznanych przyczyn choroba kociego pazura występuje częściej jesienią i zimą. Kocięta zakażają się łatwiej niż dorosłe zwierzęta; zakażone koty są nosicielami bakterii przez wiele miesięcy.

Powikłania W niewielkiej liczbie przypadków (poniżej 5%) u zakażonego dziecka występują drgawki, dziwaczne zachowania lub inne zaburzenia neurologiczne, zwykle po kilku tygodniach od powiększenia się węzłów chłonnych.

Uwagi Jeśli podejrzewasz, że to twój własny domowy kot zaraził dziecko chorobą, porozmawiaj z weterynarzem. Nie ma konieczności uśpienia zakażonego zwierzęcia.

Cellulitis (zapalenie tkanki podskórnej)

Przyczyna Punktem wyjścia tego rozlanego zakażenia jest zwykle miejsce przerwania ciągłości skóry w postaci skaleczenia czy zadrapania. Rolę czynników chorobotwórczych mogą odgrywać liczne bakterie, ale najczęściej są nimi paciorkowce (*Streptoccus*) grupy A oraz gronkowiec złocisty (*Staphylococcus aureus*).

Objawy Choroba dotyczy najczęściej twarzy i kończyn dolnych poniżej kolan. Pierwszym objawem jest zwykle obrzęk, napięcie i zaczerwienienie niewielkiego obszaru skóry. W miarę rozprzestrzeniania się zakażenia mogą pojawić się objawy ogólne w postaci złego samopoczucia i gorączki, niekiedy z dreszczami i potami. Zdarza się również powiększenie okolicznych węzłów chłonnych.

Sposób rozprzestrzeniania się Zakażenie nie przenosi się z człowieka na człowieka.

Okres wylęgania Zależnie od rodzaju bakterii chorobotwórczych może on wynosić od kilku godzin do kilku dni.

Czas trwania objawów Wyleczenie pod wpływem antybiotyków następuje zwykle po 7–10 dniach.

Kiedy dzwonić do lekarza Skontaktuj się z lekarzem w każdym przypadku zaczerwienienia, rozgrzania i bólu dowolnej okolicy skóry, z gorączką i dreszczami lub bez, a zwłaszcza wtedy, jeśli zauważysz podobne zmiany na skórze twarzy. Natychmiast wzywaj lekarza, jeśli twoje dziecko jest dotknięte przewlekłą chorobą, na przykład niedokrwistością sierpowatokrwinkową, lub też otrzymuje leki osłabiające układ odpornościowy.

Ustalenie rozpoznania Chorobę rozpoznaje się na podstawie dokładnego oglądania i obmacywania zajętej okolicy. Czasami lekarz może dodatkowo zlecić badania krwi w celu sprawdzenia, czy nie doszło do rozprzestrzenienia się zakażenia do krwi.

Leczenie Zazwyczaj zalecane są antybiotyki doustnie, a w ciężkich przypadkach nawet dożylnie, co wymaga hospitalizacji dziecka. Lekarz niewątpliwie zechce obejrzeć dziecko po kilku dniach od rozpoczęcia leczenia, by ocenić jego skuteczność.

Leczenie domowe Można zastosować gorące lub ciepłe okłady na zmienioną okolicę skóry.

Zapobieganie Każda ranka na skórze dziecka wymaga dokładnego przemycia wodą i mydłem, a następnie maści z antybiotykiem i osłonięcia plastrem lub gazikami pod bandażem. Zgłoś się z dzieckiem do lekarza w razie dużego rozcięcia skóry, głębokiej rany kłutej lub rany od ugryzienia (przez zwierzę lub człowieka).

Powikłania Cellulitis rozwija się szczególnie szybko po ugryzieniu przez zwierzę lub człowieka, zwłaszcza jeśli rana jest głęboka.

Ospa wietrzna

Przyczyna Chorobę wywołuje wirus ospy wietrznej i półpaśca.

Objawy Charakterystyczne wykwity pęcherzykowe pojawiają się zwykle najpierw na skórze tułowia i twarzy, a w dalszej kolejności na całym ciele, a także na błonie śluzowej jamy ustnej, nosa i pochwy. U niektórych dzieci może wystąpić tylko kilka pęcherzyków, a inne mają ich setki. Pęcherzyki mają średnicę 0,5–1 cm i wyrastają na zaczerwionej podstawie (jak „kropla rosy na płatku róży"). Wysypce towarzyszy zwykle świąd o różnym nasileniu – od niewielkiego do bardzo znacznego. Tylko u części dzieci występuje gorączka, zwykle niezbyt wysoka, bóle brzucha i ogólne złe samopoczucie.

Sposób rozprzestrzeniania się Wirusy są obecne w wydzielinie nosa i płynie wypełniającym pęcherzyki, tak więc szerzą się i przez bezpośredni kontakt, i drogą kropelkową. Należą one do niezwykle zakaźnych: epidemie są szczególnie częste w okresie późnej zimy – wczesnej wiosny. Zachorowania dotyczą około 90% nie uodpornionych dzieci (czyli tych, które wcześniej nie chorowały ani nie były szczepione).

Okres wylęgania Wysypka pojawia się w okresie od 7 do 21 dni od zakażenia, najczęściej po 14–17 dniach.

Czas trwania objawów Objawy utrzymują się przez 7–10 dni.

Kiedy dzwonić do lekarza Jeśli nie jesteś pewna rozpoznania albo martwisz się możliwością powikłań, zasięgnij porady lekarza. Zadzwoń do niego również wtedy, gdy zauważysz oznaki zakażenia pęcherzyków skórnych (w postaci obrzęku, zaczerwienienia i bólu oraz gęstej, przypominającej ropę wydzieliny), a także w razie tak silnego świądu, że nie potrafisz pomóc dziecku domowymi sposobami. Wezwij lekarza natychmiast, jeśli dziecko nie daje się dobudzić lub wygląda na „splątane", jeśli stwierdzisz u niego zaburzenia chodu, bóle głowy, sztywność karku, powtarzające się wymioty, trudności w oddychaniu, bardzo silny kaszel lub wybitną nadwrażliwość na światło, a także jeśli ciepłota jego ciała wzrośnie do ponad 39,5°C.

Ustalenie rozpoznania Ospę wietrzną rozpoznaje się na podstawie typowych objawów skórnych i ogólnych.

Leczenie Ponieważ ospa wietrzna jest chorobą wirusową, w jej leczeniu nie stosuje się antybiotyków, chyba że doszło do wtórnego nadkażenia bakteryjnego zmian skórnych. Dzieciom o osłabionej odporności można podać acyklowir, lek o działaniu przeciwwirusowym. Z powodu konieczności wdrożenia leczenia w ciągu 24 godzin od pojawienia się pierwszych wykwitów, a także niewielkich ogólnych korzyści, acyklowir nie jest stosowany powszechnie u dzieci skądinąd zdrowych.

Leczenie domowe Jeśli dziecko źle się czuje z powodu gorączki (w większości przypadków ospy wietrznej jest ona niewielka, rzadko osiąga 38,9°C i nie wymaga leczenia), możesz podać mu nieaspirynowy lek przeciwgorączkowy, taki jak paracetamol (Tylenol). Nie podawaj aspiryny, ponieważ może ona wywoływać u zakażonych dzieci zespół Reye'a, ciężką chorobę z potencjalnym uszkodzeniem mózgu i wątroby. Należy również unikać ibuprofenu, gdyż w świetle najnowszych badań może on sprzyjać wtórnemu zakażeniu bakteryjnemu pęcherzyków ospowych. Z reguły największym problemem jest świąd skóry: aby przynieść dziecku ulgę, spróbuj wilgotnych okładów lub kąpieli w letniej wodzie co 3–4 godziny. Pomocny może być roztwór kalaminy. Obetnij dziecku krótko paznokcie, aby zapobiec wtórnemu zakażeniu zmian z powodu rozdrapania. Jeśli pęcherzykami zsypana jest również jama ustna dziecka, unikaj potraw kwaśnych lub słonych. W razie zajęcia błony śluzowej narządów płciowych, zapytaj lekarza lub farmaceutę o jakiś miejscowy krem znieczulający.

Zapobieganie Szczepionka przeciwko ospie wietrznej ma skuteczność rzędu 70–90%, a jeśli nawet dojdzie po niej do zakażenia, choroba ma łagodniejszy przebieg. Pojedyncza dawka szczepionki jest zalecana u dzieci w wieku od 12 miesięcy do 12 lat, o ile jeszcze nie przebyły ospy.

Okres zakaźności Dzieci z ospą wietrzną mogą zarażać innych w okresie od dwóch dni przed wystąpieniem objawów aż do czasu przyschnięcia wszystkich pęcherzyków. Średnio przez tydzień nie mogą one chodzić do przedszkola czy szkoły, jednak nie ma potrzeby izolowania ich od otocze-

nia aż do czasu odpadnięcia strupków. Kontaktu z ospą wietrzną powinny unikać osoby z zaburzeniami odporności oraz kobiety w ciąży. Raz przebyte zachorowanie daje odporność na całe życie.

Uwagi Nadal dyskutowana jest kwestia, jak długo trwa ochronne działanie szczepionki przeciwko ospie wietrznej. Badania wskazują, że powinna ona wystarczać na co najmniej 10 lat. Nie wiadomo też jeszcze, czy w późniejszym okresie wskazana jest dawka przypominająca.

Przeziębienie

Przyczyna Tę najpopularniejszą infekcję górnych dróg oddechowych mogą wywoływać bardzo liczne wirusy, takie jak rynowirusy, koronawirusy, adenowirusy, syncytialny wirus oddechowy (RSV), enterowirusy oraz wirusy grypy i paragrypy. Zakażenie może obejmować jamę nosową, gardło, zatoki, uszy, trąbkę Eustachiusza (czyli przewód słuchowy wewnętrzny łączący ucho środkowe z gardłem), krtań, tchawicę i oskrzela.

Objawy Do najczęściej występujących objawów należy drapanie w gardle, katar/zatkany nos i kichanie. U dzieci dochodzi do tego często ból gardła, kaszel, bóle głowy, niewielka gorączka, osłabienie, bóle mięśniowe i utrata apetytu.

Sposób rozprzestrzeniania się Infekcja szerzy się drogą kropelkową, to znaczy przez wdychanie powietrza, w którym obecne są cząstki wydzieliny chorej, kaszlącej lub kichającej osoby, lub przez bezpośredni kontakt. Dzieci przeziębiają się częściej niż dorośli, szczególnie wskutek narażenia na zakażenie wirusami w żłobku, przedszkolu lub szkole.

Okres wylęgania Na ujawnienie się objawów potrzeba zwykle 2–5 dni od momentu zakażenia.

Czas trwania objawów Przeziębienie trwa zwykle od 7 do 14 dni.

Kiedy dzwonić do lekarza Nie ma potrzeby wzywać lekarza do dziecka z typowymi objawami przeziębienia (takimi jak katar, kaszel, niewielka gorączka), jednak zadzwoń do niego, jeśli są inne powody do niepokoju. Należą do nich: ból gardła, kaszel z odkrztuszaniem gęstej, zielonkawej lub szarej plwociny, kaszel nie zmniejszający się lub wręcz nasilający po upływie 3–4 dni, gorączka utrzymująca się przez szereg dni lub przekraczająca 38,3°C, wstrząsające dreszcze, duszność, przyspieszenie oddechu lub inne oznaki zaburzeń oddychania bądź też sinica warg, skóry i paznokci. Wśród innych nietypowych objawów należy wymienić trudności w połykaniu, niechęć dziecka do picia, niezwykłe osłabienie lub powiększenie węzłów chłonnych szyi. Skontaktuj się z lekarzem również w przypadku bardzo obfitego kataru, zwłaszcza z zieloną wydzieliną, trwającego od ponad dwóch tygodni, lub też wtedy, gdy dziecko skarży się na bóle głowy czy ucisk nad oczami.

Leczenie Przeziębienie, jako infekcja wirusowa, nie wymaga leczenia antybiotykami.

Leczenie domowe Przeziębienie ustępuje samoistnie; w praktyce nie ma na nie lekarstwa. Aby nieco złagodzić katar, spróbuj zapuszczać dziecku do nosa krople z soli fizjologicznej, co zmniejsza obrzęk błony śluzowej, używaj nawilżacza powietrza i wazeliny na podrażnioną skórę pod nosem. Dziecko powinno pić jak najwięcej płynów i odpoczywać. W razie gorączki i bólów głowy możesz podać mu paracetamol. **Nie** podawaj aspiryny, która u niemowląt i dzieci kojarzy się z wystąpieniem zespołu Reye'a, choroby rzadkiej, ale potencjalnie groźnej dla życia. Dostępne w wolnej sprzedaży leki przeciwobrzękowe i przeciwhistaminowe mają wątpliwą skuteczność, nie skracają czasu trwania infekcji i mogą wywoływać objawy uboczne potencjalnie poważniejsze niż samo przeziębienie, szczególnie u niemowląt i małych dzieci.

Zapobieganie W miarę możności unikaj kontaktu dziecka z osobami przeziębionymi w pierwszych 2–4 dniach infekcji, mimo że osoby te są zwykle zakaźne dla otoczenia jeszcze przed wystąpieniem jakichkolwiek objawów. Zakatarzone dzieci powinny jak najczęściej myć ręce, zwłaszcza po wycieraniu nosa, a także od najmłodszych lat przyzwyczajać się do zakrywania nosa i ust podczas kaszlu czy kichania.

Okres zakaźności Zależy on od rodzaju wirusa chorobotwórczego, ale zwykle trwa przez kilka dni po wystąpieniu objawów.

Uwagi Nie ma jednoznacznych naukowych dowodów na to, że podawanie dzieciom dużych dawek witaminy C (które skądinąd mogą być toksyczne) rzeczywiście chroni je przed przeziębieniem. Podobnie nie potwierdzone są korzyści ze stosowania multiwitamin, cynku czy środków do nacierania klatki piersiowej.

Zapalenie spojówek (*conjunctivitis*)

Przyczyna Jest to zakażenie cienkiej błony okrywającej od zewnątrz białko oka, a od wewnątrz wyściełającej powieki. W około 80% przypadków infekcję wywołują bakterie, w pozostałych głównie wirusy. Zapalenie spojówek może być również następstwem alergii lub podrażnienia oczu środkami chemicznymi i innymi.

Objawy Infekcja objawia się początkowo dyskomfortem i uczuciem, jakby na powierzchnię oka dostało się ciało obce, po czym pojawia się zaczerwienienie spojówek i pieczenie. Po 1–2 dniach dołącza się zwykle wydzielina, w zapaleniu bakteryjnym gęsta i ropna, w wirusowym bardziej wodnista. Dziecko może budzić się rano ze sklejonymi powiekami i rzęsami.

Sposób rozprzestrzeniania się Zakażenie szerzy się przez kontakt z wydzieliną z zakażonego oka drugiej osoby.

Okres wylęgania W przypadku bakteryjnego zapalenia spojówek trwa on zwykle kilka dni, w przypadku wirusowego – do tygodnia.

Czas trwania objawów Nie leczone zapalenie bakteryjne trwa 7–10 dni, zapalenie wirusowe może trwać nawet przez 2 tygodnie.

Kiedy dzwonić do lekarza W razie objawów zapalenia spojówek zawsze kontaktuj się z lekarzem, szczególnie jeśli wystąpią one u noworodka. Zadzwoń do lekarza również wtedy, gdy dziecko skarży się na silny ból oka, gorzej widzi lub wykazuje nadwrażliwość na światło, a także w razie braku poprawy po 4–5 dniach leczenia.

Ustalenie rozpoznania Zwykle wystarczy badanie oka, czasem lekarz może również pobrać wydzielinę do badania.

Leczenie Zakaźne zapalenie spojówek ustępuje często samoistnie, jednak lekarze zlecają zwykle krople lub maści z antybiotykami, również i po to, by zapobiec szerzeniu się infekcji. Krople do oczu stosuje się średnio przez tydzień, co najmniej cztery razy dziennie. Maści, przepisywane głównie niemowlętom, stosuje się dwa razy dziennie. Mogą one powodować przejściowe zaburzenia widzenia. (Sposób zapuszczania dzieciom kropli do oczu przedstawia rycina w rozdziale 29, „Dolegliwości i objawy”). U dzieci z często nawracającymi epizodami zapalenia spojówek korzystne może być leczenie przeciwalergiczne lub usunięcie z ich otoczenia czynników drażniących (np. dymu papierosowego).

Leczenie domowe Ciepłe okłady (z czystej chusteczki zmoczonej w ciepłej wodzie) pomagają rozrzedzić wydzielinę i „rozkleić” rzęsy i powieki. Zakażone oczy należy czyścić ostrożnie, używając do tego gazików lub wacików zwilżonych ciepłą wodą.

Zapobieganie Po każdym dotknięciu chorego oka powinno się dokładnie umyć ręce. Dotyczy to zarówno samego dziecka, jak i ciebie i innych osób. Gaziki i waciki do czyszczenia oczu są do wyrzucenia po jednorazowym użytku; ręczniki, ubrania i powłoczki na poduszkę należy prać w gorącej wodzie.

Okres zakaźności Dzieci z bakteryjnym zapaleniem spojówek zarażają innych od momentu wystąpienia objawów; trwa to tak długo, jak długo utrzymuje się wydzielina, a w razie zastosowania antybiotyków jeszcze przez pierwszą dobę po ich podaniu. W przypadku zapalenia wirusowego do zarażenia drugiej osoby może dojść jeszcze przed wystąpieniem objawów, a następnie przez cały czas ich trwania. Dzieci z widocznymi objawami zapalenia spojówek nie powinny chodzić do żłobka, przedszkola czy szkoły.

Powikłania Niektóre bakterie mogą wywoływać jednocześnie zapalenie spojówek i zapalenie ucha wewnętrznego.

Krup

Przyczyna Jest to zapalenie górnych dróg oddechowych wywołane zwykle przez jeden lub kilka rodzajów wirusów, takich jak wirusy paragrypy (odpowiedzialne za większość przypadków), adenowirusy, syncytialny wirus oddechowy (RSV), wirusy grypy lub odry. Rzadziej przyczyną krupu są bakterie. Choroba, poprzedzona zwykle kilkoma dniami przeziębienia, występuje najczęściej późną jesienią i zimą.

Objawy Podstawowym objawem jest charakterystyczny, głuchy kaszel, przypominający dźwięki wydawane przez foki, któremu towarzyszą trudności w oddychaniu, często ze słyszalnymi gołym uchem świstami. W ciężkich przypadkach może wystąpić również tak zwany stridor, wysoki, piskliwy dźwięk przy każdym wdechu. Niektóre dzieci gorączkują. Objawy zaostrzają się często w nocy lub podczas płaczu.

Sposób rozprzestrzeniania się Wirusy wywołujące krup szerzą się drogą kropelkową (powietrzną) lub przez kontakt z powierzchnią pokrytą drobinami wydzieliny chorego.

Okres wylęgania Objawy występują po 2–5 dniach od zakażenia.

Czas trwania objawów Objawy trwają zwykle 5–6 dni.

Kiedy dzwonić do lekarza W większości przypadków krup nie wymaga szczególnych leków, jednak lekarz może chcieć obejrzeć dziecko dla upewnienia się, czy nie ma blokady dróg oddechowych bądź cech zakażenia bakteryjnego. Natychmiast wezwij pogotowie lub zawieź dziecko do szpitala, jeśli zauważysz, że walczy ono o każdy oddech, wydaje z siebie chrapliwy stridor, ślini się obficie, ma trudności w połykaniu lub mówieniu, nie może przygiąć głowy, zdradza objawy zagrażającej utraty przytomności, wysoko gorączkuje, sprawia wrażenie ciężko chorego lub jego wargi i paznokcie zaczynają przybierać sine zabarwienie.

Ustalenie rozpoznania Krup rozpoznaje się na podstawie badania lekarskiego, a czasami również zdjęcia rentgenowskiego dla uwidocznienia tchawicy na poziomie szyi.

Leczenie Nie ma leków zabijających wirusy odpowiedzialne za krup; czasami lekarze zlecają preparaty steroidowe we wstrzyknięciach lub doustnie, które zmniejszają obrzęk błony śluzowej dróg oddechowych i tym samym ułatwiają dziecku oddychanie.

Leczenie domowe Ulgę w objawach przynosi często wilgoć w powietrzu. Użyj nawilżacza wytwarzającego chłodną parę, wypełnionego jedynie wodą, lub napełnij łazienkę parą z odkręconych kranów z gorącą wodą i posiedź tam z dzieckiem przez około 10 minut. Czasami można również przerwać atak, pozwalając dziecku pooddychać chłodnym powietrzem na dworze. Jeśli po 10–15 minutach powyższych zabiegów nie widzisz poprawy, zadzwoń do lekarza. Uwaga: wszystkich domowników obowiązuje zakaz palenia, bo dym papierosowy grozi zaostrzeniem objawów krupu.

Zapobieganie Aktualnie nie ma sposobów profilaktyki krupu.

Okres zakaźności W przypadku większości zakażeń wirusowych wywołujących krup dziecko może zarażać innych przez kilka dni od momentu wystąpienia objawów. Ekspozycja prowadzi najczęściej do zwykłej infekcji górnych dróg oddechowych; tylko u niewielu dzieci przybiera ona postać krupu.

Powikłania W niektórych ciężkich przypadkach dziecko może wymagać hospitalizacji. Po ustąpieniu ostrych objawów krupu rozwija się niekiedy zapalenie ucha środkowego lub zapalenie płuc.

Biegunka

Przyczyna Biegunkę – częste oddawanie luźnych stolców – mogą wywoływać bakterie, wirusy lub pasożyty zakażające układ pokarmowy. Rodzaj szczepów patogennych zależy od regionu geograficznego, stanu sanitarnego i indywidualnej higieny.

Przykłady zakażeń wywołujących biegunkę **Pełzakowica** (*amebiasis*). Jest to szczególnie rozpowszechnione w krajach tropikalnych zakażenie jelita grubego pierwotniakami z gatunku *Entamoeba histolytica*. Choroba szerzy się przez zakażoną żywność i wodę lub drogą bezpośredniego kontaktu fekalno-oralnego (między kałem a jamą ustną). *Campylobacter*. Do zakażenia tą bakterią może dojść poprzez skażoną wodę, spożycie niedogotowanego drobiu lub mięsa bądź przez kontakt z zarażonymi zwierzętami. *Cryptosporidium*. Pasożyty tego rodzaju są częstą przyczyną miejscowych epidemii (endemii) biegunki wśród dzieci przebywających w placówkach opiekuńczych.

Choroba szerzy się przez kontakt z zakażonymi zwierzętami (zwłaszcza z krowami) lub z zakażonymi ludźmi; może też wystąpić po wypiciu skażonej wody. **Escherichia coli.** Wśród tych rozpowszechnionych pałeczek jelitowych wyróżnia się pięć klas, które mogą być przyczyną biegunki u dzieci w mechanizmie bezpośredniego ataku na ścianę jelitową lub przez produkcję drażniącej jelita toksyny. Zakażenia E. coli szerzą się zwykle przez skażoną żywność lub wodę. Ich przyczyną może być na przykład spożycie hamburgerów z niedopieczonej wołowiny. **Lamblioza.** Jest to zakażenie pasożytami Giardia (Lamblia) intestinalis, często spotykane u małych dzieci noszących pieluchy, zwłaszcza w placówkach opiekuńczych. Lamblie szerzą się przez skażone ujęcia wodne, np. uliczne czy parkowe źródełka wody pitnej lub baseny (pasożyty są oporne na chlorowanie), a także drogą bezpośredniego kontaktu. **Rotawirusy.** Stanowią one główną przyczynę biegunki u dzieci w Stanach Zjednoczonych. Zakażenie szerzy się przez kontakt z odchodami i często wybucha endemicznie w placówkach opiekuńczych i szpitalach dziecięcych. **Salmonella.** Bakterie tego rodzaju są odpowiedzialne za 50% przypadków zatruć pokarmowych w Stanach Zjednoczonych. Ich źródłem może być niemal każdy produkt spożywczy pochodzenia zwierzęcego, a zwłaszcza surowe lub niedogotowane mięso, drób i jaja. **Shigella.** Pałeczki Shigella należą do głównych przyczyn dyzenterii (krwawej biegunki) w skali całego świata i rozprzestrzeniają się przez kontakt z zakażonym kałem. **Yersinia.** Częstym źródłem zakażenia tymi bakteriami jest zanieczyszczona woda oraz wyroby mięsne, a zwłaszcza flaczki i inne potrawy z wieprzowiny.

Objawy Zakażenie objawia się zwykle kurczowymi bólami brzucha, po których następuje oddanie luźnego stolca. Niektóre drobnoustroje, na przykład E. coli oraz bakterie z rodzajów Campylobacter, Salmonella, Shigella i Yersinia, mogą wywoływać biegunkę z domieszką krwi, a trzy ostatnie również z domieszką śluzu. Biegunce dość często towarzyszy gorączka, utrata apetytu, nudności lub wymioty. Niezależnie od czynnika przyczynowego zawsze należy liczyć się z ryzykiem odwodnienia oraz z utratą masy ciała.

Okres wylęgania Jest on zmienny, zależnie od drobnoustroju wywołującego. W przypadku Shigella wynosi on zwykle od 16 do 72 godzin. Biegunki wirusowe ujawniają się po 4–48 godzinach. Zakażenia pasożytnicze mają z reguły dłuższy okres wylęgania, na przykład 1–3 tygodnie w przypadku lambliozy.

Czas trwania objawów Łagodna biegunka o etiologii wirusowej ustępuje zwykle w ciągu kilku dni. Objawy zakażenia bakteryjnego trwają zwykle dłużej, od kilku dni do kilku tygodni. Najbardziej uporczywe są biegunki pasożytnicze, które mogą utrzymywać się przez szereg tygodni, a nawet miesięcy.

Kiedy dzwonić do lekarza Skontaktuj się z lekarzem w razie nasilonej lub przedłużonej biegunki z gorączką, wymiotami czy silnymi bólami brzucha, a także jeśli zauważysz w stolcu dziecka krew lub śluz. Natychmiast wezwij lekarza, jeśli dziecko zdradza objawy odwodnienia, takie jak suchość warg i języka, blada, sucha skóra, zapadnięte gałki oczne, apatia i zmniejszona objętość moczu.

Ustalenie rozpoznania Dla ustalenia przyczyny biegunki można pobrać próbkę kału do badań mikrobiologicznych.

Leczenie Przede wszystkim musisz zapewnić dziecku odpowiednią porcję płynów i soli mineralnych dla wyrównania ich utraty w przebiegu biegunki (patrz ustęp na temat biegunki w części „Dolegliwości i objawy ze strony przewodu pokarmowego" w rozdziale 29, „Dolegliwości i objawy"). Zakażenia wirusowe i niektóre bakteryjne nie wymagają leczenia antybiotykami, ponieważ z reguły szybko ustępują samoistnie. Zakażenia pasożytnicze leczy się odpowiednimi środkami przeciwpasożytniczymi w zależności od zidentyfikowanego czynnika patogennego.

Leczenie domowe Niemowlętom i małym dzieciom nie należy podawać zwykłej wody w celu uzupełnienia strat. Lekarze doradzają zwykle specjalne płyny, zwane doustnymi roztworami nawadniającymi (do nabycia w aptece), które uzupełniają nie tylko wodę, ale i inne składniki odżywcze tracone wskutek biegunki. Zaleca się te płyny szczególnie w leczeniu biegunki u małych dzieci.

Zapobieganie Nie wymyślono lepszego sposobu zapobiegania zakażeniom przekazywanym z człowieka na człowieka niż częste mycie rąk. (Wiele z nich nazywa się zresztą „chorobami brudnych rąk"). Personel żłobków i rodzice powinni dokładnie myć ręce po każdym przewinięciu dziecka. Łazienki, toalety i pomieszczenia kuchenne muszą być bezwzględnie utrzymywane w czystości. Myj dokładnie owoce i warzywa, myj również od razu noże i inne przybory kuchenne, które miały kontakt z surowym mięsem, zwłaszcza drobiowym. Po przyniesieniu mięsa ze sklepu natychmiast wkładaj je do lodówki, a przy gotowaniu, pieczeniu czy duszeniu przestrzegaj zasady, że mięso na całym przekroju musi zmienić barwę z różowej na białą. Nigdy nie pij ani nie dawaj dziecku do picia wody ze strumieni, jezior czy sadzawek, chyba że jest ona wyłącznie do tego przeznaczona i przebadana przez władze sanitarne. W krajach Trzeciego Świata bezpieczniej będzie nie pić wody z kranu. Unikaj również żywności z targowisk i ulicznych straganów, zwłaszcza jeśli nie ma pewności, czy i jak są one nadzorowane. Oddziel miejsce, gdzie są karmione zwierzęta domowe, od rodzinnej jadalni. Nigdy nie czyść klatek czy kuwetek zwierząt w zlewie kuchennym. Gady, na przykład iguany czy żółwie, bywają nosicielami bakterii *Salmonella* i nie stanowią właściwego towarzystwa dla małych dzieci, którym

na pewno zdarzy się zapomnieć o umyciu rąk po kontakcie z tymi zwierzętami.

Powikłania Biegunka jest przyczyną 9% przypadków hospitalizacji dzieci w wieku poniżej 5 lat. W Stanach Zjednoczonych zabija ona od 300 do 500 dzieci rocznie, z których większość nie ukończyła jeszcze roku. W skali globalnej z powodu biegunki ginie corocznie 4 miliony dzieci.

Zapalenie ucha zewnętrznego („ucho pływaka", *otitis externa*)

Przyczyna Przyczyną zakażenia przewodu słuchowego zewnętrznego – kanału przewodzącego dźwięki ze świata zewnętrznego do błony bębenkowej – mogą być liczne gatunki bakterii i grzybów.

Objawy Głównym objawem jest silny ból ucha, zaostrzający się przy pociąganiu płatka. Czasami jako pierwsze pojawia się swędzenie wewnątrz przewodu słuchowego, które następnie przechodzi w ból. Możliwe jest zaczerwienienie małżowiny, niewielka gorączka, zielonkawożółta wydzielina z ucha oraz pogorszenie słuchu po zajętej stronie. Choroba dotyka przede wszystkim dzieci, których uszy są przez dłuższy czas narażone na wilgoć, zwłaszcza podczas pływania. Zakażeniu sprzyja dodatkowo chlorowana woda w basenie, która drażni skórę przewodu słuchowego i czyni ją podatniejszą na atak bakterii. Do zapalenia ucha zewnętrznego może również dojść w następstwie zadrapania wnętrza przewodu ostrym przedmiotem.

Sposób rozprzestrzeniania się Zapalenie ucha zewnętrznego nie przenosi się z człowieka na człowieka.

Okres wylęgania Zapalenie ucha zewnętrznego nie ma ustalonego okresu wylęgania. Ból narasta stopniowo w ciągu kilku godzin po narażeniu przewodu słuchowego na wilgoć, na przykład na basenie.

Czas trwania objawów Ból może nasilać się w ciągu pierwszych 12–24 godzin od chwili rozpoczęcia leczenia. Pod wpływem leków zapalenie ustępuje zwykle po 7–10 dniach, jednak dzieci powinny unikać wody jeszcze przez dłuższy czas po wyleczeniu.

Kiedy dzwonić do lekarza Skontaktuj się z lekarzem w razie jakiegokolwiek bólu ucha, niezależnie od obecności gorączki, pogorszenia słuchu lub wydzieliny.

Ustalenie rozpoznania Zapalenie ucha zewnętrznego rozpoznaje się na podstawie badania ucha otoskopem.

Leczenie W łagodniejszych przypadkach stosuje się najczęściej leczenie miejscowe – krople do uszu z antybiotykami w celu zwalczenia zakażenia, a niekiedy również krople ze steroidami dla zmniejszenia obrzęku. Krople należy zapuszczać kilka razy dziennie przez 7–10 dni. W razie zwężenia ujścia zewnętrznego przewodu lekarz może wprowadzić doń tampon ułatwiający penetrację kropli. W cięższych postaciach zakażenia stosuje się antybiotyki doustnie.

Leczenie domowe Wskazana jest ochrona chorego ucha przed wodą przez 10–14 dni, włącznie z zakrywaniem go przy kąpieli czy myciu głowy. Można użyć do tego celu czepka kąpielowego lub specjalnych zatyczek z waty powlekanych wazeliną i wyjmowanych po wyjściu z wody.

Zapobieganie Dzieci (i dorośli) muszą wystrzegać się wkładania do ucha twardych przedmiotów, takich jak patyczki do czyszczenia, szpilki do włosów itp. U dziecka z zachowaną ciągłością błony bębenkowej można stosować po wyjściu z wody krople na spirytusie salicylowym, np. SwimEar, które pomagają w dokładnym osuszeniu przewodu słuchowego. Pożyteczne są również miękkie zatyczki, łatwo dopasowujące się do kształtu przewodu słuchowego, zakładane na czas pływania.

Powikłania Nie leczone zapalenie ucha zewnętrznego może rozszerzyć się na otaczające elementy chrzęstne i kostne.

Zapalenie ucha środkowego (*otitis media*)

Przyczyna Statystyki mówią, że dwie trzecie dzieci w wieku trzech lat ma za sobą co najmniej jeden epizod zapalenia ucha środkowego. Najczęstszym bakteryjnym czynnikiem etiologicznym jest *Streptococcus pneumoniae*, ale zakażenie mogą wywoływać również inne bakterie (*Haemophilus influenzae*, *Moraxella catarrhalis*, gronkowiec złocisty) i liczne wirusy, takie jak adenowirusy, rynowirusy, syncytialny wirus oddechowy (RSV) czy wirusy grypy. Zapalenie ucha środkowego występuje często jako powikłanie infekcji wirusowej gardła, prowadzącej do obrzęku i dysfunkcji tak zwanej trąbki słuchowej (Eustachiusza), czyli przewodu między jamą gardła a jamą ucha środkowego. W warunkach prawidłowych połączenie to służy do wyrównywania ciśnień między gardłem a uchem środkowym. W razie upośledzenia drożności trąbki słuchowej zmniejsza się wentylacja ucha środkowego, co sprzyja rozwojowi bakterii. Ich obecność wywołuje z kolei odczyn zapalny, z wysiękiem ropnym i wzrostem ciśnienia po wewnętrznej stronie błony bębenkowej. Ostatecznym efektem tych procesów jest ból i pogorszenie słuchu, spowodowane ograniczeniem ruchomości i drgań błony bębenkowej.

Objawy Należy do nich ból ucha, gorączka, przejściowe pogorszenie czy nawet utrata słuchu, niekiedy wydzielina z ucha i rozdrażnienie dziecka. Niemowlęta i małe dzieci mogą chwytać się za ucho czy pocierać je. Objawom tym towarzyszą często objawy infekcji górnych dróg oddechowych, takie jak katar, zatkany nos czy kaszel. W przypadku zapalenia obustronnego jest większe prawdopodobieństwo etiologii wirusowej, natomiast zajęcie tylko jednego ucha wskazuje raczej na zakażenie bakteryjne.

Sposób rozprzestrzeniania się Zapalenie ucha środkowego samo w sobie nie jest zakaźne dla otoczenia, jednak te same bakterie lub wirusy występują również często w wydzielinie z nosa i gardła i mogą rozprzestrzeniać się przez bezpośredni kontakt lub drogą kropelkową.

Okres wylęgania Nie jest jednoznacznie ustalony. Zapalenie ucha środkowego ujawnia się często w ciągu tygodnia od wystąpienia objawów przeziębienia.

Czas trwania objawów W przypadkach o etiologii wirusowej samoistna poprawa może nastąpić w ciągu 48 godzin od pierwszych objawów. Bakteryjne zapalenie ucha środkowego wymaga zwykle leczenia antybiotykami przez 5–10 dni; jego objawy powinny ustąpić w ciągu pierwszych trzech dni leczenia, mimo że wysięk w jamie ucha środkowego może utrzymywać się nawet do trzech miesięcy od rozpoczęcia leczenia (patrz Powikłania).

Kiedy dzwonić do lekarza Skontaktuj się z lekarzem w każdym przypadku bólu ucha, z gorączką lub bez, lub też jeśli zauważysz ropną wydzielinę czy pogorszenie słuchu dziecka. Do częstych objawów zapalenia ucha środkowego u niemowląt należy pociąganie lub pocieranie ucha, rozdrażnienie i gorączka bez ewidentnej innej przyczyny.

Ustalenie rozpoznania Oglądając ucho w otoskopie, lekarz ocenia cechy zapalenia błony bębenkowej i stopień jej napięcia (wywołanego obecnością ropy w jamie ucha środkowego). Lekarz może również wtłoczyć do przewodów słuchowych nieco powietrza dla sprawdzenia ruchomości błony bębenkowej.

Leczenie W razie podejrzenia zakażenia bakteryjnego lekarz zapisze dziecku antybiotyki, najczęściej amoksylinę. Mimo że zazwyczaj jest ona skuteczna w zapaleniu ucha środkowego, w przypadku braku poprawy po trzech dniach stosowania możliwa jest również zmiana antybiotyku. Czasami lekarze decydują się na zabieg przebicia (paracentezy) błony bębenkowej, co umożliwia ewakuację ropy, a tym samym obniżenie ciśnienia w jamie ucha środkowego i szybkie złagodzenie bólu. W zależności od objawów i wyglądu błony bębenkowej lekarz może odstąpić od antybiotykoterapii (antybiotyki nie mają wpływu na zakażenia wirusowe) i poprzestać na obserwacji dalszego przebiegu choroby. Zbyt częste i nie zawsze uzasadnione stosowanie antybiotyków stanowi obecnie coraz większy problem dla świata medycznego, ponieważ jest jedną z głównych przyczyn nasilającego się zjawiska lekooporności bakterii. W myśl zasady „doboru naturalnego" (osobniki słabsze giną, a przeżywają najsilniejsze) coraz częściej pojawiają się bowiem szczepy bakteryjne, które nie reagują – lub reagują w niewielkim stopniu – na większość dostępnych antybiotyków. Rola takich opornych na leczenie bakterii rośnie w ostatnich latach również wśród czynników etiologicznych zapalenia ucha środkowego i innych infekcji u dzieci.

Zapobieganie Zakażenia ucha występują rzadziej u niemowląt karmionych piersią. Ten bezsporny fakt wynika przede wszystkim z większej odporności tych dzieci dzięki komórkom obronnym (tak zwanym immunokompetentnym) i przeciwciałom przekazywanym im bezpośrednio w pokarmie naturalnym, a być może również z pozycji przy karmieniu piersią, właściwszej dla prawidłowego funkcjonowania trąbki słuchowej. Jeśli więc karmisz dziecko butelką, staraj się robić to w pozycji nieco uniesionej, półleżącej, a nie leżącej. Nie pozwalaj również dziecku zasypiać z butelką w łóżeczku, co zwiększa ryzyko zarówno infekcji ucha, jak i próchnicy zębów. Zakażeniom ucha wydaje się ponadto sprzyjać narażenie dzieci na dym papierosowy. Prawdopodobieństwo zarażenia się drobnoustrojami odpowiedzialnymi za przeziębienie i zapalenie ucha rośnie oczywiście u dzieci kontaktujących się z liczną grupą rówieśników, czyli odprowadzanych codziennie do żłobka czy przedszkola. Najnowsza ze szczepionek podawanych rutynowo dzieciom poniżej dwóch lat – skojarzona szczepionka pneumokokowa – odegra niewątpliwie dużą rolę w prewencji zapaleń ucha wywołanych przez *Streptococcus pneumoniae*, zwłaszcza w młodszych grupach wiekowych. Można żywić nadzieję, że ta szczepionka a – w przyszłości zapewne i inne – zmieni również metody antybiotykoterapii zapaleń ucha środkowego.

Powikłania W nie leczonych przypadkach zapalenia ucha środkowego zakażenie może rozszerzyć się na pobliskie elementy kostne czaszki, czyli na wyrostek sutkowaty kości szczękowej, co grozi nawet koniecznością drenażu chirurgicznego. U części dzieci dochodzi do produkcji znacznych ilości płynu wysiękowego, który może utrzymywać się do sześciu tygodni, a nawet dłużej, od ostrego początku choroby. W 90% takich przypadków płyn ten wchłania się samoistnie w ciągu trzech miesięcy bez potrzeby dodatkowego leczenia. Niektóre dzieci są szczególnie podatne na nawracające zapalenie ucha środkowego; zapadają na nie kilkakrotnie w ciągu roku i za każdym razem wymagają kolejnych kursów antybiotykoterapii. Niedosłuch w zapaleniu ucha środkowego jest przejściowy, jeśli jednak takie epizody powtarzają się z dużą częstotliwością, może to prowadzić do opóźnienia i utrudnienia nauki mowy. Dzieci te wymagają konsultacji laryngologicznej pod kątem ewentualnej paracentezy i drenażu jamy ucha środkowego dla przeciwdziałania ubytkom słuchu (więcej informacji na ten temat znajdziesz w rozdziale 32, „Problemy zdrowotne okresu wczesnego dzieciństwa"). Czasami pomocne okazuje się wycięcie wyrośli adenoidalnych. Niedawne badania wykazują, że dzieci z opóźnieniami w rozwoju mowy na tle przewlekłych, wysiękowych zapaleń ucha w większości przypadków z czasem doganiają swoich rówieśników, i to niezależnie od tego, czy płyn ostatecznie ulega resorpcji samoistnej, czy pod wpły-

wem leczenia. Wynika z tego, że paracenteza i cewnikowanie ucha środkowego nie mają większego wpływu na dalszy rozwój dziecka i nie muszą być bezwzględnie wskazane. Podejmując decyzję o takim leczeniu, rodzice powinni więc dokładnie omówić tę kwestię z lekarzem.

Uwagi Do nawrotowych zapaleń ucha środkowego usposabiają alergie i niektóre inne choroby i stany, jak na przykład zespół Downa czy rozszczep podniebienia. Stwierdzono, że chłopcy zapadają na zapalenie ucha częściej niż dziewczynki, a w populacji amerykańskiej obserwuje się dodatkowo różnice rasowe (bardziej podatni są Amerykanie pochodzenia indiańskiego), być może z powodu różnic anatomicznych w kształcie trąbki słuchowej. Nawracających przez cały okres dzieciństwa zakażeń ucha środkowego można również spodziewać się z większym prawdopodobieństwem u tych dzieci, u których pierwsze zachorowanie wystąpiło jeszcze przed ukończeniem sześciu miesięcy życia.

Zapalenie mózgu (*encephalitis*)

Przyczyna Ostre zapalenie tkanki mózgowej na tle zakaźnym jest najczęściej wywołane przez wirusy, w tym – w około 80% przypadków – przez enterowirusy, a także arbowirusy przenoszone przez owady (głównie kleszcze i komary). Przykładem może tu być zapalenie mózgu Zachodniego Nilu. Czasami przyczyną zapalenia mózgu, zazwyczaj o łagodnym przebiegu, są wirusy odry, świnki, ospy wietrznej lub mononukleozy zakaźnej. Może je również wywołać wirus wścieklizny. Za rzadką, ale ciężką i zagrażającą życiu postać zapalenia mózgu jest odpowiedzialny wirus opryszczki zwykłej (*Herpes simplex*). Wśród przyczyn innych niż wirusy należy wymienić gruźlicę, kiłę oraz boreliozę (chorobę z Lyme).

Objawy Łagodne postacie zapalenia mózgu objawiają się gorączką, bólami głowy, brakiem apetytu, sennością, nadwrażliwością na światło i ogólnym złym samopoczuciem. W ciężkich przypadkach może wystąpić wysoka gorączka, silne bóle głowy, nudności i wymioty, sztywność karku, a także cała gama objawów neurologicznych i psychiatrycznych, takich jak drgawki, zamazane widzenie, „splątanie", zmiany osobowości, zaburzenia mowy i słuchu, omamy i urojenia, trudności w poruszaniu się, ruchy mimowolne, utrata czucia w pewnych okolicach ciała, zaniki pamięci, apatia, senność i wreszcie śpiączka. U niemowląt należy zwracać uwagę na wymioty, nieruchome lub wybrzuszone ciemiączko, a także nieprzerwany krzyk i niezwykłe rozdrażnienie.

Sposób rozprzestrzeniania się W zależności od czynnika przyczynowego do zakażenia może dojść drogą kropelkową (przez obecne w powietrzu cząsteczki wydzieliny z nosa i gardła chorego) lub przez bezpośredni kontakt. Zapalenie mózgu wywołane przez arbowirusy nie przenosi się z człowieka na człowieka, lecz potrzebne jest do tego ukąszenie przez zakażonego owada. Wścieklizna szerzy się przez ugryzienie lub zadrapanie przez zakażone zwierzę.

Okres wylęgania Zależy od czynnika wywołującego i przykładowo dla enterowirusów wynosi zwykle 4–6 dni.

Czas trwania objawów W przypadku większości typów faza ostra trwa od kilku dni do tygodnia, a powrót do zdrowia zajmuje 2–3 tygodnie. W ciężkich postaciach zapalenia mózgu, na przykład wywołanych przez *Herpes simplex*, dziecko wymaga hospitalizacji, a rekonwalescencja może trwać szereg tygodni lub nawet dłużej.

Kiedy dzwonić do lekarza Natychmiast wzywaj lekarza, jeśli zauważysz u dziecka któryś z wymienionych wyżej objawów, a szczególnie wtedy, gdy w trakcie rekonwalescencji po odrze, śwince lub ospie wietrznej pojawia się u niego wysoka gorączka.

Ustalenie rozpoznania Zapalenie mózgu rozpoznaje się na podstawie zespołu objawów i badań dodatkowych, do jakich należy badanie krwi i płynu mózgowo-rdzeniowego (pobranego drogą nakłucia lędźwiowego [punkcji]) na obecność zakażenia. Często wykonuje się elektroencefalogram (EEG), czyli badanie czynności elektrycznej mózgu, a także tak zwane badania obrazowe – rezonans magnetyczny (MRI) lub tomografię komputerową (CT), które uwidoczniają obrzęk mózgu i inne zmiany chorobowe.

Leczenie W łagodnych przypadkach dziecko może pozostać w domu, jednak w cięższych konieczne jest leczenie i ścisła obserwacja w warunkach szpitalnych. W większości przypadków o etiologii wirusowej dziecku można podać nieaspirynowe leki przeciwzapalne dla zmniejszenia gorączki i bólów głowy, a przede wszystkim trzeba zapewnić mu pełen komfort i wypoczynek w przyciemnionym pokoju, z dala od hałasu, jaskrawego światła i wszelkich innych bodźców drażniących. W opryszczkowym zapaleniu mózgu podaje się leki przeciwwirusowe, np. acyklowir, a w bakteryjnym odpowiednio dobrane antybiotyki.

Zapobieganie Zapaleniu mózgu na tle typowych chorób zakaźnych wieku dziecięcego, jak odra, świnka i ospa wietrzna, można zapobiec drogą odpowiednich szczepień ochronnych. W regionach obfitujących w miesiącach letnich w komary bezpieczniej jest nie wypuszczać dzieci na powietrze od zmierzchu do świtu, kiedy to komary wylatują na żer. Ubieraj dziecko w rzeczy lekkie i przewiewne, ale zakrywające jak największe partie skóry. Jeśli w pobliżu twojego domu znajduje się zbiornik stojącej wody, postaraj się go zlikwidować, ponieważ jest to prawdziwa wylęgarnia komarów. Aby zapobiec ugryzieniu przez kleszcza, nie pozwól dziecku chodzić po lesie inaczej niż w długich spodniach i swetrze czy bluzie z długimi rękawami. Wpuszczaj nogawki spodni pod skarpetki i dokładnie oglądaj całe ciało dziecka po powrocie z wycieczki do lasu. Dopilnuj szczepienia zwierząt domowych przeciwko wściekliźnie.

Okres zakaźności Jest on zmienny zależnie od rodzaju czynnika patogennego.

Powikłania Większość dzieci po przebyciu wirusowego zapalenia mózgu powraca całkowicie do zdrowia, jednak zależy to stopnia nasilenia choroby i od jej przyczyny. Ciężkie zapalenie mózgu może doprowadzić do nieodwracalnych uszkodzeń układu nerwowego, z następstwami w postaci padaczki, zaburzeń wzroku lub słuchu, upośledzenia umysłowego czy niedowładów. Opryszczkowe zapalenie mózgu dość często kończy się tragicznie.

Zapalenie nagłośni

Przyczyna Jest to infekcja umiejscowiona tuż poniżej gardła, w fałdzie błony śluzowej zakrywającym wejście do krtani i wchodzącym w skład chrzęstno-włóknisto-mięśniowej struktury zwanej nagłośnią. Chorobę wywołuje najczęściej bakteria *Haemophilus influenzae* typu B. Zapalenie nagłośni dotyczy głównie dzieci w wieku 3–7 lat, ze szczytem zapadalności w okresie jesienno-wiosennym.

Objawy Zapalenie rozwija się z reguły bardzo szybko. Dziecko może mieć najpierw objawy ogólnej infekcji górnych dróg oddechowych, po czym, z chwilą gdy zakażenie obejmie nagłośnię, prowadząc do jej obrzęku, dochodzi często do gwałtownego wzrostu ciepłoty ciała do 38,9–40°C i bardzo silnego bólu gardła. Dziecko często ślini się obficie z powodu trudności i bólu przy połykaniu i ma zmieniony, przytłumiony głos. W ciągu kilku godzin mogą wystąpić zaburzenia oddychania, do których należy stridor – wysoki, świszczący dźwięk przy każdym wdechu, a także rozszerzanie się skrzydełek nosa, niepokój, siadanie i pochylanie się do przodu, żeby lepiej złapać oddech. Przy znacznym zwężeniu dróg oddechowych przez obrzęk zapalny może dojść do niewydolności oddechowej z sinicą warg i paznokci. Bez natychmiastowej interwencji dziecku zagraża wtedy śmierć z uduszenia się własną, zmienioną zapalnie nagłośnią.

Sposób rozprzestrzeniania się Bakterie *H. influenzae* są obecne w wydzielinie z nosa wielu ludzi, którzy mogą zakażać nimi innych zupełnie nieświadomie, nie zdradzając jakichkolwiek objawów infekcji.

Czas trwania objawów Pod wpływem leczenia objawy zapalenia nagłośni cofają się zwykle szybko, jednak dziecko wymaga z reguły kilkudniowego lub tygodniowego pobytu w szpitalu.

Kiedy dzwonić do lekarza W razie wystąpienia u dziecka wyżej opisanych objawów natychmiast wezwij pogotowie lub zawieź je do najbliższego szpitala. Ostre zapalenie nagłośni z niedrożnością dróg oddechowych jest stanem zagrożenia życia.

Ustalenie rozpoznania Zapalenie nagłośni podejrzewa się na podstawie dramatycznych objawów, a potwierdza badaniem przy użyciu laryngoskopu, wykonywanym w warunkach sali zabiegowej szpitala. W laryngoskopie – wzierniku ze źródłem światła – widać obrzękniętą, czerwoną jak wiśnia nagłośnię. Często uwidocznia się ona również na zdjęciu radiologicznym szyi.

Leczenie Najważniejsze jest zapewnienie drożności dróg oddechowych, co można osiągnąć za pomocą rurki krtaniowej lub tchawiczej, a w skrajnych przypadkach wykonując nacięcie tchawicy – tracheotomię, aby uzyskać dopływ powietrza do układu oddechowego poniżej przeszkody. Czasami dziecko może wymagać oddechu wspomaganego respiratorem. Jednocześnie podaje się dożylnie antybiotyki w celu szybkiego zabicia odpowiedzialnych za zapalenie bakterii. Po opanowaniu zakażenia i obrzęku instrumenty wspomagające oddychanie można z reguły szybko usunąć.

Zapobieganie Zapadalność na ostre zapalenie nagłośni dramatycznie spadła od czasu wprowadzenia szczepień przeciwko *Haemophilus influenzae* typu B. Dziecko powinno otrzymać tę szczepionkę w wieku niemowlęcym, tym bardziej że te same bakterie wywołują również zapalenie opon mózgowo-rdzeniowych i zapalenie płuc. W razie wystąpienia zapalenia nagłośni u dziecka lekarz może zalecić wszystkim nie szczepionym członkom rodziny (poza kobietami w ciąży) kurs leczenia ryfampicyną. To samo zalecenie obejmuje nieraz dzieci w szkole lub przedszkolu, które miały kontakt z chorym.

Rumień zakaźny (choroba piąta)

Przyczyna Chorobę wywołują parwowirusy B19.

Objawy Do wczesnych objawów należy niewielka gorączka, bóle głowy i oznaki przeziębienia, po czym po 2–3 dniach pojawia się charakterystyczna wysypka. Początkowo występuje zaczerwienienie i obrzęk policzków, co nadaje twarzy dziecka wygląd jak po uderzeniu („zespół uderzonego policzka"). Następnie wysypka rozprzestrzenia się na tułów i kończyny. W obrębie czerwonych wykwitów występują miejsca przejaśnień, przez co skóra dziecka wygląda jak pokryta siateczką. Wysypka ustępuje samoistnie, ale w okresie 1–3 tygodni może na zmianę znikać i nawracać.

Sposób rozprzestrzeniania się Zakażenie szerzy się poprzez wydzielinę dróg oddechowych (drogą kropelkową). Na rumień zakaźny chorują głównie dzieci w wieku szkolnym, najczęściej w okresie późnej zimy – wczesnej wiosny.

Okres wylęgania Okres wylęgania wynosi od 4 do 28 dni, średnio 17 dni.

Czas trwania objawów Wysypka może znikać i nawracać w okresie do trzech tygodni. Jej zaognieniu sprzyja w tym czasie światło słoneczne, ciepło, wysiłek fizyczny oraz stres.

Kiedy dzwonić do lekarza Skontaktuj się z lekarzem, jeśli nie masz pewności co do rozpoznania lub też w razie wystąpienia u dziecka jakichkolwiek dodatkowych objawów, które cię niepokoją.

Ustalenie rozpoznania Rumień zakaźny rozpoznaje się na podstawie charakterystycznej wysypki.

Zapobieganie W momencie wystąpienia wysypki dzieci nie są już zwykle zakaźne dla otoczenia, w związku z czym nie wymagają izolacji i mogą chodzić do przedszkola lub szkoły.

Choroba rąk, stóp i jamy ustnej

Przyczyna Chorobę tę wywołują pewne odmiany wirusów *Coxsackie* grupy A.

Objawy Po wstępnych objawach w postaci gorączki (zwykle niewielkiej) i ogólnego złego samopoczucia pojawia się charakterystyczna wysypka: czerwone grudki i/lub pęcherze na dłoniach i stopach równocześnie z pęcherzykami i owrzodzeniami języka i błony śluzowej policzków. Większość zachorowań występuje latem i jesienią.

Sposób rozprzestrzeniania się Zakażenie przenosi się z człowieka na człowieka za pośrednictwem kału i wydzieliny dróg oddechowych.

Okres wylęgania Między zakażeniem a wystąpieniem objawów upływa 4–6 dni.

Czas trwania objawów Wysypka utrzymuje się przez 4–7 dni. Ból w jamie ustnej ustępuje zwykle po około czterech dniach, a pęcherzyki goją się w ciągu tygodnia.

Kiedy dzwonić do lekarza Skontaktuj się z lekarzem w razie wystąpienia u dziecka powyższego zespołu objawów, a zwłaszcza jeśli z powodu zmian w jamie ustnej nie może ono jeść i pić, wykazuje cechy odwodnienia lub też gorączkuje od ponad trzech dni.

Ustalenie rozpoznania Lekarz ustala rozpoznanie na podstawie charakterystycznej wysypki na dłoniach, stopach oraz zmian w jamie ustnej.

Leczenie domowe W celu obniżenia gorączki i złagodzenia dolegliwości bólowych w jamie ustnej możesz podać dziecku dostępny w wolnej sprzedaży paracetamol, dostosowując dawkę do jego wieku. Nie podawaj aspiryny. Dobrze działają zimne napoje i lody owocowe lub schłodzony kisiel. Unikaj potraw kwaśnych, ostrych i gorących, które mogą dodatkowo podrażniać obolałą jamę ustną i gardło dziecka.

Zapobieganie Ucz dziecko mycia rąk po każdym wyjściu z toalety i wydmuchaniu nosa, a także przed i po jedzeniu. Myj ręce po każdym przewijaniu chorego dziecka i często zmieniaj mu pościel i ręczniki.

Powikłania Z powodu bolesnych zmian w jamie ustnej dziecko może wzbraniać się przed jedzeniem i piciem, co zagraża odwodnieniem. Wirus wywołujący chorobę rąk, stóp i jamy ustnej bywa niekiedy przyczyną zapalenia mózgu lub opon mózgowo-rdzeniowych.

Wirusowe zapalenie wątroby (wzw, żółtaczka zakaźna, *hepatitis*)

Przyczyna Chorobę wywołują głównie trzy typy wirusów zapalenia wątroby: typ A (wzw A), B (wzw B) i C (wzw C). Możliwe jest również zakażenie wątroby wirusem cytomegalii (cytomegalowirusem, CMV), wirusem Epsteina-Barr (EBV), tym samym, który wywołuje mononukleozę zakaźną, oraz innymi.

Objawy W początkowym okresie wzw A i wzw B częste są objawy grypopodobne, rzadziej spotykane w wzw C (w niespełna 25% przypadków). Należą do nich gorączka, ogólne złe samopoczucie, bóle mięśniowe, utrata apetytu, nudności, wymioty i biegunka. Objawy te mogą być bardzo łagodne i nie muszą wystąpić u wszystkich dzieci. Nie zawsze występuje również żółtaczka, czyli żółtawe zabarwienie skóry i białek oczu. Inne możliwe objawy obejmują powiększenie i tkliwość wątroby (w prawej górnej części brzucha), powiększenie śledziony (w lewej górnej części), ciemne, „herbaciane" zabarwienie moczu i odbarwienie stolca (stolce w kolorze gliny).

Sposób rozprzestrzeniania się Wirusowym zapaleniem wątroby typu A można zarazić się przez dotyk lub spożycie czegokolwiek, co zostało zakażone kałem chorego na wzw A lub nosiciela wirusa. Może to być woda, mleko lub żywność, szczególnie „owoce morza" pochodzące ze skażonych stawów hodowlanych. Wzw A jest typową chorobą brudnych rąk: łatwo szerzy się w zagęszczonych populacjach, w złych warunkach sanitarnych, a także wśród małych dzieci, u których objawy mogą być tak łagodne, że nawet nie podejrzewa się zakażenia. Wirusowe zapalenie wątroby typu B szerzy się poprzez ludzkie płyny ustrojowe, takie jak krew, ślina, nasienie, wydzielina pochwy, pokarm naturalny i mocz. Niemowlęta zarażają się zwykle wirusem podczas porodu od matek-nosicielek. Na wirusowe zapalenie wątroby typu C zapadają głównie dzieci poddawane transfuzjom krwi i produktów krwiopochodnych (zwłaszcza wielokrotnym) lub hemodializie z powodu niewydolności nerek. Matka może przekazać wirus dziecku, szczególnie jeśli jest jednocześnie zakażona HIV.

Okres wylęgania Dla wzw A wynosi on 2–6 tygodni, dla wzw B – 1–5 miesięcy, a dla wzw C – 2–26 tygodni.

Czas trwania objawów Niemal wszystkie wcześniej zdrowe dzieci całkowicie wracają do zdrowia w kilka tygodni/miesięcy po przebyciu wzw A. U dzieci z jawnym klinicznie wzw B objawy te ustępują zwykle w ciągu 6–8 tygodni, jednak istnieje w tym przypadku większe ryzyko przejścia zakażenia ostrego w przewlekłe, które może doprowadzić do trwałego uszkodzenia (marskości) i raka wątroby. Przewlekłe zakażenie wirusem wzw B jest szczególnie częste u niemowląt zarażonych przy urodzeniu przez matki i nie leczonych. Dzieci z wzw C z reguły nie mają ostrych objawów, ale również i one są narażone na przewlekły proces zapalny wraz z jego potencjalnymi następstwami.

Kiedy dzwonić do lekarza Konsultacji lekarskiej wymagają wszystkie dzieci z żółtaczką lub innymi wyżej wymienionymi objawami zapalenia wątroby, a także z zaburzeniami w rodzaju apatii, niezwykłej senności czy splątania. Skontaktuj się z lekarzem również wtedy, gdy twoje dziecko miało kontakt z chorym na wzw lub też czeka je podróż do regionu o dużej zapadalności na tę chorobę.

Ustalenie rozpoznania Wzw podejrzewa się na podstawie objawów i okoliczności zachorowania. Stan zapalny wątroby potwierdzają specyficzne badania biochemiczne krwi (próby wątrobowe), natomiast badania serologiczne pozwalają zidentyfikować określony typ wirusa.

Leczenie Dzieci z objawowym wzw nie wymagają zwykle specyficznego leczenia poza rutynowymi zaleceniami odpoczynku i właściwej podaży płynów w celu profilaktyki odwodnienia. Dość ważną rolę odgrywa dieta, zwłaszcza jeśli jednym z objawów choroby jest brak apetytu. Dzieci powinny dostawać mniejsze objętościowo, ale za to częstsze posiłki i wysokokaloryczne napoje, na przykład koktajle mleczne, ponieważ nie należy dopuścić do niedoboru składników odżywczych. W cięższych przypadkach wskazana jest hospitalizacja, nawadnianie dożylne i dodatkowe zabiegi lecznicze.

Zapobieganie Ryzyko zachorowania na wzw A można ograniczyć skrupulatnym przestrzeganiem zasad higieny, takich jak mycie rąk, wystrzeganie się zatłoczonych pomieszczeń w złym stanie sanitarnym, picia wody z niepewnych źródeł i kąpieli w brudnych basenach, sadzawkach czy jeziorach. Należy zwracać uwagę na pochodzenie produktów spożywczych, włącznie z „owocami morza". W razie zachorowania na wzw któregoś z domowników konieczna jest dezynfekcja odpowiednimi środkami chemicznymi toalety, łazienki, zlewu i wszelkich używanych przez niego naczyń i przyborów toaletowych. Istnieje też szczepionka przeciwko wzw A, którą zaleca się dzieciom przed podróżą do krajów znanych z dużej częstości występowania tej choroby, a także personelowi żłobków, placówek opiekuńczych, członkom rodziny i partnerom seksualnym chorych. Podanie immunoglobuliny w okresie 1–2 tygodni od ekspozycji na wzw A zapobiega chorobie w 80–90% przypadków. Zachorowania na wzw B w następstwie transfuzji krwi zdarzają się obecnie np. w Stanach Zjednoczonych bardzo rzadko, ponieważ wszelkie produkty krwiopochodne są badane pod kątem zakażenia wirusem. Szczepienia przeciwko wzw B zaleca się obecnie wszystkim niemowlętom oraz młodzieży, u której nie wykonano ich wcześniej (patrz też rozdział 16, „Szczepienia ochronne"). U niemowląt i małych dzieci wzw B wynika najczęściej z zakażenia podczas porodu, jeśli matka jest nosicielką wirusa. Wszystkie kobiety w ciąży powinny być badane w tym kierunku, a w razie stwierdzenia nosicielstwa noworodek musi otrzymać tuż po porodzie immunoglobulinę przeciwko wzw B (HBIG), a następnie zalecaną dawkę szczepionki. Amerykańscy krwiodawcy są badani na nosicielstwo wirusa wzw C. Na dzień dzisiejszy nie ma jeszcze szczepionki przeciwko wzw C.

Powikłania Przebycie przez dziecko wzw A niemal nigdy nie pozostawia po sobie żadnych następstw, natomiast zakażenia wirusami wzw B i C oznaczają zwiększone ryzyko marskości, niewydolności i raka wątroby w późniejszym wieku. Pacjenci tacy wymagają zatem przedłużonej opieki lekarskiej i obserwacji pod kątem objawów tych powikłań. W niektórych przypadkach pomocne mogą być nowe leki, takie jak interferon alfa. Niewydolność i raka wątroby można obecnie leczyć przeszczepem tego narządu.

Herpangina (wirusowe zapalenie gardła z wysypką pęcherzykową)

Przyczyna Chorobę wywołują wirusy *Coxsackie* grupy A.

Objawy Tak zwana herpangina zaczyna się zwykle nagłą zwyżką ciepłoty ciała. U małych dzieci, z reguły podatniejszych na gorączkę, może ona dochodzić nawet do 40,5°C. Wymioty występują u około 25% dzieci w wieku poniżej 5 lat, a starsze często skarżą się na bóle głowy i pleców. Następnie na tylnej ścianie gardła i wokół migdałków pojawiają się niewielkie pęcherzyki, które w ciągu kilku dni powiększają się i zostają otoczone zapalną obwódką. U większości dzieci stwierdza się w gardle około pięciu takich pęcherzy, aczkolwiek możliwa jest tu rozpiętość od jednego–dwóch do nawet piętnastu.

Sposób rozprzestrzeniania się Zakażenie przenosi się z człowieka na człowieka przez kał i wydzielinę dróg oddechowych.

Okres wylęgania Objawy pojawiają się w 3–6 dni od zakażenia.

Czas trwania objawów Objawowa herpangina trwa 4–7 dni.

Kiedy dzwonić do lekarza Wystąpienie wyżej opisanych objawów wymaga skontaktowania się z lekarzem.

Ustalenie rozpoznania Chorobę rozpoznaje się na podstawie charakterystycznego obrazu gardła.

Leczenie domowe W celu obniżenia gorączki możesz stosować chłodne zawijania (zmoczony ręcznik, prześcieradło), ewentualnie podać dziecku paracetamol. **Nie** podawaj mu aspiryny. Wskazane są też chłodne napoje i kisiel, które przynoszą ulgę zbolałemu gardłu. Unikaj karmienia dziecka potrawami kwaśnymi, ostrymi i gorącymi.

Zapobieganie Należy uczyć dziecko mycia rąk po każdym wyjściu z toalety, po wydmuchaniu nosa oraz przed i po jedzeniu. Myj ręce po każdym przewijaniu chorego dziecka i często zmieniaj mu pościel i ręczniki.

Powikłania U niektórych dzieci nagła, skokowa zwyżka temperatury może wywołać drgawki gorączkowe (patrz również rozdział 29, „Dolegliwości i objawy"). W rzadkich przypadkach herpangina wiąże się z wirusowym zapaleniem opon mózgowo-rdzeniowych.

Zakażenia wirusem opryszczki zwykłej

Przyczyna Różne formy infekcji wywołują głównie dwa typy wirusa opryszczki zwykłej (*Herpes simplex*, HSV). Typ 1 (HSV-1) odpowiada najczęściej za popularną opryszczkę wokół ust, natomiast typ 2 (HSV-2) wywołuje opryszczkę narządów płciowych, występującą przede wszystkim u aktywnej seksualnie młodzieży i dorosłych.

Objawy HSV-1: Pęcherzyki tworzą się na wargach i wewnątrz jamy ustnej i ewoluują w kierunku owrzodzeń. Występuje obrzęk i zaczerwienienie dziąseł, a na języku może pojawić się białawy nalot. U niektórych dzieci zmianom tym towarzyszy gorączka, bóle mięśniowe, trudności w jedzeniu, rozdrażnienie i powiększenie węzłów chłonnych szyi. *HSV-2:* Zakażenie objawia się bólem, obrzmieniem i świądem w okolicy narządów płciowych, czemu towarzyszy gorączka, bóle głowy i ogólne złe samopoczucie. Pęcherzyki pojawiają się na członku męskim oraz wokół ujścia pochwy u kobiet.

Sposób rozprzestrzeniania się Zakażenie szerzy się przez kontakt ze zmienionymi opryszczkowo miejscami. Źródłem zakażenia HSV-1 jest również ślina (uwaga na pocałunki!), a zakażenia HSV-2 – mocz i wydzielina narządów płciowych. Można zarazić się od osoby chorej, ale także od bezobjawowego nosiciela wirusa.

Okres wylęgania Objawy pojawiają się typowo w okresie 1–14 dni od zakażenia, najczęściej po 6–8 dniach.

Czas trwania objawów Opryszczka wokół ust utrzymuje się zwykle przez okres do tygodnia. Owrzodzenia narządów płciowych są najbardziej dokuczliwe w ciągu pierwszych pięciu dni. Oba rodzaje zakażenia mogą jednak przejść w formę utajoną i okresowo nawracać w ciągu wielu miesięcy i lat, często pod wpływem stresu zarówno emocjonalnego, jak i fizycznego, jakim bywa na przykład długie korzystanie ze słońca, usunięcie zęba, przeziębienie czy inna infekcja.

Kiedy dzwonić do lekarza Skontaktuj się z lekarzem, jeśli zauważysz u dziecka pęcherzyki lub żywe owrzodzenia wokół ust, jeśli ma ono jednocześnie gorączkę, powiększone węzły chłonne lub nie może jeść z powodu zmian w jamie ustnej. Opryszczka narządów płciowych u małego dziecka lub niemowlęcia nasuwa podejrzenie, że do zakażenia mogło dojść w okolicznościach molestowania seksualnego dziecka (patrz rozdział 32, „Problemy zdrowotne okresu wczesnego dzieciństwa"). Opryszczka u kobiety w ciąży wymaga skontaktowania się z lekarzem przed porodem.

Ustalenie rozpoznania Identyfikację wirusa przeprowadza się drogą odpowiednich testów serologicznych.

Leczenie Lekarz może zlecić dziecku lek przeciwwirusowy, na przykład acyklowir, w celu skrócenia czasu trwania zmian lub w razie częstych nawrotów.

Leczenie domowe Ulgę przynoszą zimne napoje i mrożone owoce, należy jednak unikać kwaskowatego w smaku soku cytrynowego lub pomarańczowego. W razie bólu można przykładać kostki lodu bezpośrednio na zmienioną okolicę.

Zapobieganie Wykwity opryszczki są zakaźne aż do czasu całkowitego przyschnięcia. W aktywnym okresie choroby zaraźliwa jest również ślina, w związku z czym dzieci z opryszczką nie powinny nikogo całować ani zbliżać się do osób dotkniętych zaburzeniami odporności. Przydziel dziecku osobne naczynia i sztućce, przechowuj je oddzielnie i dokładnie myj po każdym użyciu.

Powikłania W rzadkich przypadkach HSV-1 może wywołać zapalenie opon mózgowo-rdzeniowych; jest on również główną przyczyną śmiertelnego sporadycznego zapalenia mózgu (patrz odpowiedni podrozdział w tym rozdziale). Matka z opryszczką narządów płciowych może przekazać wirusa noworodkowi, co grozi ciężkim, potencjalnie fatalnym zakażeniem centralnego układu nerwowego.

Zakażenie HIV/AIDS

Omawiamy je w rozdziale 32, „Problemy zdrowotne okresu wczesnego dzieciństwa".

Liszajec zakaźny (*impetigo contagiosa*)

Przyczyna Jest to bakteryjne zakażenie skóry, wywołane najczęściej przez gronkowca złocistego (*Staphylococcus aureus*) lub paciorkowce (streptokoki) grupy A.

Objawy Zmiany pojawiają się często na skórze wcześniej uszkodzonej przez zadrapanie, rozcięcie lub wysypkę. Mogą one wystąpić na dowolnym obszarze skóry, jednak u dzieci atakują zwykle okolicę ust. Zakażenie wywołane przez paciorkowce grupy A zaczyna się od drobnych pęcherzyków, które następnie pękają, odsłaniając niewielkie, zaczerwienione i sączące plamki skóry. W miarę przysychania zmian pokrywają się one żółto-brązowymi strupkami. Liszajec gronkowcowy objawia się często większymi pęcherzami, wypełnionymi początkowo przejrzystym, a następnie mętnym płynem. Pęcherze te mają mniejszą skłonność do pękania. Choroba występuje najczęściej w ciepłych i wilgotnych porach roku.

Sposób rozprzestrzeniania się Dotykając zmienionych miejsc, a następnie innych okolic ciała, dziecko może rozszerzyć zasięg zakażenia na sobie lub zarażać inne dzieci. Potencjalnym źródłem zakażenia są również ręczniki, ubrania i pościel dziecka.

Okres wylęgania Od momentu zakażenia do wystąpienia zmian skórnych upływa najczęściej 7–10 dni, choć okres ten może trwać również krócej (kilka dni) lub dłużej (kilka tygodni).

Czas trwania objawów Bez leczenia większość pęcherzy goi się w ciągu dwóch tygodni. Antybiotyki skracają ten okres do trzech dni. Dziecko nie powinno chodzić do przedszkola lub szkoły przynajmniej przez 24 godziny od rozpoczęcia leczenia antybiotykami.

Kiedy dzwonić do lekarza Skontaktuj się z lekarzem, jeśli zauważysz u dziecka objawy liszajca zakaźnego, zwłaszcza jeśli wcześniej miało ono kontakt z kimś zakażonym. Już po rozpoczęciu leczenia dzwoń do lekarza w razie braku wyraźnej poprawy po trzech dniach, w razie gorączki lub oznak zaostrzonego zapalenia skóry (takich jak zaczerwienienie, rozgrzanie i bolesność uciskowa).

Ustalenie rozpoznania Rozpoznanie liszajca zakaźnego ustala się na podstawie oglądania zmian skórnych, możliwe jest również pobranie wymazu ze zmian do badania bakteriologicznego.

Leczenie Lekarz zleci dziecku antybiotyk doustnie do przyjmowania przez 7–10 dni.

Leczenie domowe Dwa razy dziennie delikatnie przemywaj zmienioną okolicę czystymi gazikami i mydłem antyseptycznym. Przed usunięciem przyschniętych strupków namocz je dokładnie wodą z mydłem, co ułatwi ich oddzielenie się od skóry. Aby zapobiec rozszerzeniu się infekcji na inne okolice ciała, przykryj zmienione miejsca luźną warstwą gazy i obandażuj lub umocuj plastrem. Obetnij dziecku krótko paznokcie.

Zapobieganie Codziennie kąp dziecko w wannie lub pod prysznicem. Zmienione okolice powinny być utrzymane w czystości i przykryte. Jeśli ktoś w rodzinie jest właśnie zakażony liszajcem, musi używać przeciwbakteryjnego mydła i nie korzystać ze wspólnych ręczników. W razie potrzeby zastąp na pewien czas ręczniki z tkaniny papierowymi. Ubrania, pościel i ręczniki chorego muszą być osobno przechowywane i prane w gorącej wodzie.

Okres zakaźności Zmiany skórne przestają być zakaźne po pierwszej dobie leczenia antybiotykami.

Powikłania Wykwity liszajcowe z reguły goją się bez śladu, a powikłania należą do rzadkości.

Grypa (*influenza*)

Przyczyna Istnieją trzy typy wirusa grypy. Typ A jest najczęściej odpowiedzialny za wielkie epidemie i charakteryzuje się znaczną dynamiką przeobrażeń – wciąż pojawiają się nowe szczepy. Typ B wywołuje epidemie na mniejszą i bardziej ograniczoną terytorialnie skalę. Typ C jest mniej rozpowszechniony, a wywołana przezeń choroba ma zwykle łagodny przebieg. Epidemie grypy wybuchają przede wszystkim w okresie między listopadem a marcem.

Objawy Grypa wywołuje zwykle objawy podobne do przeziębienia, jednak mają one tendencję do szybszego rozwoju i większego nasilenia. Należy do nich gorączka (często rosnąca skokowo do znacznej wartości), dreszcze, bóle i zawroty głowy, bóle mięśniowe, utrata apetytu, kaszel, ból gardła, katar, nudności i ogólne osłabienie.

Sposób rozprzestrzeniania się Wirusy grypy szerzą się drogą kropelkową poprzez obecne w powietrzu cząsteczki wydzieliny dróg oddechowych osób zakażonych.

Okres wylęgania Objawy występują zwykle po 1–4 dniach od zetknięcia się z wirusem.

Czas trwania objawów Gorączka i większość innych objawów ustępują zwykle w ciągu 5 dni, dłużej może się jednak utrzymywać kaszel i osłabienie. Na całkowite wyzdrowienie potrzeba zazwyczaj od 7 do 14 dni.

Kiedy dzwonić do lekarza W przypadkach o łagodnym przebiegu dzieci nie wymagają badania lekarskiego. Nie wahaj się jednak zadzwonić do lekarza, jeśli dziecko gorączkuje powyżej 39,5°C, jeśli ma kaszel nie poprawiający się po 3–4 dniach (dotyczy to zwłaszcza niemowląt w pierwszych trzech miesiącach życia) i oczywiście w razie trudności w oddychaniu. Utrzymujący się kaszel, gorączka, przyspieszenie oddechu lub trudności w oddychaniu mogą wskazywać na zapalenie płuc jako powikłanie grypy.

Ustalenie rozpoznania Lekarz bada dziecko, osłuchując zwłaszcza dokładnie płuca pod kątem ewentualnych powikłań, takich jak zapalenie płuc. W razie jego podejrzenia może zlecić dodatkowo RTG klatki piersiowej.

Leczenie Grypa jako choroba wirusowa nie wymaga leczenia antybiotykami, chyba że dojdzie do wtórnego nadkażenia bakteryjnego. U dzieci obciążonych przewlekłymi chorobami wskazana bywa hospitalizacja. W bardzo ciężkich przypadkach i przy dużym ryzyku powikłań można zastosować leki przeciwwirusowe, jednak muszą one być podane w ciągu 48 godzin od wystąpienia objawów.

Leczenie domowe Dziecko powinno leżeć w łóżku lub co najwyżej spokojnie bawić się na siedząco. Dla obniżenia gorączki i złagodzenia dolegliwości bólowych podawaj mu paracetamol wedle dawek dostosowanych do wieku. **Nie** podawaj aspiryny, której stosowanie, zwłaszcza u dzieci z grypą lub ospą wietrzną, wykazuje korelację z zespołem Reye'a, rzadką, lecz potencjalnie śmiertelną chorobą.

Zapobieganie W okresie epidemii staraj się trzymać dziecko z dala od dużych zbiorowisk i zatłoczonych miejsc. Przestrzegaj dokładnego mycia rąk i używaj w domu tylko jednorazowych, natychmiast wyrzucanych chusteczek do nosa. Szczepionki przeciwko grypie nie zaleca się dzieciom rutynowo, a jedynie ze szczególnych, dodatkowych wskazań, takich jak przewlekłe choroby serca lub płuc (włącznie z astmą oskrzelową), niedokrwistość sierpowatokrwinkowa, cukrzyca, zakażenie HIV i inne stany osłabiające odporność dziecka.

Okres zakaźności Osoba chora na grypę może zarażać innych w okresie od jednego dnia przed do siedmiu dni po wystąpieniu objawów.

Powikłania Do najczęstszych powikłań u dzieci należy zapalenie płuc wywołane przez samego wirusa grypy lub wtórne zakażenie bakteryjne oraz zapalenie ucha środkowego. Rzadkim, ale potencjalnie groźnym powikłaniem jest zapalenie mięśnia sercowego, a także zespół Reye'a.

Choroba Kawasakiego

Przyczyna Dokładna przyczyna choroby pozostaje nadal nieznana. Istnieje jednak silne podejrzenie, że dochodzi do niej na podłożu zakażenia, ponieważ (a) objawy obejmują gorączkę, wysypkę, zapalenie spojówek i powiększenie węzłów chłonnych; (b) chorują wyłącznie niemowlęta i małe dzieci, co wskazywałoby na uodpornienie się dorosłych; oraz (c) choroba występuje w postaci okresowych epidemii, tak jakby czynnik patogenny przenosił się z człowieka na człowieka. Choroba Kawasakiego dotyka głównie dzieci w wieku poniżej 5 lat, ze szczytem zapadalności między 18 a 24 miesiącem życia, częściej chłopców niż dziewczynki i częściej dzieci pochodzenia azjatyckiego niż należące do innych ras. Główne zagrożenie dla zdrowia dziecka wiąże się z efektami kardiologicznymi choroby, która wywołuje zapalenie tętnic wieńcowych (doprowadzających krew do serca) i innych naczyń. U 20–25% nie leczonych dzieci dochodzi do powstania tętniaków (balonowatych rozszerzeń) tętnic wieńcowych. W rzadkich przypadkach w zmienionych naczyniach wieńcowych tworzą się zakrzepy krwi, co może być przyczyną nagłej śmierci w mechanizmie identycznym z zawałem serca u dorosłych.

Objawy Choroba Kawasakiego charakteryzuje się gorączką, dochodzącą zwykle do 40°C lub nawet powyżej i utrzymującą się przez co najmniej 5 dni. W ciągu kilku dni od skoku gorączki dołączają się niektóre lub wszystkie spośród takich objawów, jak zaczerwienienie („nastrzyknięcie" krwią) spojówek i gałek ocznych; zaczerwienienie i podrażnienie błony śluzowej jamy ustnej, języka i gardła oraz zaczerwienienie i spieczenie warg; rozlana na całym ciele czerwona, plamista wysypka; obrzęk rąk i stóp z zaczerwienieniem ich powierzchni dłoniowych i podeszwowych oraz powiększenie węzłów chłonnych, zwykle po jednej stronie szyi. Często występuje również drażliwość, brak apetytu, bóle brzucha, nudności i wymioty. W ostrej fazie choroby możliwe jest również łuszczenie się skóry palców rąk i stóp oraz pachwin.

Sposób rozprzestrzeniania się Mimo że nadal nie do końca wiadomo, czy jest to choroba zakaźna, większe ryzyko dotyczy rodzeństwa chorego dziecka niż innych dzieci.

Okres wylęgania Nie jest znany.

Czas trwania objawów W przypadkach nieleczonych gorączka utrzymuje się przez około 12 dni. Przez 2–3 tygodnie dziecko może okazywać rozdrażnienie i brak apetytu.

Kiedy dzwonić do lekarza Skontaktuj się z lekarzem w każdym przypadku długo utrzymującej się wysokiej gorączki u niemowlęcia lub małego dziecka, zwłaszcza jeśli towarzyszą jej wyżej opisane objawy.

Ustalenie rozpoznania Lekarz podejrzewa chorobę Kawasakiego na podstawie gorączki i innych charakterystycznych objawów ustalanych drogą wywiadu i badania fizykalnego. Nie ma specyficznych testów laboratoryjnych, które mogłyby potwierdzić lub wykluczyć tę chorobę, jednak ogólne badanie krwi może być pomocne przynajmniej o tyle, że pozwala wyeliminować niektóre inne potencjalne przyczyny zespołu objawów. Z uwagi na wyżej opisane ryzyko powikłań sercowo-naczyniowych lekarz, podejrzewając chorobę Kawasakiego, zleca dodatkowo badanie echograficzne (USG) serca, które uwidoczni tętnice wieńcowe i pozwala ocenić ich stan.

Leczenie Podawanie wysokich dawek aspiryny i dożylnych immunoglobulin, rozpoczęte w ciągu 10 dni od wystąpienia objawów, zmniejsza ryzyko powikłań naczyniowych i może również skrócić czas trwania choroby. W miarę opadania gorączki dawki aspiryny są stopniowo zmniejszane, ale kontynuuje się je przez 6–8 tygodni, aby zapobiec powstawaniu skrzepów krwi w naczyniach wieńcowych. W razie stwierdzenia obecności tętniaka(-ów) dziecko musi przewlekle przyjmować niskie, profilaktyczne dawki aspiryny.

Leczenie domowe W ostrej fazie choroby musisz zwracać uwagę na właściwe pojenie dziecka, aby zapobiec odwodnieniu, któremu sprzyja wysoka gorączka, brak apetytu i dolegliwości w obrębie jamy ustnej i gardła. Aspirynę podawaj dziecku wyłącznie na zlecenie i w dawkach ustalonych przez lekarza.

Zapobieganie Sposoby zapobiegania chorobie Kawasakiego nie są znane.

Okres zakaźności Nie ma konieczności izolowania dziecka z racji wyżej wspomnianych niejasności co do natury choroby.

Powikłania W razie większych powikłań kardiologicznych dzieci mogą wymagać leczenia niewydolności krążenia lub zaburzeń rytmu serca. Kontrolne badanie echograficzne wykonuje się u wszystkich dzieci w okresie 6–8 tygodni od wystąpienia pierwszych objawów choroby. Ma ona na celu wykrycie ewentualnych zmian i tętniaków tętnic wieńcowych. Jeśli zostaną one stwierdzone, dziecko musi pozostać pod stałą opieką kardiologa, który może zalecić dodatkowe leki zmniejszające gęstość krwi, a tym samym ryzyko zakrzepów. Na chwilę obecną nie wiadomo, czy przebycie choroby Kawasakiego w dzieciństwie zwiększa ryzyko choroby niedokrwiennej i zawału serca w wieku dorosłym.

Wszawica

Przyczyna Drobne pasożyty – wszy – żyją w ludzkich włosach, żywią się wyssaną ze skóry krwią i składają tam jaja zwane gnidami. Wesz głowowa, *Pediculus humanus capitis*, jest najczęstszym gatunkiem atakującym dzieci, zwłaszcza w zagęszczonych zbiorowiskach, jak żłobki, przedszkola czy szkoły. Wszą łonową, *Phthirus pubis*, zakażają się głównie nastolatki i młodzi dorośli poprzez kontakty seksualne.

Objawy Głównym objawem jest świąd skóry owłosionej głowy lub okolicy narządów płciowych.

Sposób rozprzestrzeniania się Wszy przenoszą się z człowieka na człowieka poprzez ubrania, pościel, grzebienie, szczotki, nakrycia głowy itp.

Okres wylęgania Dojrzewanie gnid trwa 1–2 tygodnie od ich złożenia; świeżo wyklute wszy muszą w ciągu 24 godzin otrzymać „posiłek" z krwi, bez którego giną.

Czas trwania objawów Leczenie w postaci specjalistycznych szamponów, kremów czy roztworów likwiduje zakażenie natychmiast, jednak świąd może utrzymywać się jeszcze przez około 5 dni.

Kiedy dzwonić do lekarza Zasięgnij porady lekarza, jeśli dziecko nieustannie drapie się po głowie lub skarży na świąd. Skontaktuj się również z personelem placówki, do której uczęszcza twoje dziecko, i sprawdź, czy nie było w niej innych przypadków wszawicy.

Ustalenie rozpoznania Musisz dokładnie obejrzeć głowę dziecka, włącznie z karkiem i okolicą za uszami. Zrób to przy mocnym świetle i z użyciem lusterka powiększającego. Wszy głowowe mają wielkość około 2,5 mm, a łonowe są jeszcze mniejsze i mierzą około 1 mm. Na skórze między włosami wszy wyglądają jak czarne lub szare ruchome punkciki. Gnidy przypominają białe ziarenka przyklejone do włosów w pobliżu ich nasady.

Leczenie domowe Lekiem z wyboru jest permetryna (Nix) zawarta w szamponie, kremie lub roztworze. Preparat należy zastosować dokładnie według przepisu, a następnie powtórzyć kurację po 7–10 dniach. Leczenie musi objąć wszystkich domowników w tym samym czasie. Gnidy można wyczesać gęstym grzebieniem zmoczonym w roztworze wody z octem w stosunku 1:1. Ubrania i pościel muszą być wyprane w bardzo gorącej wodzie lub chemicznie. Najlepiej wyrzucić dotychczasowe szczotki do włosów i grzebienie, ewentualnie można pokryć je na 15 minut środkiem zabijającym wszy, a następnie zanurzyć we wrzątku. Wszystkie przybory nie nadające się do czyszczenia w powyższy sposób nie powinny być używane wcześniej niż po 2-tygodniowym przechowywaniu w zamkniętych zgrzewem torebkach foliowych.

Zapobieganie Twoje dziecko nie powinno dzielić z innymi grzebieni, szczotek i ręczników, ani przymierzać cudzych nakryć głowy. Jeśli mimo leczenia dziecko ma nadal objawy wszawicy, najprawdopodobniej zostało powtórnie zakażone przez kogoś, z kim pozostaje w stałym kontakcie, albo też gnidy przetrwały w jego ubraniu lub pościeli.

Borelioza (choroba z Lyme)

Przyczyna Czynnikiem etiologicznym boreliozy jest bakteria *Borrelia burgdorfreni*.

Objawy U części zakażonych może nie być widocznych objawów. Częstym, ale nie zawsze obecnym wczesnym objawem zakażenia jest tak zwany rumień wędrujący (*erythema chronicum migrans*), czyli charakterystyczna wysypka w postaci czerwonych punktów centralnych na jasnym tle, otoczonych czerwoną obwódką. Często występują również objawy grypopodobne, takie jak gorączka, osłabienie, bóle głowy, pobolewania mięśni i stawów. W późniejszym okresie (zwykle po kilku tygodniach lub miesiącach) u dziecka może rozwinąć się zapalenie jednego stawu, głównie kolanowego. Do innych częstych objawów tej fazy należy wysypka, bóle głowy, osłabienie, powiększenie węzłów chłonnych, uczucie sztywności stawów i szyi, ból gardła, nadwrażliwość oczu na światło, porażenie nerwu twarzowego (z reguły jednostronne), mrowienie i drętwienie rąk i stóp, niemiarowość serca i niewielka gorączka. Późna faza choroby z Lyme może objawiać się drętwieniem kończyn, zapaleniem stawów, głównie kończyn górnych i dolnych oraz zaburzeniami neurologicznymi, również w postaci osłabienia pamięci i trudności w koncentracji.

Sposób rozprzestrzeniania się Doniesienia o zachorowaniach na boreliozę pochodzą z 49 stanów amerykańskich, głównie północno-wschodnich, górnej części pasa centralnego i północnej Kalifornii. Bakterie są przenoszone przez kleszcze,

pajęczaki wielkości ziarna sezamu lub prosa. Kleszcze „pobierają" bakterie z zakażonych zwierząt, na przykład myszy, a następnie, wczepiając się w skórę człowieka, przekazują je do krwioobiegu. Kleszcze wykazują największą aktywność w okresie od wiosny do późnej jesieni.

Okres wylęgania Do zakażenia dochodzi w ciągu 24–72 godzin od kontaktu kleszcza z ludzką skórą. Objawy ujawniają się zwykle w ciągu tygodnia od zakażenia, ale niekiedy nawet po miesiącu czy wręcz wcale.

Czas trwania objawów W przypadkach nieleczonych łagodne objawy fazy wczesnej ustępują stopniowo w okresie kilku tygodni, jednak u niektórych osób mogą pojawić się ponownie, nawet po wielu miesiącach. Wczesne leczenie sprawia, że większość dzieci wraca do zdrowia szybko, całkowicie i bez nawrotów.

Kiedy dzwonić do lekarza Skontaktuj się z lekarzem, jeśli zauważysz wysypkę typu rumienia wędrującego lub inne objawy, na przykład powiększenie węzłów chłonnych w pobliżu miejsca ukąszenia, uogólnione pobolewania, bóle głowy, bóle gardła czy gorączkę. Jeśli znajdziesz kleszcza i usuniesz go ze skóry dziecka, zapytaj lekarza, czy powinnaś zachować go do identyfikacji.

Ustalenie rozpoznania Rozpoznanie ustala się na podstawie charakterystycznej wysypki w postaci rumienia wędrującego. Jeśli nie ma wysypki, a za to występują inne objawy sugerujące boreliozę, można wykonać badania serologiczne krwi na obecność przeciwciał przeciwko odpowiedzialnej za chorobę bakterii. Testy te potwierdzają jednak tylko fakt kontaktu, który mógł mieć miejsce wcześniej, w niektórych przypadkach nawet wiele lat temu, tak więc wynik dodatni nie musi oznaczać świeżego zakażenia. W takich sytuacjach, przy braku innych objawów, lekarze nie zawsze decydują się na antybiotyki.

Leczenie We wczesnej fazie boreliozy podaje się antybiotyki doustnie przez okres 3–4 tygodni. W fazach późniejszych można zastosować przedłużone leczenie antybiotykami podawanymi doustnie bądź dożylnie.

Zapobieganie Kleszcze gnieżdżą się na terenach cienistych, wilgotnych, trawiastych, pełnych krzewów i rozłożystych, niskich drzew. Spotyka się je również na trawnikach i w ogrodach, szczególnie na obrzeżach lasów. Idąc na wycieczkę w takie okolice, dziecko musi mieć na sobie kryte buty, długie spodnie i długie rękawy. Wsuń nogawki spodni pod skarpetki. Wybieraj ubrania o jasnej, jednolitej kolorystyce, tak aby łatwiej można było dostrzec na nich kleszcza. U starszych dzieci, ale nigdy u niemowląt, możesz jednak w „oszczędnym zakresie" zastosować środki odstraszające owady. Po powrocie musisz zrobić dokładne oględziny siebie samej, dziecka i ewentualnie towarzyszącego wam psa w poszukiwaniu kleszcza. Wypierz wszystko, co mieliście na sobie, i wykąp dziecko włącznie z myciem głowy. Jeśli odkryjesz kleszcza, musisz mocno chwycić go kleszczykami i wyciągnąć zdecydowanym ruchem. Zadzwoń do lekarza z zapytaniem, czy masz zachować zdobycz do identyfikacji (na przykład w słoiku ze spirytusem). Szczepionka przeciwko boreliozie, dostępna dla starszych nastolatków i dorosłych, mimo aktualnie prowadzonych testów nie została jak dotąd zatwierdzona do stosowania u dzieci poniżej 15 lat.

Okres zakaźności Zakażenie boreliozą nie przenosi się z człowieka na człowieka.

Powikłania Większości objawów późnych faz choroby dałoby się uniknąć, gdyby zakażenie zostało odpowiednio wcześnie wykryte i wyleczone. Nie wiadomo dokładnie, u jak wielu dzieci dochodzi do rozwoju tych późnych faz, jednak przypadki takie są raczej uważane za rzadkie.

Odra (rubeola)

Przyczyna Chorobę wywołuje wirus odry, należący do wirusów oddechowych.

Objawy Pierwsze objawy trwają zwykle przez 3–4 dni, są to: katar, zaczerwienienie oczu i nadwrażliwość na światło, suchy kaszel i gorączka, która może nawet przekroczyć 40°C. Po wstępnym okresie pojawia się wysypka w postaci dużych, płaskich, plamistych wykwitów czerwonych lub brązowawych, natomiast inne objawy poza kaszlem z reguły ustępują. Wysypka typowo zaczyna się na czole i w ciągu 3 dni stopniowo schodzi w dół. Często na błonie śluzowej policzków pojawiają się również niewielkie, nieregularne czerwone wykwity z charakterystycznym niebieskobiałym środkiem, zwane plamkami Koplika.

Sposób rozprzestrzeniania się Wirus odry szerzy się drogą kropelkową poprzez wydzielinę z nosa i jamy ustnej.

Okres wylęgania Od zetknięcia się z wirusem do wystąpienia objawów upływa 9–12 dni.

Czas trwania objawów Choroba trwa zwykle od 10 do 14 dni od momentu wystąpienia pierwszych objawów. Dzieci mogą zazwyczaj bezpiecznie wrócić do szkoły czy przedszkola w 7–10 dni po ustąpieniu gorączki i wysypki.

Kiedy dzwonić do lekarza Skontaktuj się z lekarzem w razie jakichkolwiek objawów czy podejrzenia odry, a także w razie kontaktu z odrą niemowlęcia lub dziecka o osłabionej odporności. Gdy rozpoznanie odry jest już pewne, dzwoń do lekarza w przypadku wzrostu gorączki powyżej 39,5°C lub skarg na ból ucha, który może być sygnałem bakteryjnego zapalenia ucha. Zachowaj też czujność co do objawów zapalenia płuc, takich jak trudności w oddychaniu, kaszel z odkrztuszaniem śluzowej wydzieliny o zmienionej barwie lub sinica warg i paznokci. Szukaj pilnej pomocy medycznej w razie silnych bólów głowy, sztywności karku, drgawek, zaburzeń lub utraty przytomności.

Ustalenie rozpoznania Odrę rozpoznaje się zazwyczaj empirycznie na podstawie danych z wywiadu i charakterystycznych objawów stwierdzanych w badaniu fizykalnym.

Leczenie Odra jest chorobą wirusową, w związku z czym nie wymaga antybiotyków poza przypadkami dodatkowych powikłań bakteryjnych.

Leczenie domowe W celu obniżenia gorączki możesz podać dziecku paracetamol. **Nie** stosuj aspiryny, która u dzieci ma związek z rzadkim, lecz groźnym dla życia zespołem Reye'a. Zapewnij dziecku odpoczynek i dużo płynów. Użyj nawilżacza powietrza, aby złagodzić obrzęk nosa i inne objawy ze strony górnych dróg oddechowych; czyść urządzenie codziennie, żeby nie stało się siedliskiem bakterii i pleśni.

Zapobieganie Obecnie dzieci szczepi się przeciwko odrze, zwykle w skojarzeniu ze szczepieniem przeciwko śwince i różyczce (szczepionką MMR). Szczepionkę podaje się między 12 a 15 miesiącem życia, a następnie w dawce przypominającej w wieku 5–6 lub 11–12 lat. Z reguły nie szczepi się dzieci poniżej 12 miesięcy, chyba że wystąpi epidemia odry. Szczepionka jest przeciwwskazana u kobiet w ciąży oraz u osób z osłabionym układem odpornościowym, a także u osób z bardzo silnymi reakcjami alergicznymi na jaja kurze lub antybiotyk neomycynę (więcej informacji na ten temat znajdziesz w części poświęconej alergiom w rozdziale 32, „Problemy zdrowotne okresu wczesnego dzieciństwa"). Niemowlęta, kobiety ciężarne i osoby z przeciwwskazaniami do szczepionki mogą otrzymać gamma-globulinę w charakterze ochrony przed zachorowaniem w ciągu sześciu dni od kontaktu z wirusem odry.

Okres zakaźności Dzieci są zakaźne dla otoczenia w okresie od 1–2 dni przed wystąpieniem pierwszych objawów do czterech dni po pojawieniu się wysypki.

Powikłania Odra może prowadzić do takich powikłań jak krup, zapalenie spojówek, zapalenie mięśnia sercowego lub zapalenie mózgu. Dzieci chore na odrę są również podatniejsze na zapalenie ucha środkowego i bakteryjne zapalenie płuc.

Zapalenie opon mózgowo-rdzeniowych (*meningitis*)

Przyczyna Zapalenie opon okrywających mózg i rdzeń kręgowy mogą wywoływać bakterie, wirusy, grzyby lub pasożyty, które przedostaną się z krwi do płynu mózgowo-rdzeniowego. Do najczęstszych bakteryjnych czynników etiologicznych u dzieci należy *Streptococcus pneumoniae*, *Neisseria meningitidis* oraz *Haemophilus influenzae* typu B, natomiast wśród wirusów pierwsze miejsce zajmują enterowirusy. Zakażenia bakteryjne są z zasady cięższe niż wirusowe i uważa się je za potencjalnie zagrażające życiu dziecka.

Objawy Zapalenie opon mózgowo-rdzeniowych może objawiać się gorączką, silnymi bólami głowy, sztywnością karku, nudnościami, wymiotami, rozdrażnieniem, nadwrażliwością na światło, drgawkami, wysypką lub wybroczynami podobnymi do siniaków, wzmożonym napięciem (uwypukleniem) ciemiączka u niemowląt, splątaniem i śpiączką (stanem nieprzytomności).

Sposób rozprzestrzeniania się Bakterie i wirusy rozprzestrzeniają się najczęściej przez kontakt z zakażonym kałem lub drogą kropelkową przez obecne w powietrzu cząstki wydzieliny z nosa i gardła osoby zakażonej. Typowym punktem wyjścia zakażenia jest układ oddechowy, ale mogą nim być również inne narządy, takie jak zastawki serca, kości, ucho, nos lub zęby.

Okres wylęgania Odstęp między zakażeniem a wystąpieniem objawów zależy od przyczyny wywołującej. Jeśli są nią enterowirusy, wynosi on 3–6 dni; w przypadku innych wirusów zawiera się w przedziale od 4 do 21 dni. Z chwilą dotarcia zakażenia do płynu mózgowo-rdzeniowego objawy pojawiają się zwykle szybko.

Czas trwania objawów Również i to zależy od czynnika etiologicznego. Licząc od momentu rozpoczęcia leczenia, gorączka w przebiegu zapalenia bakteryjnego normalizuje się zwykle w ciągu 5–7 dni, jednak u 10% chorych dzieci trwa ponad 10 dni. Zakażenia wirusowe mają z reguły łagodniejszy przebieg, a objawy ustępują w ciągu kilku dni.

Kiedy dzwonić do lekarza Natychmiast wzywaj lekarza w razie wystąpienia u dziecka któregoś z następujących objawów: uporczywych wymiotów, silnych bólów głowy, sztywności karku, letargu lub splątania, wysypki lub gorączki. U niemowlęcia zwracaj uwagę na stopień napięcia ciemiączka (czy nie wystaje ponad poziom czaszki), rozdrażnienie, niechęć do ssania i letarg. Zasięgnij porady lekarza, jeśli twoje dziecko miało kontakt z kimś chorym na zapalenie opon mózgowo-rdzeniowych.

Ustalenie rozpoznania Chorobę rozpoznaje się na podstawie badania płynu mózgowo-rdzeniowego, pobranego drogą nakłucia lędźwiowego (punkcji). Z reguły wykonuje się również badania laboratoryjne krwi i moczu.

Leczenie Dziecko przyjmuje się do szpitala i kładzie w izolatce. Antybiotyki i płyny dożylne podaje się często jeszcze przed identyfikacją czynnika patogennego. Jeśli okaże się nim wirus, antybiotyki zostają odstawione i dalsze leczenie polega głównie na środkach przeciwbólowych (jak paracetamol) oraz, w pewnych przypadkach, na nawadnianiu dożylnym. W razie ustalenia bakteryjnego podłoża choroby antybiotyki są konty-

nuowane nawet przez szereg tygodni. W celu zmniejszenia objawów zapalenia stosuje się również kortykosteroidy.

Zapobieganie Szczepionka przeciwko *Haemophilus influenzae* typu B, stosowana u niemowląt począwszy od drugiego miesiąca życia, jest w 70–100% skuteczna w ochronie przed zapaleniem opon mózgowo-rdzeniowych o tej etiologii. Dzieci poniżej drugiego roku życia oraz z osłabionym układem odpornościowym powinny być szczepione przeciwko *Streptococcus pneumoniae*. W razie kontaktu z zapaleniem opon mózgowo-rdzeniowych wywołanym przez niektóre bakterie lekarz może zlecić antybiotyk ryfampicynę w charakterze profilaktyki zakażenia.

Powikłania Ogromna większość dzieci po przebyciu wirusowego zapalenia opon powraca całkowicie do zdrowia. W ciężkich przypadkach możliwe są jednak powikłania w postaci napadów drgawkowych oraz zaburzeń intelektu, motoryki, słuchu, wzroku i psychiki. Jeśli chodzi o zapalenie bakteryjne, śmiertelność u niemowląt (z wyłączeniem okresu noworodkowego) i dzieci waha się od 1% do 8%. Choroba u 10–20% populacji dzieci pozostawia znaczące następstwa neurologiczne i rozwojowe, takie jak głuchota, upośledzenie umysłowe, padaczka, opóźnienia w nauce mowy, osłabienie wzroku i zaburzenia zachowania.

Mięczak zakaźny

Przyczyna Jest to zakażenie skóry wywołane przez nieszkodliwego wirusa z grupy ospy wietrznej (zwykle typu I).

Objawy Mięczak zakaźny polega na pojawieniu się małych (2–5 mm średnicy), kopułowatych w kształcie pęcherzyków, gładkich, o cielistej barwie i lekko połyskliwych. Zmiany są nieszkodliwe, dotyczą wyłącznie skóry i przypominają brodawki (którymi jednak nie są). Zakażenie występuje głównie wśród dzieci w wieku szkolnym. Pęcherzyki mają tendencję do tworzenia niedużych skupisk (do 10) w jednej okolicy ciała, najczęściej na twarzy, szyi, rękach i podudziach. Nie powodują dolegliwości poza nieznacznym swędzeniem. Czasami zmiany przenoszą się w inną okolicę, na zasadzie tzw. autoinokulacji, czyli samozaszczepiania się przez drapanie. Umiejscowione na twarzy lub szyi mogą stwarzać problemy natury estetycznej. U dzieci z wypryskiem lub osłabieniem układu odpornościowego mięczak zakaźny może szerzyć się na większe partie ciała.

Okres wylęgania Objawy pojawiają się około 4–8 tygodni od zakażenia.

Czas trwania objawów Pęcherzyki utrzymują się typowo przez 6–12 miesięcy, niekiedy dłużej, jednak z reguły pozostają ograniczone do jednego miejsca na ciele dziecka.

Kiedy dzwonić do lekarza Skontaktuj się z lekarzem, jeśli masz wrażenie, że pęcherzyków szybko przybywa, jeśli są rozgrzane, zaczerwienione, bolesne lub sączące (choć zdarza się to rzadko, możliwe jest wtórne zakażenie zmian przez bakterie, zwłaszcza jeśli dziecko się drapie).

Ustalenie rozpoznania Zakażenie rozpoznaje się na podstawie typowych zmian skórnych.

Leczenie Pęcherzyki znikają samoistnie, jednak z reguły potrzebują na to dużo czasu – od 6 miesięcy do roku. Czasami wskazane bywa leczenie chemiczne lub chirurgiczne (zeskrobywanie, laser lub przyżeganie), które może co prawda pozostawić niewielką bliznę, ale usuwa zmiany radykalnie i zapobiega – w niektórych przypadkach – ich rozprzestrzenianiu się. Decyzja o tych czy innych sposobach leczenia, najkorzystniejszych dla twojego dziecka, należy do lekarza.

Leczenie domowe Nie ma domowych sposobów, które przyspieszałyby znikanie mięczaka zakaźnego. Staraj się powstrzymać dziecko od rozdrapywania czy przekłuwania pęcherzyków (pomocne może być ukrycie ich pod plastrem samoprzylepnym) i dbaj, by miało krótko obcięte paznokcie. Pozwala to zapobiec autoinokulacji i wtórnemu zakażeniu zmian.

Okres zakaźności Uważa się, że pacjent z mięczakiem zakaźnym jest tylko w niewielkim stopniu zaraźliwy dla otoczenia. Nie ma więc potrzeby izolacji dziecka i może ono normalnie chodzić do przedszkola czy szkoły.

Mononukleoza zakaźna

Przyczyna W ponad 90% przypadków mononukleozy czynnikiem wywołującym jest wirus Epsteina-Barr (EBV) należący do herpeswirusów, a w pozostałych 5–10% mogą nim być inne wirusy, takie jak cytomegalowirus, adenowirus, wirus zapalenia wątroby, HIV i prawdopodobnie wirus różyczki, jak również pierwotniak *Toxoplasma gondii*. Badania wykazują, że większość ludzi przechodzi w różnych okresach życia jakąś formę zakażenia EBV, jednak bez jakichkolwiek objawów.

Objawy Do klasycznych objawów mononukleozy zakaźnej należy osłabienie, gorączka, ból gardła, powiększenie węzłów chłonnych (zwykle szyjnych i pachowych oraz migdałków i innych skupisk tkanki limfoidalnej w obrębie gardła, utrata apetytu, powiększenie śledziony (narządu położonego w lewym górnym kwadrancie brzucha i uczestniczącego w produkcji krwinek i przeciwciał oraz w filtracji krwi) w 50% przypadków, a w 10% powiększenie wątroby. Możliwe są również nudności, żółtaczka, bóle w okolicy serca i trudności w oddychaniu. U niektórych dzieci, a zwłaszcza tych, które z powodu wymienionych objawów otrzymały antybiotyk ampicylinę lub amoksycylinę, występuje szeroko rozlana, różowa wysypka. Nie jest znana przyczyna tej korelacji. U młodszych dzieci zakażenie może przebiegać bezobjawowo lub z niespecyficznymi objawami w postaci gorączki, osłabienia czy braku apetytu.

Sposób rozprzestrzeniania się Chorobą można zarazić się przez ślinę zakażonej osoby, a więc na przykład przez pocałunek.

Okres wylęgania Wynosi on od 30 do 50 dni.

Czas trwania objawów Objawy utrzymują się typowo przez 2–4 tygodnie.

Kiedy dzwonić do lekarza Jeśli stwierdzisz u dziecka kombinację osłabienia, gorączki, bólu gardła i powiększenia węzłów chłonnych.

Ustalenie rozpoznania Lekarz rozpoznaje mononukleozę zakaźną na podstawie wywiadu i badania dziecka, może również zlecić badania krwi pod kątem zakażenia EBV.

Leczenie Nie ma specyficznego leczenia przeciwwirusowego. W leczeniu niektórych powikłań, takich jak znaczne powiększenie migdałków i związane z nim trudności w połykaniu czy oddychaniu, stosuje się kortykosteroidy.

Leczenie domowe W złagodzeniu objawów pomaga leżenie w łóżku i leki przeciwbólowe/przeciwgorączkowe, takie jak paracetamol czy ibuprofen. **Nie** podawaj dziecku aspiryny, która u dzieci kojarzy się z wystąpieniem zespołu Reye'a, choroby rzadkiej, lecz potencjalnie groźnej dla życia. Gdy tylko dziecko poczuje się lepiej, może stopniowo powracać do codziennej aktywności. Z powodu ryzyka pęknięcia śledziony powrót do uprawiania jakichkolwiek sportów kontaktowych wymaga zgody lekarza.

Zapobieganie Nie ma szczepionki przeciwko EBV. Dziecko chore na mononukleozę i tak musi

pozostać w domu w okresie trwania objawów, ale nie jest potrzebna jego izolacja ani szczególne środki ostrożności.

Okres zakaźności Istnieją wątpliwości co do czasu, w jakim chory na mononukleozę może zarażać innych, jednak przypuszczalnie okres ten trwa jeszcze co najmniej kilka miesięcy po ustąpieniu objawów.

Powikłania Poważnym powikłaniem jest pęknięcie śledziony, jednak występuje ono bardzo rzadko, jedynie w 0,2% przypadków. Do rzadkości należą również powikłania hematologiczne (niedokrwistość hemolityczna, czyli obniżenie liczby krwinek czerwonych z powodu ich wzmożonego rozpadu), neurologiczne (zapalenie opon mózgowo-rdzeniowych, zapalenie mózgu oraz zespół Guillaina-Barrégo, polegający na porażeniach nerwów), a także zapalenie mięśnia sercowego.

Świnka (nagminne zapalenie ślinianek)

Przyczyna Chorobę wywołuje wirus świnki.

Objawy Świnka objawia się bólem i obrzękiem jednej lub obu ślinianek przyusznych, największych z trzech par gruczołów produkujących ślinę, położonych obustronnie do tyłu od policzków, między kością szczękową a uchem. Powiększenie ślinianki(-ek) osiąga swoje maksimum w ciągu 1–3 dni od początku objawów i sprawia, że płatki uszu przesuwają się do góry i na zewnątrz (stąd nazwa choroby). Dziecko może odczuwać ból przy połykaniu, jedzeniu i piciu. Czasami, ale nie zawsze, występuje niewielka gorączka, bóle głowy i brak apetytu. Obrzęk może dotyczyć również innych ślinianek, to znaczy podżuchwowych i podjęzykowych. W 25–30% przypadków objawy są tak łagodne, że mogą ujść uwadze rodziców i lekarzy. Choroba występuje częściej późną zimą i wiosną, jednak od czasu wprowadzenia szczepień ochronnych liczba zachorowań spadła.

Sposób rozprzestrzeniania się Świnka szerzy się przez kontakt z zakażoną wydzieliną dróg oddechowych, śliną i przypuszczalnie również z moczem.

Okres wylęgania Objawy ujawniają się w ciągu 14–24 dni od zakażenia, najczęściej po 17–18 dniach.

Czas trwania objawów Objawy świnki trwają zwykle 10–12 dni. Ślinianki przyuszne powracają do normalnej wielkości w ciągu około tygodnia.

Kiedy dzwonić do lekarza Obrzęk w okolicy uszu nasuwający podejrzenie świnki wymaga zawsze kontaktu z lekarzem – głównie z powodu konieczności wyeliminowania innych możliwych przyczyn. Dzwoń do lekarza również w razie oznak powikłań świnki, takich jak obrzęk jąder u chłopców lub bóle brzucha. Natychmiast wzywaj pomoc medyczną, jeśli u dziecka chorego na świnkę wystąpi którykolwiek z następujących objawów: silne bóle głowy, sztywność karku, drgawki, skrajna senność czy utrata przytomności.

Ustalenie rozpoznania Lekarz rozpoznaje świnkę na podstawie wywiadu i badania fizykalnego dziecka. W razie podejrzenia innej przyczyny obrzęku ślinianki można również wykonać specyficzne badanie krwi potwierdzające lub wykluczające zakażenie wirusem świnki.

Leczenie Nie ma specyficznego leczenia przeciwwirusowego świnki.

Leczenie domowe W celu obniżenia gorączki i złagodzenia bólu można zastosować paracetamol. Nie podawaj dziecku aspiryny, która u dzieci kojarzy się z wystąpieniem zespołu Reye'a – choroby rzadkiej, lecz potencjalnie śmiertelnej. Pomocne mogą być ciepłe lub zimne okłady – zależnie od tego, które przynoszą większą ulgę – na obrzękniętą śliniankę. Pożywienie dziecka chorego na świnkę musi być miękkie w konsystencji, nie wymagające

żucia i łagodne w smaku, bez cierpkich i kwaśnych soków owocowych, które mogą zaostrzać ból. Dbaj, by dziecko wypijało jak najwięcej płynów.

Zapobieganie Szczepionka przeciwko śwince wchodzi w skład skojarzonej szczepionki, która jednocześnie uodparnia dzieci przeciwko odrze i różyczce (MMR, od pierwszych liter angielskich nazw tych trzech chorób). Stosuje się ją między 12. a 15. miesiącem życia, a następnie podaje dawkę przypominającą w wieku 4–6 lub 11–12 lat. Szczepienie jest przeciwwskazane u kobiet w ciąży oraz u osób z osłabionym układem odpornościowym.

Okres zakaźności Dzieci mogą zakażać innych w okresie do 9 dni od pierwszych oznak obrzęku ślinianki.

Powikłania U około 10% dzieci chorych na świnkę rozwija się łagodna postać zapalenia opon mózgowo-rdzeniowych. Średnio raz na 6000 przypadków dochodzi do zapalenia samego mózgu (*encephalitis*), które jest potencjalnie groźne dla życia. U chłopców zdarza się obrzęk jednego lub obu jąder, aczkolwiek rzadko dotyczy to dzieci przed okresem pokwitania. Możliwy jest również obrzęk i zapalenie trzustki. Do innych rzadkich powikłań należy obrzęk tarczycy, zapalenie mięśnia sercowego, głuchota, osłabienie wzroku i zapalenie stawów.

Osteomyelitis (zapalenie kości i szpiku kostnego)

Przyczyna Przyczyną choroby jest najczęściej zakażenie bakteryjne, rzadziej grzybicze. Do głównych czynników etiologicznych należy (w kolejności występowania) gronkowiec złocisty (*Staphylococcus aureus*), paciorkowce (*Streptococcus*) grupy A i grupy B oraz *Haemophilus influenzae* typu B. Czasami, zwłaszcza u dzieci chorych na niedokrwistość sierpowatokrwinkową, może nastąpić inwazja kości bakteriami *Salmonella*.

Objawy Może wystąpić obrzęk i bolesność tkanek miękkich w otoczeniu zajętej kości, a także bóle przy ruchach z jej udziałem. Większość dzieci gorączkuje, jednak *osteomyelitis* jest często trudne do wychwycenia, zwłaszcza u noworodków, które nie muszą mieć gorączki ani sprawiać wrażenia chorych. Ból nasila się zwykle przy ruchach, ale i nie ustępuje w spoczynku, pod wpływem ciepłych okładów czy leków przeciwbólowych.

Sposób rozprzestrzeniania się Do zakażenia może dojść drogą krwi, przeszywającego urazu (np. otwartego złamania kości z przebiciem się jej odłamka przez skórę lub też zranienia innym skażonym przedmiotem) albo w następstwie inwazyjnych zabiegów chirurgicznych. Czasami przyczyną jest proces toczący się w sąsiedztwie, w zatokach, zębach czy dziąsłach, który przez ciągłość przechodzi na kości szczękowe. Często jednak nie udaje się ustalić źródła zakażenia.

Okres wylęgania Zależy on od czynnika patogennego i źródła zakażenia.

Czas trwania objawów Objawy ustępują zwykle w ciągu 5–7 dni od momentu zastosowania antybiotyków.

Kiedy dzwonić do lekarza Skontaktuj się z lekarzem w razie skarg dziecka na bóle kości lub stawów, z gorączką lub bez, w razie obrzęku i zaczerwienienia powyżej bolącej kości lub też jeśli dziecko broni się przed poruszeniem kończyną. Szukaj pilnej pomocy medycznej, jeśli powyższe objawy dotyczą dziecka po przebytym otwartym złamaniu, wypadku czy urazie z otwartą raną.

Ustalenie rozpoznania Do rozpoznania *osteomyelitis* nie wystarcza zwykle sam wywiad i badanie lekarskie; z reguły wykonuje się badania krwi, włącznie z posiewami na obecność bakterii, a także badania obrazowe, takie jak zdjęcie radiologiczne, ultrasonografię (USG), rezonans magnetyczny (MRI) lub scyntygrafię kości. Można również pobrać do badania płyn wysiękowy, pobrany ze zmienionej okolicy.

Leczenie Antybiotyki, które początkowo podaje się często dożylnie, wymagają zwykle kontynuacji przez co najmniej 10–14 dni, a czasem nawet przez 4–6 tygodni. W niektórych przypadkach, zwłaszcza z zajęciem stawu biodrowego lub z udziałem ciała obcego, ognisko zakażenia musi być usunięte chirurgicznie. Dziecko musi leżeć w łóżku, a chora kończyna często wymaga unieruchomienia. Po kilku dniach wskazana bywa fizykoterapia dla zapobieżenia zanikom mięśni i upośledzeniu czynności danego stawu.

Zapobieganie Profilaktyka *osteomyelitis* polega na szybkim wykrywaniu i leczeniu zakażeń biorących początek w innych narządach oraz na właściwym postępowaniu w razie otwartych złamań, wypadków i innych urazów z przerwaniem ciągłości skóry. Dzieci po operacjach kostnych lub wstawianiu protez wymagają ścisłej obserwacji pod kątem objawów ewentualnego zakażenia.

Powikłania W przypadkach szybko rozpoznanych i odpowiednio wcześnie leczonych antybiotykami rokowanie co do całkowitego powrotu do zdrowia jest bardzo dobre. Zaniedbane *osteomyelitis* jest chorobą niebezpieczną, zagrażającą trwałym kalectwem, zwłaszcza u dzieci w okresie wzrostu. Zakażenie w obrębie stawu biodrowego prowadzi do jego trwałego uszkodzenia aż w 25–50% przypadków. Nawroty lub przejście zapalenia kości w stan przewlekły zdarzają się u mniej niż 10% leczonych pacjentów.

Owsica

Przyczyna Zakażenie to należy do tak zwanych robaczyc, czyli chorób wywołanych przez pasożytnicze robaki przewodu pokarmowego. Owsik

(*Enterobius vermicularis*) jest robakiem obłym o długości około 1,25 mm. Potoczne określenie, że dziecko „ma robaki", oznacza zwykle właśnie owsicę.

Objawy Mogą nie występować, ale najczęściej dziecko odczuwa świąd w okolicy odbytu. Świąd nasila się w nocy, kiedy to owsiki migrują na zewnątrz, by złożyć jaja w fałdach skóry.

Sposób rozprzestrzeniania się Mikroskopijne jaja owsików zostają przez dziecko po prostu połknięte. W jelicie cienkim z jaj wykluwają się młode osobniki, które przez kolejne 2–4 tygodnie dojrzewają przyczepione do ściany jelita grubego. Po upływie tego okresu dorosłe samice migrują w okolicę odbytu, by złożyć tam jaja. Jeśli dziecko drapie się z powodu świądu, jaja przechodzą na jego palce, a z nich na wszelkie możliwe powierzchnie, w tym pościel, bieliznę, ręczniki, przybory toaletowe, sztućce, naczynia i jedzenie. Jaja owsików potrafią przeżyć w świecie zewnętrznym od dwóch do trzech tygodni. U dziewczynek owsiki mogą również przedostawać się do pochwy.

Okres inkubacji Od momentu połknięcia jaj do wystąpienia świądu upływają 2–4 tygodnie.

Czas trwania objawów Pojedyncza dawka leku wystarcza zwykle do całkowitej likwidacji zakażenia, a świąd ustępuje w ciągu kilku dni.

Kiedy dzwonić do lekarza Skontaktuj się z lekarzem, jeśli twoje dziecko skarży się na świąd lub wydaje się odczuwać stały dyskomfort w okolicy odbytu/narządów płciowych. Zapytaj również lekarza o możliwość owsicy, jeśli dziecko ma od pewnego czasu niespokojny sen.

Ustalenie rozpoznania Podejrzewając zakażenie owsikami, lekarz poprosi cię zapewne o to, żebyś rano, po przebudzeniu się dziecka, przykleiła na chwilę wokół jego odbytu kawałek taśmy samoprzylepnej. Ten prosty sposób umożliwia pozyskanie jaj owsików i ich identyfikację pod mikroskopem.

Leczenie W leczeniu owsicy stosuje się z dobrym skutkiem kilka leków, takich jak albendazol, mebendazol lub pyrantel, które podaje się w pojedynczej dawce rano na czczo po wypróżnieniu. Musisz dbać o higienę dziecka, o regularne kąpiele i codzienną zmianę bielizny.

Powikłania Zakażenie owsikami nie przynosi dziecku żadnej szkody, jest jednak uciążliwe z powodu świądu i uporczywe, szczególnie w większych skupiskach dzieci. Często zdarza się, że dziecko wielokrotnie zakaża samo siebie, przenosząc jaja z okolicy odbytu do ust i zamykając tym samym „obieg" pasożyta.

Zapalenie płuc (*pneumonia*)

Przyczyna Zapalenie płuc jest terminem ogólnym, obejmującym zakażenia wywołane przez różne czynniki – wirusy, bakterie, grzyby i pasożyty. Dzieci bez przewlekłych problemów zdrowotnych zapadają najczęściej na wirusowe zapalenie płuc, do którego głównych przyczyn należą syncytialne wirusy oddechowe (RSV), wirusy grypy i paragrypy oraz adenowirusy. Wśród bakterii najczęstszymi czynnikami etiologicznymi są z kolei paciorkowce grupy A (*Streptococcus pneumoniae* i *Streptococcus pyogenes*) i gronkowiec złocisty (*Staphylococcus aureus*). Od czasu wprowadzenia szczepionki Hib wyraźnie spadła liczba zachorowań wywołanych przez *Haemophilus influenzae*. Z innych możliwych przyczyn warto wspomnieć o chlamydiach i mikoplazmach, drobnoustrojach zbliżonych do bakterii. *Chlamydia trachomatis* rozprzestrzenia się drogą płciową, ale może również wywołać zapalenie płuc u noworodka zakażonego przez matkę podczas porodu. *Mycoplasma pneumoniae* jest częstą przyczyną zapalenia płuc u starszych dzieci i młodzieży. Np. w Kalifornii i innych południowo-zachodnich regionach Stanów Zjednoczonych obserwuje się zapalenia płuc wywołane przez *Coccidioides immitis*, żyjący w glebie mikroorganizm grzybiczy.

Objawy Objawy zapalenia płuc są zmienne w zależności od wieku dziecka i przyczyny wywołującej. Należą do nich często: gorączka, dreszcze, kaszel, przyspieszenie oddechu, charczące lub świszczące oddychanie, wysiłek przy oddychaniu, widoczny w zaciąganiu przestrzeni międzyżebrowych i rozszerzaniu nozdrzy, wymioty, bóle w klatce piersiowej, bóle brzucha, osłabienie i apatia, utrata apetytu, a w ciężkich przypadkach również zasinienie warg, języka i paznokci.

Sposób rozprzestrzeniania się Wirusy i bakterie szerzą się głównie drogą kropelkową, czyli za pośrednictwem unoszących się w powietrzu cząstek wydzieliny z nosa i gardła. Można zarazić się również przez kontakt z powierzchniami, na jakich osiądą, takimi jak używane przez osobę zakażoną naczynia, ręczniki itp. Często zdarza się, że wirusy lub bakterie nie wywołują zapalenia płuc u dorosłego nosiciela, natomiast ujawniają właściwości chorobotwórcze po przedostaniu się do organizmu dziecka.

Okres wylęgania Czas między zakażeniem a wystąpieniem objawów zapalenia płuc zależy od czynnika patogennego. Dla RSV wynosi on 4–6 dni, dla wirusa grypy – 1–4 dni, a dla mikoplazm – 1–3 tygodnie.

Czas trwania objawów Pod wpływem antybiotykoterapii ostre objawy bakteryjnego zapalenia płuc ustępują w większości przypadków w ciągu pierwszych 24–48 godzin, jednak całkowity powrót do zdrowia może zająć nawet kilka tygodni. Objawy wirusowego zapalenia płuc trwają zwykle o kilka dni dłużej. W mikoplazmatycznym zapaleniu płuc poprawa pod wpływem leczenia antybiotykami następuje po 4–5 dniach.

Kiedy dzwonić do lekarza Skontaktuj się z lekarzem, jeśli zauważysz u dziecka jakiekolwiek objawy wskazujące na zapalenie płuc, a zwłaszcza nienaturalne przyspieszenie oddechu, kaszel, który nie poprawia się, lecz nasila po kilku dniach, gorączkę rzędu 38,3–38,8°C lub zaburzenia oddychania. Natychmiast zawieź dziecko do szpitala, jeśli wydaje przy oddychaniu charczące dźwięki, z wysiłkiem „łapie" powietrze, ma sine wargi lub paznokcie, podsypia lub nie reaguje na bodźce albo oddycha z przerwami dłuższymi niż 15 sekund. Skontaktuj się z lekarzem, jeśli po 48–72 godzinach od zastosowania antybiotyków z powodu zapalenia płuc nie zauważasz oznak poprawy.

Ustalenie rozpoznania Lekarz rozpoznaje zapalenie płuc na podstawie twojej relacji o przebiegu choroby oraz osłuchiwania płuc dziecka słuchawką w poszukiwaniu miejsc osłabionego lub zakłóconego nieprawidłowymi dźwiękami szmeru oddechowego. W razie wątpliwości może również zlecić zdjęcie radiologiczne klatki piersiowej. Czasami wykonuje się również badanie krwi oraz pobiera próbkę plwociny na posiew dla ustalenia czynnika etiologicznego choroby.

Leczenie W ciężkich przypadkach dziecko może wymagać leczenia szpitalnego. Bakteryjne lub mikoplazmatyczne zapalenie płuc leczy się antybiotykami, których wybór zależy od wyhodowanego czy podejrzewanego gatunku patogenu. Antybiotyki nie są skuteczne w zapaleniu płuc wywołanym przez wirusy. Dzieci z wirusowym zapaleniem płuc wracają zwykle do zdrowia samoistnie i wymagają tylko leczenia podtrzymującego w postaci odpowiedniego nawodnienia, leżenia w łóżku i ewentualnie, w razie potrzeby, oddychania tlenem. Jeśli rozpoznanie ustali się w ciągu pierwszych 48 godzin choroby, możliwe jest w pewnych przypadkach podanie leku przeciwwirusowego dla złagodzenia objawów.

Leczenie domowe Dbaj o odpowiednie nawilżenie powietrza w pokoju dziecka i zachęcaj je do obfitego picia, zwłaszcza w razie gorączki. Nie podawaj żadnych leków przeciwkaszlowych bez porozumienia z lekarzem, ponieważ mogą one zakłócać oczyszczanie dróg oddechowych ze śluzowej wydzieliny, a w pewnych przypadkach zapalenia płuc działają wręcz szkodliwie.

Zapobieganie Dzieci poniżej dwóch lat, osłabione czy w jakikolwiek inny sposób narażone na większe ryzyko zapalenia płuc, powinny otrzymać szczepionkę przeciwko *Streptococcus pneumoniae*. Dzieciom z grup podwyższonego ryzyka, na przykład dotkniętym przewlekłymi chorobami serca lub płuc, a tym samym podatniejszym na zapalenie płuc w razie infekcji wirusowej, zaleca się również szczepionkę przeciwko grypie. Rutynowa szczepionka DiTePer chroni dziecko przed bakterią wywołującą koklusz (*pertussis*), która również może być przyczyną zapalenia płuc. Szczepionka Hib, podawana niemowlętom, począwszy od dwóch miesięcy życia, jest w 70–100% skuteczna przeciwko zapaleniu płuc wywołanemu przez *Haemophilus influenzae*. Jeśli ktoś z domowników choruje na zapalenie płuc lub inną infekcję dróg oddechowych, staraj się izolować od niego dziecko i tym bardziej rygorystycznie przestrzegaj zasad higieny w postaci rozdzielenia naczyń, sztućców, ręczników itp. oraz jak najczęstszego mycia rąk.

Okres zakaźności Zależy od czynnika wywołującego.

Powikłania Śmiertelność dzieci z powodu bakteryjnego zapalenia płuc wynosi mniej niż 1%, pod warunkiem leczenia antybiotykami. Niemal wszystkie dzieci z wirusowym zapaleniem płuc wracają do zdrowia bez szczególnego leczenia, aczkolwiek zakażenia RSV mogą być groźne dla niemowląt w pierwszych sześciu tygodniach życia oraz dla dzieci z przewlekłymi chorobami serca lub płuc czy z osłabionym układem odpornościowym.

Wścieklizna

Przyczyna Przyczyną tego śmiertelnego zakażenia układu nerwowego jest wirus wścieklizny (rabdowirus). Choroba szerzy się głównie przez ugryzienia zakażonych zwierząt. Wścieklizna u ludzi należy do wielkiej rzadkości: w Stanach Zjednoczonych od wielu lat nie odnotowano żadnego takiego przypadku.

Objawy Pierwsza faza choroby trwa od dwóch do 10 dni i objawia się gorączką, bólami głowy, bólami mięśniowymi, utratą apetytu, nudnościami, wymiotami, bólem gardła i osłabieniem. Może wystąpić mrowienie i pieczenie wokół rany po ukąszeniu. Druga faza, trwająca od dwóch dni do trzech tygodni, rozpoczyna się gorączką powyżej 40°C. Ponadto mogą wystąpić takie objawy jak rozdrażnienie, pobudzenie ruchowe, splątanie, omamy i urojenia, agresywność, kurcze mięśniowe, drgawki, osłabienie lub paraliż, skrajna nadwrażliwość na światło, dźwięki czy dotyk, wzmożone wydzielanie śliny i łez oraz niezdolność do mówienia z powodu porażenia strun głosowych. W ostatniej fazie występuje podwójne widzenie, nieprawidłowe skurcze mięśni kontrolujących oddychanie i niemożność połykania, która wraz ze wzmożoną produkcją śliny daje obraz piany na ustach.

Sposób rozprzestrzeniania się Wirus wścieklizny przenosi się w ślinie zakażonych zwierząt, które przez ugryzienie przekazują go człowiekowi. W rzadkich przypadkach człowiek może zarazić się również przez kontakt śliny zakażonego zwierzęcia z błoną śluzową jamy ustnej czy powiek lub z uszkodzoną, np. przeciętą skórą. Głównym rezerwuarem wścieklizny np. w Stanach Zjednoczonych są ssaki, takie jak nietoperze, szopy, skunksy i lisy; spotyka się ją również u wilków, kojotów, rysiów i fretek. Mniejsze prawdopodobieństwo zakażenia dotyczy drobnych gryzoni, królików i zajęcy. W Ameryce Środkowej, Południowej i w Europie Wschodniej głównymi nosicielami wścieklizny są psy oraz koty.

Okres wylęgania Wynosi on od 20 do 180 dni, najczęściej 30–60 dni.

Czas trwania objawów Ogromna większość przypadków objawowej wścieklizny u ludzi kończy się śmiercią chorego.

Kiedy dzwonić do lekarza Natychmiast skontaktuj się z lekarzem, jeśli zauważysz u dziecka którykolwiek z wyżej wymienionych objawów, zwłaszcza jeśli wcześniej zostało ono ugryzione przez zwierzę. Dzwoń do lekarza w razie ugryzienia dziecka przez każdego nieznanego psa lub kota, lub też innego zwierzęcia, które mogło mieć wściekliznę. Zasięgnij porady lekarza przed planowaną podróżą do krajów, gdzie możliwy jest kontakt z zakażonymi zwierzętami.

Ustalenie rozpoznania Wściekliznę podejrzewa się na podstawie objawów i informacji o niedawnym kontakcie ze zwierzętami.

Leczenie Nie ma skutecznego lekarstwa na wściekliznę z chwilą wystąpienia objawów. Chory musi być hospitalizowany na oddziale intensywnej terapii dla podtrzymania głównych czynności życiowych. Jednak tylko w sporadycznych przypadkach udaje się utrzymać go przy życiu.

Zapobieganie Jeśli twoje dziecko zostało ugryzione przez zwierzę, dokładnie umyj ranę wodą i mydłem przez 10 minut i zawieź dziecko do lekarza, który dodatkowo oczyści ranę i sprawdzi, kiedy miało ono ostatnie szczepienie przeciwko tężcowi. Bardzo ważna jest identyfikacja zwierzęcia lub odnalezienie jego właściciela i ustalenie, czy zwierzę było szczepione przeciwko wściekliźnie. Możesz zwrócić się w tym celu o pomoc do lokalnej stacji sanitarno-epidemiologicznej lub służb weterynaryjnych. Jeśli lekarz zdecyduje się na leczenie zapobiegające wściekliźnie, dziecko czeka seria głębokich zastrzyków domięśniowych ze szczepionki z ludzkich komórek diploidalnych i jednocześnie z immunoglobuliny odpornościowej. Leczenie jest najskuteczniejsze wtedy, gdy rozpocznie się je niezwłocznie po ukąszeniu (tego samego dnia). Część dawki immunoglobuliny wstrzykuje się zwykle w pobliżu rany. Ucz dziecko, by nie zbliżało się do nieznanych czy bezpańskich zwierząt, nawet psów i kotów, nie dotykało ich ani nie karmiło. Należy informować służby weterynaryjne o wałęsających się zwierzętach, zwłaszcza jeśli zachowują się w dziwny sposób.

Zespół Reye'a

Przyczyna Zespół Reye'a nie jest wywołany bezpośrednio przez bakterię czy wirusa, lecz jest następstwem związanego z zakażeniem uszkodzenia komórek wątroby i mózgu. Niemal we wszystkich przypadkach chorobę poprzedza infekcja wirusowa, głównie ospa wietrzna, grypa czy nieżyt górnych dróg oddechowych. Wydaje się, że z wystąpieniem zespołu Reye'a koreluje zastosowanie salicylanów, takich jak aspiryna, z powodu powyższych chorób wirusowych.

Objawy Początkowo występują zwykle objawy infekcji wirusowej, do których po kilku dniach dołączają się nudności, wymioty, letarg, splątanie i przyspieszenie oddechu. W późniejszej fazie dziecko wpada w śpiączkę z rozszerzonymi źrenicami. Wątroba może być powiększona, ale bez żółtaczki. Nie występuje gorączka.

Sposób rozprzestrzeniania się Sam zespół Reye'a nie jest zakaźny, w przeciwieństwie do chorób wirusowych, na których podłożu może się rozwinąć.

Okres wylęgania Objawy zespołu Reye'a rozwijają się zwykle w 1–14 dni po zakażeniu wirusowym, jednak może to nastąpić nawet z dwumiesięcznym opóźnieniem.

Czas trwania objawów Przy łagodnym przebiegu choroby objawy szybko ustępują, jednak zdarzają się również rzadsze przypadki, prowadzące w ciągu kilku godzin do śmierci dziecka. Progresja objawów może również zatrzymać się samoistnie w dowolnym momencie, z całkowitym wyleczeniem w ciągu 5–10 dni.

Kiedy dzwonić do lekarza Natychmiast skontaktuj się z lekarzem, jeśli w niedługi czas po infekcji wirusowej u dziecka pojawią się nudności, wymioty lub zaburzenia zachowania.

Ustalenie rozpoznania Nie ma specyficznego testu diagnostycznego wykrywającego zespół Reye'a. Wykonuje się zwykle szereg badań, takich jak próby czynnościowe wątroby, tomografię komputerową lub rezonans magnetyczny w razie podejrzenia obrzęku mózgu oraz nakłucie lędźwiowe w celu eliminacji innych przyczyn zaburzeń neurologicznych.

Leczenie Ciężkie przypadki zespołu Reye'a wymagają ścisłego monitorowania na oddziale intensywnej terapii, gdzie stosuje się nawadnianie dożylne i wspomaganie podstawowych czynności życiowych w oczekiwaniu na ustąpienie objawów ze strony mózgu i wątroby.

Zapobieganie W leczeniu ospy wietrznej, grypy czy innych infekcji wirusowych nie powinno się stosować aspiryny ani jakichkolwiek leków zawierających salicylany. Aspiryna jest ogólnie przeciwwskazana u dzieci poniżej 12. roku życia poza szczególnymi przypadkami na wyraźne zlecenie lekarza.

Okres zakaźności Zespół Reye'a nie jest zakaźny jako taki, jednak występuje przede wszystkim zimą, czyli w okresie nasilenia się infekcji wirusowych górnych dróg oddechowych oraz podczas epidemii ospy wietrznej lub grypy typu B.

Powikłania Etiologia i patogeneza choroby pozostają nadal niejasne, jednak liczba zachorowań dramatycznie spadła od czasu jej wyodrębnienia w latach 60-tych, być może wskutek rzadszego stosowania aspiryny w leczeniu infekcji wirusowych u dzieci. Wcześniejsza diagnostyka i intensywne leczenie wspomagające ograniczyły umieralność w tej chorobie do 20–30%. U dzieci, które przeżyły zaawansowane stadia zespołu Reye'a, obserwuje się często zaburzenia neurologiczne.

Gorączka reumatyczna

Przyczyna Na pełnoobjawową gorączkę reumatyczną składa się zapalenie stawów i zapalenie serca z uszkodzeniem zastawek po przebytym zakażeniu paciorkowcami grupy A. Zakażenie to, najczęściej w postaci anginy paciorkowcowej, wyprzedza o 1–3 tygodnie wystąpienie objawów gorączki reumatycznej. Mechanizm jej rozwoju nie jest do końca jasny. Choroba występuje najczęściej w przedziale wiekowym od 5 do 15 lat.

Objawy Do najczęstszych objawów początkowych należą bóle stawowe, gorączka i osłabienie. W okolicy jednego stawu lub kilku może pojawić się bolesność, zaczerwienienie, obrzęk i wzrost ciepłoty skóry. Zajęte bywają głównie nadgarstki, łokcie, kolana i kostki. Zapalenie wszystkich warstw serca (*pancarditis*) może pojawić się w tym samym czasie, ale początkowo może też w ogóle nie być objawów ze strony serca. Osłuchiwanie serca pozwala często wykryć nieprawidłowe dźwięki (szmery) nad poszczególnymi zastawkami, czyli strukturami zapewniającymi przepływ krwi w sercu tylko w jednym kierunku: z przedsionków do komór i z komór do dużych tętnic. Czynność serca może ulec znacznemu przyspieszeniu, a zapalenie otaczającego je worka łącznotkankowego (osierdzia) może powodować ból w klatce piersiowej. Jeśli dojdzie do niewydolności serca, dołączają się takie objawy jak duszność, nudności, wymioty, bóle brzucha i suchy kaszel. Czasami w przebiegu gorączki reumatycznej występuje również pląsawica (niezależne od woli ruchy ciała, często dziwaczne), wysypka i niebolesne guzki podskórne, zwykle na kolanach, łokciach i wzdłuż kręgosłupa.

Sposób rozprzestrzeniania się Sama gorączka reumatyczna nie jest zakaźna w przeciwieństwie do leżącej u jej podłoża infekcji paciorkowcowej.

Okres wylęgania Objawy gorączki reumatycznej ujawniają się zwykle w 1–3 tygodnie po przebyciu zakażenia paciorkowcami grupy A.

Czas trwania objawów Objawy utrzymują się najczęściej przez 1–3 miesiące.

Kiedy dzwonić do lekarza Skontaktuj się z lekarzem, jeśli u dziecka pojawią się bóle lub obrzęk stawów z towarzyszącą gorączką.

Ustalenie rozpoznania Nie ma pojedynczego testu potwierdzającego lub wykluczającego rozpoznanie gorączki reumatycznej. Lekarz będzie poszukiwał śladów przebytej wcześniej infekcji paciorkowcowej, zwykle przez badania krwi i posiew wymazu z gardła. Często wykonuje się też szereg badań serca, takich jak elektrokardiogram (zapis czynności elektrycznej serca), RTG klatki piersiowej dla oceny jego wielkości i echokardiogram (badanie ultradźwiękowe, oceniające budowę i czynność poszczególnych struktur serca).

Leczenie W celu eliminacji wszelkich pozostałości zakażenia paciorkowcowego i zapobiegania następnym podaje się antybiotyki. W leczeniu zapalenia stawów i ochronnie w stosunku do serca stosuje się aspirynę. W razie niewydolności serca dziecko może otrzymać lek moczopędny, przeciwdziałający zatrzymywaniu wody i sodu w organizmie.

Leczenie domowe W razie zajęcia serca dziecko wymaga unieruchomienia w łóżku przez szereg tygodni.

Zapobieganie Decydującą rolę w zapobieganiu gorączce reumatycznej ma staranne leczenie antybiotykami wszelkich zakażeń paciorkowcowych, rozpoczęte nie później niż w ciągu tygodnia od pierwszych objawów. Jeśli u dziecka doszło już do pierwszego rzutu gorączki reumatycznej, antybiotyki stosuje się długotrwale, nawet przez kilka lat, by zapobiec nawrotom i postępującemu uszkodzeniu serca.

Powikłania O gorączce reumatycznej mówi się obrazowo, że „liże stawy i kąsa serce". Najgroźniejszym powikłaniem, do jakiego dochodzi, zwłaszcza w razie powtarzających się rzutów, jest trwałe uszkodzenie jednej lub kilku zastawek serca, czyli nabyte wady zastawkowe i ich następstwa w postaci niewydolności serca. Radykalne leczenie polega wówczas na operacji kardiochirurgicznej z usunięciem i rekonstrukcją zmienionych zastawek.

Grzybica skóry (*tinea cutis*)

Przyczyna Grzybica jest zakażeniem skóry wywołanym przez grzyby zwane dermatofitami, które mogą żyć w obumarłych warstwach naskórka i w okolicy wyrastających ze skóry struktur, takich jak włosy i paznokcie. Do głównych przyczyn różnie umiejscowionych zakażeń grzybiczych należą rodzaje *Trichophyton*, *Epidermophyton* i *Microsporum*. W Stanach Zjednoczonych za 90% przypadków grzybicy skóry owłosionej głowy odpowiada pojedynczy gatunek *Trichophyton tonsurans*.

Objawy Zakażenie ujawnia się początkowo jako okrągłe, zaczerwienione owrzodzenie, które może pojawić się niemal w każdym miejscu na skórze dziecka. W miarę rozwoju dermatofitów rozprzestrzeniają się one we wszystkich kierunkach, co powoduje powiększenie się zmiany. Jej część centralna ulega zwykle samoistnemu wygojeniu, dając charakterystyczny obraz czerwonej obwódki, otaczającej niczym pierścień jaśniejszy obszar środkowy. Owrzodzenie ma często tendencję do złuszczania się i może wywoływać niewielki świąd. W przypadku grzybicy skóry owłosionej głowy dochodzi do uszkodzenia łodygi włosów i ich łamania się, zwykle w pobliżu korzenia, przez co na głowie pojawiają się okrągłe, „wystrzyżone" miejsca. Czasami dochodzi również do zapalenia jednej z okolic skóry owłosionej, z obrzękiem, zaczerwienieniem i sączeniem podobnej do ropy wydzieliny. Tę postać grzybicy skóry określa się jako strupień woszczynowy (*kerion*). W razie zaniechania leczenia może to doprowadzić do trwałej utraty włosów. Zakażenia grzybicze o innym umiejscowieniu nie zawsze muszą dawać obraz charakterystycznych pierścieni – mogą ujawniać się w postaci jednolitych, zaczerwienionych wykwitów skórnych lub też występować mnogo. Z czasem owrzodzenia przysychają i nierzadko pokrywają się strupami. Grzybica atakuje też często palce stóp i przestrzenie między palcami, dając obraz tak zwanej „stopy atlety", a także pachwiny, wywołując świąd. Te ostatnie postacie dotyczą głównie nastolatków i dorosłych.

Sposób rozprzestrzeniania się Źródłem zakażenia grzybiczego może być gleba, zwierzęta lub inni ludzie. Dochodzi do niego przez bezpośredni kontakt albo pośrednio poprzez ubrania czy wspólnie używane przedmioty. Dziecko może zarazić się grzybicą od innego dziecka, jeśli śpi z nim w jednym łóżku. Grzyby bywają obecne na grzebieniach, szczotkach, słuchawkach telefonicznych czy w nakryciach głowy. Do zakażenia mogą usposabiać spinki i klamerki, podrażniające lub eksponujące pewne okolice skóry owłosionej, a także żele do włosów i inne kleiste kosmetyki, sprzyjające rozwojowi dermatofitów. Nawet niewielki uraz skóry z przerwaniem jej ciągłości może stanowić wrota zakażenia grzybiczego.

Okres wylęgania Jest zmienny zależnie od gatunku patogennego.

Czas trwania objawów Poprawa następuje zwykle już po kilku dniach leczenia, jednak należy kontynuować je nawet przez wiele tygodni, by całkowicie wyeliminować organizm patogenny. Nie leczone zakażenie grzybicze może przejść w stan przewlekły.

Kiedy dzwonić do lekarza Skontaktuj się z lekarzem, jeśli zauważysz u dziecka wypadanie włosów, zmiany na skórze podobne do wyżej opisanych lub też złuszczanie się skóry owłosionej mimo stosowania szamponu przeciwłupieżowego. Zadzwoń do lekarza również w razie braku widocznej poprawy w ciągu tygodnia od rozpoczęcia leczenia grzybicy.

Ustalenie rozpoznania Grzybicę rozpoznaje się na podstawie objawów, a konkretny czynnik przyczynowy można zidentyfikować laboratoryjnie, badając zainfekowane włosy lub wyskrobiny ze zmian skórnych.

Leczenie Grzybica skóry owłosionej wymaga zwykle leczenia doustnego. Najczęściej stosowanym antybiotykiem przeciwgrzybiczym jest griseofulvina, podawana przez 8 tygodni, w połączeniu ze specjalnym szamponem zawierającym siarczek selenu. W leczeniu strupienia woszczynowego stosuje się niekiedy kortykosteroidy. W większości przypadków grzybicy o innym umiejscowieniu wystarczające są miejscowe środki, takie jak miconazol lub clotrimazol. Niektóre z nich można nabyć bez recepty, jednak lepiej zasięgnąć przedtem porady lekarza, by wybrać preparat najwłaściwszy dla typu grzybicy u dziecka.

Leczenie domowe Kąp dziecko codziennie, delikatnie usuwając strupki. Przed i po dotknięciu skóry dziecka oraz przed i po rozsmarowaniu na jego skórze leczniczego kremu dokładnie myj ręce w gorącej wodzie z mydłem. Pilnuj, by dziecko nie manipulowało w okolicach zmian, co może spowodować dalszy rozsiew zakażenia lub wtórną infekcję bakteryjną. W razie rozsianych po ciele zmian grzybiczych wskazane jest luźne, przewiewne ubranie.

Zapobieganie Dbaj o czystą i suchą skórę u dziecka, ucz je używać wyłącznie jego własnego grzebienia, szczotki i innych przyborów do włosów oraz nie zakładać cudzych nakryć głowy. Jeśli twój pies czy kot zdradza objawy grzybicy, skontaktuj się z weterynarzem.

Okres zakaźności Dziecko może zarażać innych (lub siebie) tak długo, jak długo utrzymują się zmiany na jego skórze, jednak po rozpoczęciu leczenia nie jest konieczna jego izolacja od innych dzieci w szkole czy przedszkolu. W przypadku grzybicy skóry owłosionej nie potrzeba również golić ani bandażować głowy.

Powikłania Nie leczone zakażenie grzybicze może tlić się miesiącami i latami. Osłabiona i uszkodzona przez grzybicę skóra jest również bardziej podatna na wtórne zakażenia bakteryjne, wymagające leczenia antybiotykami.

Gorączka trzydniowa

Przyczyna Infekcję wywołują dwa rozpowszechnione herpeswirusy: typu 6 i typu 7.

Objawy Początkowo dziecko może mieć łagodne objawy przeziębienia, po czym znienacka pojawia się wysoka gorączka, od 38,5 do nawet 40,5°C. Dzieci z reguły stają się rozdrażnione i tracą apetyt. W 5–10% przypadków mogą wystąpić drgawki gorączkowe (patrz część poświęcona drgawkom w rozdziale 29, „Dolegliwości i objawy"). Czasami zdarza się również katar, ból gardła, bóle brzucha, wymioty i biegunka. Gorączka trwa od 3 do 5 dni i opada równie gwałtownie, jak wcześniej wzrosła. W 12–24 godziny po spadku temperatury na tułowiu dziecka pojawia się drobna, różowa, grudkowa wysypka, która następnie rozprzestrzenia się na twarz, szyję i kończyny, a po 1–3 dniach ustępuje.

Sposób rozprzestrzeniania się W przeciwieństwie do innych popularnych chorób wirusowych wieku dziecięcego gorączka trzydniowa nie wydaje się bardzo zakaźna i rzadko występuje w postaci lokalnych epidemii. Źródłem zakażenia może być wydzielina z nosa i gardła osoby chorej lub bezobjawowego nosiciela wirusa.

Okres wylęgania Wynosi on zwykle 5–15 dni, a najczęściej 10 dni.

Czas trwania objawów Cała infekcja trwa zwykle około tygodnia.

◆

Kiedy dzwonić do lekarza Szukaj pilnej pomocy medycznej, jeśli u dziecka wystąpią drgawki gorączkowe.

Ustalenie rozpoznania Rozpoznanie ustala się na podstawie typowej wysypki, pojawiającej się po spadku gorączki.

Leczenie Nie ma specyficznego leczenia gorączki trzydniowej.

Leczenie domowe W obniżeniu gorączki i poprawie samopoczucia dziecka skuteczny może być paracetamol. **Nie** podawaj dziecku aspiryny, której zastosowanie w banalnych chorobach wirusowych wiąże się z występowaniem rzadkiego, lecz potencjalnie śmiertelnego zespołu Reye'a. Ubieraj dziecko w przewiewne rzeczy i zachęcaj, by jak najwięcej piło.

Zapobieganie Nie ma znanych sposobów zapobiegania gorączce trzydniowej.

Powikłania W ogromnej większości przypadków infekcja ustępuje bez żadnych śladów ani następstw.

Różyczka (*rubella*)

Przyczyna Chorobę wywołuje wirus różyczki.

Objawy Jako pierwsze zaznacza się powiększenie węzłów chłonnych szyi i za uszami. Po około 24 godzinach pojawia się drobna, plamista wysypka, która zaczyna się od twarzy i szybko rozprzestrzenia w dół. Zanim wysypka dojdzie do dolnych partii ciała, z reguły nie ma jej już na twarzy. Poza dyskretnymi plamkami mogą również występować większe obszary rumienia. Zdarza się również niewielki świąd. Dziecko może jednocześnie gorączkować do 38,3–38,9°C przez 1–3 dni, mieć katar lub zatkany nos oraz niewielkie zapalenie spojówek. Czasami objawy różyczki są tak nieznaczne, że przechodzi ona niepostrzeżenie.

Sposób rozprzestrzeniania się Wirus różyczki rozprzestrzenia się drogą kropelkową w unoszących się w powietrzu cząstkach wydzieliny z nosa i gardła zakażonej osoby.

Okres wylęgania Od momentu zakażenia do wystąpienia objawów upływa zwykle 14–21 dni.

Czas trwania objawów Wysypka i gorączka ustępują najczęściej w ciągu trzech dni.

Kiedy dzwonić do lekarza Skontaktuj się z lekarzem, jeśli objawy występujące u twojego dziecka wydają się poważniejsze niż wyżej opisane. Jeśli jesteś w ciąży, a twoje dziecko zachoruje na różyczkę, natychmiast skontaktuj się z ginekologiem-położnikiem.

Ustalenie rozpoznania Różyczkę rozpoznaje się zwykle wyłącznie empirycznie (to znaczy na podstawie objawów), jednak dla potwierdzenia można również wykonać badania serologiczne krwi na obecność przeciwciał przeciwwirusowych.

Leczenie Nie ma specyficznego leczenia różyczki.

Leczenie domowe Dla poprawy samopoczucia i obniżenia gorączki możesz podać dziecku paracetamol. **Nie** podawaj aspiryny z powodu jej możliwej korelacji z groźnym zespołem Reye'a. Kontaktu z chorym na różyczkę muszą unikać kobiety w ciąży (i potencjalnie w ciąży).

Zapobieganie Szczepienie przeciwko różyczce wchodzi w skład potrójnej szczepionki MMR (przeciwko odrze [ang. measles] śwince [ang. mumps] i różyczce [ang. rubella]) podawanej dzieciom między 12 a 15 miesiącem życia, a następnie w dawce przypominającej w wieku 4–6 lub 11–12 lat. Trzeba podkreślić, że różyczka jest chorobą łagodną dla dziecka, a szczepienie wprowadzono po to, by wyeliminować ryzyko zakażenia w okresie ciąży (patrz niżej). Szczepienia nie można wykonywać w czasie ciąży, a po jego otrzymaniu kobieta nie powinna zachodzić w ciążę przez 3 miesiące.

Okres zakaźności Dziecko jest zakaźne dla otoczenia w okresie od tygodnia przed wystąpieniem wysypki do siódmego–ósmego dnia po jej zniknięciu.

Powikłania Różyczka u kobiety ciężarnej może spowodować poronienie lub martwy poród. Jeśli płód przeżyje, grozi mu zahamowanie wzrostu, niedorozwój umysłowy, głuchota oraz wady wrodzone serca, oczu lub mózgu. Uważa się, że podatność na zakażenie wirusem różyczki dotyczy nadal około 10% kobiet w wieku rozrodczym.

Świerzb (*scabies*)

Przyczyna Jest to zakażenie pasożytnicze skóry wywołane przez samice gatunku świerzbowca ludzkiego (*Sarcoptes scabiei*). Roztocza te mają około 0,5 mm długości, cztery pary kończyn i drążą nory w górnej warstwie ludzkiej skóry.

Objawy Głównym objawem zakażenia jest świąd, nasilający się w nocy lub po gorącej kąpieli. Zmiany występują początkowo w postaci swędzących pęcherzy, które pękają pod wpływem drapania. Stopniowo skóra grubieje, łuszczy się i pokrywa linijnymi śladami drapania, które tworzą tak zwane przeczosy. Na powierzchni naskórka widoczne są również często jamy wydrążone przez świerzbowce w postaci krótkich, ciemnych, falistych linii. Zakażenie zajmuje głównie ręce i dłonie, zwłaszcza przestrzenie między palcami, wewnętrzne powierzchnie nadgarstków, zgięcia łokciowe i fałdy pach. W razie masywnej inwazji roztoczy zajęte mogą być również inne okolice ciała, np. narządy płciowe, okolice pępka i pośladki.

Sposób rozprzestrzeniania się Zakażenie świerzbem przenosi się z człowieka na człowieka droga bliskiego kontaktu fizycznego oraz przez wspólne łóżko, pościel, ubrania czy ręczniki.

Okres wylęgania Składanie jaj przez samice roztoczy trwa od czterech do pięciu tygodni. Młode osobniki wykluwają się z jaj w ciągu 3–5 dni i dojrzewają przez 2–3 tygodnie.

Czas trwania objawów Świąd może utrzymywać się jeszcze przez szereg dni czy nawet tygodni po leczeniu.

Kiedy dzwonić do lekarza Skontaktuj się z lekarzem, jeśli zauważysz u dziecka swędzące, uporczywe zmiany, zwłaszcza w okolicach nadgarstków i między palcami i nasilanie się świądu w nocy.

Ustalenie rozpoznania Lekarz może pobrać zeskrobiny skóry do obejrzenia pod mikroskopem.

Leczenie W leczeniu stosuje się krem z permetryną, który należy rozsmarować na skórze od szyi w dół i pozostawić na 10–12 godzin. W razie potrzeby zabieg powtarza się po tygodniu lub dwóch. Leczenie powinno objąć wszystkich członków rodziny.

Leczenie domowe Wszystkie ubrania, pościel, ręczniki itp. muszą być wyprane w gorącej wodzie, a zabawki dziecka dokładnie wymyte.

Zapobieganie Polega na skrupulatnym przestrzeganiu higieny: codziennej kąpieli lub prysznicu, częstym myciu rąk, dbaniu o czystość ubrań, ręczników i pościeli. Ucz dziecko, by nie wymieniało się tymi rzeczami z innymi dziećmi.

Powikłania Długo utrzymujący się świerzb może torować drogę wtórnemu zakażeniu bakteryjnemu uszkodzonej skóry, co wymaga leczenia antybiotykami.

Szkarlatyna (płonica)

Przyczyna Szkarlatynę wywołują paciorkowce (*Streptococcus*) grupy A, produkujące toksynę, która u niektórych osób, ale nie u wszystkich, powoduje wysypkę skórną.

Objawy Choroba zaczyna się dość gwałtownie gorączką, dreszczami, wymiotami, bólami głowy i gardła oraz powiększeniem węzłów chłonnych szyi. Na migdałkach i tylnej ścianie gardła może pojawić się biały nalot lub też białawe bądź żółtawe grudki ropy na czerwonym, rozpulchnionym tle. Język pokrywa się również białym lub żółtawym nalotem, który po kilku dniach ustępuje od koniuszka ku tyłowi, odkrywając żywoczerwoną powierzchnię (tzw. język malinowy). Wysypka złożona z drobnych czerwonych grudek (przypominająca „papier ścierny") pojawia się w 12–48 godzin później, zwykle najpierw na przedramionach, w pachwinach i na szyi, po czym w ciągu jednej doby rozprzestrzenia się na resztę ciała. Zmianom skórnym może towarzyszyć świąd. Czoło i policzki przybierają czerwoną, „płomienną" barwę, a okolica wokół ust pozostaje wyraźnie jaśniejsza. Drugiego dnia choroby gorączka może skokowo wzrosnąć do 39,5–40°C.

Sposób rozprzestrzeniania się Paciorkowce szerzą się przez wydzielinę z nosa i gardła lub przez bezpośredni kontakt z osobą zakażoną lub dotkniętą paciorkowcowym zakażeniem skóry (liszajcem).

Okres wylęgania Od momentu zakażenia do pierwszych objawów upływa zwykle 1–7 dni, najczęściej trzy.

Czas trwania objawów Bez leczenia temperatura ciała normalizuje się w ciągu 5–7 dni, a pod wpływem penicyliny – po 12–24 godzinach. Wysypka zaczyna blednąć i zanikać pod koniec pierwszego tygodnia choroby, ale czasami może trwać nawet do sześciu tygodni.

Kiedy dzwonić do lekarza Skontaktuj się z lekarzem, jeśli u dziecka nagle pojawi się wyżej opisana wysypka, a zwłaszcza jeśli jednocześnie ma ono wysoką gorączkę, ból gardła lub powiększone węzły chłonne.

Ustalenie rozpoznania Można pobrać wymaz z gardła do badania na obecność paciorkowców, ale z reguły do rozpoznania szkarlatyny wystarcza obserwacja wysypki i innych objawów towarzyszących.

Leczenie W leczeniu stosuje się penicylinę przez 10 dni.

Leczenie domowe Z uwagi na zmiany na języku i w gardle dziecko powinno dostawać miękkie pokarmy i jak najwięcej płynów. Starsze dzieci można zachęcić do płukania gardła roztworem wody z solą. Staraj się utrzymywać właściwą wilgotność powietrza w otoczeniu chorego dziecka.

Zapobieganie Dziecko chore na szkarlatynę powinno mieć osobne naczynia i sztućce, osobno przechowywane i myte w gorącej wodzie z mydłem. Sama jak najczęściej myj ręce. Zatrzymaj dziecko w domu co najmniej 24 godziny od rozpoczęcia leczenia antybiotykami i jeszcze 24 godziny od całkowitego ustąpienia gorączki. W 24 godziny po podaniu antybiotyków dzieci z infekcją paciorkowcową przestają być źródłem zakażenia dla otoczenia.

Powikłania Szkarlatyna nie leczona lub niedostatecznie leczona antybiotykami może mieć następstwa w postaci ropni migdałków lub sąsiadujących z nimi węzłów chłonnych. Te same paciorkowce mogą również wywołać zakażenie ucha środkowego lub zatok przynosowych. Po-

dobnie jak angina paciorkowcowa, nie leczona szkarlatyna może być przyczyną gorączki reumatycznej (patrz wyżej w tym rozdziale), choroby zajmującej stawy i potencjalnie groźnej dla serca.

Zapalenie zatok przynosowych (*sinusitis*)

Przyczyna Zapalenie zatok przynosowych (obocznych nosa), czyli powietrznych przestrzeni w kościach czaszki wokół nosa, mogą wywołać te same wirusy, które wywołują przeziębienie, a także bakterie odpowiedzialne za infekcje górnych dróg oddechowych i ucha środkowego: *Streptococcus pneumoniae*, *Moraxella catarrhalis* i *Haemophilus influenzae*. W zakażeniu przewlekłym możliwy jest udział gronkowca złocistego (*Staphylococcus aureus*) lub mieszanych gatunków bakterii.

Objawy Do głównych objawów ostrego zapalenia zatok należy kaszel i katar. Kaszel nasila się często w pozycji leżącej, podczas drzemki czy w porze kładzenia się spać. Wydzielina z nosa może być wodnista lub gęstsza i podbarwiona. Dziecko skarży się zwykle na ból gardła – co jest wynikiem ewakuacji drażniącej wydzieliny przez nozdrza tylne; prycha też i chrząka, by się jej pozbyć. Infekcja wirusowa ustępuje przeważnie w ciągu 10–14 dni. W razie dłuższego utrzymywania się objawów lub pogorszenia należy podejrzewać zakażenie bakteryjne. Rzadziej zdarzają się cięższe postaci zapalenia zatok, z gorączką powyżej 38°C, gęstą śluzową wydzieliną z nosa, bólami głowy i obrzękiem wokół oczu. W przewlekłym zapaleniu zatok kaszel, katar i nieprzyjemnie pachnący oddech utrzymują się przez ponad miesiąc.

Sposób rozprzestrzeniania się Bakterie i wirusy odpowiedzialne za zapalenie zatok rozprzestrzeniają się drogą kropelkową poprzez obecne w powietrzu cząstki wydzieliny z nosa i gardła osoby zakażonej.

Okres wylęgania Jest zmienny w zależności od czynnika przyczynowego.

Czas trwania objawów Ostre zakażenie wirusowe ustępuje samoistnie w ciągu 10–14 dni. W przypadku infekcji bakteryjnej podanie antybiotyków prowadzi do poprawy po kilku dniach, ale na całkowite wyleczenie potrzeba nieraz nawet kilku tygodni.

Kiedy dzwonić do lekarza Skontaktuj się z lekarzem, jeśli „przeziębienie" u dziecka trwa dłużej niż 10–14 dni, jeśli dziecko ma objawy „alergii" nie ustępujące po lekach przeciwalergicznych, jeśli skarży się na bóle głowy lub ucisk nad oczami bądź do tyłu od policzków albo w razie zauważalnego obrzęku twarzy.

Ustalenie rozpoznania Zapalenie zatok rozpoznaje się na podstawie dokładnie zebranego wywiadu na temat czasu trwania objawów, umiejscowienia bólu i charakteru wydzieliny, co pozwala odróżnić zakażenie wirusowe od bakteryjnego, a także wykluczyć inne przyczyny (np. alergie). Pomocne może być również zdjęcie rentgenowskie lub inne badania obrazowe zatok.

Leczenie Nie ma specyficznego leczenia zakażeń wirusowych. W bakteryjnym zapaleniu zatok stosuje się antybiotyki przez 14–21 dni. Leki przeciwobrzękowe mogą złagodzić objawy, ale nie przyspieszają wyzdrowienia. Leki przeciwhistaminowe nie są skuteczne, a nawet mogą działać szkodliwie, prowadząc do zagęszczenia wydzieliny i utrudniając tym samym jej ewakuację.

Leczenie domowe Ciepłe okłady, wyjątkowo paracetamol w dawkach dostosowanych do wieku dziecka mogą pomóc w złagodzeniu bólu i dyskomfortu. Nie podawaj dziecku aspiryny z uwagi na jej możliwą korelację z potencjalnie zagrażającym życiu zespołem Reye'a. U starszych dzieci można spróbować kropli do nosa z soli fizjologicznej, które rozrzedzają wydzielinę i zmniejszają obrzęk górnych dróg oddechowych. Musisz dbać o odpowiednie nawilżenie powietrza w mieszkaniu, co sprzyja lepszej ewakuacji wydzieliny.

Zapobieganie Ucz dziecko zakrywać nos i usta podczas kaszlu i kichania, nie sięgać po łyżkę czy widelec używane przez kogoś innego i nie brać do buzi kanapek czy owoców nadgryzionych przez kolegów. W miesiącach zimowych używaj nawilżacza powietrza, by utrzymać wilgotność w domu na poziomie 45–50%, co zapobiega wysuszaniu błony śluzowej zatok i czyni je mniej podatnymi na infekcje. Nie narażaj dziecka na wdychanie dymu tytoniowego, który drażni drogi oddechowe i poraża rzęski – naturalny mechanizm obrony przed inwazją drobnoustrojów patogennych.

Powikłania W rzadkich przypadkach zakażenie może przejść z zatok na otaczającą je kość (*osteomyelitis*) lub oczodół, prowadząc do ropnia lub rozlanego ropnego zapalenia tkanek wokół gałki ocznej. Zakażenie zatok może być również punktem wyjścia zapalenia opon mózgowo-rdzeniowych, choroby potencjalnie groźnej dla życia i zdrowia dziecka.

Gronkowcowe zakażenia skóry

Przyczyna Gronkowiec złocisty (*Staphylococcus aureus*) może występować na powierzchni skóry, szczególnie wokół nosa, jamy ustnej, narządów płciowych i odbytu, nie czyniąc dziecku żadnej szkody. W razie przerwania ciągłości skóry bakterie wnikają jednak w jej głębsze warstwy i wywołują zakażenie. Ropnie (zamknięte zbiorniki ropy) i rozlane zmiany ropne (ropowica) skóry są najczęściej następstwem zakażenia gronkowcowego. Do specyficznych rodzajów ropni należy czyrak i czyrak gromadny oraz jęczmień (patrz „Zaczerwienienie/wydzielina z oka w rozdziale 29, „Dolegliwości i objawy"). Gronkowce mogą również wywoływać takie zakażenia, jak liszajec zakaźny oraz zapalenie tkanki podskórnej (*cellulitis*) (patrz wyżej w tym rozdziale).

Objawy Zapalenie mieszków włosowych charakteryzuje się drobnymi grudkami ropy na skórze wokół nasady włosa, czasami na zaczerwienionej podstawie. Ropień w okolicy mieszka włosowego może przekształcić się w czyrak, czyli zakażenie głębszych warstw skóry z zajęciem gruczołów łojowych. W miejscu objętym procesem ropnym początkowo pojawia się zwykle niewielki świąd i/lub ból, po czym dochodzi do zaczerwienienia, obrzęku i wzmożonego napięcia tkanek. Na szczycie zmiany widać zwykle białą „główkę" czyraka. Może ona „wycisnąć się" samoistnie, z wydzieleniem ropy, krwi lub cieczy o barwie bursztynowej. Złuszczające zapalenie skóry (liszajec) dotyka najczęściej niemowląt i dzieci poniżej pięciu lat i może zajmować całą powierzchnię ciała. Dziecko może gorączkować, mieć wysypkę, niekiedy również w postaci pęcherzy. Zmiany zaczynają się często wokół ust, a następnie rozprzestrzeniają na tułów i kończyny. Po pęknięciu pęcherzy odsłania się pod nimi łuszcząca, zaczerwieniona, jakby oparzona skóra.

Sposób rozprzestrzeniania się Zakażenie gronkowcowe można przenieść palcami z jednej okolicy ciała na drugą, zwłaszcza w miejsca zranione i pozbawione ochronnej warstwy naskórka. Bakterie rozprzestrzeniają się w powietrzu, przez zakażone powierzchnie oraz bezpośrednio między ludźmi.

Okres wylęgania Jest zmienny zależnie od rozległości rany i ogólnego stanu zdrowia dziecka.

Czas trwania objawów Nie leczone zapalenie mieszków włosowych może wygoić się samoistnie w ciągu tygodnia, albo też postępować aż do uformowania się czyraków. Czyraki również „dojrzewają" samoistnie i wydalają na zewnątrz nagromadzoną w nich ropę, po czym goją się w ciągu 10–20 dni. Złuszczające zapalenie skóry może wymagać leczenia antybiotykami dożylnie i postępowania podobnego jak w przypadku oparzeń.

Kiedy dzwonić do lekarza Skontaktuj się z lekarzem, jeśli zauważysz u dziecka obszar podrażnionej, zaczerwienionej lub bolesnej skóry, zwłaszcza jeśli jest ona pokryta białawymi żółtawymi, wypełnionymi ropą grudkami lub jeśli dziecko jednocześnie gorączkuje. Natychmiast wzywaj lekarza, jeśli na ciele niemowlęcia obecne są pęcherze lub obszary złuszczania, pod którymi widać zaczerwienioną, jakby „obdartą" skórę. Zasięgnij również porady lekarza, jeśli zakażenie skórne wydaje się szerzyć w twoim domu między członkami rodziny.

Ustalenie rozpoznania Zapalenie mieszków włosowych, czyraczność czy złuszczające zapalenie skóry rozpoznaje się zwykle na podstawie samego oglądania zmian skórnych. W razie poważnych, rozległych zakażeń lekarz może pobrać wydzielinę ze zmian do badania bakteriologicznego celem identyfikacji czynnika patogennego.

Leczenie Lekarz może naciąć i zdrenować czyrak, zalecając jednocześnie antybiotyki. Złuszczające zapalenie skóry leczy się szpitalnie, podając antybiotyki dożylnie. Skóra dziecka wymaga pielęgnacji tak jak w razie oparzeń, konieczne jest również ścisłe monitorowanie bilansu przyjmowanych i wydalanych płynów.

Leczenie domowe W przypadku zapalenia mieszków włosowych lub czyraka musisz pilnować, by dziecko nie dotykało zakażonych miejsc. Przemywaj skórę mydłem przeciwbakteryjnym, stosuj maść z antybiotykami i przykrywaj zmiany czystym opatrunkiem. Aby złagodzić ból w przebiegu czyraka, rób dziecku ciepłe okłady. Ciepło sprzyja również szybszemu „dojrzewaniu" czyraka i ewakuacji zawartej w nim ropy.

Zapobieganie Regularnie myj ręce i dbaj o czystość dziecka poprzez codzienną kąpiel lub prysznic. Oczyszczaj i osłaniaj wszelkie miejsca skaleczeń czy zranień. Aby zapobiec rozprzestrzenianiu się infekcji na skórze dziecka, używaj do czyszczenia i wycierania zmienionych miejsc osobnych ręczników, które natychmiast po użyciu pierz w gorącej wodzie.

Powikłania Właściwie leczone złuszczające zapalenie skóry ustępuje zwykle bez powikłań, jednak należy liczyć się z nadmierną utratą płynów, zaburzeniami elektrolitowymi, możliwością zapalenia płuc, zakażenia krwi (posocznicy) i zapalenia tkanki podskórnej (*cellulitis*) (patrz wyżej w tym rozdziale).

Zapalenie gardła/angina paciorkowcowa

Przyczyna Zapalenie gardła jest najczęściej wywołane przez wirusy, zwłaszcza adenowirusy. Wśród bakterii pierwsze miejsce zajmują paciorkowce grupy A, które jednak odpowiadają za tylko niespełna 15% wszystkich przypadków zapaleń gardła. Angina paciorkowcowa rzadko dotyczy dzieci poniżej dwóch lat.

Objawy Wirusowe i bakteryjne zapalenie gardła objawia się w podobny sposób, a różnice między nimi są nieznaczne. W przypadku zakażeń wirusowych objawy rozwijają się często stopniowo i polegają początkowo na gorączce, utracie apetytu i niewielkim drapaniu w gardle. Może również wystąpić zapalenie spojówek, katar, kaszel, bóle głowy, wymioty, nieprzyjemnie pachnący oddech i bóle brzucha. Zdarza się powiększenie węzłów chłonnych szyi. Gardło jest zwykle rozpulchnione i zaczerwienione, rzadziej pokryte wydzieliną. Angina paciorkowcowa u dzieci w wieku powyżej trzech lat rozpoczyna się bólami głowy, bólami brzucha i wymiotami, po czym dochodzi do skokowego wzrostu temperatury nawet do 40°C. Po kilku godzinach dołącza się ból gardła. W jednej trzeciej przypadków stwierdza się powiększenie migdałków z charakterystycznymi czopami ropnymi. U młodszych dzieci zakażenie paciorkowcowe objawia się zwykle gorączką i śluzowym katarem, a także rozdrażnieniem i utratą apetytu.

Sposób rozprzestrzeniania się Paciorkowce chorobotwórcze rozprzestrzeniają się drogą kropelkową poprzez obecne w powietrzu cząstki wydzieliny z nosa i gardła osoby zakażonej.

Okres wylęgania W przypadku zakażeń wirusowych okres wylęgania jest zmienny. Objawy anginy paciorkowcowej występują zwykle w 2–5 dni po zakażeniu.

Czas trwania objawów Jeśli przyczyną zapalenia gardła są wirusy, objawy ustępują niekiedy nawet w ciągu 24 godzin, ale mogą też utrzymywać się do pięciu dni. W przypadku nie leczonej anginy paciorkowcowej gorączka trwa zwykle przez 1–4 dni, a ból gardła od trzech do pięciu dni; zastosowanie antybiotyków znacznie przyspiesza ustąpienie objawów.

Kiedy dzwonić do lekarza Skontaktuj się z lekarzem, jeśli ból gardła u dziecka utrzymuje się dłużej niż przez jeden dzień, jeśli widzisz ropę na migdałkach lub tylnej ścianie gardła, jeśli dziecko gorączkuje powyżej 38,3°C lub też jeśli ma jednocześnie wysypkę.

Ustalenie rozpoznania Lekarz rozpoznaje zapalenie gardła na podstawie badania i wywiadu co do czasu trwania objawów. W razie podejrzenia anginy paciorkowcowej można pobrać wymaz z gardła do badania bakteriologicznego.

Leczenie Nie ma specyficznego leczenia zakażeń wirusowych. W anginie paciorkowcowej podaje się zwykle penicylinę lub amoksycylinę przez 7–10 dni. Tygodniowa antybiotykoterapia wdrożona po ujawnieniu się objawów anginy zapobiega rozwojowi gorączki reumatycznej.

Leczenie domowe W złagodzeniu dolegliwości i gorączki może pomóc paracetamol w dostosowanych do wieku dawkach. **Nie** podawaj dziecku aspiryny z uwagi na jej możliwy związek z rzadkim, lecz potencjalnie groźnym dla życia zespołem Rey-e'a. Korzystnie działa płukanie gardła roztworem wody z solą oraz nawilżanie powietrza w mieszkaniu. Chłodne, łagodne w smaku płyny są zwykle lepiej tolerowane niż pokarmy stałe. Zwracaj uwagę, by dziecko jak najwięcej piło.

Zapobieganie Ucz dziecko zasad higieny w postaci zakrywania nosa i ust podczas kichania czy kaszlu i mycia rąk przed jedzeniem. Jeśli dziecko zachoruje, powinnaś przeznaczyć dla niego osobne naczynia i sztućce i myć je natychmiast po użyciu pod gorącą wodą. Opiekując się chorym dzieckiem, musisz pamiętać sama o jak najczęstszym myciu rąk.

Okres zakaźności Dziecko z anginą paciorkowcową przestaje zarażać otoczenie po 24 godzinach od rozpoczęcia leczenia antybiotykami i może wrócić do szkoły czy przedszkola, gdy tylko przestanie gorączkować i poczuje się lepiej.

Powikłania Większość zakażeń wirusowych mija bez śladu i jakichkolwiek powikłań. Sporadycznie zdarza się, że angina paciorkowcowa przechodzi w szkarlatynę, w której przyczyną wysypki jest produkowana przez bakterie toksyna (patrz „Szkarlatyna" w tym rozdziale). Niedokładnie wyleczone paciorkowcowe zapalenie gardła może też doprowadzić do powstania ropni okołomigdałkowych lub w okolicy najbliższych węzłów chłonnych. Potencjalnie najniebezpieczniejszym powikłaniem anginy jest gorączka reumatyczna, czyli choroba, która „liże stawy i kąsa serce" (patrz „Gorączka reumatyczna" w tym rozdziale). Innym poważnym powikłaniem zakażenia paciorkowcowego jest kłębkowe zapalenie nerek (informacje na temat chorób nerek znajdziesz w rozdziale 32, „Problemy zdrowotne okresu wczesnego dzieciństwa"), ujawniające się w 2–3 tygodnie po pierwszych objawach anginy. Paciorkowce bywają również przyczyną zapalenia ucha środkowego, zapalenia płuc oraz zakażeń skórnych.

Limfadenopatia (powiększenie węzłów chłonnych)

Przyczyna Powiększenie węzłów chłonnych, rozmieszczonych w różnych okolicach ciała, wskazuje na trwające (lub kończące) zakażenie lub też, w rzadkich przypadkach, może być oznaką uogólnionej choroby zapalnej (np. młodzieńczego reumatoidalnego zapalenia stawów) czy nowotworowej, która szerzy się drogami chłonnymi. Do zakaźnych przyczyn limfadenopatii należą wirusy, bakterie, pierwotniaki, rikietsje lub grzyby.

Objawy Powiększone węzły chłonne mogą być napięte lub bolesne na ucisk. Pokrywająca je skóra bywa nieraz zaczerwieniona i cieplejsza niż pozostała powierzchnia ciała.

Sposób rozprzestrzeniania się Zakażenie węzłów chłonnych szerzy się typowo z najbliżej położonych zmian skórnych, z ucha, nosa, gardła lub oka.

Okres wylęgania Jest zmienny zależnie od przyczyny wywołującej.

Czas trwania objawów Po zastosowaniu leczenia węzły chłonne stopniowo wracają do swej zwykłej wielkości, co trwa zazwyczaj kilka tygodni.

Kiedy dzwonić do lekarza Skontaktuj się z lekarzem, jeśli wyczujesz na ciele dziecka powiększone lub napięte węzły chłonne, niezależnie od współistnienia lub nieobecności innych objawów zakażenia, takich jak gorączka, bóle głowy, ogólne złe samopoczucie, osłabienie czy brak apetytu. Dzwoń do lekarza również wtedy, gdy węzły nie zmniejszają się lub powiększają po 10–14 dniach leczenia.

Ustalenie rozpoznania Przyczyną limfadenopatii jest najczęściej tocząca się w sąsiedztwie infekcja. W niektórych przypadkach, gdy lekarz nie stwierdza takiej oczywistej przyczyny, wskazana może być biopsja (pobranie fragmentu) lub chirurgiczne usunięcie całego węzła i obejrzenie go pod mikroskopem.

Leczenie Jeśli przyczyną limfadenopatii jest zakażenie wirusowe, węzły zmniejszają się zwykle samoistnie. W przypadku zakażenia bakteryjnego stosuje się antybiotyki. Jeśli dojdzie do zropienia powiększonego węzła, konieczny może być drenaż chirurgiczny.

Leczenie domowe Ciepłe okłady na powiększone węzły mogą złagodzić ich bolesność.

Zapobieganie Skrupulatne przestrzeganie zasad higieny jest najlepszym sposobem zapobiegania wielu infekcjom, które mogą spowodować powiększenie węzłów chłonnych.

Inne kwestie Powiększone węzły chłonne, które nadal się powiększają, nie zaczynają się zmniejszać po 4–6 tygodniach lub nie wracają do pierwotnej wielkości po 8–12 tygodniach, mogą być oznaką patologii innej niż zakażenie. Limfadenopatia występuje na przykład w chorobach autoimmunologicznych, takich jak reumatoidalne zapalenie stawów, toczeń układowy czy zapalenie skórno-mięśniowe, w chorobach nowotworowych, jak ziarnica złośliwa, chłoniaki czy białaczki, oraz w szeregu innych schorzeń. Przypadki te wymagają dokładnej diagnostyki i odpowiedniego, często specjalistycznego leczenia.

Tężec (*tetanus*)

Przyczyna Przyczyną tężca jest laseczka tężca (*Clostridium tetani*), a ściślej wydzielana przez nią toksyna oddziałująca na nerwy i mięśnie. Bakterie te występują w ziemi, kurzu i odchodach niektórych zwierząt. Przypadki tężca należą w krajach wysoko rozwiniętych do rzadkości, w dużej mierze dzięki rutynowym szczepieniom ochronnym.

Objawy Choroba objawia się zwykle szczękościskiem, bólami głowy, pobudzeniem ruchowym i drażliwością, do których wkrótce dołączają się trudności w żuciu i połykaniu oraz sztywność i bolesność mięśni karku, ramion lub grzbietu. Skurcz mięśni twarzy może nadać twarzy chorego charakterystyczny wyraz w postaci groteskowego „uśmiechu" przy uniesionych brwiach. Często występuje gorączka i dreszcze. Uogólniony skurcz mięśni obejmuje następnie przewód pokarmowy, plecy i kończyny dolne.

Sposób rozprzestrzeniania się Do większości przypadków dochodzi wskutek zakażenia rany kłutej lub ciętej przez kontakt z ziemią, kawałkiem szkła czy innym brudnym przedmiotem, na przykład drzazgą lub paznokciem. U noworodka tężec może wystąpić po porodzie w niehigienicznych warunkach, przy przecinaniu sznura pępowinowego skażonym narzędziem i wtedy, gdy matka nie była szczepiona przeciwko tej chorobie.

Okres wylęgania Od zakażenia do pierwszych objawów upływa zwykle 2–14 dni, jednak choroba może ujawnić się nawet w kilka miesięcy po zranieniu. Objawy tężca noworodków występują typowo w 3–12 dni po porodzie.

Czas trwania objawów Powrót do zdrowia trwa zwykle co najmniej 4–6 tygodni.

Kiedy dzwonić do lekarza Niezwłocznie skontaktuj się z lekarzem, jeśli dziecko zraniło się, zwłaszcza jeśli jest to rana kłuta lub rana po ugryzieniu przez zwierzę, i masz wątpliwości, kiedy dziecko było po raz ostatni szczepione przeciwko tężcowi. Skontaktuj się z lekarzem również wtedy, gdy jesteś w ciąży i nie wiesz, jaka jest twoja odporność na tę chorobę.

Ustalenie rozpoznania Rozpoznanie tężca ustala się na podstawie wywiadu i badania fizykalnego dziecka.

Leczenie Tężec wymaga leczenia szpitalnego, z reguły na oddziale intensywnej terapii. Chory otrzymuje antybiotyki dla zabicia bakterii oraz anatoksynę neutralizującą działanie toksyny. Stosuje się również leki rozluźniające mięśnie i hamujące patologiczne pobudzenia nerwowe, które grożą zaburzeniami rytmu serca, ciśnienia tętniczego i termoregulacji.

Zapobieganie Profilaktyka tężca polega na przestrzeganiu szczepień ochronnych – szczepionka przeciwko tężcowi wchodzi rutynowo w skład szczepionki DiTePer (jednocześnie przeciwko błonicy [*diphteria*], tężcowi [*tetanus*] i kokluszowi [*pertussis*]), podawanej dziecku w 2., 4., 6. i 15.–18. miesiącu życia, a następnie w wieku 4–6 lat. Następnie zaleca się dawki przypominające w odstępach co 10 lat. Chociaż dokładne oczyszczenie i odkażenie rany nie może zastąpić szczepienia przeciwko tężcowi, nie znaczy to oczywiście, że można tego zaniechać.

Okres zakaźności Tężec nie przenosi się z człowieka na człowieka.

Powikłania Śmiertelność w przypadku tężca wynosi od 5 do 35%. Dzięki intensywnej terapii umiera mniej niż 10% chorych na tężec noworodków, natomiast bez leczenia choroba kończy się śmiercią w ponad 75% przypadków. Przebycie tężca w okresie dziecięcym, a zwłaszcza niemowlęcym, pozostawia niekiedy następstwa w postaci uszkodzenia mózgu, co może objawiać się mózgowym porażeniem dziecięcym, upośledzeniem umysłowym lub zaburzeniami zachowania.

Toksoplazmoza

Przyczyna Czynnikiem etiologicznym choroby jest pasożytniczy pierwotniak *Toxoplasma gondii*, żyjący w organizmach zwierząt ciepłokrwistych, a zwłaszcza kotów.

Objawy W zależności od wieku i osobniczej odporności objawy zakażenia są zmienne. Jeśli ulegnie mu kobieta w ciąży, prawdopodobieństwo zakażenia płodu waha się w granicach od 10 do 90%, zależnie od stopnia zaawansowania ciąży w momencie infekcji. Najgorsze następstwa dotyczą zwykle toksoplazmozy wrodzonej, przebytej w pierwszym trymestrze ciąży. Może dojść do poronienia, porodu przedwczesnego, zaburzeń czynności wątroby i układu krzepnięcia oraz szeregu ciężkich wad wrodzonych u dziecka, zdarzają się również zakażenia bezobjawowe. Toksoplazmoza u zdrowego dziecka przebiega zwykle łagodnie, często z powiększeniem kilku węzłów chłonnych (głównie szyjnych) jako jedynym objawem albo dodatkowo z ogólnym pogorszeniem samopoczucia, gorączką, bólem gardła i głowy lub wysypką. Objawy mogą czasem przypominać mononukleozę zakaźną (patrz odpowiedni akapit w tym rozdziale). Jeśli natomiast zakażenie dotyczy dziecka z osłabionym układem odpornościowym z powodu AIDS, choroby nowotworowej lub innej choroby przewlekłej, może dojść do zajęcia układu nerwowego z obrzękiem (zapaleniem) mózgu, gorączką, drgawkami, bólami głowy, splątaniem, zaburzeniami zachowania, wzroku, mowy i ruchów.

Sposób rozprzestrzeniania się Toksoplazmozą można zarazić się przez kontakt z odchodami zakażonych kotów albo przez spożycie niedogotowanego zakażonego mięsa. Toksoplazmoza wrodzona jest przekazywana płodowi przez matkę.

Okres wylęgania Okres wylęgania toksoplazmozy wynosi od 4 dni do 3 tygodni.

Czas trwania objawów W większości przypadków objawy toksoplazmozy są nieznaczne lub nie ma ich wcale, jednak po przedostaniu się do ludzkiego organizmu pasożyty pozostają w nim na stałe w formie utajonego zakażenia.

Kiedy dzwonić do lekarza Skontaktuj się z pediatrą w razie wystąpienia u dziecka objawów sugerujących toksoplazmozę, szczególnie jeśli ma ono osłabiony układ odpornościowy z powodu przewlekłej choroby lub też przyjmuje leki immunosupresyjne. Jeśli jesteś w ciąży, skontaktuj się ze swoim lekarzem w przypadku każdego powiększenia węzłów chłonnych, mających ewentualny związek z podanym powyżej sposobem szerzenia sie choroby.

Ustalenie rozpoznania W celu wykrycia obecności pierwotniaka w organizmie kobiety ciężarnej wykonuje się badania laboratoryjne krwi, płynu mózgowo-rdzeniowego, materiału pobranego z węzła chłonnego, szpiku kostnego, płynu owodniowego i łożyska. We krwi można określić poziom przeciwciał, świadczący o odpowiedzi immunologicznej organizmu na inwazję pasożyta. Badania w rodzaju reakcji łańcuchowej polimerazy (PCR) wykonuje się w celu identyfikacji DNA drobnoustrojów.

Leczenie W toksoplazmozie u kobiety ciężarnej stosuje się specjalne leki przeciwpasożytnicze, które zmniejszają ryzyko zakażenia płodu o około 60%. Podobne leki podaje się również niemowlętom z toksoplazmozą wrodzoną przez cały pierwszy rok życia. W razie zakażenia starszego dziecka, nie obciążonego dodatkową chorobą, leczenie trwa od 4 do 6 tygodni. Dzieci z osłabionym układem odpornościowym wymagają często hospitalizacji i kontynuacji leczenia przez co najmniej 4–6 tygodni po ustąpieniu objawów. Dzieci chore na AIDS mogą wymagać leków przeciwpasożytniczych przez całe życie.

Zapobieganie Gotuj dokładnie mięso, a po obróbce surowego mięsa natychmiast myj ręce, przybory i powierzchnie kuchenne. Myj również warzywa i owoce. Jeśli masz w domu kota, myj ręce po każdej wymianie piasku w kuwecie, a do jej czyszczenia używaj detergentów i gorącej wody. Jeśli w ogródku twojego domu jest piaskownica

dla dziecka, musisz zabezpieczyć ją przed kotem, który nie może traktować jej jak swojej kuwety z piaskiem. Będąc w ciąży, nie jedz nigdy surowego czy niedogotowanego mięsa, sceduj zabiegi wokół kota na kogoś innego i unikaj prac w ogródku czy innych zajęć, podczas których mogłabyś mieć kontakt z kocimi odchodami.

Powikłania Poza ryzykiem porodu przedwczesnego i niskiej wagi urodzeniowej toksoplazmoza wrodzona naraża dziecko na całkowitą lub częściową ślepotę z powodu uszkodzenia siatkówki oka, a także na inne zmiany w mózgu i całym układzie nerwowym, których następstwem mogą być drgawki, atonia mięśni, zaburzenia w karmieniu, głuchota i niedorozwój umysłowy. Niektóre noworodki rodzą się z wadami czaszki w postaci wodogłowia (główka dziecka jest wtedy nienormalnie powiększona) lub wręcz przeciwnie, tak zwanej mikrocefalii (więcej informacji na ten temat znajdziesz w rozdziale 32, „Problemy zdrowotne okresu wczesnego dzieciństwa").

Gruźlica (*tuberculosis*)

Przyczyna Główną przyczyną gruźlicy jest bakteria zwana prątkiem gruźlicy (*Mycobacterium tuberculosis*), ale mogą ją również wywoływać inne gatunki prątków.

Objawy Początkowo nie ma żadnych objawów poza dodatnim wynikiem skórnej próby tuberkulinowej, który potwierdza kontakt z gruźlicą. Zakażenie mija najczęściej samoistnie i pozostawia po sobie odporność, rozwijającą się w ciągu 6–10 tygodni. W niektórych przypadkach organizm dziecka nie radzi sobie jednak z prątkami i wówczas atakują one narządy wewnętrzne, a przede wszystkim płuca. Objawy obejmują gorączkę, nocne poty, chudnięcie, utratę apetytu i kaszel, niekiedy z odkrztuszaniem podbarwionej krwią, śluzowej wydzieliny. Może się również zdarzyć, zwłaszcza u starszych dzieci i dorosłych, że zakażenie przechodzi od razu w fazę utajoną, trwającą nieraz całe lata, a uaktywnia się dopiero w okresie osłabionej odporności organizmu.

Sposób rozprzestrzeniania się Gruźlica szerzy się drogą kropelkową przez unoszące się w powietrzu cząstki wydzieliny dróg oddechowych osoby zakażonej. Małe dzieci są rzadko zakaźne dla otoczenia.

Okres wylęgania Czas między pierwotnym zakażeniem a jawną klinicznie chorobą jest zmienny; wczesne objawy pojawiają się często w ciągu 2–6 miesięcy, ale mogą też nie ujawniać się przez wiele lat.

Czas trwania objawów Gruźlica jest chorobą przewlekłą i nie leczona może ciągnąć się latami.

Kiedy dzwonić do lekarza Skontaktuj się z lekarzem, jeśli u dziecka od dłuższego czasu utrzymują się stany podgorączkowe czy kaszel, lub też jeśli miało ono kontakt z osobą chorą bądź podejrzaną o gruźlicę.

Ustalenie rozpoznania Pierwszym etapem diagnostyki jest skórna próba tuberkulinowa, której dodatni wynik świadczy nie tyle o chorobie, co o kontakcie dziecka z gruźlicą W razie jej podejrzenia lekarz zleca zwykle zdjęcie radiologiczne klatki piersiowej oraz badanie plwociny lub popłuczyn z żołądka w celu poszukiwania prątków połkniętych wraz z wydzieliną drzewa oskrzelowego.

Leczenie Dzieci z dodatnim wynikiem próby tuberkulinowej, ale bez objawów choroby, otrzymują zwykle jeden lek. Dzieci z czynną gruźlicą są leczone kilkoma lekami, zwykle przez wiele miesięcy. Do antybiotyków przeciwgruźliczych, w zasadzie nie stosowanych w żadnych innych chorobach, należy między innymi izoniazyd, ryfampicyna, kwas paraaminosalicylowy (PAS), pyrazynamid, streptomycyna, etambutol i szereg innych.

Leczenie domowe Dziecko chore na gruźlicę wymaga szczególnej opieki, pełnowartościowego odżywiania, odpoczynku, dobrych warunków bytowych i klimatycznych. Zasadnicze znaczenie ma systematyczność w wielomiesięcznym przyjmowaniu leków, tak aby w pełni wyeliminować prątki z organizmu dziecka i nie dopuścić do rozwoju szczepów opornych.

Zapobieganie Profilaktyka gruźlicy polega w pierwszym rzędzie na unikaniu kontaktu dziecka z chorymi (głównie dorosłymi), regularnym badaniu osób z grup podwyższonego ryzyka oraz szybkim i skutecznym leczeniu wszystkich przypadków czynnej choroby, co zapobiega zarażaniu kolejnych osób. W Polsce szczepienie BCG wchodzi w skład obowiązkowego kalendarza szczepień i wykonuje się je u noworodków w pierwszej dobie życia (przyp. tłum.).

Okres zakaźności Chory na czynną, tak zwaną prątkującą gruźlicę jest bardzo zakaźny dla otoczenia, ponieważ wydala prątki do środowiska podczas kaszlu czy kichania. Zarazki mogą utrzymywać się w powietrzu przez dostatecznie długi czas, by inni zdążyli wciągnąć je do dróg oddechowych. Chorzy na gruźlicę muszą być ściśle izolowani przede wszystkim od osób z zaburzeniami odporności, zakażonych HIV lub otrzymujących chemioterapię.

Powikłania Gruźlica może atakować liczne narządy wewnętrzne, np. nerki, nadnercza, wątrobę, jelita i opony mózgowo-rdzeniowe. Nie leczona może skończyć się śmiercią chorego.

Inne kwestie Bardzo ważne są systematyczne badania przesiewowe dzieci z grup podwyższonego ryzyka gruźlicy (więcej informacji na ten temat znajdziesz w rozdziale 14, „Badania przesiewowe").

Zakażenia dróg moczowych

Przyczyna Do częstych czynników etiologicznych zakażeń dróg moczowych należą takie bakterie, jak *E. coli*, *Proteus mirabilis*, *Klebsiella* oraz *Staphylococcus saprophyticus*, a także chalmydia i wirusy, zwłaszcza adenowirusy.

Objawy Objawy zależą od wieku dziecka i lokalizacji zakażenia. Jeśli dotyczy ono pęcherza moczowego (*cystitis*), dziecko może odczuwać tak zwane dolegliwości dyzuryczne, czyli ból i pieczenie przy oddawaniu moczu, przymus częstego oddawania moczu, mimo że w rzeczywistości będzie to tylko kilka kropli, może również popuszczać mocz, mimo że wcześniej nauczyło się już kontrolować tę potrzebę. Zdarzają się również pobolewania w okolicy lędźwiowej, bóle w dole brzucha i powyżej pachwin (co odpowiada położeniu pęcherza). Mocz dziecka może mieć nieprzyjemny zapach. Zapalenie pęcherza moczowego przebiega typowo bez gorączki, której wystąpienie wskazuje raczej na zajęcie wyższego poziomu dróg moczowych, czyli samych nerek. Odmiedniczkowe zapalenie nerek (*pyelonephritis*) objawia się ponadto bólami brzucha i dolnej części pleców, osłabieniem, nudnościami i wymiotami. Może ponadto wystąpić żółtaczka (głównie u noworodków) oraz biegunka. U niemowląt objawy zapalenia nerek bywają niespecyficzne i polegają często na pogorszeniu apetytu, wymiotach, rozdrażnieniu i utracie masy ciała.

Sposób rozprzestrzeniania się Bakterie zakażające drogi moczowe należą w ogromnej większości do normalnej, prawidłowej mikroflory jelita grubego i są obecne w okolicy odbytu. Mogą one przedostać się do pęcherza i wyżej przez cewkę moczową, której ujście zewnętrzne sąsiaduje z odbytem. Zakażenia bakteryjne dróg moczowych nie przenoszą się z człowieka na człowieka. Z racji warunków anatomicznych są one częstsze u dziewczynek, zwłaszcza w wieku, kiedy dziecko dopiero uczy się podstawowych zasad higieny. U obu płci częste, nawracające zakażenia dróg moczowych mogą rozwijać się na podłożu wrodzonej wady w ich budowie, która powinna być jak najszybciej rozpoznana i leczona.

Okres wylęgania Jest on zmienny w zależności od czynnika wywołującego.

Czas trwania objawów Pod wpływem leczenia objawy ustępują zwykle w ciągu 24–48 godzin.

Kiedy dzwonić do lekarza Skontaktuj się z lekarzem, jeśli dziecko ma gorączkę, skarży się na bóle w okolicy lędźwiowej lub w dole brzucha czy na pieczenie przy oddawaniu moczu, zaczyna częściej niż zwykle biegać do toalety w ciągu dnia lub w nocy; jeśli mocz ma zmieniony zapach lub barwę (np. jest różowy, podbarwiony krwią lub „herbaciany"); albo jeśli dziecko już kontrolujące tę potrzebę zaczyna ponownie moczyć się w nocy lub zdarzają mu się takie incydenty w ciągu dnia.

Ustalenie rozpoznania Zakażenie dróg moczowych rozpoznaje się na podstawie badania ogólnego i mikrobiologicznego moczu.

Leczenie Wybór antybiotyku i czas leczenia zależą od typu zakażenia i wieku dziecka. W zapaleniu pęcherza moczowego skutecznie działa Biseptol, nitrofurantoina, cefalosporyna lub amoksycylina, podawane przez 3–5 dni. W przypadku odmiedniczkowego zapalenia nerek dziecko powinno otrzymać silniejszy antybiotyk, jak np. ceftriakson, przez co najmniej 14 dni. Niemowlęta w pierwszym półroczu życia wymagają często hospitalizacji i podawania antybiotyków dożylnie, zwłaszcza jeśli jednocześnie wymiotują. Jeśli dziecko ma silne dolegliwości przy oddawaniu moczu, lekarz może zapisać środek znieczulający drogi moczowe. Środek ten powoduje przejściową zmianę barwy moczu na pomarańczową, czym nie należy się przejmować.

Leczenie domowe Zachęcaj dziecko do jak najczęstszego picia, ale unikaj napojów zawierających kofeinę.

Zapobieganie Ucz dziecko, by oddawało mocz od razu, gdy poczuje taką potrzebę, bez przetrzymywania. Wyrób w nim nawyk wypijania dużej ilości płynów, ale najlepiej wody, a nie napojów gazowanych, słodkich i zawierających często kofeinę, która może podrażniać pęcherz moczowy. Ucząc dziewczynkę zasad higieny, zwracaj uwagę na to, by dziecko podcierało się zawsze w kierunku od przodu do tyłu, a nie odwrotnie, co zapobiega przedostaniu się bakterii z okolicy odbytu do cewki moczowej i pochwy. Zakładaj dziecku luźne, bawełniane majteczki, zamiast obcisłych z tworzyw sztucznych. Przewijaj niemowlę natychmiast po wypróżnieniu.

Powikłania Nawracające czy przewlekłe zakażenie nerek grozi ich trwałym uszkodzeniem i ostatecznie nawet niewydolnością. Więcej informacji na temat chorób nerek znajdziesz w rozdziale 32, „Problemy zdrowotne okresu wczesnego dzieciństwa".

Brodawki

Przyczyna Przyczyną brodawek zwykłych (popularnie nazywanych „kurzajkami") są cztery typy wirusa brodawek ludzkich (HPV, *human papillomavirus*).

Objawy Brodawki są twardymi guzkami skórnymi o nierównej powierzchni, często przypominającej kalafior. Mogą mieć barwę białą, różową, brązową lub szarą, nierzadko z czarnymi punkcikami w części centralnej. Najczęściej występują na palcach, ramionach, stopach, łokciach i kolanach, chociaż mogą też pojawić się w każdej innej okolicy ciała. Z reguły nie są bolesne, za wyjątkiem umiejscowionych na podeszwie stóp.

Sposób rozprzestrzeniania się Dziecko zaraża się wirusem brodawek przez kontakt, dotykając brodawki na ciele innej osoby lub czegokolwiek, czego dotknęła wcześniej ta osoba, może również przenieść własne zakażenie w inne miejsce ciała. Rozwojowi zakażenia sprzyja

przerwanie ciągłości skóry oraz wilgotne środowisko.

Okres wylęgania Zależnie od szczepu wirusa wynosi on około miesiąca lub dłużej.

Czas trwania objawów W ponad połowie przypadków brodawki zanikają samoistnie w ciągu dwóch lat. Różne metody leczenia pozwalają zlikwidować je bardzo szybko, ale w razie pozostawienia fragmentu zakażonej wirusem tkanki zdarzają się nawroty.

Kiedy dzwonić do lekarza Jeśli brodawki dotyczą niemowlęcia lub małego dziecka, skontaktuj się z lekarzem przed próbą usunięcia preparatami dostępnymi w wolnej sprzedaży. W razie brodawek umiejscowionych na twarzy lub narządach płciowych tym bardziej nie podejmuj takich prób bez porozumienia z lekarzem. Zasięgnij jego porady również wtedy, gdy masz wątpliwości, czy guzek na ciele dziecka jest rzeczywiście brodawką, jeśli zauważysz jego zaczerwienienie, rozgrzanie czy bolesność, jeśli z brodawki zacznie się sączyć ropa oraz jeśli wydaje ci się, że przybywa ich coraz więcej.

Ustalenie rozpoznania Do ustalenia rozpoznania wystarczy zwykle samo obejrzenie zmian.

Leczenie Brodawki można usunąć na szereg sposobów: przyżeganiem silnymi środkami chemicznymi niedostępnymi w wolnej sprzedaży, mrożeniem ciekłym azotem, wypalaniem prądem elektrycznym, mechanicznym wyłuszczaniem po znieczuleniu skóry bądź przy pomocy lasera. Miejsca po brodawkach goją się zwykle bez śladu w ciągu kilku dni, jednak czasami wskazane jest powtórzenie zabiegu.

Leczenie domowe W aptekach dostępne są różne preparaty bez recepty, jednak zasięgnij porady lekarza, zanim zastosujesz je u niemowlęcia czy małego dziecka.

Zapobieganie Możesz jedynie zwracać uwagę, by dziecko nie dotykało brodawek – ani cudzych, ani własnych.

Powikłania Nie leczone brodawki, szczególnie umiejscowione na palcach rąk, mają większą tendencję do rozprzestrzeniania się. W razie ciągłych urazów czy prób zdrapania możliwa jest wtórna infekcja bakteryjna.

Koklusz (krztusiec, *pertussis*)

Przyczyna Chorobę wywołuje bakteria o nazwie *Bordetella pertussis*.

Objawy Koklusz rozpoczyna się zwykle objawami zwykłego przeziębienia – katarem, kaszlem, obrzękiem błony śluzowej nosa, niewielką gorączką. Po kilku dniach objawy te ustępują, poza kaszlem, który zmienia charakter najpierw na suchy, przerywany, „szczekający", a następnie przybiera formę przerażających napadów. Podczas napadu dziecko nie może złapać tchu, krztusi się, trzepie rękami i nogami, łzawi, wybałusza oczy i purpurowieje na twarzy. Między napadami kaszlu dziecko może z trudem łapać powietrze, wydając przy tym charakterystyczny, piskliwy krzyk wdechowy. Napad kaszlu często prowokuje wymioty. Choroba jest szczególnie niebezpieczna dla niemowląt poniżej roku. Nie zawsze musi występować u nich krzyk wdechowy, za to częściej zdarzają się wymioty, sinienie (z braku właściwej wentylacji), a niekiedy również zatrzymanie oddechu. Ciężkie ataki kaszlu i wymioty mogą znacznie utrudniać karmienie i zakłócać prawidłowy wzrost dziecka.

Sposób rozprzestrzeniania się Pałeczka krztuśca szerzy się drogą kropelkową przez obecne w powietrzu cząstki wydzieliny z nosa i gardła osoby zakażonej, zwykle starszego dziecka lub dorosłego bez objawów choroby.

Okres wylęgania Od zakażenia do objawów mija od 3 do 12 dni.

Czas trwania objawów Początkowa, „przeziębieniowa" faza choroby trwa typowo około 2 tygodni, faza kaszlu krztuścowego – 2–4 tygodnie, a faza zdrowienia – również 2–4 tygodnie, chociaż sporadyczne napady mogą niekiedy nawracać w ciągu kilku miesięcy.

Kiedy dzwonić do lekarza Natychmiast skontaktuj się z lekarzem, jeśli podejrzewasz u dziecka koklusz, jeśli napady kaszlu wywołują u niego zaczerwienienie twarzy lub sinienie, lub też kończą się charakterystycznym piskliwym dźwiękiem wdechowym. Zadzwoń do lekarza, jeśli twoje dziecko miało kontakt z kimś chorym na koklusz, nawet jeśli było szczepione przeciwko tej chorobie.

Ustalenie rozpoznania Koklusz rozpoznaje się na podstawie wywiadu i badania fizykalnego oraz posiewu wydzieliny z dróg oddechowych na obecność *B. pertussis*. Często wykonuje się również badania laboratoryjne krwi oraz RTG klatki piersiowej w celu potwierdzenia rozpoznania i wykluczenia powikłań w postaci zapalenia płuc.

Leczenie Niemowlęta poniżej 3 miesięcy życia są zawsze hospitalizowane, a w wieku 3–6 miesięcy – hospitalizowane w razie silnych napadów kaszlu. Pobyt dziecka w szpitalu stwarza przede wszystkim możliwość ścisłego monitorowania czynności jego serca i płuc i błyskawicznej interwencji w razie zagrożenia. Dziecko otrzymuje nieraz tlen do oddychania oraz żywienie wspomagane czasem przez sondę żołądkową, a czasem w postaci wysoko odżywczych preparatów dożylnych. Z antybiotyków stosuje się erytromycynę przez 14 dni, co jednak zapobiega przede wszystkim szerzeniu się choroby, a nie zmienia jej przebiegu, chyba że leczenie rozpocznie się jeszcze we wczesnej fazie „przeziębieniowej".

Leczenie domowe Jeśli leczysz dziecko chore na koklusz w domu, musisz dbać o odpowiednie nawilżenie powietrza chłodną parą wodną, co łagodzi podrażnienie dróg oddechowych, oraz izolować dziecko od wszelkich substancji, które mogą sprowokować napad kaszlu, takich jak dym papierosowy, kosmetyki w aerozolu, zapachy kuchenne czy woń drewna z kominka. Jeśli dziecko wymiotuje, podawaj mu posiłki w małych porcjach, ale za to częściej, oraz dużo płynów: soków owocowych i klarownych zup. Zwracaj uwagę na ewentualne objawy odwodnienia, takie jak suchość warg, języka i skóry, płacz bez łez i skąpe oddawanie moczu.

Zapobieganie Szczepionka przeciwko krztuścowi (*pertussis*) wchodzi w skład szczepionki skojarzonej DiTePer, zabezpieczającej jednocześnie przed błonicą (*diphteria*) i tężcem (*tetanus*). Szczepionkę podaje się rutynowo pięciokrotnie, poczynając od drugiego miesiąca życia (patrz rozdział 16, „Szczepienia ochronne”). Dzieci, które miały kontakt z chorym na koklusz, wymagają mimo szczepień leczenia erytromycyną dla zapobieżenia rozwojowi choroby.

Okres zakaźności Nieleczone dziecko zarażone krztuścem może rozsiewać bakterie już w pierwszej, przeziębieniowej fazie choroby oraz przez całą fazę napadowego kaszlu. Krztusiec jest bardzo zaraźliwy: zaraża się nim blisko 100% nieuodpornionych szczepieniem osób.

Powikłania W przebiegu krztuśca może dojść do takich powikłań jak zapalenie płuc, napady drgawek, uszkodzenie mózgu i zgon. Choroba jest szczególnie niebezpieczna dla niemowląt w pierwszym półroczu życia.

Zakażenia drożdżakowe (pleśniawki, rumień pośladków)

Przyczyna U niemowląt zakażenie mikroorganizmami grzybiczymi podobnymi do drożdży może dotyczyć jamy ustnej (pleśniawki) lub pośladków (wyprzenie czy odparzenie od pieluch). Za większość tych infekcji odpowiada jeden gatunek, *Candida albicans*. Pleśniawki w jamie ustnej występują u 2–5% zdrowych noworodków i znacznie częściej u wcześniaków. Jeszcze bardziej rozpowszechnione jest zapalenie skóry pośladków. U starszych dzieci do drożdżycy o różnym umiejscowieniu usposabia przedłużona antybiotykoterapia oraz stany osłabienia układu odpornościowego.

Objawy Pleśniawki jamy ustnej mają wygląd białych, podobnych do twarogu plamek, które po zeskrobaniu mogą krwawić. Czasami dziecko wyraźnie okazuje dyskomfort w buzi i marudzi przy karmieniu. Odparzenia pośladków utrzymujące się dłużej niż przez trzy dni mimo częstego przewijania i stosowania łagodzących maści mogą wskazywać właśnie na zakażenie drożdżakowe, zwłaszcza jeśli dookoła zasadniczego zmienionego obszaru widoczne są tak zwane satelity, czyli mniejsze, okrągłe, zaczerwienione punkty. Pleśniawki i zakażenie skóry pośladków często występują jednocześnie.

Sposób rozprzestrzeniania się Niemowlę może zarazić się podczas porodu drożdżakami obecnymi w pochwie matki albo przez bliski kontakt z osobą, która nosi te drobnoustroje na swoich (niezbyt czystych) rękach.

Okres wylęgania W przypadku zakażenia okołoporodowego pleśniawki pojawiają się zwykle w 7–10 dniu życia.

Czas trwania objawów Pod wpływem leczenia zmiany cofają się całkowicie w ciągu 7–14 dni.

Kiedy dzwonić do lekarza Skontaktuj się z lekarzem, jeśli zauważysz białe, twarogowate plamy na błonie śluzowej policzków i na języku niemowlęcia i w przeciwieństwie do resztek mleka nie dające się łatwo usunąć. Zasięgnij również porady lekarza w razie zmian na pośladkach dziecka, odpowiadających powyższemu opisowi.

Ustalenie rozpoznania Zakażenie rozpoznaje się, oglądając zmiany w jamie ustnej i w okolicy pośladków dziecka.

Leczenie W większości przypadków pleśniawek leczenie nie jest konieczne. Najczęstszym zapisywanym z tego powodu preparatem jest nystatyna, antybiotyk przeciwgrzybiczy do stosowania miejscowego. Odparzenia pośladków leczy się zwykle maścią lub kremem zawierającym ten antybiotyk.

Zapobieganie Jeśli karmisz dziecko butelką, gotuj lub wyparzaj nakładane na nią smoczki. Myj dokładnie ręce przed każdym karmieniem niemowlęcia.

Powikłania Długo utrzymujące się pleśniawki mogą wskazywać na zaburzenia układu odpornościowego dziecka. Drożdżyca stanowi często poważny problem u osób o osłabionej z różnych przyczyn odporności, u których może nawet przybrać postać zagrażającej życiu posocznicy (zakażenia krwi).

Jeśli potrzebujesz dodatkowych informacji, zasięgnij porady lekarza.

Rozdział 31

Leki oraz środki alternatywne/uzupełniające

Co musisz wiedzieć o lekach

Leki są narzędziami, za pomocą których można skorygować lub wyleczyć problem medyczny, zapobiec jego wystąpieniu albo przynajmniej przynieść pacjentowi ulgę, łagodząc objawy chorobowe. Jednak tak jak wszystkie narzędzia, aby spełnić swoją rolę, leki muszą być właściwie zastosowane. W tym rozdziale postaramy się wyjaśnić, jak działają, jak wybrać spośród nich najwłaściwszy dla twojego dziecka i jak go podać (co może być nie lada sztuką, zwłaszcza w odniesieniu do dwu–trzylatków!). Wspomnimy również o ważnej kwestii właściwego i bezpiecznego przechowywania leków.

Poruszymy wreszcie obszerny temat leczenia alternatywnego i wspomagającego, skupiając się oczywiście tylko na najważniejszych informacjach, na tym, co naprawdę musisz wiedzieć o tych metodach, zanim zdecydujesz się na zastosowanie którejś z nich u twojego dziecka. Dziedzina ta przeżywa obecnie prawdziwy rozkwit, można wręcz powiedzieć, że jest w modzie, jednak poruszanie się po niej wymaga pewnej elementarnej wiedzy, która jest niezbędnym warunkiem świadomych – i bezpiecznych – wyborów.

Jak ostrożnie stosować leki

Czasami najlepszym lekarstwem jest rezygnacja z jakiegokolwiek lekarstwa. Liczne banalne choroby wieku dziecięcego, takie jak przeziębienie, nie wymagają stosowania żadnych leków. Ani szeroko reklamowany preparat dostępny w wolnej sprzedaży, ani przepisywany na receptę nie przyspieszą przebiegu przeziębienia, a korzyści z ewentualnej ulgi objawowej często nie dorównują działaniom niepożądanym leku. Dlatego też w przypadku przeziębienia i innych typowych chorób wirusowych pediatra może zalecić ci wypróbowanie w pierwszej kolejności niefarmakologicznych, domowych sposobów – takich jak częste pojenie dziecka, zatrzymanie go w łóżku, płukanie gardła wodą z solą czy nawilżanie powietrza chłodną parą wodną. Jest to podejście właściwsze od automatycznego sięgania po fiolkę z lekami. Podawanie leku w charakterze odruchowej odpowiedzi na każde kichnięcie dziecka czy najlżejszy ból brzucha z przejedzenia może tylko pogorszyć sytuację, bo musisz pamiętać, że wszystkie bez wyjątku leki mają objawy uboczne. Co więcej, taka reakcja rodziców sprzyja wyrobieniu w dziecku równie automatycznego nawyku typu „źle się czuję – sięgam po tabletkę", co może mieć negatywne następstwa w przyszłości.

Po wypróbowaniu kilku domowych sposobów możesz jednak zdecydować, że twoje dziecko potrzebuje lekarstwa – pytanie tylko, jakiego? Liczne środki farmakologiczne stosowane w leczeniu dzieci można podzielić na dwie zasadnicze kategorie: dostępnych wyłącznie na receptę lekarza i dostępnych w wolnej sprzedaży. Nawet jeśli wybierzesz coś z tej drugiej grupy, musisz zawsze skonsultować z pediatrą lub farmaceutą właściwą dawkę i okres podawania leku. Nie zakładaj z góry, że jeśli kilka miesięcy temu zastosowałaś jakiś preparat w takiej czy innej dawce z dobrym skutkiem, tak samo będzie i tym razem. Dzieci rosną zadziwiająco szybko, a nawet kilkukilogramowy przyrost na wadze może sprawić, że poprzednia dawka okaże się niewystarczająca. Przyjmij też jako zasadę, że bez porozumienia z lekarzem czy farmaceutą nie wolno podawać absolutnie żadnego leku dziecku w wieku poniżej dwóch lat.

Jeśli lekarz wyrazi zgodę na któryś z leków bez recepty, poproś farmaceutę w aptece o pomoc w dokonaniu właściwego wyboru. Farmaceuta doradzi ci odpowiedni preparat, a jednocześnie pozwoli ci się upewnić, że nie będziesz leczyć dziecka lekiem złożonym, zawierającym więcej składników, niż potrzebujesz.

Za każdym razem musisz również przypominać lekarzowi czy farmaceucie o wszelkiego typu alergiach czy innych znaczących reakcjach na leki, jakie wystąpiły u twojego dziecka w przeszłości, niezależnie od tego, czy dotyczyły one leków zleconych przez lekarza, czy kupionych na własną rękę.

Lekarz radzi

Nigdy po ciemku

Jest środek nocy i oto ze snu wyrywa cię budzik, nastawiony specjalnie po to, żebyś podała dziecku zaleconą dawkę leku. Półprzytomna wstajesz z łóżka, po omacku wyjmujesz buteleczkę i łyżkę, nachylasz się nad śpiącym dzieckiem... Uff, połknęło przez sen, bez problemów. Wracasz do łóżka i zamiast natychmiast zasnąć zaczynasz się martwić: „Czy aby na pewno podałam to co trzeba? Czy tyle, ile trzeba?". Aby uniknąć podobnych rozterek, nigdy nie podawaj dziecku jakiegokolwiek leku bez zapalenia światła i bez założenia okularów czy szkieł kontaktowych, jeśli używasz ich na co dzień. Pomyłka w dawce czy co gorsza w samym leku może mieć poważne konsekwencje.

Lekarz radzi

Co kryje się w nazwie leku?

Co powinnaś kupić – czy drogi lek oryginalny, czy jego tańszą odmianę handlową? Jeśli chodzi o leki bez recepty, cała różnica może polegać na cenie. Mało tego, często te same koncerny produkują leki „markowe" i ich tańsze kopie, na przykład na użytek danej sieci aptek. Klienci kupujący droższy preparat płacą niejednokrotnie wyłącznie za opakowanie i reklamę. Porównaj kilka etykietek i poradź się farmaceuty.

I jeszcze jedno ostrzeżenie: nigdy bez wyraźnego zlecenia lekarza nie podawaj dziecku aspiryny. Stwierdzono korelację między zastosowaniem aspiryny, szczególnie u dzieci chorych na grypę lub ospę wietrzną, a zespołem Reye'a, rzadkim, lecz potencjalnie groźnym dla życia uszkodzeniem wątroby i mózgu. Aspiryna może ponadto interferować z działaniem innych leków w organizmie dziecka. Pamiętaj, że nie chodzi tu tylko o preparaty o nazwie „aspiryna" czy „polopiryna" – aspiryna wchodzi w skład wielu leków złożonych, takich jak Pepto-Bismol, Excedrin, Alka-Selzer itp. Przed podaniem dziecku jakiegokolwiek leku musisz więc dokładnie czytać etykietki i ulotki.

Jak podawać leki

A oto kilka zasad bezpieczeństwa, jakich powinnaś przestrzegać, zanim łyżeczka z lekarstwem trafi do buzi twojego dziecka. Postaraj się nigdy o nich nie zapominać:

- Zanim wyjdziesz z apteki, sprawdź jeszcze raz, czy dostałaś właściwy preparat, nadający się do podawania w dawkach zaleconych przez lekarza. W razie jakichkolwiek rozbieżności wyjaśnij je z farmaceutą.
- Przeczytaj dokładnie instrukcję lekarza lub ulotkę dołączoną do leku, żeby dowiedzieć się, czy ma on być podawany na czczo czy po jedzeniu, ile razy dziennie, gdzie należy go przechowywać, czy wstrząsnąć przed użyciem, itp.
- Przed każdym podaniem czytaj całą etykietkę na opakowaniu leku.
- Zapytaj lekarza o ewentualne objawy uboczne, jakich możesz się spodziewać.
- Jeśli masz jakiekolwiek pytania czy wątpliwości, skonsultuj je z farmaceutą przed wyjściem z apteki albo zadzwoń do lekarza po powrocie do domu.
- Jeśli lekarstwo jest w postaci płynnej z dołączonym kroplomierzem, po każdym użyciu i przed ponownym włożeniem do buteleczki umyj go w gorącej wodzie z mydłem. Jeśli masz kilkoro dzieci, każde z nich powinno mieć osobne lekarstwo w takiej postaci.
- Przed zakupem jakiegokolwiek leku i ponownie przed podaniem go dziecku sprawdzaj datę ważności na opakowaniu. Wyrzucaj wszystkie przeterminowane leki kupione bez recepty, a zapisane przez lekarza po upływie roku, niezależnie

od daty ważności. Rób porządki w apteczce w taki sposób, żeby dziecko żadnym sposobem nie mogło wydobyć czegokolwiek z pojemnika na śmiecie.

- Jeśli podanie dziecku lekarstwa jest dla ciebie ciężką próbą, zasięgnij porady farmaceuty. Niemal wszystkie leki w postaci płynnej zawierają obecnie dodatki smakowe, a niektóre nadają się do zmieszania z czekoladą czy syropem owocowym.
- Nie wsypuj rozkruszonych tabletek ani nie wlewaj płynnego leku do butelki z pokarmem dla niemowlęcia. Jeśli dziecko nie wyssie całej jej zawartości, nie otrzyma właściwej dawki leku.
- Dawkując lekarstwo w płynie, używaj właściwej jednostki miary, najlepiej specjalnej łyżeczki dołączonej do opakowania albo strzykawki z podziałką mililitrową (do nabycia w każdej aptece). Jeśli musisz posłużyć się zwykłą łyżką, wybierz najbardziej typową do kawy, herbaty lub zupy.
- Jeśli przypadkiem podasz dziecku za dużo leku, natychmiast skontaktuj się z lekarzem lub farmaceutą i postępuj zgodnie z ich instrukcjami. Jeśli nie możesz się z nimi połączyć, zadzwoń do lokalnego ośrodka leczenia zatruć.
- Większość leków dostępnych w wolnej sprzedaży powinno się stosować doraźnie, w razie potrzeby, natomiast leki zalecone przez lekarza (a zwłaszcza antybiotyki) wymagają podawania w pełnej dawce, przez określony czas. Nie wolno ci przerwać leczenia wcześniej, nawet jeśli dziecko czuje się już zdecydowanie lepiej. Jeśli masz jakiekolwiek pytania co do wymaganego czasu stosowania leku, zadaj je lekarzowi lub farmaceucie.
- Praktycznie wszystkie leki mają objawy uboczne, na które powinnaś być z góry przygotowana. W razie wystąpienia takich reakcji musisz natychmiast zgłosić je lekarzowi, nie zapominając przy tym o informacji, czy dziecko bierze jednocześnie jakieś inne leki. Oprócz działań niepożądanych leki charakteryzują się bowiem licznymi wzajemnymi interakcjami, które czasami mogą być niebezpieczne.
- Nigdy nie próbuj ustalać rozpoznania choroby na własną rękę i również na własną rękę leczyć dziecka tym, co zostało ci w domu po poprzedniej infekcji lub czego używa inny członek rodziny.

Lekarz radzi

Leki nie są cukierkami

Nigdy nie mów dziecku, że leki są cukierkami albo że smakują jak cukierki. Tabletki rzeczywiście mają często atrakcyjny kształt i kolor i zawsze istniej groźba, że dziecko postanowi zakosztować ich na własną rękę. Przypadkowe zatrucie lekami może mieć tragiczne następstwa, tak więc musisz dbać, by twoje dziecko od najmłodszych lat wiedziało, że żadne tabletki – nawet witaminy – nie są cukierkami i nie wolno po nie sięgać.

- Przechowuj leki w chłodnym, suchym miejscu. Duża wilgotność powietrza w łazience sprawia, że nie jest ona najlepszym pomieszczeniem do zawieszenia apteczki. Przetrzymywanie w wilgoci może osłabić skuteczność wielu leków. Lepiej wybrać dla nich wysoki pawlacz w przedpokoju lub szafkę w kuchni – o ile nie wymagają przechowywania w lodówce.
- Dla bezpieczeństwa twojego dziecka zawsze przechowuj leki w specjalnie zamykanych pojemnikach poza zasięgiem jego wzroku i ręki.
- Jeśli mimo przyjmowania leków przez określony czas nie widzisz poprawy w objawach ani w samopoczuciu dziecka, skontaktuj się z lekarzem. Dziecko może wymagać powtórnego badania lub zmiany leku.

Konsultacja z lekarzem lub farmaceutą jest szczególnie ważna wtedy, gdy masz zamiar podać lek dostępny w wolnej sprzedaży dziecku poniżej dwóch lat. Chodzi przede wszystkim o ustalenie dawki, ponieważ na opakowaniach tych leków nie jest zwykle podane dawkowanie dla tak małych dzieci. Niemowlęta i dwu–trzylatki nie mogą otrzymywać dawek dostosowanych dla starszych dzieci, a dzieci – niezależnie od wieku – dawek dla dorosłych. Upewnij się za każdym razem, że lekarz czy farmaceuta orientują się w aktualnym ciężarze ciała twojego dziecka.

Dziecko a medycyna alternatywna

Być może sam termin „medycyna alternatywna" (zwana również „wspomagającą", „naturalną" lub „paramedycyną") budzi w tobie nieufność i skojarzenia z różnymi podejrzanymi, znachorskimi praktykami, a w najlepszym razie z medytacjami w oparach gryzących ziół. Faktem jest, że pod kategorię tę podpada zarówno ziołolecznictwo i medytacja, jak i dziesiątki innych metod terapeutycznych o niewątpliwie różnej wartości i wiarygodności. Choć nie ma ścisłej, jednoznacznej definicji „medycyny alternatywnej", w praktyce można przyjąć, że obejmuje ona wszelkie praktyki zdrowotne nie należące do głównego nurtu konwencjonalnej, naukowej medycyny, wykładanej na uczelniach i praktykowanej w gabinetach lekarskich i szpitalach.

Lekarz radzi

Żeby lekarstwo trafiło tam, gdzie trzeba

Nie zawsze łatwo sprawić, by niemowlę połknęło antybiotyk czy inny preparat w syropie. Małe dzieci potrafią rzeczywiście przechytrzyć rodziców, zwłaszcza jeśli nie podoba im się smak lekarstwa, i często ląduje ono wszędzie, byle nie w gardle. Istnieje tymczasem prosty i niezawodny sposób: po wyjęciu łyżeczki z ust niemowlęcia delikatnie klepnij je po buzi otwartą dłonią. Dziecko odruchowo zmruży oczy i przełknie ślinę, a wraz z nią porcję leku.

Lekarz radzi

Jak ułatwić dziecku przełknięcie leku

Dzieci nie lubią przymusu, a zwłaszcza przymusu skojarzonego z dziwnym smakiem silnego antybiotyku. Zamiast się złościć, spróbuj pomóc małemu pacjentowi przebrnąć przez ten niemiły obowiązek. Zapytaj farmaceutę, czy lekarstwo wymaga przechowywania w temperaturze pokojowej. Jeśli nie, spróbuj przed podaniem porządnie schłodzić je w lodówce, co ujmie mu nieco goryczy i ułatwi przełknięcie.

Granice medycyny alternatywnej ulegają jednak nieustannym przesunięciom i wiele wchodzących w jej skład metod zyskuje coraz większe uznanie lekarzy i pacjentów. Niektóre z nich, na przykład akupunktura i hipnoza, traktowane dawniej pogardliwie przez środowisko medyczne, są obecnie uznane za cenne uzupełnienie klasycznych metod leczenia. Skoro taka jest ogólna tendencja, warto zastanowić się również nad miejscem medycyny alternatywnej w pediatrii. Innymi słowy: czy jest ona w stanie w jakikolwiek sposób pomóc twojemu dziecku?

Gałęzie medycyny alternatywnej i uzupełniającej

Najczęściej wyróżnia się pięć ogólnych dziedzin medycyny alternatywnej. Każda z nich obejmuje z kolei szereg gałęzi czy praktyk:

1. Całościowe alternatywne systemy medyczne, takie jak tradycyjna medycyna orientalna, zyskują w dzisiejszych czasach coraz większą popularność. Są to rzeczywiście prawdziwe systemy, nie tylko medyczne, ale również filozoficzne, całkowicie odmienne od zachodniego sposobu myślenia o wszechświecie i człowieku, a przy tym poparte często wielowiekową praktyką. Nie mają one nic wspólnego z medycyną, do jakiej jesteśmy przyzwyczajeni w przychodniach i szpitalach, ale każdy może sprawdzić osobiście na czym polegają, bo wiele z nich jest już dostępnych.
   - Tradycyjna medycyna orientalna lub chińska, znana i praktykowana na Wschodzie od wieków czy wręcz tysiącleci. Opiera się ona na teorii krążenia energii, określanej jako *qi* (wym. czi), zarówno we wszechświecie, jak i w każdym ludzkim organizmie, wzdłuż ściśle określonych szlaków. Choroba jest w tym systemie uznana za stan zaburzenia równowagi energetycznej, którą terapeuci starają się przywrócić takimi metodami jak akupunktura, ziołolecznictwo, masaż orientalny czy terapia energetyczna *qigong*.
   - Ajurweda. Ten system wywodzi się z kolei z Indii i pojmuje zdrowie jako stan harmonii między ciałem, umysłem i duszą. Utrzymaniu czy – w razie choroby – przywróceniu tej unikalnej, właściwej tylko danemu człowiekowi harmonii ma służyć odpowiednia dieta, ćwiczenia, zioła i olejki, medytacja, naświetlanie słońcem i ćwiczenia oddechowe.

- Homeopatia. Jest to system zachodni, opracowany w XIX wieku i stanowiący niejako przeciwieństwo drogi, jaką poszła od tego czasu klasyczna medycyna, czyli tak zwanej alopatii. Najkrótsza definicja homeopatii zawiera się w jej podstawowej zasadzie, by leczyć podobne podobnym. Według homeopatów chorobę wywołują pewne pierwiastki i substancje skumulowane w naszym organizmie (np. cynk), a jednocześnie te same związki, tyle że bardzo rozcieńczone, mogą działać jak lekarstwa, przywracając zaburzoną równowagę wewnątrzustrojową i zapobiegając nawrotowi choroby.
- Naturopatia. Obejmuje ona w spójną, logiczną całość cały zespół metod, których celem jest nie tyle walka z chorobą, co oddziaływanie w pożądanym kierunku na naturalne procesy życiowe. Naturopaci wychodzą z założenia, że nasz organizm dysponuje potężnym arsenałem środków, którymi skutecznie broni się przed chorobą, a rolą lekarza jest wspieranie go w tych procesach, a nie „brutalna" ingerencja w postaci farmakologii czy chirurgii. Naturopaci z definicji uznają zatem tylko metody „naturalne", takie jak dietetyka, homeopatia, akupunktura, terapia manualna układu kostnego i tkanek miękkich, ziołolecznictwo i szereg innych.

2. Metody oparte na oddziaływaniu na psychikę. Są one stosowane w przeświadczeniu, że psychika dominuje nad biologicznym aspektem człowieka i jest w stanie sterować procesami fizjologicznymi, kontrolować objawy i przezwyciężać choroby. Do tej dziedziny medycyny alternatywnej należy – przykładowo – medytacja, hipnoza, terapia tańcem, muzyką czy sztuką i wiele innych, nierzadko z pogranicza religii i mistyki.

3. Metody biologiczne, ogólnie zbliżone do naturopatii. Obejmują one między innymi ziołolecznictwo, dietetykę i tak zwaną terapię ortomolekularną. Pod pewnymi względami pokrywają się one również z konwencjonalną medycyną, zwłaszcza jeśli chodzi o witaminy i inne suplementy odżywcze. Ziołolecznictwo – skądinąd pierwotne źródło farmakologii – wykorzystuje substancje pochodzenia roślinnego i proponuje je w bardzo różnorodnych postaciach, takich jak preparaty odżywcze, herbatki ziołowe czy tabletki. Są one szeroko dostępne w sklepach ze zdrową żywnością, a także w każdej aptece. Dynamiczny rozwój przeżywa dietetyka, lansująca coraz to nowe zestawy pokarmowe, które mają zapewnić nam zdrowie i formę na długie lata. Przykładem może być dieta niskotłuszczowa Pritkina czy dieta śródziemnomorska. Terapia ortomolekularna jest niejako uzupełnieniem dietetyki o witaminy i tak zwane mikro- czy oligoelementy i polega między innymi na ogromnych dawkach witaminy C, uznanej za niezwykle ważny czynnik zdrowia. Terapeuci praktykujący metody biologiczne zalecają ponadto stosowanie specyficznych substancji naturalnych, takich jak tran rybi czy kit pszczeli w leczeniu określonych chorób.

4. Metody manipulacyjne. Te zabiegi, stosowane przez chiropraktyków, masażystów czy osteopatów, opierają się na przekonaniu, że układ mięśni i kości naszego ciała, a zwłaszcza ustawienie kręgosłupa, ma zasadnicze znaczenie dla ogólnego stanu zdrowia. Adepci tych metod uważają, że jakakolwiek dysfunkcja aparatu

ruchowego w jednej okolicy ciała zaburza całościową równowagę organizmu i może być przyczyną choroby, niekoniecznie ograniczonej do układu kostno-mięśniowego. Stosowane przez terapeutów metody manualne i fizyczne mają na celu przywrócenie prawidłowego wzajemnego ustawienia elementów tego układu.

5. Metody energetyczne. Polegają one na oddziaływaniu na pola energii „elektrycznej" w obrębie naszego ciała (biopola) lub emitowane przez nie na zewnątrz (pola elektromagnetyczne). Do tej grupy należy szereg technik terapeutycznych, takich jak quigong, reiki (energoterapia japońska) czy dotyk terapeutyczny, polegających na próbach manipulowania biopolami poprzez dotyk, ucisk, odpowiednie ustawianie rąk w obrębie pól (których istnienie nie zostało jak dotąd potwierdzone naukowo) oraz przesyłanie energii duchowej od terapeuty do pacjenta.

Masz wiele możliwości, by dowiedzieć się czegoś więcej o aktualnie dostępnych metodach medycyny alternatywnej czy to z bogatej literatury na ten temat, czy za pośrednictwem Internetu. Kwestię rzetelności informacji medycznych zawartych w Internecie omawiamy w rozdziale 34, „Zdrowie w Internecie".

Na czym polegają różnice między medycyną konwencjonalną a alternatywną?

Metody alternatywne wyróżniają się zwykle swoim aspektem holistycznym, co oznacza, że terapeuta czy lekarz leczy „całego" człowieka, a nie tylko daną chorobę czy nieprawidłowość. Wielu terapeutów zajmuje się wręcz nie tylko ciałem pacjenta, ale również jego potrzebami emocjonalnymi i duchowymi. Jest to skądinąd jedna z głównych przyczyn rosnącej popularności tych dyscyplin, zdecydowanie odmiennych od konwencjonalnej medycyny z jej coraz bardziej skomplikowaną, często przerażającą dla pacjenta aparaturą, lekarzami, którzy nie zawsze potrafią cierpliwie wysłuchać wszystkich skarg, i zasadniczym ukierunkowaniem na szybką i skuteczną korekcję określonego problemu fizycznego.

Przed większością praktyk alternatywnych nie otworzyły się jak dotąd drzwi szpitali i gabinetów lekarskich, a wielu lekarzy, w tym i pediatra opiekujący się twoim dzieckiem, może nawet całkowicie ignorować ich istnienie. Nowo powstające ośrodki medycyny integracyjnej coraz częściej oferują jednak mieszankę metod konwencjonalnych i alternatywnych. Zatrudniają one zarówno lekarzy, jak i dyplomowanych czy licencjonowanych terapeutów w różnych dziedzinach, którzy powoli uczą się ze sobą współpracować. Udając się do takiego ośrodka, możesz na pewno liczyć na długie i dokładne badanie, a niejednokrotnie również na skuteczną pomoc w problemach, wobec których klasyczna medycyna często okazuje się bezradna, na przykład takich jak przewlekłe dolegliwości bólowe kręgosłupa.

Mimo obserwowanego w ostatnich latach dynamicznego rozwoju medycyny alternatywnej większość oferowanych przez nią zabiegów nie jest objęta żadnym ubezpieczeniem zdrowotnym. Dzieje się tak w dużej mierze dlatego, że przeprowadzono jak dotąd tylko niewiele badań naukowych na temat skuteczności tych metod. Podczas gdy cała medycyna konwencjonalna opiera się właśnie na badaniach naukowych, medycyna alternatywna wykorzystuje raczej doświadczenie praktyczne i „pocztę pantoflową" jako narzędzie reklamy. Zanim zdecydujesz się więc na któryś z zabiegów alternatywnych, dowiedz się u ubezpieczyciela, jak wygląda to od strony finansowej. Jeśli masz w całości ponieść koszty danej terapii, musisz po pierwsze uzyskać dokładne informacje na ten temat, a po drugie – i przede wszystkim – pewność, że będzie to wydatek rzeczywiście uzasadniony względami zdrowotnymi.

Czy medycyna alternatywna jest ryzykowna?

Brak podstaw naukowych oznacza, że pewne potencjalne problemy związane z zabiegami alternatywnymi mogą być trudne do identyfikacji. Co więcej, jeśli nawet przeprowadzono w tym zakresie jakiekolwiek badania, dotyczyły one niemal wyłącznie dorosłych, tak więc bardzo niewiele wiadomo o efektach tych metod u dzieci. Chociaż medytacje, masaże i zmiany w stylu życia postulowane przez medycynę naturalną są generalnie uznawane za bezpieczne uzupełnienie regularnej opieki lekarskiej, nie można jednak powiedzieć tego o wszystkich jej dziedzinach, a zwłaszcza o ziołolecznictwie, nie wolnym od ryzyka narażenia dziecka na poważne problemy zdrowotne.

W przeciwieństwie do oficjalnych leków wiele specyfików ziołowych nie podlega rygorystycznym przepisom państwowych organów kontrolnych. Oznacza to, że nie są one poddawane szczegółowym badaniom naukowym – jakie poprzedzają wypuszczenie na rynek każdego leku – i nie podlegają normom jakościowym, obowiązującym cały przemysł farmaceutyczny. Jeśli więc kupujesz na przykład opakowanie tabletek z żeń-szenia, nie masz pewności, co tak naprawdę zawierają. Rzeczywista dawka substancji biologicznie czynnej może zmieniać się niemalże z tabletki na tabletkę, a tym bardziej z opakowania na opakowanie i z producenta na producenta. Zależnie od kraju pochodzenia mogą występować w nich domieszki innych ziół, a nawet innych leków, na przykład steroidów. Preparaty ziołowe sprowadzane z egzotycznych zakątków świata bywają też skażone toksynami, takimi jak pestycydy czy metale ciężkie.

„Naturalny" nie zawsze musi oznaczać „bezpieczny" czy „zdrowy", z czego, niestety, nie wszyscy rodzice zdają sobie sprawę. Środek zastosowany po to, by wyleczyć dziecko, w rzeczywistości może narazić je ryzyko. Nie podawaj mu więc niczego bez wiedzy i zgody lekarza. Dziecko nie nadaje się na obiekt eksperymentów z niepewnymi substancjami tylko dlatego, że ktoś zareklamował je jako „naturalne". Pamiętaj, że w przyrodzie istnieje również bardzo wiele trucizn, które w końcu też dadzą się zaliczyć do kategorii „naturalnych". Niektóre preparaty ziołowe mogą podwyższać ciśnienie tętnicze, uszkadzać wątrobę czy wywoływać ciężkie reakcje alergiczne.

Na przykład:
- Efedra (sprzedawana często jako chińskie zioła *ma huang*) została skojarzona z kilkoma przypadkami zgonów osób z problemami krążeniowymi.

• Niektóre suplementy dietetyczne, takie jak żywokost, przetacznik, efedryna czy zioła południowoamerykańskie, same lub w skojarzeniu z lekami na receptę – miały związek z przypadkami ciężkiego uszkodzenia wątroby, a nawet śmierci.

Środki „naturalne" kryją w sobie jeszcze jedno niebezpieczeństwo, związane z błędnymi wyobrażeniami na ich temat. Wielu ludzi – w tym wielu rodziców – może stosować je na własną rękę w dawkach znacznie wyższych niż zalecane właśnie dlatego, że jako „naturalne" nie są w ich mniemaniu szkodliwe. Tymczasem, jak już wspomnieliśmy, zielarstwo jest „matką" farmakologii nie tylko w ujęciu historycznym – do dziś około 25% wszystkich leków to leki produkowane na bazie substancji roślinnych. Świadczy to o tym, że rośliny zawierają wiele aktywnych, silnie działających związków, które mają również swoje efekty niepożądane i mogą wchodzić w nie zawsze przewidziane interakcje z innymi lekami, choćby tak niewinnymi jak dostępne bez recepty preparaty przeciwalergiczne.

Odrębny problem stanowi wybór terapeuty, któremu można by z pełnym zaufaniem powierzyć dziecko. W wielu krajach funkcjonuje co prawda system udzielania licencji specjalistom w dziedzinie akupunktury czy masażu, jednak na szczeblu centralnym brakuje organizacji na podobieństwo izb lekarskich czy stowarzyszeń, które stałyby na straży jakości usług terapeutów i wyznaczały standardy leczenia dla różnych dziedzin medycyny alternatywnej. Innymi słowy, w praktyce niemal każdy może rozpocząć praktykę terapeuty niezależnie od wykształcenia i umiejętności, a potencjalny pacjent musi ustalić jego wiarygodność niemal w całości na własną rękę. Tym bardziej radzimy ci więc ostrożność i dystans – nie wahaj się żądać okazania dyplomów, poproś o referencje i zadawaj jak najwięcej pytań, włącznie z drobiazgowymi czy „zaczepnymi". Masz do nich pełne prawo, a wręcz obowiązek, zanim zdecydujesz się powierzyć komukolwiek coś tak bezcennego, jak zdrowie twojego dziecka.

Być może jednak największe ryzyko medycyny alternatywnej polega na opóźnieniu lub zaniechaniu konwencjonalnego leczenia tam, gdzie jest ono pilnie potrzebne. Istnieje bardzo wiele chorób, jak na przykład cukrzyca, nowotwory czy ciężkie zakażenia bakteryjne, które wymagają fachowej opieki lekarskiej. Poleganie wyłącznie na metodach alternatywnych w przypadku każdej poważnej choroby, ostrej czy przewlekłej, stwarza zagrożenie dla zdrowia, a być może i życia dziecka.

Czy medycyna alternatywna może pomóc twojemu dziecku?

Wielu rodziców sięga po napar z rumianku czy czosnek jako leki „pierwszego rzutu" w przypadku grypy czy niestrawności. Dzieci nadpobudliwe mogą odnieść korzyści z nauki relaksacji za pomocą jogi czy medytacji. Tego rodzaju metody alternatywne dobrze uzupełniają konwencjonalne leczenie i często istotnie poprawiają samopoczucie dziecka.

Jeśli chcesz spróbować medycyny naturalnej dla twojego dziecka, musisz najpierw omówić tę kwestię z lekarzem, zasięgnąć jego opinii na temat proponowanej terapii, zapytać, czy na pewno jest bezpieczna i czy w niczym nie zakłóci normalnego leczenia. Możesz również poprosić lekarza o pomoc w wyborze terapeuty; być może będzie on w stanie wskazać ci wiarygodnego specjalistę. Koordynując opiekę lekarską i alternatywną, nie musisz wybierać, która z nich jest „lepsza". Wręcz przeciwnie, możesz maksymalnie wykorzystać to, co każda z nich ma najlepszego do zaoferowania.

Jeśli potrzebujesz dodatkowych informacji, zasięgnij porady lekarza.

CZĘŚĆ VI

Dziecko z problemem zdrowotnym

Problemy zdrowotne okresu wczesnego dzieciństwa

Poradnik dla rodziców

Spis treści rozdziału

Problemy zdrowotne wymagające leczenia zachowawczego
Alergie, 622
Niedokrwistości genetycznie uwarunkowane, 623
   Niedokrwistość sierpowatokrwinkowa, 623
   Talasemia, 625
   Niedokrwistość z niedoboru żelaza, 626
Astma oskrzelowa, 626
Zespół hiperkinetyczny, nadpobudliwości (AD/HD), 628
Autyzm, 630
Znamiona, 631
Ślepota/zaburzenia wzroku, 632
Celiakia, 634
Porażenie mózgowe dziecięce, 635
Maltretowanie/wykorzystywanie seksualne dziecka, 637
Rozszczep wargi/podniebienia, 639
Wrodzone wady serca, 641

Wrodzona niedoczynność tarczycy, 643
Mukowiscydoza, 644
Głuchota/niedosłuch, 646
Opóźnienie w rozwoju/upośledzenie umysłowe, 647
Cukrzyca, 649
Zespół Downa, 651
Wyprysk/atopowe zapalenie skóry, 653
Padaczka, 654
Refluks żołądkowo-przełykowy, 656
Zaburzenia wzrostu, 658
Hemofilia, 660
Dysplazja/wrodzone zwichnięcie stawu biodrowego, 661
Zakażenie HIV/AIDS, 662
Wodogłowie, 663
Młodzieńcze reumatoidalne zapalenie stawów, 664
Choroby nerek
   Kłębkowe zapalenie nerek, 666
   Wodonercze, 667

Zespół nerczycowy, 667
Wielotorbielowatość nerek, 668
Nawracające zakażenia dróg
    moczowych, 668
Guz Wilmsa (nephroblstoma), 669
Zatrucie ołowiem, 669
Białaczka, 671
Choroby metaboliczne
    (fenyloketonuria, galactosaemia), 673
Dystrofia mięśniowa, 674
Otyłość, 676
Problemy ortopedyczne kończyn dolnych
    Krzywica, 678
    Płaskostopie, 678
    Podwinięte palce stóp, 679
Przedwczesne pokwitanie, 679

Rozszczep kręgosłupa/przepuklina
    oponowo-rdzeniowa, 681
Tiki/zespół Tourette'a, 682
Problemy wymagające leczenia
    chirurgicznego/zabiegi 683
Zapalenie wyrostka robaczkowego, 683
Przepuklina, 684
Spodziectwo, 684
Paracentesis (chirurgia ucha
    środkowego), 685
Zwężenie odźwiernika, 685
Zez, 685
Usunięcie migdałków/wyrośli
    adenoidalnych, 686
Niezstąpienie jądra (wnętrostwo), 686

Jak korzystać z tego rozdziału

Na szczęście większość dzieci przechodzi przez okres dzieciństwa bez problemów zdrowotnych poważniejszych niż katar, kilka zadrapań i siniaków oraz jedna czy dwie grypy. Gdy coś podobnego przytrafi się twojemu dziecku, jest to oczywiście nieprzyjemne dla niego i na pewno stresujące dla ciebie, ale nie ma powodu do obaw. Tego rodzaju przypadłości trzeba po prostu przeczekać, a miną bez śladu i żadnych trwałych następstw dla zdrowia dziecka. Nie odnosi się to jednak do wszystkich problemów medycznych. Niektóre dzieci są dotknięte poważniejszymi chorobami przewlekłymi, które mają wpływ na ich życie, mogą upośledzać ich sprawność i stwarzają konieczność stałej opieki, przyjmowania leków, specjalnej diety, zabiegów operacyjnych, częstych pobytów w szpitalu i wizyt u specjalistów.

Ta część naszej książki pomyślana jako „miniencyklopedia zdrowia", zawiera informacje na temat chorób spotykanych u małych dzieci. Niektóre z nich występują często, na przykład astma oskrzelowa dotyczy mniej więcej jednego dziecka na dziesięcioro w różnym nasileniu i w różnych momentach życia. Inne z kolei są stosunkowo rzadkie: np. fenyloketonuria, choroba należąca do genetycznie uwarunkowanych tak zwanych bloków enzymatycznych, występuje z częstotliwością jednego przypadku na 16 tysięcy urodzeń. O jeszcze innych być może nigdy nie słyszałaś, na przykład o zespole tzw. „łamliwego chromosomu X", jednej z częstszych genetycznych przyczyn upośledzenia umysłowego. Ocenia się, że choroby wymagające specjalistycznej opieki medycznej obejmują około 15% ogółu dzieci.

Treści poszczególnych rozdziałów zawierają krótki opis choroby z jej definicją (czasami również nazewnictwem łacińskim, jeśli jest powszechnie używane przez lekarzy), przyczynę (jeśli jest znana), objawy, postępowanie diagnostyczne, aktualnie dostępne leczenie oraz rokowanie, to znaczy ogólne perspektywy, jakie rysują się przed

dzieckiem nią dotkniętym. Tam, gdzie jest to możliwe, omówiono również zapobieganie, a w przypadku zaburzeń genetycznie uwarunkowanych i występujących rodzinnie wspominano o diagnostyce i poradnictwie prenatalnym.

Mimo że ta część książki obfituje w informacje, pamiętaj, że jest to tylko skrótowy zarys problemu, absolutne minimum wiedzy na temat chorób przewlekłych u dzieci – zarówno pod względem liczby wybranych jednostek, jak i zakresu ich omówienia. Jeśli jesteś bardziej zainteresowana którąś z nich, polecamy encyklopedię zdrowia, w której wiele wzmiankowanych tutaj jednostek chorobowych przedstawiono w sposób bardziej szczegółowy.

I jeszcze kilka dodatkowych uwag adresowanych do czytelników tego rozdziału: postęp w rozumieniu i leczeniu chorób dokonuje się szybko i nieustannie. Przez cały czas kontynuowane są badania naukowe dotyczące praktycznie wszystkich omówionych tutaj jednostek. Żadna pojedyncza publikacja książkowa nie jest w stanie nadążyć za wszystkimi nowymi ustaleniami, w związku z czym musisz na bieżąco konsultować się z lekarzem twojego dziecka.

Jeśli chodzi o opiekę nad dzieckiem dotkniętym jedną z opisanych tutaj chorób, na pewno zastanawiałaś się nad wyborem lekarza, który jest w stanie najlepiej pomóc twojemu dziecku. Ogólnie możemy założyć, że im rzadsza jest dana choroba, tym mniej doświadczenia w jej diagnostyce i leczeniu ma lekarz pierwszego kontaktu. Często zdarza się również, że chore dziecko wymaga pomocy nie tylko jednego specjalisty, lecz opieki całego zespołu, złożonego również z odpowiednio przeszkolonej pielęgniarki, dietetyka, pracownika socjalnego, różnego rodzaju terapeutów i wychowawców. Taką kompleksową opiekę można uzyskać w wielospecjalistycznych ośrodkach, istniejących zazwyczaj przy szpitalach dziecięcych lub ogólnych z rozbudowanym działem pediatrii. (Więcej informacji na ten temat znajdziesz w rozdziale 27, „System opieki zdrowotnej nad dziećmi").

Niektóre dzieci mają ponadto szczególne potrzeby zdrowotne, wymagające znacznego zaplecza technicznego w postaci odpowiedniej aparatury diagnostycznej i leczniczej. Informacje na ten temat podajemy w rozdziale 33, „Opieka nad dzieckiem specjalnej troski".

Problemy zdrowotne wymagające leczenia zachowawczego

Alergie

Alergia jest reakcją układu odpornościowego (immunologicznego) na substancję, która zasadniczo nie stanowi dla nas zagrożenia i nie powinna wywoływać odpowiedzi ze strony organizmu. W przypadku alergii organizm traktuje tymczasem taką substancję, zwaną alergenem, jak agresora i uruchamia cały szereg mechanizmów obronnych. Do najpopularniejszych alergenów należą pyłki roślin, roztocza kurzu domowego (mikroorganizmy obecne w typowych domowych zanieczyszczeniach), pleśnie, karaluchy, sierść zwierząt domowych (głównie psów i kotów) oraz produkty spożywcze, takie jak orzechy, białko jaja kurzego, pszenica, ryby i inne „owoce morza", soja, owoce cytrusowe, truskawki oraz mleko i jego przetwory. Reakcję alergiczną mogą również wywołać ukąszenia owadów lub węży. U niektórych osób objawy alergii występują jedynie sezonowo, wtedy, gdy cząsteczki alergenu są obecne w powietrzu (np. w porze kwitnienia traw lub drzew), a u innych w sposób ciągły, bo nie da się całkowicie uniknąć na przykład kurzu domowrgo.

W najczęstszych rodzajach alergii układ odpornościowy produkuje przeciwciała przeciwko określonemu alergenowi. Te białkowe substancje krążą we krwi, jakby „czatując" na pojawienie się alergenu. W momencie ich pojawienia się następuje „atak" układu immunologicznego, pociągający za sobą liczne reakcje chemiczne, odpowiedzialne za objawy alergii.

Na różne i różnie nasilone alergie cierpi np. około 50 milionów Amerykanów (spośród 270 mln), w tym 2 miliony dzieci. Tendencja do rozwoju alergii jest genetycznie uwarunkowana. Jeśli jedno z rodziców ma alergię, prawdopodobieństwo, że wystąpi ona u dziecka, wynosi 25%, a jeśli i ojciec, i matka są alergikami, ryzyko to dodatkowo wzrasta.

Objawy i rozpoznanie Typ i nasilenie reakcji alergicznej są zmienne zależnie od rodzaju alergenu i osobniczych skłonności dziecka. Rozpiętość jest tutaj ogromna – od kataru czy zaczerwienionych oczu do groźnego dla życia wstrząsu anafilaktycznego.

Alergie pokarmowe wywołują objawy o nasileniu od łagodnego do ciężkiego, do których należy drapanie w jamie ustnej i w gardle, uogólniony świąd, katar i obrzęk błony śluzowej nosa, podrażnienie oczu, nudności, wymioty lub biegunka. Poważniejsze, potencjalnie niebezpieczne reakcje mogą polegać na obrzęku jamy ustnej, gardła i górnych dróg oddechowych, utrudniających oddychanie lub wskazujących na bezpośrednie zagrożenie wstrząsem anafilaktycznym.

Objawy alergii na substancje przedostające się do organizmu drogą wziewną, takie jak pleśnie, pyłki roślinne (główna przyczyna kataru siennego), sierść zwierząt (głównie kotów), cząstki chemiczne czy zapachowe (perfumy!), obejmują kichanie, wodnistą wydzielinę z nosa, świąd lub uczucie niedrożności nosa, świąd i zaczerwienienie oczu oraz ogólne osłabienie. Mogą również wystąpić objawy ze strony dolnych dróg oddechowych w postaci kaszlu, świstów przy oddychaniu i duszności, które opisujemy w części poświęconej astmie oskrzelowej.

U niektórych osób reakcja alergiczna przybiera skrajne nasilenie zwane anafilaksją. Jest to uogólniona odpowiedź całego organizmu, charakteryzująca się nagłym początkiem i szybkim narastaniem takich objawów jak trudności w oddychaniu, obrzęk warg, języka i gardła, wymioty, zawroty głowy i utrata przytomności. Do silnych alergenów, częściej niż inne wywołujących anafilaksję, należą jady owadów (pszczół, os i szerszeni), orzechy ziemne i laskowe oraz „owoce morza". (Więcej informacji na temat alergii znajdziesz w rozdziale 28, „Pierwsza pomoc i postępowanie w stanach nagłych").

W wielu przypadkach do ustalenia rozpoznania wystarcza dokładnie zebrany wywiad, a w nim informacje na temat związku między wystąpieniem objawów a kontaktem z określonym alergenem. Przykładowo objawy przeziębienia utrzymujące się przez ponad 2 tygodnie lub występujące regularnie w jednej porze roku mogą wskazywać na podłoże alergiczne.

Dla ustalenia przyczyny alergii wykonuje się często testy skórne. Polegają one na wtarciu lub wstrzyknięciu tuż pod skórę minimalnych ilości podejrzanych substancji, oczyszczonych i sprowadzonych do postaci płynnej. Po około 15 minutach obserwuje się reakcję w miejscu kontaktu: o wyniku dodatnim świadczy zaczerwienienie skóry. W diagnostyce specyficznych rodzajów alergii stosuje się również badania serologiczne krwi (na obecność określonych przeciwciał).

Leczenie i rokowanie Podstawową metodą postępowania jest unikanie kontaktu z alergenem, dlatego też ważna jest jego identyfikacja. Jeśli nie ma takiej możliwości lub też nie wystarcza do pełnej kontroli objawów, stosuje się leki przeciwhistaminowe, zapobiegające uwalnianiu związków chemicznych odpowiedzialnych za te objawy. Nowsze rodzaje leków przeciwhistaminowych, zatwierdzone do stosowania u dzieci, wywołują mniej działań niepożądanych (takich jak senność czy zmiany zachowania). W przypadku kataru alergicznego z kichaniem i świądem nosa pomocne mogą być również miejscowe steroidy w aerozolu.

W razie poważniejszych, niebezpiecznych reakcji alergicznych, trudnych do opanowania samym unikaniem zetknięcia się z nimi i aplikowaniem leków, wskazana bywa immunoterapia (odczulanie). Metoda ta, stosowana głównie u dzieci w wieku 4–5 lat, polega na podawaniu serii zastrzyków z roztworem oczyszczonego alergenu we wzrastających stężeniach, co prowokuje u dziecka reakcję alergiczną. W rzeczywistości tak wywołane objawy stają się stopniowo coraz słabsze lub rzadsze z powodu produkcji w organizmie przeciwciał blokujących, które przerywają „atak" układu immunologicznego, skierowany przeciwko danemu alergenowi.

Immunoterapia wykazuje największą skuteczność w leczeniu alergii na substancje wziewne (pyłki roślin) oraz jady owadów. Dawki odczulające stosuje się zwykle przez okres kilku lat pod ścisłą kontrolą alergologa i innych lekarzy wyspecjalizowanych w tej metodzie.

Dzięki zmianom środowiska narażającym na alergen i odpowiedniemu leczeniu w większości przypadków alergia daje się z powodzeniem kontrolować przez całe życie.

Niedokrwistości genetycznie uwarunkowane

Niedokrwistość (anemia) oznacza stan zmniejszonej poniżej normy liczby krwinek czerwonych (erytrocytów) lub ich zmniejszonego wysycenia hemoglobiną, białkiem wyspecjalizowanym w „transporcie" tlenu. Przyczyną niedokrwistości u dzieci mogą być wrodzone, genetycznie uwarunkowane zmiany w budowie hemoglobiny, a także zaburzenia odżywiania (patrz „Niedokrwistość z niedoboru żelaza"), utrata krwi i szereg innych patologii. Dwie najczęstsze postaci dziedzicznej niedokrwistości to niedokrwistość sierpowatokrwinkowa oraz talasemia.

Niedokrwistość sierpowatokrwinkowa (drepanocytoza)

Genetycznie uwarunkowane zaburzenie, którego istotą jest produkcja nieprawidłowej formy hemoglobiny (zwanej hemoglobiną S, HbS). Ta nieprawidłowo zbudowana hemoglobina sprawia z kolei, że krwinki czerwone zmieniają kształt z okrągłego i dyskowatego na zbliżony do sierpa lub rożka. Ma to poważne konsekwencje dla ich funkcji: podczas gdy prawidłowe erytrocyty są optymalnie przystosowane do przeciskania się przez kapilary, najdrobniejsze naczynia krwionośne, i do zaopatrywania komórek w tlen, krwinki sierpowate są sztywne i łamliwe, ich przepływ przez kapilary jest zwolniony i mniej wydajny, a na drodze tego przepływu powstają niejednokrotnie zatory, dodatkowo uszkadzające osłabione krwinki. W ostateczności tkanki otrzymują mniej tlenu, co może objawiać się bólem i różnego rodzaju uszkodzeniami.

Niedokrwistość sierpowatokrwinkowa jest uwarunkowana genetycznie. Dziecko otrzymuje wszystkie geny parami, po jednym od matki i po jednym od ojca. Jeśli jedno z rodziców przekaże dziecku gen hemoglobiny S, będzie ono miało w zapisie genetycznym (genotypie) cechę niedokrwistości sierpowatokrwinkowej. Dzieci z takim genotypem są w ogromnej większości przypadków zdrowe i nigdy nie ujawnią objawów choroby. Jeśli jednak tak się zdarzy, że dziecko odziedziczy po obojgu rodzicach dwie nieprawidłowe kopie genu, wystąpi u niego niedokrwistość sierpowatokrwinkowa. Taki sposób dziedziczenia nazywamy recesywnym, co oznacza, że dana cecha – w tym przypadku choroba – ujawnia się dopiero wtedy, gdy spotkają się dwa kodujące ją geny.

Niedokrwistość sierpowatokrwinkowa występuje głównie w Afryce, gdzie w pewnych regionach aż 40% populacji ma co najmniej jeden odpowiedzialny za nią gen. Wśród ludności Stanów Zjednoczonych pochodzenia afrykańskiego odsetek takich bezobjawowych nosicieli wynosi około 8%, a liczbę chorych (tzw. homozygot, czyli nosicieli obu nieprawidłowych genów) szacuje się na 40 000. Gen hemoglobiny S występuje również w basenie Morza Śródziemnego i na Bliskim Wschodzie, a także wśród mieszkańców Indii, Ameryki Łacińskiej i Karaibów. Uważa się, że obecność jednego takiego genu (heterozygotyczność) zapewnia w pewnej mierze ochronę przed malarią, co jednak nie dotyczy chorych na niedokrwistość sierpowatokrwinkową.

Objawy i rozpoznanie Objawy choroby są zmienne, ale z reguły obejmują typowe cechy każdej niedokrwistości: zmęczenie i osłabienie, bladość skóry i duszność już przy niewielkim wysiłku fizycznym. U chorych występują zazwyczaj epizody zaostrzeń, zwane przełomami sierpowatokrwinkowymi. Polegają one na powstawaniu zatorów złożonych z nieprawidłowych krwinek, całkowicie przerywających dopływ krwi do danej tkanki. Wystąpieniu przełomu sprzyjają pewne czynniki zewnętrzne, takie jak zakażenie, odwodnienie, przebywanie na dużych wysokościach lub znieczulenie ogólne. Zależnie od lokalizacji objawy mogą obejmować silne ataki bólowe i obrzęk wokół kości i stawów (u małych dzieci głównie stawów dłoni i stóp), bóle brzucha i bóle w klatce piersiowej z dusznością.

Leczenie i rokowanie Niektóre przełomy sierpowatokrwinkowe są potencjalnie groźne dla życia i wymagają natychmiastowej pomocy lekarskiej. Najczęściej leczenie musi odbywać się w warunkach szpitalnych, co umożliwia podanie dziecku płynów i środków przeciwbólowych dożylnie, antybiotyków, jeśli czynnikiem wywołującym kryzys jest infekcja, oraz tlenu i wykonanie innych niezbędnych zabiegów.

Ponieważ objawem zagrażającego życiu zakażenia jest często gorączka, każdy jej przypadek u dziecka z niedokrwistością sierpowatokrwinkową musi natychmiast budzić czujność rodziców i lekarzy. Niemowlęta i małe dzieci do około 5. roku życia powinny regularnie otrzymywać penicylinę w charakterze prewencji poważnych zakażeń. Bardzo ważne jest również przeprowadzenie u chorego dziecka wszystkich szczepień ochronnych.

U dzieci z częstymi nawrotami przełomów lub poważnymi powikłaniami choroby korzystne może być przetaczanie krwi od zdrowych dawców. W niektórych przypadkach przeszczep szpiku od odpowiedniego dawcy umożliwia chorym podjęcie produkcji prawidłowej hemoglobiny i prawidłowych krwinek. Trwają badania nad hydroksymocznikiem i innymi związkami, które mogłyby poprawiać wytwarzanie hemoglobiny u pacjentów z niedokrwistością sierpowatokrwinkową.

Prewencja i badania prenatalne Niedokrwistość sierpowatokrwinkowa należy do chorób, w których stosuje się badania prenatalne i poradnictwo genetyczne.

Talasemia

Talasemia, a właściwie talasemie, stanowią grupę genetycznie uwarunkowanych chorób krwi, charakteryzujących się brakiem lub niedoborem prawidłowej hemoglobiny. W talasemiach odpowiedzialne za chorobę geny wywołują nierównowagę w produkcji jednego z dwóch głównych typów łańcuchów białkowych (alfa i beta), składających się na hemoglobinę. Talasemie dzieli się na podtypy zależnie od tego, którego z tych łańcuchów dotyczy zaburzenie. Do głównych podtypów należy alfa-talasemia (produkcję łańcuchów alfa kontrolują cztery geny; choroba polega na nieprawidłowości w obrębie jednego lub więcej z czterech łańcuchów alfa) oraz beta-talasemia (łańcuchy beta zależą od dwóch genów; w chorobie zaburzenia dotyczą jednego lub obu łańcuchów beta, wchodzących w skład cząsteczki hemoglobiny).

Zależnie od liczby odziedziczonych nieprawidłowych genów osoba dotknięta talasemią może nie mieć żadnych objawów choroby lub też mieć niedokrwistość w stopniu od łagodnego do zagrażającego życiu. Płody z czterema wadliwymi genami łańcuchów alfa obumierają przed urodzeniem.

Talasemie występują głównie w regionach, w których rozpowszechniona jest malaria, takich jak Azja i Afryka. Na niektórych obszarach południowo-wschodniej Azji nosicielstwo co najmniej jednego genu talasemii dotyczy do 40% ludności. W Stanach Zjednoczonych gen beta-talasemii występuje u 3–8% Amerykanów pochodzenia włoskiego lub greckiego i u 0,5% ludności pochodzenia afrykańskiego. Nosicielstwo jednego z genów alfa-talasemii dotyczy około 25% Afro-Amerykanów.

Objawy i rozpoznanie Objawy alfa-talasemii są zwykle niewykrywalne lub łagodne; może jednak wystąpić również umiarkowanie ciężka niedokrwistość. Jeśli dziecko odziedziczyło po obojgu rodzicach geny beta-talasemii, w wieku 4–6 miesięcy mogą ujawnić się objawy ciężkiej niedokrwistości, takie jak bladość powłok, zaburzenia oddychania i duszność oraz duży obwód brzucha z powodu powiększenia śledziony i wątroby.

Talasemię podejrzewa się u dziecka z niedokrwistością objawową lub wykrytą przypadkowo w rutynowym badaniu krwi. Po wykluczeniu częstszych przyczyn niedokrwistości, takich jak niedobór żelaza (patrz niżej), lekarz zleca w takich przypadkach dodatkowe badania krwi, specyficzne dla talasemii.

Leczenie i rokowanie Dziecko z łagodną talasemią może wymagać jedynie podawania kwasu foliowego w charakterze wsparcia produkcji krwinek czerwonych. W przypadku ciężkiej talasemii konieczne są często przetoczenia krwi, powtarzane regularnie przez całe życie. Czasami dobre efekty przynosi usunięcie powiększonej śledziony. Mimo znaczącego ryzyka związanego z przeszczepem szpiku u niektórych pacjentów udało się tą metodą w pełni wyleczyć talasemię.

Dzieci z ciężką beta-talasemią wykazują zwykle opóźnienia wzrostu i rozwoju płciowego. Może wystąpić zgrubienie kości czaszki i twarzy, wynikające z rozrostu szpiku kostnego w charakterze podjętej przez organizm próby zwiększenia produkcji krwinek czerwonych. Aby zapobiec gromadzeniu się w narządach szkodliwych złogów żelaza, dziecko może wymagać stałego przyjmowania leków przyspieszających wydalanie go.

Prewencja i badania prenatalne Talasemia należy do chorób, w których stosuje się badania prenatalne i poradnictwo genetyczne.

Niedokrwistość z niedoboru żelaza

Jak sama nazwa wskazuje, w tej chorobie organizm wytwarza zbyt mało hemoglobiny (zawierającej żelazo cząsteczki białkowej obecnej w krwinkach czerwonych i służącej jako nośnik tlenu) z powodu braku żelaza. Mimo że niedobór żelaza był długo uważany za główną przyczynę niedokrwistości u dzieci, w ciągu ostatnich 20 lat częstość jego występowania uległa znacznemu zmniejszeniu, głównie z powodu wzbogacania w ten pierwiastek mieszanek mlecznych dla niemowląt i płatków zbożowych.

Donoszone niemowlęta rodzą się z zapasem żelaza w organizmie, który wystarcza im na pierwsze cztery miesiące życia. Po ich upływie zaspokojenie potrzeb szybko rosnącego dziecka zaczyna zależeć od stałego dostarczania tego pierwiastka z zewnątrz, czyli ze źródeł pokarmowych. Dlatego też dzieci nie otrzymujące odpowiedniej porcji żelaza w diecie są narażone na duże ryzyko rozwoju niedokrwistości między szóstym miesiącem a drugim rokiem życia. Z kolei wcześniaki lub noworodki o niskiej wadze urodzeniowej z innych przyczyn albo tracące dużo krwi podczas porodu mają mniejsze rezerwy żelaza, w związku z czym niedokrwistość może pojawić się u nich wcześniej, już w pierwszym półroczu życia. Niemowlęta karmione mlekiem krowim przed ukończeniem 12 miesięcy mają tendencję do utraty krwi w stolcu (i zawartego w niej żelaza), co zwiększa ryzyko niedoboru żelaza i niedokrwistości. I analogicznie, ryzyko to dotyczy również starszych dzieci (i dorosłych) tracących krew wskutek przewlekłego krwawienia lub ostrego krwotoku z różnych przyczyn.

Przyczyną niedoboru żelaza jest jednak u większości dzieci jego niedostateczna podaż w diecie, jeśli dieta ta nie zawiera odpowiednich ilości takich produktów jak mięso, warzywa, fasola oraz wzbogacane w żelazo mieszanki mleczne i zboża.

Objawy i rozpoznanie Dzieci z niewielkim niedoborem żelaza nie mają żadnych objawów. Przy większym deficycie występuje bladość, drażliwość i szybkie męczenie się przy niewielkim wysiłku, możliwe są również opóźnienia w osiąganiu kolejnych etapów rozwojowych. Niedawno przeprowadzone badania wykazują, że nawet niewielki niedobór żelaza w organizmie, na tyle nieznaczny, że nie prowadzący do niedokrwistości, może negatywnie wpływać na zachowanie i inteligencję dziecka.

Lekarz podejrzewający niedobór żelaza na podstawie objawów i wywiadu na temat żywienia dziecka zleca zwykle badania krwi (morfologię i oznaczenie poziomu żelaza w osoczu) dla potwierdzenia rozpoznania.

Leczenie i rokowanie W większości przypadków niedoboru żelaza zaleca się jego uzupełnianie drogą doustną, zwykle w postaci płynnej. Zależnie od zaawansowania niedoboru niedokrwistość wyrównuje się po kilku tygodniach leczenia, ważne jest jednak, by stosować suplementy przez kolejne kilka miesięcy w celu uzupełnienia rezerw tego pierwiastka w organizmie. Wskazana jest również modyfikacja diety, tak aby w jej skład wchodziła dostateczna ilość produktów bogatych w żelazo, co zapobiegnie nawrotom stanów niedoborowych w przyszłości.

Zapobieganie U większości niemowląt i dzieci niedobór żelaza jest w pełni możliwy do uniknięcia drogą racjonalnego odżywiania. Niemowlęta karmione piersią powinny otrzymywać suplementy żelaza. Dzieciom poniżej 12 miesięcy nie należy podawać mleka krowiego.

Astma oskrzelowa

Astma jest przewlekłą chorobą zapalną, charakteryzującą się tak zwaną nadreaktywnością oskrzeli, czyli ich nadmierną gotowością do skurczu. Przewlekły stan zapalny wywołuje obrzęk błony śluzowej wyściełającej oskrzela i pobudza ją do wzmożonej produkcji śluzu, co dodatkowo zwęża drogi oddechowe i utrudnia przepływ powietrza. W rezultacie pojawia się kaszel i duszność.

Nie znana jest dokładna przyczyna astmy. Wiadomo jednak, że tendencja do jej rozwoju jest często uwarunkowana genetycznie. Astma przebiega w postaci napadów, a wywołującymi je czynnikami może być wrażliwość na alergen, infekcje w rodzaju przeziębienia czy zapalenia zatok przynosowych, dym tytoniowy, inne zanieczyszczenia powietrza, a także wysiłek fizyczny. Podłożem astmy nie zawsze jest alergia, jednak jej pewna forma występuje u około 80% chorych. Nawet jeśli bezpośrednim czynnikiem wyzwalającym atak astmy jest u dziecka przeziębienie czy inna infekcja wirusowa (co jest najczęstszą przyczyną u małych dzieci) lub wysiłek fizyczny, i w tych przypadkach alergia pogarsza nieraz przebieg choroby (patrz „Alergia" w tym rozdziale).

Astma występuje często: w różnych okresach życia cierpi na nią około 10% ogółu dzieci. Odsetek ten wyraźnie rośnie w pewnych grupach podwyższonego ryzyka, do jakich zaliczają się między innymi dzieci mieszkające w dużych miastach i pochodzące z rodzin o niskich dochodach – wśród takich dzieci częstość występowania astmy szacuje się nawet na ponad 20%.

Objawy i rozpoznanie Oskrzela chorego na astmę są zwężone z powodu zapalenia, nadmiaru śluzu i zgrubienia warstwy mięśniowej ich ściany, a ponadto wykazują zwiększoną gotowość do skurczu. Wszystko to razem utrudnia przepływ powietrza, szczególnie w fazie wydechowej. Napad lub zapowiedź napadu astmy objawia się kaszlem, świstami oddechowymi (słyszalnymi często gołym uchem), dusznością, uczuciem ucisku w klatce piersiowej, przyspieszeniem czyn-

ności serca i potami. Można zauważyć, że dziecko oddycha szybciej niż zwykle, że jego nadbrzusze unosi i opada podczas oddychania, a skóra pokrywająca klatkę piersiową ulega zasysaniu w przestrzeniach międzyżebrowych i nad wcięciem mostka przy każdym oddechu. Ciężki napad astmy jest stanem zagrożenia życia. Nie leczona lub niedostatecznie leczona astma może prowadzić do przewlekłego pokasływania, świstów lub sapania podczas wysiłku, niechęci dziecka do aktywności fizycznej, niespokojnego snu z powodu duszności i zaburzeń oddychania, braku apetytu oraz przedłużonego i nasilonego kaszlu przy każdym przeziębieniu. U wielu dzieci dominującym objawem astmy jest skłonność do kaszlu.

Lekarz podejrzewający astmę stara się zwykle wykluczyć najpierw inne przyczyny objawów u dziecka. Zbiera dokładny wywiad na ich temat, pyta o przypadki astmy i alergii wśród członków rodziny oraz starannie je bada. W większości przypadków jest to wystarczająca podstawa do ustalenia rozpoznania astmy. Jego potwierdzenia dostarcza często obserwacja, jak dziecko reaguje na leki stosowane w tej chorobie. Inne badania, jak na przykład zdjęcie radiologiczne klatki piersiowej, bywają pomocne głównie dla wykluczenia innych przyczyn kaszlu czy zmian osłuchowych.

W razie wątpliwości diagnostycznych starsze dziecko otrzymuje zwykle skierowanie do specjalisty pulmonologa lub alergologa, który przeprowadza badania spirometryczne. Spirometr jest specjalnym przyrządem pomiarowym, umożliwiającym dokładną ocenę przepływu powietrza przez płuca w różnych fazach oddychania. Spirometrię wykonuje się również często dla oceny zmian zachodzących w parametrach oddechowych pod wpływem leków rozszerzających oskrzela.

Leczenie i rokowanie Każde dziecko chore na astmę wymaga indywidualnego planu leczenia napadów i zapobiegania ich nawrotom. Postępowanie obejmuje zwykle identyfikację i eliminację czynników wywołujących (na przykład alergenów czy substancji drażniących, takich jak dym papierosowy) oraz przyjmowanie leków zapobiegających napadom i przerywających je w razie potrzeby.

Leki stosowane w astmie dzielą się na dwie główne kategorie: szybko działających oraz zapobiegawczych (prewencyjnych). W celu zapobiegania napadom i kontrolowania objawów zlecane są zwykle preparaty wziewne, takie jak kromoglikan sodowy (Intal) i kortykosteroidy (nie mające nic wspólnego ze stosowanymi w dopingu czy kulturystyce!). U większości dzieci z astmą o nasileniu umiarkowanym lub znacznym regularne przyjmowaniu leków prewencyjnych oraz unikanie czynników wyzwalających pozwala skutecznie zapobiegać napadom i zmniejszyć czy wyeliminować objawy astmy. Jeśli dziecko mimo odpowiedniej kontroli czynników wywołujących ma objawy astmy częściej niż dwa razy w tygodniu, zaleca się zwiększenie liczby lub dawki leków prewencyjnych. Poza ewidentną poprawą samopoczucia dziecka właściwe stosowanie tych leków znacząco ogranicza liczbę interwencji pogotowia i hospitalizacji oraz zmniejsza ryzyko zgonu w przebiegu ciężkiego napadu astmy.

W ostrym ataku astmy stosuje się szybko działające leki rozszerzające oskrzela, takie jak salbutamol, a czasem również krótkie (około 5-dniowe) dawki kortykosteroidów doustnie (np. prednisonu). Częstotliwość napadów może wskazywać na potrzebę intensyfikacji leczenia zapobiegawczego. Leki dostępne w wolnej sprzedaży, domowe sposoby czy mieszanki ziołowe nie mogą być w żadnym wypadku substytutami leków zaleconych przez lekarza. Są one, po pierwsze, mniej skuteczne, a po drugie, ich stosowanie może niebezpiecznie opóźnić zastosowanie właściwego leczenia astmy.

Jeśli udało się zidentyfikować specyficzny rodzaj alergii wywołującej napady astmy, najlepszym postępowaniem jest maksymalna izolacja dziecka od kontaktu z tym alergenem. Ważnym pierwszym krokiem w tym kierunku musi być pozbycie się czynników uczulających z domu, w którym mieszka chore dziecko. Jeśli kontakt z nimi pozostaje nieunikniony, lekarz może dołączyć leki przeciwhistaminowe. Steroidy w postaci donosowej (wziewne) podaje się często w celu zablokowania alergicznego zapalenia błony śluzowej nosa, które u części chorych może wywołać napad astmy. W pewnych przypadkach alergolodzy próbują immunoterapii (odczulania), czyli serii kontrolowanych iniekcji roztworów alergenu, które stwarzają szansę na zablokowanie reakcji alergicznej na tę substancję.

Nie leczona czy nieodpowiednio leczona astma może stwarzać zagrożenie dla życia dziecka, a także prowadzić do trwałego uszkodzenia płuc. Zapadalność na astmę wykazuje w ciągu ostatnich kilkudziesięciu lat stałą tendencję wzrostową, zwłaszcza w środowisku miejskim i u Amerykanów pochodzenia afrykańskiego i latynoskiego. Do wzrostu ryzyka ciężkiej czy źle kontrolowanej astmy mogą przyczyniać się takie czynniki jak bieda, złe warunki mieszkaniowe, narażenie na pewne alergeny domowe, np. karaluchy, niski poziom wiedzy na temat choroby, niesystematyczne stosowanie leków i utrudniony dostęp lekarza (np. z braku ubezpieczenia zdrowotnego). Chociaż u większości dzieci częstotliwość napadów i ich nasilenie słabną zwykle w miarę zbliżania się do wieku dojrzewania, nie można zapominać również i o takich następstwach źle kontrolowanej astmy, jak częstsze opuszczanie zajęć szkolnych, unikanie sportu i ruchu, a także szereg problemów emocjonalnych i psychologicznych z powodu obciążenia przewlekłą chorobą.

Zespół hiperkinetyczny/ nadpobudliwości (AD/HD)

Zespół hiperkinetyczny/nadpobudliwości, określany w literaturze amerykańskiej skrótem AD/HD (*attention deficit/hyperactivity disorder*), jest rozpoznawany u dzieci, które regularnie zachowują się w pewien charakterystyczny sposób. Na zespół składają się trzy najważniejsze cechy: niezdolność do skupienia uwagi na jednym konkretnym zadaniu (niezależnie od jego rodzaju), impulsywność i nadmiar aktywności ruchowej. Cechy te muszą ponadto występować w nasileniu wykraczającym poza typowe dla większości dzieci roztargnienie i pobudliwość. Zaburzenie występuje częściej u chłopców niż u dziewczynek.

Przyczyny tej choroby nie są do końca jasne. Wielu badaczy sądzi, że u jej podłoża leży zakłócenie równowagi między poszczególnymi związkami chemicznymi, zwanymi neuroprzekaźnikami, na poziomie mózgu, co ma wpływ na jego pracę. Liczne dowody potwierdzają rodzinne występowanie zespołu, sugerując tym samym udział czynników genetycznych. Wyniki niektórych badań wskazują, że alkohol i leki stosowane w okresie ciąży mogą mieć wpływ na rozwój mózgu dziecka, co w pewnych przypadkach prowadzi do AD/HD.

Większość specjalistów odrzuca pogląd, że „winę" za zespół hiperkinetyczny ponoszą takie czynniki jak złe wychowanie dziecka przez rodziców, problemy rodzinne, szkoła czy „nadmiar telewizji". Nie potwierdza się również sugerowany wcześniej udział alergii pokarmowych, dodatków do żywności ani nadmiernej konsumpcji cukru w rozwoju zaburzenia. Wyniki jednego z badań poświęconych temu zagadnieniu wskazują, że dieta o niskiej zawartości rafinowanego cukru i dodatków do żywności wydaje się nieco pomagać tylko niewielu dzieciom z AD/HD (około 5%), głównie małym i dodatkowo obciążonym alergiami pokarmowymi. Pobudzająco, czyli niekorzystnie, może natomiast działać kofeina (zawarta w kawie, herbacie i niektórych napojach gazowanych). Dodatkowe informacje na temat postępowania z dzieckiem hiperkinetycznym znajdziesz w rozdziale 19, „Temperament, zachowanie i dyscyplina".

Objawy i rozpoznanie Do częstych objawów zespołu nadpobudliwości należą: nieumiejętność skupienia się na szczególe, popełnianie błędów z nieuwagi, brak wytrwałości w wykonywaniu zadań, wrażenie, że dziecko nie słucha tego, co się do niego bezpośrednio mówi, nieumiejętność całkowitego lub dokładnego wykonywania poleceń. Inne typowe zachowania obejmują zapominanie lub gubienie ważnych rzeczy, nieustanny „niepokój" ruchowy dłoni i stóp oraz ogólną nadmierną ruchliwość dziecka, wyrażającą się ciągłym bieganiem i wspinaniem się na wszystko co popadnie. Dzieci z zespołem nadpobudliwości zachowują się ponadto impulsywnie, rwą się na przykład do odpowiedzi przed wysłuchaniem do końca pytania i mają trudności z odczekaniem na swoją kolej w rozmowie czy zabawie. Nie zawsze muszą występować wszystkie powyższe objawy. Zdarza się również, że dzieci dotknięte zespołem nie przejawiają nadmiernej aktywności ruchowej, a za to wydają się pogrążone w marzeniach i nieobecne duchem.

Zależnie od dominujących objawów wyróżnia się trzy główne podtypy zespołu:

1. Podtyp nieuwagi, do którego głównych cech należy roztargnienie, niezdolność do skupienia uwagi na szczególe, niestosowanie się do poleceń oraz gubienie i zapominanie różnych rzeczy, takich jak zabawki czy prace domowe.

2. Podtyp nadaktywności/impulsywności, charakteryzujący się niepokojem ruchowym, wierceniem się, odpowiadaniem przed wysłuchaniem pytania oraz bieganiem lub zrywaniem się z miejsca w okolicznościach wymagających spokojnego zachowania (np. w czasie lekcji w szkole).

3. Podtyp mieszany, zawierający cechy obu powyższych z towarzyszącą nadaktywnością lub bez niej.

Aby rozpoznać nadpobudliwość, dziecko musi manifestować powyższe zachowania już w wieku poniżej siedmiu lat, w sposób ciągły przez co najmniej sześć miesięcy. Niezbędnym elementem rozpoznania jest również fakt, że zachowania te stwarzają trudności w co najmniej dwóch dziedzinach życia dziecka, takich jak szkoła, dom czy grupa rówieśnicza.

Podejrzewając zespół nadpobudliwości, lekarz pierwszego kontaktu z reguły kieruje dziecko do psychologa, psychiatry, neurologa lub specjalisty w dziedzinie rozwoju w celu dalszej diagnostyki opartej na obserwacji, specjalnych testach i pogłębionej dyskusji z rodzicami. Konieczne jest również wykluczenie innych możliwości przyczyn podobnych zachowań, takich jak depresja, nerwica lękowa, zaburzenia słuchu, zespół padaczkowy, zespół obturacyjnego bezdechu sennego lub problemy w nauce.

Dodatkowe trudności diagnostyczne stwarza częste występowanie AD/HD razem z innymi zaburzeniami. Dziaci z nadpobudliwością mają na przykład skłonność do zaburzeń nastroju, takich jak depresja, a także do specyficznych problemów w nauce, dotyczących na przykład opanowania języka ojczystego (i oczywiście języków obcych), matematyki, czytania czy ręcznego pisania. Blisko połowa dzieci z AD/HD (głównie chłopców) przejawia również zaburzenia zwane postawą sprzeciwu i buntu (ang. *oppositional defiant disorder*), polegające na uporze, wybuchach złości i atakach świadomego buntu.

Leczenie i rokowanie Leczenie zespołu nadpobudliwości musi być zindywidualizowane i prowadzone cierpliwie w dłuższm czasie. Leki są w wielu przypadkach pomocne, jednak zasadnicze postępowanie opiera się na poradnictwie i psychoterapii, która ma na celu wykształcenie w dziecku pewnych pozytywnych zachowań (np. radzenia sobie z problemami) i modyfikację niepożądanych. Plan leczenia wymaga zaangażowania rodziców, nauczycieli i wszystkich osób dorosłych odgrywających ważną rolę w życiu dziecka. Dziecko z AD/HD przejawia często brak wiary w siebie i niską samoocenę, którym sprzyjają liczne niepowodzenia i frustracje; również i to musi być uwzględnione w planie postępowania.

W farmakoterapii zespołu hiperkinetycznego stosuje się leki psychostymulujące, które przynoszą pozytywne rezultaty. Uważa się, że leki te działają na zasadzie „furtki kontrolnej", przywracając prawidłową regulację wytwarzania, magazynowania i przepływu neuroprzekaźników na poziomie mózgu. Możliwe jest również zastosowanie innych leków, zawsze ściśle według zaleceń specjalisty. Do efektów niepożądanych leków psychostymulujących należy brak apetytu, zaburzenia snu oraz przejściowe spowolnienie wzrostu dziecka. W razie pojawienia się tych objawów konieczna może być zmiana leku lub modyfikacja dawki.

W ostatnich latach szeroko dyskutowana była kwestia, czy leki psychostymulujące nie są zbyt hojnie przepisywane. Niektórzy specjaliści uważają, że zleca się je często dzieciom, które w rzeczywistości nie mają AD/HD, a zaburzenia ich zachowania wynikają z innych przyczyn. Poświęcone temu zagadnieniu badanie przeprowadzone przez Stowarzyszenie Lekarzy Amerykańskich (AMA), którego wyniki opublikowano w roku 1998, nie potwierdziło jednak zasadności tych podejrzeń w szerszej skali.

Nie należy raczej liczyć na to, że dziecko „wyrośnie" z AD/HD, jednak w około połowie przypadków osoby z tym zaburzeniem dobrze radzą sobie w dorosłym życiu. U pozostałych objawy utrzymują się przez całe życie, co wymaga długotrwałej farmakoterapii i pomocy psychologicznej. Ważne jest, by dziecko z zespołem nadpobudliwości miało zapewnioną specjalistyczną opiekę lekarską również na dalszym życiu.

Autyzm

Autyzm jest zaburzeniem na poziomie mózgu, dotyczącym zdolności dziecka do komunikowania się i nawiązywania więzi z innymi ludźmi. Przyczyna choroby pozostaje niejasna, jednak badania sugerują, że może ona kryć się zarówno w nieprawidłowościach biochemicznych, jak i w samej budowie mózgu. Niektóre z tych badań wskazują, że pewne obszary mózgu mają różną wielkość u ludzi dotkniętych autyzmem i u zdrowych. Inne badania potwierdzają zaburzenia poziomu neuroprzekaźników, substancji chemicznych, dzięki którym włókna nerwowe komunikują się między sobą i z innymi strukturami. Jeśli ponadto autyzm wystąpi u jednego z bliźniąt jednojajowych, jego prawdopodobieństwo u drugiego dziecka wynosi aż 80%, co sugeruje rolę czynników genetycznych. W rodzinach pacjentów z autyzmem stwierdza się częstsze występowanie pewnych anomalii chromosomalnych. Poza czynnikami genetycznymi autyzm w żadnej mierze nie jest „winą" rodziców i nie wynika ze złej opieki nad dzieckiem.

Autyzm dotyka 3–4 dzieci na 10 000, czterokrotnie częściej chłopców niż dziewczynki. Objawy ujawniają się typowo przed osiągnięciem wieku dwóch i pół roku. U wielu dzieci stwierdza się równocześnie niedorozwój umysłowy; niektóre z nich mają też napady padaczkowe. U około 10% pacjentów występuje tzw. zespół łamliwego chromosomu X, kojarzący się z opóźnieniami w rozwoju umysłowym.

Termin „całościowe zaburzenia rozwojowe" (ang. *pervasive developmental disorders*, PPD) odnosi się nie tylko do dzieci autystycznych, ale również i do tych, u których zbliżone objawy występują w mniejszym nasileniu i nie spełniają kryteriów diagnostycznych autyzmu. Przykładowo dzieci z zespołem Aspergera mają problemy w relacjach społecznych i mogą przejawiać szereg rodzajów nietypowych zachowań, jednak z reguły charakteryzują się prawidłową lub ponadprzeciętną inteligencją i nie mają trudności językowych, właściwych dla dzieci autystycznych.

Objawy i rozpoznanie Niektóre dzieci ujawniają objawy autyzmu już od urodzenia, wyginając się na przykład dla uniknięcia kontaktu z matką czy inną osobą, która usiłuje je przytulić, czy uderzając główką o ściany łóżeczka. Inne wydają się rozwijać prawidłowo do wieku 12–18 miesięcy i dopiero po tym okresie zaczynają przejawiać różnorodne niepokojące objawy.

Należy do nich: brak rozwoju mowy (niechęć do mówienia, brak reakcji na mowę, powtarzanie bezsensownych „słów" czy dźwięków); brak mimiki i języka ciała; brak kontaktu wzrokowego; wyobcowanie z otoczenia i samotna zabawa przez długie godziny; niezdolność do nawiązywania przyjaźni; jednostajność w zabawie i przywiązanie do sztywnej rutyny w innych sferach życia codziennego; nadwrażliwość na pewne bodźce (np. głośne dźwięki) oraz całkowita obojętność na innych ludzi.

Nie ma specyficznego badania potwierdzającego lub wykluczającego autyzm, a duża zmienność objawów może dodatkowo utrudniać rozpoznanie. Lekarze starają się w pierwszej kolejności wykluczyć inne przyczyny zachowania dziecka, takie jak niedosłuch, zaburzenia mowy, niedorozwój umysłowy i inne schorzenia neurologiczne.

Leczenie i rokowanie Na dzień dzisiejszy autyzm jest chorobą nieuleczalną. Dzieci i ich rodziny wymagają zwykle wsparcia i różnorodnych terapii pomocniczych. U małych dzieci terapia koncentruje się przede wszystkim na rozwoju umiejętności językowych i mowy, specjalnych programach nauczania, a czasami obejmuje również leki dla złagodzenia specyficznych objawów. Intensywna i systematyczna terapia behawioralna pozwala niekiedy uzyskać zastąpienie patologicznych zachowań bardziej normalnymi, a terapia zajęciowa pomaga dziecku autystycznemu w rozwoju jego umiejętności ruchowych i wrażliwości zmysłowej.

Niektórzy pacjenci z łagodniejszymi postaciami autyzmu są w stanie usamodzielnić się jako dorośli, ale większość wymaga stałej opieki przez całe życie.

Znamiona

Znamiona są zmianami skórnymi obecnymi już przy urodzeniu lub rozwijającymi się we wczesnym okresie życia. Wyróżniamy wśród nich przede wszystkim znamiona naczyniowe (naczyniaki) oraz barwnikowe („pieprzyki"). Naczyniaki składają się ze skupisk rozszerzonych naczyń krwionośnych skóry i w zależności od wyglądu i budowy dzielą się na kilka typów:

- Naczyniaki zwykłe i jamiste, z reguły barwy czerwonej lub sinawej, płaskie, guzkowate („truskawkowe") lub zagłębione w zewnętrznej warstwie skóry;
- Plamy łososiowe, bladoczerwone, występujące na karku (zwane żartobliwie śladem po dziobie bociana) lub na czole („pocałunek anioła");
- Plamy winne, wiśniowe lub brązowe w kolorze, obecne na poziomie skóry, zwykle na twarzy lub szyi.

Znamiona barwnikowe, zwane popularnie pieprzykami lub myszkami, są zwykle płaskimi lub uniesionymi ponad powierzchnię skóry skupiskami melanocytów (komórek produkujących barwnik) barwy brązowej, czarnej lub sinawej. Czasami są one obecne już u noworodka (znamiona wrodzone), jednak najczęściej pojawiają się na skórze w wieku dziecięcym i młodzieńczym. Ma je praktycznie każdy z nas – czasami w liczbie 40 lub więcej. Znamiona rosną zwykle razem z dzieckiem, ciemnieją pod wpływem ekspozycji na słońce, czasami wyrastają z nich również włosy.

Objawy i rozpoznanie Lekarz stwierdza obecność naczyniaka drogą badania fizykalnego, oglądając różowe, czerwone lub sine przebarwienia skórne.

Na tej samej zasadzie rozpoznaje się znamiona barwnikowe, brązowe, czarne lub sine, zwykle uniesione ponad poziom skóry (chociaż czasami mogą być również płaskie i zbliżone barwą do otaczającej skóry). Większość znamion nie stanowi problemu zdrowotnego, jednak ich szybki wzrost czy widoczne zmiany w wyglądzie powinny zwracać uwagę lekarza.

Leczenie i rokowanie Znamiona nie wymagają najczęściej żadnego postępowania, jednak lekarz powinien regularnie je oglądać. Niektóre naczyniaki obkurczają się i zanikają samoistnie około piątego roku życia, a niemal wszystkie typu „truskawkowego" – zanim dziecko ukończy 9 lat. Pod wpływem urazu naczyniaki mogą krwawić. Należy wtedy zatrzymać krwawienie delikatnym uciskiem, przemyć ranę wodą i mydłem i zabandażować. Jeśli krwawienie utrzymuje się przez ponad 10 minut, należy skontaktować się z lekarzem.

Większość znamion barwnikowych nie wymaga leczenia ani nie stwarza żadnego zagrożenia dla zdrowia dziecka, jednak należy je regularnie obserwować pod kątem ewentualnych zmian w wielkości czy strukturze, takich jak nierówność brzegów, owrzodzenia na powierzchni, zmiana barwy czy przerost (znamiona, których średnica zaczyna przekraczać średnicę gumki przy ołówku wymagają obejrzenia przez lekarza). Tego rodzaju zmiany zwiększają ryzyko potencjalnego zezłośliwienia, w związku z czym często usuwa się je i bada histopatologicznie. Duże naczyniaki na twarzy (np. typu „plamy winnej") mogą również wymagać leczenia laserem i/lub lekami steroidowymi.

Znamiona stwarzają nieraz problemy kosmetyczne i też z tego powodu bywają usuwane (lub maskowane kosmetykami). Po usunięciu najczęściej nie odrastają, ale jeśli tak się stanie, trzeba zwrócić na to uwagę lekarza.

Ślepota/zaburzenia wzroku

Do uszkodzenia wzroku może prowadzić wiele przyczyn. U dzieci niedowidzenie na jedno oko, czyli tak zwana ambliopia (określana również jako „leniwe oko"), wynika najczęściej z ograniczonego z różnych powodów posługiwania się tym okiem w niemowlęctwie i wczesnym dzieciństwie. Prawidłowy rozwój wzroku wymaga, by mózg otrzymywał bodźce z obu oczu w ciągu pierwszych lat życia. Jeśli tak nie jest, część ośrodka wzrokowego mózgu powiązana z mniej używanym okiem pozostaje niedostatecznie stymulowana, co w razie braku wczesnej korekty może spowodować nawet całkowitą jednostronną ślepotę. Takie jednostronne zaburzenia mogą być następstwem zaćmy lub innych chorób blokujących prawidłowe wejście czy przepływ bodźca wzrokowego, a także zeza, stanu wynikającego z nieprawidłowej czynności mięśni gałki ocznej, co uniemożliwia jej ustalenie w odpowiedniej osi i współdziałanie z drugim okiem (patrz „Zez" w dalszej części tego rozdziału).

Do utraty wzroku może również prowadzić jaskra (rzadka u dzieci), której istotą jest wzrost ciśnienia w obrębie gałki ocznej i uszkodzenie nerwu wzrokowego z powodu ucisku. Pogorszenie lub utrata wzroku bywają ponadto następstwem różnego rodzaju urazów mechanicznych, chemicznych lub cieplnych.

Niektóre dzieci rodzą się z wadami uniemożliwiającymi widzenie, do jakich należy zaćma, czyli zmętnienie (brak przejrzystości) soczewki oka. Zaćma wrodzona może być następstwem zakażenia matki w okresie ciąży wirusem różyczki lub toksoplazmozą, chorobą pasożytniczą, którą można zarazić się, jedząc niedogotowane lub surowe mięso bądź wskutek kontaktu z odchodami zakażonych zwierząt (głównie kotów).

Dzieci przedwcześnie urodzone wymagają konsultacji okulistycznej pod kątem retinopatii wcześniaczej. Choroba ta polega na nieprawidłowym rozwoju naczyń krwionośnych siatkówki, wewnętrznej warstwy oka pełniącej funkcję błony światłoczułej. W ciężkich przypadkach może dojść również do odklejenia siatkówki, czego następstwem jest utrata wzroku.

Do zaburzeń widzenia prowadzi ponadto szereg wad rozwojowych dotyczących samego oka, nerwu wzrokowego lub odpowiednich obszarów mózgu odbierających bodźce wzrokowe. Wady w rodzaju wodogłowia (patrz odpowiedni podrozdział w tym rozdziale) mogą być również podłożem ślepoty.

Do rzadszych przyczyn należy między innymi barwnikowe zapalenie siatkówki, w którym dochodzi do postępujących zmian zwyrodnieniowych w jej obrębie, a także guzy nowotworowe, na przykład retinoblastoma (rak siatkówki).

Objawy i rozpoznanie Na problemy dziecka ze wzrokiem lub chorobę oczu, która może do nich prowadzić, wskazuje zwykle szereg objawów. Należy do nich nadmierne łzawienie; nadwrażliwość na światło; trwały zez lub zezowanie (brak koordynacji między oczami przy patrzeniu na dany obiekt); nienormalna, przekrzywiona pozycja główki; opadanie powiek; nierówność źrenic; uporczywe pocieranie oczu; „uciekające" spojrzenie; niedostrzeganie przedmiotów inaczej niż z bardzo bliskiej odległości; zauważalne zmętnienie oczu; a u noworodków również zaczerwienienie i obrzęk gałki ocznej oraz wydzielina.

Starsze dziecko może skarżyć się na podwójne widzenie, częste bóle i zawroty głowy oraz nudności np. przy odrabianiu lekcji, nieostre widzenie, a także swędzenie i pieczenie oczu.

Jeśli nie ma ewidentnych przyczyn w rodzaju wad wrodzonych czy innych wcześniej rozpoznanych chorób, lekarz-pediatra przede wszystkim sprawdzi ostrość wzroku i pole widzenia dziecka i w razie stwierdzenia jakichkolwiek nieprawidłowości skieruje je do okulisty.

Leczenie i rokowanie Nie ma specyficznego ani skutecznego leczenia ślepoty uwarunkowanej pewnymi przyczynami, na przykład wadami wrodzonymi czy barwnikowym zapaleniem siatkówki; są jednak i takie, którym udaje się skutecznie zaradzić. Zez koryguje się zwykle za pomocą odpowiednich okularów i kropli do oczu bądź operacyjnie. Jeśli istnieją wskazania do zabiegu, wykonuje się go zwykle między 6. a 18. miesiącem życia.

Dzieci z zezem wymagają często noszenia okularów z przesłoną na zdrowe – czyli bardziej używane – oko po to, by zmusić do patrzenia drugie i tym samym zapobiec niedowidzeniu na poziomie ośrodka wzroku w mózgu. Jeśli zaniecha się leczenia w ciągu kilku pierwszych lat życia, może dojść do całkowitej utraty wzroku w zezującym oku.

Jaskra i zaćma nadają się do leczenia operacyjnego.

Dzieci z trwałym, znacznym niedowidzeniem lub niewidome wymagają specjalnej opieki w postaci programów edukacyjnych i stymulujących z wykorzystaniem różnego rodzaju urządzeń wspomagających i technologii, co ma na celu maksymalne wykorzystanie ich potencjału rozwojowego, przeciwdziałanie zaburzeniom emocjonalnym i izolacji społecznej, pobudzanie zdolności i ogólnej sprawności. Opieka nad dzieckiem niewidomym wymaga ogromnego zaangażowania ze strony rodziców, lekarzy, terapeutów i wychowawców, ale jest to jedyna droga przystosowania do samodzielnego, normalnego i udanego mimo kalectwa życia.

Zapobieganie i badania prenatalne Aby zminimalizować ryzyko urodzenia dziecka niewidomego, kobiety w ciąży muszą przede wszystkim wystrzegać się zakażeń wirusowych (konieczne jest szczepienie przeciwko różyczce przed zajściem w ciążę) oraz toksoplazmozy, co wymaga ograniczenia do minimum kontaktu ze zwierzętami domowymi (kotami) oraz unikania surowego lub niedogotowanego mięsa.

Aby zapobiec często tragicznym w skutkach urazom oczu u dziecka, musisz przestrzegać rutynowych zasad bezpieczeństwa. Przechowuj wszelkie substancje chemiczne poza zasięgiem dziecka, nie pozwól mu manipulować ostrymi, spiczastymi przedmiotami lub zabawkami, unikaj narażania na silne podmuchy wiatru, jakiekolwiek poruszające się w powietrzu przedmioty i np. kosiarkę do trawy, która może wyrzucać kamienie i patyki, ucz dziecko prawidłowego obchodzenia się z ołówkami i nożyczkami, a także nie pozwalaj mu zbliżać się, gdy rozpalasz ogień czy używasz ostrych narzędzi. Dzieci, które są w pobliżu dorosłych używających młotków

czy narzędzi elektrycznych, powinny być zabezpieczone okularami. Ucz dziecko, że nie wolno patrzeć bezpośrednio na słońce, nawet w ciemnych okularach. Nigdy nie dawaj małemu dziecku sztucznych ogni do zabawy.

Więcej informacji na temat wzroku znajdziesz w rozdziale 15, „Słuch i wzrok".

Celiakia

Celiakia, zwana również chorobą trzewną lub enteropatią glutenową, jest zaburzeniem trawiennym dotyczącym jelita cienkiego, zakłócającym prawidłowe wchłanianie składników odżywczych. Choroba ma podłoże autoimmunologiczne, co oznacza, że organizm rozpoznaje własne tkanki jako obce i „broni się" przed nimi, uruchamiając produkcję przeciwciał. W przypadku celiakii bodźcem wywołującym tę reakcję jest gluten, białko roślinne występujące w pszenicy, życie, ryżu i jęczmieniu. Gdy osoby dotknięte celiakią spożywają pokarmy zawierające gluten, dochodzi do produkcji przeciwciał przeciwko błonie śluzowej jelita cienkiego, które niszczą jej prawidłową strukturę. W normalnych warunkach błona śluzowa jelita cienkiego jest pokryta kilkoma milionami palczastych wyrostków – kosmków jelitowych, które wielokrotnie zwiększają jej powierzchnię i przez które następuje wchłanianie składników odżywczych do krwi. W celiakii kosmki te ulegają w dużej części zniszczeniu, przez co jelito traci zdolność adekwatnej do potrzeb absorpcji substancji pokarmowych, a pacjentowi, niezależnie od ilości spożywanego pokarmu, szybko grozi niedożywienie.

Celiakia charakteryzuje się rodzinnym występowaniem i jest uznana za najczęstszą w Europie chorobę genetycznie uwarunkowaną. Wyniki najnowszych badań sugerują, że w Stanach Zjednoczonych rozpoznaje się ją w stosunku do rzeczywistości zbyt rzadko. Czasami czynnikiem wyzwalającym ujawnienie się lub uaktywnienie choroby bywa zabieg operacyjny, infekcja, stres emocjonalny, ciąża lub poród.

Objawy i rozpoznanie Celiakia może, ale nie musi, manifestować się objawami bezpośrednio ze strony przewodu pokarmowego, takimi jak nawracające bóle brzucha, wzdęcia i gazy, przewlekła biegunka, chudnięcie lub brak przyrostu masy ciała u dzieci, obfite, odbarwione i cuchnące stolce. U dzieci bardzo częstym objawem jest nerwowość i drażliwość. Może również wystąpić niedokrwistość (zmniejszona liczba krwinek czerwonych) z nieznanej przyczyny, zmiany zachowania, spadek masy mięśniowej, osłabienie, zahamowanie wzrostu u dzieci lub niski wzrost u dorosłych.

U znacznej części pacjentów celiakia ujawnia się już w dzieciństwie, ale wcale nierzadko dopiero w wieku dorosłym. Czynnikiem, który wydaje się mieć wpływ na czas wystąpienia i nasilenie objawów, jest w ocenie badaczy karmienie piersią – czy i jak długo pacjent był karmiony w ten sposób jako niemowlę. Ogólna zależność przedstawia się tak, że im dłużej trwało karmienie piersią, w tym późniejszym wieku dochodzi do zachorowania. Inną ważną kwestią jest ustalenie, kiedy pacjent jako dziecko zaczął spożywać produkty zawierające gluten, a także jak wiele glutenu wchodzi w skład jego diety. (Jest to jedna z przyczyn, dla których obecnie zaleca się możliwie późne wprowadzanie pokarmów stałych u niemowląt).

Celiakia sprawia często trudności diagnostyczne, ponieważ jej objawy nie są specyficzne i mogą występować również z innych przyczyn, takich jak choroby zapalne jelit (choroba Leśniowskiego-Crohna i wrzodziejące zapalenie jelita grubego) oraz zakażenia jelitowe. W razie podejrzenia celiakii wykonuje się badania serologiczne oceniające poziom przeciwciał przeciwko gliadynie (uczulającemu składnikowi glutenu) i przeciwko tkankom jelitowym. Ostateczne rozpoznanie przynosi wynik biopsji, czyli pobrania wycinka błony śluzowej jelita do oceny histopatologicznej. Badanie to pozwala bezpośrednio stwierdzić zanik kosmków. Dodatkowym potwierdzeniem rozpoznania jest wyraźna poprawa w wyniku powtórnej biopsji, wykonanej po 6–12 miesiącach stosowania diety bezglutenowej.

We Włoszech, gdzie celiakia występuje często, wykonuje się badania przesiewowe pod jej kątem u wszystkich dzieci w wieku 6 lat i u wszystkich pacjentów niezależnie od wieku z objawami sugerującymi tę chorobę. W efekcie średni okres, jaki upływa od pierwszych objawów do ustalenia rozpoznania, wynosi od dwóch do trzech tygodni. W Stanach Zjednoczonych, gdzie wielu lekarzy pierwszego kontaktu ma małe doświadczenie z celiakią, czas ten może się wydłużyć nawet do około 10 lat.

Leczenie i rokowanie Jedyną skuteczną metodą leczenia jest przestrzeganie diety bezglutenowej. U dzieci poprawa objawowa ujawnia się zwykle już w ciągu 1–3 tygodni od momentu przejścia na tę dietę. Pełny powrót do zdrowia może nastąpić w późniejszym czasie, zwłaszcza jeśli choroba trwała dłużej i organizm ma do nadrobienia poważne zaległości w zakresie odżywiania. Trzeba przy tym pamiętać, że choroba jest dożywotnia, tak więc raz rozpoczętą dietę bezglutenową należy utrzymywać przez całe życie, a odstępstwa od niej oznaczają z reguły szybki nawrót objawów.

Poważnym powikłaniem celiakii jest niedożywienie i wynikające z niego niedobory ważnych składników odżywczych, takich jak witaminy czy wapń. U osób z długo trwającą, nierozpoznaną chorobą rośnie w związku z tym ryzyko osteoporozy (osłabienia i wzmożonej łamliwości kości), a także specyficznych nowotworów jelita cienkiego, do jakich należy chłoniak złośliwy i gruczolakorak. Dzieci z aktywną celiakią są narażone na opóźnienia rozwojowe i niski wzrost.

Z uwagi na wysoce prawdopodobne podłoże genetyczne choroby badania powinny objąć również bliskich krewnych pacjenta.

Porażenie mózgowe dziecięce

Nazwą tą określa się zespół zaburzeń czynności ruchowej, uwarunkowanych uszkodzeniem mózgu w życiu płodowym, w czasie porodu lub wkrótce po urodzeniu. Choroba należy do najczęstszych wad wrodzonych (ale nie genetycznie uwarunkowanych). Ogólna częstość występowania porażenia dziecięcego wykazuje tendencję wzrostową, co ma związek z coraz lepszymi osiągnięciami medycyny w utrzymywaniu przy życiu wcześniaków, które wcześniej nie miałyby na to szans. Choroba dotyczy bowiem aż 5% dzieci przedwcześnie urodzonych.

Przyczyny porażenia mózgowego dziecięcego są złożone i nie do końca jasne. Najwięcej przypadków wynika z nieprawidłowego przebiegu ciąży, powodującego uszkodzenie lub zaburzenia rozwojowe mózgu. Do problemów dotyczących okresu ciąży należą zakażenia i inne choroby matki, wcześniactwo i niska waga urodzeniowa (ryzyko choroby rośnie zwłaszcza u dzieci urodzonych z wagą poniżej 1000 g), ciąża mnoga (bliźnięta, trojaczki itp.) i wszelkie stany niedotlenienia płodu, niezależnie od przyczyny. Urazy i problemy związane z samym porodem odpowiadają za mniej niż 10% przypadków. Zdarza się również, że dziecko rodzi się zdrowe, a do porażenia mózgowego dochodzi w następstwie uszkodzenia mózgu (np. wskutek chorób zakaźnych) w okresie niemowlęcym lub wczesnodziecięcym.

Objawy i rozpoznanie Choroba charakteryzuje się zaburzeniami czynności ruchowej, takimi jak brak kontroli nad mięśniami, spastyczność (wzmożone napięcie mięśni), niedowłady i porażenia. Czasami towarzyszą im również inne zaburzenia neurologiczne.

Porażenie mózgowe dziecięce dzieli się na trzy główne typy. W typie spastycznym (najczęściej występującym) dominuje sztywność mięśni i trudności w wykonywaniu ruchów. W typie atetotycznym rzucają się w oczy powolne, niekontrolowane, dziwaczne ruchy (tzw. atetozy). W typie ataktycznym największe problemy dotyczą utrzymania równowagi i koordynacji ruchowej (ataksja = niezborność ruchów).

Porażenie mózgowe dziecięce charakteryzuje się dużą rozpiętością nasilenia objawów i związanych z nimi stopni inwalidztwa. Ponadto zaburzeniom ruchowym towarzyszą dość często inne problemy neurologiczne, takie jak napady padaczkowe, zaburzenia mowy i porozumiewania się, problemy w nauce i niedorozwój umysłowy, a także zaburzenia wzroku i słuchu, zaburzenia czynności pęcherza moczowego i jelit, trudności w odżywianiu, aspiracja pokarmu do dróg oddechowych, wymioty, próchnica zębów, zaburzenia snu, a także szereg problemów psychologicznych i emocjonalnych.

Rozpoznanie ustala się zwykle wkrótce po urodzeniu, szczególnie u dzieci z grup podwyższonego ryzyka, czyli głównie u wcześniaków z objawami krwawienia wewnątrzczaszkowego lub ciężkimi zaburzeniami oddychania. U dzieci bez wyraźnych czynników ryzyka rozpoznanie może nastręczać więcej trudności. Podejrzenia powinno budzić wyraźne opóźnienie lub brak postępów niemowlęcia w osiąganiu ważnych etapów rozwoju ruchowego. Dziecko, które w wieku czterech miesięcy nie sięga po zabawkę albo nie siedzi bez podparcia w wieku 8–9 miesięcy, wymaga na pewno wzmożonej czujności ze strony rodziców i lekarzy. Do innych niepokojących objawów należy wiotkość mięśni, zaburzenia koordynacji ruchowej oraz utrzymywanie się wrodzonych odruchów noworodka (np. lękowego odruchu Moro) w okresie, kiedy prawidłowo powinny one już zaniknąć. Jeśli jednak powyższe objawy i opóźnienia są nieznaczne, ustalenie rozpoznania może nastąpić dopiero w wieku 12–15 miesięcy lub jeszcze później.

Leczenie i rokowanie Postępowanie w porażeniu dziecięcym jest wyłącznie objawowe, niemniej jednak ma ono fundamentalne znaczenie dla losu dziecka. Opiera się ono zwykle na licznych, kompleksowych metodach terapeutycznych, które powinno się rozpocząć natychmiast po ustaleniu rozpoznania. Metody te mają na celu maksymalizację sprawności ruchowej, mowy, wzroku, słuchu oraz rozwoju intelektualnego, społecznego i emocjonalnego dziecka. Pomocne bywają również leki, zabiegi chirurgiczne oraz specjalne stabilizatory kończyn dolnych i inne przyrządy ortopedyczne, dzięki którym dziecko powinno osiągnąć najszerszy z możliwych – w jego sytuacji – zakres ruchów i czynności mięśniowej.

Ogromnie ważne, a przy tym niejednokrotnie bardzo trudne jest prawidłowe żywienie chorego dziecka, zwłaszcza w razie problemów z połykaniem i aspiracją pokarmu. Czasami wymaga to nawet odżywiania przez zgłębnik donosowy lub przez specjalny cewnik założony chirurgicznie przez ścianę brzucha bezpośrednio do żołądka. Konieczna jest bardzo ścisła współpraca rodziców z całym zespołem opiekującym się dzieckiem, do którego oprócz lekarzy różnych specjalności należą również terapeuci, psycholodzy, pielęgniarki, pracownicy socjalni i nauczyciele.

W Polsce, podobnie jak i w innych cywilizowanych krajach, prawo gwarantuje dzieciom niepełnosprawnym możliwość nauki w szkołach publicznych. Z odpowiednią pomocą ze strony opiekunów i technologii wiele dzieci z porażeniem mózgowym jest w stanie uczyć się w normalnych warunkach szkolnych razem ze zdrowymi rówieśnikami, co ma ogromne znaczenie dla ich wszechstronnego rozwoju.

Kluczową rolę odgrywa oczywiście rodzina, jej zaangażowanie, poświęcenie, pomoc i miłość, dzięki którym chore dziecko ma szansę osiągnąć swój maksymalny potencjał rozwojowy. Rodzice powinni jak najwięcej wiedzieć o chorobie i korzystać ze wszelkich dostępnych form pomocy i wsparcia w stałej opiece nad dzieckiem i pokonywaniu rozlicznych codziennych problemów.

Choroby nie można na dzień dzisiejszy wyleczyć, ale przynajmniej nie ma ona charakteru postępującego: inwalidztwo dziecka nie pogłębia się w miarę upływu czasu, a dzięki odpowiedniej rehabilitacji powinno się wręcz zmniejszać.

Około 90% chorych dzieci dożywa dwudziestu i więcej lat. Mniejsze szanse na przeżycie mają jednak dzieci z porażeniem wszystkich czterech kończyn (kwadruplegią) i ciężkim niedorozwojem umysłowym, które tylko w 70% dożywają wieku dorosłego. Główną przyczyną przedwczesnych zgonów dzieci z porażeniem mózgowym jest niewydolność oddechowa w następstwie zakażeń i aspiracyjnego (chemicznego) zapalenia płuc.

Zapobieganie i badania prenatalne Zapobieganie porażeniu mózgowemu dziecięcemu polega w pierwszym rzędzie na właściwej opiece lekarskiej w okresie ciąży, ze ścisłą kontrolą takich chorób matki jak cukrzyca, niedokrwistość, nadciśnienie tętnicze i niedożywienie, a także wszelkiego rodzaju problemów położniczych, które mogą doprowadzić do przedwczesnego porodu. Liczby mówią same za siebie: ryzyko wystąpienia porażenia mózgowego u wcześniaków jest 50-krotnie wyższe niż u dzieci donoszonych. Ponieważ choroba nie ma podłoża genetycznego, nie ma specyficznych metod diagnostyki prenatalnej.

Maltretowanie/wykorzystywanie seksualne dziecka

Za maltretowanie fizyczne uznaje się następujące działania, jeśli są one podejmowane celowo dla zrobienia dziecku krzywdy: uderzanie, rzucanie, kopanie, potrząsanie, gryzienie, bicie z użyciem „narzędzia", przypalanie (zapałką czy papierosem), oblewanie gorącą wodą, wpychanie do wody, przetrzymywanie pod wodą i duszenie.

Za zaniedbywanie fizyczne uznaje się: głodzenie lub niedostarczanie dziecku odpowiedniej ilości pożywienia, brak ochrony przed zimnem (w postaci ciepłych ubrań i ciepła w domu), zamykanie dziecka w jakimkolwiek pomieszczeniu, zwłaszcza ciasnym i ciemnym, pozostawianie dziecka samego na długie godziny, niezapewnienie mu opieki lekarskiej w razie choroby czy urazu oraz narażanie go (np. z braku nadzoru) na sytuacje zagrożenia życia i zdrowia.

Za wykorzystywanie seksualne uznaje się: dotykanie lub całowanie narządów płciowych dziecka, zmuszanie dziecka do dotykania narządów płciowych dorosłego, uprawianie seksu z dzieckiem, pokazywanie mu pornograficznych zdjęć czy filmów, obnażanie się przed dzieckiem, zmuszanie dziecka do obnażania się, zmuszanie dziecka do stosunku płciowego z kimkolwiek innym, fotografowanie lub filmowanie dziecka w celach pornograficznych oraz opowiadanie dziecku perwersyjnych historii.

Specyficzną formą maltretowania jest tak zwany „zespół dziecka potrząsanego" (ang. *shaken baby syndrome*). Dotyczy on zwykle małych dzieci (niemowląt) i zajmuje pierwsze miejsce w smutnej statystyce zgonów z powodu maltretowania fizycznego. Większość takich gwałtownych incydentów trwa nie dłużej niż 5–20 sekund, ale i tyle wystarcza do zabicia niemowlęcia z powodu silnego urazu mózgu.

Objawy i rozpoznanie Podejrzenie maltretowania dziecka opiera się zwykle na poszlakach. Takie objawy jak siniaki, skaleczenia czy blizny z niewyjaśnionej przyczyny, podbite oczy i złamania kostne, a także krwawienie z pochwy lub upławy u małej dziewczynki są oczywiście ewidentnie alarmujące, jednak często maltretowanie lub wykorzystywanie seksualne dziecka ujawniają się w sposób mniej oczywisty w jego zachowaniu. Mogą wystąpić zaburzenia snu lub koszmarne sny, a także któreś z następujących objawów:

- Cechy niskiej samooceny dziecka;
- Niezdolność do więzi emocjonalnej z innymi ludźmi, brak zaufania;
- Agresywność lub zachowania; niszczycielskie;
- Niekontrolowane wybuchy gniewu i wściekłości;
- Zachowania o zabarwieniu seksualnym;
- Samookaleczenia lub agresja w stosunku do zabawek;
- Smutek, bierność, zamknięcie w sobie, depresja;
- Strach przed niektórymi dorosłymi.

Podobne zachowania może również przejawiać dziecko, które samo nie doświadczyło maltretowania, ale było jego świadkiem w odniesieniu do innego dziecka, na przykład brata lub siostry. Trzeba wyraźnie podkreślić, że wszystkie powyższe objawy są niespecyficzne, co oznacza, że mogą wynikać z szeregu przyczyn, niekoniecznie maltretowania. Reakcje takie zdarzają się u dzieci poddanych presji silnego stresu, na przykład z powodu konfliktów między rodzicami, rozwodu, pojawienia się w domu obcych osób i mnóstwa innych przyczyn.

Zaleca się, by dzieci podejrzane o to, że stały się ofiarami maltretowania, przyjmować do szpitala, gdzie łatwiej jest przeprowadzić kompleksowe badania diagnostyczne i w razie potrzeby szybko rozpocząć leczenie. W szpitalu można udzielić dziecku wszechstronnej pomocy, zwłaszcza dziecku pobitemu, które często wymaga badania lekarskiego, zdjęć rentgenowskich lub innych zabiegów. Zdjęcia mogą wykazać zarówno świeże, jak i przebyte wcześniej złamania kostne, które u niemowląt i małych dzieci mogą być jedynymi dowodami maltretowania. Jeśli urazy są poważne albo istnieje podejrzenie, że powrót do domu naraża dziecko na powtórne zagrożenie, zatrzymuje się je w szpitalu celem dalszej obserwacji i leczenia, a także po to, by służby socjalne i instytucje powołane do ochrony praw dziecka miały czas na rozpoznanie sytuacji panującej w jego środowisku.

Leczenie i rokowanie Jeśli usłyszysz od dziecka cokolwiek, co budzi w tobie podejrzenia traumatycznego przeżycia, jakie mogło stać się jego udziałem, zachowaj spokój i okaż dziecku, że wierzysz jego słowom. Twoja reakcja może albo pomóc mu wrócić do równowagi, albo też pogłębić doznaną krzywdę. A oto kilka wskazówek, jak powinnaś się zachować:

- Uważnie i spokojnie wysłuchaj wszystkiego, co dziecko spontanicznie ci opowiada, niezależnie od szoku, jaki niewątpliwie przeżywasz. Staraj się dokładnie zapamiętać jego słowa, a także okaż dziecku, że jest wysłuchane.
- Zapewnij je, że bardzo dobrze zrobiło, dzieląc się z tobą swoimi przeżyciami, że w żaden sposób nie doszło do nich z jego winy i że zajmiesz się tym, by coś podobnego nigdy się nie powtórzyło.
- Zachęć dziecko, by opowiedziało ci wszystko, ale unikaj zbyt dociekliwych pytań, które mogłyby je zmylić, speszyć lub też zasugerować mu odpowiedź. Zachowaj maksymalną delikatność, tak aby nie zrazić dziecka, zwłaszcza w perspektywie ewentualnego śledztwa policyjnego, podczas którego ustalenie prawdy będzie zależało w ogromnej mierze od jego skłonności do mówienia.
- Powstrzymaj się od jakichkolwiek negatywnych uwag na temat domniemanego prześladowcy. Paradoksalnie zdarza się, że dziecko jest szczerze przywiązane do tej osoby i pod wpływem twojego potępienia odruchowo zacznie jej bronić – co oczywiście nie pomoże w ustaleniu prawdy.
- Jeśli czujesz, że dziecko ze strachu czy z jakichkolwiek innych względów nie powiedziało ci wszystkiego, zwróć się o pomoc do lekarza, psychologa lub doświadczonych osób, np. dyżurujących pod telefonem zaufania.

Jeśli twoje dziecko doznało urazu fizycznego lub molestowania seksualnego, będzie mu potrzebna fachowa pomoc medyczna. Nawet jeśli oznaki maltretowania nie są ewidentne, lepiej okazać przewrażliwienie, niż cokolwiek przegapić, tak więc niezwłocznie zabierz je do lekarza. Przede wszystkim jednak zapewnij mu bezpieczeństwo i przyjmij z założenia, że do czasu wyjaśnienia całej sprawy relacja dziecka jest prawdziwa. Bardzo wskazana jest również jak najszybsza pomoc psychologiczna. Pozostawienie dziecka samemu sobie ze wspomnieniami traumatycznych przeżyć kryje w sobie ryzyko, że być może kiedyś w przyszłości powieli ono podobne zachowania w stosunku do własnych dzieci. Maltretowanie czy wykorzystywanie seksualne w dzieciństwie rzutuje na dalsze życie dzieci. Jako dorośli mają one częściej problemy z nawiązywaniem i podtrzymywaniem więzi międzyludzkich i są bardziej narażone na nerwice, depresję, uzależnienia, choroby somatyczne oraz niepowodzenia zawodowe.

Rozszczep wargi/podniebienia

Rozszczep wargi, zwany potocznie „zajęczą wargą", jest przerwaniem ciągłości (szczeliną) w wardze górnej w linii pośrodkowej albo po którejś (lub obu) stronach. Rozszczep podniebienia polega na niepełnym zamknięciu się sklepienia jamy ustnej, również w linii pośrodkowej albo asymetrycznie. Podniebienie rozciąga się od linii zębów górnych do języczka gardła. Od przodu jest to struktura kostna (podniebienie twarde), a ku tyłowi przechodzi w mięśniowe podniebienie miękkie. Rozszczep może dotyczyć również wargi i podniebienia jednocześnie, ponieważ obie struktury są ze sobą ściśle powiązane w rozwoju.

Szczeliny w wardze i podniebieniu występują prawidłowo we wczesnym okresie życia płodowego, jednak po zakończeniu pierwszego trymestru (trzech miesięcy) ciąży powinny się zasklepić. Aby uformowała się twarz, konieczne jest harmonijne połączenie trzech zawiązków rozwojowych. Podniebienie kostne powstaje z połączenia wyrostków dwóch kości szczękowych, które ostatecznie łączą się w jedną. Jeśli dojdzie do zakłócenia tego procesu, pozostaje między nimi szczelina, czyli rozszczep.

Rozszczep wargi i podniebienia jest przypuszczalnie uwarunkowany szeregiem różnych przyczyn. W niektórych przypadkach mogą odgrywać rolę czynniki genetyczne. Wydaje się, że podatność na wystąpienie wady jest wrodzona, zależna prawdopodobnie od co najmniej kilku genów. Równie ważne są czynniki zewnętrzne oddziałujące na płód we wczesnym okresie ciąży. Niedawno przeprowadzone badania wskazują na zwiększone ryzyko rozszczepu w następstwie nadużycia alkoholu (w postaci pięciu lub więcej drinków jednorazowo) w pierwszym trymestrze ciąży. Czasami rozszczep wargi i/lub podniebienia wchodzi w skład większego zespołu wad wrodzonych u dziecka.

Objawy i rozpoznanie Rozszczep wargi jest wyraźnie widocznym defektem, zauważanym i diagnozowanym natychmiast po urodzeniu. Rozszczep podniebienia można na pierwszy rzut oka przeoczyć, ale ujawnia się on zwykle już podczas pierwszych karmień noworodka. Z reguły dziecko ma trudności ze ssaniem z powodu niemożności szczelnego uchwycenia sutka lub smoczka. Możliwy jest również wyciek pokarmu przez nos podczas karmienia. Tego rodzaju problemy powinny natychmiast budzić czujność lekarzy i ukierunkowywać diagnostykę w kierunku wad podniebienia. Niektóre dzieci z rozszczepami mają dodatkowe mniej lub bardziej widoczne wady wrodzone, na przykład wady serca lub zaburzenia wzrostu, często przejawiają również trudności w nauce.

Leczenie i rokowanie We wczesnym okresie życia dziecka głównym problemem jest karmienie. Aby umożliwić dziecku efektywne ssanie, stosuje się szereg urządzeń wspomagających, takich jak specjalnego kształtu kapturki, przejściowo zamykające szczelinę w wardze i/lub podniebieniu.

Rozszczep wargi leczy się drogą operacji plastycznej, wykonywanej zwykle w wieku 2–3 miesięcy, jeśli niemowlę jest poza tym zdrowe i prawidłowo przybiera na wadze. Rozszczep podniebienia koryguje się później, w wieku 9–12 miesięcy. Wystarcza do tego najczęściej pojedynczy zabieg operacyjny; tylko przy dużej rozległości wady konieczne bywa postępowanie dwuetapowe.

W miarę jak dziecko rośnie, zachodzi nieraz potrzeba dodatkowych interwencji. W wieku 3–4 lat niektóre dzieci wymagają dodatkowej operacji podniebienia, jeśli ich mowa ma stale nosowe brzmienie.

U wielu dzieci z rozszczepami występują problemy stomatologiczne i ortodontyczne, takie jak ubytki kostne łuków zębowych, brak lub deformacja niektórych zębów, a także wady zgryzu. Jeśli defekty te nie zostaną właściwie skorygowane, ich następstwem będą problemy z żuciem i dodatkowe deformacje twarzy. W razie dużej wady zgryzu konieczny może być zabieg chirurgii szczękowej, aczkolwiek czasem udaje się odłożyć go aż do okresu zakończenia wzrostu. Ostateczną korekcję wargi i nosa przeprowadza się często w wieku 17–21 lat, po osiągnięciu dojrzałości wszystkich struktur twarzy.

Ponieważ szczelina w podniebieniu umożliwia przeciek pokarmu do zatok obocznych nosa i przewodu słuchowego, dzieci dotknięte rozszczepem są również bardziej podatne na zakażenia zatok i uszu. Aby poradzić sobie z tym problemem, laryngolog może na stałe wprowadzić cewnik przez błonę bębenkową w celu drenażu, przewietrzania i odbarczania ucha środkowego. Dziecko wymaga regularnej kontroli słuchu oraz stałej opieki logopedycznej, aby mogło nauczyć się prawidłowo wykorzystywać mięśnie podniebienia podczas mowy.

Przy prawidłowej opiece ostateczne efekty leczenia w zakresie anatomicznym, czynnościowym i kosmetycznym są w pełni satysfakcjonujące. Problemy ortodontyczne i logopedyczne wymagające również ścisłej kontroli, przynoszą one jednak zwykle efekty w postaci prawidłowego rozwoju mowy dziecka.

Rozszczepy nie leczone powiększają się zwykle z wiekiem i mogą znacząco zaburzać mowę. W warunkach prawidłowych wymawiamy poszczególne głoski, kierując powietrze do nosa lub do ust. Połączenie między jamą ustną i nosową z powodu rozszczepu sprawia, że niezależnie od woli mówiącego powietrze stale uchodzi przez nos, przez co wydawane dźwięki mają nienaturalne brzmienie. Również rozszczep wargi uniemożliwia prawidłową wymowę niektórych głosek.

Pozostawiony rozszczep wargi oznacza też oczywiście oszpecenie dziecka, co ma głęboki negatywny wpływ na jego samoocenę oraz ogólny rozwój psychiczny, emocjonalny i społeczny.

Zapobieganie i badania prenatalne Zapobieganie wystąpieniu tej wady polega przede wszystkim na higienicznym trybie życia matki w okresie ciąży, z wykluczeniem alkoholu, właściwym odżywianiem i systematyczną opieką lekarską. Przyszli rodzice, którzy sami mieli rozszczepy lub też występują one w ich rodzinach, muszą mieć świadomość zwiększonego ryzyka wystąpienia tej wady u ich dziecka. Urodzenie dziecka z rozszczepem wargi i/lub podniebienia, a zwłaszcza ze współistniejącymi innymi wadami, wymaga poradnictwa prenatalnego przed następną planowaną ciążą dla oceny ryzyka powtórzenia się tych defektów u kolejnego dziecka.

Wrodzone wady serca

Pojęcie wrodzonych wad serca obejmuje szereg różnorodnych nieprawidłowości w obrębie samego serca oraz naczyń żylnych, które doprowadzają krew do jego przedsionków lub naczyń tętniczych wychodzących z komór do całego organizmu (aorta z komory lewej) i do płuc (tętnica płucna z komory prawej). Przyczyny większości tych anomalii pozostają nieznane. Pewną rolę muszą odgrywać czynniki genetyczne, ponieważ ryzyko wrodzonej wady serca rośnie, jeśli występuje ona u któregoś z rodziców lub u rodzeństwa. W jednym z szeroko zakrojonych

badań na ten temat wady serca miały w 12% przypadków związek z anomalią chromosomalną w postaci trisomii 21 (trzech zamiast dwóch chromosomów 21), czyli zespołu Downa (patrz odpowiedni podrozdział w tym rozdziale), a w 8% wchodziły w skład zespołów licznych wad wrodzonych. U niektórych dzieci z wadami serca udaje się zidentyfikować pojedynczy defekt genetyczny, który odpowiada za tzw. zespół Marfana, dziedziczną chorobę tkanki łącznej.

W około 3% przypadków wady serca wykazują korelację z chorobami matki w okresie ciąży, takimi jak cukrzyca, toczeń rumieniowaty układowy, różyczka czy fenyloketonuria (PKU), genetycznie uwarunkowany defekt enzymu metabolizującego aminokwas fenyloalaninę. Podwyższone ryzyko urodzenia dziecka z wadą serca dotyczy również kobiet przyjmujących w czasie ciąży niektóre leki, w tym lit, warfarynę (lek przeciwkrzepliwy), talidomid, antymetabolity (do jakich należą pewne cystostatyki stosowane w chorobach nowotworowych) czy leki przeciwpadaczkowe, a także spożywających alkohol.

Najczęstszymi wadami serca są ubytki (otwory) w przegrodach dzielących serce na część prawą i lewą. Ubytek może dotyczyć przegrody międzyprzedsionkowej, rozdzielającej od siebie oba zbiorniki, do których dopływa krew żylna. Szacuje się, że ubytek przegrody międzyprzedsionkowej stanowi 6–8% wszystkich wrodzonych wad serca. Jeszcze częstszy (25–30%) jest ubytek przegrody międzykomorowej, czyli wada, w której dochodzi do mieszania się krwi (przecieku) między prawą i lewą komorą serca, pompującymi ją odpowiednio do płuc i do krążenia dużego (wszystkich pozostałych narządów organizmu). W obu typach ubytków przegród część krwi utlenowanej, powracającej do serca z płuc, nie zostaje wyrzucona do krążenia dużego, tylko ponownie wraca do płuc. Prowadzi do przeciążenia naczyń płucnych, a w dalszej kolejności do nadciśnienia płucnego, nadmiernej pracy i często niewydolności serca oraz wtórnych zaburzeń w budowie i czynności płuc.

Trzecią częstą wadą wrodzoną jest przetrwały przewód tętniczy, występujący w około 7% przypadków. Przewód tętniczy (Botala) jest naczyniem łączącym aortę, największą tętnicę krążenia dużego przewodzącą krew utlenowaną, z tętnicą płucną, doprowadzającą krew pozbawioną tlenu do płuc. Połączenie to pełni ważną funkcję w życiu płodowym, pozwalając ominąć nieczynne w tym okresie płuca dziecka, które zaopatruje się w tlen nie z powietrza, lecz z łożyska matki. Po urodzeniu, po pierwszych oddechach wypełniających płuca powietrzem, krążenie noworodka powinno jednak przystosować się do zmienionych warunków. Elementem tego przystosowania jest właśnie zamknięcie się przewodu tętniczego, które prawidłowo następuje w 1.–2. dniu życia. Przewód tętniczy nie tylko staje się niepotrzebny – jego przetrwanie prowadzi do groźnych zaburzeń w postaci odpływu części krwi z aorty z powrotem do płuc, wraz z wyżej opisanymi konsekwencjami tego stanu.

Kolejny częsty typ wrodzonej wady serca polega na zwężeniu (stenozie) zastawek – płatków tkanek między przedsionkami i komorami oraz między komorami a dużymi naczyniami, dzięki którym przepływ krwi przez serce odbywa się tylko w jednym kierunku. Zwężone zastawki stwarzają blokadę na tej drodze, co prowadzi do zalegania krwi w jamach serca i jej niedostatecznego dopływu do narządów.

Często poszczególne typy defektów występują jednocześnie, prowadząc do złożonych wad serca, do jakich należy na przykład tetralogia Fallota (zespół czterech anomalii anatomicznych).

Objawy i rozpoznanie U niektórych dzieci objawy wady serca ujawniają się już w pierwszych dniach po urodzeniu, inne mogą wydawać się zdrowe aż do ukończenia kilku tygodni czy nawet miesięcy życia. Znacznego stopnia wady, niezależnie od typu, charakteryzują się przede

wszystkim takimi objawami, jak przyspieszenie oddechu, duszność, sinica warg, języka, paznokci, a nawet całej skóry, szybkie męczenie się dziecka podczas ssania oraz brak prawidłowego przybierania na wadze.

Dzieci z dużymi ubytkami przegrody międzyprzedsionkowej są narażone na ryzyko częstych zakażeń i innych powikłań ze strony płuc oraz szybkiego rozwoju niewydolności krążenia.

Ubytek przegrody międzykomorowej może przebiegać podobnie, aczkolwiek często z mniej nasilonymi objawami.

Przetrwały przewód tętniczy może nie dawać żadnych objawów, jeśli jest on tylko częściowo drożny, natomiast zachowanie całego jego światła prowadzi do niewydolności serca i uniemożliwia dziecku prawidłowy rozwój.

Wady serca objawiają się w badaniu fizykalnym nieprawidłowymi dźwiękami (szmerami), dającymi się wysłuchać słuchawką lekarską (stetoskopem). Szmery te wskazują na możliwość zaburzeń w przepływie krwi przez serce, ale ich stwierdzenie nie oznacza jeszcze rozpoznania wady. Trzeba podkreślić, że niektóre szmery są obecne wkrótce po urodzeniu, a następnie samoistnie zanikają, a także, że większość z nich należy do tak zwanych szmerów „niewinnych" czy czynnościowych, powstających bez podłoża wady serca. Badanie fizykalne obejmuje również pomiar i ocenę tętna i ciśnienia tętniczego w celu wykrycia ewentualnych zaburzeń krążenia obwodowego.

Jeśli występujące u dziecka objawy wraz ze zmianami osłuchowymi nasuwają lekarzowi podejrzenie wady serca, zleca on zwykle badania dodatkowe, takie jak rentgen klatki piersiowej, elektrokardiogram (EKG) i/lub echografię (badanie ultrasonograficzne uwidoczniające poszczególne jamy serca i przepływ krwi) oraz badania krwi.

W razie podejrzenia wady serca o znacznym nasileniu, a zwłaszcza wymagającej pilnego leczenia operacyjnego, przeprowadza się specjalistyczne badanie inwazyjne, polegające na wprowadzeniu do serca przez żyłę ramienną lub udową specjalnego cewnika. Umożliwia to kardiologom pomiar ciśnienia i zawartości tlenu w poszczególnych jamach i dużych naczyniach serca, a także podanie kontrastu, dzięki któremu na zdjęciu rentgenowskim uwidoczniają się szczegóły budowy serca. Cewnikowanie serca stanowi zwykle etap przygotowawczy przed planowaną operacją kardiochirurgiczną, jest też coraz częściej wykorzystywane jako metoda lecznicza (patrz dalej).

Leczenie i rokowanie Postępowanie we wrodzonych wadach serca zależy od ich rodzaju i stopnia ciężkości. Niektóre z nich, na przykład niewielki ubytek w przegrodzie międzykomorowej, mogą z czasem ustąpić samoistnie, nie wymagając niczego poza dokładną obserwacją i cierpliwym oczekiwaniem.

Są również wady, które obecnie dają się leczyć bez konieczności otwartej operacji. Metodą cewnikowania serca można wprowadzić do niego swego rodzaju „łaty", zamykające ubytki przegrody, lub też rozszerzyć zwężone zastawki specjalnym balonikiem. Zabiegi tego rodzaju zastępują niekiedy operację lub pozwalają odłożyć ją do późniejszego wieku dziecka.

Czasami jednak zabiegi kardiochirurgiczne są nieuniknione, a ich rozległość, liczba i rozkład w czasie zależą od typu i stopnia ciężkości wady.

Przed operacją, a czasem również i po niej, dziecko wymaga często leczenia farmakologicznego podtrzymującego pracę serca i zapobiegającego powikłaniom wady.

Dzieci z większością wrodzonych wad serca są narażone na ryzyko bakteryjnego zapalenia wsierdzia, czyli wewnętrznej warstwy wyściełającej serce (do której należą również zastawki). Ryzyko to dodatkowo rośnie w przypadku niektórych zabiegów stomatologicznych, podczas których bakterie z jamy ustnej mogą przedostać się do krwiobiegu i zaatakować serca. Rodzice muszą o tym pamiętać i dopilnować, by w razie potrzeby dziecko otrzymało przed takim zabiegiem osłonę w postaci antybiotyków.

Długoterminowe perspektywy stojące przed dzieckiem z wadą serca są bardzo zróżnicowane w zależności od wspomnianego już typu i stopnia ciężkości wady, jakości dostępnej opieki medycznej i współistnienia innych problemów zdrowotnych.

Zapobieganie i badania prenatalne Serce płodu rozwija się najintensywniej i jest najbardziej narażone na zaburzenia tego procesu w ciągu pierwszych 3–7 tygodni ciąży. Oznacza to, że do wystąpienia wady wrodzonej może dojść jeszcze zanim kobieta zorientuje się, że jest w ciąży, tym bardziej że statystycznie w ponad połowie przypadków ciąża jest nieplanowana. Sytuacja ta stwarza konieczność minimalizacji ryzyka u wszystkich kobiet w wieku rozrodczym, jeszcze przed zajściem w ciążę. Profilaktyka musi polegać na unikaniu alkoholu i przyjmowania wielu leków. Przed zajściem w ciążę przyszła matka powinna poradzić się lekarza, jakie leki są bezpieczne w ciąży, a jakie zdecydowanie przeciwwskazane. Kobieta dotknięta przewlekłą chorobą, na przykład cukrzycą, wymaga oczywiście szczególnej opieki przez cały okres ciąży i porodu. Zagrożenie wadą serca u dziecka stwarza również zakażenie wirusem różyczki. Planując ciążę, przyszła matka powinna być uodporniona na różyczkę, a jeśli nie jest, poddać się szczepieniu ochronnemu. Zaleca się jednak zachowanie co najmniej 3-miesięcznego odstępu między szczepieniem a zajściem w ciążę, nie można również podać szczepionki zawierającej żywe wirusy, jeśli ciąża jest już faktem.

Urodzenie dziecka z wadą serca wymaga konsultacji w poradni prenatalnej przed następną planowaną ciążą dla oceny ryzyka zaistnienia wady u kolejnego dziecka.

Wrodzona niedoczynność tarczycy (hipotyreoza)

Do niedoczynności tarczycy dochodzi wtedy, gdy ten podobny w kształcie do motyla gruczoł dokrewny, położony na krtani pośrodku szyi, nie jest w stanie produkować dostatecznej ilości swoich hormonów. Hormony tarczycy – tyroksyna (T4) i trójjodotyronina (T3) – kontrolują tempo przemian metabolicznych, zachodzących w naszym organizmie. Są one niezbędne do prawidłowego wzrostu kości i niezwykle ważne dla rozwoju mózgu u niemowląt i małych dzieci.

Wrodzona niedoczynność tarczycy oznacza, że dziecko rodzi się bez tarczycy lub też z tarczycą niedorozwiniętą czy źle funkcjonującą. Wada ta występuje najczęściej bez podłoża rodzinnego. U niewielkiej grupy dzieci (około 10%) przyczyną niedoczynności jest genetycznie uwarunkowany defekt biosyntezy hormonów, jednak w większości przypadków rodzą się one bez tarczycy lub z jej znacznym niedorozwojem. Zahamowanie rozwoju tarczycy może wystąpić w sytuacji, gdy matka w okresie ciąży była leczona jodem radioaktywnym. Do przejściowej niedoczynności tarczycy dziecka dochodzi w następstwie stosowania leków przeciwtarczycowych u matki w okresie ciąży lub narażenia jej na nadmiar jodu.

Objawy i rozpoznanie Noworodki z wrodzoną niedoczynnością tarczycy nie przejawiają często żadnych odchyleń od stanu prawidłowego w pierwszym badaniu lekarskim po porodzie. Zwykle objawy te ujawniają się jednak już w pierwszych dniach lub tygodniach życia i obejmują przedłużoną żółtaczkę noworodków, brak apetytu, zaparcie, schrypnięty krzyk, ospałość, zaburzenia oddychania z powodu powiększonego języka, obrzęk błony śluzowej nosa i zaburzenia wzrostu.

Wczesne wykrycie wrodzonej niedoczynności tarczycy ma decydujące znaczenie dla losu dziecka, ponieważ właściwy poziom T3 i T4 warunkuje prawidłowy rozwój jego mózgu. Nierozpoznana i nieleczona hipotyreoza prowadzi do zaburzeń wzrostu i nieodwracalnego upośledzenia umysłowego (kretynizmu). Dlatego też w Stanach Zjednoczonych i większości krajów rozwiniętych oznaczanie poziomu hormonów tarczycy we krwi wchodzi w skład rutynowych badań przesiewowych noworodka.

Leczenie i rokowanie Leczenie wrodzonej hipotyreozy polega na uzupełnianiu brakujących hormonów drogą doustną. Dziecko wymaga stałej opieki lekarskiej z uwagi na konieczność modyfikacji dawki w różnych okolicznościach i zależnie od wyników okresowych badań krwi.

Szybkie rozpoznanie i właściwe leczenie sprawia, że dzieci z tym defektem rosną i rozwijają się prawidłowo, zarówno pod względem fizycznym, jak i umysłowym.

Zapobieganie i badania prenatalne Kobieta z nadczynnością tarczycy (nadmierną produkcją hormonów tarczycowych) nie może być leczona z tego powodu jodem radioaktywnym w czasie ciąży lub w razie podejrzenia ciąży. Leczenie matki jodem radioaktywnym jest jedną ze znanych przyczyn uszkodzenia lub zniszczenia tarczycy u płodu.

Mukowiscydoza

Mukowiscydoza, określana również jako zwłóknienie torbielowate (ang. *cystic fibrosis*, CF), jest chorobą genetycznie uwarunkowaną, polegającą na nadmiernej gęstości śluzu wydzielanego w różnych narządach. Śluz pełni w organizmie szereg ważnych funkcji: jest niezbędny do prawidłowego nawilżania powietrza oddechowego, zatrzymuje zawarty w nim kurz i bakterie, chroni od wewnątrz przewód pokarmowy przed działaniem soków trawiennych. Śluz chorego na mukowiscydozę jest jednak zbyt gęsty i czopuje płuca, wątrobę, trzustkę i jelita, prowadząc do licznych problemów i powikłań.

Przyczyną mukowiscydozy są mutacje genu położonego w chromosomie 7. Jedna z takich mutacji (określana kryptonimem delta-F508) odpowiada za około 50% przypadków choroby, a różnorodne inne mutacje za pozostałe 50%. Ich następstwem jest produkcja patologicznego białka, uniemożliwiającego normalny przepływ chloru przez błony komórkowe. W ostatecznym efekcie wytwarzany przez komórki śluz ma znacznie większą gęstość i lepkość niż u ludzi zdrowych, co uniemożliwia jego ewakuację z dróg oddechowych i innych narządów. Taki zalegający śluz jest znakomitą pożywką dla bakterii, co naraża chorego na bardzo częste, przewlekłe zakażenia płuc, a te z kolei prowadzą do ich nieodwracalnego, postępującego uszkodzenia (zwłóknienia). Drugim wysoce poszkodowanym narządem jest trzustka, w której gęsty śluz zatyka drobne przewody wyprowadzające sok trawienny. Ponieważ enzymy trzustkowe są niezbędne do prawidłowego trawienia wszystkich składników pokarmowych, a zwłaszcza tłuszczów, niedostateczny dopływ soku trzustkowego do dwunastnicy powoduje szereg zaburzeń trawiennych i ostatecznie prowadzi do niedożywienia nawet u dziecka zjadającego normalne ilości pokarmu.

Objawy i rozpoznanie Jak wynika z powyższego opisu, główne objawy mukowiscydozy – o zmiennym nasileniu – dotyczą płuc oraz układu pokarmowego. Lekarz może podejrzewać chorobę już w pierwszych tygodniach życia, stwierdzając u niemowlęcia ciągłe stany zapalne dróg oddechowych i brak przybierania na wadze mimo prawidłowego apetytu.

Czasami mukowiscydoza ujawnia się już w chwili narodzin w postaci niedrożności smółkowej jelit *(meconium ileus)*. Wszystkie noworodki mają w jelitach smółkę, gęstą, ciemną treść podobną w konsystencji do kitu, i z reguły pozbywają się jej tak jak stolca w ciągu pierwszych kilku dni życia. U noworodków dotkniętych mukowiscydozą smółka jest jednak zbyt gęsta i lepka, by dziecko mogło ją wydalić, w związku z czym może dojść do niedrożności jelit.

Częściej jednak zdarza się, że we wczesnym okresie życia nie ma innych objawów poza brakiem przybierania na wadze mimo dobrego apetytu i właściwego karmienia. Z powodu niedo-

boru enzymów trzustkowych organizm dziecka nie przyswaja składników odżywczych, które przechodzą nie zużyte przez przewód pokarmowy. Z powodu złego wchłaniania tłuszczów są one w nadmiarze wydalane w stolcu, który ma zwiększoną objętość i charakterystyczny tłuszczowy wygląd. Brak absorpcji tłuszczów pociąga za sobą niedobór witamin rozpuszczalnych w tłuszczach, takich jak A, D, E i K. Niestrawione tłuszcze i inne resztki pokarmowe są również pożywką dla nasilonej fermentacji jelitowej z następstwami w postaci gazów, wzdęć i bólów brzucha.

Ponieważ zaburzenie dotyczy również komórek gruczołów potowych, dzieci z mukowiscydozą mają czasem słony „szron" na skórze, a pocałowane słono smakują. Przy ciepłej pogodzie mogą również tracić znaczne ilości chlorku sodu z potem.

Typowe dolegliwości ze strony układu oddechowego obejmują niedrożność nosa, nawracające zapalenie zatok, świsty oddechowe i inne objawy podobne do astmy oskrzelowej. W miarę progresji choroby u dziecka rozwija się przewlekły kaszel z odkrztuszaniem gęstej, zmętniałej i podbarwionej wydzieliny śluzowej. Zdarzają się nawracające zakażenia oskrzeli i płuc. Postępujące zwłóknienie płuc upośledza czynność oddechową, tak więc chorzy na mukowiscydozę mają często duszność, ograniczoną wydolność fizyczną i skrócony średni czas życia.

Rozpoznanie ustala się zwykle przed ukończeniem przez dziecko trzech lat, chociaż u 15% pacjentów ma to miejsce dopiero w późniejszym okresie życia. Wykonuje się zwykle specjalne badanie, polegające na oznaczeniu stężenia chlorku sodu w pocie zebranym z przedramienia dziecka. Stężenie to jest zdecydowanie wyższe niż u ludzi zdrowych. Dla potwierdzenia rozpoznania przeprowadza się zwykle co najmniej dwie próby chlorków w pocie. Do innych badań, oceniających zaawansowanie choroby i monitorujących leczenie, należy RTG klatki piersiowej, analizy składu krwi pod kątem objawów niedożywienia, testy czynnościowe płuc (badania spirometryczne) oraz posiewy plwociny w celu właściwego doboru antybiotyków do leczenia nawracających zakażeń układu oddechowego.

W wielu przypadkach rozpoznanie potwierdzają również badania genetyczne. W niektórych krajach wchodzą one obecnie w skład rutynowych badań przesiewowych, jakimi objęte są wszystkie noworodki.

Leczenie i rokowanie Mukowiscydozy nie można niestety wyleczyć, ale można zwalczać jej następstwa i powikłania. Dziecko wymaga stałej opieki lekarskiej i wielu działań ukierunkowanych na podtrzymanie prawidłowej czynności płuc i przeciwdziałanie niedożywieniu. Należy do nich fizykoterapia ze specjalnymi ćwiczeniami oddechowymi, ułatwiającymi ewakuację śluzu, dieta wzbogacona w witaminy i składniki mineralne, doustne preparaty enzymów trzustkowych, leki rozrzedzające śluz dróg oddechowych i antybiotyki do zwalczania infekcji płucnych, podawane doustnie lub wziewnie. W leczeniu objawów ze strony układu oddechowego stosuje się z reguły leki podobne do stosowanych w astmie.

W przeszłości choroba prowadziła niemal zawsze do śmierci w dzieciństwie, głównie z powodu uszkodzenia płuc. Dzięki postępom medycyny na przestrzeni ostatnich kilkudziesięciu lat większość pacjentów dożywa obecnie wieku dorosłego i może prowadzić normalny, aktywny tryb życia. Średni czas przeżycia chorych na mukowiscydozę wynosi aktualnie około 30 lat.

Zapobieganie i badania prenatalne Mukowiscydoza jest defektem genetycznym o charakterze recesywnym, co oznacza, że choroba występuje tylko u tak zwanych homozygot, czyli dzieci, które otrzymały nieprawidłowe geny od obojga rodziców. Dzieci z jednym genem zmutowanym, a drugim prawidłowym (heterozygoty) są zdrowymi nosicielami mukowiscydozy, którą mogą jednak przekazać swoim potomkom. W razie związku dwóch takich osób ryzyko mukowiscydozy u ich dzieci wynosi 25%.

Na dzień dzisiejszy badacze zidentyfikowali co najmniej 600 mutacji genu mukowiscydozy, które mogą wywołać chorobę. Najczęstsza z nich, wspomniana mutacja delta-F508, daje się wykryć w badaniach genetycznych, zarówno w życiu płodowym, jak i natychmiast po przyjściu na świat.

Badania te mogą być również przydatne dla potencjalnych rodziców chcących wiedzieć, czy są nosicielami zmutowanego genu, zwłaszcza w sytuacji, gdy przypadki mukowiscydozy zdarzały się w ich rodzinach.

Głuchota/niedosłuch

Istnieje szereg typów uszkodzenia słuchu, wywołanych przez liczne i zróżnicowane przyczyny.

W głuchocie typu przewodzeniowego zaburzenie dotyczy drogi przejścia fal słuchowych z ucha zewnętrznego poprzez środkowe do wewnętrznego. Do stanu tego może dojść w następstwie uszkodzenia błony bębenkowej przez ciało obce, zakażenia ucha, urazu głowy, nagłej lub ekstremalnej zmiany ciśnienia powietrza po obu stronach błony bębenkowej, narażenia na wybuch czy strzał z bliskiej odległości. Zaburzenia słuchu typu przewodzeniowego mogą również wystąpić z powodu przerostu lub zrośnięcia się trzech kosteczek słuchowych ucha środkowego – młoteczka, kowadełka i strzemiączka – uczestniczących w przekazywaniu bodźca dźwiękowego z błony bębenkowej do ucha wewnętrznego.

Przyczyna głuchoty typu sensoryczno--nerwowego leży na poziomie właściwego narządu słuchu, czyli ucha wewnętrznego. Uszkodzenie lub zniszczenie dotyczy zwykle ślimaka, cienkiej struktury o charakterystycznym kształcie, wypełnionej płynem i pokrytej rzęskami. Pobudzają one bezpośrednio zakończenia nerwu słuchowego, który przewodzi bodźce do mózgu. Zaburzenie odpowiedzialne za ten typ głuchoty może leżeć również na drodze nerwu słuchowego z ucha wewnętrznego do ośrodka słuchu w mózgu. W około 50% przypadków głuchota sensoryczno-nerwowa ma podłoże genetyczne. Do innych możliwych przyczyn należy zakażenie ucha wewnętrznego, szczególnie wirusem cytomegalii (CMV), ale także świnki, różyczki lub odry, oraz bakteryjne zapalenie opon mózgowo--rdzeniowych. Utrata słuchu zdarza się również u dzieci, których matki przyjmowały w czasie ciąży niektóre leki, na przykład przeciwnowotworowe (cytostatyki), moczopędne (diuretyki) czy antybiotyki z klasy aminoglikozydów, a także w razie ekspozycji w życiu płodowym lub po porodzie na chininę, ołów lub arszenik. Przyczyną tego typu głuchoty mogą być ponadto ciężkie urazy lub działanie hałasu – przedłużone lub jednorazowe o ogromnym nasileniu.

Czasami występują również mieszane uszkodzenia słuchu, typu przewodzeniowego i jednocześnie sensoryczno-nerwowego.

Objawy i rozpoznanie Podejrzenie zaburzeń słuchu rodzi się zwykle wtedy, gdy niemowlę nie reaguje na dźwięki lub wyraźnie opóźnia się z nauką mowy. Starsze dzieci mogą zdradzać niedosłuch, nastawiając telewizor czy radio nienormalnie głośno, nie rozumiejąc, co się do nich mówi, nie słysząc dzwonka do drzwi czy telefonu oraz mówiąc w zamazany, niewyraźny sposób.

Bardzo ważne jest, by jak najwcześniej rozpoznać i leczyć zaburzenia słuchu, ponieważ ma on podstawowe znaczenie dla nauki mowy.

Opóźnienie w rozwoju/upośledzenie umysłowe

Dzieci w określonych przedziałach wiekowych osiągają poszczególne etapy w rozwoju fizycznym, umysłowym i psychospołecznym (patrz rozdział 17, „Wzrost i rozwój"). Jeżeli mimo ukończenia kilku miesięcy lub lat dziecko nie opanowało najważniejszych umiejętności zdobytych już przez większość rówieśników, jest uznawane za opóźnione w rozwoju.

W większości przypadków opóźnienie takie nie ma ewidentnej przyczyny, jednak czasami wynika z konkretnego stanu patologicznego. Przykładowo u dzieci dotkniętych porażeniem mózgowym czy ślepotą można spodziewać się trudności w rozwoju ruchowym. Zaburzenia słuchu są częstą przyczyną opóźnienia w rozwoju mowy i nauce języka. Zespół hiperkinetyczny (AD/HD) niejednokrotnie utrudnia dziecku opanowanie ruchów precyzyjnych lub umiejętności współżycia społecznego z innymi dziećmi.

Rozpoznanie upośledzenia (niedorozwoju) umysłowego ustala się wtedy, gdy dziecko z trudem i później niż rówieśnicy osiąga w końcu pewien stały poziom inteligencji jednak poniżej normy, co potwierdzają jego problemy w komunikacji, nauce i uzyskane ogólne umiejętności życiowe.

Wśród najczęstszych możliwych do identyfikacji zespołów patologicznych skojarzonych z upośledzeniem umysłowym trzeba wymienić trzy: zespół Downa, płodowy zespół alkoholowy i zespół łamliwego chromosomu X.

Przyczyną zespołu Downa jest obecność dodatkowego, trzeciego chromosomu 21 (patrz „Zespół Downa" w tym rozdziale).

Płodowy zespół alkoholowy występuje u dzieci matek pijących alkohol w czasie ciąży (patrz rozdział 26, „Medyczne aspekty adopcji").

Zespół łamliwego chromosomu X, prowadzący do niedorozwoju umysłowego głównie u chłopców, wynika z nieprawidłowych genów zawartych w chromosomie X (płciowym).

Upośledzenie umysłowe może być również następstwem licznych innych zaburzeń w okresie życia płodowego, porodu lub wczesnego niemowlęctwa, do których należy między innymi:

- Niedożywienie matki lub jej narażenie na promieniowanie w okresie ciąży;
- Zakażenia matki w czasie ciąży, na przykład różyczka czy toksoplazmoza;
- Zaburzenia metaboliczne i hormonalne, na przykład fenyloketonuria (PKU), galaktozemia i wrodzona niedoczynność

tarczycy, o ile nie zostaną natychmiast wykryte i odpowiednio leczone;

- Przerwanie dopływu tlenu do mózgu dziecka w czasie porodu;
- Wcześniactwo (noworodki przedwcześnie urodzone są narażone na znacznie większe ryzyko niedorozwoju umysłowego niż donoszone, szczególnie jeśli ważą przy urodzeniu poniżej 1000 g).

Upośledzenie umysłowe może również wynikać z licznych problemów okresu poporodowego, na przykład takich jak zatrucie ołowiem lub rtęcią, ciężkie niedożywienie, poważne urazy głowy, niedotlenienie mózgu (np. podczas topienia się), a także choroby zakaźne w rodzaju zapalenia mózgu czy zapalenia opon mózgowo-rdzeniowych.

Objawy i rozpoznanie Wyróżnia się cztery stopnie upośledzenia umysłowego, za które uznaje się umownie iloraz inteligencji (IQ) rzędu 70–75 i poniżej, w porównaniu z prawidłową wartością przeciętną równą 100.

Większość osób upośledzonych umysłowo zalicza się grupy lekkiego upośledzenia, definiowanego jako IQ w przedziale 55–69. Jako dzieci osiągają zwykle poszczególne etapy rozwoju – w tym chodzenie i mowę – z pewnym opóźnieniem w stosunku do rówieśników, jednak rozpoznanie upośledzenia umysłowego bywa niejednokrotnie ustalane dopiero w wieku szkolnym. Dzieci te są w stanie nauczyć się czytać, pisać i liczyć oraz opanować inne umiejętności i wiedzę mniej więcej do poziomu czwartej–szóstej klasy szkoły podstawowej. Z reguły wystarcza to im w późniejszym wieku do zdobycia i wykonywania prostego zawodu i ogólnej samodzielności życiowej.

Iloraz inteligencji w przedziale 40–54 oznacza umiarkowane upośledzenie umysłowe, które trudno przeoczyć już u bardzo małego dziecka, zdecydowanie opóźnionego w rozwoju ruchowym i w nauce mowy. Dzieci te porozumiewają się z otoczeniem w zakresie podstawowym, opanowują pewne nawyki zdrowotne i higieniczne oraz inne najprostsze umiejętności, ale nie potrafią nauczyć się czytać czy liczyć. Dorośli umiarkowanie upośledzeni umysłowo z reguły nie są w stanie utrzymać się i żyć samodzielnie.

Dzieci z IQ rzędu 20–39 są upośledzone umysłowo w znacznym stopniu. Rozpoznanie ustala się u nich zwykle przy urodzeniu lub niedługo później. W wieku przedszkolnym wykazują znaczne opóźnienia w rozwoju ruchowym i szczątkową czy wręcz zerową zdolność porozumiewania się z otoczeniem. Dzięki specjalnym treningom (np. w tak zwanych szkołach życia) mogą opanować najprostsze umiejętności, takie jak samodzielne jedzenie czy mycie się. Zwykle uczą się również chodzić i rozumieją pewien wąski zasób słów. Jako dorośli wymagają życia w specjalnych warunkach, pod stałą opieką drugiej osoby.

Głębokie upośledzenie umysłowe wyraża się ilorazem inteligencji poniżej 20. Dzieci mają też z reguły i inne wady rozwojowe i wymagają stałej opieki pielęgnacyjnej. Opóźnienia w rozwoju dotyczą wszystkich funkcji i czynności. Tylko czasami udaje się nauczyć takie dzieci posługiwania się własnymi rękami, nogami, a nawet rozumienia kilku elementarnych słów i chodzenia. Przez całe życie pozostają one głęboko zależne od otoczenia i wymagają opieki na poziomie przystosowanym do wieku niemowlęcego.

Dzieci, u których ostatecznie rozpoznaje się upośledzenie umysłowe, z reguły zwracają uwagę rodziców opóźnieniem w rozwoju takich umiejętności jak siadanie, chodzenie czy mowa. Inne oznaki mogą być wychwycone przez lekarza podczas rutynowych badań kontrolnych. W takich przypadkach lekarz zleca zwykle dodatkowe badania w celu rozpoznania ewentualnej innej niż upośledzenie umysłowe przyczyny opóźnienia w rozwoju. Do badań takich należą testy wzrokowe i słuchowe oraz specjalistyczne badania krwi pod kątem zaburzeń metabolicznych i genetycznych.

Leczenie i rokowanie Niektóre specyficzne opóźnienia w rozwoju dają się nadrobić po usunięciu leżącej u ich podłoża przyczyny. I tak na przykład opóźnienie w nauce mowy może wynikać z zaburzeń słuchu wywołanych nawracającymi zapaleniami ucha środkowego, czyli przyczyną w pełni usuwalną.

Nie ma leku na upośledzenie umysłowe, jednak cierpliwa, systematyczna i fachowa opieka nad dzieckiem może przynieść często zdumiewające efekty, a przede wszystkim umożliwić mu zdobycie tak dużej samodzielności, jak tylko jest to możliwe.

Zapobieganie i badania prenatalne Badania prenatalne, takie jak amniocenteza (pobranie płynu owodniowego) czy biopsja błony kosmówkowej (CVS) oraz ultrasonografia mogą pomóc w wykryciu genetycznie uwarunkowanych zaburzeń enzymatycznych czy aberracji (nieprawidłowości) chromosomalnych związanych z upośledzeniem umysłowym.

Ochronę rozwijającego się mózgu płodu przed czynnikami szkodliwymi zapewniają między innymi szczepienia ochronne (przeciwko różyczce) oraz higieniczny tryb życia kobiety ciężarnej. Do najważniejszych do przestrzegania zasad należy bezwzględna abstynencja alkoholowa oraz unikanie surowego mięsa i kontaktu z kocimi odchodami, czyli czynników ryzyka toksoplazmozy.

Badania przesiewowe noworodków umożliwiają natychmiastowe wykrycie takich zaburzeń jak wrodzona niedoczynność tarczycy czy fenyloketonuria, a tym samym odpowiednie postępowanie zapobiegające uszkodzeniu mózgu dziecka.

Niemowlęta i małe dzieci wymagają oczywiście nieustannej ochrony przed zatruciami (np. ołowiem) i urazami głowy.

Cukrzyca (*diabetes mellitus*)

Cukrzyca jest chorobą ogólnoustrojową, w której istota zaburzenia polega na upośledzonym wykorzystywaniu glukozy przez organizm. Glukoza pochodzi ze spożywanego przez nas pokarmu i jest niezmiernie ważnym źródłem energii dla wszystkich komórek i tkanek, a w szczególności dla mózgu. Dla prawidłowego funkcjonowania mózgu i innych narządów stężenie glukozy we krwi musi utrzymywać się na pewnym względnie stałym poziomie, za co odpowiada insulina, hormon wydzielany przez trzustkę. W normalnych warunkach wkrótce po posiłku we krwi rośnie stężenie glukozy wchłoniętej z jelit, co pobudza tak zwane komórki beta trzustki do wydzielania insuliny. Insulina sprawia, że glukoza przechodzi z krwi do komórek, które wykorzystują ją jako „paliwo" niezbędne do wszelkich procesów życiowych, a jej nadmiar zostaje przekształcony i zmagazynowany w postaci glikogenu w wątrobie i w tkance tłuszczowej.

Do cukrzycy u dzieci dochodzi najczęściej, gdy trzustka przestaje wydzielać dostateczne ilości insuliny. Ta postać cukrzycy nosi nazwę cukrzycy insulinozależnej, młodzieńczej lub typu 1. Przyczyną dysfunkcji hormonalnej trzustki jest głównie niszczenie komórek beta przez własny układ obronny (immunologiczny) organizmu, który rozpoznaje je jako „obce". Zjawisko to nazywamy autoagresją. Chociaż podatność na cukrzycę młodzieńczą jest uwarunkowana genetycznie, wydaje się, że do wystąpienia choroby u dziecka potrzebne są dodatkowe czynniki wyzwalające proces autoagresji skierowanej przeciwko komórkom beta. Czynniki te nie zostały jeszcze do końca poznane, jednak wiele badań wskazuje, że mogą należeć do nich wirusy.

Cukrzycę typu 1 rozpoznaje się najczęściej przed 19 rokiem życia. Organizm tych pacjentów nie produkuje insuliny na własne potrzeby lub produkuje ją w znikomych ilościach, tak więc ich życie zależy od podawania tego hormonu z zewnątrz, w postaci regularnych wstrzyknięć.

Znacznie jednak więcej ludzi cierpi na cukrzycę typu 2, zwaną również insulinoniezależną lub typu dorosłych. Dotyczy ona najczęściej osób po 40. roku życia i zazwyczaj współistnieje z otyłością. W cukrzycy typu 2 trzustka zachowuje zdolność do wydzielania insuliny, ale komórki organizmu przestają prawidłowo na nią reagować. W tej postaci wstrzyknięcia insuliny nie są bezwzględnie konieczne, do kontroli poziomu glukozy we krwi (glikemii) wystarcza często pozbycie się nadwagi, odpowiednia dawka wysiłku fizycznego i zmiana diety. Zdarza się jednak, że pacjent musi dodatkowo przyjmować doustne leki przeciwcukrzycowe, a w szczególnych sytuacjach również insulinę. W ostatnich latach obserwuje się też wzrost częstości występowania cukrzycy typu 2 u dzieci, co może mieć związek z nasilającą się plagą otyłości.

Objawy i rozpoznanie Do klasycznych objawów cukrzycy należy wzmożone pragnienie, częste i obfite oddawanie moczu oraz chudnięcie mimo prawidłowego apetytu. Może również wystąpić spadek energii i aktywności, zamazane widzenie i szereg innych objawów, na przykład nawrót moczenia nocnego u dziecka, które już z tego wyrosło. U dziewczynek pojawiają się nieraz upławy i świąd narządów płciowych wskutek zakażenia grzybiczego, na które dzieci chore na cukrzycę stają się szczególnie podatne.

Jeśli dojdzie do zniszczenia komórek beta, trzustka dziecka nie jest w stanie ich odtworzyć. W efekcie spada wydzielanie insuliny, przez co glukoza przestaje prawidłowo przechodzić do wnętrza komórek i dostarczać potrzebnej im energii. Bez insuliny komórki organizmu odczuwają więc „głód" glukozy, mimo że jej stężenie we krwi coraz bardziej rośnie. Niski poziom insuliny i objawy „głodu" komórek są odczytywane jako głód całego organizmu, tak więc rośnie apetyt i dziecko zjada większe porcje. Kolejną próbą zwiększenia dowozu glukozy do komórek jest aktywacja innych układów hormonalnych i uruchomienie mechanizmów produkcji glukozy z rezerw energetycznych w postaci tkanki tłuszczowej oraz z białek włókien mięśniowych. Przy braku insuliny nie przynosi to innego efek-

tu niż dodatkowy wzrost stężenia „bezużytecznej" glukozy we krwi.

Przekroczenie pewnego poziomu glukozy, zwanego progiem nerkowym, powoduje, że organizm zaczyna pozbywać się jej nadmiaru z moczem. Wydalanie dużych ilości glukozy oznacza jednak również wzmożone wydalanie wody, w związku z czym dziecko oddaje mocz często i znacznej objętości. Aby uzupełnić tracone płyny, dziecko musi coraz więcej pić, co jednak na dłuższą metę nie jest w stanie zapobiec odwodnieniu.

Cukrzyca rozwija się więc, jak widać, na zasadzie klasycznego „błędnego koła chorobowego". Nasilony rozkład tłuszczów dla pokrycia potrzeb energetycznych komórek prowadzi do produkcji związków ketonowych, pośrednich metabolitów tłuszczów. W ciężkich przypadkach ich stężenie we krwi rośnie do tego stopnia, że rozwija się stan kwasicy ketonowej, z objawami w postaci przyspieszenia i pogłębienia oddechu o charakterystycznym owocowym zapachu (tzw. oddech kwasiczy). Mogą wystąpić nudności, wymioty i bóle brzucha. Nadmiar związków ketonowych we krwi działa toksycznie na mózg, co wywołuje senność, a bez szybkiej interwencji nawet groźną dla życia śpiączkę.

Pierwszym prostym badaniem diagnostycznym w kierunku cukrzycy jest zwykle badanie moczu. Wystarczy zanurzyć w próbce moczu pasek papieru nasączony specjalnym związkiem chemicznym, który pod wpływem glukozy zmienia zabarwienie. W razie dodatniego wyniku testu lekarz zleca badania krwi w celu dokładnego oznaczenia glikemii.

Leczenie i rokowanie Cukrzyca u dziecka wymaga codziennego, regularnego zaopatrywania jego organizmu we właściwą dawkę insuliny. Insulinę podaje się rutynowo w iniekcjach podskórnych, najczęściej dwa lub więcej razy dziennie, w korelacji z posiłkami.

Niektórzy pacjenci używają pompy insulinowej. Pompa ma wielkość pagera, jest wypełniona insulinę i połączona cewnikiem z cienką igłą, wprowadzoną na stałe pod skórę. Insulina jest podawana przez pompę w sposób ciągły, w dzień i w nocy, w bardzo powolnym tempie i nieco szybciej przed posiłkami. Ma to tę zaletę, że jej stężenie we krwi nie podlega dużym wahaniom – jak po jednorazowych iniekcjach – co umożliwia utrzymanie warunków bardziej zbliżonych do fizjologicznych.

Trwają badania nad innymi, mniej uciążliwymi sposobami podawania insuliny, na przykład w kroplach do oczu, w sprayu do nosa czy w inhalacjach. Zaawansowane są również prace nad przeszczepami komórek trzustkowych, które stwarzałyby pacjentom szansę na wznowienie produkcji własnej, endogennej insuliny.

U dzieci z cukrzycą typu 2, które często mają nadwagę, glikemię udaje się nieraz kontrolować bez insuliny, samą dietą, wysiłkiem fizycznym i normalizacją ciężaru ciała, a czasem również doustnymi środkami przeciwcukrzycowymi.

Dzieci chore na cukrzycę wymagają kontroli glikemii kilka razy na dobę, najczęściej za pomocą niewielkich nakłuć skóry, pasków testowych i urządzenia do odczytu (glukometru). Pomiary te umożliwiają dostosowanie dawki insuliny do rzeczywistych potrzeb organizmu, co jest podstawą planu leczenia. Trzeba podkreślić, że potrzeby te zmieniają się w dość szerokim zakresie, zależnie od wieku, wagi, diety, wysiłku fizycznego, współistniejącej infekcji i wielu innych czynników. Prawidłowe leczenie cukrzycy wymaga więc stałej opieki lekarskiej, maksymalnie higienicznego trybu życia i wyczulenia na wszelkie objawy niebezpiecznych wahań glikemii. Tylko w ten sposób można zapewnić dziecku prawidłowy wzrost i rozwój i zmniejszyć ryzyko odległych powikłań cukrzycy (ujawniających się średnio po ponad 10–15 latach jej trwania), takich jak uszkodzenie narządu wzroku, nerek, serca i naczyń krwionośnych. Badania potwierdzają, że właściwa kontrola glikemii u chorych na cukrzycę pozwala zapobiec tym powikłaniom lub znacznie złagodzić ich przebieg.

Przy skrupulatnym przestrzeganiu planu leczenia cukrzycy – często z udziałem całego zespołu fachowców, złożonego z lekarzy, pielęgniarek, dietetyków, terapeutów, psychologów i pracowników socjalnych – dzieci mogą normalnie uczęszczać do szkoły, uprawiać sport, uczestniczyć we wszelkich innych zajęciach i w pełni cieszyć się życiem zarówno w młodym wieku, jak i w przyszłości.

Zapobieganie i badania prenatalne Wyniki niektórych badań sugerują, że karmienie piersią może być czynnikiem ochrony dziecka przed zachorowaniem na cukrzycę typu 1. Duże znaczenie w zapobieganiu cukrzycy typu 2 u dzieci i dorosłych ma walka z otyłością, aktywność fizyczna i utrzymywanie prawidłowego ciężaru ciała.

Zespół Downa (mongolizm)

Zespół Downa jest jedną z najczęstszych chorób wrodzonych, uwarunkowanych tak zwaną aberracją chromosomalną. Jądro każdej komórki ludzkiej ma prawidłowo 46 chromosomów, czyli 23 pary, w których jeden chromosom pochodzi od matki i jeden od ojca. Chromosomy zawierają wszystkie informacje genetyczne warunkujące procesy życiowe i funkcjonowanie komórek. Dzieci z zespołem Downa rodzą się tymczasem nie z 46, lecz z 47 chromosomami w każdej komórce. W około 95% przypadków trzeci chromosom występuje razem z parą 21 (trisomia 21), a u pozostałych 5% pacjentów dodatkowy materiał genetyczny z chromosomu 21 jest doczepiony do chromosomu innej pary. Tak czy inaczej ten nadmiar materiału genetycznego głęboko zaburza rozwój fizyczny i umysłowy dziecka.

Nadal nie znamy dokładnej przyczyny aberracji chromosomalnych. Wiadomo jednak na pewno, że ich ryzyko wzrasta wraz z wiekiem matki, poczynając od 35. roku życia. Ryzyko urodzenia dziecka z zespołem Downa przez kobietę 25-letnią wynosi mniej więcej 1:2250

(0,04%), natomiast u kobiety 45-letniej – 1:30 (3,33%), czyli jest 75-krotnie wyższe. Ponieważ jednak młode kobiety statystycznie znacznie częściej zostają matkami, i tak większość dzieci z zespołem Downa to dzieci młodych matek.

Objawy i rozpoznanie Do typowych cech zewnętrznych niemowlęcia z zespołem Downa należy spłaszczona twarz, skośne („mongolskie") oczy, nisko osadzone uszy, duży, wysuwający się z jamy ustnej język, krótka szyja, pojedyncza prosta bruzda dłoniowa, krótkie kończyny i obniżone napięcie mięśniowe (dziecko trzymane na rękach wydaje się „wiotkie"). Dzieci z zespołem Downa są również upośledzone umysłowo w stopniu od lekkiego do znacznego.

Średnio w co trzecim przypadku występują również wrodzone wady serca, najczęściej w postaci otworu w przegrodzie międzykomorowej, oddzielającej komorę prawą od lewej.

Dzieci z zespołem Downa są ponadto narażone na większe ryzyko białaczek (chorób rozrostowych, czyli nowotworów układu białokrwinkowego). Mogą mieć również wady przewodu pokarmowego, prowadzące do zwężenia czy niedrożności jelit. Cechuje je także większa podatność na zapalenie ucha środkowego. Częściej niż w ogólnej populacji występuje u nich niedoczynność tarczycy (hipotyreoza) oraz zaburzenia wzroku związane z anomaliami w obrębie rogówki i soczewki oka.

Większość kobiet ma możliwość wykonania badań prenatalnych pod kątem zespołu Downa (omawianych dalej) we wczesnym okresie ciąży. Czasami jednak rozpoznanie ustala się dopiero po przyjściu dziecka na świat. Podejrzenie zespołu Downa nasuwa się już na pierwszy rzut oka z powodu charakterystycznego wyglądu dziecka, a potwierdza je badanie próbki krwi na obecność dodatkowego chromosomu w krwinkach. Można wykonać również inne badania w poszukiwaniu możliwych wad wrodzonych i innych anomalii związanych z zespołem.

Leczenie i rokowanie Fizykoterapia, terapia logopedyczna i specjalne programy nauczania pomagają dzieciom z zespołem Downa w osiągnięciu ich pełnego potencjału rozwojowego. Niektóre z nich są w stanie nauczyć się czytać i pisać oraz zdobyć zawód umożliwiający im późniejszą pracę. W większości przypadków dorośli pacjenci z zespołem Downa nie są jednak zdolni do w pełni samodzielnego życia i wymagają stałej opieki osoby drugiej, czy to w rodzinie, czy w placówkach opiekuńczych.

Czasami konieczna jest chirurgiczna korekcja wad serca lub przewodu pokarmowego. Dzieci wymagają ponadto stałej opieki, ukierunkowanej na szybkie rozpoznawanie i staranne leczenie nawracających zapaleń ucha środkowego, a także regularnych badań okulistycznych pod kątem zmian w soczewce i rogówce oka.

Chociaż większość pacjentów z zespołem Downa dożywa wieku średniego, około 20% ginie w dzieciństwie, głównie z powodu powikłań wrodzonej wady serca.

Zapobieganie i badania prenatalne Istnieje szereg metod badań przesiewowych pod kątem zespołu Downa jeszcze przed przyjściem dziecka na świat. Potrójny test przesiewowy oraz test na alfa-fetoproteinę (AFP), wykonywane zwykle w 16.–18. tygodniu ciąży, polegają na oznaczaniu stężenia pewnych substancji we krwi matki, wskazujących na możliwość zespołu Downa u płodu. Dodatni wynik tych testów nie jest jednak nieomylnym potwierdzeniem choroby, a raczej wskazuje na konieczność dodatkowych badań.

I analogicznie wyniki testów mogą być również fałszywie ujemne, co oznacza, że nie wskazują one na chorobę, mimo że w rzeczywistości płód jest nią dotknięty. Niski poziom alfa-fetoproteiny we krwi matki przemawia za możliwością zespołu Downa u dziecka, jednak wykrywa się w ten sposób tylko 35% przypadków. Potrójny test przesiewowy, w którym oznacza się poziom trzech różnych związków, jest zgodny z rzeczywistością w około 60% przypadków.

U kobiet w wieku powyżej 35 lat lub z dodatnimi wynikami powyższych testów można wykonać amniocentezę lub biopsję błony kosmówkowej (CVS). Są to badania płynów i tkanek bezpośrednio otaczających płód i zawierających jego komórki. Umożliwia to badanie chromosomów tych komórek, co w ogromnej większości przypadków ostatecznie potwierdza lub wyklucza obecność zespołu Downa, aczkolwiek i tutaj możliwe są błędy wynikające z samej procedury. CVS wykonuje się zwykle między 8. a 11. tygodniem ciąży, a amniocentezę między 14. a 18. tygodniem.

Wyprysk/atopowe zapalenie skóry

Nazwa „wyprysk" (egzema) odnosi się do różnych chorób, charakteryzujących się świądem i zmianami w postaci zaczerwienienia, suchości, łuszczenia się i podrażnienia skóry. Zmiany te stają się niekiedy wilgotne i sączące, a niekiedy zgrubiałe i z tendencją do strupów. Wyprysk określa się niekiedy jako „świąd, który staje się widoczny", ponieważ zapaleniu skóry sprzyja drapanie się z powodu świądu. Dwie główne choroby skóry przebiegające ze zmianami typu wyprysku to atopowe oraz kontaktowe zapalenie skóry.

Atopowe zapalenie skóry, nazywane również wypryskiem dziecięcym, jest częstym problemem skórnym, dotyczącym 10–12% ogółu dzieci. Objawy pojawiają się typowo w ciągu pierwszych kilku miesięcy życia, a niemal zawsze w wieku poniżej 5 lat. Słowo „atopowe" w nazwie tej jednostki wskazuje na fakt nadmiernej wrażliwości pacjenta na substancje i inne czynniki środowiskowe. Mimo że atopowe zapalenie skóry ma niekoniecznie podłoże alergiczne, często dotyczy ono dzieci z innymi chorobami alergicznymi (już ujawnionymi lub możliwymi w przyszłości), takimi jak katar sienny czy astma oskrzelowa, lub też dzieci z rodzinną skłonnością do alergii. Do wywołania lub zaostrzenia zmian skórnych mogą przyczyniać się alergeny środowiskowe, takie jak pyłki roślinne, pleśnie, kurz, sierść zwierząt, niektóre pokarmy, a także inne czynniki, w rodzaju ekspozycji na ciepło lub zimno, mydło, tkaniny naturalne lub stres emocjonalny. Wśród produktów spożywczych najczęściej kojarzących się z wypryskiem znajduje się białko jaja kurzego, mleko i jego przetwory, pszenica, orzechy ziemne i laskowe, „owoce morza" oraz soja.

Kontaktowe zapalenie skóry jest reakcją alergiczną lub podrażnieniem skóry w wyniku bezpośredniego kontaktu z daną substancją, na przykład rośliną (sumak jadowity!), metalem, lekiem czy mydłem.

Objawy i rozpoznanie Pierwsze objawy atopowego zapalenia skóry mogą pojawić się u niemowląt między drugim a szóstym miesiącem życia. Polegają one na swędzących, zaczerwienionych i sączących zmianach za uszami, na policzkach, czole i skórze czaszki. Często niemowlę stara się złagodzić świąd pocieraniem zmienionej okolicy ręką, poduszką czy czymkolwiek innym w zasięgu ręki. Wysypka może rozprzestrzenić się na ramiona i tułów, może również przysychać i pokrywać się strupkami. W wieku poniemowlęcym i u starszych dzieci zmiany stają się zwykle bardziej suche i dotyczą szyi, nadgarstków, kostek oraz okolicy łokci i kolan. Z powodu uporczywego drapania się dziecka zmieniona skóra ma tendencję do grubienia i ciemniejszej barwy.

Świąd i wysypka na przemian zaostrzają się i częściowo ustępują, z okresowymi większymi rzutami. Niektóre dzieci wydają się samoistnie „wyrastać" z choroby w wieku 5–6 lat, po czym często pojawia się ona ponownie w wieku dojrzewania pod wpływem przemian hormonalnych, stresu lub nowych produktów kosmetycznych. U niektórych osób zmiany utrzymują się w różnym stopniu aż do wieku dorosłego.

Rozpoznanie wyprysku atopowego lub kontaktowego opiera się głównie na wyglądzie zmian, okolicznościach ich pojawiania się i czasie trwania. Ważne może być również stwierdzenie alergii w wywiadzie rodzinnym (w postaci astmy, kataru siennego czy atopowego zapalenia skóry). Nie ma specyficznego testu, który jednoznacznie potwierdzałby czy wykluczał rozpoznanie.

Lekarz będzie też starał się wyeliminować inne przyczyny podrażnienia skóry. Prawdopodobnie zleci testy alergiczne w poszukiwaniu określonej substancji wywołującej taką reakcję. Lekarz może również zalecić eliminację pewnych produktów z diety dziecka, zmianę mydła czy proszku do prania, a także wprowadzenie innych zmian w otoczeniu na pewien czas i obserwację, czy mają one wpływ na przebieg choroby. Jeśli lekarz pierwszego kontaktu nie jest pewien rozpoznania lub też objawy są bardzo nasilone, dziecko otrzyma zapewne skierowanie do dermatologa.

Leczenie i rokowanie Ponieważ skłonność do atopowego zapalenia skóry wydaje się wrodzona, nie możemy zapobiec ujawnieniu się choroby u dziecka. Można natomiast starać się unikać specyficznych czynników, wywołujących lub nasilających zaostrzenia wyprysku, takich jak skrajne temperatury, pocenie się, stres emocjonalny, kontakt z wełną i innymi naturalnymi materiałami, szorstkie mydło i detergenty. Trzeba dbać również o właściwe nawilżanie skóry dziecka. Inne substancje do unikania w jego otoczeniu obejmują kosmetyki, dym tytoniowy, środki chemiczne, pewne produkty spożywcze i inne znane alergeny czy związki drażniące. Należy też zrobić wszystko, by powstrzymać dziecko od drapania zmian, które zwykle nasila je i prowadzi do postępującego uszkodzenia skóry.

W leczeniu stosuje się objawowo środki nawilżające, maści z kortykosteroidami i leki przeciwhistaminowe. Należy używać łagodnego mydła i unikać zbyt częstych, długich i gorących kąpieli dziecka. Po wyjęciu go z wody trzeba pamiętać o rutynowym posmarowaniu skóry kremem nawilżającym, co zwykle pomaga w zapobieganiu zaostrzeniom i kontrolowaniu przebiegu choroby. Uszkodzone okolice skóry bywają podatne na zakażenia bakteryjne, wymagające miejscowego czy nawet doustnego leczenia antybiotykami. Dziecko musi mieć zawsze krótko obcięte i utrzymane w czystości paznokcie, aby nie mogło rozdrapać do krwi i zakazić zmienionych miejsc. Jeśli problemem jest drapanie się przez sen, pomocne może być zakładanie dzieciku na noc rękawiczek.

Niemal we wszystkich przypadkach właściwa opieka lekarska i pielęgnacyjna pozwalają kontrolować atopowe zapalenie skóry. U większości dzieci z czasem mija ono definitywnie, ale czasami może utrzymywać się nawet przez całe życie.

Padaczka (epilepsja)

Padaczka jest chorobą centralnego układu nerwowego i charakteryzuje się nawracającymi epizodami (napadami) zaburzeń świadomości, motoryki (drgawki) lub czucia pacjenta. Przyczyna padaczki pozostaje w większości przypadków nieznana, wiadomo jednak, że często występuje ona w skojarzeniu z pewnymi czynnikami lub stanami chorobowymi. Należą do nich: zakażenia lub choroby matki w okresie ciąży, zakłócające prawidłowy rozwój płodu; urazy okołoporodowe; guzy mózgu; urazy głowy; toksyny środowiskowe, na przykład ołów; choroby zakaźne układu nerwowego, takie jak zapalenie mózgu lub zapalenie opon mózgowo-rdzeniowych; nieprawidłowy rozwój mózgu; szereg chorób genetycznych, choroby metaboliczne prowadzące do zakłócenia równowagi między różnymi związkami chemicznymi we krwi oraz zaburzenia rytmu serca.

Padaczka nie jest chorobą dziedziczną, aczkolwiek skłonność do napadów może mieć pewne podłoże rodzinne, a ponadto należą one do obrazu klinicznego szeregu chorób uwarunkowanych genetycznie.

Objawy i rozpoznanie Przyczyną napadów padaczkowych jest nieprawidłowa aktywność elektryczna mózgu w postaci wyładowań, które zwykle krótkotrwale zakłócają świadomość lub działania chorego. Po wygaśnięciu takiego patologicznego pobudzenia napad samoistnie ustępuje. Do czynników prowokujących wyładowania na poziomie mózgu należą powtarzane dźwięki, jaskrawe, migotliwe światło, np. z lampy stroboskopowej, niektóre bodźce dotykowe, zmiany hormonalne, głód, wyczerpanie fizyczne, alkohol i brak snu. Pacjenci znają często te czynniki i tym samym mogą ich unikać, lub też czują zbliżający się napad w postaci tak zwanej aury, czyli zmienionego, dziwnego samopoczucia. Najczęściej jednak napady zaczynają się bez ostrzeżenia i przebiegają całkowicie poza świadomością pacjenta. Niektórzy chorzy na padaczkę nie mają napadów miesiącami lub latami, ale u innych zdarzają się one nawet wielokrotnie w ciągu dnia.

Wystąpienie napadu nie zawsze oznacza padaczkę. Na przykład u niemowląt i małych dzieci stosunkowo często zdarzają się drgawki pod wpływem gwałtownego, szybkiego wzrostu temperatury ciała, znane jako drgawki gorączkowe. Trwają one zwykle bardzo krótko (kilka sekund lub minut), nie mają żadnych szkodliwych następstw i z reguły nie świadczą o padaczce. Mogą one wystąpić jednorazowo lub pojawiać się ponownie w podobnych okolicznościach, jednak zazwyczaj i wtedy ustępują całkowicie po osiągnięciu wieku szkolnego.

Napady padaczkowe mają bardzo zróżnicowane cechy w zależności od okolicy mózgu, w jakiej powstaje patologiczne pobudzenie, oraz od dróg jego rozprzestrzeniania się w obrębie mózgu. Dzieli się je na dwie główne kategorie: napadów uogólnionych oraz napadów częściowych.

Napady uogólnione obejmują wszystkie komórki nerwowe kory mózgowej (zewnętrznej części mózgu) lub całego mózgu. Do najczęstszych typów napadów uogólnionych należą:
- Napady toniczno-kloniczne, określane dawniej jako *grand mal* (z francuskiego: duża choroba). Przebiegają one w kilku fazach. W pierwszej fazie – tak zwanej tonicznej – pacjent nagle traci przytomność, sztywnieje, pada na ziemię i wydaje z siebie krzyk. W drugiej fazie – zwanej kloniczną – dochodzi do serii rytmicznych skurczów mięśniowych w obrębie wszystkich czterech kończyn, co daje obraz gwałtownych drgawek, przerywanych krótkimi okresami rozluźnienia. Napad trwa zwykle kilka minut, po czym przechodzi w fazę ponapadową, charakteryzującą się sennością lub głębokim snem, a czasem bólem głowy. Podczas napadu toniczno-klonicznego często dochodzi do bezwiednego oddania moczu i stolca.
- Napady nieświadomości, określane również jako „nieobecność" (*absence*), a dawniej jako *petit mal* (z francuskiego: mała choroba). Napad charakteryzuje się pustym, nieprzytomnym wyrazem twarzy, szybkim mruganiem i ruchami przeżuwania. Możliwe są również krótkie, mimowolne i rytmiczne skurcze mięśni twarzy lub drgania powiek.

Napady częściowe występują wtedy, gdy patologiczne pobudzenie ogranicza się do jednego określonego obszaru kory mózgowej. Do najczęstszych typów napadów częściowych należą:
- Napady częściowe proste. Dziecko nie traci przytomności i wie, co się z nim dzieje. Objawy są zmienne w zależności od okolicy mózgu objętej wyładowaniami. Mogą być nimi drgania pewnej części ciała, zaburzenia emocjonalne, na przykład niewytłumaczalny napad lęku, nudności lub omamy węchowe, słuchowe czy wzrokowe.
- Napady częściowe złożone. W tym typie dochodzi do różnego stopnia zaburzeń świadomości, od stanu częściowego reagowania na odpowiedzi na bodźce do

całkowitej nieprzytomności. Inne objawy obejmują „puste" spojrzenie, ruchy przeżuwania, powtarzane połykanie śliny lub inne przypadkowe ruchy. Czasami dziecko sprawia wrażenie nagle zagubionego, zaczyna się jąkać, chodzić w kółko, szarpać na sobie ubranie lub też powtarzać bez sensu pewne słowa czy zdania. Po napadzie dziecko nie pamięta, co się z nim działo. Napad taki jest podobny do uogólnionego napadu nieświadomości, a odróżniają go właśnie takie jak wyżej opisane, przypadkowe i bezsensowne działania.

W razie podejrzenia padaczki lekarz najpierw dokładnie zbiera wywiad, pytając o czas trwania napadów, ich częstotliwość, ewentualne czynniki prowokujące i przebieg. Po badaniu fizykalnym dziecka lekarz kieruje je zwykle na szereg badań dodatkowych, przede wszystkim na elektroencefalografię (EEG). Zapis czynności elektrycznej mózgu może ujawnić nieprawidłowości wskazujące na padaczkę oraz jej typ. Dodatkowo wykonuje się często tomografię komputerową lub badanie metodą rezonansu magnetycznego (MRI) w poszukiwaniu ewentualnych zmian w mózgu, które mogą być przyczyną napadów, a także badania laboratoryjne krwi dla wykrycia zaburzeń biochemicznych, również leżących nieraz u ich podłoża.

Leczenie i rokowanie W większości przypadków padaczka daje się całkowicie lub przynajmniej częściowo kontrolować (co oznacza, że napady nie występują wcale lub bardzo rzadko) jednym lub kilkoma lekami przeciwpadaczkowymi. Dostępnych jest wiele takich leków z różnych klas, ciągle też trwają prace nad nowymi. Niestety, mają one dość częste i wyraźne działania uboczne, między innymi senność lub nadpobudliwość czy przyrost masy ciała. Leczenie wymaga niejednokrotnie oznaczania poziomu leku we krwi, a także innych badań pod kątem objawów niepożądanych.

W opanowaniu napadów opornych na leczenie pomaga niekiedy dieta ketogeniczna (bogata w tłuszcze i uboga w węglowodany). Następstwem takiej diety jest ketoza, stan, w którym organizm zaspokaja swoje potrzeby energetyczne, spalając w pierwszym rzędzie tłuszcze, a nie glukozę. Ponieważ komórki mózgu czerpią energię głównie z glukozy, ich „wygłodzenie" (por. podrozdział na temat cukrzycy w tym rozdziale) pomaga niekiedy zatrzymać lub ograniczyć napady padaczkowe. Dieta ketogeniczna może być stosowana wyłącznie na zlecenie i pod kontrolą lekarza.

Jeśli leki i inne metody nie przynoszą efektów w postaci właściwej kontroli napadów, u niektórych pacjentów można rozważyć leczenie neurochirurgiczne w postaci usunięcia ogniska patologicznych pobudzeń w obrębie mózgu.

Refluks żołądkowo-przełykowy (choroba refluksowa)

Refluks żołądkowo-przełykowy (określany nieraz skrótem GERD od pierwszych liter angielskiej nazwy *gastroesophageal reflux disease*) polega na cofaniu się pokarmu z żołądka do przełyku. Dochodzi do tego wtedy, gdy dolny zwieracz przełyku (okrężny mięsień na pograniczu żołądka i przełyku) jest rozkurczony lub ogólnie osłabiony.

Zupełnie zdrowym niemowlętom często zdarza się ulewanie niewielkiej objętości pokarmu naturalnego lub sztucznego bezpośrednio po karmieniu, zwłaszcza podczas „bekania" lub zbyt gwałtownych ruchów. U niemowląt z refluksem pokarm cofa się jednak regularnie do przełyku, a czasami nawet do jamy ustnej. Cofanie to (tzw. regurgitacja) jest czasem bardzo gwałtowne, a czasem przypomina raczej „mokre beknięcie". Większość niemowląt wyrasta z tej przypadłości do końca pierwszego roku życia, a refluks u dziecka ponad dwuletniego występuje zdecydowanie rzadko.

Zaburzenie może jednak prowadzić do szeregu powikłań. Ponieważ pokarm cofający się z żołądka jest wymieszany z kwaśnym sokiem żołądkowym, ściany przełyku ulegają podrażnieniu, które bywa przyczyną zapalenia przełyku. Jeśli pokarm dotrze z powrotem do wysokości krtani i tchawicy, możliwe jest jego zarzucenie do dróg oddechowych i w konsekwencji poważne, chemiczne zapalenie płuc. Niemowlęta z GERD mają również skłonność do krztuszenia się lub wydłużania odstępów między oddechami (bezdechu), co może być nawet groźne dla życia. Czasami następstwem choroby refluksowej jest złe przybieranie na wadze i ogólne spowolnienie rozwoju z powodu utrzymujących się wymiotów i trudności w karmieniu.

Objawy i rozpoznanie Objawy refluksu żołądkowo-przełykowego u niemowląt obejmują:

- Ból, rozdrażnienie, stały lub nagły krzyk (co łatwo wziąć za objawy kolki jelitowej) po karmieniu, nasilający się zwykle po położeniu dziecka w pozycji poziomej;
- Częste lub utrzymujące się po ukończeniu pierwszego roku życia ulewanie lub wymioty po karmieniach;
- Niespokojny, płytki sen;
- Incydenty „mokrych beknięć" lub „mokrej czkawki";
- Brak prawidłowego przybierania na wadze czy nawet utrata masy ciała.

Do innych, rzadszych objawów GERD należy częste domaganie się jedzenia lub picia, niemożność spożywania pewnych pokarmów, niechęć do jedzenia lub zjadanie tylko kilku kęsów mimo głodu, problemy z połykaniem (np. odruchy wymiotne, krztuszenie się), chrypka, częste bóle gardła, częste objawy ze strony układu oddechowego (zapalenie płuc, zapalenie oskrzeli, świsty oddechowe, kaszel), przykry zapach oddechu i nadmierne ślinienie się dziecka.

Najczęściej wykonywanym badaniem diagnostycznym jest rentgenogram przełyku i żołądka z użyciem kontrastu (barytu). Dziecko dostaje do wypicia niewielką objętość gęstego białego płynu, po czym wykonuje się serię zdjęć uwidoczniających, czy baryt wraca z żołądka do przełyku. RTG może również wykazać inne nieprawidłowości górnego odcinka przewodu pokarmowego, na przykład cechy zapalenia przełyku.

Bardziej czułym testem diagnostycznym jest 24-godzinne monitorowanie pH w przełyku. Polega ono na wprowadzeniu do przełyku cienkiego cewnika zakończonego próbnikiem, który dociera tuż powyżej zwieracza przełyku. Cewnik jest połączony z urządzeniem pomiarowym, które przez całą dobę wskazuje kwasotę (pH) wewnątrz przełyku. Znaczna kwasota (niskie pH) w dolnej części przełyku świadczy o zarzucaniu treści żołądkowej, czyli potwierdza chorobę refluksową.

Nawet u małych dzieci możliwe jest również wykonanie badania endoskopowego (gastrofiberoskopii) górnego odcinka przewodu pokarmowego. Przy pomocy cienkiego, giętkiego cewnika zakończonego przyrządem optycznym lekarz może obejrzeć od wewnątrz przełyk i żołądek dziecka, a w razie potrzeby pobrać również wycinki ze zmienionych miejsc.

Leczenie i rokowanie Niemowlęta z refluksem żołądkowo-przełykowym muszą być karmione w pozycji pionowej, z częstymi przerwami na odbijanie. Po posiłku trzeba dziecko posadzić lub potrzymać pionowo na rękach. Wskazane jest ograniczenie jednorazowej wielkości posiłku i unikanie pokarmów ostrych, tłustych czy kwaskowatych (np. soków cytrusowych).

Lekarze zalecają zwykle lekkie zagęszczenie mleka matczynego czy mieszanki płatkami ryżowymi, dzięki czemu zarzucanie pokarmu z żołądka do przełyku zdarza się rzadziej. Czasami korzystne jest przejście na specjalny rodzaj mieszanki dla niemowląt.

Jeśli to nie pomaga, stosuje się leki zmniejszające refluks i kwaśność soku żołądkowego (zobojętniające). W rzadkich, szczególnie opornych przypadkach pozostaje leczenie chirurgiczne.

Operacja antyrefluksowa, zwana fundoplikacją, polega na wytworzeniu zastawki na pograniczu między żołądkiem a przełykiem poprzez owinięcie fragmentu dna żołądka wokół przełyku. Zabieg ten skutecznie usuwa refluks u ponad 90% operowanych pacjentów, jednak wiąże się również z ryzykiem powikłań i nieprzyjemnych następstw, takich jak uczucie krztuszenia się podczas posiłku, szybkie osiąganie sytości oraz niemożność odbijania czy wymiotów.

Ponieważ niemowlęta z chorobą refluksową tracą część pokarmu wskutek ulewania i mogą ogólnie niechętnie jeść, głównym problemem staje się nieraz prawidłowe odżywianie dziecka. Jeśli nie przybiera ono we właściwym tempie na wadze, czy wręcz chudnie, należy zasięgnąć porady lekarza.

Zaburzenia wzrostu

Za zaburzenia wzrostu przyjmuje się wszelkie problemy zdrowotne, które uniemożliwiają niemowlętom, dzieciom i młodzieży realistyczny, zgodny z oczekiwaniami przyrost długości i/lub masy ciała. Następstwem powyższych zaburzeń może być opóźnienie prawidłowego rozwoju fizycznego u niemowląt i dzieci oraz opóźnienie dojrzewania płciowego i ostatecznie niski wzrost u nastolatków. Zaburzenia wzrostu mają wiele przyczyn, włącznie z genetycznymi, hormonalnymi, żywieniowymi czy też licznymi chorobami przewlekłymi. (Ponadto wymagają one różnicowania z niskim wzrostem bez podłoża chorobowego, czyli rodzinnymi uwarunkowaniami wspólną cechą konstytucjonalną. Więcej informacji na temat typów i odmian budowy ciała oraz innych kwestii związanych ze wzrostem twojego dziecka znajdziesz w rozdziale 17, „Wzrost i rozwój").

O ile utrata mniej więcej 10% wagi urodzeniowej w pierwszych dniach życia jest zjawiskiem fizjologicznym, o tyle już w drugiej połowie pierwszego miesiąca zdrowy noworodek powinien zacząć intensywnie i systematycznie przybierać na wadze. Niektóre dzieci cechują się jednak znacznie wolniejszym tempem wzrostu, czym niejednokrotnie spędzają sen z powiek rodzicom. Powolny przyrost masy i długości ciała dotyczy przede wszystkim dzieci w wieku poniżej trzech lat i najczęściej wynika z problemów żywieniowych, spożywania zbyt małych ilości pokarmu. Większość dzieci samoistnie nadrabia zaległości w wieku przedszkolnym. Czasami jednak niedobory wagi i wzrostu mogą być objawem przewlekłej choroby albo następstwem zaniedbywania czy maltretowania dziecka. (Dokładniej omawiamy to zagadnienie w rozdziale 17, „Wzrost i rozwój").

Do zaburzeń wzrostu mogą prowadzić liczne patologie, w tym przewlekłe zakażenia, zaburzenia metabolizmu, pewne choroby układu nerwowego, nerek, serca, przewodu pokarmowego, płuc i innych narządów. Mimo że choroby te podejrzewa się najczęściej na podstawie innych specyficznych objawów, niejednokrotnie brak właściwego przyrostu wagi i wzrostu jest pierwszym sygnałem zwracającym uwagę rodziców i lekarzy, że z dzieckiem dzieje się coś złego.

Do zaburzeń wzrostu mogą prowadzić choroby gruczołów wydzielania wewnętrznego, zarówno w postaci niedoczynności, jak i nadczynności, czyli niedoboru lub nadmiaru określonych hormonów. Przysadka mózgowa, niewielki gruczoł położony u podstawy mózgu, wydziela wiele ważnych hormonów, a wśród nich odrębny hormon wzrostu (nazywany również somatotropiną, STH lub GH od angielskiego *growth hormone*). Uszkodzenie lub niedoczynność przysadki może więc prowadzić do niedoboru czy braku tego hormonu i w skrajnych, nieleczonych przypadkach do tak zwanej karłowatości przysadkowej. Do prawidłowego wzrostu kości niezbędne są również hormony tarczycy, tak więc w razie wrodzonej niedoczynności tego gruczołu (hipotyreozy) dziecku zagraża – oprócz ciężkiego upośledzenia umysłowego – tak zwana karłowatość tarczycowa. Prawidłowy wzrost zakłóca ponadto nadmiar glikokortykoidów, jednego z kilku rodzajów hormonów wydzielanych przez nadnercza. W tym przypadku przyczyną zaburzeń może być zarówno nadczynność kory nadnerczy, jak i podawanie glikokortykoidów z zewnątrz w postaci leków kortykosteroidowych (np. prednisonu), stosowanych z bardzo licznych wskazań.

Objawy i rozpoznanie Doświadczony lekarz-pediatra rozpoznaje zaburzenia wzrostu niejako automatycznie, stwierdzając, że dziecko jest zdecydowanie za małe jak na swój wiek. Lekarz nie ogranicza się jednak do takiej konstatacji na pierwszy rzut oka, tylko przeprowadza dokładne pomiary i porównuje ich wyniki ze standardowymi siatkami wzrostu i wagi dzieci (patrz Załącznik B). Po ocenie stopnia niedoborów następnym etapem postępowania jest ustalenie ich przyczyny, co zwykle wymaga dodatkowych badań.

Lekarz opiekujący się twoim dzieckiem, często z pomocą konsultanta – endokrynologa dziecięcego, będzie poszukiwał dodatkowych objawów, które mogłyby wskazywać na przyczynę zahamowania wzrostu. Badania laboratoryjne krwi pozwalają wykryć nieprawidłowości hormonalne i chromosomalne, a także wykluczyć wiele chorób przewlekłych, jakie często kojarzą się z zaburzeniami wzrostu. Często wykonuje się również rentgenogramy kości dla oceny tak zwanego wieku kostnego dziecka, czyli stopnia dojrzałości układu kostnego i zachodzących w nim procesów. Badania obrazowe głowy, czyli tomografia komputerowa (TK, CT) i rezonans magnetyczny (MRI), służą uwidocznieniu i ocenie przysadki mózgowej i mózgu pod kątem ewentualnych patologii prowadzących do zaburzeń wzrostu.

Dla oceny zdolności przysadki do produkcji hormonu wzrostu wykonuje się czasem test stymulacji. Dziecko otrzymuje pewne leki pobudzające przysadkę do wydzielania hormonu wzrostu, po czym w odpowiednich odstępach czasu pobiera się szereg próbek krwi i oznacza w nich stężenie tego hormonu, czyli odpowiedź przysadki na bodziec.

Leczenie i rokowanie Chociaż leczenie zaburzeń wzrostu nie jest zwykle problemem pilnym, im wcześniej ustali się rozpoznanie i rozpocznie leczenie, tym większe są szanse, że uda się pobudzić wzrost dziecka i że ostatecznie osiągnie ono poziom bardziej zbliżony do przeciętnego.

Jeśli zatem uda się zidentyfikować przyczynę zaburzeń wzrostu w postaci konkretnej choroby, leczenie może doprowadzić do widocznej poprawy wzrostu. Klasycznym przykładem jest tu niedoczynność tarczycy: dzięki terapii zastępczej, czyli podawaniu brakujących hormonów tarczycowych, dziecko ma szansę na prawidłowy wzrost i rozwój.

W przypadku niedoboru endogennego hormonu wzrostu i występowania paru innych chorób, na przykład przewlekłej niewydolności nerek i zespołu Turnera, poprawę przynosi zwykle leczenie hormonem wzrostu w iniekcjach. Homogenizowany hormon wzrostu uważa się ogólnie za lek bezpieczny i skuteczny, aczkolwiek leczenie trwa zwykle wiele lat i nie wszystkie dzieci jednakowo dobrze na nie reagują. Terapia hormonem wzrostu jest również kosztowna (średnio 20 000–30 000 dolarów rocznie),

Rodzinnie uwarunkowany niski wzrost uważa się za cechę konstytucjonalną mieszczącą się w granicach normy, co jednak nie oznacza, że dzieci zdecydowanie niższe od swoich rówieśników i później wkraczające w okres dojrzewania nie mogą mieć powodów do zmartwień. Dzieci te spotykają się często z drwinami rówieśników i łatwo wpadają w kompleksy, czując się gorsze od innych. Niezależnie od przyczyny zaburzeń niskie dzieci, a zwłaszcza nastolatki, wymagają niejednokrotnie pomocy psychologicznej ukierunkowanej na pozytywne wzmocnienie ich poczucia własnej wartości, pobudzenie rozwoju zainteresowań i zdolności oraz wyrobienie w nich dystansu do drobnego w końcu defektu fizycznego, który w żaden sposób nie powinien rzutować na ich samoocenę i samorealizację w różnych dziedzinach życia.

Hemofilia

Tendencja do długich i obfitych krwawień i krwotoków może wynikać z defektów w obrębie naczyń krwionośnych lub z zaburzeń układu krzepnięcia (hemostazy). Do najczęstszych, poważnych zaburzeń krzepnięcia uwarunkowanych genetycznie należy hemofilia.

Gdy wskutek urazu zostanie przerwana ciągłość naczynia krwionośnego, w miejscu tym gromadzą się płytki krwi (trombocyty), drobne elementy morfotyczne uczestniczące w mechanizmie hemostazy. Początkowo tworzą one tak zwany czop płytkowy, który mechanicznie zatyka nieszczelne naczynie i zatrzymuje krwawienie. Jest to pierwszy etap procesu naprawczego. Jednocześnie płytki wydzielają substancje chemiczne, które zapoczątkowują przekształcenie krążącego w osoczu białka – fibrynogenu – w gęstą, nierozpuszczalną fibrynę (włóknik), stanowiącą szkielet trwałego zakrzepu. Do powstania fibryny niezbędny jest udział szczególnych związków krążących we krwi, zwanych czynnikami krzepnięcia. Hemofilia charakteryzuje się niedoborem lub brakiem któregoś z tych czynników krzepnięcia. Jest to jedna z najczęstszych genetycznie uwarunkowanych chorób sprzężonych z płcią, czyli związanych z genem (lub genami) położonym w żeńskim chromosomie płciowym X. Choroba występuje niemal wyłącznie u chłopców, z częstotliwością rzędu 1:10 000 dzieci płci męskiej. Chłopcy dziedziczą nieprawidłowy gen w chromosomie X otrzymanym od matki – bezobjawowej nosicielki choroby. (Ponieważ kobiety mają dwa chromosomy X, a hemofilia jest cechą recesywną, czyli uzewnętrzniającą się jedynie w razie spotkania się dwóch nieprawidłowych genów, kobiety z reguły nie chorują, natomiast mogą przekazać chorobę swoim synom).

Wyróżnia się dwa główne typy hemofilii. W hemofilii A brakującym czynnikiem krzepnięcia jest czynnik VIII. Defekt ten uniemożliwia prawidłowy proces krzepnięcia, co prowadzi do przedłużonych, obfitych krwawień z nawet niewielkiej rany. Rzadsza hemofilia typu B polega na niedoborze czynnika IX.

Objawy i rozpoznanie Do podstawowych objawów hemofilii należą nadmierne, trudne do opanowania krwawienia, skłonność do rozległych siniaków oraz obrzęki stawów i mięśni wskutek krwotoków wewnętrznych. Hemofilia występuje w różnym stopniu nasilenia. W najcięższej postaci stężenie czynnika VIII lub IX we krwi dziecka nie osiąga nawet 1% normy. Oznacza to możliwość krwawień wewnętrznych nawet bez urazu. Powtarzające się krwawienia do mięśni uszkadzają zaopatrujące je nerwy i naczynia krwionośne. Krwawienia do mięśni i tkanki podskórnej szyi, języka i gardła mogą utrudniać oddychanie. Każdy uraz głowy grozi niebezpiecznym dla życia krwotokiem podoponowym lub śródmózgowym.

Hemofilia w stopniu umiarkowanym objawia się nadmiernym krwawieniem w następstwie większych urazów, zabiegów chirurgicznych czy ekstrakcji zębów. W przypadku hemofilii o łagodnym nasileniu można nawet nie zdawać sobie sprawy z jej istnienia aż do czasu przedłużonego krwawienia w razie jakiejkolwiek większej operacji w późniejszym okresie życia.

Leczenie i rokowanie Niewielkie epizody krwawienia można często leczyć rutynowymi, domowymi sposobami – okładami z lodu i bezpośrednim uciskiem. Dzieci z umiarkowaną lub ciężką hemofilią wymagają niejednokrotnie dożylnego podania brakujących czynników krzepnięcia. Częstotliwość wlewów zależy od stopnia niedoboru tych czynników i częstości występowania urazów. W przypadku łagodnej lub umiarkowanej hemofilii A można nieraz zwiększyć produkcję endogennego czynnika VIII za pomocą desmopresyny (DDAVP).

Największym problemem w przebiegu hemofilii są zwykle krwawienia do mięśni i stawów, które prowadzą do uszkodzenia ich struktury, ograniczenia ruchomości i bólu. Powtarzające się krwawienia dostawowe mogą wywołać zapalenie i deformację stawów, w związku z czym opieka nad chorym wymaga niejednokrotnie udziału reumatologa i ortopedy.

Dożylne wlewy brakujących czynników krzepnięcia stosuje się zwykle przed zabiegami chirurgicznymi, co pozwala opanować krwawienie w trakcie i po zabiegu.

Dzięki dostępności transfuzji czynników krzepnięcia jakość życia chorych na hemofilię uległa w ostatnich latach znacznej poprawie. W zasadzie jedyne ograniczenie dla chorych dzieci dotyczy obecnie uprawiania sportów walki, natomiast poza tym są one w ogromnej większości zdolne do normalnego uczestnictwa w zajęciach szkolnych, sportowych, społecznych itp. Rodzice mogą pomóc dziecku, rozwijając w nim zamiłowania do bezpiecznej aktywności fizycznej, a także starając się kontrolować własne lęki i skłonność do nadopiekuńczości.

Zapobieganie i badania prenatalne U kobiet z rodzin dotkniętych hemofilią można wykonać badania genetyczne (DNA) dla ustalenia, czy są one nosicielkami genu hemofilii. Możliwe jest również badanie DNA płodu, określające, czy dziecko płci męskiej odziedziczyło chorobę. Ryzyko hemofilii u synów matek-nosicielek wynosi 50% (ponieważ dziecko otrzyma od matki jeden z jej dwóch chromosomów X).

Dysplazja/wrodzone zwichnięcie stawu biodrowego

W tym schorzeniu dziecko rzadko rodzi się z rzeczywistym zwichnięciem w stawie biodrowym, natomiast jego kości w tym stawie nie są stabilne: okrągła głowa kości udowej ma skłonność do wysuwania się ze swej panewki, czyli wgłębienia w kości biodrowej. Przyczyny tego stanu rzeczy nie są do końca jasne. Na pewno dużą rolę odgrywają tu czynniki genetyczne, ponieważ rodzinne

występowanie dysplazji stwierdza się w około 20% przypadków. Być może wpływ mają również hormony matki, które podczas porodu rozluźniają jej własne więzadła miednicy mniejszej.

Dysplazja stawu biodrowego dotyczy średnio jednego na 250 niemowląt, dziewięciokrotnie częściej dziewczynek niż chłopców. W około 60% przypadków są to pierwsze dzieci swoich matek, a w 40% rodzą się one w położeniu pośladkowym (czyli najpierw pośladkami, a nie główką).

Objawy i rozpoznanie Dysplazję/zwichnięcie w stawie biodrowym u małego, nie chodzącego niemowlęcia podejrzewa się przede wszystkim na podstawie asymetrii bruzd pośladkowych, które nie przebiegają w jednej linii. Lekarz podczas badania napotyka również na opór przy próbie pełnego odgięcia nóżki dziecka w stawie biodrowym. Kończyna po zajętej stronie wydaje się krótsza, a w razie zaniechania leczenia starsze dziecko może na nią utykać.

Badanie stawów biodrowych wykonuje się rutynowo tuż po urodzeniu, a następnie przy każdej wizycie kontrolnej przez cały okres niemowlęcy. Łagodna dysplazja objawia się nadmierną ruchomością w stawie biodrowym podczas manipulacji. W przypadku umiarkowanej dysplazji głowa kości udowej może „wyskoczyć" z panewki podczas badania, a następnie nie dać się wsunąć z powrotem. W ciężkich przypadkach głowa kości udowej pozostaje całkowicie poza panewką (zwichnięcie).

W razie podejrzenia dysplazji stawu biodrowego lekarz kieruje dziecko na badanie radiologiczne lub ultrasonograficzne, które dokładnie ocenia wzajemne położenie kości w stawie biodrowym i potwierdza bądź wyklucza rozpoznanie.

Leczenie i rokowanie Postępowanie zależy od wieku dziecka w momencie wykrycia patologii oraz od stopnia jej nasilenia. W najłagodniejszych przypadkach dysplazja może skorygować się samoistnie w ciągu pierwszych tygodni życia. Jeśli tak się nie stanie, u niemowląt stosuje się specjalną szynę, która utrzymuje kończyny dziecka w odwiedzeniu i tym samym stabilizuje głowę kości udowej w jej panewce. Szynę trzeba stosować w pierwszych miesiącach życia dziecka przez 8–12 tygodni. U starszego niemowlęcia leczenie sposobem mechanicznym trwa dłużej, bo aż 6 miesięcy. Jeśli po tym okresie nie stwierdza się trwałej normalizacji położenia kości w stawie biodrowym, konieczna może być jego korekcja chirurgiczna.

Jeśli dysplazja zostanie odpowiednio wcześnie wykryta i wyleczona, większość dzieci rozwija się dalej prawidłowo i nie ma żadnych ograniczeń ruchów w stawie biodrowym. Następstwem niewykrycia lub zaniedbania leczenia dysplazji może być jednak trwałe uszkodzenie tego ważnego stawu i w efekcie utykanie i niesprawność dziecka.

Zapobieganie i badania prenatalne Nie ma jak dotąd sposobu zapobiegania dysplazji stawu biodrowego. Rodzice muszą być świadomi zwiększonego ryzyka (20%) tej wady u dziecka, jeśli podobne przypadki występowały czy występują w ich rodzinach.

Zakażenie HIV/AIDS

Ludzki wirus upośledzenia odporności (HIV, *human immunodeficiency virus*) rozprzestrzenia się przez kontakt płynów ustrojowych (takich jak krew, nasienie, wydzielina z pochwy, mleko matki itp.) zakażonego z błoną śluzową lub krwią drugiej osoby. Matka może zarazić wirusem dziecko w okresie życia płodowego, podczas porodu lub przez karmienie piersią. W latach 90-tych XX wieku przyczyną blisko 90% przypadków AIDS i niemal wszystkich przypadków zakażenia HIV u dzieci amerykańskich było zakażenie okołoporodowe.

HIV może wywołać chorobę znaną na całym świecie jako AIDS, od pierwszych liter pełnej nazwy w języku angielskim – *acquired immune deficiency syndrome* – czyli zespół nabytego upośledzenia odporności. Jak sama nazwa wskazuje, polega ona na obniżonej zdolności organizmu do obrony przed bakteriami, wirusami i innymi czynnikami agresji, czego następstwem są liczne i ciężkie zakażenia i szereg innych problemów zdrowotnych. Nazwa „zakażenie HIV" oznacza samą obecność wirusa w organizmie (określaną powszechnie jako seropozytywność) i nie jest równoznaczna z pełnoobjawowym AIDS. Niektórzy nosiciele HIV mogą przeżyć nawet wiele lat bez uaktywnienia się choroby.

Zakażenie HIV prowadzące do AIDS staje się jedną z głównych przyczyn chorób i zgonów wśród dzieci. Do końca roku 1998 AIDS zabił łącznie 5000 dzieci poniżej 15. roku życia w Stanach Zjednoczonych i ponad 3 miliony w skali całego świata.

Objawy i rozpoznanie Po urodzeniu dziecka przez kobietę zakażoną HIV nie można od razu określić, czy noworodek jest zakażony, czy zdrowy. Najczęściej stosowane badanie serologiczne na obecność przeciwciał anty-HIV będzie w tym przypadku zawsze dodatnie, ponieważ we krwi dziecka krążą przeciwciała matczyne. Zdrowe dzieci tracą je stopniowo, ale proces ten zajmuje aż 18 miesięcy. U dziecka zakażonego nie obserwuje się w tym czasie spadku poziomu (miana) przeciwciał. Dzięki zastosowaniu nowszych metod diagnostycznych wykrywających samego wirusa, a nie przeciwciała przeciwko niemu, takich jak reakcja łańcuchowa polimerazy (PCR) czy oznaczanie antygenu p24, rozpoznanie można ustalić znacznie wcześniej. Mimo że przy urodzeniu nie ma bezpośrednich fizycznych oznak zakażenia, zakażone niemowlęta często już w pierwszych miesiącach życia zapadają na infekcje wywołane przez szczególne drobnoustroje, które rzadko atakują dzieci zdrowe. Do infekcji tych – na przykład zapalenia płuc wywołanego przez *Pneumocystis carinii* – dochodzi z powodu osłabienia układu odpornościowego i są one główną przyczyną zgonów niemowląt zakażonych HIV. Obecnie wszystkim niemowlętom HIV-pozytywnym podaje się profilaktycznie antybiotyki, aby zmniejszyć ryzyko pneumocystozowego zapalenia płuc.

Inne możliwe objawy zakażenia HIV obejmują niską wagę urodzeniową, słaby przyrost masy ciała, uporczywe pleśniawki jamy ustnej lub drożdżycę okolicy pośladków, częste nawroty gorączki i biegunki, powiększenie węzłów chłonnych, powiększenie wątroby i/lub śledziony, zaburzenia neurologiczne i opóźnienia rozwojowe oraz częste, różnorodne infekcje.

Leczenie i rokowanie W celu kontroli zakażenia HIV stosuje się aktualnie trzy kategorie leków: nukleozydy antyretrowirusowe (HIV należy do retrowirusów), takie jak zydowudyna (AZT), inhibitory proteazy, których przedstawicielem jest indinavir oraz nienukleozydowe inhibitory odwrotnej transkryptazy, na przykład nevirapinę.

Z uwagi na odmienne mechanizmy działania tych leków stosuje się je często w sposób skojarzony. Jeśli zalecony schemat leczenia nie jest ściśle przestrzegany, wirus staje się oporny na poszczególne leki, co ogranicza możliwości terapeutyczne.

Rodzice muszą ściśle współpracować z lekarzami – z reguły z całym zespołem leczącym pod kierunkiem specjalisty chorób zakaźnych – w celu prewencji, wczesnego wykrywania i leczenia antybiotykami zakażeń bakteryjnych. Dziecko powinno otrzymać odpowiednie szczepienia ochronne, aby w miarę możności zminimalizować ryzyko każdej potencjalnej choroby zakaźnej. Ważne jest również pełnowartościowe odżywianie, a także miłość i serdeczna opieka najbliższych. Ponieważ dzieci najczęściej zarażają się od matek, często zdarza się, że matka również walczy z chorobą i wymaga dodatkowej pomocy i wsparcia ze strony członków rodziny.

W razie zgłoszenia się na pogotowie, izbę przyjęć czy do jakiejkolwiek placówki medycznej z dzieckiem seropozytywnym należy bezwzględnie poinformować personel o zakażeniu HIV, ponieważ może to mieć wpływ na sposób udzielenia pomocy dziecku.

Podkreślić należy, że ryzyko zakażenia się HIV od dziecka, które jest nosicielem wirusa, wydaje się minimalne. Opisano bardzo znikomą liczbę takich przypadków, przy czym za każdym razem dochodziło do nich przez bezpośredni kontakt z krwią. Nie ma doniesień o zakażeniach w szkole, przedszkolu czy innej placówce opieki nad dziećmi.

Na dzień dzisiejszy nie dysponujemy jednak skutecznym lekarstwem na AIDS, lecz dzięki stałym postępom medycyny i farmacji jest już możliwe spowolnienie przebiegu choroby i poprawa jakości życia pacjenta, w tym również dziecka.

Zapobieganie i badania prenatalne Leczenie farmakologiczne seropozytywnej kobiety ciężarnej znacznie zmniejsza prawdopodobieństwo zakażenia przez nią płodu i noworodka. Matki zakażone HIV mogą otrzymywać AZT w drugim i trzecim trymestrze ciąży. Po porodzie 6-tygodniowy kurs leczenia stosuje się również u niemowlęcia. Badania wykazują, że taki sposób postępowania obniża ryzyko zakażenia dziecka z 30% (w przypadkach nie leczonych) do niecałych 2%. Dodatkowym czynnikiem redukcji tego ryzyka jest rozwiązanie ciąży przez cięcie cesarskie.

Wodogłowie (*hydrocephalus*)

Wodogłowie jest patologią centralnego układu nerwowego, która może wywołać powiększenie obwodu główki u noworodka i niemowlęcia, uszkodzenie mózgu i powikłania neurologiczne. Istota zaburzenia polega na zbieraniu się nadmiaru płynu mózgowo-rdzeniowego (PMR) w obrębie mózgu. PMR (pełniący wobec mózgu i rdzenia kręgowego funkcję systemu wyrównywania ciśnień, „amortyzatora" i dodatkowej warstwy ochronnej) przepływa przez centralny układ nerwowy niczym olej w silniku samochodu. Powstaje on w tzw. splotach naczyniówkowych mózgu, następnie kieruje się ku dołowi, opływa rdzeń w kanale kręgowym i powraca do mózgu, gdzie ulega resorpcji. W warunkach prawidłowych taki schemat krążenia PMR utrzymuje jego objętość i ciśnienie wokół mózgu i rdzenia kręgowego na optymalnym poziomie. Jeśli jednak z jakichś przyczyn wchłanianie zwrotne PMR ulegnie zakłóceniu albo pojawi się przeszkoda na drodze przepływu, jego objętość i ciśnienie wewnątrzczaszkowe nadmiernie rosną, co grozi uszkodzeniem mózgu i objawia się wodogłowiem.

Przyczyną wodogłowia może być narażenie płodu na zakażenia, np. wirusem różyczki, opryszczki zwykłej (herpeswirusem) lub cytomegalii (cytomegalowirusem, CMV) oraz toksoplazmą. Wodogłowie dotyczy też często dzieci z rozszczepem kręgosłupa (patrz odpowiedni podrozdział w tym rozdziale) lub wcześniaków z krwawieniem śródmózgowym. Wada może być również następstwem zapalenia opon mózgowo--rdzeniowych, guza mózgu lub urazu głowy.

Objawy i rozpoznanie Do objawów wodogłowia u noworodków i niemowląt należy duży lub szybko powiększający się obwód głowy, opóźnienie w rozwoju i letarg. Lekarz może zauważyć nadmiernie rozszerzone żyły i przezroczystą, znacznie ciemniejszą niż w innych częściach ciała skórę czaszki, poszerzenie ciemiączek oraz słabą kontrolę dziecka nad pozycją główki. Badania obrazowe – tomografia komputerowa (TK, CT) i/lub rezonans magnetyczny (MRI) mogą wykazać patologiczne zbiorniki płynu w obrębie mózgu, objawy wzrostu ciśnienia śródczaszkowego i inne nieprawidłowości, wskazujące niejednokrotnie na przyczynę wodogłowia.

Leczenie i rokowanie Pewne postacie wodogłowia nie wymagają leczenia, a jedynie ścisłej obserwacji stanu dziecka. W innych przypadkach konieczne jest leczenie chirurgiczne w postaci wytworzenia odpływu nadmiaru PMR. Polega to na wprowadzeniu do czaszki dziecka cewnika połączonego z krwioobiegiem lub innym miejscem, z którego płyn może ulec ponownej resorpcji do krwi. Zabieg ten odbarcza mózg i redukuje ciśnienie śródczaszkowe, ale nie jest w stanie naprawić już zaistniałych uszkodzeń.

Typowo wykonywanym zabiegiem jest zespolenie komorowo-otrzewnowe. Cewnik łączy w nim komory mózgu dziecka (naturalne zbiorniki PMR w środkowej części mózgu) z jamą otrzewnej (przestrzenią zawierającą żołądek, jelita i inne narządy jamy brzusznej). Nadmiar PMR spływa do jamy otrzewnej i ulega resorpcji przez wyściełającą ją błonę, co pomaga utrzymać prawidłowy poziom PMR wokół mózgu i zapobiec uciskowi.

Po założeniu zespolenia dziecko może w zasadzie prowadzić normalny tryb życia. Należy jednak zwracać uwagę na możliwe powikłania w funkcjonowaniu zespolenia. W razie jego blokady, rozłączenia się lub zakażenia mogą wystąpić bóle głowy, senność, drażliwość i wymioty. Jeśli dojdzie do powikłań, konieczna jest szybka wymiana lub naprawa uszkodzenia w toku rewizji zespolenia.

Większość dzieci urodzonych z wodogłowiem przeżywa dzięki leczeniu, jednak około połowa z nich cierpi na różne formy upośledzenia umysłowego lub fizycznego.

Młodzieńcze reumatoidalne zapalenie stawów (młodzieńcze przewlekłe zapalenie stawów)

Młodzieńcze reumatoidalne zapalenie stawów (MRZS) definiuje się jako proces zapalny z zesztywnieniem i obrzękiem jednego lub kilku stawów, trwający dłużej niż 6 tygodni i dotyczący dziecka poniżej 16. roku życia, u którego wykluczono inne znane przyczyny objawów. Istnieją trzy typy MRZS: kilkustawowe, z zajęciem 1–4 stawów, wielostawowe, z zajęciem co najmniej pięciu stawów, oraz układowe, z zajęciem narządów wewnętrznych, głównie wątroby i śledziony, oraz błon surowiczych okrywających serce i płuca, czyli osierdzia i opłucnej.

MRZS należy do licznej grupy chorób auto-immunologicznych, polegających na tym, że organizm błędnie identyfikuje którąś ze swoich własnych tkanek jako ciało obce i zaczyna się przed nią „bronić", uruchamiając mechanizmy zapalne. W efekcie atakowane są zdrowe, własne komórki i struktury, np. stawy, co objawia się zaczerwienieniem, miejscowym wzrostem ciepłoty, obrzękiem i bólem. Dotąd nie ustalono jednoznacznie, skąd bierze się MRZS u dzieci (i RZS u dorosłych). Uważa się, że podatność na te choroby musi być w jakiś sposób uwarunkowana genetycznie. U tak predysponowanego dziecka choroba może rozwinąć się po zadziałaniu pewnych czynników środowiskowych, na przykład zakażenia wirusowego.

Objawy i rozpoznanie Najczęstsze początkowe objawy MRSZ obejmują utrzymujący się obrzęk stawu(-ów), sztywność najwyraźniejszą typowo rano po przebudzeniu lub po drzemce w ciągu dnia oraz ból nasilający się w ciągu dnia. Czasami dziecko nie skarży się na ból, a za to wykazuje ograniczenie ruchów w zajętym stawie (stawach). MRZS zajmuje najczęściej drobne stawy dłoni i stóp, ale jednym z najwcześniejszych objawów może być również utykanie z powodu zajęcia stawu kolanowego.

W układowym typie choroby występuje niejednokrotnie wysoka gorączka oraz delikatna, różowa wysypka, bardzo szybko pojawiająca się i znikająca. Zdarza się również powiększenie węzłów chłonnych szyi i innych okolic ciała.

Nie ma pojedynczego, specyficznego testu rozstrzygającego o rozpoznaniu MRZS. Ustala się je zwykle na podstawie dokładnego wywiadu, badania fizykalnego i licznych badań dodatkowych – rentgenowskich i laboratoryjnych – które mają również na celu wykluczenie innych możliwych przyczyn bólu i zapalenia stawów, takich jak uraz fizyczny, zakażenie bakteryjne, choroba z Lyme, toczeń, niektóre nowotwory i inne choroby.

Leczenie i rokowanie Leczenie MRZS ma na celu złagodzenie bólu, stłumienie zapalenia, zahamowanie lub spowolnienie procesu destrukcji stawu(-ów) i przywrócenie jego/ich czynności, tak aby zapewnić dziecku optymalny wzrost, aktywność fizyczną oraz wszechstronny rozwój społeczny i emocjonalny.

Stosuje się zarówno leki, jak i fizykoterapię i gimnastykę. Ustalenie optymalnego planu postępowania wymaga ścisłej współpracy zespołu leczącego, złożonego z lekarza-pediatry, konsultanta-reumatologa i rehabilitanta.

Do leków pierwszego rzutu należą zwykle niesteroidowe leki przeciwzapalne (NLP). Stosuje się również tak zwane modyfikujące leki przeciwreumatyczne, co wymaga kontroli czynności wątroby. W razie nasilonego, aktywnego procesu zapalnego można dołączyć kortykosteroidy, aczkolwiek lekarze starają się unikać przedłużonego stosowania tych leków u dzieci z uwagi na spowolnienie wzrostu i wiele innych poważnych działań niepożądanych. W ostatnich latach opracowano szereg nowych leków, skutecznie tłumiących proces chorobowy bez wywoływania objawów ubocznych, jakie często kojarzyły się z dawniejszymi metodami leczenia MRZS.

Żależnie od stopnia ciężkości i lokalizacji choroby wzrost kości w zajętych stawach może być albo zbyt szybki, albo spowolniony, czego następstwem bywa nierówna długość kończyn. MRZS zagraża również trwałą deformacją i ograniczeniem ruchomości stawów. Zwolniony i opóźniony może być także ogólny wzrost i rozwój dziecka.

Do potencjalnych poważnych powikłań MRZS należy również zapalenie błony naczyniowej oka, towarzyszące niekiedy postaci kilkustawowej. Z uwagi na podstępny, długo bezobjawowy przebieg tej choroby dzieci z MRZS wymagają regularnej kontroli okulistycznej.

Na dzień dzisiejszy w około połowie przypadków aktywne MRZS i wynikające z niego ograniczenia fizyczne utrzymują się aż do wieku dorosłego. Dzięki wczesnemu rozpoznaniu i właściwemu leczeniu choroba nie przekreśla jednak szans większości dzieci na normalne, produktywne i udane życie.

Choroby nerek

Nerki filtrują krew, oczyszczając ją i cały organizm ze zbędnych substancji i nadmiaru wody. Aby to nastąpiło, krew musi przesączyć się przez kłębki nerkowe i przejść przez system kanalików i cewek, w których ostatecznie powstaje mocz wydalany na zewnątrz przez miedniczki nerkowe, moczowody, pęcherz i cewkę moczową. Nerki pełnią ponadto szereg innych ważnych ról: uczestniczą w regulacji ciśnienia tętniczego, pobudzają produkcję krwinek czerwonych, a także kontrolują gospodarkę mineralną organizmu i stan kości przez udział w metabolizmie witaminy D. Szereg chorób nerek i dróg moczowych może wystąpić już w wieku dziecięcym, wymagając w większości przypadków starannego leczenia. Niektóre z tych chorób zagrażają upośledzeniem czynności nerek, a w pewnych przypadkach nawet ich przewlekłą niewydolnością.

Wady wrodzone nerek zdarzają się stosunkowo często, jednak na szczęście w większości przypadków nie zakłócają one czynności nerek ani nie mają innych szkodliwych następstw dla zdrowia. Wady wrodzone nerek czy dróg moczowych mogą występować jako izolowane lub też wchodzić w skład większych zespołów anomalii, składających się na określone jednostki chorobowe. Dziecko może urodzić się z jedną nerką, albo z dwiema złączonymi podstawami w jedną całość, zwaną z racji kształtu nerką podkowiastą. Zdarza się również nieprawidłowe położenie jednej lub obu nerek w jamie brzusznej czy miednicy. Dopóki dziecko ma jedną sprawną nerkę, te i inne wady dotyczące ich liczby, kształtu czy położenia nie prowadzą zwykle do problemów zdrowotnych, aczkolwiek tym ważniejsza staje się wówczas ochrona tej jedynej czynnej nerki przed uszkodzeniem w następstwie nawracających zakażeń dróg moczowych (patrz dalej) lub urazu.

Kłębkowe zapalenie nerek (glomerulonephritis) i odmiedniczkowe zapalenie nerek (pyelonephritis)

Kłębkowe zapalenie nerek, jak sama nazwa wskazuje, jest chorobą dotyczącą kłębków nerkowych, czyli jednostek filtrujących krew. Zapalenie może mieć charakter ostry lub przewlekły. Ostre zapalenie kłębków nerkowych bywa następstwem reakcji na leki lub powikłaniem pewnych chorób zakaźnych. U dzieci dochodzi do niego najczęściej po przebytej nieleczonej lub niewłaściwie leczonej anginie paciorkowcowej gardła. Przewlekłe kłębkowe zapalenie nerek wchodzi często w skład uogólnionej choroby autoimmunologicznej, takiej jak toczeń rumieniowaty układowy, w której układ odpornościowy organizmu nieprawidłowo rozpoznaje własne tkanki jako obce i zaczyna je „zwalczać". W następstwie tej źle ukierunkowanej reakcji obronnej może dojść do zapalenia i uszkodzenia wielu narządów, w tym również nerek.

Ostre odmiedniczkowe zapalenie nerek jest następstwem rozszerzenia się zakażenia bakteryjnego z niżej położonych dróg moczowych. W nie rozpoznanych czy nie leczonych przypadkach zapalenie ostre może przejść w przewlekłe, w postępujący sposób uszkadzające miąższ nerek.

Objawy i rozpoznanie Objawy ostrego kłębkowego zapalenia nerek mogą obejmować widoczne gołym okiem zmiany w moczu: podbarwienie krwią lub ciemny, „herbaciany" kolor, zmętnienie lub pienienie się, a także obrzęk twarzy, a zwłaszcza okolicy oczu, oraz dłoni i stóp, gorączkę, osłabienie, zadyszkę, brak apetytu, a czasem również bóle w dolnej części pleców lub w boku. W ostrym odmiedniczkowym zapaleniu nerek dominują objawy zakażenia (gorączka) i dolegliwości dyzuryczne (częste oddawanie moczu z pieczeniem i bólem). Trzeba pamiętać, że objawy te bywają nierzadko dyskretne i mało specyficzne, a nawet może ich w ogóle nie być (podobnie jak we wczesnych stadiach zapaleń przewlekłych).

W razie podejrzenia choroby nerek lekarz zleca w pierwszym rzędzie badanie ogólne moczu oraz badania krwi. Czasami ostateczne ustalenie rozpoznania i przyczyny zmian wymaga biopsji nerki (pobrania drobnego wycinka do badania histopatologicznego), której wynik ma zasadniczy wpływ na postępowanie.

Leczenie i rokowanie Jeśli przyczyną choroby nerek jest zakażenie bakteryjne, stosuje się antybiotyki. W przypadkach o podłożu autoimmunologicznym leczenie polega na kortykosteroidach i innych lekach immunosupresyjnych. W celu kontroli ciśnienia tętniczego i obrzęków konieczna bywa dieta niskosodowa i leki moczopędne (diuretyki). W zależności od przyczyny proces zapalny może ustąpić całkowicie z pomocą leczenia podtrzymującego, ale może też postępować i w sposób ciągły uszkadzać nerki. Jeśli rozwinie się niewydolność nerek, życie dziecka zależy od dializ (podłączenia do „sztucznej nerki", czyli systemu zewnętrznego oczyszczania krwi ze związków toksycznych) w oczekiwaniu na przeszczep nerki.

Wodonercze (hydronephrosis)

Wodonercze może być następstwem wady rozwojowej układu moczowego w postaci blokady odpływu moczu. Przykładowo wskutek niedrożności czy zwężenia moczowodów mocz nie może swobodnie spływać do pęcherza i zalega w nerce, prowadząc do jej powiększenia. Taka ogromna nerka bywa wyczuwalna jako guz w jamie brzusznej już przy rutynowym badaniu noworodka.

Objawy i rozpoznanie Dziecko może nie zdradzać objawów, ale czasami występują bóle brzucha lub okolicy lędźwiowej oraz nudności i wymioty. Ponieważ blokada odpływu moczu często prowadzi do zakażenia, możliwa jest również gorączka.

W rozpoznaniu wodonercza pomocna jest ultrasonografia lub inne badania obrazowe, dzięki którym można również określić miejsce przeszkody w drogach moczowych. Ponadto wykonuje się zwykle badania krwi i moczu w celu oceny czynności nerek.

Leczenie i rozpoznanie Wodonercze wymaga zwykle leczenia operacyjnego, które usuwa jego przyczynę, a także antybiotykoterapii dla zwalczania współistniejącego zakażenia. Rokowanie odległe zależy od czasu trwania wodonercza i stopnia uszkodzenia nerki do czasu usunięcia blokady.

Zespół nerczycowy (syndroma nephroticum)

Zespół nerczycowy polega na uszkodzeniu kłębków nerkowych i zaburzeniu ich czynności, czego efektem jest utrata białek z osocza krwi do moczu. Stan obniżonego stężenia białek we krwi ma daleko idące następstwa dla równowagi wodnej i biochemicznej organizmu i objawia się przede wszystkim zatrzymywaniem wody w tkankach, czyli obrzękami. U dzieci zespół nerczycowy występuje najczęściej w wieku od 18 miesięcy do 4 lat, częściej u chłopców niż u dziewczynek. Mimo że czasami dochodzi do niego w wyniku reakcji polekowej lub w przebiegu kłębkowego zapalenia nerek, w większości przypadków dziecięcych przyczyna pozostaje nieznana.

Objawy i rozpoznanie Do objawów zespołu nerczycowego może należeć utrata apetytu, ogólnie złe samopoczucie, obrzęki powiek i okolicy oczodołów, obrzęki o innym umiejscowieniu, bóle brzucha i mętny, pienisty mocz.

Rozpoznanie potwierdzają badania laboratoryjne, wykazujące między innymi obecność białka w moczu (białkomocz) i obniżenie jego stężenia we krwi (hipoproteinemię). W poszukiwaniu przyczyny choroby wykonuje się zwykle wiele innych badań dodatkowych, niejednokrotnie włącznie z biopsją nerki (pobraniem wycinka do badania histopatologicznego), od czego może zależeć specyficzne postępowanie.

Leczenie i rokowanie Leczenie rozpoczyna się zwykle od kortykosteroidów, które przeciwdziałają utracie białka z moczem i często całkowicie odwracają proces chorobowy. W celu kontroli równowagi wodnej organizmu konieczne może być ograniczenie podaży płynów i sodu w diecie, a czasem również zastosowanie leków moczopędnych (diuretyków). Dzieci z zespołem nerczycowym wykazują większą podatność na zakażenia bakteryjne i niejednokrotnie wymagają z tego powodu antybiotyków. W większości przypadków choroba ostatecznie ustępuje w ciągu kilku miesięcy lub lat, ale zdarzają się też nawroty, zwłaszcza pod wpływem przeziębienia lub innych infekcji, co wymaga powtórzenia leczenia.

Wielotorbielowatość nerek

Wielotorbielowatość nerek polega na genetycznie uwarunkowanych zmianach zwyrodnieniowych w postaci licznych zbiorników wypełnionych płynem, co na przekroju nadaje nerce wygląd plastra miodu. Istnieją dwie postacie zaburzenia, dziedziczone w sposób dominujący (postać dorosłych) lub recesywny (postać dziecięca). Dziedziczenie w sposób dominujący oznacza, że do wystąpienia objawów wystarczy jeden gen danej pary, otrzymany od jednego z rodziców. Jeśli natomiast dana cecha czy choroba dziedziczy się w sposób recesywny, ujawnia się ona wyłącznie wtedy, gdy dojdzie do „spotkania" dwóch kodujących ją genów. Ciężkie choroby genetycznie uwarunkowane charakteryzują się częściej właśnie tym typem dziedziczenia. Dotyczy to również wielotorbielowatości nerek, która daje zwykle objawy dopiero w wieku dorosłym, podczas gdy postać recesywna ujawnia się już w wieku niemowlęcym.

Objawy i rozpoznanie W postaci dziecięcej już przy rutynowym badaniu noworodka czy niemowlęcia lekarz wyczuwa często guz czy guzy w jamie brzusznej, odpowiadające powiększonym nerkom. Rozpoznanie potwierdza badanie ultrasonograficzne.

Leczenie i rokowanie Wielotorbielowatość nerek prowadzi ostatecznie do ich niewydolności wymagającej stosowania dializ lub wykonania przeszczepu. Ciężko chore dzieci mogą zginąć wkrótce po urodzeniu. W razie obciążenia rodzinnego tą wadą przyszli rodzice powinni skorzystać z poradnictwa genetycznego dla ustalenia ryzyka przekazania jej swoim dzieciom.

Nawracające zakażenia dróg moczowych

Częste, powtarzające się infekcje dróg moczowych u niemowląt i dzieci mogą mieć podłoże anatomiczne w postaci refluksu pęcherzowo-moczowodowego, czyli nieprawidłowości powodującej cofanie się moczu z pęcherza do moczowodów i w konsekwencji jego zaleganie w pęcherzu. Wszelkie zalegające wydzieliny czy wydaliny organizmu stanowią doskonałą pożywkę dla drobnoustrojów, często w tych warunkach dochodzi do zakażenia moczu, które wskutek refluksu łatwo szerzy się tak zwaną drogą wstępującą do wyższych pięter układu moczowego – moczowodów i nerek. Ostatecznie może dojść do wspomnianego już odmiedniczkowego zapalenia nerek. Przejście takiego zapalenia w stan przewlekły albo częste przypadki nowych zakażeń grożą postępującym uszkodzeniem nerek, a nawet niewydolnością. Tendencja do refluksu pęcherzowo-moczowodowego występuje często rodzinnie, co sugerowałoby pewną podatność genetyczną na tę wadę.

Objawy i rozpoznanie Objawy nawracających zakażeń dróg moczowych są podobne jak w izolowanych, sporadycznych przypadkach (patrz rozdział 30, „Choroby zakaźne wieku dziecięcego") i obejmują gorączkę, wymioty, biegunkę, rozdrażnienie lub senność. Starsze dzieci mogą skarżyć się na dolegliwości w postaci częstego parcia na mocz oraz pieczenia i bólu przy jego oddawaniu. Zdarzają się również bóle brzucha lub pobolewania w okolicy lędźwiowej, a także incydenty moczenia nocnego lub dziennego u dziecka, które już wcześniej nauczyło się kontrolować tę potrzebę.

Zakażenie potwierdza badanie ogólne i bakteriologiczne moczu, po wykonaniu których wprowadza się leczenie antybiotykami. W razie nawracających zakażeń lekarz zleca zwykle dodatkowe badania w celu wykrycia przyczyny. Ultrasonografia nerek pozwala ocenić ich kształt, wielkość, ewentualne blizny i inne nieprawidłowości lub obecność blokady dróg moczowych. W diagnostyce refluksu pęcherzowo-moczowodowego stosuje się specjalne badania radiologiczne z kontrastem (głównie urografię i cystografię mikcyjną).

Leczenie i rokowanie Nawracające zakażenia dróg moczowych, a zwłaszcza samych nerek, wymagają starannego, przedłużonego leczenia antybiotykami, które czasami podaje się również profilaktycznie. Jeśli u podłoża infekcji leży refluks pęcherzowo-moczowodowy lub jakakolwiek inna, możliwa do usunięcia wada, wskazane jest leczenie operacyjne.

Guz Wilmsa
(nerczak złośliwy, nephroblastoma)

Jest to najczęstszy nowotwór złośliwy nerek u dzieci, rozpoznawany zwykle w okresie od urodzenia do wieku 5 lat. Przyczyna zachorowania nie jest znana, ale czasami daje się zaobserwować tendencja rodzinna. Na większe ryzyko guza narażone są dzieci z pewnymi defektami wrodzonymi (lub z rodzin, w których występują te defekty), takimi jak brak tęczówki (barwnej części błony naczyniowej oka) czy asymetryczna budowa ciała. Dzieci, u których rozwija się nowotwór, częściej mają również wady wrodzone serca i układu moczowo-płciowego, na przykład niezstąpienie jąder (wnętrostwo) (patrz odpowiedni podrozdział w dalszej części tego rozdziału).

Objawy i rozpoznanie Choroba może objawiać się wyczuwalnym guzem lub masą w jamie brzusz-
nej, bólami brzucha, gorączką, brakiem apetytu, nudnościami i wymiotami. W około 20% przypadków występuje krwiomocz. W razie podejrzenia guza Wilmsa lekarz zleca badania laboratoryjne oraz obrazowe, takie jak ultrasonografia, tomografia komputerowa (TK, CT) lub badanie metodą rezonansu magnetycznego (MRI), umożliwiające dokładne obejrzenie nerek.

Leczenie i rokowanie Guz Wilmsa wymaga usunięcia zajętej nerki wraz z otaczającymi tkankami. Zależnie od jego wielkości i stopnia zaawansowania w momencie rozpoznania stosuje się dodatkowo napromienianie (radioterapię) lub chemioterapię. Nowotwór ten jest obecnie w 90% przypadków uleczalny, nawet jeśli doszło już do przerzutów.

Zatrucie ołowiem (ołowica)

Ołów jest metalem ciężkim, występującym naturalnie w złożach ziemi w postaci rud. Stosowano go i stosuje nadal do wyrobu materiałów hydraulicznych i kanalizacyjnych, farb, paliwa, niektórych tworzyw sztucznych, a dawniej również w ceramice i przy produkcji kryształów. Czasami ołów zawierają również knoty świec.

Małe dzieci, pakujące do buzi wszystko, co wpadnie im w ręce, są narażone na ołów głównie przez obgryzanie łuszczącej się farby ściennej z domieszką ołowiu lub kontakt z pyłem ołowiowym. Następstwem codziennego spożycia nawet tak śladowej ilości farby, jak wiórek o wymiarach $2,5 \times 2,5$ cm przez 15–30 dni, może być stężenie ołowiu we krwi rzędu 10 μg na 100 ml, czyli na poziomie, który oznacza już powód do niepokoju.

Dzieci charakteryzują się największą podatnością na uszkodzenia mózgu z powodu toksycznych działań ołowiu, a skłonność do obgryzania różnych zupełnie niejadalnych rzeczy dodatkowo zwiększa ryzyko zatrucia. Zatrucie ołowiem naraża dziecko na opóźnienia w rozwoju umysłowym, niedosłuch, trudności w nauce, niedokrwistość, a w ciężkich postaciach drgawki, śpiączkę, a nawet śmierć. Narażenie kobiety w ciąży na wysokie stężenie ołowiu może być również toksyczna dla płodu.

Objawy i rozpoznanie Objawy zatrucia ołowiem, o ile w ogóle wystąpią, nie są charakterystyczne i nie ułatwiają ustalenia rozpoznania. Do wczesnych objawów należy łatwe męczenie się dziecka lub nadmierne pobudzenie, drażliwość, utrata apetytu, chudnięcie, zaburzenia snu i zaparcia.

Czasami jednak dziecko może wydawać się zupełnie zdrowe mimo toksycznego stężenia ołowiu we krwi, w związku z czym zaleca się rutynowe oznaczanie tego stężenia u wszystkich dzieci z grup podwyższonego ryzyka zatruciem (patrz rozdział 14, „Badania przesiewowe") w wieku 9–12 miesięcy i w miarę możności ponownie po ukończeniu dwóch lat życia.

Leczenie i rokowanie W razie wykrycia zatrucia ołowiem należy w pierwszym rzędzie usunąć jego źródło, co może polegać na zeskrobaniu starych farb i odnowieniu domu, oczyszczeniu ujęć wody i armatury oraz, w razie potrzeby, wprowadzeniu zmian w diecie dziecka. Dzieci prawidłowo odżywiane, zjadające co najmniej trzy pełnowartościowe posiłki dziennie, wchłaniają mniej ołowiu, a pokarmy bogate w żelazo i wapń dodatkowo hamują chłanianie.

Dziecku z podwyższonym poziomem ołowiu we krwi lekarz może zlecić środki (zwane związkami chelatującymi) wiążące ołów w tkankach i tym samym ułatwiające jego eliminację drogą nerek oraz przez przewód pokarmowy.

Największe znaczenie dla rokowania ma wczesne wykrycie i intensywne leczenie zatrucia ołowiem, ponieważ pierwiastek ten może kumulować się i pozostawać w organizmie dziecka na całe życie, narażając je na stałe działanie toksyczne, szczególnie niebezpieczne dla młodego, rozwijającego się układu nerwowego.

Zapobieganie A oto kilka prostych zasad, których przestrzeganie pozwoli ci zmniejszyć ryzyko narażenia dziecka i całej rodziny na ołów:

- Poproś o informacje na temat stężenia ołowiu w wodzie wodociągowej. Jeśli masz prywatne ujęcie wody, zbadaj ją w lokalnej stacji sanitarno-epidemiologicznej.
- Jeśli badanie to wykaże wysoką zawartość ołowiu w wodzie z twojej studni, pomyśl o możliwościach jej uzdatnienia. Jeśli mimo tych starań poziom ołowiu pozostaje wysoki, postaraj się używać do picia i gotowania wody butelkowanej.
- Do picia i gotowania używaj wyłącznie wody z zimnego kranu.
- Gdy rano po raz pierwszy odkręcasz kran, przez mniej więcej minutę spuszczaj wodę, zanim nabierzesz jej do picia.
- Tylko sporadycznie używaj szklanek czy kieliszków z kryształu z domieszką ołowiu i nie przechowuj napojów w karafkach lub butelkach z tego kryształu.
- Nie przechowuj żywności ani napojów w naczyniach zabytkowych, starych, ręcznie wykonanych lub importowanych z egzotycznych krajów, zwłaszcza jeśli są one jaskrawo dekorowane czy metalizowane.
- Usuwaj z otoczenia dziecka wszelkie odstające czy łuszczące się płaty farby ściennej i dokładnie czyść podłogi po takim zabiegu odkurzaczem.
- Jeśli mieszkasz w starym, dawno nie odnawianym domu, postaraj się go odmalować po dokładnym usunięciu poprzedniej warstwy farby albo przynajmniej, w charakterze rozwiązania tymczasowego, pokryj ściany tapetą.
- Nie pal w mieszkaniu świec z ołowianymi knotami.
- Wszelkie prace remontowe związane z usuwaniem starych warstw farby wykonuj pod nieobecność dziecka

w domu z uwagi na skażone ołowiem pyły i odpady.

Białaczka (leukemia)

Termin „białaczka" odnosi się do co najmniej kilku różnych chorób rozrostowych (nowotworowych) układu białokrwinkowego. Krwinki białe (leukocyty) powstają w szpiku kostnym z komórek macierzystych po wielu przemianach i procesach różnicowania. Komórki właśnie tych etapów pośrednich mogą stać się punktem wyjścia białaczki. Ulegają one wtedy niepohamowanemu rozrostowi, który tak jak we wszystkich chorobach nowotworowych wymyka się spod kontroli mechanizmów regulacyjnych organizmu. Taka patologiczna linia komórkowa wypiera ze szpiku zdrową tkankę krwiotwórczą i zwykle przechodzi również do krwi. W miarę postępu procesu rozrostowego szpik kostny przestaje produkować inne potrzebne krwinki, włącznie z erytrocytami (krwinkami czerwonymi) i płytkami krwi (trombocytami), czego następstwem jest niedokrwistość (anemia) i zaburzenia krzepliwości krwi związane z małopłytkowością (trombocytopenią). Problemy związane z innymi układami krwinek dołączają się do podstawowego, jakim jest brak zdrowych, pełnowartościowych krwinek białych, niezbędnych elementów obrony organizmu przed drobnoustrojami i innymi czynnikami agresji. Pociąga to za sobą podatność na liczne i ciężko przebiegające zakażenia. Początkowo patologiczne krwinki są obecne jedynie w szpiku i we krwi, jednak później zaczynają rozprzestrzeniać się po całym organizmie, naciekając węzły chłonne, śledzionę, wątrobę, mózg i inne narządy na zasadzie przerzutów nowotworowych.

Białaczki dzieli się najogólniej na ostre (szybko postępujące) i przewlekłe (o dłuższym rozwoju), aczkolwiek u dzieci są to niemal wyłącznie (w około 98% przypadków) białaczki ostre. Dalsza klasyfikacja białaczek wieku dziecięcego uwzględnia typ komórek, jakie uległy przemianie nowotworowej. Występują zasadniczo dwa typy ostrej białaczki: limfoblastyczna oraz ostra białaczka nielimfoblastyczna (zwana również szpikową). Za literaturą anglojęzyczną są one powszechnie określane skrótami ALL (*acute lymphoblastic* leukemia) i ANLL (*acute nonlymphoblastic leukemia*) lub AML (*acute myeloblastic leukemia*).

Ostra białaczka limfoblastyczna (ALL) atakuje głównie u dzieci w wieku od dwóch do ośmiu lat, ze szczytową częstością występowania u czterolatków. Chorują częściej dzieci rasy kaukaskiej niż innych ras i częściej chłopcy niż dziewczynki. Ostra białaczka mieloblastyczna (AML) może wystąpić już w pierwszym miesiącu życia, jednak później, aż do wieku kilkunastu lat, staje się względnie rzadką chorobą.

Jeśli u jednego z bliźniąt jednojajowych (identycznych) w wieku poniżej 6 lat rozpozna się ALL lub AML, ryzyko zachorowania drugiego bliźnięcia wynosi 20–25%. Dla bliźniąt dwujajowych i reszty rodzeństwa ryzyko to jest 2–4 razy wyższe od średniego, odnoszącego się do ogółu populacji.

Większa podatność na białaczkę dotyczy również dzieci z pewnymi zaburzeniami chromosomalnymi, na przykład z zespołem Downa, a także dzieci przyjmujących leki immunosupresyjne (tłumiące układ odpornościowy) z powodu przeszczepów narządowych oraz poddawanych radioterapii lub chemioterapii z powodu innej choroby nowotworowej. W tym ostatnim przypadku ryzyko wystąpienia białaczki jest największe w ciągu ośmiu lat po takim leczeniu.

Objawy i rozpoznanie Z powodu niedoboru zdrowych krwinek białych, niezbędnych do zwalczania czynników patogennych, dzieci chore na białaczkę częściej gorączkują i zapadają na infekcje. Ponieważ zajęty procesem nowotworowym szpik kostny nie produkuje również dostatecznej liczby krwinek czerwonych, odpowiedzialnych za transport tlenu, rozwijają się objawy niedokrwistości, takie jak bladość, osłabienie i zadyszka podczas zabawy. Liczne siniaki, krwawienia z nosa i problemy z zatamowaniem krwi nawet po drobnym urazie mogą wskazywać na małopłytkowość, czyli zmniejszone wytwarzanie płytek krwi, które powstają również w szpiku kostnym i pełnią ważną funkcję w układzie krzepnięcia (hemostazy).

W przebiegu białaczki mogą również wystąpić inne objawy, takie jak bóle kostne i stawowe, powiększenie węzłów chłonnych szyjnych, pachwinowych i innych, znaczne osłabienie czy brak apetytu. U około 12% dzieci z AML i 6% z ALL proces rozrostowy atakuje również centralny układ nerwowy, wywołując bóle głowy, drgawki, zaburzenia równowagi lub widzenia. Naciek grasicy, gruczołu położonego w klatce piersiowej, w przebiegu ALL może wywołać ucisk tchawicy i dużych naczyń krwionośnych, co grozi zaburzeniami oddychania i upośledzeniem przepływu krwi z i do serca.

Badając dziecko, lekarz zwraca uwagę na oznaki infekcji, niedokrwistości i nadmiernych krwawień, sprawdza wielkość węzłów chłonnych oraz wątroby i śledziony. Podstawowym badaniem laboratoryjnym jest pełna morfologia krwi (stężenie erytrocytów, leukocytów i płytek krwi na 1 mm^3) z rozmazem, czyli oceną ilościową i jakościową krwinek (zwłaszcza białych) pod mikroskopem.

Dalsze postępowanie diagnostyczne obejmuje badanie próbki szpiku kostnego (pobranego z mostka lub talerza kości biodrowej), węzła chłonnego (biopsję) i ewentualnie płynu mózgowo-rdzeniowego, uzyskanego drogą nakłucia lędźwiowego, w poszukiwaniu zmienionych nowotworowo komórek. Ocena szpiku i węzła chłonnego pod mikroskopem pozwala zwykle ustalić typ białaczki. Często wykonuje się też bardziej szczegółowe badania w tym kierunku, włącznie z genetycznymi.

Leczenie i rokowanie Jeszcze przed rozpoczęciem leczenia dzieci chore na ostrą białaczkę limfoblastyczną (ALL) kwalifikuje się zwykle do grupy standardowego lub podwyższonego ryzyka. Ryzyko oznacza w tym przypadku prawdopodobieństwo nawrotu i braku dobrej odpowiedzi na aktualnie dostępne leki. Grupa standardowego ryzyka obejmuje dzieci w wieku od 1 roku do 9 lat z liczbą krwinek białych nie przekraczającą 50 000 na 1 mm^3 w momencie rozpoznania. Wszystkie pozostałe dzieci z ALL uważa się za grupę podwyższonego ryzyka. Klasyfikacja ta ma znaczenie przy ustalaniu planu leczenia. Mimo że zawsze opiera się ono na chemioterapii, pacjenci z grupy standardowego ryzyka otrzymują zwykle dwa lub trzy leki według określonego schematu, natomiast pozostali – cztery leki lub więcej.

Aby zmniejszyć ryzyko zajęcia centralnego układu nerwowego, stosuje się chemioterapię dooponową (podawanie leków cytostatycznych bezpośrednio do płynu mózgowo-rdzeniowego). Dodatkowo niektóre dzieci z grupy podwyższonego ryzyka są poddawane naświetlaniom (radioterapii). Leczenie ma na celu tak zwaną indukcję remisji, czyli normalizację obrazu krwi i szpiku. Po osiągnięciu remisji stosuje się chemioterapię podtrzymującą przez okres 2–3 lat.

Leczenie ostrej białaczki szpikowej (AML) opiera się również na chemioterapii (odpowiednio dobranych lekach hamujących podziały komórkowe, czyli cytostatykach). Większość schematów uwzględnia również leczenie dooponowe, z naświetlaniem czaszki lub bez. Po uzyskaniu remisji wszystkie wysiłki idą w kierunku jej maksymalnego wydłużenia z pomocą chemioterapii podtrzymującej lub przeszczepu szpiku.

W przypadku ALL wyleczenie osiąga się u ponad 80% dzieci z grupy standardowego ryzyka i u 60–65% z grupy podwyższonego ryzyka. Dla AML wskaźnik wyleczeń wynosi około 50% po zastosowaniu samej chemioterapii, ale wzrasta do 70%, jeśli po chemioterapii wykona się przeszczep szpiku od odpowiedniego dawcy.

Zapobieganie i badania prenatalne W większości przypadków ani rodzice, ani same dzieci nie mają wpływu na czynniki wywołujące białaczkę, chociaż przez cały czas prowadzi się badania nad pewnymi czynnikami środowiskowymi, które mogłyby predysponować do zachorowań wśród dzieci.

Większość białaczek wywodzi się z niedziedzicznych, nabytych mutacji genetycznych szybko dzielących się komórek krwiotwórczych. Ponieważ takie „błędy genetyczne" występują w sposób przypadkowy i nieprzewidywalny, nie ma aktualnie metody profilaktyki czy prognozowania większości typów białaczek.

Stała i czujna opieka lekarska pozwala wychwycić wczesne objawy białaczki w stosunkowo rzadkich przypadkach znanego, podwyższonego ryzyka jej wystąpienia, czyli u dzieci z pewnymi defektami genetycznymi, u rodzeństwa chorych oraz u dzieci leczonych wcześniej z powodu innej choroby nowotworowej czy otrzymujących leki immunosupresyjne po przeszczepie narządowym.

Choroby metaboliczne (fenyloketonuria, galaktozemia)

Grupa ta obejmuje szereg rzadkich chorób dziecięcych, polegających na genetycznie uwarunkowanej niezdolności organizmu do pewnych reakcji biochemicznych zachodzących w toku normalnych procesów przemiany materii. Choroby te określa się również jako wrodzone bloki czy błędy metaboliczne. Jak dotąd zidentyfikowano ponad 200 takich defektów, jednak większość z nich występuje bardzo rzadko. Są one najczęściej dziedziczone w sposób recesywny, to znaczy ujawniają się tylko wtedy, gdy dziecko otrzyma od obojga rodziców nieprawidłowe geny danej pary (por. akapit na temat wielotorbielowatości nerek w tym rozdziale). W przypadku chorób metabolicznych istotą patologii jest kumulacja i toksyczne działanie określonych związków chemicznych, których organizm dziecka nie potrafi normalnie przetwarzać, wykorzystywać i wydalać z powodu defektu enzymatycznego.

Największe znaczenie mają w tej grupie dwie choroby: fenyloketonuria (PKU) i galaktozemia, ponieważ występują stosunkowo najczęściej, są łatwe do wykrycia już u noworodka, jeśli natomiast nie zostaną rozpoznane i odpowiednio wcześnie leczone, grożą trwałym uszkodzeniem mózgu i upośledzeniem umysłowym.

Fenyloketonuria (PKU) zdarza się średnio u jednego na 16 000 noworodków i polega na genetycznie uwarunkowanym braku lub znacznym niedoborze enzymu metabolizującego aminokwas fenyloalaninę.

Galaktozemia występuje z częstotliwością 1:60 000 dzieci i polega na braku enzymu rozkładającego galaktozę, cukier prosty obecny w mleku i innych pokarmach.

Objawy i rozpoznanie Wrodzone bloki enzymatyczne oznaczają dla dziecka różny stopień zagrożenia, od niewielkiego do poważnego. Większość z nich można wykryć już w okresie noworodkowym lub niedługo później. Dzieci tuż po urodzeniu wydają się zupełnie zdrowe, jednak objawy mogą wystąpić nawet w pierwszej dobie życia. Należą do nich wymioty, utrata masy ciała lub brak jej przyrostu, opóźnienia w rozwoju, podniesienie poziomu określonych substancji chemicznych we krwi i w moczu, szczególny zapach moczu, powiększenie wątroby i szereg innych.

Fenyloketonuria nie daje zwykle żadnych objawów u noworodka. Dzieci dotknięte defektem mają co najwyżej tendencję do jaśniejszej skóry, włosów i oczu niż u pozostałych, zdrowych członków rodziny. Czasami rozwija się u nich wysypka skórna, a ich mocz może mieć woń stęchlizny. Pierwszym poważniejszym objawem są zwykle wymioty. Opóźnienie w rozwoju ujawnia się stopniowo i może ujść uwadze otoczenia w pierwszych miesiącach życia. Pozostawiona sama sobie choroba prowadzi zwykle do ciężkiego upośledzenia umysłowego. Do innych objawów nie wykrytej i nie leczonej fenyloketonurii należą drgawki i nadaktywność motoryczna z ruchami mimowolnymi. Może również wystąpić niedorozwój czaszki (małogłowie) i szereg innych zaburzeń rozwojowych.

Podobnie jak w przypadku fenyloketonurii, dzieci z galaktozemią wydają się zdrowe tuż po urodzeniu, jednak już w ciągu kilku pierwszych dni i tygodni ujawniają takie objawy jak utrata apetytu, wymioty, żółtaczka, hipoglikemia (obniżony poziom glukozy we krwi) i zahamowanie normalnego wzrostu i rozwoju. Już w okresie noworodkowym dzieci te są również podatne na ciężkie, zagrażające życiu zakażenia bakteryjne. Dochodzi do powiększenia wątroby, a z czasem coraz wyraźniej zaznacza się opóźnienie w rozwoju fizycznym i upośledzenie umysłowe. Do innych powikłań należy zaćma i niewydolność wątroby, a u dziewczynek brak czynności jajników, prowadzący do niepłodności.

Rodzaj defektu enzymatycznego można ustalić odpowiednimi badaniami laboratoryjnymi. Pomocne w ustaleniu rozpoznania mogą być również informacje o występowaniu specyficznych zaburzeń metabolicznych u członków rodziny dziecka.

Wczesne rozpoznanie tych zaburzeń i zastosowanie odpowiedniego postępowania ma decydujące znaczenie dla losu dziecka. (Patrz też rozdział 14, „Badania przesiewowe").

Leczenie i rokowanie Dzieci dotknięte fenyloketonurią wymagają specjalnej diety, na którą składają się mieszanki mleczne zubożone w fenyloalaninę, produkty o niskiej zawartości białka, owoce i większość warzyw. Konieczne jest unikanie pokarmów wysokobiałkowych, takich jak mięso, wędliny, drób, ryby, mleko i jego przetwory oraz jaja. Z niedawno przeprowadzonych badań wynika, że większość dzieci z wcześnie rozpoznanym defektem i pozostających przez całe życie na diecie osiąga w wieku dorosłym normalny poziom inteligencji.

U dzieci z galaktozemią należy wyeliminować z diety mleko i wszystkie jego przetwory jako główne źródło galaktozy, a także niektóre owoce i warzywa. Ścisłe przestrzeganie diety zapobiega w większości przypadków upośledzeniu umysłowemu, aczkolwiek dzieci te charakteryzują się zwykle niższym ilorazem inteligencji w porównaniu ze zdrowym rodzeństwem i często mają problemy w nauce mowy.

Zapobieganie i badania prenatalne W przypadku rodziców dzieci z fenyloketonurią lub galaktozemią ryzyko, że kolejne dziecko będzie również dotknięte tym defektem, wynosi 25%. Drogą amniocentezy lub biopsji błony kosmówkowej zaburzenie daje się wykryć już w życiu płodowym.

Kobiety ciężarne chore na fenyloketonurię i nie przestrzegające diety są narażone na zwiększone ryzyko poronienia, a także na urodzenie dziecka upośledzonego umysłowo lub dotkniętego wadą serca.

Dystrofia mięśniowa

Termin „dystrofia mięśniowa" obejmuje grupę genetycznie uwarunkowanych chorób zwyrodnieniowych układu mięśniowego, które charakteryzują się postępującym osłabieniem i zanikiem mięśni szkieletowych, a czasem również mięśnia sercowego i mięśni oddechowych. Najczęściej występujące typy dystrofii (takie jak dystrofia Duchenne'a, dystrofia Beckera, dystrofia miotoniczna czy kończynowo-obręczowa) prowadzą do pogorszenia czynności mięśni do tego stopnia, że dziecko traci zdolność do chodzenia, siedzenia, poruszania rękami, a często również do samodzielnego oddychania. Postępujące osłabienie usposabia również do wielu innych groźnych powikłań, które często kończą się śmiercią. Inne, łagodniejsze postacie dystrofii mogą prowadzić do umiarkowanego inwalidztwa w późniejszym wieku, jednak ogólnie pozwalają oczekiwać w miarę normalnej aktywności i długości życia zbliżonej do przeciętnej.

Dystrofie mięśniowe postępujące wynikają z defektów genetycznych. Niektóre typy (włącznie z najcięższą i najczęstszą dystrofią Duchenne'a, dotykającą jednego na 3600 żywo urodzonych chłopców) należą do chorób sprzężonych z płcią, to znaczy zależnych od genów obecnych w chromosomie płciowym X. Dziewczynki mają dwa chromosomy X (genotyp XX), jeden od matki i jeden od ojca, natomiast chłopcy otrzymują od matki jeden z jej dwóch chromosomów X, a od ojca chromosom Y (genotyp XY). Ponieważ gen odpowiedzialny za chorobę leży w chromosomie X i jest recesywny, choroba ujawnia się niemal wyłącznie u chłopców (podobnie jak omówiona w tym rozdziale hemofilia), gdyż nawet jeśli dziewczynka otrzyma od matki chromosom X z nieprawidłowym genem, drugi, ojcowski chromosom X zapobiegnie ujawnieniu się choroby. Dziewczynka taka będzie jednak nosicielką genu dystrofii, a ryzyko, że przekaże go swoim synom, wynosi 50%.

Objawy i rozpoznanie Pierwsze objawy dystrofii mięśniowej Duchenne'a pojawiają się zwykle w wieku od dwóch do pięciu lat. Rodzice często dowiadują się od wychowawców przedszkolnych, że ich dziecko jest mniej aktywne fizycznie od innych dzieci. Do typowych wczesnych objawów należy ostrożny chód „na palcach", kołysanie się w biodrach (chód „kaczkowaty") i trudności z wchodzeniem po schodach.

U małych dzieci może utrwalić się nawyk garbienia się, kompensujący osłabienie mięśni obręczy biodrowej. U wielu dzieci stwierdza się powiększenie obwodu łydek, wynikające z rzekomego przerostu mięśni (rzekomego, gdyż prawidłowa tkanka mięśniowa ulega zanikowi i jest zastępowana tkanką łączną i tłuszczową).

Pierwsze objawy dystrofii pojawiają się w różnym wieku, od wczesnego dzieciństwa aż do zaawansowanego wieku dorosłego. Przykładowo dystrofia Beckera, podobna w obrazie klinicznym do dystrofii Duchenne'a, ujawnia się najczęściej w wieku szkolnym i przebiega mniej dramatycznie. Najczęściej stwierdzana dystrofia Duchenne'a charakteryzuje się znacznie wcześniejszym okresem wylęgania choroby i szybką progresją, prowadzącą do inwalidztwa.

Dystrofia mięśniowa ma również wpływ na mózg i cały układ nerwowy i dlatego u chorych dzieci obserwuje się często niższy poziom inteligencji. Chociaż ewidentne upośledzenie umysłowe dotyczy tylko 20–30% pacjentów, u większości występują trudności w nauce.

W razie podejrzenia dystrofii mięśniowej poza dokładnie zebranym wywiadem i badaniem fizykalnym oznacza się zwykle stężenie osoczowe kinazy kreatynowej, enzymu charakterystycznego dla mięśni, który pojawia się w nadmiarze we krwi w sytuacjach uszkodzenia włókien mięśniowych. U dziecka z podejrzeniem dystrofii i podwyższonym poziomem kinazy kreatynowej wykonuje się dalsze badania diagnostyczne, takie jak testy genetyki molekularnej i biopsję mięśnia. W badaniu DNA poszukuje się nieprawidłowego genu. Natomiast badanie histopatologiczne wycinka mięśnia pozwoli na wykrycie zmian typowych dla procesu chorobowego oraz obniżonego poziomu dystrofiny, białka odpowiedzialnego za prawidłową strukturę mięśni, którego uwarunkowany genetycznie brak lub niedobór stanowi istotę patologii. Badania te pozwalają również określić typ dystrofii.

Leczenie i rokowanie Dystrofia mięśniowa jest nadal chorobą nieuleczalną, co nie oznacza, że leczenie nie ma wpływu na jej przebieg. Dzięki nowym, ciągle doskonalonym metodom terapeutycznym chore dzieci żyją obecnie dłużej. Leczenie poprawia czynność mięśni i stawów, zwalnia progresję choroby i znacznie wydłuża okres względnej sprawności, aktywności i niezależności.

Opieka nad dzieckiem z dystrofią mięśniową wymaga zwykle współpracy całego zespołu specjalistów, złożonego z neurologa, ortopedy, pulmonologa, rehabilitanta, terapeuty zajęciowego, psychologa, wykwalifikowanej pielęgniarki i pracownika socjalnego. Zależnie od typu choroby leczenie może polegać na fizykoterapii, technikach wzmacniania stawów i stosowaniu kortykosteroidów (prednisonu) o działaniu hamującym destrukcję tkanki mięśniowej.

Fizykoterapia ma na celu poprawę napięcia mięśniowego i zmniejszenie przykurczów w stawach, do których często dochodzi w sytuacji, gdy mięśnie przyczepiające się w okolicy danego stawu mają nierówną siłę (silniejszy mięsień „wymusza" ustawienie stawu w niefizjologicznej i nieefektywnej pozycji, zgodnej z własną czynnością). Techniki wzmacniania czy protezowania stawów pomagają pacjentom lepiej wykorzystywać osłabione mięśnie i stawy.

Z powodu ograniczonej aktywności fizycznej dzieciom z dystrofią zagraża często nadwaga czy otyłość, które w ich przypadku mają szczególnie niekorzystny wpływ na już osłabiony układ mięśniowy. Dla uniknięcia tego ryzyka wskazane są pewne modyfikacje odżywiania pod kontrolą dietetyka.

U dzieci z dystrofią Duchenne'a lub Beckera często rozwija się skrzywienie boczne kręgosłupa (skolioza) jako następstwo osłabienia mięśni grzbietu i trudności w utrzymywaniu wyprostowanej pozycji ciała. Operacja polegająca na wstawieniu implantów – metalowych protez wzdłuż kręgosłupa – może przedłużyć zdolność dziecka do samodzielnego stania i siedzenia, a także poprawić mechanikę oddychania.

Zmiany dystroficzne dotyczą też często mięśni uczestniczących w oddychaniu oraz mięśnia sercowego. Osłabienie odruchu kaszlu sprzyja z kolei zaleganiu wydzieliny w drogach oddechowych, co w połączeniu z osłabioną wentylacją zwiększa ryzyko zakażeń układu oddechowego, często o ciężkim przebiegu. Dzieci z dystrofią wymagają więc stałej opieki ogólnomedycznej oraz przestrzegania programu szczepień ochronnych, szczególnie ważnych w aspekcie zapobiegania zapaleniom płuc.

W jak najdłuższym utrzymaniu sprawności i niezależności dziecka dużą rolę odgrywa również odpowiednie przystosowanie domu do jego możliwości oraz wyposażenie w różnego rodzaju sprzęt wspomagający, w tym również sterowany komputerowo.

Zapobieganie i badania prenatalne U kobiet z rodzin dotkniętych dystrofią mięśniową można wykonać badania genetyczne dla ustalenia, czy są one nosicielkami patologicznego genu. Obecność tego genu można również potwierdzić lub wykluczyć u płodu.

Otyłość

Otyłość, czyli nadmiar tkanki tłuszczowej, staje się coraz większym problemem medycznym krajów rozwiniętych. Obecnie w Stanach Zjednoczonych ponad połowa dorosłych i ponad 30% dzieci wykazuje nadwagę lub otyłość. Chociaż przyczyny otyłości pozostają nadal nie w pełni poznane, uważa się, że pewną rolę odgrywają czynniki genetyczne, ponieważ ma ona tendencję do rodzinnego występowania. Trzeba jednak pamiętać, że duże znaczenie mają również nawyki żywieniowe i styl życia. Właśnie tym czynnikom – jak obfitej, bogatej w tłuszcze diecie oraz nieadekwatnej aktywności fizycznej – przypisuje się decydujące znaczenie w rozwoju otyłości. W znacznie rzadszych przypadkach otyłość ma związek z zaburzeniami hormonalnymi lub z przyjmowaniem niektórych leków.

Objawy i rozpoznanie Otyłość rozpoznaje się zwykle już na pierwszy rzut oka, jednak dokładnym jej miernikiem jest tak zwany wskaźnik masy ciała, określany powszechnie skrótem BMI od pierwszych liter nazwy angielskiej (*body mass index*). BMI wyraża stosunek ciężaru ciała (w kg) do jego powierzchni (w m^2) (BMI = kg/m^2). Wskaźnik ten wykazuje dość dobrą korelację z obciążeniem organizmu tkanką tłuszczową. (Średnie wartości BMI prezentujemy w Załączniku A w postaci standaryzowanych siatek centylowych dla dzieci i młodzieży w wieku od 2 do 20 lat).

Systematyczne porównywanie wzrostu i wagi dziecka z siatką wzrostu umożliwia lekarzowi ocenę, czy rozwija się ono proporcjonalnie i w prawidłowym rytmie. Jeśli BMI przekracza centyl 85 lub zbyt szybko rośnie, oznacza to dla lekarza i rodziców sygnał alarmowy, wskazujący na konieczność weryfikacji sposobu odżywiania i aktywności fizycznej dziecka.

Leczenie i rokowanie W więksżości przypadków leczenie otyłości u dzieci ukierunkowane jest na zmianę nawyków żywieniowych i trybu życia. W dietetyce chodzi głównie o modyfikację dokonywanych przez dziecko (i jego rodziców) wyborów, czyli zmniejszenie ilości produktów wysokokalorycznych, bogatych w tłuszcze i cukry proste, a „pustych" pod względem wartości odżywczej, na rzecz świeżych owoców, warzyw, pełnoziarnistych zbóż i odtłuszczonych przetworów mlecznych. U większości otyłych dzieci celem leczenia jest nie tyle odchudzenie, co raczej spowolnienie lub zahamowanie przyrostu masy ciała, co przy utrzymanym tempie wzrostu na długość pozwala dziecku „dorosnąć" do swojej wagi. U dzieci, a zwłaszcza niemowląt, nie wolno eksperymentować z jakąkolwiek dietą bez porozumienia z lekarzem i jego nadzoru. Drugim ważnym aspektem leczenia otyłości jest pobudzenie aktywności fizycznej dziecka i zmiana jego nawyków w tym zakresie, ponieważ jego organizm powinien nie tylko otrzymać ograniczoną ilość kalorii, ale również spalać je w trakcie zajęć ruchowych.

Podobnie jak u dorosłych, specjalne, restrykcyjne diety mogą przynieść krótkotrwałe efekty (nawet spektakularne), jednak bez trwałej zmiany nawyków żywieniowych i trybu życia po pewnym czasie dziecko nieuchronnie „nadrobi" stracone kilogramy.

Rodzice muszą mieć również świadomość, że nadmierny przyrost masy ciała może czasem wynikać ze stresu emocjonalnego dziecka. Dlatego też równolegle z postępowaniem leczniczym lub jeszcze wcześniej należy zastanowić się nad problemami dziecka w domu, w szkole czy w grupie rówieśniczej i postarać się je rozwiązać.

Dzieci mają mniej powikłań zdrowotnych związanych z otyłością w porównaniu z dorosłymi, jednak mogą bardziej boleśnie przeżywać kompleksy związane z wyglądem zewnętrznym lub drwiny ze strony rówieśników, które często głęboko rzutują na ich poczucie własnej wartości i interakcje społeczne. Czasami również u dzieci otyłość prowadzi do nadciśnienia tętniczego lub podwyższenia poziomu cholesterolu. Największy problem polega jednak na tym, że z otyłych dzieci wyrastają zwykle otyli dorośli, narażeni na zdecydowanie większe ryzyko chorób serca, udaru mózgu, cukrzycy i wielu innych chorób w porównaniu z ludźmi o prawidłowej masie ciała.

Zapobieganie Rodzice mogą bardzo pomóc swoim dzieciom w uniknięciu otyłości przez przyzwyczajanie ich do zdrowego odżywiania i zdrowego stylu życia. Wytyczne lekarzy i dietetyków wyszczególniają składniki zrównoważonej, racjonalnej diety, kładą nacisk na ograniczenie porcji kalorii pochodzącej z tłuszczów do maksimum 30% dziennego zapotrzebowania i podkreślają rolę owoców, warzyw i pełnoziarnistych zbóż. Wytyczne te zalecają ponadto, by dziecko poświęcało co najmniej 60 minut dziennie na umiarkowanie intensywne zajęcia fizyczne (jak marsz, jazda na rowerze, jazda na łyżwach itp.) przez większość dni tygodnia.

Niektóre badania sugerują, że coraz częstsze występowanie nadwagi i otyłości wśród dzieci wynika w dużej części z długich godzin spędzanych przed telewizorem czy komputerem. Oznacza to nie tylko siedzący tryb życia, ale również większe prawdopodobieństwo mechanicznego przegryzania bezwartościowych słodyczy czy innych przekąsek, trafnie określanych w języku angielskim jako *junk food* (dosłownie: odpadki żywnościowe), a po polsku mniej trafnie jako

„zapychacze" (nie mówiąc już o wpływie reklam telewizyjnych, w których produkty tego rodzaju zajmują dziwnym trafem bardzo wiele miejsca!). Jeśli więc już twoje dziecko musi siedzieć przed telewizorem, podsuwaj mu raczej pokrojone jabłko zamiast chipsów, naucz pić wodę zamiast słodkich, wysokokalorycznych napojów gazowanych (a nawet 100% soków owocowych) i zadbaj o codzienną dawkę aktywnej zabawy zamiast meczów rozgrywanych wyłącznie na ekranie komputera. Przestrzeganie tych paru prostych zasad pomaga nie tylko w kontrolowaniu wagi, ale także sprzyja wyrobieniu w dziecku zdrowych nawyków na całe życie.

Problemy ortopedyczne kończyn dolnych

Do częstych problemów wieku dziecięcego związanych z kończynami dolnymi należy krzywica, płaskostopie i ustawienie stóp palcami do dołu.

Krzywica

Wiele noworodków wydaje się mieć krzywe nóżki, ale jest to tylko następstwem typowego ułożenia w życiu płodowym – ze skrzyżowanymi i przygiętymi kończynami. Z reguły nóżki dziecka prostują się na dobre dopiero wtedy, gdy zaczyna ono chodzić. Wyraźne łukowate wycięcie utrzymujące się u dziecka ponaddwuletniego może jednak wskazywać na zaburzenia mineralizacji kości, do jakich należy krzywica (uwarunkowana zwykle niedoborem witaminy D w diecie, a rzadziej defektami genetycznymi) lub choroba Blounta (deformacja głowy kości piszczelowej w pobliżu stawu kolanowego).

Objawy i rozpoznanie Krzywicę lub inne zaburzenie kostne podejrzewa się wtedy, gdy kolana dziecka nie stykają się ze sobą w pozycji stojącej ze złączonymi stopami i kostkami. Dokładne rozpoznanie opiera się na badaniu fizykalnym, zdjęciach rentgenowskich i badaniach laboratoryjnych.

Leczenie i rokowanie W większości przypadków beczkowate nóżki nie wymagają żadnego leczenia, ponieważ prostują się samoistnie, gdy dziecko zaczyna chodzić. Zakrzywienie spowodowane chorobą Blounta może wymagać protezowania lub korekcji operacyjnej w wieku 3–4 lat.

Krzywica na tle niedoboru witaminy D daje się skutecznie leczyć uzupełnieniem tej witaminy w diecie dziecka. Obecnie choroba ta należy raczej do rzadkości, jednak u dzieci z pewnych grup podwyższonego ryzyka nadal należy brać ją pod uwagę. Za czynniki ryzyka awitaminozy D i jej następstw uważa się przynależność do rasy o czarnej lub ciemnej karnacji skóry (z uwagi na znaczną ilość barwnika utrudniającego nasłonecznienie głębszych warstw skóry, które ma znaczenie w produkcji endogennej witaminy D) oraz karmienie piersią bez uzupełniania witaminy D odpowiednimi preparatami (pokarm sztuczny jest z reguły wzbogacany w witaminy). Krzywicę można rozpoznać jeszcze przed ukończeniem przez dziecko dwóch lat z powodu towarzyszącego jej zwykle opóźnionego tempa wzrostu i innych charakterystycznych zmian, na przykład pogrubiałych nadgarstków czy żeber.

Płaskostopie

Stopa niemowlęcia i małego dziecka ma inną budowę niż stopa dorosłego. Charakteryzuje ją większa proporcja tkanki tłuszczowej i mięśniowej oraz rozluźnione więzadła łączące kości, co sprawia, że płaskostopie w pierwszych latach życia jest stanem fizjologicznym. U większości dzieci – ale nie u wszystkich – stopy ulegają z czasem samoistnemu wysklepieniu. Płaskostopie można zwykle rozpoznać dopiero w wieku szkolnym. Jest ono tak częste u dorosłych (dotyczy średnio jednej osoby na siedem), że niektórzy uważają je wręcz za odmienność w granicach fizjologii.

Objawy i rozpoznanie Płaskostopie charakteryzuje się brakiem wysklepienia stóp w części środkowej (co szczególnie łatwo zauważyć, gdy dziecko robi ślady na mokrym piasku) oraz pronacją (obrotem do wewnątrz) kostek przyśrodkowych. Czasami dziecko może skarżyć się na bóle stóp i podudzi, ale nie zdarza się to często. Lekarz rozpoznaje płaskostopie na podstawie badania fizykalnego, zwykle bez konieczności wykonania zdjęcia RTG, o ile nie wchodzi w grę podejrzenie poważniejszych deformacji kostnych.

Leczenie i rokowanie Płaskostopie nie wymaga zwykle leczenia, jeśli jednak towarzyszy mu ból, lekarz może zlecić dziecku separatory (wkładki między palce stóp, pomagające podtrzymać wysklepienie) lub specjalne wkładki do butów. Z reguły metody te łagodzą ból, ale nie korygują płaskostopia jako takiego. Większość dzieci nie odczuwa jednak żadnych dolegliwości i ma pełną sprawność ruchową, w związku z czym nie wymagają one specjalnego obuwia.

Podwinięte palce stóp

U niektórych niemowląt i dzieci palce stóp podwijają się ku dołowi na podobieństwo szponów ptaka („gołębia stopa"). Jest to zwykle pozostałością ułożenia płodu w ciasnej macicy – ze skrzyżowanymi i przygiętymi kończynami. W większości przypadków ten drobny defekt koryguje się samoistnie w miarę upływu czasu. Czasami jednak może on wynikać z ustawienia przedniej części stopy do wewnątrz (co nosi nazwę stopy przywiedzionej), skrętu kości piszczelowej na poziomie łydki lub skrętu kości udowej (tzw. nadmiernego przodopochylenia kości udowej).

Objawy i rozpoznanie Rodzice mogą zauważyć wydatną krzywiznę stóp i podudzi u niemowlęcia lub małego dziecka, bądź też ustawienie łydki i/lub uda do wewnątrz u dziecka, które już zaczęło chodzić. Do rozpoznania przyczyny wystarcza zwykle samo badanie lekarskie, natomiast w razie podejrzenia większych deformacji

kostnych wykonuje się odpowiednie zdjęcia rentgenowskie. Tak zwana stopa zdeformowana (ang. *clubfoot*) oznacza kombinację usztywnienia stopy i deformacji stawu skokowego (kostek) i zwykle pociąga za sobą ustawienie stopy do wewnątrz. Ta anomalia nie ulega samoistnej korekcji i wymaga rozpoczęcia leczenia już wkrótce po urodzeniu.

Leczenie i rokowanie W większości przypadków podwijanie palców stóp nie wymaga żadnego leczenia, ponieważ dziecko samo z tego wyrasta. W przeszłości stosowano bardziej agresywne zabiegi w rodzaju ćwiczeń rozciągających, butów ortopedycznych, szyn i klamer, jednak badania nie wykazały specjalnego wpływu tych technik na naturalne procesy samonaprawcze układu kostnego (a trzeba przy tym pamiętać, że kończyny dolne są pod tym względem szczególnie opóźnione w stosunku do reszty ciała, ponieważ dziecko rozwija się „od góry do dołu"). Tylko w nielicznych przypadkach „sztywnej" deformacji stóp lub podudzi (jak wyżej opisana) wskazane jest specjalne leczenie ortopedyczne. Jeśli zaś nawet podwijanie palców stóp nie ustąpi z czasem, nie przysparza to dzieciom żadnych dolegliwości ani problemów – mogą one normalnie uprawiać sport i w niczym nie ustępują sprawnością swoim rówieśnikom.

Przedwczesne pokwitanie

Za przedwczesne pokwitanie uważa się wystąpienie oznak fizycznych typowych dla okresu pokwitania u dziewczynki w wieku poniżej 8 lat lub u chłopca poniżej dziewięciu i pół roku.

W warunkach fizjologicznych doniosły proces pokwitania rozpoczyna się w momencie, gdy z położonego w mózgu podwzgórza wyjdzie sygnał – w postaci odpowiednich bodźców chemicznych, zwanych neurohormonami – pobudzający przysadkę mózgową (gruczoł dokrewny położony tuż u podstawy mózgu) do wydzielania do krwiobiegu odpowiednich hormonów, które z kolei pobudzają gruczoły płciowe (gonady, czyli jajniki i jądra) do produkcji hormonów płciowych (estrogenów u dziewcząt i testosteronu u chłopców). Ostatecznie to właśnie hormony płciowe uruchamiają przemiany fizyczne, jakim podlega organizm dziecka w okresie pokwitania.

W większości przypadków zbyt wczesnego rozpoczęcia tego procesu nie udaje się ustalić specyficznej przyczyny – tak jakby był nią po prostu samoistnie przyspieszony rytm „zegara biologicznego" dziecka. Z reguły odmienności tej nie stwierdza się u innych członków rodziny dziecka, chociaż u 5% chłopców zaburzenie ma podłoże dziedziczne.

Czasami jednak przedwczesne pokwitanie może wystąpić w przebiegu określonych chorób, takich jak guzy mózgu lub inne zmiany powodujące podrażnienie lub ucisk okolicy podwzgórza czy przysadki mózgowej, a także guzy bądź inne przyczyny nadczynności hormonalnej jajników, jąder, tarczycy czy nadnerczy. Dziecko może wykazywać objawy przedwczesnego pokwitania również pod wpływem leków zawierających hormony (np. w razie przypadkowego zatrucia doustnymi środkami antykoncepcyjnymi) lub skażonej nimi żywności.

U dzieci bez uchwytnego podłoża chorobowego przedwczesne pokwitanie stwarza dwa główne problemy: związane ze wzrostem dziecka oraz natury psychologicznej. W razie wystąpienia typowego „skoku pokwitaniowego" wzrostu w zbyt młodym wieku kościec dziecka przedwcześnie osiąga dojrzałość, co oznacza kostnienie chrząstek nasadowych i definitywne zakończenie wzrostu kości na długość. Jeśli zaniecha się leczenia, dziecko z przedwczesnym pokwitaniem nie osiągnie zaprogramowanego dla niego genetycznie dorosłego wzrostu. Wyraźne cechy dojrzewania płciowego u małego dziecka narażają je ponadto na drwiny rówieśników i boleśnie przeżywane szczególnie w tym wieku poczucie inności.

Objawy i rozpoznanie Przedwczesne pokwitanie objawia się zbyt wczesnym wystąpieniem typowych dla tego okresu zmian fizycznych, takich jak rozwój piersi i miesiączkowanie u dziewcząt, a u chłopców powiększenie jąder i prącia, przyrost masy mięśniowej, pojawienie się zarostu na twarzy i mutacja głosu. I u dziewczynek, i u chłopców hormony płciowe pobudzają również pojawienie się owłosienia łonowego i pod pachami oraz skokowe przyspieszenie wzrostu.

Wiele dzieci z oznakami przedwczesnego pokwitania wykazuje je w sposób częściowy (tzw. częściowe przedwczesne pokwitanie). U dziewczynek może na przykład zaznaczyć się powiększenie sutków, zwykle w wieku od 6 miesięcy do 3 lat, które następnie cofa się lub pozostaje na niezmienionym poziomie bez innych objawów przedwczesnego pokwitania. Niektóre dzieci mają też izolowane owłosienie łonowe lub pachowe. U dzieci z „częściowym" przedwczesnym pokwitaniem przeprowadza się zwykle badanie lekarskiego dla wykluczenia „prawdziwego", ale z reguły nie wymagają one leczenia i wchodzą we właściwy okres pokwitania w typowym, oczekiwanym wieku.

Lekarz stwierdza przedwczesne pokwitania na podstawie badania fizykalnego. Badanie to, włącznie z dokładnie zebranym wywiadem, może również nasunąć podejrzenie wyżej omówionych zaburzeń hormonalnych jako przyczyny przedwczesnego pokwitania. Analiza indywidualnej karty wzrostu dziecka pozwala niekiedy stwierdzić ogólne przyspieszenie tempa jego rozwoju fizycznego. Zlecone badania dodatkowe mogą obejmować oznaczanie poziomu hormonów we krwi, zdjęcia rentgenowskie dla oceny stopnia dojrzałości układu kostnego, a w niektórych przypadkach również tomografię komputerową (TK, CT) lub rezonans magnetyczny (MRI) w celu uwidocznienia mózgu oraz badanie ultrasonograficzne dla oceny jajników i nadnerczy.

Leczenie i rokowanie W razie rozpoznania konkretnej choroby jako przyczyny przedwczesnego pokwitania leczy się ją farmakologicznie lub chirurgicznie. Dzieci bez podłoża chorobowego można leczyć analogiem LHRH (syntetycznym preparatem hormonalnym), który zwykle skutecznie zatrzymuje lub cofa objawy pokwitania. Jeśli leczenie to rozpoczęte zostanie we wczesnym okresie zmian pokwitaniowych, można zapobiec znacznemu skróceniu wzrostu dziecka na długość. Zahamowanie innych fizycznych oznak pokwitania, takich jak miesiączkowanie czy powiększenie piersi, pozwala również złagodzić stres emocjonalny i psychologiczny, jaki często im towarzyszy. Z chwilą osiągnięcia przez dziecko odpowiedniego wieku przerywa się leczenie i tym samym odblokowuje zahamowany proces pokwitania i wzrostu.

Rozszczep kręgosłupa/przepuklina oponowo-rdzeniowa

Tarń dwudzielna (*spina bifida*), bardziej znana pod nazwą rozszczepu kręgosłupa oraz przepuklina oponowa (*meningocele*) i oponowo-rdzeniowa (*meningomyelocele*) należą do wad rozwojowych cewy nerwowej. Cewa nerwowa pojawia się wzdłuż grzbietu płodu w trzecim tygodniu ciąży, a w toku dalszego rozwoju powstaje z niej mózg, rdzeń kręgowy i okrywające je błony (opony mózgowo-rdzeniowe). Przyczyną wyżej wspomnianych wad jest niepełne zamknięcie się cewy nerwowej.

Czasami udaje się wykazać tendencję rodzinną do wad cewy nerwowej, co sugerowałoby rolę predyspozycji genetycznych. Większe ryzyko urodzenia dziecka z rozszczepem kręgosłupa wiąże się również z niedoborem kwasu foliowego (witaminy z grupy B) w momencie poczęcia i w pierwszych tygodniach ciąży. Ryzyko to wzrasta również u matek chorych na cukrzycę oraz przyjmujących w czasie ciąży niektóre leki przeciwpadaczkowe.

Objawy i rozpoznanie Rozszczep kręgosłupa polega na niepełnym zamknięciu kanału kręgowego wskutek niespojenia się łuków kręgów. Na pewnym odcinku otoczony oponami rdzeń kręgowy przebiega więc bezpośrednio pod skórą, pozbawiony ochrony kostnej. Jeśli szczelina ta jest niewielka, mówimy o utajonym rozszczepie kręgosłupa, często zupełnie niezauważalnym lub ujawniającym się jedynie jako minimalne wpuklenie, znamię lub kępka włosów, zwykle w dolnej części pleców.

Objawowy rozszczep kręgosłupa występuje głównie pod dwiema postaciami: przepukliny oponowej i oponowo-rdzeniowej.

Do przepukliny oponowej dochodzi wtedy, gdy przez szczelinę w kanale kręgowym uwypukla się na zewnątrz fragment opon mózgowo-rdzeniowych, tworząc worek wypełniony płynem mózgowo-rdzeniowym. Jest on widoczny i wyczuwalny pod skórą niczym pęcherz, jednak jeśli składa się tylko z opon i płynu mózgowo-rdzeniowego, nie pociąga za sobą powikłań neurologicznych. Jeśli natomiast są w nim również uwięźnięte nerwy rdzeniowe, dziecko może mieć niedowład kończyn lub nie kontrolować czynności pęcherza moczowego i jelit. Przepuklina oponowa dotyczy około 4% wszystkich przypadków objawowego rozszczepu kręgosłupa.

U ogromnej większości (96%) dotkniętych tą wadą dzieci przybiera ona najpoważniejszą postać przepukliny oponowo-rdzeniowej. W tym typie przez nie zrośnięte kręgi przedostają się na zewnątrz nie tylko opony, ale również sam rdzeń kręgowy. Worek przepuklinowy jest zwykle pokryty skórą, ale czasem bywa również całkowicie uwidoczniony.

Następstwa przepukliny oponowo-rdzeniowej zależą od jej wielkości, a zwłaszcza wysokości, na jakiej się znajduje. Przepuklina umiejscowiona wyżej wiąże się z reguły z poważniejszymi powikłaniami niż dotycząca dolnych odcinków kręgosłupa i rdzenia kręgowego.

Zazwyczaj dochodzi do porażeń nerwów odchodzących od rdzenia kręgowego poniżej miejsca przepukliny. W najcięższych przypadkach dziecko ma całkowicie niewładne kończyny dolne, nie kontroluje też czynności zwieraczy pęcherza i odbytu. Często współistnieje wodogłowie, czyli nadmiar płynu mózgowo-rdzeniowego wokół mózgu. Bez szybkiej interwencji wzrost ciśnienia płynu wewnątrz czaszki grozi ślepotą i trwałym uszkodzeniem mózgu.

U dziecka urodzonego z defektem cewy nerwowej wykonuje się zwykle natychmiast badania obrazowe (CT lub MRI) dla oceny postaci i stopnia ciężkości patologii.

Leczenie i rokowanie Dzieci z łagodniejszymi postaciami rozszczepu kręgosłupa mogą zwykle prowadzić normalne życie, bez jakichkolwiek ubytków czynnościowych.

Przepuklina oponowo-rdzeniowa wymaga leczenia chirurgicznego już w ciągu pierwszych 48 godzin życia. Operacja polega na zamknięciu kanału kręgowego w celu ochrony rdzenia kręgowego przed urazem i zakażeniem. W razie współistnienia wodogłowia konieczna jest dodatkowa interwencja w postaci wytworzenia odpływu nadmiaru płynu mózgowo-rdzeniowego i odbarczenia mózgu.

Mimo agresywnego leczenia śmiertelność wśród dzieci z przepukliną oponowo-rdzeniową jest wysoka, na poziomie 10–15%. Do większości zgonów dochodzi w wieku poniżej 4 lat. U dzieci, które przeżywają, często występują liczne, złożone problemy neurologiczne, na przykład brak kontroli nad oddawaniem moczu i stolca. Stosuje się wówczas cewnikowanie pęcherza moczowego, co zapobiega zaleganiu moczu i zmniejsza ryzyko nawracających zakażeń. Wiele dzieci ma niedowłady i porażenia; często potrzebują one wózka inwalidzkiego i innych urządzeń wspomagających. Mimo prawidłowego w większości przypadków poziomu inteligencji typowe są również problemy w nauce, wymagające specjalnych programów i pomocy.

Opiekę nad dzieckiem z przepukliną oponowo-rdzeniową sprawuje zwykle zespół złożony z lekarzy i terapeutów różnych specjalności.

Zapobieganie i badania prenatalne Aby zmniejszyć ryzyko rozszczepu kręgosłupa, wszystkim kobietom w wieku rozrodczym zaleca się obecnie spożywanie 400 µg kwasu foliowego dziennie. Zalecenie to wynika głównie z faktu, że do uszkodzenia cewy nerwowej może dojść na bardzo wczesnych etapach ciąży, często jeszcze zanim kobieta zda sobie sprawę ze swego stanu. Kwas foliowy występuje naturalnie w świeżych warzywach o zielonych liściach, owocach, wątrobie i innych podrobach oraz w suszonych drożdżach. Również pieczywo i płatki zbożowe są obecnie wzbogacane w tę witaminę. Dodatkowym źródłem kwasu foliowego są preparaty wielowitaminowe.

Kobiety w ciąży mają możliwość wykonania badania krwi na obecność alfafetoproteiny (AFP), wstępnego badania przesiewowego pod kątem defektów cewy nerwowej u płodu. AFP oznacza się zwykle między 16. a 18. tygodniem ciąży. W razie stwierdzenia podwyższonego poziomu AFP powtarza się badanie, a w dalszej kolejności wykonuje USG i/lub amniocentezę, potwierdzające lub wykluczające rozpoznanie wady.

Tiki/zespół Tourette'a

Tiki oznaczają szybkie, powtarzane i nie kontrolowane skurcze mięśnia lub grupy mięśni. Najczęściej zdarza się to w obrębie twarzy, ale może również dotyczyć kończyn lub mięśni krtani, co powoduje wydawanie określonych dźwięków typu mlaskania, chrząkania itp.

Zespół Tourette'a jest rzadkim, lecz poważnym zaburzeniem związanym z tikami, nazywanym również „chorobą tików". Uważa się, że jego przyczyna kryje się w nieprawidłowościach na poziomie neuroprzekaźników w mózgu, substancji chemicznych przenoszących pobudzenie z jednej komórki nerwowej do drugiej. Do neuroprzekaźników należy między innymi dopamina, uczestnicząca w kontroli czynności ruchowych. Zespół Tourette'a rozwija się na podłożu genetycznym i dotyka 3–10 razy częściej chłopców niż dziewczynki.

Objawy i rozpoznanie U wielu dzieci tiki są przejściowymi, łagodnymi zaburzeniami, bardziej o charakterze nawyków, które z czasem samoistnie ustępują. Objawy są zmienne i mogą obejmować szybkie niekontrolowane mruganie, drgania mięśni twarzy, wzruszanie ramionami czy szarpane, dziwaczne ruchy kończyn, chrząkanie, mlaskanie lub też niepohamowane wybuchy słowotoku.

Tiki w zespole Tourette'a mają bardziej złożony charakter. Dziecko może uporczywie potrząsać głową na boki, mrużyć oczy, otwierać usta, zginać i prostować szyję, a także kopać w coś lub uderzać, chrząkać, smarkać czy wydawać inne pomruki. Może również wykrzykiwać znienacka brzydkie słowa lub powtarzać usłyszane przed chwilą słowa czy zdania.

Leczenie i rokowanie W większości przypadków tiki są zjawiskiem przejściowym, ustępującym w ciągu kilku tygodni i nie wymagającym z związku z tym leczenia. Lekarz może tylko uspokajać rodziców, że takie czy inne zachowanie dziecka jest niezależne od niego i nie wynika ze złej woli. W zespole Tourette'a tiki są jednak tak nasilone, że często utrudniają dziecku naukę i interakcje społeczne. Podaje się wówczas leki, które tłumią niekontrolowaną aktywność ruchową, aczkolwiek mają one często własne działania niepożądane. U dzieci z zespołem Tourette'a zdarzają się również problemy emocjonalne i zaburzenia lękowe o typie fobii, wymagające niejednokrotnie pomocy psychologa.

Problemy wymagające leczenia chirurgicznego/zabiegi

Większość chorób dziecięcych ustępuje samoistnie lub też daje się wyleczyć czy kontrolować za pomocą odpowiednich metod zachowawczych. W pewnych przypadkach konieczna jest jednak operacja. Poniżej przedstawiamy kilka najczęstszych przyczyn i ich leczenie.

Zapalenie wyrostka robaczkowego (*appendicitis*)

Wyrostek robaczkowy jest niewielkim, palczastym odgałęzieniem jelita grubego, położonym w pobliżu z jelita cienkiego. Uważa się go za narząd szczątkowy (aczkolwiek zawiera pewne skupiska tkanki limfoidalnej), w związku z czym w razie zapalenia – na które jest on szczególnie podatny – można i należy usunąć go w całości bez żadnej szkody dla zdrowia. Do ostrego zapalenia wyrostka robaczkowego może dojść w każdym wieku, choć stosunkowo rzadko zdarza się ono u dzieci poniżej dwóch lat. Objawy obejmują bóle brzucha, nudności, wymioty i gorączkę. W razie podejrzenia zapalenia wyrostka robaczkowego dziecko musi zostać szybko zbadane przez lekarza, a jeśli rozpoznanie się potwierdzi – natychmiast operowane. Nie wolno zwlekać z operacją (zwaną appendektomią) z powodu ryzyka pęknięcia (perforacji) zmienionego zapalnie wyrostka i wylania się jego zakażonej treści do jamy otrzewnej. Lekarz ocenia konieczność operacji na podstawie wywiadu, badania fizykalnego oraz badania krwi i moczu, a czasem również zdjęcia rentgenowskiego lub innych badań obrazowych.

Zmieniony zapalnie wyrostek usuwa się z niewielkiego nacięcia ściany brzucha. Jeśli appendektomię zdąży się wykonać, zanim dojdzie do perforacji, powikłania zdarzają się bardzo rzadko. Dziecko nie przebywa zwykle w szpitalu dłużej niż 2–3 dni. Wyrostek perforowany wymaga również pilnej operacji, jednak w tym przypadku konieczna jest dłuższa hospitalizacja i intensywne leczenie zapalenia otrzewnej, do którego dochodzi wskutek rozsiewu zakażenia w jamie brzusznej.

Przepuklina (*hernia*)

O przepuklinie mówimy wtedy, gdy pętla jelita (lub inny narząd jamy brzusznej) przekracza ścianę brzucha w miejscu jej osłabienia – najczęściej w tak zwanych miejscach zmniejszonego oporu, ale również w bliźnie pooperacyjnej itp. Do naturalnych miejsc zmniejszonego oporu należy głównie kanał pachwinowy, kresa biała w linii środkowej brzucha, czyli granica między mięśniami prawej i lewej połowy ciała oraz okolica pępka. Najczęstszym umiejscowieniem przepukliny jest kanał pachwinowy. Przepuklina pachwinowa może wystąpić w każdym wieku, ale najbardziej typowo rozpoznaje się ją w pierwszym roku życia, czterokrotnie częściej u chłopców niż u dziewczynek. Przepuklina objawia się jako guzek lub uwypuklenie w pachwinie, bądź też jako asymetria moszny (worka skórnego zawierającego jądra) lub warg sromowych (fałdów otaczających wejście do pochwy) u dziewczynek. Czasami rodzice zauważają najpierw niepokój i rozdrażnienie niemowlęcia. Wolna, ruchoma przepuklina nie wywołuje zwykle dolegliwości, natomiast poważnym problemem może być jej uwięźnięcie, to znaczy niemożność powrotu fragmentu jelita do jamy brzusznej. W razie uwięźnięcia przepukliny w wąskim, ciasnym kanale pachwinowym dochodzi do przerwania dopływu krwi do jelita, co bez natychmiastowej interwencji nieuchronnie prowadzi do martwicy. Aby zapobiec temu groźnemu powikłaniu, rutynowo zaleca się operację przepukliny pachwinowej wkrótce po jej rozpoznaniu, szczególnie u chłopców. Zabieg polega na wprowadzeniu pętli jelitowej do jamy brzusznej i chirurgicznym wzmocnieniu miejsca wyjścia, czyli tak zwanych wrót przepukliny. Planowy zabieg jest tak prosty, że nie wymaga nawet pobytu w szpitalu i dziecko może po kilku godzinach wrócić do domu. W razie bólu podaje się paracetamol, a po kilku dniach dziecko całkowicie podejmuje normalną aktywność.

Innym częstym umiejscowieniem przepukliny jest okolica pępka, ponieważ jeszcze w życiu płodowym ściana jamy brzusznej nie zawsze zamyka się całkowicie wokół sznura pępowinowego. Pętla jelita może się więc uwypuklać przez pozostawiony otwór, co jest widoczne zwłaszcza w razie wzrostu ciśnienia w jamie brzusznej, na przykład podczas kaszlu czy oddawania stolca. (Więcej informacji na temat przepukliny pępkowej znajdziesz w rozdziale 5, „Najczęstsze problemy zdrowotne u noworodka").

Spodziectwo (*hypospadiasis*)

Spodziectwo jest stosunkowo częstą wadą rozwojową (występuje średnio u jednego na 300 chłopców), polegającą na tym, że ujście zewnętrzne cewki moczowej znajduje się na spodniej (brzusznej) powierzchni prącia zamiast – prawidłowo – na jego szczycie. Odległość ujścia cewki moczowej od żołędzi prącia jest najczęściej niewielka, ale w najpoważniejszych przypadkach znajduje się ono u podstawy prącia, na granicy z workiem mosznowym. Spodziectwo ma tendencję do rodzinnego występowania, co sugeruje rolę czynników genetycznych.

Lekarz rozpoznaje wadę na podstawie badania fizykalnego. U dzieci ze spodziectwem napletek niczym kapturek pokrywa tylko górną część żołędzi prącia, a nie jego całość, tak jak powinien. Czasami obecne są również dodatkowe pasma tkankowe między moszną a spodnią powierzchnią prącia, które nadają mu zakrzywiony kształt. U chłopców dotkniętych spodziectwem istnieje również zwiększone prawdopodobieństwo innych wad układu moczowo-płciowego, takich jak przepuklina pachwinowa i niezstąpienie jądra (wnętrostwo). Lekarz może zlecić dodatkowe badania obrazowe pod kątem ewentualnych nieprawidłowości pęcherza moczowego lub nerek.

Spodziectwo leczy się operacyjnie, wytwarzając brakujący odcinek cewki moczowej z prawidłowym ujściem na szczycie żołędzi prącia. Ponieważ często wykorzystuje się do tego napletek, nie należy dokonywać obrzezania dziecka ze spodziectwem (w rodzinach praktykujących ten rytuał) przed konsultacją urologiczną. Zabieg jest zwykle jednoetapowy i powinien odbyć się w wieku poniżej 18 miesięcy. Bez odpowiednio wczesnego leczenia dziecko będzie zmuszone oddawać mocz na siedząco. Łagodne przypadki spodziectwa nie zaburzają z reguły oddawania moczu ani funkcji seksualnej i nie wymagają leczenia operacyjnego ze wskazań innych niż kosmetyczne.

Paracenteza (chirurgia ucha środkowego)

Paracenteza, czyli nacięcie błony bębenkowej i wprowadzenie przez nie cienkiego drenu do ucha wewnętrznego, jest często praktykowanym zabiegiem leczniczym w przypadku nawracających lub przewlekłych zapaleń ucha środkowego (*otitis media*). Zapalenie ucha środkowego jest infekcją tak typową, że u większości dzieci w ciągu kilku pierwszych lat życia można wręcz spodziewać się jednego czy paru takich przypadków. Zazwyczaj zapalenie ucha kończy się pomyślnie po zastosowaniu na antybiotykoterapii i nie mają negatywnego wpływu na słuch ani żadnych innych odległych następstw (patrz też rozdział 30, „Choroby zakaźne wieku dziecięcego"). U niektórych dzieci zapalenie ucha środkowego okazuje się jednak oporne na leczenie, ciężko przebiega, często nawraca lub przechodzi w stan przewlekły, z utrzymywaniem się wydzieliny zapalnej przez ponad 3 miesiące. Przyczyną jest wtedy najczęściej blokada trąbki słuchowej (Eustachiusza), przewodu łączącego jamę ucha środkowego z gardłem i zapewniającego jej prawidłową wentylację. Paracenteza i drenaż ucha środkowego ma zastosowanie właśnie w takich przypadkach, szczególnie jeśli jednocześnie stwierdza się pogorszenie słuchu.

Podczas zabiegu przez nacięcie w błonie bębenkowej wprowadza się i pozostawia cienkie plastikowe cewniki, które przejmują rolę trąbki słuchowej i umożliwiają wentylację ucha środkowego. Prowadzi to do wyrównania ciśnień po obu stronach błony bębenkowej i sprzyja eliminacji wydzieliny, a tym samym zmniejsza ryzyko nawrotów zakażenia. Z reguły tylko niemowlęta poniżej 3 miesięcy i dzieci po szczególnie skomplikowanym zabiegu pozostawia się na noc w szpitalu, natomiast pozostałe mogą wrócić do domu już po kilku godzinach. Zazwyczaj nie ma potrzeby powtarzania zabiegu, aby usunąć cewnik. Pozostawia się go na okres do dwóch lat, po upływie których wypada zwykle samoistnie. Mimo dużej skuteczności zabiegu w ewakuacji wydzieliny, u około 25% dzieci leczonych w ten sposób w wieku poniżej dwóch lat zachodzi konieczność powtórzenia paracentezy w późniejszym okresie. Właściwe leczenie nawracających lub przewlekłych zapaleń ucha środkowego i okresowa kontrola laryngologiczna zapobiegają w większości przypadków trwałemu uszkodzeniu słuchu i tym samym problemom czy opóźnieniom w nauce mowy.

Zwężenie odźwiernika (*stenosis pylori*)

Zwężenie odźwiernika, końcowego odcinka żołądka kontrolującego rytm przechodzenia pokarmu do jelit, uniemożliwia prawidłowy przebieg tego procesu i ostatecznie prowadzi do niedożywienia dziecka. Choroba objawia już wkrótce po urodzeniu uporczywymi, „chlustającymi" wymiotami po każdym karmieniu i wymaga korekcji operacyjnej. (Więcej informacji na ten temat znajdziesz w rozdziale 29, „Dolegliwości i objawy".)

Zez (strabismus)

Istotą zeza jest niemożność utrzymania wzroku w jednej osi, ponieważ jedno oko „ucieka" do wewnątrz (zez zbieżny), na zewnątrz (zez rozbieżny), do dołu lub do góry. Oko utrzymujące się stale w nieprawidłowej pozycji nie uczestniczy w procesie widzenia, czego następstwem jest tak zwana ambliopia zezowa („leniwe oko"), czyli jednostronne osłabienie ostrości wzroku. Większość dzieci z zezem nie ma innych problemów zdrowotnych, ale zarazem u dzieci dotkniętych chorobami neurologicznymi, takimi jak porażenie mózgowe i wodogłowie, zez występuje częściej niż w ogólnej populacji. Przyczyną zeza jest najczęściej osłabienie mięśni gałki ocznej, a także urazy lub choroby oczu, lub – rzadko – guzy. Do objawów należy charakterystyczne ustawienie oczu, przechylanie głowy podczas patrzenia, bóle głowy, pocieranie oczu, łzawienie i podwójne widzenie.

Aby zapobiec jednostronnemu niedowidzeniu, stosuje się naprzemienne zasłanianie jednego i drugiego oka, co zmusza dziecko do posługiwania się okiem zezującym i pobudza rozwój widzenia dwuocznego. Konieczne jest leczenie już w pierwszych latach życia, aby zapobiec trwałemu upośledzeniu czy nawet utracie wzroku w jednym oku. Czasami stosuje się do tego specjalne okulary korekcyjne.

Dla osiągnięcia prawidłowego ustawienia oczu często konieczne jest leczenie operacyjne. Zabieg, możliwy zwykle do wykonania w warunkach ambulatoryjnych, dotyczy mięśni poruszających gałkę oczną i polega na ich poluzowaniu lub naprężeniu, tak aby przywrócić równowagę w ich czynności. W niektórych przypadkach właściwa korekcja zeza wymaga operacji w kilku etapach.

Usunięcie migdałków/wyrośli adenoidalnych

Migdałki podniebienne są spoistymi grudkami tkanki limfoidalnej, położonymi i widocznymi po obu stronach gardła między łukami podniebiennymi. Wchodzą one w skład pierścienia obronnego, którego rola polega na ochronie wejścia do dróg oddechowych przed szkodliwymi czynnikami zewnętrznymi. Wskazaniem do usunięcia migdałków (tonsilektomii) jest ich znaczny przerost, sytuacja, w której blokują one częściowo przepływ powietrza przez drogi oddechowe i mogą być przyczyną bezdechu sennego (przedłużonych odstępów między oddechami) i stałego, dodatkowego obciążenia dla płuc i serca. Operacja może też przynieść dobre efekty

u dzieci bardzo często zapadających na anginy, czyli wtedy, gdy migdałki przestają pełnić funkcję ochronną, a za to same stają się źródłem zakażenia. Ogólnie jednak tonsilektomię wykonuje się obecnie znacznie rzadziej niż kiedyś.

Wyrośla adenoidalne, podobne do migdałków pod względem budowy i roli, położone są do tyłu od jamy nosowej i powyżej podniebienia. Usuwa się je zwykle wtedy, gdy blokują drogę przepływu powietrza przez nos lub trąbkę słuchową, łączącą ucho środkowe z gardłem. Blokada taka może leżeć u podłoża nawracających lub przewlekłych zapaleń ucha lub zatok. Przerost wyrośli adenoidalnych może ponadto objawiać się trudnościami w oddychaniu, „hałaśliwym" oddychaniem, pochrząkiwaniem, problemami z mową i bezdechem sennym.

Zależnie od dominujących objawów wskazana może być tonsilektomia, adenoidektomia (usunięcie samych wyrośli) lub oba te zabiegi (określane jako T&A). Laryngolog wykonuje je zwykle w warunkach ambulatoryjnych, tak że dziecko po kilku godzinach może wrócić do domu, z receptą na leki przeciwbólowe. W miejscu po usuniętych migdałkach może pojawić się biały nalot, jednak z czasem zanika on samoistnie.

Niezstąpienie jądra (wnętrostwo)

Wnętrostwo (*cryptorchismus*) jest wadą rozwojową, polegającą na tym, że w życiu płodowym jedno lub oba jądra (w 10–20% przypadków oba) z jakichś przyczyn zatrzymują się na swej zaprogramowanej genetycznie drodze z jamy brzusznej do worka mosznowego przed osiągnięciem celu. Wnętrostwo występuje z częstotliwością około 3% u noworodków donoszonych i aż u 30% wcześniaków. W blisko dwóch trzecich przypadków niezstąpione jądro nadrabia to opóźnienie samoistnie w ciągu pierwszych 6 miesięcy życia i ostatecznie osiąga prawidłowe położenie w mosznie. Jeśli to jednak nie nastąpi, konieczna jest interwencja, aby zapobiec nieodwracalnemu uszkodzeniu tkanek, które w przyszłości mają produkować plemniki. Dla zachowania prawidłowej czynności jądra wymagają bowiem środowiska o temperaturze niższej niż w jamie brzusznej – które zapewnia im właśnie zewnętrznie położony worek mosznowy. Jeśli jądra nie znajdą się w mosznie już we wczesnym dzieciństwie, rośnie ryzyko przyszłej niepłodności, zwłaszcza jeśli wnętrostwo jest obustronne.

Rozpoznanie ustala się podczas rutynowego badania noworodka lub w toku późniejszych badań okresowych u niemowlęcia. Prawdziwe wnętrostwo wymaga różnicowania z częstym u małych dzieci, nie wymagającym leczenia wędrowaniem jądra, stanem, w którym pod wpływem stresu, zimna lub dotyku jądro przejściowo wraca do jamy brzusznej z powodu skurczu utrzymującego go mięśnia. Ustalenie, że jądro rzeczywiście nie zstąpiło do moszny, może więc wymagać dłuższej obserwacji i powtarzanych badań. Wnętrostwo występuje też często w skojarzeniu z przepukliną pachwinową (patrz wyżej).

Leczenia nie powinno się odkładać dłużej niż do wieku 12–15 miesięcy z powodu wspomnianego ryzyka trwałego uszkodzenia jądra. W niektórych przypadkach podejmuje się próbę sprowadzenia jądra do moszny terapią hormonalną, jednak często okazuje się ona nieskuteczna. Standardowo stosuje się więc operacyjne umocowanie jądra w worku mosznowym. Zabieg, wykonywany w jednym lub dwóch etapach, przynosi pożądany efekt w ogromnej większości przypadków.

Po korekcji wnętrostwa dzieci rozwijają się dalej prawidłowo (wnętrostwo raczej nie powoduje uszkodzenia tkanki gruczołowej jądra, wydzielającej męskie hormony płciowe). Nie ma zaburzeń czynności seksualnej, a płodność jest zachowana w 85% leczonych przypadków wnętrostwa jednostronnego. Jeśli oba jądra przebywały w jamie brzusznej, wskaźnik niepłodności jest wyższy i wynosi około 50%. Niezależnie od leczenia wnętrostwo zwiększa ryzyko raka jądra u młodych dorosłych (ryzyko to kształtuje się na poziomie 1:40–1:80). Chłopców takich powinno się więc uczyć, jak samodzielnie badać jądra (co zresztą dotyczy ogółu nastolatków); wymagają oni również regularnych badań lekarskich jako dorośli.

Jeśli potrzebujesz dodatkowych informacji, zasięgnij porady lekarza.

Rozdział 33

Opieka nad dzieckiem specjalnej troski

Jak być najlepszym rzecznikiem własnego dziecka

Pojęcie „dziecka specjalnej troski" jest bardzo ogólnikowe i oznacza po prostu każde dziecko, którego potrzeby zdrowotne wykraczają poza standardową opiekę lekarską w postaci badań okresowych, szczepień ochronnych i leczenia kilku banalnych chorób infekcyjnych. Pojęcie to obejmuje tym samym bardzo liczne stany zaburzeń fizycznych, rozwojowych, psychicznych czy emocjonalnych. Choroby przewlekłe i inwalidztwo dzieci charakteryzują się bardzo zmiennym stopniem nasilenia, a tym samym wpływu na losy dziecka i jego rodziny, od stosunkowo niewielkiego, jak w przypadku łagodnej astmy, do najpoważniejszych stanów zagrożenia życia, wymagających skomplikowanego, intensywnego leczenia i specjalnej pielęgnacji. Przykładowo noworodek urodzony znacznie przed czasem, z poważnym niedorozwojem układu oddechowego, pokarmowego i nerwowego, potrzebuje licznych leków i zabiegów podtrzymujących przy życiu, a następnie stałej opieki lekarzy i terapeutów wyspecjalizowanych w fizykoterapii, terapii zajęciowej i logopedii, specjalnej pielęgnacji w szpitalu oraz w warunkach domowych, specjalnych mieszanek odżywczych i przyrządów umożliwiających karmienie, przyrządów rehabilitacyjnych, nierzadko domowej aparatury wspomagającej oddychanie, a także szczególnych programów edukacyjnych i stymulujących jego rozwój. Rodzice stają wtedy w obliczu ogromnego wyzwania, jakim jest nie tylko nauka pielęgnacji i zaspokajania wszystkich złożonych potrzeb dziecka, ale także pogodzenie tych licznych, czasochłonnych i wyczerpujących codziennych zabiegów z koniecznością utrzymania w miarę normalnego trybu życia całej rodziny.

Po pierwszym szoku i załamaniu na wieść o przewlekłej chorobie czy kalectwie dziecka musisz zebrać siły i dokładnie przeanalizować czekające cię zadania i wszystko, co możesz zrobić, by zapewnić dziecku maksymalnie zdrowe, szczęśliwe i udane życie. Opieka nad przewlekle chorym dzieckiem może oznaczać częste pobyty w szpitalu i liczne wizyty u lekarzy, szereg wyczerpujących domowych zabiegów pielęgnacyjnych, problemy finansowe, napięcia w rodzinie, a także codzienną walkę z twoim własnym przygnębieniem i stresem. Ciężar, jaki dźwigasz na swoich barkach, może być jednak mniejszy, jeśli zdobędziesz odpowiednią wiedzę i uzyskasz pomoc ze strony lekarzy i innych przedstawicieli służby zdrowia, pracowników socjalnych, stowarzyszeń i grup wsparcia, duchownych, przyjaciół i rodziny. Niniejszy rozdział ma na celu przedstawić ci pewne aspekty opieki nad dzieckiem specjalnej troski, wraz z naszymi sugestiami, jak radzić sobie z nimi w najlepszy sposób.

Jak być rodzicem przewlekle chorego dziecka

Bycie matką (czy ojcem) dziecka dotkniętego przewlekłą chorobą różni się pod wieloma względami od macierzyństwa czy ojcostwa w odniesieniu do dzieci zdrowych. Na pewno musisz jak najwięcej wiedzieć o chorobie twojego dziecka, niejednokrotnie tłumaczyć mu jego stan i konieczność takich czy innych zabiegów, a także na każdym kroku wspierać je w walce o maksymalną sprawność i samodzielność. Niezależnie od wszystkich specyficznych problemów, naczelną zasadą twojego postępowania powinno pozostać traktowanie dziecka tak samo, jak gdyby było zdrowe.

Jak rozmawiać z dzieckiem o jego chorobie

Przekazywanie dziecku skomplikowanej wiedzy medycznej może być trudnym zadaniem, jednak informowanie go na bieżąco o stanie jego zdrowia ma ogromne znaczenie. Po pierwsze, dziecko zdobywa w ten sposób podmiotowość, poczucie, że w jakiś sposób zachowuje kontrolę nad własnym życiem, a nie jest tylko przedmiotem niezrozumiałych, a przy tym często przerażających i nieprzyjemnych zabiegów. Po drugie, dziecko jest w stanie znacznie więcej znieść i współpracować przy leczeniu, jeśli wie, czemu ono służy.

Musisz więc przekazywać dziecku informacje medyczne w stopniu zależnym od jego wieku, ale zawsze uczciwie i przystępnie. W przypadku niemowlęcia i małego dziecka sam ton twojego głosu pomoże mu poczuć się lepiej i pewniej. W rozmowach ze starszym dzieckiem używaj właściwej terminologii medycznej, tak aby i ono mogło sobie ją przyswoić i w razie potrzeby samodzielnie porozumiewać się z lekarzami. Pewne słowa ze zrozumiałych względów nie chcą rodzicom przejść przez gardło, musisz jednak pamiętać, że dzieci przyjmują wiele rzeczy bardziej naturalnie niż nam się wydaje, bez typowego dla dorosłych bagażu skojarzeń czy kontekstów, w związku z czym takie określenia, jak „nowotwór" czy „złośliwy" są dla nich po prostu terminami medycznymi.

Zdobądź zaufanie dziecka, wyjaśniając mu jakie zabiegi je czekają, gdzie się odbędą, kto przy nim wtedy będzie i jak może się czuć. Jeśli zabieg będzie bolesny czy nieprzyjemny, nie okłamuj dziecka, że będzie inaczej, a raczej uczciwie je na to przygotuj i zapewnij, że będziesz przy nim i zrobisz wszystko, by mu pomóc.

Jeśli musisz porozmawiać w cztery oczy z mężem czy partnerem, czy to na temat związany z chorobą dziecka, czy w związku z twoimi własnymi emocjami, zrób to naprawdę na osobności, tak aby nawet urywki tej rozmowy nie dotarły do uszu dziecka. Każdy w twojej sytuacji ma prawo do chwili rozpaczy, przygnębienia czy zniechęcenia – przypływ takich uczuć bynajmniej nie znaczy, że jesteś złą matką, ale zrób wszystko, by niepotrzebnie nie obciążać nimi twojego dziecka.

Jak radzić sobie z uczuciami dziecka

Zmagając się z długotrwałą chorobą, twoje dziecko może doświadczać całej gamy uczuć. Przede wszystkim będzie najprawdopodobniej pragnęło, byś wysłuchała jego obaw i zmartwień. Staraj się wtedy powstrzymać od natychmiastowych zaprzeczeń i gotowych słów otuchy – okaż się raczej dobrym, cierpliwym słuchaczem i pozwól dziecku wypowiedzieć wszystko, co leży mu na sercu. Zadawaj też pytania, jak się czuje i co przeżywa w związku z określonymi zabiegami, dolegliwościami i ograniczeniami.

Chociaż nie zawsze możesz z czystym sumieniem zapewniać dziecko, że wszystko będzie dobrze, możesz pomóc mu pogodzić się z rzeczywistym stanem rzeczy i zapewnić, że zawsze i w każdej sytuacji może liczyć na ciebie. Jeśli dziecku ciężko przychodzi mówić o własnych emocjach, spróbuj pośrednio je poznać, dzięki innym sposobom ekspresji, takim jak muzyka, rysunek czy pisanie.

Twoje dziecko potrzebuje również usłyszeć od ciebie, że nie jest „winne" swojej choroby ani że nie jest „winne", ponieważ jest chore. Dziecko może mieć poczucie winy z powodu choroby i wszystkich jej następstw dla życia rodziny. Musisz głośno, wyraźnie i często powtarzać, że nie jest niczemu winne.

Lekarz radzi

Stanowczość i spokój

Opieka nad dzieckiem specjalnej troski stwarza wiele szczególnych problemów, w tym również problem dyscypliny. Jeśli twoje dziecko odmawia spełniania twoich próśb czy poleceń – na przykład nie daje się ubrać – staraj się nie okazać zniecierpliwienia ani złości, bo uczy to dziecko wyłącznie tego, że jego krzyki czy opór wywołują reakcję z twojej strony. Postaraj się zatem spokojnie kontynuować procedurę ubierania, oferując przy tym dziecku maksimum decydowania i możliwości współpracy (na przykład przy wyborze tej czy innej pary skarpetek).

Jak radzić sobie z zachowaniem dziecka

Nawet jeśli twoje dziecko wymaga szczególnej pielęgnacji fizycznej i dodatkowego wsparcia emocjonalnego, potrzeba codziennej dyscypliny jest dla niego równie ważna, jak dla każdego innego, zdrowego dziecka. Gdy wasz codzienny tryb życia stanie się już zorganizowany i przewidywalny, musisz również ustalić granice zachowań niedopuszczalnych i zwalczyć w sobie skłonność do nadmiaru pobłażliwości, „bo przecież ono jest chore". Pamiętaj, że jeśli pozwolisz dziecku terroryzować w ten sposób całą rodzinę, wyrządzisz mu tylko dodatkową krzywdę: po pierwsze, narażając je na problemy z samokontrolą i tym samym na trudności w relacjach społecznych, a po drugie, wyrabiając w nim przekonanie, że jest bardziej chore, kalekie czy nieszczęśliwe, niż w rzeczywistości. Niektóre dzieci mogą wręcz bać się specjalnego traktowania i pozwalania im na wszystko, odczytując to jako komunikat, że są bliskie śmierci.

Jak pomóc przewlekle choremu dziecku w nauce

Dziecko przewlekle chore czy niepełnosprawne ma prawo do nauki w ramach publicznego systemu oświaty. Mimo ustawowych gwarancji twoje dziecko potrzebuje jednak twojej pomocy. Rodzice powinni wykazać inicjatywę, jeśli chodzi o wyszukanie i wybór usług, wyposażenia i zaplecza technologicznego, niezbędnych choremu dziecku do zdobywania wiedzy.

Proces edukacyjny zaczyna się na długo wcześniej, nim dziecko dojdzie do wieku szkolnego. W indywidualnym doborze programów pomagają władze oświatowe. Istnieje również możliwość skorzystania z programu indywidualnego nauczania, opracowanego na szczeblu lokalnym. Kwalifikacja dziecka do takiego programu opiera się na bezpłatnym badaniu psychologiczno-pedagogicznym, ale podjęcie odpowiednich kroków w tym kierunku należy oczywiście do rodziców.

> **„Głos doświadczenia"**
>
> *„Nigdy nie pozwól dziecku usłyszeć z twoich ust, że nie może ono czegoś zrobić z powodu swojego «stanu». Takie podejście łatwo staje się dla dziecka wymówką, by nie próbować również i tego, z czym w rzeczywistości z powodzeniem mogłoby sobie poradzić. Staraj się traktować dziecko na tyle «normalnie», na ile tylko jest to możliwe, a zapewne nie jeden raz zaskoczy cię swoimi osiągnięciami".*
> – ZA: KIDSHEALTH PARENT SURVEY

Jak zachęcać dziecko do samodzielności

Pobudzanie w dziecku samodzielności jest ważnym elementem pracy wychowawczej wszystkich rodziców. Zastanawiasz się jednak zapewne, czy i jak można to osiągnąć w odniesieniu do dziecka chorego czy niepełnosprawnego, skoro jest ono tak bardzo zależne od ciebie, lekarzy i pielęgniarek. Odpowiadamy: można i trzeba. A oto kilka wskazówek, jak to zrobić:

- Zapewnij dziecku odpowiednie środki wyrażania własnych odczuć i potrzeb. Jeśli pomożesz mu poznać i zrozumieć terminologię medyczną związaną z jego chorobą, będzie ono zdolne do samodzielnego porozumiewania się z personelem medycznym, co wzmocni w nim poczucie niezależności.
- Zachęcaj dziecko, by robiło wszystko, do czego tylko jest zdolne. Nawet przy ograniczonej sprawności ruchowej dziecko może się samodzielnie ubierać, utrzymywać porządek w swoim pokoju i dysponować swoim kieszonkowym.
- Ucz dziecko odpowiedzialności. Poczucie odpowiedzialności ma fundamentalne znaczenie dla niezależności. Jeśli dziecko będzie się czuło odpowiedzialne za siebie, za swoje słowa i działania, pomoże mu to stać się człowiekiem niezależnym.
- Zachęcaj dziecko do utrzymywania kontaktów z personelem medycznym, rodzeństwem, rówieśnikami. Relacje z innymi ludźmi rozwijają w nim poczucie tożsamości i pomagają mu w kreowaniu pozytywnego własnego wizerunku.

Jak pomóc dziecku zapanować nad stresem

- Zachęcaj dziecko do tworzenia jego własnej grupy wsparcia. Poproś jego kolegów ze szkoły, by odwiedzili je w szpitalu czy w domu. Pomóż mu np. znaleźć i odwiedzić strony internetowe dla dzieci z chorobami przewlekłymi.
- Zrób wszystko, by dziecko mogło kontynuować swoją aktywność, chociażby w zastępczej formie. Jeśli twoje dziecko z zapałem gra w koszykówkę, a z powodu choroby musi spędzić jeden z sezonów w łóżku zamiast na boisku, pozwól mu śledzić rozgrywki w telewizji, poproś o kasetę z nagraniem meczów jego drużyny, tak aby nie traciło kontaktu ze swoim ulubionym sportem, nawet jeśli nie może jeszcze w nim uczestniczyć.
- Wszystkie dzieci przewlekle chore powinny kontynuować naukę, w miarę możności w szkole, a jeśli to niemożliwe, w indywidualnym trybie w domu. Pomóż dziecku w nadrabianiu zaległości, w razie potrzeby czytając mu na głos, czy też prosząc o wspólne odrabianie lekcji jego kolegę z klasy lub rodzeństwo.

Lekarz radzi

Ćwiczcie razem

Dziecko niepełnosprawne również potrzebuje ruchu i aktywności fizycznej. Nawet jeśli nie może biegać czy grać w tenisa, powinno zachować maksymalną aktywność, na jaką pozwala jego choroba. Jeśli pracujesz i nie masz wiele czasu, postaraj się wygospodarować przynajmniej pół godziny dziennie na wspólny spacer czy popływanie w basenie.

- Zrób wszystko, by dziecko nadal czuło się pełnoprawnym członkiem rodziny. Starania o normalność przez przestrzeganie pewnego ustalonego rytmu życia i wspólnych zajęć sprawiają, że samo dziecko niejako zapomina o swojej chorobie i siłą rzeczy czuje się lepiej.
- Nieustająco słuchaj wszystkiego, co dziecko chce ci powiedzieć, i dodawaj mu otuchy swoją bliskością.

Opieka nad dzieckiem zależnym od aparatury medycznej

Aby sprawnie i skutecznie opiekować się dzieckiem „podłączonym" do aparatury, musisz się z nią zaznajomić i poznać zasady jej funkcjonowania. Nie zawsze jest to zadanie łatwe, tym bardziej że technologia medyczna nieustannie się zmienia i rozwija. Ponieważ chodzi jednak o urządzenia, które pomagają twojemu dziecku w podstawowych czynnościach życiowych, musisz śledzić postępy w tej dziedzinie i oczywiście domagać się szczegółowych wyjaśnień od personelu medycznego.

Mimo że każde chore dziecko ma swoje indywidualne potrzeby, poniżej przedstawiamy kilka podstawowych urządzeń, z którymi z dużym prawdopodobieństwem możesz zetknąć się przy jego łóżku.

Tracheostomia Tracheostomia nie jest właściwie urządzeniem, lecz zabiegiem polegającym na wykonaniu otworu w tchawicy dziecka i wprowadzeniu do dróg oddechowych dziecka specjalnej rurki, którą łatwo podłączyć do zewnętrznej aparatury wentylującej. Rurka wymaga regularnego wymieniania, którego musisz się nauczyć. Tracheostomia ma na celu ułatwić dziecku oddychanie i zapewnić stały, niczym nie zakłócony dostęp do dróg oddechowych.

Respirator Jest to aparat połączony przez rurkę tracheostomijną z drogami oddechowymi dziecka, mechanicznie wspomagający lub całkowicie zastępujący jego własną czynność oddechową. Specjalna konstrukcja respiratora umożliwia czerpanie powietrza i czystego tlenu z osobnych zbiorników i wytwarzanie mieszaniny gazów oddechowych o określonym składzie. Respirator „oddycha" ponadto pod regulowanym ciśnieniem i w rytmie dostosowanym indywidualnie do potrzeb pacjenta.

Przyrząd do ręcznej wentylacji Jest to tak zwany worek Ambu, urządzenie nieco przypominające pompkę rowerową, której używa się w stanach nagłych. Musi on być zawsze w pobliżu dziecka podłączonego do respiratora, na wypadek jakiejkolwiek awarii aparatury.

Przyrząd do odsysania wydzieliny dróg oddechowych To urządzenie, popularnie zwane „ssakiem", zastępuje naturalny odruch kaszlu u osób nieprzytomnych lub z innych powodów podłączonych do respiratora i oczyszcza drogi oddechowe z nadmiaru wydzieliny. Odsysanie odbywa się przez cienki cewnik (o średnicy około 3 mm), wprowadzany przez rurkę tracheostomijną.

Cewnik Istnieje wiele typów cewników, które ogólnie służą ewakuacji różnych gromadzących się w organizmie wydzielin i wydalin lub podawaniu płynów. Należy do nich popularny cewnik Foley'a, wprowadzony do pęcherza moczowego, umocowany w jego wnętrzu specjalnym balonikiem i połączony z plastikowym workiem, do którego stale spływa mocz.

Urządzenia do karmienia Jeśli dziecko nie może samo jeść, konieczne jest wykorzystanie innych, „sztucznych dróg" podawania pokarmu. Tak zwana gastrostomia polega na wytworzeniu przez ścianę brzucha bezpośredniego dostępu do żołądka, gdzie trafia pokarm podawany przez cewnik. Czasami wystarczy założenie zgłębnika nosowo-żołądkowego, który dzięki połączeniu nozdrzy tylnych z gardłem dociera również do żołądka. Jeśli nie ma możliwości odżywiania dziecka przez przewód pokarmowy, stosuje się żywienie dożylne w postaci specjalnych płynów wzbogaconych w niezbędne składniki odżywcze, podawanych przez specjalny kateter do dużej żyły – podobojczykowej, szyjnej lub udowej. Żywienie pozajelitowe wymaga stałego nadzoru i bezwzględnego przestrzegania zasad higieny z powodu ryzyka bezpośredniego zakażenia krwi.

Wypisanie dziecka do domu

Nawet jeśli twoje dziecko wymaga specjalnej aparatury, nie zawsze musi to oznaczać pobyt w szpitalu. W porozumieniu z zespołem leczącym możesz uznać, że jesteś w stanie zapewnić mu niezbędną opiekę, a przy tym większy komfort psychiczny i emocjonalny w warunkach domowych. Przed podjęciem takiej decyzji musisz się jednak dobrze zastanowić i poczynić wiele niezbędnych przygotowań.

Jakość opieki domowej zależy od wyznaczonych do niej członków rodziny oraz od ekipy wspomagającej, zawsze przygotowanej i dobrze poinformowanej. Cała rodzina musi wziąć udział w odpowiednio wczesnym zaplanowaniu i zorganizowaniu potrzebnych dziecku przyrządów i zaplecza technicznego. Przykładowo w pokoju dziecka muszą znaleźć się odpowiednie meble i sprzęty, dostateczna liczba gniazdek

Lekarz radzi

Przygotowanie na sytuacje nagłe

Jeśli życie twojego dziecka zależy od aparatury medycznej, najważniejszym poza nią urządzeniem musi być dla ciebie telefon. Dodatkowo powinnaś mieć stale pod ręką telefon komórkowy, a lista wszystkich ważnych dla życia dziecka numerów musi wisieć na ścianie przy każdym domowym aparacie.

i przedłużaczy oraz zapasowe źródło zasilania na wypadek centralnej awarii. Musi tam być również aparat telefoniczny wraz z listą najważniejszych numerów. Dobrym pomysłem jest uprzedzenie lokalnej stacji pogotowia ratunkowego o szczególnych potrzebach twojego dziecka na wypadek nagłej sytuacji.

Niektóre nowoczesne przyrządy do opieki medycznej w domu wymagają odpowiedniego przeszkolenia obsługujących je osób. Jeszcze przed powrotem dziecka ze szpitala wszyscy jego potencjalni opiekunowie muszą „zdać egzamin" z wiedzy o jego chorobie, zademonstrować umiejętność obsługi aparatury, przyswoić sobie zasady postępowania w poszczególnych sytuacjach, rozpoznawania zagrożenia, wzywania pomocy itp. Nie trzeba dodawać, że wiedza ta musi być na bieżąco uzupełniana i sprawdzana.

> ## „Głos doświadczenia"
>
> *„Gorąco radziłabym wszystkim rodzicom, a rodzicom chorych dzieci w szczególności, by nie rezygnowali z odrobiny czasu wyłącznie dla siebie, najlepiej poza domem. Bardzo łatwo jest całkowicie «zatracić się» w życiu dziecka, zapominając o sobie i swoim małżeństwie. Sama w bardzo bolesny sposób doświadczyłam, jak ważne dla dobrostanu dziecka jest moje własne zdrowie i zdrowie mojego związku z mężem. Dzieci uważnie nas obserwują!".*
> – ZA: KIDSHEALTH PARENT SURVEY

Czego potrzebuje twoja rodzina

Staraj się zachować w normalny w miarę możności tryb i rytm życia rodziny. Rodzeństwo chorego dziecka musi nadal uczęszczać do szkoły, odrabiać lekcje i mieć czas na własne zainteresowania i przyjemności. Razem zaplanujcie rozkład zajęć na poszczególne dni tygodnia, włącznie z tak banalnym, a jednocześnie ważnym rytuałem, jak wspólne posiłki przy rodzinnym stole.

Postaraj się wygospodarować czas, jaki codziennie, regularnie poświęcisz w całości pozostałym dzieciom. Choćby miało to być tylko 10 minut, każde dziecko w rodzinie musi czuć się wtedy jedyną i ważną dla ciebie osobą. Pamiętaj, żeby rzeczywiście skupić się wtedy na jego problemach i potrzebach i pozwolić mu decydować, jak wykorzystacie te szczególne chwile.

Włącz również rodzeństwo w proces leczenia chorego dziecka. Pozwalając bratu czy siostrze na odwiedziny w szpitalu, rozmowę z personelem medycznym i zadawanie pytań, pomagasz dzieciom zrozumieć sytuację i pozbyć się lęku przed nieznanym. Dobrym pomysłem są również wspólne rodzinne „konsylia", podczas których każdy – włącznie z dziećmi – mógłby podzielić się swoimi uwagami, wątpliwościami i obawami.

Poinformuj szkołę o waszej rodzinnej sytuacji i poproś nauczycieli, by zwracali uwagę na zachowanie twoich dzieci i wszelkie oznaki wzmożonego stresu. Dzieci w różny sposób reagują na stres, zarówno wybuchami złości i pretensjami do całego świata, jak i roztargnieniem, bojaźliwością, smutkiem czy zamknięciem się w sobie. U rodzeństwa przewlekle chorego dziecka częste są konflikty z rówieśnikami czy opuszczenie się w nauce. Zwracaj baczną uwagę na wszelkie zmiany w zachowaniu twojego zdrowego dziecka czy dzieci, a w razie potrzeby nie wahaj się zasięgnąć porady lekarza lub psychologa.

Inne dzieci mogą odczuwać zazdrość czy niechęć w stosunku do przewlekle chorego brata czy siostry. Staraj się rozmawiać z nimi na te tematy, dając im poznać, że rozumiesz, ale zarazem nie będziesz tolerować żadnego dokuczania fizycznego czy słownego w stosunku do chorego.

Twój mąż czy partner również potrzebuje ciebie i odrobiny normalności. Nawet jeśli nie jest to proste, wygospodaruj chwilę czasu dla was obojga, czy to wieczorem, gdy dzieci pójdą już spać, czy z jakiejś szczególnej okazji, czy podczas niespodziewanego weekendu poza domem. Pamiętaj, że jakość twojego związku z mężem liczy się nie tylko dla was, ale również dla dziecka, a tym bardziej dla dziecka chorego. To ono potrzebuje was obojga i jak nikt inny potrzebuje pełnego miłości domu, dającego mu komfort psychiczny i poczucie bezpieczeństwa. Pamiętaj, że to też jest jego oręż do walki z chorobą.

Jak rozwinąć swoją sieć wsparcia

Każdy, kto opiekuje się dzieckiem, a zwłaszcza chorym dzieckiem, potrzebuje nieraz pomocy i bliskości osób, na których może polegać. Możesz zmniejszyć swój stres, a więc również lepiej zajmować się dzieckiem, jeśli zadbasz o taką „sieć wsparcia". A oto kilka kroków w tym kierunku:

- Nie wahaj się prosić o pomoc życzliwych członków rodziny czy przyjaciół, gdy czujesz się przytłoczona, potrzebujesz chwili oddechu czy masz do załatwienia coś bardzo pilnego, nie związanego z chorobą dziecka. Skorzystanie z takiej pomocy – której twoi bliscy z pewnością chętnie ci udzielą – pomoże ci pozbyć się poczucia winy, jakie możesz odczuwać przy każdym odejściu od łóżka chorego dziecka, kiedy musisz zająć się sobą czy rodziną.

- Znajdź w okolicy grupę wsparcia złożoną z rodziców przewlekle chorych dzieci. Może pomóc ci w tym lekarz czy pracownik socjalny szpitala, tym bardziej że grupy takie działają często właśnie przy szpitalach, czy nawet tam się spotykają. Również poszukiwania w Internecie mogą przynieść pewną listę grup i stowarzyszeń. A jeśli tak się zdarzy, że w twojej miejscowości niczego takiego nie ma, dlaczego nie miałabyś sama założyć takiej grupy?! W ostateczności pozostają spotkania internetowe, dobry sposób wymiany doświadczeń, pytań i słów otuchy z innymi rodzicami chorych dzieci.

- Utrzymuj stały, roboczy kontakt z lekarzami i innymi fachowymi pracownikami służby zdrowia, zajmującymi się twoim dzieckiem. Pamiętaj, że jesteś integralnym, by nie rzec najważniejszym członkiem takiego zespołu i masz prawo do wszelkich informacji z ich strony. Musisz jak najwięcej wiedzieć o chorobie dziecka, by w razie potrzeby podejmować przemyślane decyzje. Poproś lekarza o odpowiednią literaturę, zapytaj go o miejsca, w których mogłabyś pogłębić swoją wiedzę i nie wahaj się domagać wszelkich wyjaśnień również od pielęgniarek i terapeutów.

- Polegaj na pomocy i wsparciu twojego partnera. Choroba waszego dziecka jest przede wszystkim sprawą was trojga – dziecka, ciebie i jego ojca. Jeśli to głównie ty zajmujesz się dzieckiem, pamiętaj o stałej wymianie informacji i wspólnym podejmowaniu decyzji w ważnych sprawach, tak aby mąż nie czuł się pominięty. Staraj się też rozumieć, że każdy po swojemu radzi sobie ze stresem, natomiast jeśli wasze sposoby reakcji zdecydowanie różnią się od siebie, nie strońcie od rozmów na ten temat.

System świadczeń gwarantowanych a opieka nad dzieckiem specjalnej troski

W systemie ubezpieczeniowym typu świadczeń gwarantowanych istnieją ustalone limity dotyczące zakresu, typu i częstotliwości korzystania z opieki zdrowotnej, co może stwarzać problemy w przypadku zaspokajania potrzeb dziecka specjalnej troski. (Więcej informacji na ten temat znajdziesz w rozdziale 27, „System opieki zdrowotnej nad dziećmi").

W wielu przypadkach system świadczeń gwarantowanych jest w rzeczywistości korzystny dla dziecka specjalnej troski. Do jego zalet może należeć lepsza koordynacja opieki, dostępność specjalnych programów nauczania i postępowania w chorobach przewlekłych, mniejsza liczba zabiegów opłacanych bezpośrednio z kieszeni oraz (czasami) szeroki wybór specjalistów.

Jeśli jednak nie weźmiesz aktywnego udziału w wyborze planu zdrowotnego dla twojego dziecka (o ile oczywiście masz możliwość takiego wyboru) i lekarza pierwszego kontaktu, nie masz gwarancji, że korzyści te staną się twoim udziałem.

> ### „Głos doświadczenia"
>
> *„Nauczyłam się, że należy prosić o pomoc. Wcześniej powstrzymywała mnie obawa, że wydam się słaba i nieporadna, skoro potrzebuję pomocy, ale zamiast tego odkryłam, że jestem człowiekiem, tak jak wszyscy inni".*
> – ZA: KIDSHEALTH PARENT SURVEY

Musisz wyjaśnić wszelkie wątpliwości, zadać jak najwięcej pytań i nie ustępować, dopóki nie uzyskasz na nie odpowiedzi. A oto kilka naszych sugestii co do linii postępowania:

- Sporządź listę wszystkich lekarzy i terapeutów, z których usług korzysta twoje dziecko. Dołącz adresy i telefony ich gabinetów, a także informację, jak często odwiedzasz z dzieckiem każdego z nich. Podkreśl tych specjalistów, którzy odgrywają największą rolę w opiece nad twoim dzieckiem.
- Sporządź listę wszystkich rodzajów terapii, leków, zabiegów lub specjalnych programów, jakich wymaga twoje dziecko.
- Sporządź listę potrzebnego ci wyposażenia, przyrządów, aparatury, wraz nazwami producentów lub dostawców poszczególnych pozycji.
- Kluczem do sukcesu w kontaktach z systemem opieki zdrowotnej jest prowadzenie i przechowywanie dokumentacji. Prowadź na bieżąco historię choroby twojego dziecka i zabieraj ją ze sobą na każdą wizytę.

Kwestie finansowe

Chociaż wielu rodziców żyje w przekonaniu, że ich ubezpieczenie pokryje całość lub większą część kosztów opieki nad dzieckiem, w rzeczywistości często okazuje się to złudzeniem. Przykładowo hospitalizacja, zabiegi chirurgiczne, wizyty lekarskie i badania laboratoryjne są odrębnymi usługami i jako takie nie zawsze i nie w całości są objęte planem zdrowotnym. Inne koszty, takie jak opuszczone dni pracy, specjalne środki transportu, podwyższone rachunki za prąd czy telefon, również mogą stać się poważnym obciążeniem finansowym dla rodziny. A oto kilka sugestii, jak postępować:

- Bądź zorganizowana! Prowadź swoją własną księgowość, rejestrując wszystkie wizyty lekarskie, zabiegi itp. wraz z ich kosztami, aby mieć łatwy dostęp do szczegółowych i całościowych informacji na temat kosztów opieki medycznej nad dzieckiem.
- Znaj swoje prawa jako konsument usług zdrowotnych. Jeśli ubezpieczyciel uparcie odmawia pokrycia kosztów leczenia dziecka, odwołaj się od tej decyzji. (Pamiętaj, aby zawczasu sprawdzić zasady ubezpieczeń i w kwestiach spornych wszystkie możliwe procedury odwoławcze).
- Nie jest łatwo prosić o pomoc finansową, ale pamiętaj i o tej możliwości. Rodzina i przyjaciele na pewno nie odmówią ci takiej pomocy, a może nawet podejdą do twojej prośby z większym entuzjazmem, niż byś się spodziewała. Istnieją ponadto prywatne i rządowe, świeckie i kościelne fundacje, stowarzyszenia, itp., zajmujące się pomocą w trudnych sytuacjach życiowych. Również i z takich źródeł można uzyskać wsparcie finansowe czy inny rodzaj pomocy.

Zaufaj swojej intuicji

Na pewno niejednokrotnie musisz podejmować ważne decyzje dotyczące opieki medycznej nad twoim dzieckiem, wyboru lekarzy i zalecanych sposobów leczenia. Nigdy nie zapominaj, że to ty i tylko ty masz prawo do takich decyzji, bo to ty odpowiadasz

Lekarz radzi

Informacje dla opiekunki

Zostawiając dziecko z opiekunką, musisz wyposażyć ją we wszelkie niezbędne dane „na wszelki wypadek", takie jak numery telefonów do lekarza, ośrodka leczenia zatruć, najbliższego szpitala itp. Nie zapomnij załączyć również informacji o ubezpieczeniu zdrowotnym dziecka. Jeśli zajdzie potrzeba odwiezienia dziecka do szpitala, informacje te usprawnią procedurę przyjęcia i leczenia.

za zdrowie twojego dziecka. Jeśli masz jakiekolwiek wątpliwości, nie wahaj się poprosić innego lekarza o opinię.

Jeśli nie zgadzasz się z lekarzem opiekującym się twoim dzieckiem, nie musisz ślepo przestrzegać jego zaleceń. Czasami twoje zastrzeżenia mogą dotyczyć tylko jednego aspektu leczenia. Niezależnie od sytuacji nie kryj przed lekarzem swojej opinii czy obaw. Lekarz nie ma prawa leczyć dziecka bez twojej zgody, a ściślej bez tego, co nazywa się świadomą zgodą (ang. *informed consent*), wyrażoną przez pacjenta czy opiekuna pacjenta nieletniego po dokładnym poinformowaniu go przez lekarza o rodzaju i celu leczenia, oczekiwanych korzyściach, możliwych objawach ubocznych, powikłaniach itp. Dotyczy to oczywiście zabiegów chirurgicznych, ale również sugerowanych przez lekarza badań diagnostycznych, leków i wszelkich innych rodzajów terapii.

Nie miej poczucia winy wobec lekarza, jeśli zasięgasz dodatkowej opinii. Ostatecznie to ty najlepiej znasz swoje dziecko i jego potrzeby, i za nie odpowiadasz. Postępuj jednak jawnie i uczciwie – wyjaśnij, dlaczego chcesz dodatkowej konsultacji, i spraw, by odbyła się ona jak najszybciej, tak aby nie spowodowało to zwłoki w leczeniu dziecka.

Jeśli potrzebujesz dodatkowych informacji, zasięgnij porady lekarza.

CZĘŚĆ VII

Źródła wiarygodnych informacji na temat zdrowia

Rozdział 34

Zdrowie w Internecie

Komu zaufać?

Oto typowa sytuacja sprzed kilku lat: rodzice martwią się obserwowanymi u dziecka objawami, więc umawiają się na wizytę u lekarza. Zanim nadchodzi dzień wizyty, rozmawiają z rodziną, przyjaciółmi, sąsiadami. Każdy z rozmówców ma własną koncepcję na temat problemów dziecka, jednak ostatecznie, poza kilkoma słowami otuchy, rodzice nie wyciągają z tych dyskusji niczego konkretnego, w związku z czym postanawiają zdać się na lekarza.

A co zmieniło się dzisiaj? No cóż, większość rodziców nadal największym zaufaniem obdarza lekarza. I nadal rozmawiają oni o zdrowiu dzieci z sąsiadami i znajomymi. Tyle że obecnie można mieć tych znajomych znacznie więcej, i to w dodatku nie ruszając się z domu. Dzisiaj w zasięgu naszych palców jest dosłownie cały świat: światowa pajęczyna, Internet.

Wszyscy coraz częściej podróżujemy po stronach internetowych w poszukiwaniu informacji, produktów i usług. Chociaż Internet liczy sobie niewiele ponad 10 lat, zdążył już zrewolucjonizować mnóstwo dziedzin naszego życia: bankowość, biura podróży, handel, by wymienić tylko kilka. Oczywiście reklama dotycząca technologii internetowych bywa nieraz przesadzona, ale faktem jest, że Sieć raz na zawsze zmieniła nasz dostęp do informacji. Nie musimy już ślęczeć po bibliotekach, mamy stale w zasięgu ręki informacje na każdy temat: natychmiast aktualizowane, interaktywne, przez 24 godziny i 7 dni w tygodniu – zwykle za minimalną cenę lub za darmo. Naszym problemem nie jest więc dzisiaj brak informacji, a wręcz przeciwnie: nadmiar tak wielki, że łatwo się w nim zgubić, a także obawy co do ich rzetelności.

Sieć a zdrowie

Sieć obfituje w informacje o tematyce zdrowotnej. Możemy korzystać z niej po to, by dowiedzieć się czegoś więcej o poszczególnych chorobach, zlokalizować interesujących nas specjalistów czy szpitale, zamówić określone produkty, włącznie z lekami, a także znaleźć źródło wsparcia psychicznego i finansowego. Lekarze zauważają, że coraz więcej pacjentów przychodzi do nich „uzbrojonych" w wydruki z Internetu. Czasami zdarzają się jednak informacje nieścisłe, zdezaktualizowane czy wręcz niebezpiecznie przekłamane. Cały problem polega więc na tym, by wśród tysięcy witryn internetowych znaleźć rzeczywiście wiarygodne źródło wiedzy.

> ### „Głos doświadczenia"
>
> „*Drodzy przyjaciele z KidsHealth, chciałabym podziękować wam nie tylko za informację, ale również za sposób jej podania. Nie mam wykształcenia medycznego, więc tym bardziej było mi miło przeczytać wasz artykuł – i zrozumieć go! Teraz przynajmniej będę miała pojęcie, o czym mówi lekarz... Jeszcze raz bardzo dziękuję i życzę – oby tak dalej!*".
> – ZA: KIDSHEALTH PARENT SURVEY

Choć oczywiście nie jesteśmy w stanie zapoznać się ze wszystkimi adresami, pod którymi znajdują się informacje związane ze zdrowiem niemowląt i małych dzieci, mamy jednak kilka refleksji na ten temat, które być może chciałabyś uwzględnić, wyruszając w podróż po Internecie. Refleksje te wynikają z naszego doświadczenia jako twórców KidsHealth.org, jednej z najstarszych, największych i najczęściej odwiedzanych stron internetowych poświęconych zdrowiu dzieci.

A oto kilka kwestii, o których warto pamiętać przy ocenie jakości sieciowych informacji na temat zdrowia:

- Czy istnieje jakakolwiek forma nadzoru nad prawdziwością podawanych w sieci informacji? Nie. Żaden urząd nie „cenzuruje" ani nie zatwierdza treści stron internetowych i nie może zaświadczyć, że zawierają one prawdę i tylko prawdę. Dosłownie każdy ma prawo założyć własną stronę czy wypuścić w wirtualny kosmos swoją opinię na dowolny temat. Pod wieloma względami możemy się oczywiście z tego cieszyć: Internet jest przecież najlepszym potwierdzeniem naszej wolności i zawiera w sobie bezcenny kapitał wolnego słowa. Z drugiej strony nakłada to jednak na każdego użytkownika sieci obowiązek krytycznego spojrzenia: skoro nikt nie zrobił tego odgórnie, to ty musisz ocenić wiarygodność i rzetelność witryny, którą odwiedzasz.
- Czy można ocenić daną stronę po jej wyglądzie? Niezupełnie. Profesjonalnie zrobiona strona niekoniecznie musi zawierać rzetelne informacje. Jej aspekt zewnętrzny może świadczyć o zdolnościach projektanta, ale to w końcu nie projektant wypełnia stworzoną przez siebie witrynę informacjami medycznymi.
- Czy witryna ma charakter edukacyjny, czy może jest po prostu jeszcze jednym narzędziem sprzedaży produktów? Czasami trudno jest oddzielić przekaz natury komercyjnej od obiektywnych treści. W przeciwieństwie do czasopism i innych publikacji medycznych wiele stron www nie stawia wyraźnej granicy między

informacją a reklamą. Wiele z nich, a zwłaszcza tak zwane dot-comy, powstało głównie po to, by zwiększyć sprzedaż produktów czy usług swoich założycieli. Nie ma w tym nic zdrożnego, chodzi jednak o zasadę. Firma, której zależy na określonym celu komercyjnym, może prowadzić niejasną politykę wydawniczą, a podawane przez nią informacje bywają jeśli nie nierzetelne, to często tendencyjne. Na przykład na jednej ze stron czytasz o rumieniu pośladków u niemowląt i jego leczeniu, co może skłonić cię do zakupu maści oferowanej przez autora tej informacji. Nawet najbardziej szacowne strony muszą mieć miejsce na reklamę – jest to w końcu ważne źródło ich dochodów, często podstawa istnienia danej witryny. Szanujący się wydawcy dbają jednak o wyraźne rozgraniczenie treści redakcyjnych od reklamowych. Reklamodawcy z całą pewnością nie powinni mieć wpływu na przekaz informacyjny, jednak na wielu stronach zasada ta nie jest ściśle przestrzegana, a zwłaszcza na tych, których głównym celem jest sprzedaż: czy to ubezpieczeń zdrowotnych, czy liści miłorzębu, czy kremu przeciwko zmarszczkom. Czy oznacza to, że zawarte na nich informacje są nieprawdziwe? Niekoniecznie – ale należy traktować je z rezerwą.

- Czy wiesz, do kogo należy dana witryna? Znając właściciela, możesz trafniej ocenić wiarygodność zawartych w niej treści. Najlepszą metodą jest odwiedzanie stron firmowanych przez uznane autorytety, takie jak uczelnie medyczne, towarzystwa lekarskie czy fundacje, bądź też centralne agencje zdrowia, w rodzaju amerykańskiego Ośrodka Kontroli i Prewencji Chorób (*Centers for Disease Control and Prevention*). Jak możesz na nie trafić? Wskazówką są często końcowe trzy litery adresu. Nazwa z końcówką „.gov" wskazuje na źródła rządowe. Końcówka „.edu" oznacza strony instytucji oświatowych – uniwersytetów i innych szkół. Końcówka „.org" była kiedyś zastrzeżona dla organizacji typu „non profit", jednak nie zawsze jest tak obecnie. Nazwy kończące się na „.com" mają związek z szeroko pojętą działalnością biznesową. Niezależnie od końcówki, twórca strony musi jasno sprecyzować, kto jest jej wydawcą.

- Czy wydawcy i autorzy mają odpowiednie kwalifikacje, by wypowiadać się na tematy związane ze zdrowiem? Aby to ocenić, musisz dokładnie oglądać „stopki redakcyjne". Strony zawierają zwykle informacje na temat autorów publikacji i sposobu ich recenzowania. Oczywiście tytuł naukowy przy nazwisku autora nie jest bezwzględną gwarancją jakości jego pracy (ani nawet gwarancją, że rzeczywiście napisał ją lekarz) – a z kolei brak takiego tytułu nie oznacza automatycznej dyskwalifikacji.

- Czy zawartość witryny jest regularnie aktualizowana? Czy kolejne numery publikacji mają daty? Czy treść artykułów podlega weryfikacji w rozsądnych odstępach czasu (na przykład co 12 lub 18 miesięcy)? Po otwarciu wielu stron zobaczysz na samej górze aktualną datę, co jednak nie zawsze oznacza, że ich zawartość pochodzi z ostatniej chwili czy też została wczoraj zaktualizowana.

- Czy witryna obiektywnie i bezstronnie prezentuje różne poglądy na dany temat? Pamiętaj, że Internet oznacza nieskrępowaną wolność wypowiedzi, a z wolności, można bardzo różnie korzystać. Za niektórymi stronami www stoją więc nie tylko partykularne interesy autora(-ów), ale także osobiste obsesje, urazy, kompleksy i tym podobne emocje, nie mające wiele wspólnego z naukową rzetelnością. Sieć jest doskonałym forum prezentacji odmiennych opinii, ale musisz podchodzić do nich niezwykle krytycznie. Nie ufaj zwłaszcza wypowiedziom zbyt radykalnym, ogólnikowym czy „spiskowym" w tonie, opisom cudownych wyleczeń i „żywym przykładom" potwierdzającym słowo w słowo tę czy inną pseudonaukową teorię.

Internetowe grupy wsparcia i grupy dyskusyjne on-line

Wśród możliwości stworzonych dzięki sieci doniosłe i pozytywne miejsce zajmują ciągle rozwijające się grupy wsparcia on-line. Każda z takich grup skupia rodziny (lub jednostki) połączone tym samym problemem, na przykład określoną chorobą. Grupy są niejednokrotnie bezcennym źródłem psychicznego wsparcia i praktycznych porad dla rodzin, które bez tego czułyby się osamotnione i zdane wyłącznie na własne siły. Członkowie grup dzielą się własnymi doświadczeniami, wymieniają informacje o nowych lekach i metodach, służą pomocą w zdobyciu trudno dostępnych produktów... Grupy wsparcia nie są wynalazkiem internetowym, ale sieć zdecydowanie ułatwiła ich powstawanie, zniosła bariery geograficzne i ograniczenia czasowe związane z uczestnictwem w spotkaniach organizowanych poza domem.

Doceniając wszystkie pozytywy, pozostajemy jednak sceptyczni co do wartości spontanicznych, nie nadzorowanych grup dyskusyjnych jako źródła rzetelnej wiedzy o chorobie. Prowadzone on-line rozmowy – „czaty" – są często chaotyczne lub wręcz nieodpowiedzialne. Uczestnicy „czatów" wypowiadają się niejednokrotnie na temat, o jakim nie mają pojęcia, czasem nawet nie czytając słów przedmówcy. Najbardziej niepokojące jest jednak to, że osoby źle poinformowane mogą łańcuchowo dezinformować innych. Wiadomo nie tylko z sieci, że często powtarzana plotka zaczyna żyć własnym życiem, zacierając granice między prawdą a fałszem. Problemem może być również kwestia poufności i ochrony danych osobowych.

Aby temu zapobiec, niektóre strony dyskusyjne poświęcone zdrowiu oferują usługę typu „rozmów kontrolowanych" czy „listów do redakcji". Polega to na połączeniu strony w postaci biuletynu ze skrzynką pocztową, na której adres można wysłać swoje komentarze, pozostając przez cały czas na linii. Najwartościowsze są dyskusje z udziałem moderatora – to znaczy eksperta w danej dziedzinie, który selekcjonuje korespondencję i dopuszcza tylko część listów na stronę główną, często z własnymi komentarzami. Biuletyny tego rodzaju mogą być ciekawą lekturą i pożytecznym źródłem informacji. Pytanie tylko, czy rzeczywiście pragniesz porad medycznych od nieznajomych?

Uwaga na „ekspertów" on-line!

Niektóre strony reklamują się jako „lekarze on-line", zdolni do ustalenia rozpoznania na podstawie podanych objawów, czasem za darmo, a czasem nawet odpłatnie. Czasami „diagnostyka" opiera się na wypełnionym przez „pacjenta" formularzu, inni zadają pytania, po czym przesyłają odpowiedź e-mailem. Chociaż eksperymenty takie mogą być kuszące, gorąco polecamy daleko posuniętą ostrożność. Prawdziwa

Możliwości korzystania z Internetu z pożytkiem dla zdrowia

Sieć stwarza rodzicom dzieci z problemami zdrowotnymi szereg udogodnień, włącznie z następującymi:

1. Możesz za jej pośrednictwem uzupełnić wiedzę o różnych chorobach i możliwościach terapeutycznych.
2. Możesz znaleźć odpowiednią dla ciebie grupę wsparcia.
3. Możesz kupować przez Internet produkty i usługi związane z opieką zdrowotną.
4. Możesz zasięgnąć informacji o lekarzach, szpitalach i ubezpieczeniach zdrowotnych.
5. Możesz gromadzić osobistą dokumentację medyczną i zawsze mieć do niej dostęp.
6. Możesz dyskutować z innymi, w tym również z fachowcami.
7. Możesz oglądać transmisje na żywo i filmy DVD poświęcone różnym zabiegom medycznym.

porada lekarska wymaga osobistego, interaktywnego kontaktu lekarza z pacjentem, dokładnie zebranego wywiadu, a przede wszystkim tego, czego (jeszcze) nie można zrobić na odległość: bezpośredniego badania fizykalnego. Żaden lekarz z prawdziwego zdarzenia nie podejmie się ustalenia rozpoznania, nie widząc pacjenta, tak więc „diagnostykę na odległość" trzeba traktować raczej jak futurologiczny żart. Dowód? Sprawdziliśmy kilka takich stron. W kilku przypadkach „ekspertami" byli studenci medycyny, w kilku innych – stażyści tuż po dyplomie. Jesteśmy przekonani, że to nie takim „specjalistom" powierzyłabyś zdrowie twojego dziecka. Przynajmniej na dzień dzisiejszy korzystaj więc z Internetu jak z potencjalnie niewyczerpanego dodatkowego źródła informacji – ale nie sądź, że zastąpi ci on żywego lekarza.

Informacje na temat zdrowia dzieci w Internecie

Wiele witryn internetowych zawiera informacje na temat zdrowia niemowląt, dzieci i nastolatków, jak również ogólne treści poświęcone rodzicielstwu i jego problemom. Niektóre z tych stron poruszają szeroki zakres zagadnień, inne koncentrują się na jednej określonej chorobie czy metodzie terapeutycznej. Trudno nie zauważyć, że coraz więcej organizacji i instytucji umieszcza na swych papierach firmowych, drukach reklamowych itp. również adresy swoich witryn, tak aby każdy zainteresowany mógł je bez trudu odnaleźć w sieci.

Rodziny dzieci dotkniętych rzadkimi chorobami często czują się wyizolowane i pozostawione samym sobie. Internet jest dla nich szczególnie przydatnym narzędziem w docieraniu do mało dostępnych źródeł wiedzy, a także – a może przede wszystkim – nieocenioną, często głęboko zmieniającą całe ich życie pomocą w wyjściu z osamotnienia, w spotkaniu ludzi w podobnej sytuacji, choćby nawet mieszkali na drugim końcu świata.

Własne witryny mają oczywiście firmy farmaceutyczne. Niektóre ze stron dotyczą firmy jako całości, ale są również odrębne strony poświęcone poszczególnym produktom danego koncernu. Przez Internet można już zamawiać, kupować i uzupełniać leki, często po bardzo korzystnych cenach.

Jak korzystać z wyszukiwarek

Czasami potrzebujesz jakiejś informacji, ale nie znasz tak zwanego lokalizatora zasobów (URL), czyli mówiąc bardziej po ludzku, adresu danej witryny. Możesz wtedy posłużyć się którąś z licznych, ogólnych wyszukiwarek. Internet jest tak zorganizowany, że na pewno znajdziesz to, czego szukasz.

Sieć ma wiele wyszukiwarek, np. Excite, Yahoo!, LookSmart, Lycos czy Google. Poszczególne programy umożliwiające nawigację po Internecie (Netscape i Internet Explorer) zawierają wbudowane wyszukiwarki. Poszukiwania z pomocą tych narzędzi, na zasadzie wpisywania słów kluczowych, zaowocują zawsze ogromną liczbą adresów witryn – z reguły zbyt wielką. Jeśli wpiszesz na przykład słowo „astma", przerazi cię lista złożona z co najmniej kilkuset nazw. Z zasady lepiej jest zlecać wyszukiwarce bardziej szczegółowe zadania.

W wielu wyszukiwarkach dokonano już podziału na dziedziny tematyczne, choćby takie jak „zdrowie". Jeśli od razu znajdziesz się w dziale zdrowia, możesz dalej szukać podtematów, na przykład „zdrowie dzieci". Autorzy wyszukiwarek dokonali już swojej selekcji, by ułatwić ci dalszą pracę. Oczywiście nie ma pewności, że zrobili to optymalnie – wahania pod tym względem bywają znaczne, a czasami portale wyszukujące mają wręcz udziały finansowe w rekomendowanych przez nie witrynach, a więc bynajmniej nie polecają ich bezinteresownie.

Sieć a problem poufności danych

Poufność, chroniona tajemnicą lekarską, należy do podstawowych zasad, na jakich opiera się relacja lekarz–pacjent. Niestety, nie zawsze zasada ta bezwzględnie obowiązuje w Internecie. Istnieje teoretyczna możliwość kodowania i bezpiecznego przechowywania każdej przekazanej tą drogą informacji – tak właśnie działają e-banki. Bez poufności i bezpieczeństwa trudno byłoby jednak w ogóle wyobrazić sobie ich istnienie, tak więc systemy ochrony danych mają dla nich fundamentalne znaczenie. Zwykłe witryny poświęcone zdrowiu nie są jednak aż tak bogate jak banki i często oszczędzają na zabezpieczeniach przed niepowołanymi oczami – mimo że jest to niezgodne z prawem. Nasza rada: bądź ostrożna w udzielaniu poufnych informacji poprzez sieć. Dowiedz się dobrze, komu jej udzielasz, i sprawdź, jak przestrzega on ochrony danych – i to jeszcze zanim naciśniesz klawisz „Enter".

Jeśli potrzebujesz dodatkowych informacji, zasięgnij porady lekarza.

Prowadzenie dokumentacji medycznej dziecka

Zawsze gorąco namawiamy rodziców, by nie oglądając się na lekarzy, prowadzili własną dokumentację dotyczącą zdrowia dziecka. Może się ona bardzo przydać w nagłych sytuacjach, na wypadek podróży, przeprowadzki, wizyty u zupełnie nowego lekarza – słowem, za każdym razem, gdy wyniknie jakikolwiek problem medyczny, a kartoteka prowadzona przez pediatrę opiekującego się na stałe twoim dzieckiem nie będzie natychmiast dostępna. (Przy okazji, gdy twoje dziecko już dorośnie, zapiski te staną się dla ciebie jeszcze jedną pamiątką jego dzieciństwa. Któregoś dnia, może za wiele lat, odszukasz je i przejrzysz z rozrzewnieniem).

Założenie dokumentacji jest bardzo proste. Prowadzenie jej na bieżąco, skrupulatnie i przejrzyście, o wiele trudniejsze. Żeby na pewno mieć ją zawsze pod ręką, idealnym rozwiązaniem byłoby co najmniej kilka kopii – jedna w domu, po jednej w samochodzie i w pracy każdego z rodziców, po jednej w torebce czy teczce, z jaką każde z was codziennie wychodzi z domu. I jeszcze osobna kopia dla przedszkola czy domowej opiekunki. Wersję podstawową powinnaś zabierać na każdą wizytę u lekarza, na miejscu uzupełniać, a następnie zastępować lub uzupełniać wszystkie nieaktualne kopie. Wydaje się to dość mozolne, ale przy dzisiejszych możliwościach technicznych na pewno nie jest niewykonalne. Nie zapomnij też o tym, by mieć pod ręką swoje zapiski, gdy dzwonisz do lekarza po jakąkolwiek poradę.

Dokumentacja medyczna dziecka powinna zawierać następujące dane:
- Pełne imię i nazwisko dziecka z dokładną datą urodzenia.
- Twoje imię, nazwisko i numer telefonu.
- Nazwisko i numer telefonu lekarza na stałe opiekującego się twoim dzieckiem.
- Rejestr wagi i wzrostu dziecka. (Te informacje są przydatne dla lekarzy przy obliczaniu dawek leków. Ponieważ u rosnącego dziecka wartości te szybko się zmieniają, staraj się aktualizować je w regularnych odstępach czasu i nie zapomnij o zapisaniu daty każdego z pomiarów).
- Informacje o alergiach dziecka. (Włącz w to alergie na leki, zarówno zalecone przez lekarza, jak i bez recepty, a także reakcje alergiczne po ukąszeniach owadów i po

określonych pokarmach. Te informacje często pomagają lekarzowi w diagnozowaniu różnych problemów zdrowotnych dziecka, wyborze leczenia i unikaniu potencjalnie niebezpiecznych leków. Jeśli twoje dziecko nie ma żadnej znanej alergii, zapisz i tę informację).

- Aktualnie przyjmowane leki. (Wymień zarówno leki na receptę, jak i podawane przez ciebie na własną rękę, a także wszelkie parafarmaceutyki, suplementy odżywcze czy zioła. Zapisuj dawki i ich rozkład w ciągu dnia. Pamiętaj o uzupełnianiu tej części na bieżąco. Mogą zdarzyć się sytuacje, w których twoje zapiski będą miały decydujący wpływ na wybór pilnie potrzebnego dziecku leczenia. Są one szczególnie ważne w razie stosowania licznych leków z powodu przewlekłych lub złożonych problemów medycznych. Z uwagi na częste wzajemne interakcje leków dodanie niektórych nowych do przyjmowanego na stałe zestawu może spowodować „rozchwianie" czy dekompensację podstawowej choroby dziecka, a nawet reakcje potencjalnie groźne dla życia. Jeśli twoje dziecko nie bierze żadnych leków, odnotuj wyraźnie i ten fakt).
- Wcześniej rozpoznane choroby i stany. (Zapisz wszystkie choroby przewlekłe, jak astma, padaczka czy cukrzyca, a także potencjalnie ważne stany czy izolowane objawy, na przykład stwierdzenie szmerów w sercu. Współistniejąca choroba może znacząco wpływać na wybór leczenia czy badań diagnostycznych, jakich w danym momencie potrzebuje twoje dziecko).
- Pobyty w szpitalu i operacje. (Przy każdej hospitalizacji podaj jej przyczynę, daty, miejsce i nazwisko lekarza prowadzącego, jeśli nie był nim stały lekarz twojego dziecka. Wymień wszelkie przebyte operacje wraz z nazwiskami chirurgów).
- Inne poważniejsze choroby i urazy. (Odnotowuj wszystkie, które były na tyle poważne, że wymagały leczenia lub wizyty u lekarza. W tej rubryce może się zna-

Wzmianka o grupie krwi

Wbrew powszechnemu przeświadczeniu informacja o grupie krwi dziecka ma stosunkowo niewielkie znaczenie. W stanach bezpośredniego zagrożenia życia i konieczności natychmiastowej transfuzji z reguły i tak podaje się krew od tak zwanego uniwersalnego dawcy (czyli grupy 0 Rh minus), którą generalnie uważa się za bezpieczną dla wszystkich. W okolicznościach mniej naglących przed każdą transfuzją wykonuje się w szpitalnym laboratorium tak zwaną próbę krzyżową, co wiąże się automatycznie z oznaczeniem grupy krwi za każdym razem, nawet jeśli informacja ta jest zapisana we wszelkich możliwych miejscach. Ponieważ omyłkowe przetoczenie krwi niezgodnej grupowo oznacza potencjalne zagrożenie życia, lekarze z reguły nie ufają w tym przypadku notatkom rodziców ani żadnym zewnętrznym dokumentom.

leźć ospa wietrzna, złamanie kostne lub nawracające zapalenie ucha środkowego. Zapisz datę każdego takiego incydentu i wszelkie zalecone z tego powodu leki lub inne metody terapeutyczne).

• Szczepienia ochronne. (Na bieżąco rejestruj wszystkie wykonane u dziecka szczepienia. Jeśli zorientujesz się, że o czymś zapomniałaś, poproś o wgląd w dokumentację prowadzoną przez lekarza i uzupełnij lukę na jej podstawie. Nie zapomnij o jakichkolwiek poważnych reakcjach poszczepiennych, takich jak drgawki, wysoka gorączka czy znaczne pogorszenie samopoczucia. Jeśli twoje dziecko nie otrzymało zaleconych szczepień ochronnych z powodów religijnych czy wszelkich innych, koniecznie to odnotuj).

Dokumentacja medyczna dziecka

Imię i nazwisko dziecka _____
Twoje imię i nazwisko _____ Telefon _____
Imię i nazwisko lekarza _____ Telefon _____

Informacje o porodzie

Data _____ Waga _____ Wiek matki _____ Długość trwania ciąży _____
Powikłania _____

Pomiary wagi i wzrostu

Data	Waga	Wzrost

Alergie

Na leki na receptę _____

Na leki bez recepty _____

Inne _____

Choroby w rodzinie

Alergie/astma_____ Nadciśnienie tętnicze _____
Choroba niedokrwienna serca _____ Gruźlica _____
Cukrzyca _____
Inne _____

Choroby przewlekłe lub inne szczególne stany dziecka

Odnotowuj tu wszystkie rozpoznane choroby przewlekłe, takie jak astma, padaczka czy cukrzyca, a także stany wymagające obserwacji, na przykład obecność szmerów w sercu: _____
_____

Hospitalizacje i zabiegi chirurgiczne

Data	Przyczyna/rodzaj zabiegu	Miejsce	Lekarz prowadzący/chirurg
____	_____	_____	_____
____	_____	_____	_____
____	_____	_____	_____
____	_____	_____	_____
____	_____	_____	_____
____	_____	_____	_____

Szczepienia ochronne

Tłustym drukiem wyróżniono zalecany wiek lub przedział wiekowy dla poszczególnych szczepień. W pozostawionych miejscach wpisz faktyczną datę ich wykonania.

OBJAŚNIENIA

DTP = szczepionka przeciwko błonicy, tężcowi i krztuścowi (kokluszowi)
Hep B = szczepionka przeciwko wirusowemu zapaleniu wątroby B
Hib = szczepionka przeciwko *Haemophilus influenzae* typu b
IPV = inaktywowana szczepionka przeciwko poliowirusom
MMR = szczepionka przeciwko odrze, śwince i różyczce
PCV = sprzężona szczepionka pneumokokowa
TD = dawka przypominająca szczepionki przeciwko tężcowi/błonicy
Var = szczepionka przeciwko ospie wietrznej

Karta szczepień ochronnych

0–2 miesiące	2 miesiące	1–4 miesiące	4 miesiące
Hep B #1 _____	DTP #1 _____	Hep B # 2 _____	DTP # 2 _____
	Hib # 1 _____	(po upływie 1 miesiąca od pierwszej dawki)	
	IPV # 1 _____		IPV # 2 _____
	PCV # 1 _____		PCV # 2 _____

6 miesięcy	6–18 miesięcy	12–15 miesięcy	12–18 miesięcy
DTP # 3 _____	Hep B # 3 _____	Hib # 4 _____	Var _____
Hib # 3 _____	IPV # 3 _____	MMR # 1 _____	
PCV # 3 _____		PCV # 4 _____	

15–18 miesięcy	4–6 lat	11–12 lat
DTP _____	DTP _____	TD _____
	MMR # 2 _____	
	IPV _____	

Szczepienia nie wykonane, przyczyny: _____

Przyjmowane leki

Lek	Dawka	Ile razy dziennie	Okres przyjmowania	Przyczyny stosowania/ reakcje niepożądane
___	___	___	___	___
___	___	___	___	___
___	___	___	___	___
___	___	___	___	___
___	___	___	___	___
___	___	___	___	___

Poważniejsze choroby i urazy

Wpisuj tu wszystkie choroby lub urazy wymagające leczenia bądź porady lekarskiej.

Data _____ Rozpoznanie _____
Objawy _____
Leki _____ Przez jak długo? _____
Inne metody leczenia _____
Reakcje polekowe? _____
Powikłania? _____

Data _____ Rozpoznanie _____
Objawy _____
Leki _____ Przez jak długo? _____
Inne metody leczenia _____
Reakcje polekowe? _____
Powikłania? _____

Data _____ Rozpoznanie _____
Objawy _____
Leki _____ Przez jak długo? _____
Inne metody leczenia _____
Reakcje polekowe? _____
Powikłania? _____

Data _____ Rozpoznanie _____
Objawy _____
Leki _____ Przez jak długo? _____
Inne metody leczenia _____
Reakcje polekowe? _____
Powikłania? _____

Data _____ Rozpoznanie _____
Objawy _____
Leki _____ Przez jak długo? _____
Inne metody leczenia _____
Reakcje polekowe? _____
Powikłania? _____

Data _____ Rozpoznanie _____
Objawy _____
Leki _____ Przez jak długo? _____
Inne metody leczenia _____
Reakcje polekowe? _____
Powikłania? _____

Data _____ Rozpoznanie _____
Objawy _____
Leki _____ Przez jak długo? _____
Inne metody leczenia _____
Reakcje polekowe? _____
Powikłania? _____

Data _____ Rozpoznanie _____
Objawy _____
Leki _____ Przez jak długo? _____
Inne metody leczenia _____
Reakcje polekowe? _____
Powikłania? _____

Data _____ Rozpoznanie _____
Objawy _____
Leki _____ Przez jak długo? _____
Inne metody leczenia _____
Reakcje polekowe? _____
Powikłania? _____

Informacje o wzroście
i masie ciała (BMI)

Wzrost i waga należą do najważniejszych wskaźników zdrowia dziecka. Rytm przybierania na wadze i wzrostu na długość może ulec zakłóceniu z powodu szeregu specyficznych zaburzeń rozwojowych, a także z wielu przyczyn związanych z odżywianiem dziecka i/lub chorobami przewlekłymi (patrz rozdział 17, „Wzrost i rozwój", oraz akapit na temat zaburzeń wzrostu/rozwoju w rozdziale 32, „Problemy zdrowotne okresu wczesnego dzieciństwa"). Dlatego też przy każdej wizycie kontrolnej lekarz będzie ważyć i mierzyć twoje dziecko, a następnie nanosić wyniki tych pomiarów na standardowe siatki centylowe.

Zestaw siatek centylowych zawartych w tym załączniku został przedrukowany za zgodą Narodowego Ośrodka Statystyki Medycznej (*National Center for Health Statistics*). Wykresy te przedstawiają najnowsze (z czerwca 2000) opublikowane standardy dla dzieci. Nanoszenie na nie wyników pomiarów twojego dziecka pozwoli ci porównać rytm jego rozwoju z danymi dotyczącymi tysięcy innych dzieci. Każda z siatek istnieje w dwóch osobnych wersjach, dla chłopców i dla dziewczynek. A oto ich pełny zestaw:

- Dla dzieci od urodzenia do ukończenia 36 miesięcy (trzeciego roku życia):
  - Siatka ciężaru ciała w stosunku do wieku, 719 i 720
  - Siatka długości ciała w stosunku do wieku, 721 i 722
  - Siatka obwodu głowy w stosunku do wieku, 723 i 724
  - Siatka ciężaru ciała w stosunku do jego długości, 725 i 726
- Dla dzieci i młodzieży w wieku od 2 do 20 lat:
  - Siatka ciężaru ciała w stosunku do wieku, 727 i 728
  - Siatka wysokości ciała (wzrostu) w stosunku do wieku, 729 i 730
  - Siatka ciężaru ciała w stosunku do wzrostu, 731 i 732
  - Siatka wskaźnika masy ciała (BMI) w stosunku do wieku, 733 i 734

Jak wykorzystywać i interpretować siatki wzrostu

- Wszystkie podane tu wykresy zawierają linie centylowe („percentyle"), służące do porównań z ogólną populacją dzieci w dowolnym interesującym cię wieku. Linia oznaczona jako percentyl 50 wyznacza średnią wartość liczbową danego parametru dla dzieci w określonym wieku. Linia najniższa i najwyższa, czyli percentyle 3 i 97 oznaczają, że takie lub niższe (percentyl 3) oraz takie lub wyższe (percentyl 97) wartości badanego parametru występują u 3% ogółu dzieci w danym wieku.
- Parametry rozwoju fizycznego dziecka mają niewielką wartość, jeśli pomiarów nie przeprowadzi się we właściwy sposób. Z zasady powinnaś nanosić na siatki centylowe jedynie wyniki pomiarów przeprowadzonych w gabinecie lekarza, ewentualnie wykonanych przez przeszkoloną osobę i z użyciem dokładnych przyrządów. Pomiary domowe (np. ekierką przy drzwiach), a nawet wykonane u lekarza w pośpiechu lub bez współpracy ze strony dziecka, są często bardzo niedokładne.
- Długość i wysokość ciała nie są jednym i tym samym. U wszystkich dzieci poniżej dwóch lat lub niezdolnych do współpracy powinno się uwzględniać jedynie pomiar długości ciała (w pozycji leżącej). Wysokość (wzrost) mierzy się na stojąco, co wymaga świadomego udziału dziecka. U dwu–trzylatków i dzieci w wieku przedszkolnym wysokość i długość różnią się często o 2 lub więcej centymetrów na korzyść tej ostatniej.
- Obwód głowy mierzy się, otaczając ją centymetrem krawieckim w najszerszym miejscu, tuż powyżej łuków brwiowych.
- W diagnostyce ewentualnych zaburzeń rozwoju o wiele większe znaczenie ma jego długoterminowy rytm niż pojedynczy pomiar wagi i wzrostu. Przykładowo jeśli w ciągu kilku miesięcy dziecko spada z percentyla 50 na percentyl 10 siatki, prawdopodobieństwo zaburzenia wzrostu jest wyższe niż wtedy, gdy systematycznie trzyma się ono percentyla 5. W razie jakichkolwiek obaw związanych ze wzrostem twojego dziecka lub wątpliwości co do interpretacji siatki centylowej zasięgnij porady lekarza.
- Zarówno wykresy wagi w stosunku do wzrostu, jak i wskaźnika masy ciała (BMI) w stosunku do wieku mogą być przydatne w ocenie (ale nie bezpośrednim pomiarze) tkanki tłuszczowej u dzieci w wieku dwóch i więcej lat, jednak w wytycznych Ośrodka Kontroli i Prewencji Chorób (CDC) podkreśla się, że preferowane dla tego celu są ostatnio opublikowane wykresy BMI.
- Niedowagę stwierdza się u dzieci znajdujących się poniżej percentyla 5 na którymś z powyższych wykresów. Percentyl 85 uznaje się za dolną granicę nadwagi (i ryzyka otyłości), a u dzieci na centylu 95 i powyżej rozpoznaje się otyłość.
- Wzór na wyliczenie wskaźnika masy ciała (BMI) przedstawia się następująco:
  - BMI = waga w kg/(wzrost w m)^2, lub
  - Podnieś do kwadratu wzrost dziecka w metrach (np. $1{,}30 \times 1{,}30$).
  - Podziel wagę dziecka (w kilogramach) przez wynik tego działania.

Uwaga: Ze względu na sposób wyliczenia BMI tak duże znaczenie ma dokładność w pomiarze wzrostu dziecka - nawet niewielkie błędy tego pomiaru pociągają za sobą duże błędy w wyniku BMI.

- W razie jakichkolwiek obaw związanych ze wzrostem twojego dziecka lub wątpliwości co do interpretacji siatki centylowej zasięgnij porady lekarza.

Siatki centylowe rozwoju dziecka

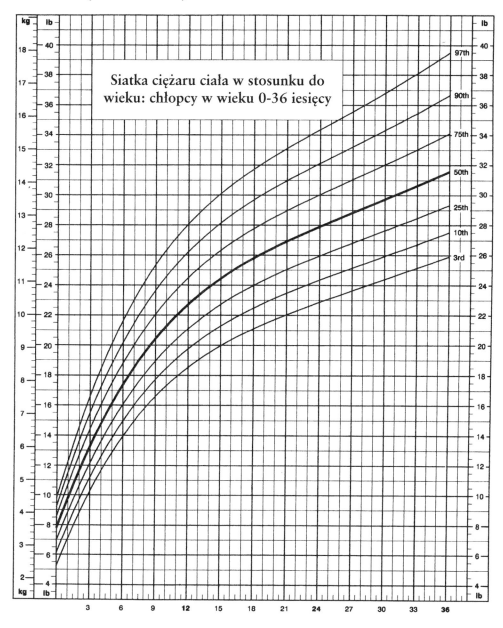

Siatka ciężaru ciała w stosunku do wieku: chłopcy w wieku 0-36 iesięcy

Wiek (w miesiącach)

ŹRÓDŁO: Opracowane przez Narodowy Ośrodek Statystyki Medycznej (National Center for Health Statistics) we współpracy z Narodowym Ośrodkiem Zapobiegania Chorobom Przewlekłym i Promocji Zdrowia (National Center for Chronic Disease Prevention and Health Promotion) (2000).

Siatki centylowe rozwoju dziecka

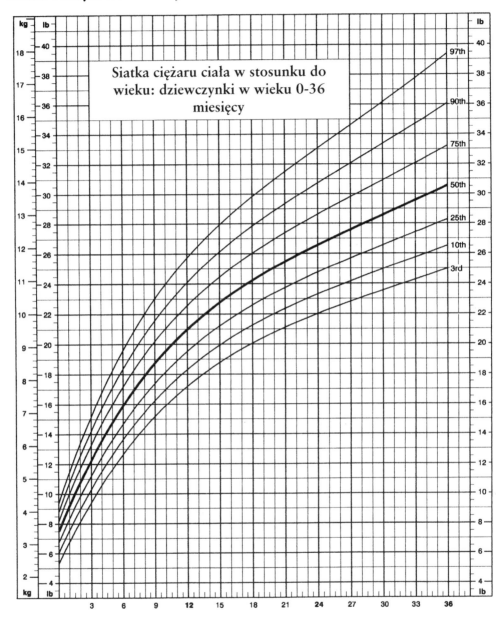

Siatka ciężaru ciała w stosunku do wieku: dziewczynki w wieku 0-36 miesięcy

Wiek (w miesiącach)

ŹRÓDŁO: Opracowane przez Narodowy Ośrodek Statystyki Medycznej (National Center for Health Statistics) we współpracy z Narodowym Ośrodkiem Zapobiegania Chorobom Przewlekłym i Promocji Zdrowia (National Center for Chronic Disease Prevention and Health Promotion) (2000).

Siatki centylowe rozwoju dziecka

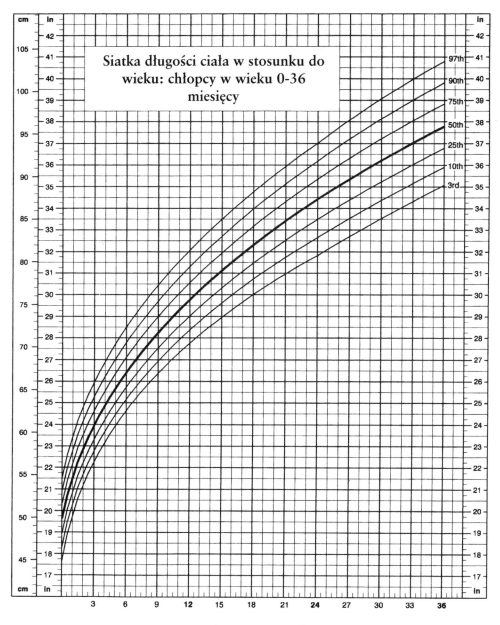

Wiek (w miesiącach)

ŹRÓDŁO: Opracowane przez Narodowy Ośrodek Statystyki Medycznej (National Center for Health Statistics) we współpracy z Narodowym Ośrodkiem Zapobiegania Chorobom Przewlekłym i Promocji Zdrowia (National Center for Chronic Disease Prevention and Health Promotion) (2000).

Siatki centylowe rozwoju dziecka

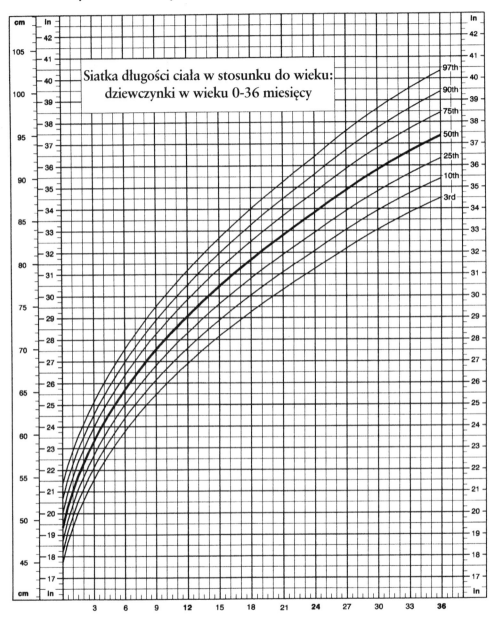

Siatka długości ciała w stosunku do wieku: dziewczynki w wieku 0-36 miesięcy

Wiek (w miesiącach)

ŹRÓDŁO: Opracowane przez Narodowy Ośrodek Statystyki Medycznej (National Center for Health Statistics) we współpracy z Narodowym Ośrodkiem Zapobiegania Chorobom Przewlekłym i Promocji Zdrowia (National Center for Chronic Disease Prevention and Health Promotion) (2000).

Siatki centylowe rozwoju dziecka

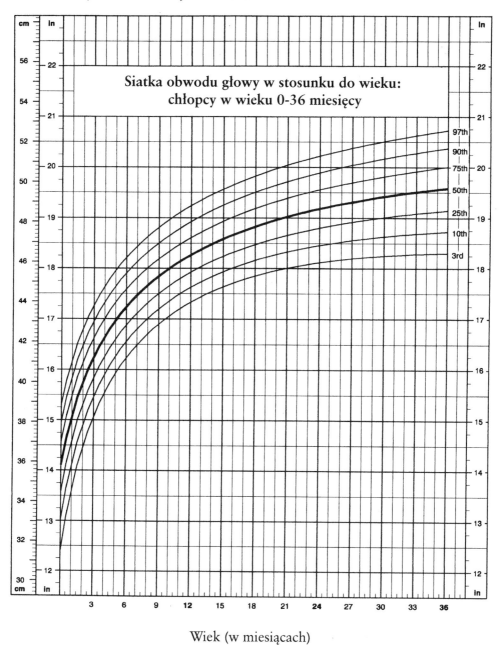

Siatka obwodu głowy w stosunku do wieku: chłopcy w wieku 0-36 miesięcy

Wiek (w miesiącach)

ŹRÓDŁO: Opracowane przez Narodowy Ośrodek Statystyki Medycznej (National Center for Health Statistics) we współpracy z Narodowym Ośrodkiem Zapobiegania Chorobom Przewlekłym i Promocji Zdrowia (National Center for Chronic Disease Prevention and Health Promotion) (2000).

Siatki centylowe rozwoju dziecka

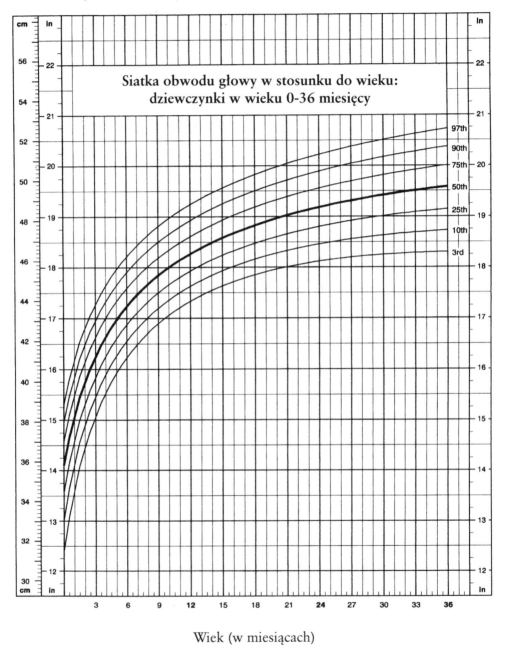

Siatka obwodu głowy w stosunku do wieku: dziewczynki w wieku 0-36 miesięcy

Wiek (w miesiącach)

ŹRÓDŁO: Opracowane przez Narodowy Ośrodek Statystyki Medycznej (National Center for Health Statistics) we współpracy z Narodowym Ośrodkiem Zapobiegania Chorobom Przewlekłym i Promocji Zdrowia (National Center for Chronic Disease Prevention and Health Promotion) (2000).

Siatki centylowe rozwoju dziecka

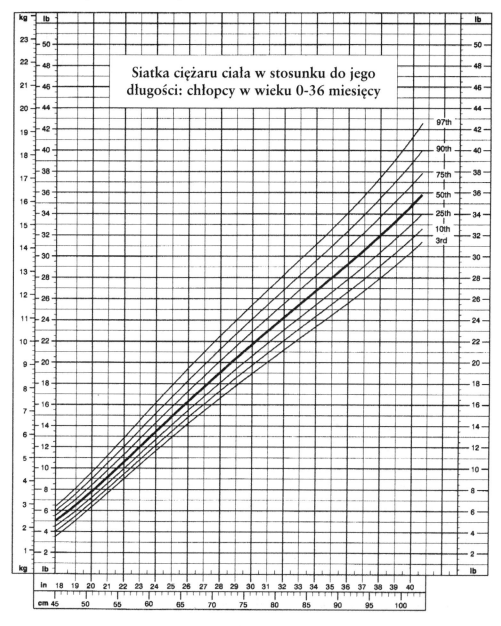

Siatka ciężaru ciała w stosunku do jego długości: chłopcy w wieku 0-36 miesięcy

Długość

ŹRÓDŁO: Opracowane przez Narodowy Ośrodek Statystyki Medycznej (National Center for Health Statistics) we współpracy z Narodowym Ośrodkiem Zapobiegania Chorobom Przewlekłym i Promocji Zdrowia (National Center for Chronic Disease Prevention and Health Promotion) (2000).

Siatki centylowe rozwoju dziecka

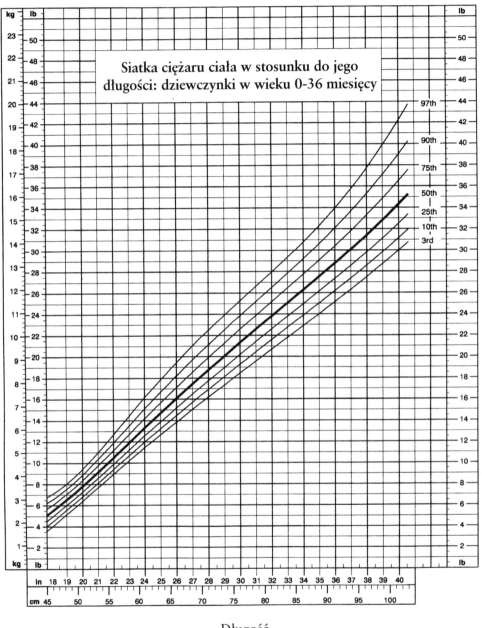

Siatka ciężaru ciała w stosunku do jego długości: dziewczynki w wieku 0-36 miesięcy

Długość

ŹRÓDŁO: Opracowane przez Narodowy Ośrodek Statystyki Medycznej (National Center for Health Statistics) we współpracy z Narodowym Ośrodkiem Zapobiegania Chorobom Przewlekłym i Promocji Zdrowia (National Center for Chronic Disease Prevention and Health Promotion) (2000).

Siatki centylowe rozwoju dziecka

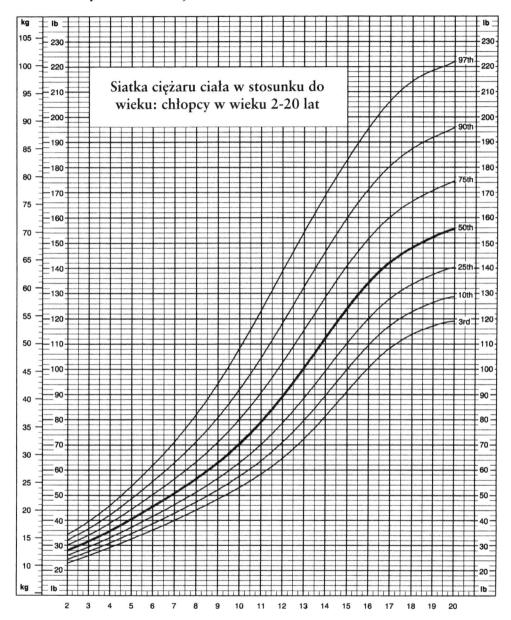

Siatka ciężaru ciała w stosunku do
wieku: chłopcy w wieku 2-20 lat

Wiek (w latach)

ŹRÓDŁO: Opracowane przez Narodowy Ośrodek Statystyki Medycznej (National Center for
Health Statistics) we współpracy z Narodowym Ośrodkiem Zapobiegania Chorobom
Przewlekłym i Promocji Zdrowia (National Center for Chronic Disease Prevention
and Health Promotion) (2000).

Siatki centylowe rozwoju dziecka

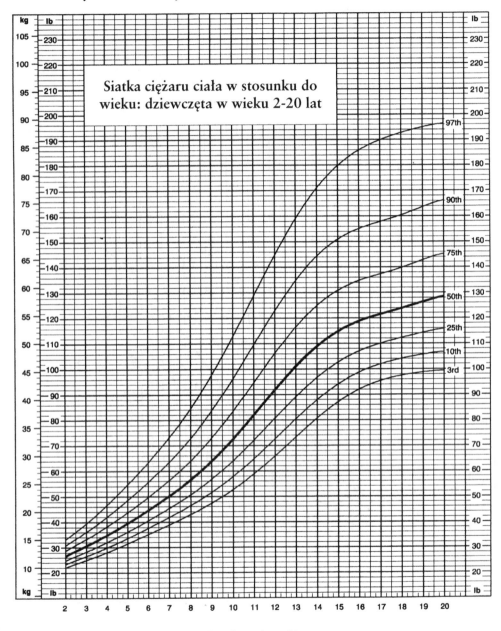

Siatka ciężaru ciała w stosunku do wieku: dziewczęta w wieku 2-20 lat

Wiek (w latach)

ŹRÓDŁO: Opracowane przez Narodowy Ośrodek Statystyki Medycznej (National Center for Health Statistics) we współpracy z Narodowym Ośrodkiem Zapobiegania Chorobom Przewlekłym i Promocji Zdrowia (National Center for Chronic Disease Prevention and Health Promotion) (2000).

Siatki centylowe rozwoju dziecka

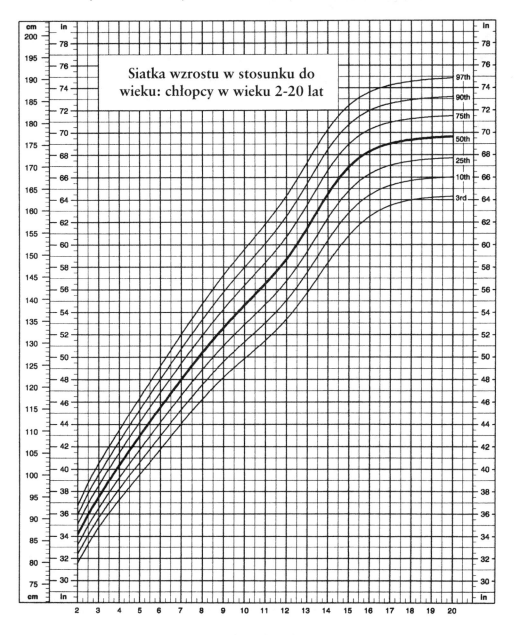

Siatka wzrostu w stosunku do wieku: chłopcy w wieku 2-20 lat

Wiek (w latach)

ŹRÓDŁO: Opracowane przez Narodowy Ośrodek Statystyki Medycznej (National Center for Health Statistics) we współpracy z Narodowym Ośrodkiem Zapobiegania Chorobom Przewlekłym i Promocji Zdrowia (National Center for Chronic Disease Prevention and Health Promotion) (2000).

Siatki centylowe rozwoju dziecka

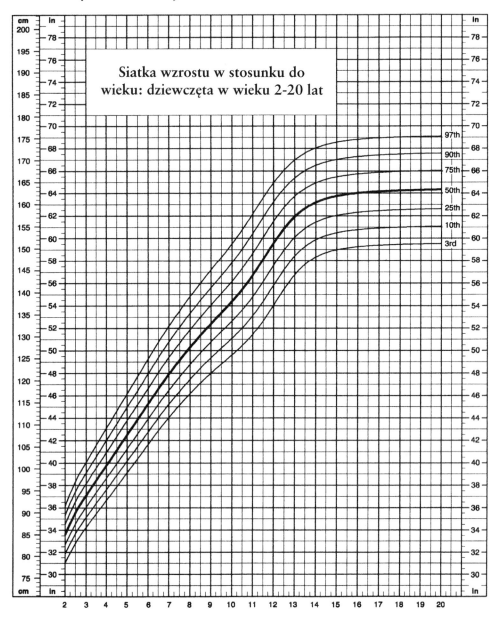

Wiek (w latach)

ŹRÓDŁO: Opracowane przez Narodowy Ośrodek Statystyki Medycznej (National Center for Health Statistics) we współpracy z Narodowym Ośrodkiem Zapobiegania Chorobom Przewlekłym i Promocji Zdrowia (National Center for Chronic Disease Prevention and Health Promotion) (2000).

Siatki centylowe rozwoju dziecka: Stany Zjednoczone

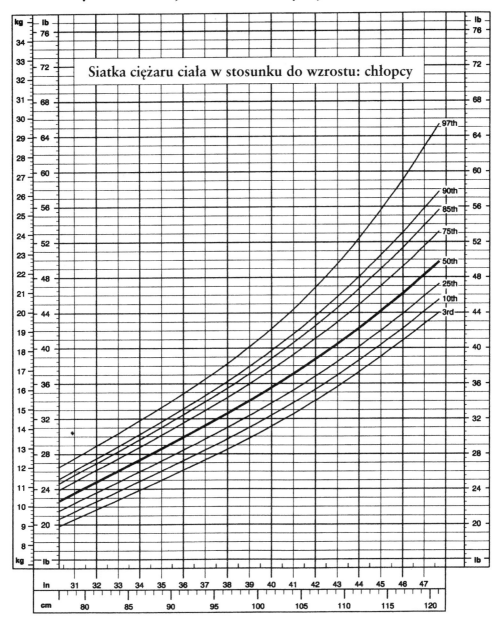

Siatka ciężaru ciała w stosunku do wzrostu: chłopcy

Wzrost

ŹRÓDŁO: Opracowane przez Narodowy Ośrodek Statystyki Medycznej (National Center for Health Statistics) we współpracy z Narodowym Ośrodkiem Zapobiegania Chorobom Przewlekłym i Promocji Zdrowia (National Center for Chronic Disease Prevention and Health Promotion) (2000).

Siatki centylowe rozwoju dziecka

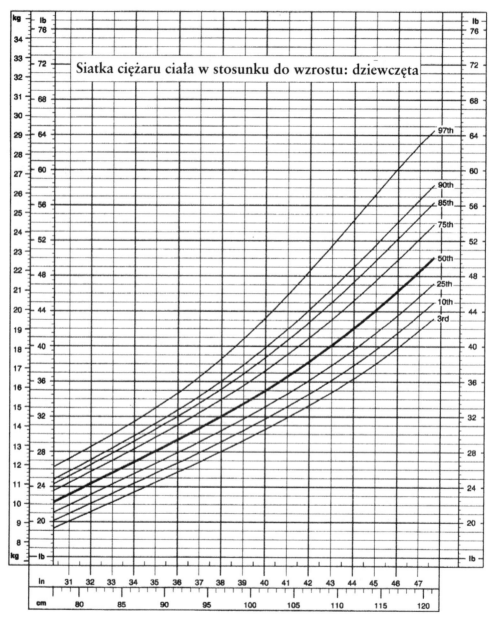

Wzrost

ŹRÓDŁO: Opracowane przez Narodowy Ośrodek Statystyki Medycznej (National Center for Health Statistics) we współpracy z Narodowym Ośrodkiem Zapobiegania Chorobom Przewlekłym i Promocji Zdrowia (National Center for Chronic Disease Prevention and Health Promotion) (2000).

Siatki centylowe rozwoju dziecka

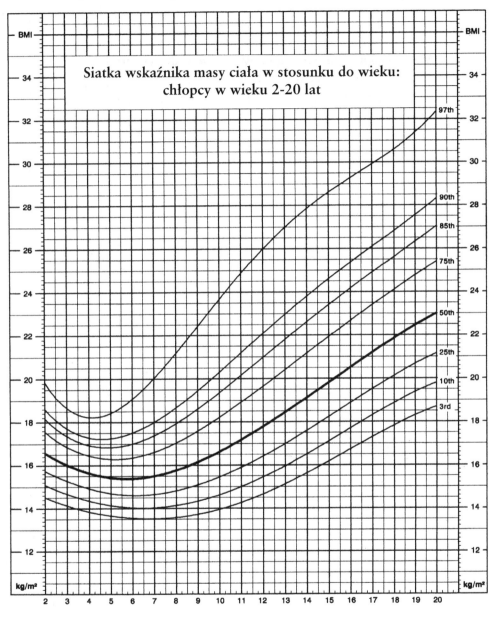

Wiek (w latach)

ŹRÓDŁO: Opracowane przez Narodowy Ośrodek Statystyki Medycznej (National Center for Health Statistics) we współpracy z Narodowym Ośrodkiem Zapobiegania Chorobom Przewlekłym i Promocji Zdrowia (National Center for Chronic Disease Prevention and Health Promotion) (2000).

Siatki centylowe rozwoju dziecka

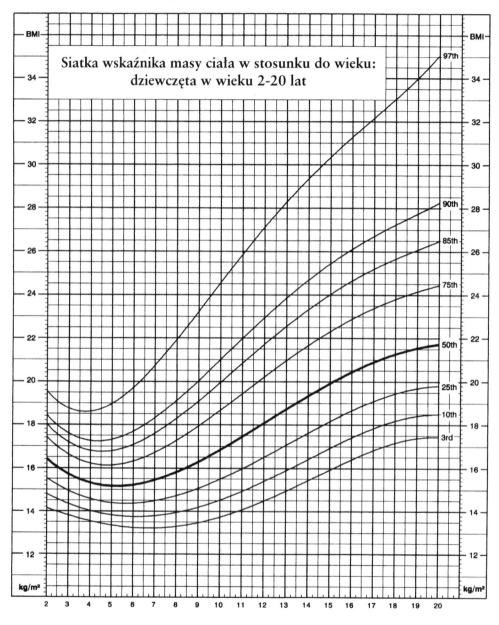

Siatka wskaźnika masy ciała w stosunku do wieku: dziewczęta w wieku 2-20 lat

Wiek (w latach)

ŹRÓDŁO: Opracowane przez Narodowy Ośrodek Statystyki Medycznej (National Center for Health Statistics) we współpracy z Narodowym Ośrodkiem Zapobiegania Chorobom Przewlekłym i Promocji Zdrowia (National Center for Chronic Disease Prevention and Health Promotion) (2000).

Ustalenia dotyczące *wysokości i masy ciała*, wg.: *Pediatria* pod red. B. Górnicki, B. Dębiec i J. Baszczyński, Warszawa 1997, (wyd. II 2002) s. 108, 109, 146–150

Wysokość i masa ciała dzieci poznańskich w wieku 0–3 lat (Kaliszewska-Drozdowska 1976)

Dziewczęta				Wiek w miesiącach	Chłopcy			
wysokość	cm	masa	ciała (kg)		wysokość	cm	masa	ciała (kg)
x	s	x	s		x	s	x	s
51,3	2,4	3,4	0,5	0	52,2	2,8	3,5	0,6
60,9	3,2	5,8	0,7	3	60,6	3,0	5,9	0,8
67,3	4,2	7,7	1,2	6	69,9	3,9	8,5	1,0
71,7	2,9	9,0	1,1	9	74,5	5,0	9,5	0,8
74,9	3,3	9,7	1,2	12	76,9	3,4	10,5	1,4
77,9	4,3	10,6	0,9	15	79,8	2,9	10,9	1,2
80,1	2,9	11,3	1,3	18	82,0	2,8	12,0	1,1
83,6	2,8	12,2	1,2	21	84,0	2,8	12,5	1,4
86,7	3,8	12,6	1,1	24	85,9	4,2	13,0	1,2
87,2	3,4	12,9	1,3	27	88,8	2,6	13,3	1,3
90,5	3,5	13,8	1,4	30	89,1	2,9	13,7	1,3
92,2	3,0	14,3	1,4	33	93,4	4,3	14,7	1,5
94,3	2,4	14,9	1,4	36	95,4	4,4	15,0	1,9

Obwód głowy i klatki piersiowej dzieci poznańskich w wieku 0–3 lat (Kaliszewska-Drozdowska 1976)

Dziewczęta				Wiek w miesiącach	Chłopcy			
obwód głowy		obwód klatki pier.			obwód głowy		obwód klatki pier.	
x	s	x	s		x	s	x	s
34,5	1,3	33,7	1,9	0	35,3	1,6	34,5	2,0
39,8	1,4	40,5	1,8	3	39,9	1,5	40,8	2,3
42,3	1,8	44,4	2,6	6	44,2	1,4	45,9	2,3
44,1	1,4	46,1	2,4	9	45,4	1,5	47,3	2,0
45,2	1,4	46,9	2,1	12	46,8	1,7	48,5	1,9
46,0	1,8	47,6	2,4	15	47,2	0,9	48,9	2,5
46,9	1,5	49,0	2,4	18	48,3	1,3	50,4	2,0
47,4	1,2	49,7	2,2	21	48,2	1,1	50,6	1,9
47,2	1,3	49,3	1,3	24	48,7	1,1	50,5	2,2
48,1	1,5	50,0	2,2	27	49,2	1,3	50,7	2,4
48,9	1,5	50,6	2,0	30	49,2	0,8	51,1	2,2
48,8	1,2	51,2	1,8	33	50,1	1,4	52,2	1,7
48,9	1,4	51,3	2,3	36	50,0	1,6	52,0	2,1

Wysokość i masa ciała dzieci i młodzieży m. Poznania w wieku 3–18 lat (Krawczyńaki i wsp., 2000)

Dziewczęta				Wiek (lata)	Chłopcy			
wysokość (cm)		masa ciała (kg)			wysokość cm		masa ciała (kg)	
x	SD	x	SD		x	SD	x	SD
98,2	4,6	15,9	2,3	3	99,3	3,9	15,8	2,5
105,1	3,9	17,5	2,3	4	105,0	4,2	17,7	2,0
111,6	4,7	19,8	2,8	5	112,7	4,5	20,1	2,6
118,5	4,6	22,3	3,5	6	119,5	4,9	22,6	3,4
124,4	5,1	24,8	3,8	7	125,5	5,2	25,5	4,0
129,2	5,4	27,2	4,5	8	130,6	5,4	28,2	4,6
135,0	5,4	30,3	5,2	9	135,9	5,3	31,1	5,2
140,3	6,1	33,9	6,5	10	140,8	5,8	34,3	6,1
147,3	6,8	38,4	7,6	11	146,6	6,1	38,3	8,0
153,0	6,6	43,2	7,9	12	152,2	6,9	42,6	8,5
159,0	5,9	48,0	7,7	13	158,8	7,9	48,0	9,7
162,3	5,4	52,5	7,8	14	166,7	7,9	54,8	9,7
164,1	5,4	54,1	7,3	15	171,4	7,3	59,0	9,8
164,8	5,5	55,5	7,0	16	175,6	6,4	63,8	9,4
165,9	5,4	56,6	6,7	17	177,5	6,1	66,9	9,0
166,4	5,6	57,2	7,1	18	178,7	6,4	69,1	9,1

Fazy rozwoju postawy ciała i lokomocji wg M. Zdańskiej-Brincken i N. Wolańskiego oraz percepcji mowy i wokalizacji w wieku niemowlęcym wg M. Przetacznikowej i H. Spionek

Wiek	Etapy rozwoju ruchowego niemowlęcia
3 mż.	w pozycji na brzuchu unosi głowę i ramiona na wysokość ok. 10 cm przez 1 min
3 mż.	utrzymuje głowę przy podciąganiu za przedramiona z pozycji leżącej na plecach do pozycji siedzącej
4 mż.	w pozycji siedzącej utrzymuje głowę prosto przez 1 min
4 mż.	w pozycji na brzuchu opiera się na przedramionach, unosząc głowę na wysokość ok. 15 cm przez 1 min
5 mż.	położone na plecach unosi głowę i ramiona
5,5 mż.	siedzi z lekkim przytrzymywaniem w pasie
6 mż.	w pozycji na brzuchu opiera się na wyprostowanych rękach, unosząc klatkę piersiową, i odwraca głowę na boki
6 mż.	obraca się z brzuszka na plecy
6,5 mż.	trzymane pod pachy utrzymuje częściowo ciężar ciała na wyprostowanych nogach
7 mż.	obraca się z pleców na brzuch

Wiek	Etapy rozwoju ruchowego niemowlęcia
7 mż.	w pozycji na brzuszku odrywa tułów od podłoża, opierając się na rękach i kolanach, odwraca głowę we wszystkich kierunkach
7 mż.	siedzi samo przy lekkim podciągnięciu, trzymając się dwóch palców dorosłego
7 mż.	siedzi samo opierając się na rękach, plecy pochylone do przodu
7 mż.	siedzi przez moment wyprostowane, bez podtrzymywania
7 mż.	pełza na brzuchu za pomocą rąk, nogi nie biorą czynnego udziału
7,5 mż.	podtrzymywane pod pachy podskakuje, zginając i wyprostowując kolana
7,5 mż.	stoi, podtrzymywane za obie ręce, przez 1 min
8 mż.	siada samodzielnie, chwytając się podpory
8 mż.	siedzi pewnie bez oparcia ok. 1 min
8 mż.	staje podciągane za obie ręce
8,5 mż.	siada samodzielnie bez oparcia
8,5 mż.	stoi z oparciem bez pomocy
9 mż.	staje samodzielnie, chwytając się podpory
9 mż.	raczkuje przy użyciu rąk i kolan
9 mż.	trzymane pod pachy wykonuje ruchy chodzenia
9 mż.	stąpa bokiem, trzymając się obiema rękami nieruchomego oparcia (barierki)
9,5 mż.	stojąc z oparciem, schyla się i podnosi zabawkę
9,5 mż.	chodzi podtrzymywane za dwie ręce
10,5 mż.	stoi samodzielnie
11 mż.	chodzi trzymane za jedną rękę
11,5 mż.	stawia pierwsze samodzielna kroki (2–4 kroki)
12,5 mż.	chodzi samodzielnie na sztywnych i szeroko rozstawionych nogach, kołysząc się, stąpa często na palcach

Wiek	Etapy rozwoju percepcji mowy i wokalizacji niemowląt
1–2 tż.	krzyk, inne dźwięki nieokreślone, wydawane przypadkowo
1–2 mż.	krzyk, dźwięki nieartykułowane: postękiwanie, sapanie, mlaski, pisk, pochrząkiwanie, dźwięki podobne do artykułowanych, o dużej zmienności i różnorodności
1–2 tż.	reakcje orientacyjne na dźwięki mowy ludzkiej
2 mż.	gruchanie: przeważają dźwięki gardłowe (k, g) i samogłoski przednie (i, u). Gruchanie pojawia się w stanie nasycenia i zadowolenia
3 mż.	gruchanie jako składnik reakcji ożywienia na widok osoby dorosłej
3–4 mż.	szerszy repertuar dźwięków fonemicznych. Możliwość warunkowania instrumentalnego wokalizacji w sytuacjach społecznych
5 mż.	wrażliwość na melodię i intonację głosu osoby dorosłej (na ton pieszczotliwy i surowy)

5 mż.	pierwszy moment przełomowy wokalizacji: początki gaworzenia, artykułowanie zgłosek na zasadzie echolalii
6–9 mż.	dalszy rozwój gaworzenia, wzbogacenie repertuaru spółgłosek zębowych
6–9 mż.	i wargowych; reduplikacja sylab
9–11 mż.	różnicowanie wokalizacji zależnie od funkcji sygnalizacyjnej związanej ze stanem emocjonalnym
9–11 mż.	wokalizacja łańcuchów zgłósek, samonaśladownictwo i naśladowanie struktur dźwiękowych otoczenia
11–12 mż.	rozwój słuchu fonematycznego, ujmowanie znaczenia pierwszych słów w kontakcie sytuacyjnym
11–12 mż.	drugi moment przełomowy wokalizacji: początki mowy właściwej; rozwój struktury fonemicznej mowy ludzkiej; pierwsze słowa
	rozumienie kilkunastu słów i zwrotów w określonych sytuacjach

Fazy rozwoju mowy i języka w okresie przedszkolnym wg H. K. Silvera

Wiek	Mowa	Język
1 mż.	dźwięki gardłowe	
2 mż.	dźwięki samogłosek („e"), gruchanie	
2,5 mż.	piski	
3 mż.	paplanie, niektóre samogłoski	
4 mż.	dźwięki gardłowe („a", „gu")	
7 mż.	naśladuje dźwięki mowy	
10 mż.		„tata", „mama" nieświadomie
12 mż.		jedno słowo oprócz „mamy", „taty"
13 mż.		trzy słowa
15–18 mż.	żargon (własny język)	sześć słów
21–24 mż.		dwa, trzy wyrażenia
2 lata	prawidłowo wymawiane samogłoski	ok. 270 słów; używa orzeczeń
3 lata	częste wahanie się i niepewność	ok. 900 słów; składa zdania z 4 słów
4 lata		ok. 1540 słów; składa zdania z 5 słów
6 lat		ok. 2500 słów; zdania z 6–7 słów
7–8 lat	biegłość jak u dorosłego	

Spis treści

Od autorów 7
O autorach 9
O KidsHealth i Nemours Foundation 11
Podziękowania 13

CZĘŚĆ I Ciąża, poród i pierwsze miesiące życia dziecka

Rozdział 1 **Opieka prenatalna** 17
      Jak zapewnić dziecku dobry start
    Będziemy mieli dziecko 17
    Jeśli planujesz dziecko 18
    Higieniczny tryb życia w ciąży 19
    Opieka medyczna 29

Rozdział 2 **Przygotowanie domu i rodziny** 45
      „All you need is love" – potrzebujesz tylko miłości
        (oraz pieluszek, łóżeczka, fotelika samochodowego...)
    Przygotowanie członków rodziny 45
    Przygotowanie domu 50
    Wyprawka dla noworodka (czyli: ile zapasów na jedno dziecko?) 54

Rozdział 3 **Narodziny dziecka** 75
      Najważniejsze wydarzenie
    Kto może ci pomóc 76
    Zaangażowanie ojca i innych bliskich 76
    Gdzie odbyć poród 77
    Kiedy wzywać lekarza lub położną 79
    Przebieg porodu siłami natury 79
    Rozwiązanie przez cięcie cesarskie 82

Walka z bólem 86
Inne częste zabiegi położnicze 89
Ocena stanu zdrowia noworodka 92
Początki więzi 93
Problemy przy narodzeniu 95
Przemyśl wszystko dokładnie 96

Rozdział 4 **Zapoznanie się z noworodkiem** 97
  „Wykapany tatuś!"
Główka 98
Twarzyczka 99
Oczy 99
Uszy 99
Nos 100
Jama ustna 100
Klatka piersiowa 101
Brzuch 101
Narządy płciowe 101
Kończyny 103
Skóra 104

Rozdział 5 **Najczęstsze problemy zdrowotne u noworodka** 109
  Na czym polegają i co wtedy robić
Żółtaczka 109
Przepuklina pępkowa 111
Pleśniawki 112
Inne częste stany chorobowe w pierwszych miesiącach życia 113

Rozdział 6 **Dziecko przedwcześnie urodzone** 114
  Noworodek specjalnej troski
Na czym polega wcześniactwo? 114
Stopnie wcześniactwa 115
Dlaczego niektóre dzieci rodzą się za wcześnie? 116
Początek porodu przedwczesnego – co robić? 117
Przygotowanie do porodu przedwczesnego 117
Opieka nad szczególnymi narodzinami 118
Ekipa transportowa 119
Jak zawrzeć znajomość z wcześniakiem 119
Brzemię rodzicielskich emocji 121
Co możesz zrobić dla wcześniaka? 121
Częste problemy i zabiegi medyczne 123
Powrót z wcześniakiem do domu 129

Rozdział 7 **Obrzezanie** 131
    Kwestie związane z decyzją
Na czym polega obrzezanie? 131
Decyzja o obrzezaniu 131
Wybór właściwego momentu 134
Możliwe powikłania po zabiegu 135

Rozdział 8 **Karmienie naturalne czy sztuczne?** 136
    Co jest najlepsze dla dziecka i całej rodziny?
Ważny wybór: piersią czy butelką? 137
Jeśli nadal masz wątpliwości 145

Rozdział 9 **Karmienie piersią 146**
    Zgodnie z naturą
Niezbędne wyposażenie 147
Przygotowanie piersi do karmienia 148
Rozpoczęcie karmienia piersią 149
Wczesna kontrola efektów 150
Jak trzymać dziecko do karmienia piersią 150
Właściwe uchwycenie piersi przez dziecko 151
Typowy seans karmienia piersią 153
Po czym poznać, że dziecko wypija dostateczną porcję mleka? 154
Pobudzanie produkcji mleka 155
Mechanizm wydzielania mleka 156
Dokarmianie niemowlęcia 157
Ściąganie mleka z piersi 158
Przechowywanie ściągniętego mleka 158
Powrót matki do pracy 159
Opieka nad kobietą karmiącą 160
Częste problemy związane z karmieniem piersią 162
Karmienie bliźniąt i nie tylko 164
Karmienie piersią dziecka adoptowanego 164
Odstawianie dziecka od piersi 165

Rozdział 10 **Karmienie sztuczne** 167
    Poradnik dla rodziców
Podstawowe wiadomości 167
Wybór mieszanki 168
Rodzaje butelek dla niemowląt 170
Rodzaje smoczków 171
Czy musisz sterylizować butelki, smoczki i wodę? 172
Wymogi higieny 173
Przygotowanie mieszanki 173

Najczęstsze problemy przy karmieniu butelką 176
Odzwyczajanie od butelki 176

Rozdział 11 **Podstawowa opieka nad niemowlęciem** 178
   Praktyczne porady na co dzień
Jak trzymać noworodka 179
Uspokajanie i zacieśnianie więzi 180
Miejsce dla taty 182
Przewijanie 182
Zawijanie 186
Smoczki 186
Krzyk i kolka 188
Kąpiel 190
Pielęgnacja prącia 193
Pielęgnacja kikuta pępowiny 193
Ograniczenie listy gości 193
Odbijanie 194
Kaszel 196
Ulewanie pokarmu 196
Wymioty 198
Zaparcie 199
„Ciemieniucha" (łojotokowe zapalenie skóry) 199

CZĘŚĆ 2 Rutynowa opieka lekarska: zachowanie zdrowia

Rozdział 12 **Wybór lekarza dla dziecka i nawiązanie z nim współpracy** 203
   Godny zaufania partner
Twoje opcje 203
Pierwsze etapy poszukiwań 204
O co musisz zapytać 205
„Rekonesansowa" wizyta w gabinecie 207
Osobowość i sposób bycia lekarza 208
Dobry kontakt i współpraca z lekarzem twojego dziecka 209

Rozdział 13 **Rutynowa opieka lekarska** 214
   Lepiej zapobiegać niż leczyć
Bilanse zdrowia dziecka 214
Wizyty ze zdrowym dzieckiem: jak często? 215
Przebieg kontrolnej wizyty u lekarza 216
Badania przesiewowe pod kątem postępów w rozwoju 217
Ocena wzroku, słuchu i stanu uzębienia 218
Inne badannia przesiewowe 218

Przygotowanie do wizyty kontrolnej 221
Kiedy dzwonić do lekarza? 222
Gdy dziecko zachoruje 223
Stały kontakt telefoniczny 225
Lęk dziecka przed badaniem lekarskim 225
Wybierz lekarza, który dobrze porozumiewa się z dziećmi 229
Zaufaj własnej intuicji 229

Rozdział 14 **Badania przesiewowe** 231
    Które z nich są potrzebne twojemu dziecku?
Badania przesiewowe noworodków pod kątem chorób dziedzicznych
    i metabolicznych 232
Badania przesiewowe pod kątem gruźlicy 234
Badania przesiewowe poziomu cholesterolu 234
Badania przesiewowe poziomu ołowiu 235
Badania przesiewowe pod kątem niedokrwistości 236

Rozdział 15 **Słuch i wzrok** 237
    Kontrola najważniejszych zmysłów dziecka
Słuch 237
Wzrok 241

Rozdział 16 **Szczepienia ochronne** 248
    Niezbyt przyjemne, ale ratujące życie
Dlaczego nie wszystkie dzieci są szczepione – choć powinny 248
Rutynowe szczepienia ochronne 250

CZĘŚĆ 3 Twoje dziecko rośnie: radości i wyzwania rodzicielstwa

Rozdział 17 **Wzrost i rozwój** 261
    Pomiary i elementy wyznaczające
Wzrost fizyczny 261
Rozwój dziecka 265
Wskaźniki rozwoju dziecka 271

Rozdział 18 **Czas zabawy** 282
    Rozwój poprzez zabawę
Rola zabawy 282
Etapy 283
Jak pomóc dziecku 284
Wybór odpowiednich zajęć i zabawek 285
Kształtowanie umiejętności społecznych 287

Sprawność, ruch i sport 290
Jak zadbać o bezpieczeństwo rodzinnego sportu 292
Telewizja, komputery i inne media 292
Czytanie dziecku: koniecznie! 296

Rozdział 19 **Temperament, zachowanie i dyscyplina** 298
Wpajanie zasad
Założenia dyscypliny 299
Ustalenie ogólnych zasad zachowania 302
Czego się spodziewać w miarę dorastania 302
Uwzględnianie temperamentu 308
Postępowanie w różnych rodzajach zachowania 309

Rozdział 20 **Nauka kontrolowania potrzeb fizjologicznych** 319
Poradnik dla rodziców
Wybór właściwego momentu 319
Przygotowania 320
Start 321
Jak odnieść sukces 322
Częste problemy 324

Rozdział 21 **Sen 327**
Rytmy, problemy i potrzeby
Zasypianie i ciągłość 327
Nocne pobudki a karmienie 328
Wyrabianie właściwego rytmu snu 331
Gdzie dziecko powinno spać? 334
Spanie na plecach zmniejsza ryzyko SIDS 336
Bezpieczne miejsce 337
Zasady bezpieczeństwa dla zmęczonych rodziców 338
Rytm snu w różnych okresach życia 338
Zaburzenia snu 345

Rozdział 22 **Zdrowe odżywianie** 349
Otwórz szeroko buzię!
Zachowania żywieniowe 349
Przejście od mleka do pokarmów stałych 350
Początki: pierwsze pokarmy stałe 351
Pokarmy do unikania u małych dzieci 354
Całkowite przejście na pokarmy stałe 355
Picie z kubka 356
Uzupełnianie witamin 356
Bezpieczne odżywianie 357

Alergie pokarmowe i objawy nietolerancji 359
Odżywianie w wieku 2–5 lat 360
Co robić, jeśli dziecko ma nadwagę? 362
Co powinno jeść? 362
Prawda o tłuszczach 367
Włókna roślinne 368
Dieta wegetariańska 368
Co warto ograniczać w diecie 370

Rozdział 23 **Opieka stomatologiczna** 375
          Otwórz szerzej buzię!
Ząbkowanie 375
Próchnica zębów 378
Mycie zębów dziecku 382
Wizyty u dentysty 383
Ssanie kciuka i smoczek 384
Wymiana zębów mlecznych na stałe 384
Zgrzytanie zębami 385

Rozdział 24 **Bezpieczeństwo dziecka** 386
          Praca, która nigdy nie ma końca
Co mówią liczby 387
Ogólne zasady zapewnienia bezpieczeństwa 387
Bezpieczna droga 389
Bezpieczny dom 392
Bezpieczna zabawa 402

Rozdział 25 **Wybór opiekunki lub placówki opieki** 414
          Czy mogę prosić o referencje?
Wybór opiekunki 414
Opieka nad dzieckiem w domu 414
Rodzime lub domowe środki opiekuńcze 415
Poznanie nowego miejsca lub osoby 419
Jak zapobiegać chorobom dziecka uczęszczającego do żłobka
     lub przedszkola 420

Rozdział 26 **Medyczne aspekty adopcji** 422
          Im więcej wiesz, tym lepszym będziesz rodzicem
Zebranie informacji przed adopcją 422
Interpretowanie informacji 423
Gdy już podejmiesz decyzję, zdobądź dodatkowe informacje 424
Opieka zdrowotna po przybyciu dziecka do domu 425
Problemy wytwarzania więzi 428

CZĘŚĆ 4 Korzystanie z systemu opieki zdrowotnej

Rozdział 27 **System opieki zdrowotnej** 431
Ludzie, miejsca i koszty
Ubezpieczenie zdrowotne: czy twoje dziecko jest nim objęte? 431
Opieka specjalistyczna 432
Szpital 435
Pomoc doraźna 440

CZĘŚĆ 5 Urazy i choroby dziecka

Rozdział 28 **Pierwsza pomoc i postępowanie w stanach nagłych** 449
Bądź gotowa(-y)
Przygotowanie na nagłą sytuację – zanim się wydarzy 450
Zabiegi ratujące życie 452
Resuscytacja krążeniowo-oddechowa 452
Zadławienie 455
Częste urazy i stany nagłe 460
Bóle brzucha 460
Reakcje alergiczne i anafilaksja 460
Ugryzienia i użądlenia 461
Krwawienia zewnętrzne (skaleczenia i otarcia naskórka) 464
Krwawienia (krwotoki) wewnętrzne 466
Zaburzenia oddychania 466
Złamania kostne, zwichnięcia i skręcenia stawów 468
Oparzenia 470
Utonięcia 471
Urazy ucha 472
Porażenie prądem 472
Urazy oka 473
Omdlenie 475
Urazy palców dłoni i stóp 476
Odmrożenia 477
Urazy głowy i szyi 478
Przegrzanie (kurcze mięśniowe, wyczerpanie, udar cieplny) 479
Urazy jamy ustnej i zębów 481
Urazy nosa 482
Zatrucia 483
Drgawki 484
Uwięźnięcie drzazgi 485
Połknięcie ciała obcego 485
Utrata przytomności 486

Rozdział 29 **Dolegliwości i objawy** 488
  Co oznaczają i kiedy wzywać lekarza
  Jak korzystać z tego rozdziału 489
  Krzyk/kolka 490
  Ból/wydzielina z ucha 492
  Zaczerwienienie/wydzielina z oka 495
  Gorączka 498
  Ból/obrzęki kończyn i stawów 507
  Ból/nieprawidłowości w obrębie jamy ustnej 511
  Dolegliwości i objawy ze strony układu oddechowego 513
  Drgawki 521
  Dolegliwości i objawy skórne 524
  Ból gardła 530
  Dolegliwości i objawy ze strony
    przewodu pokarmowego 532
  Dolegliwości i objawy ze strony układu
    moczowego/narządów płciowych 542

Rozdział 30 **Choroby zakaźne wieku dziecięcego** 546
  Co warto wiedzieć o różyczce, grzybicy, gorączce reumatycznej i innych
  Jak korzystać z tego rozdziału 548
  Botulizm (zatrucie jadem kiełbasianym) 549
  Zapalenie oskrzelików 550
  Choroba kociego pazura 551
  Cellulitis (zapalenie tkanki podskórnej) 552
  Ospa wietrzna 553
  Przeziębienie 554
  Zapalenie spojówek 555
  Krup 556
  Biegunka 557
  Zapalenie ucha zewnętrznego („ucho pływaka") 559
  Zapalenie ucha środkowego 560
  Zapalenie mózgu 562
  Zapalenie nagłośni 564
  Rumień zakaźny (choroba piąta) 565
  Choroba rąk, stóp i jamy ustnej 565
  Wirusowe zapalenie wątroby 566
  Herpangina (wirusowe zapalenie gardła z wysypką pęcherzykową) 568
  Zakażenia wirusem opryszczki zwykłej 568
  Zakażenie HIV/AIDS 569
  Liszajec zakaźny 569
  Grypa 570
  Choroba Kawasakiego 571

Wszawica 573
Borelioza (choroba z Lyme) 574
Odra 575
Zapalenie opon mózgowo-rdzeniowych 576
Mięczak zakaźny 577
Mononukleoza zakaźna 578
Świnka (nagminne zapalenie ślinianek) 579
Osteomyelitis (zapalenie kości i szpiku kostnego) 580
Owsica 581
Zapalenie płuc 582
Wścieklizna 584
Zespół Reye'a 585
Gorączka reumatyczna 586
Grzybica skóry 587
Gorączka trzydniowa 589
Różyczka 589
Świerzb 590
Szkarlatyna (płonica) 591
Zapalenie zatok przynosowych 592
Gronkowcowe zakażenia skóry 593
Zapalenie gardła/angina paciorkowcowa 595
Limfadenopatia (powiększenie węzłów chłonnych) 596
Tężec 597
Toksoplazmoza 598
Gruźlica 599
Zakażenia dróg moczowych 600
Brodawki 602
Koklusz (krztusiec) 603
Zakażenia drożdżakowe (pleśniawki, rumień pośladków) 604

Rozdział 31 **Leki oraz środki alternatywne/uzupełniające** 606
          Co musisz wiedzieć o lekach
Jak ostrożnie stosować leki 606
Jak podawać leki 608
Dziecko a medycyna alternatywna 610
Na czym polegają różnice między medycyną konwencjonalą
     a alternatywną? 613

CZĘŚĆ 6 Dziecko z problemem zdrowotnym

Rozdział 32 **Problemy zdrowotne okresu wczesnego dzieciństwa** 619
          Poradnik dla rodziców
Jak korzystać z tego rozdziału 621

Problemy zdrowotne wymagające
   leczenia zachowawczego 622
Alergie 622
Niedokrwistości genetycznie uwarunkowane 623
Niedokrwistość z niedoboru żelaza 626
Astma oskrzelowa 626
Zespół hiperkinetyczny (AD/HD) 628
Autyzm 630
Znamiona 631
Ślepota/zaburzenia wzroku 632
Celiakia 634
Porażenie mózgowe dziecięce 635
Maltretowanie/wykorzystywanie seksualne dziecka 637
Rozszczep wargi/podniebienia 639
Wrodzone wady serca 641
Wrodzona niedoczynność tarczycy 643
Mukowiscydoza 644
Głuchota/niedosłuch 646
Opóźnienie w rozwoju/upośledzenie umysłowe 647
Cukrzyca 649
Zespół Downa (mongolizm) 651
Wyprysk/atopowe zapalenie skóry 653
Padaczka (epilepsja) 654
Refluks żołądkowo-przełykowy 656
Zaburzenia wzrostu 658
Hemofilia 660
Dysplazja/wrodzone zwichnięcie stawu biodrowego 661
Zakażenie HIV/AIDS 662
Wodogłowie 663
Młodzieńcze reumatoidalne zapalenie stawów 664
Choroby nerek 666
Zatrucie ołowiem 669
Białaczka (leukemia) 671
Choroby metaboliczne (fenyloketonuria, galaktozemia) 673
Dystrofia mięśniowa 674
Otyłość 676
Problemy ortopedyczne kończyn dolnych 678
Przedwczesne pokwitanie 679
Rozszczep kręgosłupa/przepuklina oponowo-rdzeniowa 681
Tiki/zespół Tourette'a 682
Problemy zdrowotne wymagające leczenia
   chirurgicznego/zabiegi 683
Zapalenie wyrostka robaczkowego 683

Przepuklina 684
Spodziectwo 684
Paracenteza (chirurgia ucha) 685
Zwężenie odźwiernika 685
Zez 685
Usunięcie migdałków/wyrośli adenoidalnych 686
Niezstąpienie jądra (wnętrostwo) 686

Rozdział 33 **Opieka nad dzieckiem specjalnej troski** 688
    Jak być najlepszym rzecznikiem własnego dziecka
Jak być rodzicem przewlekle chorego dziecka 689
System świadczeń gwarantowanych a opieka nad dzieckiem
  specjalnej troski 697
Kwestie finansowe 698
Zaufaj swojej intuicji 698

CZĘŚĆ 7 Źródła wiarygodnych informacji na temat zdrowia

Rozdział 34 **Zdrowie w Internecie** 703
    Komu zaufać?
Sieć a zdrowie 704
Internetowe grupy wsparcia i grupy dyskusyjne on-line 706
Uwaga na „ekspertów" on-line! 706
Informacje na temat zdrowia dzieci w Internecie 707
Jak korzystać z wyszukiwarek 708
Sieć a problem poufności danych 708

Załącznik A **Prowadzenie dokumentacji medycznej dziecka** 709
Załącznik B **Informacje o wzroście i masie ciała (BMI)** 716